BOUQUINS

Collection fondée par Guy Schoeller
et dirigée par Jean-Luc Barré

À DÉCOUVRIR AUSSI
DANS LA MÊME COLLECTION

Jacques Bainville, *La Monarchie des lettres*

Denis Diderot, *Œuvres* (5 volumes)

Érasme, *Éloge de la folie, Adages, Colloques, Réflexions sur l'art, l'éducation, la religion, la guerre, la philosophie, Correspondance*

La Fabrique de l'intime, Mémoires et journaux de femmes du XVIIIe siècle

Remy de Gourmont, *La Culture des idées*

Machiavel, *Œuvres*

Robert Maggiori et Christian Delacampagne, *Philosopher*

François Mauriac, *Journal — Mémoires politiques — Correspondance intime*

Mélancolies, De l'Antiquité au XXe siècle

Les moralistes du XVIIe siècle, *Sentences, maximes et pensées diverses*

Friedrich Nietzsche, *Œuvres*

Plutarque, *Vies parallèles*

Jean-François Revel, *Histoire de la philosophie occidentale*

Arthur Rimbaud, *Œuvres complètes et correspondance*

Sainte-Beuve, *Portraits littéraires*

Sénèque, *Entretiens — Lettres à Lucilius*

Spinoza, *Œuvres complètes*

Tacite, *Œuvres complètes*

Voltaire, *Questions sur l'Encyclopédie*

MICHEL DE MONTAIGNE

LES ESSAIS

Nouvelle édition établie par Bernard Combeaud

Préface de Michel Onfray

ROBERT LAFFONT | MOLLAT

Avec la collaboration de Nina Mueggler

« C'est ici une adaptation de bonne foi, Lecteur. Elle t'avertit dès l'entrée qu'elle est le fruit du travail d'un seul homme : Bernard Combeaud, humaniste des temps modernes, à l'intelligence féconde, au savoir inépuisable et à la bonté rare. La maladie, jalouse de sa valeur et de sa combativité, l'a empêché de mettre la dernière main à son ouvrage. J'ai donc essayé de respecter le plus fidèlement possible l'esprit de Bernard Combeaud pour mener son travail à terme.

Lecteur, puisses-tu garder son nom en tête lorsque tu liras le chapitre *Des plus excellents hommes* (II, XXXVI). »

ISBN : 978-2-221-21881-5

Dépôt légal : mars 2019 — N° éditeur : 61793/07

« Savoir vivre loyalement de son être »

Lire, lire encore et relire Montaigne

par Michel Onfray

> « Qu'un pareil homme ait écrit, véritablement la joie de vivre sur terre s'en trouve augmentée. Pour ma part, du moins depuis que j'ai connu cette âme, la plus libre et la plus vigoureuse qui soit, il me faut dire ce que Montaigne a dit de Plutarque : “ À peine ai-je jeté un coup d'œil sur lui qu'une cuisse ou une aile m'ont poussé. ” C'est avec lui que je tiendrais, si la tâche m'était imposée de m'acclimater sur la terre. »
>
> NIETZSCHE

À Denis Mollat

Montaigne est le plus grand philosophe de l'Occident judéo-chrétien, mais, depuis un siècle ou deux, les philosophes officiels, ceux de l'institution et de l'université, des académies et de la subversion officielle, ne le savent pas – pire : ils ne veulent pas le savoir ; pire que pire : ils affirment même parfois qu'il n'est pas philosophe ! Ainsi Hegel dans ses *Leçons sur l'histoire de la philosophie* ! Normal : la nature humaine veut qu'on méprise ceux à qui l'on doit tout, qu'on salisse qui nous a beaucoup donné, qu'on nie l'existence même de qui a insulté en offrant sa générosité.

Si d'aventure on voulait comprendre le comportement des hommes, l'éthologie devrait avoir remplacé la métaphysique et la morale depuis bien longtemps, au moins depuis Darwin, mais aussi, et surtout, depuis l'*Apologie de Raymond Sebond* dans laquelle Montaigne convoque les abeilles, les « arondelles », les araignées, les chats, les renards, les éléphants, les rémoras, les hérissons, les caméléons, les poulpes, les cirons, les oiseaux, les crocodiles, les alcyons, les baleines et leurs baleineaux, les parasites, les thons, les lièvres, pour abaisser notre superbe, rehausser l'intelligence et la sensibilité animale, leur sens de la morale et leur mémoire. Cinq siècles avant les antispécistes, tous leurs arguments sont exposés dans ce fort chapitre des *Essais* – et il se trouve tant de chapitres forts dans ce livre génial.

Quelques mots sur les *Essais,* en attendant : ce gros livre est un cabinet de curiosités philosophiques. Ce qui en rend la valeur considérable, tout en augmentant la difficulté de sa saisie globale. De la même manière qu'une toile de Jérôme Bosch ne se mémorise jamais dans sa totalité mais seulement avec l'aide d'un certain nombre de ses parties, l'œuvre philosophique de Montaigne est un tout que l'on n'appréhende que par ses parties, qui s'avèrent tellement vivantes que la saisie globale s'en trouve presque impossible – comme vouloir saisir une anguille à main nue... Voilà pourquoi c'est un livre à lire, à relire, à lire encore, et ce dans le détail et dans la totalité, mais aussi, et surtout, aux différents âges de son existence. Plus le temps passe, plus le génie de Montaigne se montre dans sa superbe. Cet homme a tout vu, tout su avant tous les autres...

Voilà pour quelles raisons ceux qui ont besoin d'un ou de plusieurs siècles pour comprendre ce que lui a saisi en plein XVIe le négligent tant. Car Montaigne est à l'origine d'un certain nombre de découvertes majeures en matière de philosophie. En voici une liste non exhaustive :

1. Montaigne invente la laïcisation de la pensée.
2. Montaigne invente la méthode introspective.
3. Montaigne invente le sujet moderne.
4. Montaigne invente la philosophie expérimentale.
5. Montaigne invente le relativisme culturel.
6. Montaigne invente l'homme nu.
7. Montaigne invente la sobriété heureuse.
8. Montaigne invente la religion rationnelle.
9. Montaigne invente l'antispécisme.
10. Montaigne invente le féminisme.
11. Montaigne invente l'amitié postchrétienne.
12. Montaigne invente la pédagogie.
13. Montaigne invente le corps postchrétien.

Qui dit mieux ? Précisons...

1

Montaigne invente la laïcisation de la pensée. Avant lui, la pensée française existe, bien sûr, mais au service de la religion chrétienne, autrement dit : elle se met au service de Dieu. Elle se confond à la théologie. La raison, le jugement l'analyse, la logique, la réflexion, la méthode, la rhétorique, tout doit converger vers Lui, raconter Sa grandeur et Sa puissance, expliquer pourquoi et comment Il est, pour quelles raisons Il ne peut pas ne pas être, quel rapport Il entretient à l'Être, au Néant, au monde sublunaire, comment et avec quels mots on peut Le dire, ce à quoi on s'expose en tâchant de Le nommer, etc. Voici à quoi se résume toute la philosophie médiévale : Heiric d'Auxerre, Gerbert d'Aurillac, Pierre Abélard, Alain de Lille, Roscelin de Compiègne, Nicolas d'Amiens, parmi tant d'autres penseurs, ont été des théologiens et, sous leur règne, la philosophie s'est trouvée soit confondue à cette activité, soit empêchée par elle...

Dans *De l'expérience* (III, XIII), autrement dit, à la fin des *Essais*, Montaigne le proclame clairement : « Il y a plus à faire à interpréter les interprétations qu'à interpréter les choses, et plus de livres sur les commentaires que sur tout autre sujet : nous ne faisons que nous entre-gloser. Tout fourmille de commentaires : d'autres, il en est grande cherté. » Mesure-t-on ce que signifie pareille assertion ? Elle dit tout simplement que la Bible et la patristique, qui peut s'entendre comme un long commentaire, à l'aide de milliers de livres, de la seule Bible pendant plus de dix siècles, doivent cesser d'être l'horizon indépassable de la réflexion. Avec cette poignée de mots, Montaigne abolit plus d'un millénaire de textes chrétiens, il passe à la trappe les œuvres complètes d'Augustin et de Thomas d'Aquin, il balance par-dessus bord les querelles entre aristotéliciens et néo-platoniciens, entre nominalistes et réalistes, il jette au feu métaphorique de sa réflexion les dizaines de milliers de livres issus de la scolastique. Car la glose valait comme méthode, du moins, elle suppléait toute méthode digne de ce nom. Qu'on songe par exemple que saint Augustin cite plus de soixante mille fois la Bible et que, de ce fait, son œuvre complète constitue un vaste commentaire des commentaires que Paul fait des évangélistes – qui eux-mêmes, à leur manière, commentaient déjà nombre de passages de l'Ancien Testament !

2

Voilà pour quelle raison *Montaigne invente la méthode introspective.* Il ne croit pas, en effet, que la vérité du monde se trouve dans les livres, et encore moins dans un seul d'entre eux, car elle demeure tout simplement... dans le monde ! C'est d'une telle banalité qu'on comprend que les philosophes, tout à leur mission théologique, soient passés à côté : depuis plus d'un millénaire, à la façon de Thalès qui, perdu dans l'observation du ciel, en oublie la réalité et tombe dans un trou en s'attirant le rire de la servante Thrace, les philosophes scrutent le ciel des idées et des chimères, des concepts et des mots afin de trouver la clé du monde mais ils ne cessent de chuter dans l'abîme.

Elle est en fait sous vos yeux, dit Montaigne : regardez et vous verrez... Montaigne écrit : « Ce qu'on sait droitement, on en dispose sans regarder au patron, sans tourner les yeux vers son livre. Fâcheuse suffisance qu'une suffisance pure livresque. Je m'attends qu'elle serve d'ornement, non de fondement » (I, XXV). Il poursuit : qui voudrait apprendre à danser, à monter à cheval, à manier une pique, à jouer du luth, à chanter, et ce uniquement dans les livres et avec les livres sans jamais se lancer sur une piste de danse, sans jamais grimper sur une selle, sans jamais tenir une pique en main, sans jamais voir un luth de sa vie ou sans jamais essayer de sortir une seule note de sa gorge ? « À cet apprentissage, tout ce qui se présente à nos yeux sert de livre suffisant : la malice d'un page, la sottise d'un valet, un propos de table, ce sont autant de nouvelles matières. À cette cause le commerce des hommes y est merveilleusement propre, et la visite des pays étrangers. » C'est dans ce chapitre des *Essais*, *De l'institution des enfants*, qu'il donne sa méthode : « frotter et limer notre cervelle contre celle d'autrui ». Montaigne veut donc qu'on apprenne le monde non pas dans les livres qui disent le monde, mais dans le monde lui-même. Ce que paradoxalement veut Montaigne avec ce livre, c'est d'en finir avec le monde des livres afin d'apprendre à lire le livre du monde. Comment ne pas lui donner raison ?

Il y a le monde extérieur, certes, mais également le monde intérieur. Et, bien avant Descartes à qui il fournit le canevas d'une méthode qui va chercher en soi ce que les livres ne peuvent plus donner, Montaigne annonce la couleur : certes, il parle de lui, il avoue même d'ailleurs ne faire que ça : parler de lui... Mais ça n'est pas par narcissisme ou plaisir pris à la fréquentation de soi-même, il existe assez de passages dans son ouvrage qui montrent un Montaigne ne se faisant pas de cadeaux et racontant sa nonchalance, son impuissance sexuelle, sa petite taille, son petit sexe, ses cheveux rares et blancs, ses défauts, la maladresse par exemple... Non. Montaigne se peint en sachant qu'il peint tout homme. En se racontant, c'est l'homme qu'il expose tout entier. Ce qu'il est, les autres le sont. Non pas que leurs vies coïncident avec la sienne, mais ce qui fait l'humanité d'un homme, c'est ce qui fait l'humanité de tous les hommes. L'homme Michel de Montaigne c'est l'homme avant lui et l'homme après lui, c'est un homme dans une histoire, mais c'est aussi et surtout ce qu'est l'homme dans toute histoire. Voilà pourquoi il est le père des moralistes français du siècle suivant : il examine les ressorts de son propre mécanisme et sait que ces rouages sont les mêmes chez les autres. De la même manière qu'il a un cœur et un foie, un cerveau et deux yeux, Montaigne sait que toute personne dispose au même endroit de son corps de ces mêmes organes et qu'ils fonctionnent pareillement. Certes, il est unique, mais comme chacun l'est : dans sa ressemblance avec autrui.

On m'objectera que les *Confessions* d'Augustin avaient, avant lui, créé la méthode introspective. Je ne le crois pas. L'évêque d'Hippone ne pratique pas une autobiographie au sens précis du terme car il active ce que le christianisme appelle depuis... une confession ! Autrement dit, il se peint comme pécheur, et uniquement comme tel, au risque parfois d'en rajouter un peu, voire beaucoup, dans le but de noircir le tableau afin d'obtenir une belle lumière quand il arrive au moment de la rédemption. Cette narration à charge, cette écriture contre soi, vise à raconter le salut par la contrition. Augustin relate une résipiscence, des remords, des regrets, des repentances, le tout enveloppé dans une fausse humilité qui trahit un véritable orgueil. Augustin veut son salut et, pour ce faire, il se noircit dans le but de paraître plus blanc une fois lavé par la grâce. Il n'a pas le souci d'une introspection qui partirait de l'examen de soi afin d'obtenir une psychologie universelle, comme Montaigne, car il part de soi, pour revenir à soi, en passant par Dieu, mais toujours en restant à soi. Les *Essais* sont une œuvre centrifuge, Les *Confessions*, un livre centripète : le premier est ouvert sur le monde, le second, fermé sur lui-même. Montaigne écrit un livre qui est pur amour du monde, Augustin, un ouvrage qui est amour de soi. Le Bordelais est ouvert et accueillant ; le Berbère, égotiste et narcissique.

3

Quel trésor Montaigne découvre-t-il au fur et à mesure de son écriture de lui-même, donc du monde ? *Montaigne invente le sujet moderne.* Ce sujet moderne, c'est lui en tant que son mécanisme s'extrapole à tout le monde. Un sujet qui ne se définit pas par rapport à autre chose que lui, Dieu en l'occurrence, mais qui est autoréférencé : le sujet Montaigne, c'est le sujet postchrétien. Il parle à la première personne, il écrit en effet : « Je n'ai d'autre objet que de me peindre moi-même », mais c'est une façon pour lui d'entretenir des autres personnes, de toutes les autres personnes. Il pourrait en effet affirmer : ce que je suis, tu l'es, il est, nous le sommes, vous l'êtes, ils le sont. Certes, pas dans le détail, mais dans la généralité. Ce que vit Montaigne, l'amour et la mort, la jalousie et la peur, la paresse et la joie, la faim et le plaisir, la vieillesse et la mémoire, le temps et l'argent, le pouvoir et la trahison, la foi et l'enfance, tous les hommes le vivent. Il est l'homme de l'éternel retour du Même en sachant que, ruse de la raison, ce Même prend les couleurs de l'Autre.

Prenons l'exemple fameux de son accident de cheval. C'est une expérience autobiographique dont on pourrait dire, à première vue, qu'elle ne concerne que lui. Ce fait divers singulier devient pourtant l'occasion et le prétexte d'une leçon de sagesse universelle. Dès lors, il n'est pas besoin d'avoir connu soi-même pareille aventure avec un cheval, ou son équivalent contemporain avec une voiture, pour trouver de l'intérêt à ces pages magnifiques. Car Montaigne part de lui-même pour obtenir une vérité existentielle utile à tous ses lecteurs.

Que dit factuellement Montaigne ? L'événement a lieu pendant la deuxième ou troisième guerre de religion, il ne sait plus très bien ; pour se promener, il monte un petit cheval à quelques lieues de chez lui ; l'un de ses employés arrive en sens inverse à toute allure avec un cheval puissant ; la collision est terrible : son cheval tombe, Montaigne est projeté au loin, son épée valse, sa ceinture se brise, son visage est tuméfié, il s'évanouit, on le porte inconscient jusque chez lui, pendant deux heures on le croit mort, on le voit bouger et respirer à nouveau, on le met debout, il vomit « un plein seau de bouillons de sang pur, et plusieurs fois sur le chemin, il m'en fallut faire de même », son vêtement est couvert de sang, il croit avoir été blessé par une arquebuse, il a des mouvements de main inchoatifs, il délire et demande qu'on donne un cheval à sa femme, il revient à lui mais ne reconnaît pas les lieux, puis, quelques jours plus tard, il connaît de grandes douleurs, le souvenir lui revient des détails de cet accident. Voilà.

À quoi bon, dirait Pascal, se regarder, se raconter, livrer au public une pareille aventure avec force détails ? Montaigne répond à l'objection avant qu'on la lui fasse : « Ce récit d'un événement aussi léger est assez vain, n'était l'instruction que j'en ai tirée pour moi, car, à la vérité, pour s'apprivoiser à la mort, je trouve qu'il suffit de s'en approcher. Or, comme dit Pline, chacun est à soi-même une très bonne école, pourvu qu'il ait le talent de s'épier de près. Ce n'est pas ici ma doctrine, c'est mon étude et n'est pas la leçon d'autrui, c'est la mienne. Et pour autant l'on ne doit pas me savoir mauvais gré si je la communique. Ce qui me sert peut aussi par accident servir à un autre. » Montaigne avoue qu'il s'inscrit dans le lignage de Socrate qui n'eut d'autre souci dans la vie que de se connaître. Or se connaître, soi, c'est connaître l'humaine condition.

Que dit philosophiquement Montaigne ? Que l'on n'apprend pas à mourir en lisant quantité de livres sur la mort, mais en la côtoyant. Dès lors, un accident de cheval est moins un fait divers qu'une voie d'accès à une sagesse sur la mort. Et il entrelarde son récit factuel de considérations philosophiques. Quelles sont-elles ? Le chapitre a pour titre *De l'exercitation* – autrement dit *De l'expérience*. Il s'agit donc de se poser la question : peut-on s'exercer à la mort, à mourir ? On sait que oui puisque la phrase « philosopher c'est apprendre à mourir » passe pour avoir été écrite par Montaigne – alors qu'elle est de Cicéron...

Montaigne nous dit donc ceci sur la mort : on ne saurait véritablement expérimenter en amont ce qu'on ne vit qu'une fois, mais nous pouvons l'approcher au plus près afin de l'apprivoiser et la mieux connaître. Le sommeil fait songer à la mort, il lui ressemble par plus d'un point. S'endormir et mourir, voilà deux expériences apparentées. Et l'on sait qu'il est facile et doux de sombrer dans la nuit. La chose s'effectue en un instant, on n'a pas le temps de voir, donc de s'en trouver affecté. Ce qui semble simple se trouve donc compliqué par le seul travail de l'imagination : la mort est donc moins à craindre que l'idée que nous nous en faisons ; il suffit de s'en faire une autre pour l'aborder sereinement. Comment ? En la regardant du plus près qu'il soit. Quand ? Eh bien nous y voilà : comme dans le cas d'un accident...

Fort de cette thèse que « plusieurs choses nous semblent plus grandes dans l'imagination que dans l'effet », Montaigne raconte donc sa chute de cheval. Voici ce que philosophiquement il en tire : l'accident cause un évanouissement, c'est, comme le sommeil, un phénomène apparenté à la mort. Il perd conscience, donc connaissance, pendant deux heures – d'une certaine manière, c'est comme s'il était mort pendant ce temps-là. Qu'a-t-il ressenti ? Rien, bien sûr. Car c'est le retour à la vie qui apporte avec elle son lot de souffrances et de douleurs. La mort est moins à craindre, puisqu'elle est un genre de doux sommeil, que la vie dans l'affliction. Que constate-t-il quand il commence à revenir à lui ? : « Cette réminiscence que j'en ai fort empreinte en mon âme, en me représentant le visage de la mort et son idée si près du naturel, me réconcilie un peu avec elle. » Le retour à la vie s'accompagne en effet d'une multitude de souffrances : la vue est brouillée de même que les idées, la mort semble là et il la souhaite pour échapper à ces douleurs : « Je fermais les yeux pour aider, me semblait-il, à la pousser hors, et je prenais plaisir à m'alanguir et à me laisser aller. C'était une imagination qui ne faisait que flotter superficiellement dans mon âme, aussi tendre et aussi faible que tout le reste, mais à la vérité non seulement exempte de déplaisir, mais mêlée à cette douceur que ressentent ceux qui se laissent glisser dans le sommeil. » Montaigne inverse donc les perspectives : la mort n'est pas une épreuve terrible, mais un doux passage, elle n'est pas une catastrophe terrorisante, mais un glissement voluptueux dans un état soporifique. Les mourants dans leur agonie ont déjà « l'âme et le corps ensevelis et endormis » : ils ne souffrent pas.

Poursuivant son introspection Montaigne débouche sur une idée extrêmement moderne : « Il y a plusieurs mouvements en nous qui ne partent pas de notre volonté. » Il ne sait pas nommer la chose, mais il l'a découverte : il existe ce qui semble un arc réflexe dans le corps qui se trouve découplé du vouloir, de la volonté, de la volition, de la connaissance. Dans l'agonie, ce sont ces mouvements qu'on dira inconscients qui sont visibles. Il n'y a nulle crainte à avoir : ce qui se voit n'est pas à interpréter comme des signes d'effroi aux portes de la mort, mais seulement comme des manifestations corporelles qui échappent à la conscience.

Le problème dans cet accident de cheval n'a pas été de sombrer dans le coma pendant plusieurs heures – ce fut au contraire plutôt doux et agréable –, mais... d'en sortir ! Car Montaigne le confesse, la souffrance vint quelques jours plus tard des brisures et fourbures, cassures et fractures, blessures et ruptures consécutives à la chute et ce au point, écrit-il, que « j'en crus remourir encore un coup, mais d'une mort plus vive ». La vraie mort frôlée fut donc moins épouvantable que la vraie vie recouvrée. Voilà la leçon philosophique donnée à l'issue de cette narration de ce qui cesse d'être un fait divers pour devenir une expérience philosophique.

4

Voilà comment *Montaigne invente la philosophie expérimentale* : il ne veut pas une connaissance idéale et idéaliste, obtenue par la seule fréquentation des grands ouvrages, mais une connaissance positive issue de l'examen de la réalité. Pour ce faire, il lui faut en finir avec Platon qui empoisonne la philosophie depuis des siècles, d'autant plus qu'il constitue le socle philosophique du christianisme avec le dualisme du corps et de l'âme, le manichéisme du bien céleste et du mal terrestre, l'idéalisme d'un arrière-monde préférable à ce monde-ci, le spiritualisme voulant que la matière du monde soit détestable, l'idéal ascétique qui promeut la haine de la chair et, parallèlement, célèbre une hypothétique âme immatérielle, éternelle et immortelle.

Pour Platon, le monde réel est faux et celui qu'il lui substitue, celui des Idées pures, est vrai, alors qu'il s'agit d'une pure fiction. Quand Montaigne écrit que « la philosophie n'est qu'une poésie sophistiquée », on peut imaginer qu'il pense à Platon, aux platoniciens et à sa nombreuse descendance, dont le néo-platonisme, la patristique et la scolastique. C'est dans cette perspective qu'il faut comprendre son : « Je ne suis pas philosophe » (III, IX) : à savoir, non pas *je ne suis pas philosophe dans l'absolu,* mais, *si être philosophe c'est croire que les idées qui disent le monde sont plus vraies que le monde, alors, oui, je ne suis pas philosophe...*

Car Montaigne n'est pas un philosophe scolastique, comme la plupart en son temps, mais un philosophe moderne : il ouvre d'ailleurs la modernité. De la même manière que Whitehead a pu écrire dans une boutade qui n'est pas si fausse que toute la philosophie occidentale n'avait été que la somme des notes en bas de page de l'œuvre complète de Platon, on peut dire que c'est le cas... jusqu'à Montaigne mais qu'avec lui, après lui, la philosophie occidentale ne sera que la somme des notes placées en bas de page des *Essais*...

Montaigne (1533-1592) est un philosophe expérimental, le premier d'entre eux, bien avant Francis Bacon (1561-1626) auquel on associe l'expression, alors que son œuvre majeure, *Novum organum*, date de 1620 – pour mémoire, la première édition des *Essais* date de 1572. Montaigne regarde, observe, raconte, pense, déduit, propose, philosophe. Voilà pourquoi la matière de sa pensée n'est pas faite d'Idées, mais de choses vues ou vécues : il regarde son chat et extrapole une théorie qui nourrit aujourd'hui les antispécistes ; il voit par sa fenêtre un paysan qui travaille sa terre alors qu'il vient de perdre un enfant et disserte sur la sagesse des gens de peu ; il souffre de la maladie de la pierre et il analyse les effets de la douleur sur la conscience et les effets de la conscience sur la douleur ; il raconte sa petite enfance et son réveil au son de l'épinette puis il fournit la matière de la pédagogie moderne en interdisant les sévices corporels, en prohibant la violence avec les enfants ; il rencontre un androgyne et en profite pour analyser la puissance de l'imagination, une théorie pour laquelle il convoque également un pétomane ; il voit un homme sortir son mouchoir de sa poche, ce qui déclenche une méditation sur la mode ; il dispose d'un serviteur venu du Brésil et rédige *Des cannibales,* l'un des plus beaux textes de la philosophie occidentale pour penser les civilisations et se refuser de les hiérarchiser ; il perd son ami La Boétie et, une fois de plus, il écrit un autre chapitre sublime de l'histoire de la pensée mondiale – *De l'amitié* ; il se marie, il écrit des pages hilarantes sur le mariage, on peut par exemple lire cette belle saillie : « Épouser sa maîtresse c'est chier dans un panier et se le mettre sur la tête », et les pages qui suivent pour inviter à rester célibataire ; il se fait dépouiller dans une forêt, il raconte combien il ne faut pas s'en formaliser et rester ferme ; il passe un temps fou à cheval, et il leur consacre un chapitre tout entier, *Des destriers*, afin de manifester sa passion pour ce qui deviendra la plus noble conquête de l'homme sous la plume de Buffon ; il voit sa libido s'effondrer avec l'âge, il en parle sans complexes et en profite pour faire une théorie du désir ; il vieillit, il nous parle de l'âge ; il rencontre un protestant, il perd des chevaux qu'on lui vole, on tue l'un de ses pages italiens, il disserte sur la nécessité de la tolérance en matière religieuse ; dans cette configuration politique, il rencontre le roi et le reçoit même chez lui : il critique la torture et fait savoir « qu'assis sur un trône on n'est jamais assis que sur son cul » ; il a plusieurs enfants, puis il explique pourquoi « nous ne devrions pas nous mêler d'être père » (*De l'affection des pères aux enfants*) et pour quelles raisons il vaut mieux produire une œuvre ; il lit et écrit des livres, il nous parle alors du bon usage des livres ; il entretient d'enfants siamois, d'un pâtre médecin sans sexe, et examine la question de la nature en refusant qu'il puisse exister quelque chose qui soit contre nature (*D'un enfant monstrueux*) ; il est malade, il écrit sur les médecins et la médecine des pages bien senties en affirmant qu'ils « rendent la santé malade » et que ce que la fortune nous donne, la médecine se l'approprie ; dans ce même ordre d'idées, il voyage en Europe et effectue des cures thermales, il dit combien il s'agit de foutaises, mais quel bénéfice il y a à connaître d'autres pays et à changer d'air loin de chez soi ; il est nommé maire de Bordeaux, il en raconte les devoirs et les charges, la difficulté d'être à soi. Et l'on pourrait ainsi ajouter indéfiniment à cette liste car les *Essais*, dont j'ai dit qu'ils étaient un cabinet de curiosités philosophiques, en est véritablement un. Ce qui lui arrive, ce qu'il voit, ce qu'il regarde, ce qu'il subit, ce qu'il expérimente : voilà qui, toujours, donne lieu à une réflexion, une pensée, une médiation, une théorie – une philosophie. Montaigne écrit : « Je m'étudie plus qu'autre sujet : c'est ma métaphysique, c'est ma physique » (*De l'expérience,* III, XIII). Comment mieux dire qu'on donne son congé à Platon pour qui la métaphysique ne saurait laisser sa place à une physique ! Il écrit : « La licence du temps m'excusera-t-elle de cette sacrilège audace d'estimer traînants aussi les dialogues de Platon même, qui étouffent par trop sa matière ? Et de regretter le temps que perd à ces longues interlocutions vaines et péremptoires un homme qui avait tant de meilleures choses à dire ! » (*Des livres*, II, x).

Où l'on voit que Montaigne n'a que faire des livres pour penser le monde : il s'y colletine pour le penser directement, sans médiation livresque ou théorique. Pour preuve, cette belle anecdote concernant un philosophe qui possède une belle bibliothèque : « J'en connais un à qui, quand je demande ce qu'il sait, il me demande un livre pour me le montrer, et il n'oserait me dire qu'il a le derrière galeux s'il n'allait sur-le-champ étudier dans son lexicon ce que c'est que “ galeux ” et ce que c'est que “ derrière ” ! » (*Du pédantisme*). Combien de philosophes contemporains ignorent qu'ils ont un derrière galeux faute d'avoir trouvé dans leur bibliothèque le livre qui leur en ferait la démonstration ! Puis, plus loin : « Nous savons dire : “ Cicéron dit ainsi ”, “ Voilà les mœurs de Platon ”, “ Ce sont les mots même d'Aristote ” : mais nous, que disons-nous nous-mêmes ? Que faisons-nous ? Que jugeons-nous ? Autant en dirait bien un perroquet ! »...

5

Montaigne invente le relativisme culturel. Cette façon de procéder, il l'ignore, enfonce un coin dans l'arbre judéo-chrétien. La découverte du Nouveau Monde en 1492 grâce aux voyages effectués par les navigateurs entre l'Amérique et l'Europe ; la venue de Brésiliens qu'il a rencontrés à Bordeaux ; la fréquentation pendant plus d'une dizaine d'années de son serviteur normand qui a vécu là-bas et parlait la langue des Tupinambas et qui lui a présenté des navigateurs desquels il a obtenu des témoignages de première main ; sa passion qui débouche sur une collection particulière d'Art premier : tout cela nourrit un chapitre aux conséquences considérables sur l'avenir de l'Europe judéo-chrétienne.

Des cannibales, c'est le titre de cet essai dans les *Essais*, prend à revers la pensée chrétienne sur le sujet de l'altérité : l'Église estime que ces gens de couleur sont des sauvages, des barbares, qu'ils n'ont pas d'âme et que l'on peut dès lors les exploiter, les mettre en servitude, les maltraiter, les tuer, les faire dévorer par des chiens, les brûler, les persécuter, les exterminer, et puis, surtout, confisquer leurs terres...

S'il fallait résumer ce chapitre en une seule phrase de Montaigne, ce serait celle-ci : « Chacun appelle barbarie ce qui n'est pas de son usage, tout comme, à la vérité, nous n'avons pas d'autre mire » (I, xxx). Cette thèse mine le camp chrétien pour lequel le monde se divise en deux : le leur et celui des autres qui sont des barbares à convertir, donc à détruire. Les chrétiens pensent que, dans le monde, il n'y a que des chrétiens à tenir en laisse avec l'aide des logiques de l'orthodoxie et des barbares à christianiser afin de les tenir en laisse eux aussi. On imagine mal, puisqu'elle est devenue commune, combien cette idée était alors révolutionnaire.

Une phrase plus particulièrement fonde le relativisme culturel qui explose l'édifice chrétien : « Nous les pouvons donc bien appeler barbares, eu égard aux règles de la raison, mais non pas eu égard à nous, qui les surpassons en toute sorte de barbarie » (I, xxx). Autrement dit, si barbare il y a, ce sont bien plutôt ces Blancs catholiques venus d'Europe qui ont pratiqué l'ethnocide des populations qui vivaient aux Amériques...

Montaigne propose un récit ethnographique laïc qui ne moralise pas et n'a pas pour objectif de juger en regard du catéchisme chrétien. Ils ont des façons de vivre, de penser, de s'habiller, de se nourrir, de faire la guerre, de se soucier de leurs anciens, d'enterrer leurs morts, de prier leurs dieux, mais qu'est-ce qui nous permet de dire qu'il vaut mieux porter bas et pourpoints plutôt que ceintures de plumes colorées et colliers de coquillages ? Que vaut-il mieux : croire que Dieu est le Père d'un Fils qui ne découle pas de lui, qui se fait homme via une mère vierge, qu'il meurt et ressuscite trois jours plus tard, qu'il monte au ciel et s'assied à la droite de son père, alors qu'il est dit que le Père et le Fils c'est la même chose ? Ou souscrire à leurs propres visions des choses – « ils croient les âmes éternelles, et celles qui ont bien mérité des dieux être logées à l'endroit du ciel où le soleil se lève, les maudites du côté de l'Occident » ? Faut-il comme eux manger leurs morts ou, comme nous, les enfouir sous la terre en sachant qu'ils seront dévorés par les vers, les asticots, la vermine, puis qu'ils pourriront sous six pieds de terre ? Ce cannibalisme a fait couler beaucoup d'encre.

Il donne son nom à ce fameux chapitre des *Essais*. Montaigne argumente et les ethnologues confirmeront : les Brésiliens mangent leurs défunts non parce qu'ils seraient barbares, mais parce que leur civilisation leur enseigne que l'estomac des vivants est la meilleure sépulture à offrir à un ancêtre dont, au sens étymologique, on s'incorpore les vertus en l'ingérant de la sorte. Comment mieux dire qu'une civilisation n'a pas à être considérée comme supérieure ou inférieure à une autre et qu'il faut donner à chacune qui se trouve en péril la protection qui lui permet d'être et de persévérer dans son être ?

6

Avec ce relativisme culturel, *Montaigne invente l'homme nu.* J'appelle homme nu un homme qui n'a pas totalement rompu avec la nature, voire qui en est resté au plus près. Et cette idée travaille également à l'émancipation laïque de la pensée. Car, pour un chrétien, l'homme nu c'est celui qui sort du jardin d'Éden après le péché originel : c'est donc l'homme peccamineux, coupable, puni, honteux, mortel, chargé de tous les péchés du monde. C'est l'homme sali par la faute qui ne sera sauvé qu'après avoir renoncé à la nature en lui afin de devenir pur esprit, fantôme sans corps et sans chair, sans désir et sans envie, sans passions et sans émotion, un homme qui ressemblera soit au corps de Jésus qui est une fiction de papier, soit au corps du Christ qui est un cadavre tuméfié.

Or, cet homme nu, c'est ce qui deviendra chez Rousseau, hélas, l'homme à l'état de nature posé par le philosophe genevois comme naturellement bon, mais corrompu par la société. Il suffirait alors pour l'auteur du *Discours sur l'origine de l'inégalité parmi les hommes* de changer la société afin d'obtenir un homme à nouveau bon. Via Robespierre, on sait ce que cette idée d'un Homme Nouveau a produit dans l'Histoire...

L'homme nu, c'est celui de l'anthropologie, autrement dit : plus du tout celui de la théologie. Ce qui est dit sauvage est purement et simplement ce qui n'a pas été altéré par l'artifice de la culture : « C'est une nation, dirai-je à Platon, en laquelle il n'y a aucune espèce de trafic, nulle connaissance de lettres, nulle science des nombres, nul nom de magistrat, ni de supériorité politique, nul usage de service, de richesse ou de pauvreté, nuls contrats, nulles successions, nuls partages, nulles occupations qu'oisives, nul respect de parenté que commun, nuls vêtements, nulle agriculture, nul métal, nul sage de vin ou de blé. Les paroles mêmes qui signifient le mensonge, la trahison, la dissimulation, l'avarice, l'envie, la détraction, le pardon, inouïes. Combien trouverait-il la république qu'il a imaginée éloignée de cette perfection » (I, XXX). On n'y trouve ni vieux, ni malades, ni chassieux, ni édentés, ni courbés ; ils grillent leurs poissons et leurs viandes ; ils tissent le coton ; ils font un seul repas par jour ; ils se lèvent avec le soleil ; ils ne boivent pas en dehors du repas ; ils dansent toute la journée, les plus jeunes chassent, les femmes préparent les boissons ; un sage leur enseigne le courage au combat et l'amour de leurs femmes ; ils sont polygames et leurs épouses sont si peu jalouses qu'elles cherchent à augmenter le nombre des femmes de leurs maris ; ils croient aux âmes éternelles dont certaines sont damnées, d'autres sauvées en fonction de la valeur des vies qui les ont accompagnées ; ils ont une poésie dont Montaigne va jusqu'à dire qu'elle est anacréontique – autrement dit : qu'elles rivalisent avec le meilleur en matière de versification grecque ; ils sont vaillants au combat et mangent leurs prisonniers, on l'a vu et l'on en connaît désormais les raisons – et Montaigne de continuer à raconter cet homme non chrétien et à détailler en quoi consistent ses us et coutumes... Cet Homme Nouveau fait paraître ancien l'homme chrétien. Il le rend caduc. Il est une hypothèse de travail pour ce qui deviendra la gauche en politique – une hypothèse bien vite transformée en certitude...

7

On pourrait dire, à ce point de l'analyse, que *Montaigne invente également la sobriété heureuse*... Ces hommes ne font pas la guerre pour augmenter leur territoire, mais pour des questions d'honneur, de gloire et de vaillance. Leur vie simple et frugale se satisfait de chasse, de pêche et de cueillette : « Ils sont encore en cet heureux point, de ne désirer qu'autant que leurs nécessités naturelles leur ordonnent : tout ce qui est au-delà est superflu pour eux » (I, XXX).

Cette ascèse dans les choses les plus simples se manifeste également dans des moments plus complexes. Montaigne rapporte qu'il a rencontré des cannibales à Rouen. Les historiens des idées ont bien montré qu'en fait il les avait rencontrés à Bordeaux mais que, n'ayant pas voulu rappeler au roi Charles IX, avec lequel il souhaitait rester en bons termes, le mauvais souvenir de sa rencontre avec les membres du Parlement de Guyenne qui l'avaient mal reçu, il a préféré déplacer cette scène en Normandie – où elle eut effectivement lieu, mais sans lui qui était alors à Paris.

Bordeaux ou Rouen, quel que soit l'endroit, Montaigne rencontre donc des Brésiliens que l'on présente au roi. Laissons parler Montaigne : « On leur fit voir notre façon, notre pompe, la forme, d'une belle ville après cela, quelqu'un en demanda leur avis, et voulut savoir d'eux ce qu'ils y avaient trouvé de plus admirable, ils répondirent trois choses, d'où j'ai perdu la troisième, et en suis bien marri, mais j'en ai encore deux en mémoire. Ils dirent qu'ils trouvaient en premier lieu fort étrange que tant de grands hommes portant barbe, forts et armés, qui étaient autour du roi (il est vraisemblable qu'ils parlaient des Suisses de sa garde) se soumissent à obéir à un enfant, et qu'on ne choisissait plutôt quelqu'un d'entre eux pour commander. Secondement (ils ont une façon de leur langage, telle, qu'ils nomment les hommes “ moitié ” les uns des autres) qu'ils avaient aperçu qu'il y avait parmi nous des hommes pleins et gorgés de toutes sortes de commodités, et que leurs moitiés étaient mendiant à leurs ports, décharnés de faim et de pauvreté, et trouvaient étrange comme ces moitiés ici nécessiteuses pouvaient souffrir une telle injustice, qu'ils ne prissent les autres à la gorge, ou missent le feu à leurs maisons. » Signalons en passant que Montaigne se souvient de trois choses dites, mais seulement de deux dans le détail. Est-ce véritable oubli ou façon de faire silence pour mieux dire en sous-entendant ? Aujourd'hui, nous ne disposons plus des moyens de trancher. On dira qu'il en va ainsi du caractère de Montaigne : il se souvient qu'il a oublié...

La double leçon politique relève donc elle aussi de la sobriété heureuse : d'abord la Régence est une bêtise, car le pouvoir du roi, qui a alors douze ans, se retrouve entre les mains d'adultes, sa mère en l'occurrence, Marie de Médicis, qui n'ont que faire des avis d'un enfant ; ensuite, c'est une leçon politique majeure qui renvoie aux thèses de son ami La Boétie selon qui, dixit le *Discours de la servitude volontaire*, le pouvoir n'existe que par le consentement de ceux sur lesquels il s'exerce : la cour vit dans le faste et l'opulence et la rue, dans la misère et la pauvreté. Or, le bon sauvage s'étonne qu'il ne vienne pas à l'idée des miséreux de sauter à la gorge des riches ou de brûler leurs maisons ! On ne sait si Montaigne fait parler les cannibales et leur prêtant ses idées, je pense pour ma part que oui, ou s'il se contente de rapporter seulement un propos véritablement tenu par un Brésilien.

Ce cryptage pourrait bien avoir partie liée avec la religion. D'aucuns précisent que, s'il a situé cette histoire à Rouen, c'était peut-être aussi pour esquisser discrètement un soutien à cette ville de Normandie qui fut la première dans laquelle des catholiques ont reconquis le pouvoir sur les protestants après des guerres civiles coûteuses pour le pays. Ce qui nous conduit à la religion de Montaigne...

8

Montaigne n'était pas athée, loin de là, mais *il invente la religion rationnelle*. Il n'est pas athée car, il le dit dans les *Essais*, il fait sa prière du soir, il assiste à la messe et il en donne plusieurs témoignages, il fait ouvertement profession de foi catholique devant le Parlement de Paris, on sonne l'angélus tous les jours chez lui (I, XXIII), il commence ses lettres avec une croix, comme tous les catholiques. Son *Journal de voyage* nous apprend qu'il est allé en pèlerinage à Notre-Dame-de-Lorette et qu'il a déposé un ex-voto dans l'église qui le représente avec sa femme et sa fille à genoux devant la Vierge. On sait, pour en voir encore la preuve en visitant la tour de Montaigne, qu'il avait fait creuser dans son premier étage une petite niche afin d'écouter la messe quand elle était dite au rez-de-chaussée et ce afin de ne pas prendre froid. Un franc athée ne dirait pas son Notre Père, n'irait pas en pèlerinage, ne déposerait pas des ex-voto, n'emménagerait pas dans sa tour, qui est un endroit intime et privé, de quoi suivre une messe de façon confortable. Il écrit également dans les *Essais* que la religion catholique est la sienne, qu'il est né dedans et qu'il mourra en elle (I, LVI).

Mais il nettoie cette religion de toutes les scories possibles : il ne croit pas aux miracles ; il tient en estime nulle les médailles censées protéger ; il ne souscrit pas à toutes les prescriptions morales de l'idéal ascétique chrétien, il souhaite par exemple que le divorce ne soit pas compliqué sous couvert de ne pas le rendre désirable ; il ne croit pas que les animaux aient été créés pour l'usage et le caprice des hommes ; il ne fait pas de la paternité l'horizon indépassable du mariage, ni du mariage l'horizon indépassable de l'amour, ni même l'amour l'horizon indépassable de la sexualité ; il condamne, on l'a vu, la politique vaticane dans les pays du Nouveau Monde ; il ne donne pas son aval aux procès de sorcières ; il consent au suicide dans l'esprit des Romains ; il s'oppose aux indulgences (I, XXVI) dont il sait qu'elles entrent pour beaucoup dans le schisme luthérien.

Quelle est donc sa religion ? « Nous sommes chrétiens à même titre que nous sommes ou périgourdins ou allemands » (II, XII) écrit-il dans une phrase célèbre. Autrement dit, il aurait été juif en Palestine, luthérien en Allemagne, calviniste en Suisse, musulman en Perse, hindouiste ou bouddhiste en Inde. Il sait que Dieu est une chose, la religion une autre, le catholicisme et le protestantisme d'autres encore. Dieu donne la grâce, ou non, ses raisons sont impénétrables ; la religion fait un pays qui la fait en même temps et la France est catholique ; elle est un gage de stabilité sociale et, en tant que telle, indispensable – c'est la religion du souverain, or Montaigne est légitimiste.

S'il n'est pas athée, surtout pas, il écrit même contre la possibilité d'un monde sans Dieu, Montaigne rend l'athéisme possible : d'abord, on l'a vu, en estimant que la vérité du monde n'est pas dans la Bible qui dit le monde, encore moins dans les livres qui commentent la Bible, donc en envoyant aux poubelles de l'histoire de la philosophie dix siècles de patristique et de scolastique ; ensuite, en invitant à un véritable usage du monde réel et concret, du plus proche et du plus intime, lui-même, au plus vaste et à l'universel, les habitants du Nouveau Monde par exemple ; enfin en proposant une religion que je dirai rationnelle.

En quoi consiste cette religion rationnelle ? Un mot la nomme : le fidéisme. Certes, le terme n'apparaît qu'au XIXe siècle, mais la chose se trouve bel et bien chez lui : elle caractérise cette idée simple qu'il ne saurait y avoir de preuve de l'existence de Dieu – pas plus de son inexistence ! Cette simple option débarrasse le plancher philosophique de l'abondante bibliographie consacrée à cette question : preuve par la cause incausée, preuve par le premier moteur immobile, preuve par l'existence nécessaire, preuve par la perfection première, preuve par la finalité, preuve ontologique, la théologie ne manque pas de ces raisonnements dont se moquait Montaigne à sa façon, ironique et subtile, quand il écrivait : « Le jambon fait boire, le boire désaltère, par quoi le jambon désaltère » (I, XXV). Si la raison ne peut rien pour Dieu, Dieu, lui, peut pour la raison quand il accorde la grâce et donne la foi. Car la foi est première, l'intelligence arrive ensuite, la raison fait à la fin ce qu'elle peut. La foi, écrit-il, entre en nous « par infusion extraordinaire » (II, XII).

On imagine qu'en présence de pareille hérésie, l'Église catholique entre en furie : elle estime en effet que la raison et l'intelligence peuvent travailler à la justification, la preuve, l'explication, la nomination de Dieu ! Si la raison ne peut rien, alors la déraison va bientôt pouvoir tout. Elle sent bien le danger d'une pareille pensée : si la raison cesse d'être l'alliée du catholicisme, alors elle peut devenir l'amie utile et dangereuse de ses adversaires, voire de ses ennemis. Lui qui écrivait qu'être chrétien se résumait à être juste, charitable et bon (II, XII), et que la religion devrait servir à produire de la vertu alors qu'elle générait tant de vices, il ne pouvait donc être aimé par les gens de la secte.

9

C'est dans l'*Apologie de Raymond Sebond* (II, XII) que la philosophe développe ses pensées fidéistes. C'est également dans ce livre dans le livre qu'est ce long chapitre que *Montaigne invente l'antispécisme*. On le dit rarement, pour faire de Jeremy Bentham son inventeur, mais, trois siècles plus tôt, c'est à lui qu'on doit cette pensée non chrétienne que les animaux n'ont pas été créés par Dieu pour les hommes mais, comme les hommes, qu'ils sont des créatures qui diffèrent de nous par degrés et non par nature. Trois siècles avant Darwin et *L'Origine des espèces* ou bien encore *La Descendance de l'homme*, il écrit clairement : « Il y a quelques différences, il y a des ordres et des degrés, mais c'est sous le visage d'une même nature » !

Montaigne fait des animaux « ses confrères et compagnons ». Il écrit : « Quand je joue à ma chatte, qui sait si elle passe son temps de moi plus que je ne fais d'elle ? » (Il inverse donc les perspectives et ne regarde pas les animaux de haut mais, imaginant ce qu'ils voient quand il le regarde, il pose son regard à hauteur... de bête. Il se fait chat pour penser les hommes.)

Bête, justement, il regrette que ce soit une épithète dépréciative, sinon une insulte, et, comme avec les cannibales, il estimait que le plus barbare n'était pas celui qu'on croyait : il affirme en effet que, de l'homme ou de l'animal, le plus bête n'est pas qui l'on pense ! Il se pourrait bien en effet que les animaux nous trouvent bêtes ! Qui peut affirmer n'y avoir jamais songé en regardant un chien ou un chat le regardant ?

Sans les identifier comme tels, Montaigne démonte les arguments que l'apologétique chrétienne avance depuis des siècles avec ses textes sacrés en faveur de la supériorité de l'homme sur l'animal.

L'homme communiquerait ses émotions, ses sensations, ses perceptions, ses sentiments, pas l'animal : faux, dit Montaigne, ils communiquent, certes sans recourir à un langage articulé, mais avec des signes et des gestes, il suffit de les regarder. Et cette communication déborde le seul échange entre semblables dans une même et seule espèce : quand le chien aboie, le cheval perçoit sa colère, de même avec un humain qui hausserait le ton contre un bœuf. Les bêtes ne parlent pas, certes, mais les muets non plus, or cela ne les empêche pas de se comprendre. Nous parlons avec le visage, avec les mains, avec les sourcils, avec les yeux, les épaules.

L'homme obéirait à un ordre des raisons providentielles, mais pas l'animal : mais quid alors des abeilles, « les mouches à miel », dont l'organisation s'avère d'une redoutable complexité et d'une incroyable efficacité ? Ou des « arondelles », comme il dit, qui reviennent chaque saison au même endroit et fabriquent leurs nids d'une façon stupéfiante dans les endroits les plus appropriés ? Et ces araignées qui tissent leurs toiles en prenant en considération les lieux, le vent, l'exposition ? Ou du renard que les Thraces utilisaient en les lançant sur la glace afin de vérifier qu'au bruit perçu de l'eau courante sous la couche gelée par leur oreille, il s'engageait avant eux, ou non, sur la surface. Montaigne extrapole le raisonnement de l'animal : « Ce qui fait du bruit se remue, ce qui se remue n'est pas gelé, ce qui n'est pas gelé est liquide, et ce qui est liquide plie sous le faux. » Cette « police réglée avec ordre, diversifiée à plus de charges et d'offices, et plus constamment entretenue » dont il crédite les animaux ressemble bien à ce que l'on nomme de l'intelligence ! Car il y a bien, en effet, « délibération et pensement » chez les animaux...

L'homme saurait prévoir et agir en conséquence, pas les animaux. Mais ces derniers connaissent les plantes qui soignent (Montaigne a lu l'argumentation d'Origène contre Celse), ce qui veut dire qu'ils ont le savoir et la connaissance du pouvoir pharmaceutique des plantes et qu'ils peuvent poser un diagnostic, juger du bien-fondé d'une thérapie et se soigner par eux-mêmes.

L'homme pourrait apprendre : l'animal, pas. Faux, réplique Montaigne, il existe de nombreux exemples en faveur de l'apprentissage animal : on peut enseigner à parler à des oiseaux, il suffit de voir « les merles, les corbeaux, les pies ». De même, on peut dresser un chien à danser au rythme d'une musique et à nombreuses autres pitreries, à obéir à quelques commandements, à guider des aveugles : « Tout cela peut-il se comprendre sans ratiocination et sans discours ? »

Il y a même des moments où l'animal s'avère supérieur aux hommes. Ainsi : « La plupart des personnes libres abandonnent pour bien légères commodités leur vie et leur être à la puissance d'autrui » – or, leçon majeure, dans la nature, aucun animal n'en asservit un autre ! Quel formidable enseignement...

Un deuxième exemple, et Dieu sait si Montaigne sait de quoi il parle, Montaigne affirme des bêtes : « Quant à l'amitié, elles l'ont sans comparaison plus vive et plus constante que n'ont pas les hommes » – et de donner des exemples de fidélité de chiens qui se laissent mourir de chagrin à la mort de leurs maîtres ou qui se jettent au bûcher le jour de leurs funérailles afin de l'y rejoindre dans la mort.

Troisième exemple de leur supériorité : les humains font la guerre, se torturent et se massacrent, se dépècent et se font souffrir sur les champs de bataille. Nulle part depuis le début de l'humanité, et dans aucun endroit, les animaux ne se font la guerre. S'ils se tuent, c'est uniquement pour manger et vivre : c'est affaire de chasse dans laquelle hommes et bêtes sont à égalité de sagacité.

Quatrième exemple : leur sexualité. Ils ne s'embarrassent pas de choses bien compliquées, au contraire de nous. Ainsi, ils pratiquent l'inceste. Ils ne rechignent pas au contact avec les hommes – et les femmes en particulier : à cet effet, Montaigne donne l'exemple de l'éléphant d'Aristophanes le grammairien qui accompagnait sur le marché où elle achetait ses fruits et ses légumes une jeune bouquetière d'Alexandrie et « lui mettait quelquefois la trompe dans le sein par-dessus son colle, et lui tâtait les tétins »... Et Montaigne de convoquer en plus un dragon amoureux d'une jeune fille, une oie éprise d'une enfant, un bélier complice d'une ménétrière ou des singes magots amoureux de femmes...

Cinquième exemple : nombre d'animaux sont bien plus prévoyants que les humains car ils n'oublient pas de faire des provisions pour les temps les plus rudes quand les hommes, tout à leur insouciance, oublient de se mettre, ainsi que leur famille, à l'abri du besoin.

Sixième exemple : les animaux ont une longue mémoire du bien et du mal qu'on leur a fait. Les hommes, non : ils ont la mémoire courte, ils se montrent facilement oublieux au gré de leurs intérêts. Fidèles quand ils y trouvent un avantage, infidèles quand ils le perdent, les humains ont bien souvent l'ingratitude facile ou la gratitude intéressée.

Septième exemple : dans la même logique, on trouve des vertus chez les animaux qu'on serait bien en peine de trouver chez l'*Homo sapiens* : fidélité, gratitude, donc, mais aussi magnanimité, repentance, reconnaissance, clémence. Ajoutons à cela la solidarité : « Il se voit des bœufs, des pourceaux et autres animaux, qu'au cri de celui que vous offensez, toute la troupe accourt à son aide, et se rallie pour sa défense. L'escare, quand il a avalé l'hameçon du pêcheur, ses compagnons s'assemblent en foule autour de lui, et rongent la ligne et si d'aventure il y en a un qui ait donné dedans la nasse, les autres lui baillent la queue par dehors, et lui la serre tant qu'il peut à belles dents, ils le tirent ainsi au dehors et l'entraînent. Les barbiers, quand l'un de leurs compagnons est engagé, mettent la ligne contre leur dos, dressant une épine qu'ils ont, dentelée comme une scie, à tout laquelle ils la scient et coupent. » Montaigne illustre son propos avec la baleine et son poisson pilote, les roitelets qui nettoient les dents des crocodiles, le pinnothère, un petit animal, qui vit dans la nacre et la protège des dangers, et autres exemples qui prouvent l'entraide chez les animaux, un moteur naturel pour la sélection, la vie, la durée, l'existence et la puissance des espèces selon Darwin. Dans *L'Entr'aide*, le prince anarchiste Kropotkine fera d'ailleurs de cet instinct solidaire la base d'une politique sociale fraternelle et libertaire.

La conclusion de ces longues et belles analyses de Montaigne est qu'« il se trouve plus de différence de tel homme à tel homme que de tel animal à tel homme ». Pareille assertion ravage la métaphysique judéo-chrétienne. Elle rend possible l'éthologie, qui aura besoin d'un demi-millénaire après lui pour pouvoir se faire entendre un peu ! Et encore : nous n'en sommes qu'aux balbutiements...

10

Que *Montaigne invente le féminisme* paraît plus difficile à démontrer tant on a pris l'habitude d'extraire et de citer ses saillies misogynes ou phallocrates, comme on dit aujourd'hui. Par exemple, ceci : « Selon la loi que nature leur donne, ce n'est pas proprement à elles de vouloir et de désirer : leur rôle est souffrir, obéir, consentir. C'est pourquoi nature leur a donné une perpétuelle capacité à nous, rare et incertaine. Elles ont toujours leur heure, afin qu'elles soient toujours prêtes à la nôtre » (III, v). Il ajoute une citation avec laquelle il enfonce le clou : les femmes seraient en effet « nées pour le rôle passif ». La chose est fatale ! Comment s'en remettre ?

Mais Montaigne a également écrit ceci : « Les mâles et les femelles sont jetés en même moule : sauf l'institution et l'usage, la différence n'y est pas grande » (III, v). *Sauf l'institution et l'usage* : on ne peut mieux dire que, si différence il y a, et il y a différence, elle n'est affaire que d'institution et d'usage, autrement dit d'éducation et d'enseignement, d'instruction et de coutumes. Il existe donc des différences, et le mot revêt toute son importance, mais elles sont culturelles et non naturelles, car c'est le seul usage social qui transforme des *différences* culturelles en *inégalités* naturelles. Il ne suffit pas de nier l'évidence des différences pour abolir des inégalités. Pour ce faire, il faut changer les usages sociaux afin de permettre aux femmes d'avoir la même éducation que les hommes afin de réaliser l'égalité sociale et culturelle dans la différence naturelle – dans et avec.

Dans la veine féministe, il ajoute : « Les femmes n'ont pas tort du tout quand elles refusent les règles de vie qui sont introduites au monde, d'autant que ce sont les hommes qui les ont faites sans elles » (III, v). Comment mieux appeler à l'insubordination et à l'insoumission qu'en affirmant que les hommes ont créé un monde dans lequel les femmes ne sont que ce qu'ils veulent et pas ce qu'elles pourraient être ? Les femmes ont raison de se révolter contre l'ordre fait et voulu par les hommes : voilà, en plein XVIe siècle où les sorcières calcinent dans les bûchers chrétiens, matière à initier le combat sinon féministe, du moins féminin.

Comment tenir dans une même main ces deux extrémités intellectuelles ? D'une part, le propos phallocrate et misogyne par excellence : passives, les femmes attendent les hommes pour les accueillir afin d'être à leur disposition, c'est leur nature ; d'autre part, les femmes et les hommes sont naturellement semblables et ne diffèrent que par la culture. Qu'elles soient à disposition de l'homme est un préjugé partagé par tout le monde à l'époque, femmes comprises. Mais que l'inégalité soit d'institution, voilà ce que personne ne pense ni ne croit alors !

Rappelons que, Montaigne n'a cessé de le dire, les *Essais* sont, justement, *essais* de sa pensée ! Il peint le mouvement, comme il dit, et le mouvement le travaille lui aussi. Il s'essaie à lui-même. De sorte qu'il faudrait savoir quand, où, comment, dans quelle circonstance, mû par quel détail de sa vie, il a écrit ceci plutôt que cela. Les deux saillies se trouvent dans le même livre, celui de la maturité. On ne peut arguer d'un texte de jeunesse et d'un autre de vieillesse. Pensait-il à sa mère Antoinette de Louppes ou à sa femme Françoise de Lachassaigne quand il entretient des femmes à disposition, puis à Marie de Gournay, la complice intellectuelle et affective de ses dernières années quand il tient des propos amènes envers le sexe qu'on dit faible ? Se venge-t-il de sa femme qui le trompait avec son frère quand il fait assaut d'humeur chafouine et phallocrate ou célèbre-t-il ces femmes auxquelles il dédie quelques-uns des chapitres de ses *Essais* quand il en fait ses égales ? Parlait-il de la femme dans l'absolu ou des femmes dont certaines, parce qu'elles ont mis tout leur talent à être épouse puis mère, des perspectives qui ne l'enchantaient guère, lui donnent des boutons intellectuels ? On ne saura...

Ce que l'on peut à peu près avancer, c'est qu'il estime probablement que certaines femmes sont faites pour être à sa disposition – sa mère et sa femme peut-être... – et d'autres qui sont ses semblables puisque intellectuellement il en fait ses égales dans ses pensées et son travail. Car il ne manque pas de nous le dire : il apprécie le « doux commerce [...] des belles et honnêtes femmes » (III, III).

Il a en effet de bonnes raisons de ne pas tenir en haute estime son épouse. Celui qui écrit : « Un bon mariage se dresse d'une femme aveugle avec un mari sourd » (III, V) n'est pas parvenu à cette formule sans quelque expérience ! Dans les *Essais*, Montaigne parle de son père, pas de sa mère, ni de ses trois sœurs, ni même de ses propres enfants ; il y eut entre lui et sa mère des problèmes après la mort de son père : elle hérita de tout, il y eut procès ; il consacre un chapitre à la question de « l'affection des pères aux enfants » – mais pas des mères aux enfants...

Et puis il y eut cette histoire de la chaîne d'or portée par Arnaud de Saint-Martin, le frère de Michel de Montaigne, qui meurt d'un accident de balle au jeu de paume. Lorsqu'il faut procéder aux partages après la mort de son père, la chaîne reste introuvable ; mû par le pressentiment, Montaigne va la chercher dans le coffre de sa femme où, comme par hasard, il la trouve. Pour couvrir sa belle-fille, la mère prend sur elle d'avoir placé là ce qui lui aurait appartenu. Montaigne n'est pas dupe en voyant sa mère et sa femme mentir pour éviter le drame... Pareilles femmes peuvent donner envie un jour d'écrire une phrase malheureuse que l'éternité conserve...

Comment résoudre la contradiction entre un Montaigne misogyne, phallocrate, et un autre qui se montre féministe ? Montaigne estime que, dans le mariage, ce qu'il y a de plus beau est l'amitié. Il déteste la sexualité encagée qui débouche sur la fabrication d'une famille vivant sous le même toit. Cette cellule paulinienne que le christianisme invente pour éteindre la sexualité dans la médiocrité conjugale ne lui convient pas. Il sait que le mariage est fait afin que le lignage ne s'éteigne pas, mais il voit dans cette opération quelque chose d'assez incestueux (III, v) qui incite à l'effacement de la sexualité entre les époux. Même si elle n'a pas lu *Sur des vers de Virgile*, on sait qu'elle n'a pas lu les *Essais*, on comprend qu'avec une pareille théorie, sa femme aille tâter la chaîne de son beau-frère !

Ce que Montaigne veut, c'est une conversation intelligente avec une femme dont il estime que son sexe ne lui interdit pas d'être son égale. S'il se montre conservateur en matière de conjugalité, il apparaît révolutionnaire en estimant, ainsi qu'il l'a montré avec Marie de Gournay, qu'il n'est pas de plus bel amour qu'une amitié amoureuse. Et comme en l'amitié il y a égalité, Montaigne a cru, et il avait raison, que les femmes étaient nos égales, mais qu'elles se perdaient dans la maternité et le mariage. Simone de Beauvoir n'a pas écrit autre chose...

11

Montaigne invente donc également l'amitié postchrétienne, qui prend ses racines dans l'amitié préchrétienne ! On sait dans quelle estime les philosophes romains de l'Antiquité ont tenu cette vertu rare et précieuse : Sénèque, Épictète, Plutarque, Cicéron, Marc-Aurèle, Musonius Rufus, Themistius. Montaigne n'est pas intéressé par l'amitié grecque en laquelle se mêle toujours un peu de pédérastie. Mais il fait son miel de l'amitié épicurienne et stoïcienne.

Le chapitre *De l'amitié* (I, xxviii) est, à mes yeux, l'un des plus beaux et des plus célèbres de l'histoire de la philosophie occidentale. Mais on mesure mal aujourd'hui sa charge révolutionnaire à l'époque. Car, après mille ans de christianisme, l'amitié romaine est réprouvée : elle est en effet un sentiment entre deux personnes d'un même sexe, électif, donc aristocratique, et, de ce fait, aux antipodes de l'amour du prochain auquel invite le judéo-christianisme de façon universelle. La religion du Christ veut qu'on aime tout le monde et non pas un seul ou ceux de sa famille ; l'amitié romaine place la relation choisie et voulue au-dessus de tout.

On sait quelle relation a lié Montaigne à La Boétie. Disons que le philosophe n'a pas hésité à tremper sa plume dans l'encre lyrique et rhétorique pour transformer cette relation concrète ayant duré peu de temps en monument philosophique antique. Les deux hommes ont vécu « quatre ou cinq années » d'amitié selon Montaigne ; les historiens calculent qu'avec toutes les dates données par Montaigne c'est plutôt entre quatre et six ; Marie de Gournay dit quatre – je retiens sa version. Pendant ces quatre années, ils se sont peu vus et beaucoup écrit : ils ont souvent été séparés.

On connaît le florilège de citations et d'idées auquel ce chapitre a donné naissance : « nous nous cherchions avant que de nous être vus » ; « parce que c'était lui, parce que c'était moi » ; une amitié si entière et si parfaite qu'il n'en arrive qu'une fois en trois siècles ; l'amour abîmé par le temps, l'amitié renforcée par lui ; l'amitié la plus pure a pour raison et pour objectif l'amitié ; l'impossibilité d'une pareille relation entre un homme et une femme ; « nous nous embrassions par nos noms » ; les devoirs de correction mutuelle auxquels elle oblige ; se fier plus à l'autre qu'à soi ; la communauté de tout dans ce sentiment – « volontés, pensements, jugements, biens, femmes, enfants, honneur et vie » ; la nécessité de la distinguer des fausses amitiés construites sur l'intérêt ; l'étrange alchimie par laquelle celui qui reçoit donne ; « chacun se donne si entier à son ami qu'il ne lui reste rien à départir ailleurs » ; l'impossibilité d'avoir deux amis ; l'extrême rareté d'un pareil sentiment...

Et puis cette annonce faite par Montaigne lui-même d'insérer le *Discours de la servitude volontaire* de La Boétie dans les *Essais* que le philosophe présente comme un écrin pour le texte de son ami mort, un livre qu'il dit écrire dans le but de remplacer la conversation qu'il avait avec lui – mais une promesse non tenue... Montaigne prétend que ce texte radical explique que le pouvoir existe parce que ceux sur lesquels il s'exprime y consentent, qu'il sert aux protestants comme un libelle de ralliement contre le pouvoir autoritaire du roi catholique et qu'il ne veut pas cautionner cette récupération d'un texte dont il minimise la portée – il aurait été écrit par un très jeune homme, comme un pur exercice de rhétorique, c'était un simple ouvrage de compilation, sans véritable souci de son contenu... Quoi qu'il en soit, la promesse n'a pas été tenue : le tombeau a laissé place à un cénotaphe. L'ami a-t-il été amical ? En ne tenant pas sa promesse, peut-être l'est-il plus encore qu'en la tenant : il éviterait ainsi que son texte soit utilisé par ceux dont il n'aurait pas aimé, ni lui ni son ami, qu'ils s'en servent ? Peut-être...

Dans un monde où l'amour du prochain est imposé par la force ; dans ce même monde où il faut épouser, enfanter, fonder une famille et passer sa vie à travailler pour nourrir sa progéniture ; dans un temps de guerre civile et de guerre de religion, de peste et de famine, de rapines et de violence : l'amitié véritable est une « sainte couture » grâce à laquelle on obtient une augmentation de son être, de sa vie et de sa puissance. Elle est un antidote à l'amour du prochain qui oblige à aimer des gens peu aimables ou mal aimables, car elle permet d'aimer avec l'avantage de l'amour sans en avoir les inconvénients.

12

Montaigne invente la pédagogie. Quand on souscrit à la famille, on a des enfants qu'il faut bien dès lors éduquer ! Une fois de plus, c'est en partant de sa propre expérience que Montaigne offre une véritable théorie de l'éducation qui sort cette discipline du pur et simple dressage religieux auquel elle se réduisait. En ce temps-là, le professeur devait remplir une tête bien pleine avec les bêtises du catéchisme ; or, le philosophe propose une tête bien faite pour aborder avec un esprit critique les billevesées enseignées la plupart du temps par les gens d'Église. Et l'on sait que c'est à lui qu'on doit cette idée qu'il vaut mieux une tête bien faite qu'une tête bien pleine (I, XXVI). En notre époque où triomphe encore et toujours la tête bien pleine au détriment de la tête bien faite, il n'est pas sans intérêt de revenir aux *Essais*.

Bien avant la phrase du poète Wordsworth volée par Freud en vertu de laquelle « l'enfant est le père de l'homme », Montaigne écrit : « Je trouve que nos plus grands vices prennent leur pli de notre plus tendre enfance, et que notre principal gouvernement est entre les mains des nourrices. C'est passe-temps aux mères de voir un enfant tordre le col à un poulet, et s'ébattre à blesser un chien et un chat ; et tel père est si sot de prendre à bon augure d'une âme martiale, quand il voit son fils gourmer injurieusement un paysan ou un laquais qui ne se défend point, et à gentillesse (pour un raffinement d'esprit) quand il le voit affiner (tromper) son compagnon par quelque malicieuse déloyauté et tromperie. Ce sont pourtant les vraies semences et racines de la cruauté, de la tyrannie, de la trahison ; elles germent là » (I, XXIII). Dans la deuxième moitié du XVIe siècle, cette phrase est proprement révolutionnaire.

L'éducation ne se fait pas avec les livres qui prétendent dire le monde, mais avec le monde lui-même, en direct : regarder, voir, apprendre à la source même des choses, économiser les livres et les grimoires, les bibliothèques et les salles de classe : la vie s'apprend dans la vie, pas dans les livres. Il faut permettre aux enfants de philosopher, non pas en lisant la *Somme théologique* pour la commenter, mais en sollicitant leur curiosité naturelle à l'endroit du monde dans lequel tout est mystère pour qui entre dans la vie. Il faut apprendre à l'enfant l'art de résoudre les énigmes du monde en lui faisant comprendre que, tout étant mouvement et fleuve, rien n'existe sans une causalité qu'il faut chercher derrière chaque chose. Ne pas apprendre ce qui est, donc, mais pourquoi ce qui est l'est comme ça et pas autrement. On se moque du savoir et de la mémoire, du par cœur et de la récitation ; il faut au contraire apprendre à saisir l'intelligence reliant les choses qui constituent le monde. Pour ce faire, pas besoin d'autorité et de châtiment corporel, de discipline rigoureuse ni même d'élever la voix. Il écrit : « J'accuse toute violence en l'éducation d'une âme tendre, qu'on dresse pour l'honneur et la liberté. Il y a je ne sais quoi de servile en la rigueur et en la contrainte ; et tiens que ce qui ne peut se faire par la raison, et par la prudence et adresse, ne se fait jamais par la force. On m'a ainsi élevé. Ils disent qu'en mon tout premier âge, je n'ai tâté des verges qu'à deux coups, et bien mollement. J'ai eu de la pareille aux enfants que j'ai eu » (II, VIII).

Quelle éducation fut donc celle de Montaigne ? On le sait, cette histoire fait partie des morceaux choisis les plus connus et les plus commentés du philosophe : ses six premières années, avant qu'il n'entre au collège de Guyenne qui a failli le fâcher pour de bon avec les livres et la pensée, les idées et la culture, il a vécu une enfance idyllique. Jugez-en : le père de Montaigne lui donne un précepteur allemand, flanqué de deux assistants, afin d'apprendre le latin dans une terre où l'on converse en gascon ; il s'exprime donc en latin avec un entourage invité à le parler lui aussi, domestiques et voisins compris : il s'agit de former l'enfant à la sagesse romaine antique ; il est tellement doué dans cette langue qu'une fois scolarisé à l'extérieur, ses professeurs aguerris craignent sa maîtrise ; à sept ou huit ans, il lit *Les Métamorphoses* d'Ovide, puis *L'Énéide* de Virgile, mais aussi Térence et Plaute – nul besoin, à l'époque, de recourir aux fadaises d'une littérature jeunesse du genre *Michel joue du pipeau*... Il écrit : « Sans art, sans livre, sans grammaire ou précepte, sans fouet, et sans larmes, j'avais appris du latin tout aussi pur que mon maître d'école le savait » (I, XXVIII). On le réveille au son de l'épinette. Montaigne n'est pas un enfant roi, mais le roi des enfants.

Cette expérience génère donc un essai intitulé : *De l'institution des enfants* – sans lequel il n'y aurait eu ni l'*Émile* ni *La Nouvelle Héloïse* de Rousseau, ni même les pédagogies modernes qui s'en sont inspirées. Quelles sont les grandes idées de cette pédagogie ? On l'a déjà en partie vu : construire une tête bien faite plutôt qu'une tête bien pleine ; manifester un souci de la réalité plutôt que des livres qui la disent ; éviter le par cœur ; faire comme les abeilles qui « pillottent » partout, mais font ensuite leur miel toutes seules ; voyager, y compris à l'étranger, afin d'apprendre du spectacle du monde, et ce dès le plus jeune âge ; ne pas négliger les exercices corporels, car il faut un esprit sain dans un corps sain, on ne négligera donc pas la lutte, la course, la musique, la danse, la chasse, le maniement des chevaux et des armes ; éviter de contester autrui quand il a tort, mais entamer un dialogue rationnel avec lui, savoir y être bref et pertinent, puis arrêter une fois que la vérité surgit ; dire qu'on a tort quand on a tort, donc se corriger et se raviser ; apprendre la loyauté envers son prince ; s'instruire auprès des grands auteurs romains de ce qu'ont été les hommes, et, pour ce faire, tenir les *Vies parallèles* de Plutarque en la plus haute estime ; juger en étudiant et en examinant le jugement des autres – en un mot comme en cent : se nourrir de ce qui est utile pour bien vivre, et cela uniquement ; par conséquent, et dans l'esprit d'Épicure, il faut apprendre aux enfants à philosopher et ce dès le plus jeune âge car « un enfant en est capable à partir de la nourrice, beaucoup mieux que d'apprendre à lire ou écrire. La philosophie a des discours pour la naissance des hommes comme pour la décrépitude » ; elle forme en effet les jugements et les mœurs, elle est utile et praticable tout le temps et partout – sous-entendu sans l'Église, malgré elle, sinon, pourquoi pas, la chose n'est pas explicitement interdite, contre elle. Montaigne souhaite également une pédagogie ludique avec laquelle on apprend en s'amusant, sans s'en rendre compte, par les jeux et la conversation, aux antipodes des pédagogies autoritaires et brutales, agressives et disciplinaires : « On doit ensucrer les viandes salubres à l'enfant et enfieller celles qui lui sont nuisibles. »

De façon inattendue, le modèle proposé par Montaigne est non pas Platon ou Aristote, mais Aristippe de Cyrène : le philosophe hédoniste emblématique. Pour quelles raisons ? Il est un idéal de la raison parce qu'il propose et réalise l'autonomie, le maître mot de cette pédagogie. L'art d'être soi-même dans un monde où tout invite à la ressemblance.

13

Avec cette pédagogie, mais au-delà d'elle, avec le restant de son livre, *Montaigne invente le corps postchrétien*. De la même manière qu'on peut lire l'œuvre complète de Rabelais comme le retour du refoulé chrétien dans la grande lumière de la jubilation hédoniste, le corps réel et concret, Montaigne parle de son corps qui est, on ne peut mieux, un corps réel et concret, sensible et matériel, un corps qui mange des huîtres et boit du vin clairet, dort et rêve, monte à cheval et trousse les filles, souffre de la maladie de la pierre et connaît les affres du vieillissement, confesse ses pannes sexuelles et déplore sa petite taille, on l'a déjà un peu dit.

Le corps montanien est moderne : il n'est pas schizophrène, comme dans le cas du corps chrétien, autrement dit : coupé en deux avec une part matérielle haïssable et une part immatérielle et noble, la chair d'un côté et l'âme de l'autre, peccamineux et concerné par un péché originel qui se transmettrait depuis le premier homme. Non.

Le corps montanien, qui est le corps de Montaigne, est un et un seul : « Le corps a une grande part à notre être, il y tient un grand rang ; ainsi sa structure et composition sont de bien juste considération. Ceux qui veulent déprendre nos deux pièces principales et les séquestrer l'une de l'autre, ils ont tort. Au rebours, il faut les raccoupler et rejoindre. Il faut ordonner à l'âme non de se tirer à quartier, de s'entretenir à part, de mépriser et abandonner le corps (aussi ne le saurait-elle faire que par quelque singerie contrefaite), mais de se rallier à lui, de l'embrasser, le chérir, lui assister, le contre-roller, le conseiller, le redresser et ramener quand il fourvoie, l'épouser en somme et lui servir de mari ; à ce que leurs effets ne paraissent pas divers et contraires, mais accordants et uniformes » (II, XVII). Le corps qui cesse d'être coupé en deux recouvre son unité.

Mais ce monisme n'est pas un simplisme, il n'est pas non plus un matérialisme qui réduirait tout à l'atome, car Montaigne tient l'Atome dans la même estime que l'Idée de Platon ou la Forme d'Aristote, ce ne sont que des mots, des idées : il sait qu'il existe dans le corps une partie qui commande au tout. Il le sait pour avoir surpris en lui des moments où son corps échappe à sa volonté afin d'obéir à quelque chose d'autre qui n'est pas sans relation avec ce que plus tard on appellera un inconscient : une partie de soi ignorée de soi qui constitue le soi.

C'est à l'occasion de son accident de cheval qu'il multiplie les allusions à cette part motrice en nous, bien qu'aveugle à notre raison : il parle de « pensements qui ne viennent pas de chez soi » sans aller philosophiquement plus loin, mais en constatant que ce qui meut l'être n'est pas immatériel et au-delà de l'être, mais matériel et dedans l'être même. Même Freud, à quatre siècles de distance, reste très en deçà de cette idée forte de Montaigne car le Viennois recycle l'antique hypothèse d'un inconscient métapsychologique, ultime avatar de l'âme immatérielle judéo-chrétienne...

Le corps chrétien, on le sait, était un corps pécheur et souffrant, douloureux et coupable. Pendant près de deux mille ans, il a proposé comme modèle, je l'ai beaucoup dit, le corps de papier de Jésus, un anticorps conceptuel, et le corps de crucifié du Christ, un cadavre sanguinolent. On invitait également les femmes à imiter le corps de Marie qui était celui d'une Vierge... et Mère en même temps !

Point de paralogismes ou de sophismes de ce genre chez Montaigne. Il le dit clairement : « Je hais cette inhumaine sapience qui nous veut rendre dédaigneux et ennemis de la culture du corps » (III, XIII). Comment mieux mettre le feu à tout l'édifice moral chrétien tout en souriant, faussement naïf ? Ce que veut le philosophe des *Essais*, c'est un usage joyeux et ludique du corps, un hédonisme bien tempéré, un eudémonisme qui emprunte aux sagesses épicuriennes autant qu'aux sagesses stoïciennes – rechercher les plaisirs quand on est jeune, éviter les déplaisirs dès qu'on l'est moins, voilà la leçon d'Épicure ; celle de Sénèque est qu'il faut exercer sa volonté contre les douleurs et les souffrances qui ne sont que représentations, donc des effets de volonté.

La fin des *Essais* invite à la recherche du plaisir. Il n'y a pas eu chez Montaigne des périodes, comme l'enseignent Lagarde & Michard après Pierre Villey : la vie de Montaigne n'obéit pas à un plan de dissertation de l'École normale supérieure en trois temps – stoïcisme, scepticisme, épicurisme. Montaigne n'eut qu'une seule vie, comme un fleuve n'en a qu'une : avec ses moments de basses eaux, ses temps de crue, ses heures de gel et ses brillances d'été. Il a emprunté une multitude de sentiers pour parvenir à un même endroit : la paix de soi avec soi, la paix de soi avec les autres, la paix de soi avec le monde. Les *Essais* sont la cartographie de cette pérégrination d'une courte vie de cinquante-neuf années qui allait accéder à l'immortalité que donnent les lettres – une immortalité qui est aussi, il le savait, une vanité.

14

Car Montaigne, qui disait avoir été fait autant par son livre qu'il ne l'avait fait, ignorait que, paradoxalement, *son livre ferait l'Occident d'une certaine manière puisque ce serait en le défaisant*... Une œuvre, qui plus est une grande œuvre, ne l'est que par sa façon de déborder d'elle-même. Elle est un réservoir de futur qui montre un jour le passé comme génial parce qu'en lui le futur y avait été prévu, pensé, préparé, annoncé par un auteur qui ne le savait pas. Ruse de la raison philosophique : Montaigne fait son œuvre qui le fait en même temps qu'elle fait les siècles suivants en les défaisant.

L'histoire de la philosophie qui le suit, ai-je écrit en ouverture, n'est qu'un immense commentaire de ce qu'il écrivit. Car laïciser la pensée, inventer la méthode introspective, le sujet moderne, la philosophie expérimentale, le relativisme culturel, l'homme nu, la sobriété heureuse, la religion rationnelle, l'antispécisme, le féminisme, l'amitié postchrétienne, la pédagogie, le corps contemporain, voilà qui place Montaigne en tête de ces philosophes qui s'avèrent grands parce qu'ils rendent possibles une autre philosophie après eux.

Son œuvre rend caduques celles qui l'ont précédé, patristique et scolastique, en même temps qu'elle rend possibles celles qui l'ont suivi : sa laïcisation de la pensée donne le branle au libertinage du Grand Siècle avec Gassendi et La Mothe Le Vayer (qui hérite d'une partie de sa bibliothèque via Marie de Gournay...), mais aussi avec Saint-Évremond et Cyrano de Bergerac ; son rationalisme produit le cartésianisme, avec des rejetons athées et matérialistes, ainsi avec le curé Meslier, panthéistes chez Spinoza, catholiques dans le cas de Malebranche ; son fidéisme ouvre la voie, quoi qu'on en pense, au mysticisme de Pascal, de Fénelon et de Madame Guyon ; le rationalisme, le cartésianisme, le libertinage vont générer les Lumières dans leurs versions douces, par exemple d'Alembert ou Voltaire, sinon Condorcet, ou dans leurs formules radicales, via Meslier, chez d'Holbach et La Mettrie ; sa pédagogie débouche sûrement chez Rousseau qui fantasme la création d'un Homme Nouveau ; Nietzsche, qui se montre chiche en compliments, n'écrit pas par hasard : « Qu'un pareil homme ait écrit, véritablement la joie de vivre sur terre s'en trouve augmentée. Pour ma part, du moins depuis que j'ai connu cette âme, la plus libre et la plus vigoureuse qui soit, il me faut dire ce que Montaigne a dit de Plutarque : “ À peine ai-je jeté un coup d'œil sur lui qu'une cuisse ou une aile m'ont poussé. ” C'est avec lui que je tiendrais, si la tâche m'était imposée de m'acclimater sur la terre. » Chacun voit bien ensuite comment ces racines nourrissent de leur sève l'arbre occidental et ce qu'il est devenu...

Montaigne, qui était un conservateur en politique, aurait probablement regardé avec un drôle d'œil ce que son œuvre rendait possible dans l'histoire des idées, donc dans l'histoire tout court ! Lui qui se disait « ennemi de toute novelleté », il aurait été étonné de voir que ses *Essais,* qui permettaient de mettre à distance ce qu'il y avait de déraisonnable dans le christianisme, ont fini par permettre à d'autres de jeter le bébé avec l'eau du bain judéo-chrétien !

Certes, cette pluie de fusées sous forme d'un bouquet final de grands philosophes mériterait de nombreux volumes afin d'effectuer la morphologie de cet arbre généalogique... Ces volumes existent d'ailleurs, tant la bibliographie sur l'œuvre de Montaigne s'avère monumentale.

Montaigne fut donc un philosophe pour les philosophes tant que la philosophie ne s'est pas mis en tête de paraître allemande pour sembler profonde. Il y eut en effet un moment phénoménologique français où il fut de bon ton de pratiquer le sabir afin de donner l'impression qu'on était profond. De là date le moment où la philosophie se sépare du grand public cultivé qui la lisait.

Jusqu'à Bergson compris, presque n'importe qui peut lire la philosophie française : les grandes œuvres de la philosophie française sont lisibles jusqu'à *L'Être et le néant* de Sartre en 1943... Avec Montaigne, la philosophie française se caractérise par un certain nombre de traits : elle est écrite à la première personne, mais vise l'universel ; elle a partie liée avec la littérature par sa lisibilité, mais ne le cède en rien sur l'analyse ; elle part de la réalité concrète et non des idées pures, mais ne recule pas devant l'abstraction tant qu'elle est un moyen et non une fin ; elle revendique une part moraliste qui l'apparente aux psychologies du Grand Siècle, mais ne tombe pas pour autant dans la moralisation – sans pour autant l'exclure.

La parenthèse allemande connaît son chant du cygne avec Deleuze. En 1991, on lit en effet dans *Qu'est-ce que la philosophie ?* que le philosophe est un créateur de concept et de personnages conceptuels. Or Montaigne n'a créé ni concepts ni personnage philosophique, donc, selon le professeur Gilles Deleuze, Montaigne n'est pas philosophe – l'idée, on l'a vu, se trouve déjà chez Hegel, le Grand Artilleur de cette philosophie allemande !

Montaigne qui les enterre tous est là pour rappeler qu'au-delà des modes ayant enseveli quantité de philosophes au cours des siècles, y compris un grand nombre de leur vivant, une philosophie qui enseigne que « notre grand et glorieux chef-d'œuvre, c'est de vivre à propos » (III, XIII) ou bien encore, dans les dernières lignes de son ouvrage génial : « C'est une absolue perfection, et comme divine, de savoir jouir loyalement de son être » (III, XIII) durera autant que les hommes qui se demanderont comment on s'y prend, justement, pour *vivre à propos*... La réponse se trouve dans les *Essais*.

« L'âme qui loge la philosophie doit encore par sa santé rendre sain le corps »

Principes généraux de l'édition
par Bernard Combeaud

Si Montaigne avait écrit trente ans plus tôt, il est assez probable que ses *Essais* auraient pu être quelques *Sermones* rédigés en latin. À bien des égards, les *Essais* sont l'œuvre fondatrice des lettres françaises, dont Montaigne est l'un des pères, non moins qu'il est celui de ce genre de l'« essai », si résolument moderne, et promis à la riche postérité que l'on sait en Europe jusqu'aujourd'hui. Or rares sont ceux, en France, qui savent lire Montaigne, hormis les spécialistes, à cause de sa langue vieille. Une œuvre d'une telle portée patrimoniale, et d'une pareille modernité intellectuelle, ne saurait demeurer confisquée au seul profit des spécialistes. Bienheureux les Anglais ou les Japonais, qui peuvent lire Montaigne dans des traductions vertes et neuves, et peuvent à plaisir se rafraîchir à la sève toujours jeune de ce texte majeur !

Voici une édition de Montaigne, non pas « modernisée », et moins encore « *traduite* en français moderne », mais dont nous avons simplement essayé de rendre la lecture aisée pour le « suffisant lecteur » d'aujourd'hui. Un Montaigne (discrètement) « rajeuni », en somme, et donc assez différent d'esprit de celui qu'ont proposé Jean Céard ou André Lanly. Marc Fumaroli l'appelait déjà de ses vœux en 2007 quand parut l'édition « diplomatique » de Jean Balsamo. Je ne suis pas sans mesurer les hasards que l'on court à poursuivre pareille entreprise. Une jeune seiziémiste de l'université de Fribourg, Nina Mueggler, a bien voulu entrer dans mes vues et me seconder en me relisant et me soumettant ses observations et ses suggestions.

L'objectif est de fournir aux lecteurs du siècle à venir une *édition bréviaire* des *Essais* de Montaigne, qui ne soit rien d'autre qu'un « livre de lecture », que chacun puisse lire à loisir et sans peine dans le train ou en avion sur une tablette tactile. Il s'agit donc de proposer un Montaigne que l'on puisse lire quasiment *sans notes*. Le but n'étant que de permettre au commun des lecteurs français du XXIe siècle de faire de Montaigne une lecture fluide et aisée, la ponctuation, l'accentuation, l'orthographe ont été systématiquement modernisées ; les notes, délibérément réduites à presque rien.

Pour la ponctuation, et pour l'accentuation, qui, à notre sens, relèvent de l'interprétation, nous estimons qu'elles appartiennent de droit aux seules opérations de la lecture, et qu'elles reviennent entièrement à l'éditeur, à l'imprimeur, et au lecteur, selon l'usage de leur temps. Respecter les ponctuations antédiluviennes des premiers imprimeurs de la Renaissance n'a ici aucune justification : nous ne proposons pas un fac-similé de musée, mais une interprétation actualisée et une image claire du texte. Nous rangeons avec la ponctuation l'usage des alinéas et des blancs typographiques, qui doivent servir l'acte de lecture, fût-ce contre les habitudes de l'auteur et l'autorité du premier imprimeur.

L'orthographe en revanche, hormis l'accentuation, appartient à l'histoire de la langue, et elle est à ce titre un bien partagé entre l'auteur et le lecteur. Le parti ici adopté étant résolument celui du lecteur, elle a été systématiquement modifiée. Mais changer l'orthographe ne suffisait pas encore. Pour « restaurer la tapisserie », il a fallu ici repasser des fils, là décaper des ors décatis, ailleurs, retoucher légèrement jusqu'à la trame, mais sans que la main du restaurateur ne se laisse voir, si possible.

Il s'agit moins en effet d'une « traduction » que d'une *adaptation* aux usages du français et aux habitudes du lecteur d'aujourd'hui. Tout ce qui concerne la langue, qu'il s'agisse du choix des mots, de la syntaxe, des tours et du rythme du discours n'a été modifié qu'au minimum, et en fonction des observations empiriques faites par un panel de lecteurs. En aucun cas il ne s'agit d'une transposition mécanique d'un état de la langue dans un autre. Une adaptation est affaire de jugement. Elle ne s'asservit aucunement aux descriptions grammaticales canoniques que fournit la grammaire historique pour chacun des deux états de la langue, en 1580, et en 2018. Ainsi, pour ne prendre qu'un seul exemple, du verbe « chaloir », que l'on remplacera par « brûler », ou « importer », sauf dans le tour « peu me chaut », toujours connu. Autant que faire se peut, on a choisi de conserver le ton, le rythme, le tour, la « mâche » et la saveur si singulières de la langue de Montaigne, et de préserver ses images, et ses figures de mots, tout en rendant la lecture aussi fluide et aisée que possible. Nous nous sommes gardés de « naturaliser français » tous les idiotismes gascons ou latinisants propres au style de Montaigne. Notre adaptation est donc tout sauf un laminage du style par normalisation de la langue.

Sous la plume de notre auteur, les citations latines sont toujours un constituant de la phrase française : nous en avons d'abord présenté une traduction (toujours originale), intégrée à la phrase, et tournée en vers comptés pour rendre les vers latins, avant d'en donner aussitôt à la suite le texte original, le tout non pas en notes de bas de page mais dans le corps même du texte. Les guillemets servent parfois à indiquer que Montaigne traduit ou paraphrase lui-même les citations qu'il convoque ; dans ce cas, nous avons dispensé le lecteur d'une double traduction. Les références seules figurent au bas de chaque page afin d'embarrasser le moins possible l'aspect du texte. Quand la citation est brève, et le latin facile, le texte original précède parfois sa traduction française au lieu de la suivre. Bien que je parle aux rochers, je supplie pourtant le lecteur de vouloir bien faire l'effort de lire, ne serait-ce que pour l'oreille, ces phrases latines dont il viendra à l'instant de découvrir le sens.

Une « édition bréviaire », un « livre de lecture » ne sont pas une édition savante. L'adaptation que nous présentons n'est pas destinée à l'étude, mais à ce que Roland Barthes appelait le « plaisir du texte ». Aussi ne trouvera-t-on pas ici d'indications des variantes textuelles, non plus qu'aucune indication des diverses étapes de la composition des *Essais*, qui, comme on le sait, s'est poursuivie sur plus de vingt ans, avec des repentirs, des biffures, des ajouts et des « allongeails ». Quant aux notes de bas de page, parcimonieuses et fort brèves, elles s'en tiennent délibérément aux seuls éclaircissements historiques strictement indispensables à l'intelligence immédiate du propos. Elles ne comportent, sauf exceptions rarissimes, aucun commentaire portant sur le lexique ou le sens littéral, que l'adaptation a précisément pour but de rendre inutile.

Si cette édition portative n'est pas destinée à l'étude, nous avons fait en sorte cependant que les plus exigeants parmi nos maîtres n'aient pas à rougir de la recommander à leurs étudiants les plus novices à la seule fin qu'ils puissent se saisir de l'œuvre par l'esprit en même temps que par la bouche, sans que la facilité de lecture ne vienne altérer le dessein ou le propos de Montaigne ni ne puisse fausser leur jugement. Nous aurions atteint notre but si, au-delà du plaisir des lecteurs non spécialistes, nous avions pu offrir aux jeunes étudiants en lettres et en philosophie comme une propédeutique à la lecture du texte original.

On sait aujourd'hui que Montaigne avait porté rajouts et corrections sur au moins un exemplaire « en blanc » de l'édition de 1588 autre que celui dit « de Bordeaux ». Le texte de base que nous avons suivi est donc celui de l'édition que procura L'Angelier en 1595, dans lequel on retrouve, soigneusement conjointes par Marie de Gournay, les innombrables variantes que Montaigne avait portées de sa main dans les marges et les interlignes de chacun des exemplaires « en blanc ». Le parti que j'ai suivi diffère assez peu de celui qu'ont adopté les spécialistes de Montaigne les plus récents. À mon sens, il est téméraire de croire que les modifications et les variantes absentes de l'exemplaire de Bordeaux que l'on relève dans l'édition posthume de 1595 soient *toutes* authentiques. Parmi les modèles de l'édition posthume de 1595, ni la « Copie de Mlle de Gournay », destinée à l'imprimeur, ni celle que, dit-elle, lui fit parvenir Mme de Montaigne, source de la première, et qui portait, sans aucun doute, d'ultimes corrections de la main de l'auteur, ne nous sont parvenues. Ces copies ne sont donc que supposées. On en est réduit en effet à des reconstitutions du dernier état du texte parti de la main de l'auteur : pour hautement probables qu'elles soient, celles-ci ne laissent pas d'être des conjectures. Néanmoins, l'exemplaire le plus fiable et le plus complet reste celui de l'édition posthume de 1595. On relève dans ce dernier plusieurs dizaines de passages qui offrent, pour quelques mots, parfois pour quelques lignes, des leçons qui tantôt diffèrent de celles de l'Exemplaire de Bordeaux, tantôt en sont carrément absentes, et qui pourtant ne peuvent qu'être de la main même de l'auteur : ces leçons-là doivent, sans aucun doute, être prises en compte. Ainsi, le texte qui a servi de base à notre « adaptation », celui de 1595, n'est-il pas celui de la vulgate, procurée par Pierre Villey en 1920, mais celui par lequel s'est établie la fortune littéraire des *Essais* et de leur auteur à partir des premières années du XVIIe siècle. Il est à la fois plus complet, et surtout plus proche, de ce que dut être l'ultime dessein littéraire de l'auteur avant sa mort. Mon exemplaire de référence a été le texte que Jean Balsamo, Michel Magnien et Catherine Magnien-Simonin ont publié chez Gallimard en 2007 dans la collection de La Pléiade. Les rares fois que j'ai cru devoir émender ce texte de base, j'ai toujours fait mention en bas de page de mes conjectures. Quant aux différences tacites entre notre texte et celui de Jean Balsamo *et al.*, elles relèvent de ce que j'ai appelé le travail d'« adaptation ».

Pour être œuvre de vulgarisation et de facilitation, ce modeste travail n'en reste pas moins celui d'un philologue. Le travail de la philologie est d'œuvrer sans cesse à la transmission *effective* des textes du corpus, et d'en favoriser, au fil des générations, la constante réinterprétation, qui seule permet aux œuvres de passer, en continuant de « faire œuvre », au lieu de devenir lettres mortes. Notre travail, très modeste, n'est donc pas autre chose qu'une forme de *praelectio*, qui ne souhaite que de permettre à de nouveaux lecteurs de se ressaisir du texte de Montaigne par eux-mêmes et de se le réapproprier tout vif.

Esquisse de l'avertissement

Arguments externes

Situation exceptionnelle de Montaigne : il pensait écrire son livre « à peu d'hommes et à peu d'années » : on le lit dans le monde plus de quatre siècles passés. Il est le tronc dont les branches de nos lettres en prose sont nées, à l'automne de la Renaissance, c'est-à-dire à l'aube de notre modernité. Montaigne est l'un des pères de la prose d'art en français, de l'éloquence française, de nos moralistes du Grand Siècle et de la philosophie française. De plus, il a le premier forgé un genre nouveau et appelé à un aussi bel avenir dans notre modernité que celui du roman : le genre de l'essai (l'un est affine à l'autre au reste : dans les deux cas, il s'agit de déchirer *ironiquement* (ou *interrogativement*) le rideau des fables et des légendes, le rideau de la précompréhension aristocratique du monde, comme dirait Kundera). Il est impensable que le public francophone le plus large n'ait pas accès à une édition claire et lisible de cette œuvre cardinale, vu son importance patrimoniale et universelle sans égale. La France est peut-être la seule nation au monde où les lettres sont une partie de la patrie et de la chose publique : comment le père des lettres de France pouvait-il demeurer ce profil de médaille devant lequel on s'incline avec révérence dans le cabinet des antiques, sans jamais plus s'aventurer à le lire vraiment ? Il m'a donc semblé qu'il fallait établir un texte des *Essais* qui permît de nouveau au plus grand nombre de (bons) lecteurs français de les recevoir oralement avec le plus de plaisir possible.

Comment procéder ? Pas de « traduction » systématique et mécanique, comme le fit autrefois le soigneux André Lanly (Champion 1989, rééd. Gallimard 2002), en digne professeur de grammaire ; et plus qu'une seule modernisation de l'orthographe à laquelle avait procédé efficacement André Tournon pour l'édition de l'Imprimerie nationale.

L'approche est ici davantage celle d'un restaurateur des fresques de Saint-Sulpice, ou d'une tapisserie d'Aubusson : en fin de compte, on ne doit voir que l'œuvre à l'œuvre, et rien du passage du restaurateur :

son pinceau indiscret ou sa navette moderne ne doivent jamais apparaître à la première vue. Ou, mieux encore : j'ai voulu, comme le font les musicologues, transposer une partition ancienne de façon à l'adapter aux instruments différents que sont nos voix d'aujourd'hui. C'est un peu, en somme, comme si j'avais revu les « doigtés » qui aident à lire cette partition ; développé les « cadences » qui n'étaient que suggérées d'un trait de plume allant de la note la plus grave à la plus aiguë, et indiqué sur quelle corde devait se jouer la première note de chaque trille. Re-doigter, transposer, adapter, si l'on veut, mais surtout pas « traduire », le morceau devant rester le même autant que possible, bien que la transposition, le changement des timbres et des harmoniques, et parfois même le changement de tonalité soient d'inévitables altérations de l'original. Mais au moins que ces changements nécessaires soient les plus minimes possible, afin que la *voix* demeure : mon critère, outre ce que je pouvais avoir de tact et de jugement, ce fut l'épreuve du « gueuloir », comme eût dit Flaubert. Quand j'enseignais, j'avais pris l'habitude, trois semaines avant d'expliquer Montaigne, d'en lire à chaque séance une dizaine de lignes choisies à mes étudiants, qui suivaient ma voix sur un fragment du texte que proposa jadis Pierre Villey. Quand venait la première explication, plusieurs étaient déjà fort capables de lire le texte proposé à haute voix sans bégayer, et chacun entendait le sens de la page. Je me suis ici inspiré de cette expérience pédagogique élémentaire, qui réussissait aussi du reste bien pour des textes plus anciens : mon auditoire entendait assez Marie de France quand je leur lisais à voix haute quelque lai.

Avec un tel parti, la normalisation de l'orthographe et de la ponctuation allait de soi ; quelques substitutions lexicales, aussi parcimonieuses que possibles : rajout d'un préverbe (« contenir », « détenir » ou « retenir », selon, pour « *tenir* » ; « supporter » pour « *porter* »), changement de préfixe (« comportements » substitué à « *déportements* ») ; mais aussi quelques interventions sur la syntaxe : changement de certaines prépositions (notamment « pour » substitué à « *à* »), quelques déplacements de groupes de mots (notamment entre termes corrélatifs trop fortement disjoints) ; modernisation du régime des verbes « *jouir sa vie* » devenant « jouir de sa vie », postposition d'adjectifs (surtout quand ils sont deux pour un même substantif), suppression de l'accord de voisinage, quasi constant chez Montaigne. Très rarement quelques interventions plus profondes, portant sur la syntaxe même, en particulier quand une substitution lexicale incontournable rendait elle-même inévitable un aménagement de la construction. J'ai presque toujours conservé les modes du verbe, mais dû parfois changer les temps, Montaigne employant souvent le présent dans la phase narrative là où nous attendons l'imparfait. En fait, j'ai souvent pu clarifier des endroits assez obscurs en jouant seulement sur la syntagmatique et la ponctuation. Au total, je souhaitais que même un familier de Montaigne eût quelque peine à identifier ce qui aurait changé : il lit plus aisément, le texte est plus fluide, rien n'arrête plus sa lecture, et pourtant il se sent encore un peu chez lui : la distance au site temporel de l'énonciation originelle lui demeure perceptible, quoiqu'un peu atténuée. Et surtout quasi toutes les figures de style, y compris celles qui tiennent au signifiant, comme les paronomases (*annominatio*), le rythme, le style « coupé », les ellipses (redoutables, sénéquiennes : *arena sine calce*), les allitérations, ces jeux de consonnes répétées, qui, comme en toute écriture poétique, prennent le discours en écharpe et y tissent comme un réseau de petites métaphores à leur façon, créant le rythme, qui est l'inscription dans l'énoncé du sujet même de l'énonciation : tout cela est ici respecté et se retrouve, autant que faire ce pouvait. On ne réécrit pas la phrase du maître quand il dit penser « par fuite plutôt que par suite ». Les singularités du style de Montaigne ne devaient surtout pas être résorbées dans la banalisation et dans la standardisation de la langue.

C'est pourquoi nous avons conservé les expressions anciennes qui sont toujours intelligibles dans le contexte pour un lecteur d'aujourd'hui, qui entend parfaitement « peu me chaut » non moins que « peu m'importe », « *fautiers* » tout autant que « fautifs », et « *écheler* » pour escalader aussi bien que « *pétarder* » pour « faire sauter ». En revanche, tantôt « courage » a cédé la place à « cœur » (si cornélien avant la lettre !), tantôt est resté, comme ayant le sens moderne. Mais j'ai presque toujours gardé « *fantasie* » (modernisé toutefois en *fantaisie*), et jamais confondu « esprit », « âme », ou « raison ». À l'inverse, « *discours* » a souvent été remplacé par « raison » ou « raisonnement » chaque fois qu'il m'a paru nécessaire de le faire afin de prévenir une mélecture, et, dans ce cas, ce fut trop souvent à mon gré. On me reprochera sans doute de n'en avoir pas fait assez plutôt que trop. Il s'agissait, à mon sens, non de « moderniser » Montaigne, mais simplement d'en rendre la lecture à nouveau fluide pour un moderne, ce qui est tout différent.

Arguments qui tiennent à la nature spécifique de l'écriture des Essais

Le texte n'est jamais autre chose qu'une partition, qui note un discours, dont la réalité linguistique phénoménale est, de droit, chose tout *orale*. Or la chose est plus vraie et surtout plus cruciale encore pour les *Essais*, qui ont plus été dictés qu'écrits ; et de plus, la plupart des personnes de qualité qui ont reçu les textes de Montaigne parmi les premières générations de lecteurs les ont reçus à l'ouïe, en se les faisant lire par leur secrétaire au sein de petites compagnies. Si l'on voulait retrouver les effets saisissants que la parole vive de Montaigne a pu produire sur ses *auditeurs* du premier XVIIe siècle, il fallait retrouver pour nos oreilles la fluidité qu'avait sa parole pour les *oreilles* de ce temps-là, car seuls les gens de plume l'ont lu au cabinet, comme Pascal, ou Malebranche, ou Pierre Charron.

Or le dire de Montaigne n'est que *parole vive*, et cette parole en acte de dire est un des ressorts internes, et non des moindres, du pouvoir de persuasion et de l'emprise qu'exerce ce *dire* si singulier sur l'âme de celui qui l'écoute. Le *dire* est chez Montaigne d'une certaine façon un argument de fait à l'appui du *dit*. Comment pouvait-il en être autrement alors qu'il inventait ce que c'est que « penser à l'essai », comme le disait joliment Antoine Compagnon ?

Car toujours Montaigne part « à l'escarmouche », l'épée tirée au clair, pourfendant la bêtise (obsession qu'il partage avec Cervantès, Rabelais ou... Flaubert). La vivacité de cette joute verbale, de cet *agôn* perpétuel, appelait une restitution de sa fraîcheur énonciative, de son rythme, si singulier, car le rythme d'une écriture est le lieu d'élection où se manifestent à la fois le sujet de l'énonciation, dans le grain même du discours, et la situation historique à laquelle il s'attache et dont il s'arrache à la fois. Ce dialogisme agonistique et si saisissant exprime la générosité de cette sorte de condottiere de la pensée humaniste que fut Montaigne. Et cette vaillance, cette vertu éloquente, pour être rendue à la générosité de son inspiration première, demandait à son tour, pour qu'on lui fût réellement fidèle, qu'on l'exhumât enfin du suaire des formes mortes d'une langue vieillie, et pourtant par ailleurs si neuve, si fraîche en sa naissance, si jaillissante de par sa nature profonde et véritable. L'abondance et les heurts si particuliers du style de Montaigne sont la manière adéquate d'exprimer l'originalité de sa posture philosophique, car les *Essais* ne sont partout qu'éloge ou regret du magnanime. Comme le disait si bellement Étienne Pasquier : « Le vent de son esprit donnait le vol à sa plume. » Le rythme, dans un discours, ou si l'on veut sa voix, c'est le lieu où se noue et se manifeste l'accord particulier d'une âme à son corps propre, dans une situation historique advenue. Le *dire* si singulier de Montaigne exprime ce qu'une âme idéalement forte et allègre, toute cousue à un corps idéalement vigoureux, pouvait avoir en elle de « vertu », c'est-à-dire de vaillance dans la pensée et de règle dans ses mœurs : « L'âme qui loge la philosophie doit encore par sa santé rendre sain le corps. » La première qualité de la pensée est sa vigueur ou son énergie. La langue et l'écriture de Montaigne procèdent du mouvement : Montaigne pense en marchant. Et cette pensée « en marche » ne cesse de nous rappeler que seule compte la générosité de l'âme, dans la vie comme dans l'écriture. C'est donc cette valeureuse vertu, cette « vertu éloquente » qu'il fallait rendre à nouveau perceptible au lecteur, et dans son mouvement même. À l'oreille même du « suffisant lecteur » d'aujourd'hui pour peu qu'il veuille se mettre Montaigne dans la bouche et le « tâter et remâcher ».

À procéder ainsi, un risque existe toutefois : qu'une fois la lecture ainsi fluidifiée le lecteur glisse plus encore qu'auparavant à la surface du texte et que sa profondeur de pensée lui échappe davantage. Montaigne n'a pas été d'abord stoïcien, puis sceptique, puis épicurien, comme on nous l'enseignait depuis Brunetière et Pierre Villey. Il y a dans toutes les périodes de l'écriture des Essais, dans chacune de leurs pages ou de leurs chapitres, quelle qu'en soit la date de composition, un moment sceptique, ou plutôt critique : Montaigne est d'abord et toujours soucieux de fixer les limites de ce que peuvent la raison et l'entendement pour régler notre esprit « fantastiqueur » et « volubile ». Et dans chaque domaine de l'être, il y a, 1° un en deçà : celui de la pure nature, qui n'offre pas prise au doute (les bêtes, « qui tiennent leur esprit sous boucle », les paysans illettrés, les Tupinambas du Brésil ne doutent ni ne donnent matière à douter au sage) ; 2° un entre-deux, ou degré médiocre, celui des demi-habiles, parmi lesquels Montaigne se loge lui-même : là, les errements sans fin de l'esprit créent une situation d'incertitude pour la raison qui ne peut se résoudre que par la suspension du jugement ; 3° et surtout un au-delà du doute : entre autres, la généreuse « conférence » des âmes généreuses, par exemple, qui permet de réguler naturellement l'imaginaire débordé, et qui témoigne, au moins quand on s'escrime à l'envi avec les grandes âmes des siècles anciens, de ce que peut sur elle-même une « âme bien née » : Socrate, Épaminondas, « le grand Alexandre », César, Caton le Jeune sont les héros de ce penseur qui, à sa façon, continuait de chercher parmi les Modernes le chemin de la vie bonne et comment se conduire sous le regard de la mort. Tout le contraire donc d'un scepticisme arrêté ! La vertu sauve du doute, qui est vaillance en acte, au cours de cette action de combat réglée que se livrent entre eux de fiers courages entrés en « conférence ». Comment éviter que sous des paroles de conversation la pensée profonde reste inaperçue ? Mais comment aussi se résigner à laisser tant de vive allégresse dormir sous la poudre d'une langue morte sans la renvoyer au sépulcre de la lettre en prétendant en servir l'esprit ?

Montaigne a voulu un texte aussi lisse et sans « couture » que possible : absence d'alinéas (ils existaient pourtant de son temps : j'ouvre chez moi, par exemple, les *Coutumes de la ville de Bourdeaux* (MDXXII) ou tel manuel d'histoire romaine imprimé par Henri Estienne (MDLXIII), et j'y vois des alinéas), intégration syntaxique et rhétorique des citations latines dans ce discours véritablement bilingue, absence délibérée des noms d'auteurs et des références pour les « emprunts », refus des guillemets (qui existaient aussi dans l'imprimerie depuis 1527) : il s'approprie littéralement les vers latins qu'il cite, et les fait siens. Mais sans larcin : ces vers sont trop connus pour que le lecteur prévenu s'y puisse jamais tromper. Même aujourd'hui, un latiniste accompli reconnaît aussitôt ici son Virgile, là son Lucrèce, mais choisis et passés par la bouche de l'orateur des *Essais*, et leurs mots étant devenus comme les siens une fois « digérés » par sa phrase et sa pensée.

De là résultent nos choix

La traduction des vers cités devait précéder le latin, dans le corps même du texte, pour que leur sens puisse être appréhendé au fil même de la phrase et dans le décours de l'argumentation, et non pas en bas de page ; elles devaient s'intégrer le moins mal possible à la syntaxe même de la phrase française citante, et être traduites en vers en français, de façon à conserver l'effet poétique voulu initialement pas l'auteur.

Puisque chacune de ces citations, qui dans leur immense majorité sont des vers, devait, dans l'esprit de Montaigne, ponctuer sa prose de « clous d'or » poétiques, il fallait tâcher de les rendre en vers en français aussi. J'ai essentiellement usé du vers de quatorze, avec pour vers complémentaire le douze. Du dix ou du huit syllabes pour les petits vers des odes, par exemple. Quand une rime s'est présentée, je ne l'ai pas refusée. À défaut de rime, j'ai essayé de faire au moins alterner une terminaison « féminine » avec une « masculine ». En plaçant ces vers traduits en vers dans le cours même de la phrase, j'espère avoir rendu quelque peu du bilinguisme de ce livre, et de son « dialogisme », comme disait Bakhtine. Les références, sauf quand par exception elles figurent dans le texte même de Montaigne, ne devaient pas être apparentes sur la page, ni même en manchettes en marge. On s'est contenté de les indiquer (presque furtivement) au bas de chaque page, car le « suffisant lecteur » d'aujourd'hui, s'il sait encore parfois un peu de latin, n'est pas toujours assez clerc en la matière pour renifler son Lucrèce au premier « *praeterea* », ou au premier « *animai* ». Quant à percevoir sans son crayon l'alternance des coupes féminines et masculines dans les hexamètres de l'*Énéide*, ne rêvons pas (et même avec le crayon !)... Pour le confort du lecteur, des alinéas ont été ménagés, mais aussi peu que possible : on a essayé de trouver une raisonnable composition entre le besoin de respirations qu'a le lecteur contemporain, et cette continuité d'un discours « sans couture » que Montaigne a expressément voulue. Ce sont donc surtout les inflexions majeures du propos qui ont été marquées par un retour à la ligne. Quant aux notes, nous les avons réduites au plus strict minimum, en bas de page. Qui voudra se rafraîchir la mémoire à propos d'Épaminondas, de Philopœmen, ou du grand Pompée, ou du port d'Utique et du « jeune Caton » qui s'y donna la mort, trouvera dans l'index des noms propres une brévissime notule aussitôt après le mot vedette pour lui rappeler le minimum vital sur ce personnage ou ce lieu. Quelques notes plus développées ont été rejetées en fin de chapitre. Mais quoi ! le suffisant lecteur d'aujourd'hui connaît assez d'histoire ancienne pour savoir qui étaient des personnages tels que Socrate, Platon, Cicéron, Auguste ou César, ce me semble ! Deux ou trois fois, je bavarde un peu pour qu'on ne se mécompte pas trop sur la pensée de Montaigne, si peu systématique, que dis-je, si ennemie de tout système. Tel est le cas, par exemple, pour le chapitre I, 8, *De l'oisiveté*, qui est comme la préface philosophique des *Essais*, mais sur laquelle le lecteur pouvait glisser sans s'apercevoir de grand-chose, tant ce chapitre est bref, et semble tout rhétorique. De temps à autre, j'ai ainsi lancé quelques fusées d'avertissement. Les explications historiques les plus longues, et qui n'étaient pas indispensables à l'intelligence immédiate du propos, je les ai également rejetées en notes de fin, en essayant de faire aussi court que j'ai pu.

Notre texte de base ne pouvait être que celui de l'édition posthume de 1595, qui est celui qui assura la fortune littéraire des *Essais* pendant trois siècles. Les « couches » du texte ne devaient pas être indiquées, même aussi sobrement qu'on le voulût faire : pareille indication est directement contraire au dessein manifeste de l'auteur, qui, surtout après 1588, s'est efforcé de corriger ses premiers essais afin de réduire autant qu'il le pouvait la disparate de son œuvre, dont le dessein ne s'était affirmé qu'au fil du temps. Montaigne a commencé son entreprise « à peu d'hommes et à peu d'années » : en se relisant et corrigeant sur des exemplaires en blanc de sa première édition parisienne, il assume enfin ce qu'il est devenu un peu malgré lui : un « auteur », et de plus non pas du climat de Gascogne mais de celui de France. Fétichisation abusive (car toute positiviste) de l'Exemplaire de Bordeaux par Pierre Villey, parce que ce précieux témoin est l'ultime attestation qui nous ait été conservée. Mais alors, d'où ont donc été tirées ces corrections de l'édition de 1588 qui ne figurent pas sur l'Exemplaire de Bordeaux, dont maints feuillets sont restés vierges de toute annotation, ou qui y sont absolument impropres à la composition, car illisibles ? D'où donc, ce qui se trouve tout rogné, et de longue main, dans l'Exemplaire de Bordeaux ? Comme en témoigne Florimond de Raemond, il y eut une copie au net collationnée par Pierre de Brach, qui est sans doute celle sur laquelle travailla Mlle de Gournay, et une autre encore au moins, qu'elle consulta au château de Montaigne en 1596, et d'où procédèrent les *errata* dont ont bénéficié les éditions ultérieures de L'Angelier. De toute nécessité, il faut que l'Exemplaire de Bordeaux, canonisé par Fortunat Strowski dans « l'édition municipale » puis par Pierre Villey au début des années 1920, n'ait pas été le seul exemplaire « en blanc », ni le dernier, sur lequel Montaigne ait travaillé entre 1588 et 1592. Jean Balsamo en a rapporté la preuve de façon décisive et définitive : l'Exemplaire de Bordeaux reste *en deçà* du dernier état du texte retouché et complété par Montaigne. Il fallait donc nécessairement en revenir au texte vulgaire qui fit la fortune littéraire des *Essais* de Pascal à Renan, et de Méré à Nietzsche. Au reste, même si ces copies d'imprimeur ont malheureusement disparu, peut-on douter que Montaigne ait écrit jusqu'à son dernier souffle : « Qui ne voit, disait-il, que j'ai pris une route par laquelle, sans cesse et sans travail, j'irai autant qu'il y aura d'encre et de papier au monde ? »

Que la ponctuation et l'accentuation n'appartiennent pas à l'original mais bien au seul plan de communication entre l'éditeur et ses lecteurs : voilà pourquoi nous rompons radicalement avec la ponctuation erratique et aberrante des *Essais*. Qu'elle fut l'affaire des protes bien plus que celle de l'auteur : l'exemple des majuscules rajoutées par Montaigne en cours de phrase, après ponctuation faible : ce sont elles qu'il faut respecter, mais en rétablissant devant chacune une ponctuation forte (c'était un style « coup de point » avant l'heure !). Ce à quoi ne parvenaient à se résoudre, évidemment, les protes de l'époque, les pauvres, qui pataugeaient vainement dans leur bas-de-casse pour essayer de s'adapter des périodes latines à celles de Montaigne, qui allaient « à sauts et à gambades ». À leur grand désespoir, manifestement. Et qui de plus avaient chacun leur casse à eux, même au sein d'un même atelier : en 1588, L'Angelier, pressé par le temps et par les rapines de la concurrence, faisait gémir deux presses à la fois ; sur l'une on imprimait « l'allongeail » du troisième livre, sur l'autre, on réimprimait les deux premiers livres : pour ceux-ci, les protes reproduisaient encore les abréviations et les esperluettes des éditions de Simon Millanges à Bordeaux ; pour le livre III, ils n'en usaient plus...

Pour l'orthographe, c'est autre chose : conserver les variations aberrantes des éditions originales n'a d'intérêt que pour le bibliophile ou l'antiquaire, aucun pour le linguiste ou l'historien de la littérature. Et n'est surtout d'aucun fruit pour le lecteur ordinaire d'aujourd'hui.

Fallait-il indiquer les « couches » du texte ?

Prétendre expliquer Montaigne par ses sources ou ses variantes empêche le lecteur d'accéder à l'originalité de cette pensée toujours « en mouvement », celle du « philosophe imprémédité et fortuit », comme l'a si bien vu Jean Starobinski. Ce n'est donc pas nécessaire, pour le lecteur, de savoir à quelle « couche » de la rédaction des *Essais* appartient telle ou telle sentence, tel ou tel commentaire, tel ou tel exemple. C'est voulu. Montaigne a d'ailleurs effacé toutes dates calendaires : « dernièrement, je vis chez moi... » nous dit-il. Mais rien de plus. L'ancrage temporel du texte des *Essais* ne se fait jamais que dans le présent de l'interlocution imaginaire ; autrement dit dans le présent de la lecture du lecteur lisant. Dans son *Entretien avec Monsieur de Saci,* Pascal joute avec Montaigne comme s'il était vivant. La seule exception est celle de la datation de l'*Avis au lecteur*. Qui du reste est une antidatation.

Les sources ont été assimilées, « digérées » par l'auteur des *Essais*, et ce qu'il dérobe à Plutarque ou bien à Lucrèce n'est plus à Lucrèce ou Plutarque, mais tout à lui. Ce qui compte, c'est l'effet que produit la survenance du texte cité dans le texte citant, et au seul bénéfice de ce dernier. À l'égard du travail de la citation, Antoine Compagnon nous a définitivement déniaisés dans sa *Seconde Main*. Montaigne au reste n'emploie jamais le mot de « citation » : il parle « d'emprunts ». Ses « emprunts » ne sont jamais signés : ce ne sont jamais que des façons de redire, de répéter le « jugement » de Montaigne sous une forme plus forte et plus belle, dans une langue plus ferme, car latine et surtout poétique. Les auteurs de Montaigne ne sont pas ses « autorités », mais ses complices involontaires. En somme, à travers les « emprunts », c'est encore le moi locuteur des *Essais* qui s'exprime et continue de se donner à voir sur la scène de la parole, mais sous de nouvelles guises et parlant un plus beau ramage. L'intégration et la continuité syntaxique du latin au français le prouvent assez. Quant aux « variantes », elles n'appartiennent pas à l'œuvre, puisque, précisément, elles en ont été rejetées.

Le vrai métier du philologue n'est pas tant de restituer la lettre du texte originel que de réinterpréter un discours de jadis dans l'horizon de notre aujourd'hui. Car les textes transmis s'opacifient avec le temps, inexorablement. Aussi est-ce l'herméneutique qui doit régenter l'ecdotique et l'exégèse, qui, pour leur part, renvoient le texte à sa forme authentique première et au contexte de ses origines, autrement dit au musée, qui est son suaire.

Dans notre aire de culture, et depuis l'Antiquité, la littérature, et la religion, n'ont jamais procédé autrement : de Jean Chrysostome à Spondi ou Jean Bollak, en passant par Luther ou Humboldt, l'allégorèse incessante l'a toujours emporté sur le littéralisme. Qui fait la grande différence entre l'Orient et l'Occident. Comme chaque génération se fait son Tartuffe ou son Antigone, chaque siècle a lu dans les *Essais* ce qu'il y voulait entendre. La nôtre a besoin plus que jamais de recueillir la leçon de tolérance et de liberté que délivre la parole de Montaigne : parole vive et parole libre, parole « en marche », l'une des premières dans l'histoire de la pensée universelle. Sa pensée anti-autoritaire à tous égards, est en tous sens *libérale*. Elle reste un de nos bons remparts contre les fanatismes de tout poil. Encore fallait-il la rendre à nouveau *audible* au plus vaste public possible. Il m'a semblé que les périls de l'heure rendaient l'entreprise quelque peu urgente.

LES ESSAIS

Livre I – Livre II – Livre III

AU LECTEUR.

C'est ici un livre de bonne foi, Lecteur. Il t'avertit dès l'entrée que je ne m'y suis proposé d'autre fin que familiale et privée. Je n'y ai eu nulle considération de ton service ni de ma gloire : mes forces ne sont pas capables d'un tel dessein. Je l'ai dédié à l'agrément particulier de mes parents et de mes amis, afin que, m'ayant perdu – ce qu'ils ont à faire bientôt – ils y puissent retrouver quelques traits de mes façons d'être et de mes humeurs, et que par ce moyen ils nourrissent plus entière et plus vive la connaissance qu'ils ont eue de moi. Si c'eût été pour rechercher la faveur du monde, je me fusse paré de beautés empruntées. Je veux qu'on m'y voie en ma façon simple, naturelle et ordinaire, sans recherche ni artifice. Car c'est moi que je peins.

Mes défauts s'y liront au vif, mes imperfections et ma forme naïve, autant que la décence publique me l'a permis. Que si j'eusse vécu parmi ces nations qu'on dit vivre encore sous la douce liberté des premières lois de nature, je t'assure que je m'y fusse très volontiers peint tout entier et tout nu.

Ainsi, lecteur, je suis moi-même la matière de mon livre : il n'est pas raison que tu gaspilles ton loisir en un sujet si frivole et si vain.

À Dieu donc.

De Montaigne, ce premier de mars mil cinq cent quatre-vingts.

LIVRE I

Par divers moyens on arrive à pareille fin [a]

[Chapitre premier]

La façon la plus commune d'amollir les cœurs de ceux qu'on a offensés lorsque, la vengeance en main, ils nous tiennent à leur merci, c'est de les émouvoir par sa soumission à la commisération et à la pitié. Toutefois la bravoure, la constance et la résolution, moyens tout contraires, ont quelquefois servi ce même effet. Le prince de Galles Édouard qui régenta si longtemps notre Guyenne, personnage dont les conditions et la fortune ont beaucoup de notables caractères de grandeur, avait été très fortement offensé par les Limousins et lorsqu'il prit leur ville par la force, il ne put être arrêté par les cris du peuple, des femmes et des enfants abandonnés à la boucherie qui lui criaient merci et se jetaient à ses pieds jusqu'à ce que, poussant toujours outre à travers la ville, il aperçut trois gentilshommes français qui, avec une hardiesse incroyable, soutenaient seuls l'assaut de son armée victorieuse. La considération et le respect d'une si notable vaillance reboucha d'emblée la pointe de sa colère et il commença par ces trois-là à faire miséricorde à tous les autres habitants de la ville. Scanderbeg, prince de l'Epire, poursuivait un de ses soldats pour le tuer, et ce soldat, après avoir essayé de l'apaiser par toute espèce d'humilité et de supplication, se résolut à toute extrémité à l'attendre l'épée au poing. Cette résolution arrêta d'entrée la furie de son maître qui, pour lui avoir vu prendre un si honorable parti, le reçut en grâce. Cet exemple pourra souffrir une autre interprétation de la part de ceux qui n'auront pas lu la force et la vaillance prodigieuses de ce prince-là. L'empereur Conrad III, quand il eut assiégé Guelphe, duc de Bavière, ne voulut point condescendre à de plus douces conditions, quelques viles et lâches satisfactions qu'on lui offrît, que de permettre seulement aux gentes femmes qui étaient assiégées avec le duc de sortir, leur honneur sauf et à pied, avec ce qu'elles pourraient emporter sur elles. Elles, d'un cœur magnanime, s'avisèrent de charger sur leurs épaules leurs maris, leurs enfants, et le duc même. L'empereur prit un si grand plaisir à voir la générosité [1] de leur cœur qu'il en pleura d'aise. Il amortit toute cette aigreur d'inimitié mortelle et capitale qu'il avait portée contre ce duc, et dès lors il les traita humainement, lui et les siens. L'un et l'autre de ces deux moyens m'emporteraient aisément car j'ai un faible peu commun pour la miséricorde et la mansuétude. Quoi qu'il en soit, à mon avis, je serais homme à me rendre plus naturellement à la compassion qu'à l'estime. Pourtant la pitié est une passion mauvaise pour les stoïciens : ils veulent qu'on secoure les affligés, mais non pas qu'on fléchisse, ni qu'on compatisse avec eux. Or ces exemples me semblent plus à propos parce qu'on voit les âmes qui sont assaillies et essayées [2] par ces deux moyens en soutenir l'un sans s'ébranler et se courber sous l'autre. On peut dire qu'ouvrir son cœur à la commisération, c'est l'effet de la facilité, de la bonté et de la mollesse, d'où il advient que les natures les plus faibles, comme celles des femmes, des enfants et du vulgaire y sont plus sujettes, mais que, après avoir dédaigné les larmes et les pleurs, le fait de se rendre à la seule révérence de la sainte image de la vaillance est l'effet d'une âme forte et imployable qui a en affection et tient en honneur une vigueur mâle et obstinée. Toutefois chez des âmes moins généreuses l'étonnement et l'admiration peuvent faire naître un pareil effet, témoin le peuple thébain : alors que, sous un chef d'inculpation susceptible de la peine capitale, il avait traduit ses capitaines en justice pour avoir poursuivi leur charge outre le temps qui leur avait été prescrit et ordonné à l'avance, il eut beaucoup de mal à absoudre Pélopidas qui pliait sous le faix de telles accusations et n'employait à se garantir que des requêtes et des supplications, tandis que pour Epaminondas au contraire, qui vint à raconter magnifiquement les choses par lui faites et à les reprocher au peuple

1. La noblesse innée de leurs cœurs. Le texte dit : « la gentillesse de leur courage ». La grandeur d'âme, ou *générosité*, est une valeur cardinale dans la pensée morale de Montaigne.

2. Éprouvées. Dans la langue de Montaigne, « *essayer* » signifie « expérimenter » ; ainsi met-il sa pensée à l'épreuve dans chacun de ses « *Essais* ». Le mot « essai » provient du latin *exagium*, qui désigne proprement l'aiguille de la balance (*examen*), et, par extension, le fait d'effectuer une pesée de ce que l'on soumet à l'examen. Montaigne, sur un jeton, avait choisi pour emblème une balance flanquée de la devise : « Que sais-je ? »

d'une façon fière et arrogante, il n'eut pas le cœur de prendre seulement les balottes en main si bien que l'assemblée se sépara en louant hautement la grandeur d'âme de ce personnage. Denys l'Ancien, ayant pris la ville de Rhegium après des longueurs et des difficultés extrêmes, et dans celle-ci le capitaine Phyton, grand homme de bien, qui l'avait si obstinément défendue, voulut en tirer un tragique exemple de vengeance. Il lui dit d'abord comment le jour d'avant il avait fait noyer son fils et tous ceux de sa parenté. À quoi Phyton répondit seulement qu'ils en étaient d'un jour plus heureux que lui.

Après il le fit dépouiller et saisir par des bourreaux, avec ordre de le traîner par la ville en le fouettant très ignominieusement et cruellement et en l'accablant en outre de paroles félonnes et injurieuses. Mais Phyton garda un cœur toujours constant, sans se perdre. Et d'un visage ferme il rappelait au contraire à haute voix l'honorable et glorieuse cause de sa mort, qui était de n'avoir pas voulu livrer son pays aux mains d'un tyran qu'il menaçait du reste d'une punition prochaine des dieux. Denys lut dans les yeux de la multitude de son armée qu'au lieu de s'animer contre les bravades de cet ennemi vaincu elle allait s'amollissant au mépris de leur chef et de son triomphe, émerveillée par une si rare vaillance, et qu'elle était au bord de se mutiner et même d'arracher Phyton des mains de ses sergents. Il fit donc cesser ce martyre et en cachette il l'envoya noyer en mer.

Certes c'est un sujet merveilleusement vain, divers, et ondoyant que l'homme. Il est malaisé d'y fonder un jugement constant et uniforme : voilà Pompée qui pardonna à toute la ville des Mamertins [1], contre laquelle il était fort animé, en considération de la vaillance et de la magnanimité du citoyen Zénon qui se chargeait seul de la faute publique et ne requérait d'autre grâce que d'en supporter seul la peine. Et l'hôte de Sylla, qui dans la ville de Pérouse avait montré une semblable vaillance, n'y gagna rien, ni pour lui, ni pour les autres.

Et directement contre mes premiers exemples, le plus hardi des hommes, et si miséricordieux envers les vaincus, Alexandre, qui, forçant enfin la ville de Gaza après beaucoup de grandes difficultés, rencontra Bétis qui y commandait et dont pendant le siège il avait pu voir des preuves de courage merveilleuses dans un moment où, seul, abandonné des siens, ses armes en pièces, et tout couvert de sang et de plaies, cet homme combattait encore au milieu de plusieurs Macédoniens qui l'assaillaient de toutes parts. Tout irrité d'une victoire qui lui coûtait si cher, car, entre autres dommages, il avait reçu deux fraîches blessures sur sa personne, Alexandre lui dit : « Tu ne mourras pas

1. Messine.

comme tu as voulu, Bétis ! Compte qu'il te faut souffrir toutes les sortes de tourments qui se pourront inventer contre un captif ! » L'autre, d'une mine non seulement assurée, mais rogue et altière, resta sans mot dire devant ces menaces. Alors Alexandre voyant son obstination à se taire : « A-t-il fléchi un genou ? Lui est-il échappé quelque voix suppliante ? Vraiment je vaincrai ce silence, et si je n'en puis arracher de la parole, j'en arracherai au moins du gémissement. » Et, tournant sa colère en rage, il commanda qu'on lui perçât les talons et le fit traîner ainsi tout vif, déchirer et démembrer au cul d'une charrette.

Serait-ce que la force de cœur lui fût si naturelle et commune que, parce qu'il ne s'en étonnait pas, il la respectât moins ? Ou qu'il l'estimât si proprement sienne qu'il ne pût souffrir de la voir à ce degré chez un autre sans en ressentir le dépit d'une passion envieuse ? Ou que l'impétuosité naturelle de sa colère fût incapable de supporter une opposition ? De vrai, si elle avait été susceptible de se laisser brider, il est à croire que lors de la prise et de la désolation de la ville de Thèbes elle l'eût accepté, à voir cruellement passer au fil de l'épée tant de vaillants hommes perdus qui n'avaient plus aucun moyen de défense collective. Car il en fut tué bien six mille, dont nul ne fut vu ni fuyant, ni demandant merci. On les vit au rebours chercher qui çà, qui-là par les rues à affronter leurs ennemis victorieux, les provoquant à les faire mourir d'une mort honorable. Nul ne fut vu qui n'essayât de se venger encore dans son dernier soupir et de consoler sa mort par la mort de quelque ennemi avec les armes du désespoir. Pourtant l'écrasement de leur vaillance ne trouva aucune pitié, et la longueur d'un jour ne suffit pas à assouvir sa vengeance. Ce carnage dura jusqu'à la dernière goutte de sang qu'on pût répandre et ne s'arrêta qu'aux personnes désarmées, aux vieillards, aux femmes et aux enfants, pour qu'on en tirât trente mille esclaves.

De la tristesse [b]

[Chapitre II]

Je suis des plus exempts de cette passion, et je ne l'aime ni ne l'estime, quoique le monde ait entrepris, comme à prix fait, de l'honorer d'une faveur particulière. Ils en habillent la sagesse, la vaillance, la conscience. Sot et vil ornement ! De façon plus sortable, les Italiens ont baptisé de son nom la malignité [1]. Car c'est une qualité toujours nuisible, toujours folle, et, considérant qu'elle est toujours couarde et basse, les stoïciens en défendent le sentiment à leurs sages. Mais on raconte que Psamménite, roi d'Égypte, défait et pris par Cambyse, roi de Perse, quand il vit passer devant lui sa fille prisonnière habillée en servante qu'on envoyait puiser de l'eau, et alors que tous ses amis pleuraient et se lamentaient autour de lui, se tint coi, sans mot dire, les yeux fichés en terre ; que voyant peu après qu'on menait son fils à la mort, il se maintint encore dans cette même contenance ; mais que, lorsqu'il aperçut un de ses domestiques conduit parmi les captifs, il se mit soudain à se frapper la tête et à mener un deuil extrême. Ceci se pourrait comparer à ce qu'on vit dernièrement chez un prince des nôtres [2] : ayant ouï nouvelles, à Trente où il était, de la mort de son frère aîné, mais un frère en qui consistaient l'appui et l'honneur de toute sa maison, puis bientôt après d'un puîné, sa seconde espérance, alors qu'il avait soutenu ces deux assauts avec une constance exemplaire, quand quelques jours après un de ses gens vint à mourir il se laissa emporter par ce dernier malheur, et, quittant son air résolu, il s'abandonna au deuil et aux regrets, de sorte que certains en conclurent qu'il n'avait été touché au vif que par cette dernière secousse. Mais à la vérité ce fut qu'étant par ailleurs empli et comblé de tristesse, la moindre surcharge brisa les barrières de sa patience. Il s'en pourrait, dis-je, autant juger de notre histoire, n'était qu'elle ajoute cela : à Cambyse qui lui demandait la raison pour laquelle, alors qu'il ne s'était pas ému du malheur de son fils et de sa fille, il supportait si impatiemment celui de ses amis, Psamménite répondit : « C'est que ce seul dernier déplaisir peut se signifier par les larmes ; les deux premiers surpassaient de bien loin tout moyen de se pouvoir exprimer. »

D'aventure l'invention de ce peintre de l'antiquité reviendrait à ce propos, qui ayant à représenter au sacrifice d'Iphigénie le deuil des assistants selon les degrés de l'intérêt que chacun portait à la mort de cette belle fille innocente, ayant épuisé les derniers efforts de son art quand ce fut au tour du père de la vierge, il le peignit le visage couvert, comme si aucune contenance ne pouvait figurer ce degré de deuil. Voilà pourquoi les poètes ont imaginé Niobé, cette malheureuse mère

1. *Tristezza* signifie en effet chagrin, mais aussi noirceur, méchanceté, malignité.

2. Il s'agit de Charles de Guise, cardinal de Lorraine, et l'un des principaux chefs du parti catholique. Son frère aîné, François de Guise, fut assassiné par un protestant alors qu'il assiégeait Orléans. Dix jours plus tard, son frère puîné, l'abbé de Cluny, mourut d'une fluxion de poitrine contractée à la bataille de Dreux.

qui avait perdu d'abord sept fils, et puis de suite autant de filles, écrasée par ces pertes, à la fin transmuée en rocher,

diriguisse malis, avoir été pétrifiée par la douleur [1]

pour exprimer cette morne, muette et sourde stupidité qui nous transit lorsque les malheurs nous accablent et qu'ils surpassent notre portée. De vrai, la force d'un déplaisir, pour être extrême, doit foudroyer toute l'âme et lui empêcher la liberté de ses actions, tout comme, à la chaude alarme d'une bien mauvaise nouvelle, il nous advient de nous sentir saisis, transis et comme perclus de tous mouvements, de façon que l'âme, quand après elle se laisse aller aux larmes et aux plaintes, semble se déprendre, se démêler et se mettre plus au large et à son aise :

Et à grand-peine enfin un chemin s'ouvre à sa douleur
Et uia uix tandem uoci laxata dolore est. [2]

Lors de la guerre que le roi Ferdinand Ier mena contre la veuve du roi Jean de Hongrie, autour de Buda, un homme d'armes fut particulièrement remarqué par tous pour avoir excessivement donné de sa personne au cours de certaine mêlée, et, quoiqu'inconnu, il fut hautement loué et plaint pour y être resté. Mais nul ne fut autant touché que Raisciac, un seigneur allemand, par ce courage si rare : le corps une fois rapporté, celui-ci, curieux comme les autres, s'approcha pour voir qui c'était, mais, quand on eût ôté ses armes au trépassé, il reconnut son fils. Cela augmenta la compassion des assistants : lui seul, sans rien dire, sans ciller les yeux, resta debout à contempler fixement le corps de son fils jusqu'à ce que la violence de la tristesse, ayant étouffé ses esprits vitaux, le jetât roide mort par terre :

Qui peut peindre ses feux n'a que bien peu de flamme
Chi puo dir com'egli arde è in picciol fuoco, [3]

disent les amoureux qui veulent exprimer une passion insupportable :

pauvre de moi, l'amour
M'ôte les sens : à peine t'ai-je vue,
Lesbie, j'en perds la voix et la raison,
Ma langue fige, une flamme ténue
Court tout mon corps, l'oreille a du bourdon,
La nuit couvre ma vue

1. Ovide, *Métamorphoses*, VI, 304.
2. Virgile, *Énéide*, XI, 151.
3. Pétrarque, sonnet 137.

misero quod omnes
Eripit sensus mihi. Nam simul te
Lesbia aspexi, nihil est super mi
Quod loquar amens.
Lingua sed torpet, tenuis sub artus
Flamma dimanat, sonitu suopte
Tinniunt aures, gemina teguntur
Lumina nocte. [1]

Aussi n'est-ce pas dans la vive et la plus cuisante chaleur de l'accès que nous sommes propres à déployer nos plaintes et nos sentiments, l'âme est alors grevée de profondes pensées, et le corps abattu et languissant d'amour. Et par là s'engendre parfois la défaillance fortuite qui surprend les amoureux si hors de saison, et cette glace qui les saisit par la force d'une ardeur extrême, au giron même de la jouissance. Toutes les passions qui se laissent goûter et digérer ne sont que médiocres :

Les soucis légers sont bavards ; les grands, muets
Curae leues loquuntur, ingentes stupent. [2]

La surprise d'un plaisir inespéré nous foudroie de même :

Me voyant ceint de Troie en armes droit sur elle aller,
Eperdue, elle tremble à voir pareil prodige,
La chaleur fuit ses os ; à ce spectacle, elle se fige,
Flageole, et reste longtemps avant de pouvoir parler
Ut me conspexit uenientem et Troia circum
Arma amens uidit, magnis exterrita monstris,
Diriguit uisu in medio, calor ossa reliquit,
Labitur, et longo uix tandem tempore fatur. [3]

Outre la femme romaine qui mourut surprise d'aise de voir son fils revenu de la déroute de Cannes, Sophocle et Denys le Tyran qui trépassèrent d'aise, et Talva qui mourut en Corse en lisant les nouvelles des honneurs que le sénat de Rome lui avait décernés, nous savons qu'en notre siècle le pape Léon X, averti de la prise de Milan qu'il avait ardemment souhaitée, entra dans un tel excès de joie que la fièvre l'en prit et qu'il en mourut. Et pour un plus notable témoignage de la faiblesse humaine, il a été remarqué par les anciens que Diodore le dialecticien mourut sur-le-champ, pris d'une extrême honte parce que, dans son école même, et en public, il ne pouvait se dépêtrer d'un argument qu'on lui avait proposé.

---

1. Catulle, *Carmina*, LI, 5-12.
2. Sénèque, *Hippolyte*, II, 3, 607
3. Virgile, *Énéide,* III, 306-310.

Je suis peu sujet à ces passions violentes. J'ai la perception naturellement dure, et je l'encroûte et l'épaissis tous les jours par le raisonnement.

Nos affections s'emportent au-delà de nous [c]

[Chapitre III]

Ceux qui accusent les hommes d'aller toujours béant après les choses futures et nous apprennent à nous saisir des biens présents et nous rasseoir en eux parce qu'ils considèrent que nous n'avons aucune prise sur ce qui est à venir, et même bien moins que nous n'en avons sur ce qui est passé, touchent à la plus commune des erreurs humaines, si l'on ose appeler erreur une chose à quoi Nature même nous achemine pour que nous servions à la continuation son ouvrage en nous imprimant, comme bien d'autres, cette idée fausse, plus jalouse de notre action que de notre science. Nous ne sommes jamais chez nous ; nous sommes toujours au-delà : la crainte, le désir, l'espérance nous élancent vers l'avenir et nous dérobent le sentiment et la considération de ce qui est pour nous amuser à ce qui sera, voire quand nous ne serons plus. Bien misérable est l'esprit affligé du futur *calamitosus est animus futuri anxius* [1].

Ce grand précepte est souvent allégué dans Platon : « Fais ton fait, et connais-toi. » Chacun de ces deux membres enveloppe globalement tout notre devoir, et semblablement enveloppe son compagnon. Qui aurait à faire son fait verrait que sa première leçon, c'est de connaître ce qu'il est et ce qui lui est propre. Et qui se connaît ne prend plus l'étranger pour le sien : il s'aime et se cultive avant toute autre chose, refuse les occupations superflues comme les pensées et les propositions inutiles. Tout comme la folie, quand bien même on lui octroiera ce qu'elle désire, ne sera jamais contente, de même la sagesse se contente de ce qui est présent et ne se déplaît jamais de soi [2]. Épicure dispense son sage de la prévoyance et du souci de l'avenir.

Parmi les lois qui regardent les trépassés, celle-ci me semble vraiment solide qui oblige les actions des princes à être examinées après leur mort. Ils sont les compagnons, sinon les maîtres des lois : ce que

---

1. Virgile, *Énéide* III, 306-310.
2. Sénèque, *Lettres à Lucilius,* XCVIII.

la justice n'a pu sur leurs têtes, c'est raison qu'elle le puisse sur leur réputation et sur les biens de leurs successeurs, choses que souvent nous préférons à la vie. C'est un usage qui apporte des avantages singuliers aux nations où elle est observée, et désirable par tous les bons princes qui ont à se plaindre qu'on traite la mémoire des méchants comme la leur. Nous devons sujétion et obéissance également à tous les rois, car elles regardent leur office, mais l'estime, non plus que l'affection, nous ne la devons qu'à leur valeur. Accordons à l'ordre politique de les supporter patiemment même s'ils sont indignes, de celer leurs vices, d'aider par nos louanges à leurs actions indifférentes aussi longtemps que leur autorité a besoin de notre soutien. Mais une fois fini notre commerce avec eux, ce n'est pas raison de refuser à la justice et à notre liberté l'expression de nos vrais sentiments, et en particulier de refuser aux bons sujets la gloire d'avoir respectueusement et fidèlement servi un maître dont les imperfections leur étaient pourtant si bien connues et de frustrer ainsi la postérité d'un exemple aussi utile. Quant à ceux qui, par respect de quelque obligation personnelle, épousent iniquement la mémoire d'un prince blâmable, ils substituent une justice privée à la justice publique. Tite Live dit vrai que le langage des hommes nourris sous la royauté est toujours plein de vaines démonstrations et de faux témoignages, chacun élevant indifféremment son roi à l'extrême degré de la valeur et de la grandeur souveraine. On peut réprouver la magnanimité de ces deux soldats qui répondirent à Néron [1], à sa barbe, l'un auquel il demandait pourquoi il lui voulait du mal : « Je t'aimais quand tu le valais, mais depuis que tu es devenu parricide, boutefeu, bateleur, cocher, je te hais comme tu le mérites. » ; à l'autre, pourquoi il voulait le tuer : « Parce que je ne trouve d'autre remède à tes continuels méfaits. » Mais les témoignages publics et universels qui ont été rendus après sa mort et qui le seront à tout jamais sur lui comme sur tous les méchants tel que lui à propos de ses comportements tyranniques et vils, quel homme sain d'entendement peut les réprouver ? Il me déplaît que dans une aussi sainte constitution que celle de Lacédémone se fût mêlée une aussi feinte cérémonie pour la mort de ses rois. Tous les peuples confédérés et voisins, et tous les ilotes, hommes, femmes, pêle-mêle, s'entaillaient alors le front pour témoigner de leur deuil et disaient dans leurs cris et leurs lamentations que celui-là, quel qu'il eût été, était le meilleur roi de tous les leurs, attribuant au rang l'éloge dû au mérite, et rejetant ce qui appartient au premier mérite à l'ultime et dernier rang. Aristote, qui brasse

1. Tacite, *Annales*, XV, 67-68.

toutes choses, s'interroge [1] sur ce mot de Solon que nul avant de mourir ne peut être dit heureux et se demande si celui-là même qui a vécu et qui est mort à souhait peut être dit heureux si sa renommée va mal ou si sa postérité est misérable. Pendant que nous nous remuons, nous nous portons par anticipation où il nous plaît, mais une fois hors de l'être, nous n'avons aucune communication avec ce qui est, et il serait meilleur de dire à Solon que jamais homme n'est donc heureux puisqu'il ne l'est qu'après qu'il n'est plus :

On n'arrache pas sa vie aux racines qui la tiennent,
Insciemment on croit qu'une ombre après nous va rester...
Debout aux côtés du gisant qu'on s'imagine d'être,
On veut encore que ce corps, ce soit nous !

Quisquam
Vix radicitus e uita se tollit et eiicit,
Sed facit esse sui quiddam super inscius ipse (...)
Nec remouet satis a proiecto corpore sese, et
Vindicat. [2]

Bertrand du Guesclin mourut au siège du château de Randon, près du Puy, en Auvergne. Les assiégés s'étant rendus peu après, ils furent obligés de porter les clefs de la place sur le corps du trépassé. Barthélemy d'Alviane, général de l'armée vénitienne, était mort au service de leurs guerres à Brescia ; comme on devait ramener son corps à Venise en traversant le Véronais, terre ennemie, la plupart de ceux de l'armée étaient d'avis qu'on demandât un sauf-conduit aux gens de Vérone pour le passage, mais Théodore Trivolce s'y opposa, et il choisit plutôt de passer de vive force, au hasard du combat, car il n'était pas convenable, disait-il, que quelqu'un qui dans sa vie n'avait jamais eu peur de ses ennemis fît voir, une fois mort, qu'il les craignait [3]. De vrai, dans une chose voisine, selon les lois grecques, celui qui réclamait à l'ennemi un corps pour l'inhumer renonçait à la victoire et il ne lui était plus loisible d'en dresser trophée ; pour celui qui en était requis, c'était titre de gain. Ainsi Nicias perdit l'avantage qu'il avait nettement gagné sur les Corinthiens, et au rebours Agésilas assura celui qui lui était bien douteusement acquis sur les Béotiens [4]. Ces traits pourraient passer pour étranges s'il n'avait été reçu de tout temps non seulement d'étendre le souci que nous avons de nous

1. Aristote, *Éthique à Nicomaque*, I, 9.
2. Montaigne a modifié le début et la fin de cette citation de Lucrèce (III, 877-78 et 882), qu'il recompose à son gré.
3. Guichardin, *Histoire d'Italie*, XII.
4. Plutarque, *Nicias* II ; *Agésilas*, VI (trad. Amyot).

au-delà cette vie, mais encore de croire que bien souvent les faveurs célestes nous accompagnent au tombeau et se poursuivent en faveur de nos reliques. Ce dont il y a tant d'exemples anciens, laissant à part les nôtres, qu'il n'est point besoin que je m'y étende. Édouard premier, roi d'Angleterre, pour avoir essayé pendant les longues guerres entre lui et Robert, le roi d'Écosse, combien d'avantages sa présence donnait à ses affaires, attribuait toujours la victoire au fait qu'il menait l'entreprise en personne. Sur son lit de mort, ce monarque obligea donc son fils par un serment solennel à ce que, quand lui, son père, serait trépassé, il fît bouillir son corps pour déprendre sa chair d'avec les os et la faire enterrer, et, quant aux os, que son fils les réservât pour les transporter avec lui et dans son armée toutes les fois qu'il lui adviendrait d'être en guerre contre les Écossais, comme si la destinée avait fatalement attaché la victoire à ses membres royaux. Jean Zizka qui troubla la Bohème pour la défense des erreurs de Wycli voulut qu'on l'écorchât après sa mort, et que de sa peau l'on fît un tambourin à porter à la guerre contre ses ennemis, estimant que cela aiderait à prolonger les avantages qu'il avait eus dans les guerres qu'il avait conduites contre eux. Certains Indiens portaient ainsi au combat contre les Espagnols les ossements d'un de leurs capitaines, en considération de la chance qu'il avait eue de son vivant [1]. Et d'autres peuples dans ce même monde de là-bas traînent à la guerre les corps des hommes vaillants qui sont morts au cours de leurs batailles pour qu'ils leur servent de bonne fortune et d'encouragement.

Les premiers exemples ne réservent au tombeau que la réputation acquise par les actions passées ; mais ceux-ci veulent encore y mêler un pouvoir d'agir. Le fait du capitaine Bayard est de meilleure composition, lequel se sentant blessé à mort d'une arquebusade dans le corps, lorsqu'il se vit conseiller de se retirer de la mêlée, répondit qu'il ne commencerait point sur sa fin à tourner le dos à l'ennemi, et, ayant combattu tant qu'il en eut la force, quand il se sentit défaillir et échapper du cheval, il commanda à son maître d'hôtel de le coucher au pied d'un arbre, mais de façon qu'il pût mourir le visage tourné vers l'ennemi, comme il fit [2].

Il me faut ajouter cet autre exemple aussi remarquable à cet égard qu'aucun des précédents. L'empereur Maximilien, bisaïeul du roi Philippe qui règne à présent, était un prince doué de tout plein de grandes qualités, et entre autres d'une beauté de corps singulière. Mais parmi ces humeurs, il en avait une bien contraire à celle de ces

---

1. Francisco Lopez de Gomara, *Histoire générale des Indes*, 1569, III, 32.
2. *Mémoires* de Martin et Guillaume du Bellay, 1569, II.

princes qui pour dépêcher leurs plus importantes affaires font leur trône de leur chaire percée : il n'eut jamais de valet de chambre si privé à qui il permît de le voir dans sa garde-robe [1]. Il se dérobait pour tomber ses eaux, aussi religieux qu'une pucelle à ne découvrir ni à médecin ni à qui que ce fût les parties qu'on a accoutumé de tenir cachées. Moi, qui ai la bouche si effrontée, je suis pourtant par nature sujet à cette honte. Si ce n'est sous l'empire de la nécessité ou de la volupté, je ne laisse guère voir à personne les membres et les actions que notre coutume nous ordonne de couvrir. J'y souffre même plus de contrainte que je n'estime bienséant à un homme, et surtout à un homme de ma profession. Mais lui en vint à une telle superstition qu'il ordonna par des dispositions expresses de son testament qu'on lui attachât des caleçons quand il serait mort. Il aurait dû ajouter par codicille que celui qui les lui monterait eût les yeux bandés ! L'injonction que Cyrus fait à ses enfants [2] que ni eux ni nul autre ne voient ni ne touchent son corps après que l'âme en sera séparée, je l'attribue à quelque sienne dévotion, car et son historien et lui, parmi leurs grandes qualités, ont semé dans tout le cours de leur vie une révérence et un souci singuliers pour la religion.

Ce conte me déplut qu'un grand me fit à propos d'un de mes alliés, homme assez connu tant en paix qu'en guerre. C'est que, mourant bien vieux à sa cour, tourmenté de douleurs extrêmes dues à la pierre, il amusa toutes ses heures dernières, avec un soin opiniâtre, à disposer les honneurs et la cérémonie de son enterrement, et somma toute la noblesse qui le visitait de lui donner parole d'assister à son convoi. À ce prince même qui le vit à ces derniers moments, il fit l'instante supplication que toute sa maison fût priée de s'y trouver, employant plusieurs exemples et raisons pour prouver que c'était là une chose qui était due à un homme de sa sorte, et il sembla expirer content une fois qu'il eut obtenu cette promesse et ordonné à son gré la distribution et l'ordre de ses obsèques. Je n'ai guère vu de vanité si persévérante.

Cet autre souci inverse, pour lequel je n'ai point faute aussi d'exemples chez moi, me semble germain à celui-ci, d'aller, en ces ultimes instants, avec une parcimonie singulière et insolite, se préoccuper et s'inquiéter de restreindre son convoi à un seul serviteur et une seule lanterne !

Je vois qu'on loue pareille humeur, non moins que l'injonction de Marcus Aemilius Lepidus qui défendit à ses héritiers d'employer pour

1. Cabinet où l'on remisait la chaise percée.
2. Xénophon, *Cyropédie*, VIII, 7.

lui les cérémonies qu'on avait accoutumé d'ordonner en pareilles circonstances [1]. Est-ce encore tempérance et frugalité que d'éviter des dépenses et des voluptés dont l'usage et la connaissance nous sont imperceptibles ? Voilà une réforme aisée et de peu de coût. S'il était besoin d'en ordonner, je serais d'avis que dans celle-là, comme dans toutes les actions de la vie, chacun en rapportât la règle au degré de sa fortune.

Et le philosophe Lycon prescrit sagement à ses amis de mettre son corps où ils aviseront pour le mieux, et quant aux funérailles, de ne les faire ni superflues ni mécaniques. Je laisserai tout bonnement la coutume ordonner de cette cérémonie, et je m'en remettrai à la discrétion des premiers à qui je tomberai en charge : *totus hic locus est contemnendus in nobis, non negligendus in nostris* [2] il faut mépriser ce point pour nous-mêmes et ne pas le négliger pour les autres. Et il est saintement dit par un saint [3] : le soin des funérailles, le choix de la sépulture, la pompe des obsèques servent plus à consoler les vivants qu'à secourir les morts *curatio funeris, conditio sepulturæ, pompa exequiarum, magis sunt uiuorum solatia, quam subsidia mortuorum.* [4]

Pour ce motif, Socrate à Criton, qui sur l'heure de sa fin lui demande comment il voulait être enterré, Socrate répond-il : « Comme vous voudrez ! » Si j'avais à m'en tracasser plus avant, je trouverais plus élégant d'imiter ceux qui entreprennent, vivant et respirant, de jouir de l'ordre et des honneurs de leur sépulture et qui se plaisent à voir dans le marbre la mine qu'ils feront une fois morts. Heureux ceux qui peuvent réjouir et gratifier leurs sens par l'insensibilité et vivre de leur mort !

Peu s'en faut que je n'entre dans une haine irréconciliable contre toute domination populaire, quoiqu'elle me semble la plus naturelle et la plus équitable, quand il me souvient de cette inhumaine injustice du peuple d'Athènes de faire mourir sans rémission, et sans les vouloir seulement ouïr dans leurs défenses, ces braves capitaines qui venaient de gagner contre les Lacédémoniens la bataille navale des îles Arginuses, la plus disputée, la plus forte des batailles que les Grecs aient jamais livrée sur mer avec leurs forces, sous prétexte qu'après la victoire ils avaient poursuivi les occasions que la loi de la guerre leur présentait plutôt que de s'arrêter à recueillir et inhumer leurs morts. Et l'attitude de Diomédon rend cette exécution plus odieuse encore. Celui-ci était l'un des condamnés, homme d'une notable valeur tant

1. Tite-Live, *Épitomè*, XLVII.
2. Cicéron, *Tusculanes*, I, 45.
3. Saint Augustin, *La Cité de Dieu*, I, 12.
4. Platon, *Phédon*, LXIV (trad. M. Ficin).

militaire que politique. S'avançant pour parler après avoir ouï l'arrêt de leur condamnation, et trouvant seulement alors un moment de paisible audience, au lieu de s'en servir pour le bien de sa cause et pour dénoncer l'évidente iniquité d'une si cruelle sentence, il n'exprima que le souci qu'il avait du salut de ses juges, priant les dieux de faire tourner ce jugement à leur avantage ; et afin que, faute d'accomplir les vœux que lui et ses compagnons avaient voués en reconnaissance d'une si illustre fortune, ils n'attirassent pas sur eux l'ire des dieux, il leur révéla quels vœux c'étaient. Et sans dire autre chose et sans marchander, il s'achemina de ce pas courageusement au supplice [1]. La fortune quelques années après les punit en leur retaillant la même soupe [2]. Car Chabrias, capitaine général de leur armée de mer, qui, à l'île de Naxos, avait eu le dessus du combat contre Pollis, l'amiral de Sparte, perdit le fruit de sa victoire, pourtant net et acquis, et très important pour leurs affaires, à la seule fin de n'encourir pas le malheur de cet exemple ; et, pour faire en sorte de ne perdre que peu des corps de ses amis morts qui flottaient sur la mer, il laissa voguer sains et saufs un monde d'ennemis vivants, qui depuis leur firent bien payer cette importune superstition :

Tu veux donc savoir où tu dormiras après la mort ?
Là-même où reposent ceux qui ne sont pas nés encor

Quaeris quo iaceas post obitum loco ?
Quo non nata iacent. [3]

Cet autre redonne le sentiment du repos à un corps sans âme :

Pour port, qu'aucun sépulcre à son corps n'ouvre de retraite
Où sa dépouille après la mort sente ses maux dormir

Neque sepulcrum quo recipiat habeat portum corporis :
Ubi, remissa humana uita, corpus requiescat a malis. [4]

C'est de la même façon que Nature nous fait voir que plusieurs choses mortes ont encore des relations occultes à la vie : le vin s'altère dans nos caves selon certains changements des saisons de sa vigne. Et la chair de venaison change d'état et de goût dans les saloirs selon les lois de la chair vive, à ce qu'on dit.

1. Diodore de Sicile, *Bibliothèque historique*, XIII, 31-32 (trad. Amyot).

2. « Les punit de même pain soupe » dit le texte : la « soupe » est le pain qu'on taille dans l'écuelle pour le tremper de bouillon. L'expression était proverbiale.

3. Sénèque, *Les Troyennes*, II, 30.

4. Cicéron, *Tusculanes*, I, 44.

Comment l'âme décharge ses passions sur des objets faux quand les vrais lui défaillent

[Chapitre IV]

Un gentilhomme des nôtres singulièrement sujet à la goutte que les médecins pressaient de laisser tout à fait l'usage des viandes salées, avait accoutumé de répondre plaisamment que, dans les accès et les tourments du mal, il voulait avoir à quoi s'en prendre et qu'en criant et maudissant tantôt le cervelas, tantôt la langue de bœuf et le jambon, il s'en sentait d'autant soulagé. Et à la vérité, comme ayant levé le bras pour frapper il nous en deult [1] si le coup ne rencontre et qu'il s'en aille au vent, comme aussi, pour rendre une vue plaisante, il faut qu'elle n'aille pas se perdre et s'égarer dans le vague de l'air mais trouve à raisonnable distance un horizon où buter pour la soutenir,

De même que le vent s'il ne se heurte à grands bois
Perd sa force et se perd dans l'inanité de l'espace
Ventus ut amittit uires nisi robore densae
Occurrant siluae spatio diffusus inani, [2]

de même il semble que l'âme ébranlée et émue se perde en elle-même si on ne lui donne prise, et qu'il faille toujours lui fournir un objet sur lequel elle s'abute et agisse. Plutarque dit à propos de ceux qui se prennent d'affection pour les guenons et les petits chiens que la faculté amoureuse qui est en nous, faute de prise légitime, plutôt que de demeurer vacante, s'en forge ainsi une fausse et frivole. Et nous voyons que l'âme dans ses passions se pipe elle-même en se dressant des sujets faux et fantastiques, même contre sa propre créance, plutôt que de rester sans agir contre quelque chose. Ainsi leur rage emporte-t-elle les bêtes à s'attaquer à la pierre ou au fer qui les a blessées, et à se venger à belles dents sur soi-même du mal qu'elles ressentent :

L'ourse de Pannonie ainsi, que rend bien plus cruelle
Le trait qu'un Libyen vient de lancer d'un mince cuir,
Se roule sur sa plaie et de fureur cherche à saisir
Le dard qui dans ses chairs fuit et tournevire sous elle

1. Cela nous fait mal (verbe *douloir*, du latin *dolere*, avoir mal).
2. Lucain, *Pharsale*, II, 262-263.

Pannonis haud aliter post ictum saeuior ursa
Cui iaculum parua Lybis amentauit habena,
Se rotat in uulnus, telumque irata receptum
Impetit, et secum fugientem circuit hastam. [1]

Quelles causes n'inventons-nous pas aux malheurs qui nous adviennent ? À quoi ne nous en prenons-nous pas à tort ou à raison pour avoir où nous escrimer ? Ce ne sont pas ces tresses blondes que tu déchires, ni la blancheur de cette poitrine que, dépitée, tu bats si cruellement qui ont perdu d'un malheureux plomb ce frère bien aimé, prends-t'en ailleurs ! Tite-Live parlant de l'armée romaine en Espagne après la perte des deux frères qui en étaient les grands capitaines [2] : *flere omnes repente, et offensare capita* [3] *tous aussitôt de pleurer et de se frapper la tête.* C'est un usage commun. Et le philosophe Bion, à propos de ce roi qui de deuil s'arrachait le poil, fut assez plaisant : « Celui-ci pense-t-il que la pelade soulage le deuil ? » Qui n'a vu mâcher et engloutir les cartes ou se gorger d'un sac de dés pour avoir où se venger de la perte de son argent ? Xerxès fouetta la mer et écrivit une lettre de défi au mont Athos ; Cyrus amusa plusieurs jours toute une armée à se venger de la rivière du Gyndus pour la peur qu'il avait eue en la passant ; et Caligula fit ruiner une très belle maison pour le plaisir [4] que sa mère y avait eu. Le peuple disait dans ma jeunesse qu'un roi de nos voisins qui avait reçu de Dieu une volée de bois vert jura de s'en venger et ordonna que de dix ans on ne le priât, ni ne parlât de lui, ni, autant qu'il était en son pouvoir, qu'on ne crût en lui. Par où l'on voulait montrer non tant la sottise que la vanité naturelle à cette nation dont on faisait des contes. Ce sont des vices toujours conjoints, mais de telles actions contiennent, à la vérité, un peu plus d'outrecuidance encore que de bêtise.

César Auguste, après avoir été battu en mer par la tempête, se prit à défier le dieu Neptune, et dans la pompe des jeux du Cirque il fit ôter son image du rang où elle était parmi les autres dieux pour se venger de lui. En quoi il est encore moins excusable que les précédents, et moins qu'il ne le fut par la suite lorsque, ayant perdu une bataille sous Quintilius Varus en Allemagne, on le voyait frapper sa tête de colère et de désespoir contre la muraille en s'écriant : « Varus, rends-moi mes

1. Lucain, *Pharsale* VI, 220-223.
2. Publius et Gnaeus Scipion.
3. Tite-Live, XXV, 26, 62.
4. Ironique : d'après le texte de Sénèque que Montaigne suit ici, la mère de Caligula avait gardé un très mauvais souvenir de cette maison où elle avait été retenue contre son gré.

soldats ! », car ceux-là surpassent toute folie, d'autant que l'impiété s'y joint, qui s'en prennent à Dieu même ou à la fortune comme si elle avait des oreilles sujettes à nos assauts, à l'exemple des Thraces qui, quand il tonne ou éclaire, se mettent à tirer contre le ciel, pris d'un désir de vengeance digne des Titans, pour ramener Dieu à la raison à coups de flèches !

Or, comme dit chez Plutarque cet ancien poète :

Point ne se faut courroucer aux affaires :
Il ne leur chaut de toutes nos colères. [1]

Mais nous ne dirons jamais assez d'injures au dérèglement de notre esprit.

Si le chef d'une place assiégée doit sortir pour parlementer

[Chapitre V]

Lucius Marcius, légat des Romains lors de la guerre contre Persée, roi de Macédoine, voulant gagner le temps qu'il lui fallait encore pour mettre en point son armée, sema des projets d'accord. Le roi par ceux-ci endormi accorda une trêve de quelques jours, fournissant ainsi à son ennemi l'opportunité et le loisir de s'armer, par quoi le roi encourut sa ruine finale.

Cependant les anciens du sénat, qui se souvenaient des mœurs de leurs pères, récusèrent cette pratique comme ennemie de leur style ancien, qui était, disaient-ils, de combattre par vaillance, non par finesse, ni par surprises et rencontres de nuit, ni par fuites feintes et contre-attaques inopinées, en n'entrant en guerre qu'après l'avoir déclarée et souvent après avoir assigné l'heure et le lieu de la bataille. C'est avec le même scrupule de conscience qu'ils renvoyèrent à Pyrrhus son traître de médecin, et aux Falisques leur maître d'école déloyal [2]. C'étaient là les formes vraiment romaines, et non de la

1. Vers tirés de *Bellérophon*, une tragédie perdue d'Euripide, que Montaigne cite ici dans la version française d'Amyot.

2. Pyrrhus, roi d'Épire, harcela longtemps Rome, qui le défit à Bénévent en 275 ; son médecin avait proposé aux Romains de l'empoisonner. Ce maître d'école de Faléries, en Étrurie, leur avait proposé d'enlever les enfants des familles nobles. Les deux anecdotes sont dans Tite-Live (XLII).

subtilité grecque ou de l'astuce punique, gens chez qui il est moins glorieux de vaincre par force que par fraude. La tromperie peut servir sur le coup, mais celui-là seul se tient pour vaincu qui sait ne l'avoir été ni par la ruse, ni du fait du sort, mais par la vaillance, de troupe à troupe, dans une franche et juste guerre. Il appert bien par le discours de ces bonnes gens qu'ils n'avaient encore reçu cette belle sentence :

Ruse ou bravoure, qui s'en inquiète chez l'ennemi
dolus an uirtus, quis in hoste requirat ? [1]

Les Achaïens, dit Polybe, exécraient toute forme de tromperie dans leurs guerres, n'estimant qu'il y eût de victoire que lorsque les cœurs des ennemis sont abattus : Un homme sage et respectable saura que la seule véritable victoire est celle qu'on remporte en ne manquant ni à sa parole ni à l'honneur *eam uir sanctus et sapiens sciet ueram esse uictoriam quæ salua fide et integra dignitate parabitur* [2].

Un autre dit :

Est-ce à vous ou bien moi de régner, éprouvons
Par la vertu ce que veut la fortune souveraine
Vos ne uelit an me regnare, hera quidue ferat fors
Virtute experiamur. [3]

Dans le royaume de Ternate [4], parmi ces nations qu'à si pleine bouche nous appelons barbares, la coutume veut qu'ils n'entrent point en guerre sans l'avoir déclarée, et en y ajoutant une ample déclaration des moyens qu'ils vont y employer : lesquels, combien d'hommes, quelles munitions, quelles armes offensives et défensives. Mais aussi, une fois cela fait, ils se donnent licence d'employer à leur guerre, sans reproche, tout ce qui aide à vaincre.

Les anciens Florentins étaient si éloignés de vouloir prendre avantage sur leurs ennemis par surprise qu'ils les avertissaient un mois avant que de mettre leur armée aux champs, en faisant sonner continuellement la cloche qu'ils nommaient *Martinella.*

Chez nous, moins scrupuleux, qui tenons que celui qui a l'honneur de la guerre est celui qui en a le profit, et qui disons, après Lysandre, que, là où la peau du lion ne peut suffire, il y faut coudre un lopin de celle du renard, les occasions de surprise les plus ordinaires se tirent de cette pratique, et il n'est pas d'heure, disons-nous, où un chef doive

1. Virgile, *Énéide*, II, 390.
2. Florus, I, XII.
3. Cicéron, *De officiis,* I, XII, 38.
4. Petite île de l'archipel des Moluques (Insulinde). La source est Osorio, *Histoire de Portugal.*

avoir plus l'œil au guet que celle des pourparlers et des traités d'accord. Et pour cette raison, c'est une règle dans la bouche de tous les hommes de guerre de notre temps qu'il ne faut jamais que le gouverneur d'une place assiégée sorte lui-même pour parlementer. Du temps de nos pères cela fut reproché aux seigneurs de Montmort et de l'Assigny qui défendaient Mousson contre le comte de Nassau.

Mais aussi, à ce compte-là, celui-là serait excusable qui sortirait de telle façon que la sûreté et l'avantage demeurassent de son côté, comme le fit dans la ville de Reggio le comte Guy de Rangon (s'il faut en croire du Bellay, car Guicciardini dit que ce fut lui-même) lorsque le seigneur de l'Escut s'en rapprocha pour parlementer, car il abandonna de si peu son fort qu'un trouble s'étant ému pendant ces pourparlers, non seulement monsieur de l'Escut, avec sa troupe qui s'était approchée avec lui, se trouva le plus faible, de sorte qu'Alexandre Trivulce y fut tué, mais lui-même fut contraint, pour le plus sûr, de suivre le comte, et de se jeter sur sa foi à l'abri des coups dans la ville.

Eumène, dans la ville de Nora, pressé par Antigone qui l'assiégeait de sortir pour lui parler, en alléguant que c'était raison qu'il vînt devers lui attendu qu'il était, lui, Antigone, le plus grand et le plus fort, après avoir fait cette noble réponse : « Je n'estimerai jamais homme plus grand que moi tant que j'aurai mon épée à la main », n'y consentit pas avant qu'Antigone ne lui eût donné en otage Ptolémée, son propre neveu, comme il le demandait.

Pour autant, il y en a aussi qui se sont très bien trouvés de sortir sur la parole de l'assaillant, témoin Henry de Vaux, chevalier champenois. Il était assiégé dans le château de Commercy par les Anglais ; Barthélemy de Bonnes qui commandait le siège avait fait saper par le dehors la plus grande part du château, si bien qu'il ne restait qu'à mettre le feu aux poudres pour écraser les assiégés sous les ruines. Il somma ledit Henry de sortir pour parlementer dans son intérêt, ce qu'il fit avec trois autres. L'évidence de sa ruine lui ayant été mise sous les yeux, il s'en sentit singulièrement obligé à l'ennemi, à la discrétion duquel il se rendit, lui et sa troupe. Après que le feu eut été mis à la mine, les étançons [1] de bois venant à faillir, le château fut emporté de fond en comble.

Je me fie aisément à la foi d'autrui, mais je le ferais malaisément lorsque je donnerais à penser l'avoir fait par désespoir et par manque de courage plutôt que par franchise et confiance en sa loyauté.

---

1. Étais de bois destinés à soutenir provisoirement l'édifice miné jusqu'à la mise à feu.

L'heure des parlements dangereuse

[Chapitre VI]

Toutefois je vis dernièrement dans mon voisinage, à Mussidan, que ceux qui en furent délogés de force par notre armée, et d'autres de leur parti, se plaignaient à grands cris comme d'une trahison du fait que, pendant qu'on s'entremettait pour trouver un accord, et alors que le cessez-le-feu était encore en vigueur, on les avait surpris et mis en pièces. Plainte qui d'aventure eût eu quelque apparence en un autre siècle, mais, comme je viens de le dire, nos façons sont entièrement éloignées de ces règles, et l'on ne doit donc pas s'attendre que la confiance règne des uns aux autres avant que le dernier sceau n'ait été apposé au contrat, et encore alors y a-t-il assez à faire.

Et ce fut toujours un conseil hasardeux que de confier à la licence d'une armée victorieuse l'observation de la foi qu'on a donnée à une ville qui vient de se rendre par douce et favorable composition, et d'en laisser l'entrée libre aux soldats dans le chaud de l'action. L. Aemilius Regillus, préteur romain, avait perdu son temps à essayer de forcer la ville de Phocée du fait de la singulière prouesse des habitants à se bien défendre. Il pactisa avec eux de les recevoir pour amis du peuple romain et d'entrer dans leur place comme en une ville confédérée, pour leur ôter ainsi toute crainte d'une action hostile. Mais, comme avec lui il avait introduit son armée dans la place pour s'y faire voir en plus grande pompe, il ne fut plus en son pouvoir, quelque effort qu'il y employât, de tenir la bride à ses gens, et il vit sous ses yeux fourrager une bonne partie de la ville, les droits de la cupidité et de la vengeance supplantant ceux de son autorité et de la discipline militaire.

Cleomène disait que, quelque mal qu'on pût faire aux ennemis en temps de guerre, cela était au-dessus de la justice et ne lui était pas soumis, tant à l'égard des dieux qu'à l'égard des hommes. Alors qu'il avait fait trêve avec les Argiens pour sept jours, la troisième nuit après il alla les charger tout endormis et les défit, alléguant que dans sa trêve il n'avait pas été question des nuits ; mais les dieux vengèrent cette perfide subtilité.

Pendant les pourparlers, et tandis qu'ils musaient à chipoter sur leurs sûretés, la ville de Casilinum fut saisie par surprise, et ce pourtant au siècle des plus justes capitaines et de la plus parfaite milice romaine. Car il n'est pas dit qu'en temps et lieu il ne soit pas permis de nous prévaloir de la sottise de nos ennemis, comme nous le faisons de leur lâcheté. Il est bien certain que la guerre a naturellement beaucoup de privilèges raisonnables au préjudice de la raison, et qu'ici plus ne vaut la règle *neminem id. agere ut ex alterius prædetur inscitia* [1] que nul ne doit agir en profitant de l'ignorance d'autrui, mais je m'étonne de l'étendue que Xénophon leur donne, et par les propos, et par divers exploits de son parfait empereur, lui qui est un auteur d'un poids considérable dans ce genre de choses, en tant que grand capitaine et que philosophe comptant parmi les premiers disciples de Socrate, et je ne consens pas à la mesure de sa dispense en tout et partout.

Monsieur d'Aubigny assiégeait Capoue, et après une furieuse batterie d'artillerie, le seigneur Fabrice Colonne, capitaine de la ville, avait commencé à parlementer du haut d'un bastion ; tandis que ses gens faisaient plus molle garde, les nôtres s'emparèrent de la place et mirent tout en pièces. Et de plus fraîche mémoire, à Yvo le seigneur Julian Rommero, qui avait fait ce pas de clerc de sortir pour parlementer avec monsieur le Connétable, trouva au retour sa place saisie. Mais afin que nous ne nous en allions pas sans revanche : le marquis de Pesquaire assiégeait Gènes, où le duc Octavian Fregose commandait sous notre protection, et alors même que l'accord entre eux avait été poussé si avant qu'on le tenait pour fait, quand on fut sur le point de conclure, les Espagnols qui s'étaient coulés à l'intérieur en usèrent comme dans une victoire plénière. Et un peu plus tard, à Ligny-en-Barrois, où le comte de Brienne commandait, l'empereur l'ayant assiégé en personne, et Bertheuille, lieutenant dudit comte étant sorti pour parlementer, la ville se trouva saisie pendant les pourparlers :

Vaincre est toujours le fait le plus vanté
Qu'on vainque par fortune ou par habileté

Fu il vincer sempre mai laudabil cosa,
Vincasi o per fortuna o per ingegno, [2]

dit-on, mais le philosophe Chrysippe n'eût pas été de cet avis, et moi tout aussi peu, car il disait que ceux qui rivalisent à la course doivent bien employer toutes leurs forces à la vitesse, mais qu'il ne leur est pourtant aucunement loisible de mettre la main sur leur adversaire pour l'arrêter, ni de lui tendre la jambe pour le faire choir. Et plus généreusement encore le grand Alexandre, à Polypercon qui lui

1. Cicéron, *De officiis*, III, XVII, 72.
2. Arioste, *Roland furieux*, XV, 1.

conseillait de se servir de l'avantage que l'obscurité de la nuit lui donnait pour assaillir Darius : « Point, dit-il ; ce n'est pas à moi de chercher des victoires dérobées ; *malo me fortunæ poeniteat quam uictoriæ pudeat* [1] j'aime mieux me plaindre de la fortune que de rougir de ma victoire » ;

Il n'a daigné poindre Orode en sa course fugitive
Ni voulu le blesser d'une flèche de dos :
De front, de face, il lui court sus, fait d'homme à homme assaut,
Et par ruse ne vainc mais bien à force vive

Atque idem fugientem haud est dignatus Orodem
Sternere, nec iacta caecum dare cuspide uulnus :
Obuius, aduersoque occurrit, seque uiro uir
Contulit, haud furto melior, sed fortibus armis. [2]

Que l'intention juge nos actions

[Chapitre VII]

La mort, dit-on, nous acquitte de toutes nos obligations. J'en sais qui l'ont pris en diverse façon. Henry VII, roi d'Angleterre, fit avec Dom Philippe, fils de l'empereur Maximilien, ou pour le confronter plus honorablement, père de l'empereur Charles Quint, une composition aux termes de laquelle ledit Philippe remettait entre ses mains le duc de Suffolk de la Rose blanche, son ennemi, qui s'était enfui et retiré aux Pays-Bas, moyennant qu'il promettait de n'attenter en rien à la vie dudit duc : toutefois, quand il vint à mourir, il enjoignit à son fils par testament de le faire mourir aussitôt qu'il serait décédé. Dernièrement, dans cette tragédie que le duc d'Albe nous fit voir à Bruxelles avec les comtes de Hornes et d'Egmont, il y eut tout plein de choses remarquables, et entre autres que ledit comte d'Egmont, sous la foi et l'assurance duquel le comte de Horn était venu se rendre au duc d'Albe, demanda instamment qu'on le fît mourir le premier afin que sa mort l'affranchît de l'obligation qu'il avait audit comte de Horn. Il semble que la mort n'ait point déchargé le roi d'Angleterre de sa foi donnée, tandis que le comte d'Egmont eût été quitte de la sienne même sans mourir. Nous ne pouvons être tenus au-delà de nos forces et de nos moyens. Pour la raison que les effets et les exécutions ne sont nullement en notre pouvoir, et comme il n'y a rien vraiment en notre

1. Quinte-Curce, IV, 13, 9.
2. Virgile, *Énéide*, X, 732-35.

pouvoir que la volonté, c'est sur elle que se fondent par nécessité et que s'établissent toutes les règles du devoir de l'homme. Ainsi le comte d'Egmont qui pensait que son âme et sa volonté étaient engagées par sa promesse, bien que le pouvoir de l'effectuer ne fût pas en ses mains, était-il sans aucun doute absous de son devoir quand bien même il eût survécu au comte de Horn. Mais le roi d'Angleterre, qui manque à sa parole intentionnellement, ne peut pas être excusé pour avoir seulement retardé jusqu'après sa mort l'exécution de sa déloyauté, non plus que le maçon d'Hérodote, qui après avoir loyalement gardé durant sa vie le secret des trésors du roi d'Égypte, son maître, les découvrit à ses enfants à l'heure de sa mort.

J'en ai vu plusieurs de mon temps qui, convaincus par leur conscience de retenir des biens d'autrui, se disposaient à satisfaire à leur devoir par testament et après leur décès. Ils ne font rien qui vaille, ni en mettant un délai à une affaire aussi pressante, ni en pensant rétablir une injustice avec si peu de regret et de dommage pour eux. Ils doivent bien plus y mettre du leur.

Et autant ils payent plus pesamment et plus incommodément, autant leur satisfaction en est plus juste et méritoire. La pénitence veut qu'on se charge d'un faix. Ceux-là font pis encore qui réservent la révélation de quelque haineuse intention envers leur prochain jusqu'à la stipulation de leurs dernières volontés, après l'avoir cachée pendant la vie. Ils montrent qu'ils ont peu de soin de leur propre honneur en irritant l'offensé contre leur mémoire, et moins encore de leur conscience, en n'ayant su, par respect de la mort même, faire mourir leur malveillance, et en en prolongeant la vie outre la leur. Iniques juges qui renvoient à juger au moment où ils n'auront plus connaissance de cause !

Je me garderai, si je puis, que ma mort dise des choses que ma vie n'ait d'abord dites, et ouvertement.

De l'oisiveté [d]

[Chapitre VIII]

Comme nous voyons des terres oisives, si elles sont grasses et fertiles, foisonner en cent mille sortes d'herbes sauvages et inutiles et que pour les tenir productives il les faut assujettir et employer à des semences certaines pour notre service ; et comme aussi nous voyons que les femmes produisent bien toutes seules des amas et des pièces de chair informes mais que pour faire une génération bonne et naturelle il les faut embesogner avec une semence autre, de même en est-il des esprits : si on ne les occupe à quelque sujet certain qui les bride et les contraigne, ils se jettent, déréglés, par-ci par-là, dans le vague champ des imaginations :

Comme l'éclat qui sur l'eau tremble en un bassin de bronze
Où de la lune ou du soleil miroitent les rayons
Volette partout à l'entour et au haut déjà monte
Se heurter par les airs aux lambris des plafonds

Sicut aquæ tremulum labris ubi lumen ahenis
Sole repercussum, aut radiantis imagine Lunæ,
Omnia peruolitat late loca, iamque sub auras
Erigitur summique ferit laquearia tecti, [1]

et il n'est folie ni rêverie qu'ils ne produisent dans cette agitation,

comme les songes d'un malade
Forgent de vaines fictions

uelut ægri somnia uanæ
Finguntur species [2] ;

l'âme qui n'a point de but établi, elle se perd, car, comme on dit :

c'est n'être en aucun lieu que d'être partout » :

Quisquis ubique habitat, Maxime, nusquam habitat. [3]

Dernièrement que je me retirai chez moi, résolu, autant que je pourrai, de ne me mêler d'autre chose que de passer en repos et à part ce peu qui me reste de vie, il me semblait ne pouvoir faire de plus grande faveur à mon esprit que de le laisser en pleine oisiveté s'entretenir lui-même et s'arrêter et se rasseoir en lui, ce que j'espérais qu'il pût désormais faire plus aisément, devenu avec le temps plus pesant et plus mûr, mais je trouve :

– toujours l'oisiveté rend l'esprit inconstant

uariam semper dant otia mentem ! [4] –

1. Virgile, *Énéide*, VIII, 22-25.
2. Horace, *Art poétique*, 7.
3. Martial, *Épigrammes*, VII, 75.
4. Lucain, IV, 704.

qu'au rebours, faisant le cheval échappé, il se donne cent fois plus de carrière à lui-même qu'il n'en prenait pour autrui, et il m'enfante tant de chimères et de monstres fantasques les uns sur les autres, sans ordre, et sans propos, que pour en contempler à mon aise l'ineptie et l'étrangeté j'ai commencé de les mettre en rôle [1], espérant avec le temps lui en faire honte à lui-même.

Des menteurs

[Chapitre IX]

Il n'est homme à qui il sied aussi mal de se mêler de parler de mémoire. Car je n'en reconnais quasi-trace en moi, et je ne pense pas qu'il y en ait au monde une autre si monstrueuse en défaillance. J'ai toutes mes autres facultés viles et communes, mais en celle-là je pense être singulier et très rare, et digne de gagner nom et réputation.

Outre l'inconvénient naturel que j'en souffre – car certes, vu sa nécessité, Platon a raison de la nommer une grande et puissante déesse – en mon pays, s'ils veulent dire qu'un homme n'a point de sens, ils disent qu'il n'a point de mémoire, et quand je me plains du défaut de la mienne, ils me reprennent et me mécroient, comme si je m'accusais d'être insensé. Ils ne voient pas de choix entre mémoire et entendement. Voilà qui empire bien mon marché, mais ils me font tort, car, par expérience, on voit plutôt qu'au rebours les mémoires excellentes vont souvent de pair avec des jugements faibles. Ils me font tort aussi, à moi qui ne sais rien si bien faire qu'être ami, en ceci que les mêmes mots qui accusent ma maladie expriment l'ingratitude. On impute à ma mémoire un manque d'affection et d'un défaut naturel on fait un défaut de conscience : « Il aura oublié, dit-on, cette prière ou cette promesse ; il ne se souvient point de ses amis ; il ne s'est point souvenu de dire ou faire ou taire cela pour l'amour de moi. » Certes je puis aisément oublier, mais de mettre à négliger la charge que mon ami m'a donnée, je ne le fais pas. Qu'on se contente de ma misère sans

1. « Mettre en rôle », écrit Montaigne, c'est-à-dire « inscrire au rôle » : l'expression est du jargon judiciaire ; elle signifie « enregistrer », « tenir registre », « inscrire », et donc... « écrire », mais aussi « contre-rôler » (*contrôler*) comme on le fait avec les registres comptables tenus en partie double. Mais « enregistrer » ses fantaisies dans le « rôle » des *Essais* suffit-il à les régler ?

en faire une espèce de malice, et surtout une malice si ennemie de mon humeur.

Je me console un peu : premièrement, sur ce que c'est un mal dont j'ai principalement tiré le moyen de corriger un mal pire encore qui se fût facilement produit en moi, savoir l'ambition, car le défaut de mémoire est insupportable à qui s'empêtre des négociations du monde. Sur cela aussi que, comme le disent plusieurs pareils exemples du progrès de nature, elle a souvent fortifié d'autres facultés en moi à mesure que celle-ci s'est affaiblie, et l'on me verrait facilement m'endormir et m'alanguir l'esprit et le jugement sur les traces des autres sans exercer leurs propres forces, si les inventions et les opinions étrangères m'étaient présentes grâce aux bienfaits de la mémoire.

Sur ceci encore que mon parler en est plus court, car le magasin de la mémoire est souvent plus fourni de matière que ne l'est celui de l'invention. Si elle m'eût tenu bon, j'eusse assourdi tous mes amis de babil, les sujets éveillant cette faculté que j'ai de les manier et employer, en échauffant et en attirant mes raisons. C'est pitié ! J'essaye cela par la preuve que m'en donnent certains de mes amis personnels : à mesure que la mémoire leur fournit la chose entière et présente, ils reculent leur narration si arrière, et ils la chargent de tant de vaines circonstances que, si le conte est bon, ils en étouffent la bonté ; s'il ne l'est pas, vous êtes à maudire ou l'heur de leur mémoire, ou le malheur de leur jugement ! Et c'est chose difficile de clore un propos et de le couper une fois qu'on s'est mis en route. Et il n'est rien où la valeur d'un cheval se connaisse plus qu'à faire un arrêt rond et net. Parmi les pertinents mêmes, j'en vois qui veulent et ne peuvent se défaire de leur course. Pendant qu'ils cherchent le point de clore le pas, ils s'en vont balivernant et traînant comme des hommes qui défaillent de faiblesse. Les vieillards surtout sont dangereux, à qui la mémoire des choses passées demeure, et qui ont perdu le souvenir de leurs redites. J'ai vu des récits bien plaisants devenir très ennuyeux dans la bouche d'un seigneur, parce que chacun dans l'assistance en avait été abreuvé cent fois.

En second lieu, je m'en console sur ce je me souviens moins des offenses reçues, ainsi que le disait tel ancien. Il me faudrait un souffleur, comme à Darius : pour n'oublier point l'offense qu'il avait reçue des Athéniens, il demandait qu'un page, à tous les coups qu'il se mettait à table, lui vînt rechanter par trois fois à l'oreille : « Sire, qu'il vous souvienne des Athéniens », et sur le fait aussi que les lieux et les livres que je revois me rient toujours d'une fraîche nouvelleté.

Ce n'est pas sans raison qu'on dit que qui ne se sent point assez ferme de mémoire ne se doit pas mêler d'être menteur. Je sais bien que les grammairiens font une différence entre « dire un mensonge », et « mentir », et qu'ils disent que « dire un mensonge », c'est dire une chose fausse, mais qu'on a prise pour vraie, tandis que la définition du mot *mentir* en latin, d'où notre français est parti, signifie aussi « aller contre sa conscience », et que par conséquent cela ne touche que ceux qui parlent contre ce qu'ils savent, qui sont ceux dont je parle. Or ceux-ci, ou bien ils inventent tout, intérêts et principal, ou bien ils déguisent et altèrent un fonds de vérité.

Lorsqu'ils déguisent et changent, quand on les remet souvent sur le même conte, il est malaisé qu'ils n'y déchaussent leurs fers, parce que la chose telle qu'elle est s'étant la première logée dans la mémoire et s'y étant imprimée par la voie de la connaissance et de la science, il est malaisé qu'elle ne se représente à l'imagination en délogeant la fausseté, qui n'y peut avoir le pied aussi ferme ni si rassis, et que les circonstances du premier apprentissage, se coulant à tous les coups dans l'esprit, ne fassent pas perdre le souvenir des pièces rapportées, fausses ou abâtardies. Dans ce qu'ils inventent tout à fait, parce qu'il n'y a nulle impression contraire qui choque leur fausseté, ils semblent avoir d'autant moins à craindre de se mécompter. Toutefois cette fiction aussi, parce que c'est un corps vain et sans prise, échappe volontiers à la mémoire, si elle n'est pas bien assurée. De quoi j'ai souvent vu l'expérience, et plaisamment, aux dépens de ceux qui font profession de ne former autrement leur propos que selon ce qui sert aux affaires qu'ils négocient et ce qu'il plaît aux grands à qui ils parlent. Car les circonstances à quoi ils veulent asservir leur foi et leur conscience étant sujettes à beaucoup varier, il faut que leur parole se diversifie du même pas, d'où il advient que, d'une même chose, ils disent tantôt gris, tantôt jaune, à tel homme ainsi, à tel autre autrement, et si par fortune ces hommes rapportent en butin leurs informations si contraires, que devient alors ce bel art ? Outre ce qu'imprudemment ils y perdent eux-mêmes leurs fers très souvent, car quelle mémoire leur pourrait suffire à se souvenir de tant de formes diverses qu'ils ont forgées pour un même sujet ?

J'en ai vu plusieurs de mon temps envier la réputation de cette belle sorte de prudence : ils ne voient pas que si la réputation y est, l'effet n'y peut être. En vérité le mentir est un maudit vice. Nous ne sommes hommes, et ne nous tenons les uns aux autres que par la parole. Si nous en connaissions l'horreur et le poids, nous le poursuivrions des flammes plus justement que d'autres crimes. Je trouve qu'on s'amuse ordinairement à châtier les enfants pour des erreurs innocentes, très mal à propos, et qu'on les tourmente pour des actions téméraires qui ne laissent ni empreinte ni suite. La menterie seule, et, un peu au-dessous, l'entêtement, me semblent être les travers dont on devrait combattre instamment la naissance et le progrès. Ils croissent avec eux, et une fois qu'on a donné ce faux train à sa langue, c'est merveille combien il est impossible de l'en retirer. Par où il advient que nous voyons des gens, d'ailleurs honnêtes, y être sujets et asservis. J'ai un bon garçon de tailleur à qui je n'ai jamais ouï dire une vérité, non pas même quand elle s'offre pour lui servir utilement.

Si, comme la vérité, le mensonge n'avait qu'un visage, nous serions en meilleur point, car nous prendrions pour certain l'opposé de ce que dirait le menteur. Mais le revers de la vérité a cent mille figures, et un champ indéfini. Les Pythagoriciens posent que le bien est certain et fini, le mal, infini et incertain. Mille routes dévient du but, une seule y mène. En vérité, même s'il s'agissait de prévenir un danger évident et extrême au prix d'un mensonge effronté et solennel, je ne suis pas certain pas de pouvoir venir à bout de moi.

Un ancien père de l'Église [1] dit que nous sommes mieux en compagnie d'un chien connu qu'en celle d'un homme dont le langage nous est inconnu. *Vt externus alieno non sit hominis uice* [2] : au point qu'un étranger n'est pas un homme aux yeux d'un autre. » Et combien le langage faux est-il moins sociable que le silence ! Le roi François premier se vantait d'avoir mis au rouet par ce moyen Francisque Taverna, ambassadeur de François Sforza, duc de Milan, homme très fameux en science de parlerie. Celui-ci avait été dépêché pour excuser son maître envers sa Majesté d'un fait de grande conséquence, qui était le suivant : le roi, pour maintenir toujours quelques intelligences en Italie, d'où il avait été dernièrement chassé, et particulièrement dans le duché de Milan, s'était avisé d'y tenir auprès du duc un gentilhomme de sa part, ambassadeur en fait, mais en apparence simple particulier, qui fît mine de ne se trouver là que pour ses affaires particulières, et ce d'autant que le duc qui dépendait beaucoup plus de l'empereur, surtout depuis qu'il était en traité de mariage avec sa nièce, fille du roi de Danemark, qui est à présent douairière de Lorraine, ne pouvait sans grand dommage pour lui laisser paraître qu'il eût quelques relations et échanges avec nous. À cette mission se trouva propre un gentilhomme milanais, écuyer d'écurie chez le roi, nommé Merveille. Celui-ci, dépêché avec des lettres de créance secrètes et des instructions d'ambassadeur, et avec aussi d'autres lettres de recommandation envers le duc en faveur de ses affaires privées pour le masque et la parade, resta si longtemps auprès du duc que l'empereur en eut vent,

1. Saint Augustin, *Cité de Dieu*, XIX, 7.
2. Pline, *Histoire naturelle* VII, 1, 10.

ce qui causa ce qui s'ensuivit après, comme nous le pensons. Ce fut que, sous couleur de quelque meurtre, voilà le duc qui lui fait trancher la tête en pleine nuit, et son procès fait en deux jours. Messire Francisque était arrivé à Paris en ayant préparé une longue narration contrefaite de cette histoire, car pour en demander raison le roi s'était adressé à tous les princes de la chrétienté, et au duc lui-même. Il fut entendu à l'audience du matin, et pour fonder sa cause, il avait établi et dressé à cette fin plusieurs belles apparences du fait : que son maître n'avait jamais pris notre homme que pour un gentilhomme privé, pour l'un de ses sujets venu faire ses affaires à Milan et qui n'avait jamais vécu là sous un autre visage ; qu'il démentait avoir su qu'il fût de la maison du roi, ou même seulement connu de lui ; et que tant s'en fallait donc qu'il le prît pour un ambassadeur. Le roi à son tour, le pressant de diverses objections et demandes, et le chargeant de toutes parts, finit par l'acculer sur le point de cette exécution faite de nuit et comme à la dérobée. À quoi le pauvre homme embarrassé répondit, pour faire l'honnête, que, pour le respect de sa Majesté, le duc eût été bien marri qu'une telle exécution se fût faite de jour. Chacun peut penser comme il fut repris pour s'être si lourdement coupé, et ce sous un nez tel que celui du roi François !

Le pape Jules II avait envoyé un ambassadeur auprès roi d'Angleterre pour l'animer contre le roi de France. Après que l'ambassadeur eut été ouï sur sa charge, et le roi d'Angleterre s'étant arrêté dans sa réponse aux difficultés qu'il trouvait à dresser les préparatifs qu'il faudrait pour combattre un roi si puissant, et alléguant de ce fait quelques prétextes, l'ambassadeur répliqua mal à propos qu'il avait aussi considéré ces difficultés de son côté, et qu'il les avait bien dites au pape. De cette parole si éloignée de ce qu'il se proposait, qui était de le pousser sur-le-champ à la guerre, le roi d'Angleterre tira le premier soupçon que cet ambassadeur, en son for intérieur, pendait du côté de la France, ce qui, comme il le découvrit par la suite, était bien en effet le cas.

Il en fit avertir son maître, ses biens furent confisqués, et il ne tint à guère qu'il n'en perdît la vie.

Du parler prompt ou tardif

[Chapitre X]

Onc ne furent à tous toutes grâces données. [1]

Aussi voyons-nous que, pour le don d'éloquence, les uns ont la facilité et la promptitude, et comme on dit, le boute-hors si aisé qu'à chaque bout de champ ils sont prêts, les autres, plus tardifs, ne disent jamais rien qu'ils n'aient élaboré et prémédité. Comme on donne pour règle aux dames de choisir les jeux et les exercices du corps selon l'avantage de ce qu'elles ont le plus beau, si j'avais à conseiller de même concernant ces deux avantages opposés de l'éloquence, dont il semble en notre siècle que les prêcheurs et les avocats fassent principalement profession, le tardif serait mieux prêcheur, ce me semble, et l'autre mieux avocat. Parce que la charge du premier lui laisse autant de loisir qu'il lui plaît pour se préparer, et qu'ensuite sa course se passe d'un fil et d'une suite, sans interruption, alors que les opportunités pressent l'avocat de se mettre en lice à toute heure, et que les réponses imprévues de la partie adverse coupent son élan, ce qui lui demande de prendre sur-le-champ un nouveau parti.

Pourtant lors de l'entrevue du pape Clément [2] et du roi François à Marseille, il advint tout au rebours que Monsieur Poyet, homme toute sa vie nourri au barreau, de grande réputation, qui avait la charge de faire la harangue au pape, et qui l'avait de longue main pourpensée, voire, à ce qu'on dit, apportée de Paris toute prête le jour même qu'elle devait être prononcée, le pape, craignant qu'on lui tînt un propos qui pût offenser les ambassadeurs des autres princes qui étaient autour de lui, manda au roi l'argument qui lui semblait le plus propre au temps et au lieu, mais de fortune tout autre que celui sur lequel Monsieur Poyet s'était travaillé, de façon que sa harangue demeurait inutile, et qu'il lui en fallait promptement refaire une autre. Mais s'en sentant incapable, il fallut que Monsieur le cardinal du Bellay en prît la charge. La part de l'avocat est plus difficile que celle du prêcheur, et nous trouvons pourtant, à mon avis, plus d'avocats

1. Vers tiré d'un sonnet de La Boétie.

2. Clément VII (pape de 1525 à 1534).

passables que de prêcheurs, du moins en France. Il semble que ce soit plus le propre de l'esprit d'avoir son opération prompte et soudaine, et plus le propre du jugement de l'avoir lente et posée. Mais celui qui demeure complètement muet s'il n'a pas le loisir de se préparer, non moins que celui à qui le loisir ne permet pas de mieux dire, sont en pareil degré d'étrangeté.

On raconte à propos de Severus Cassius qu'il parlait mieux sans y avoir pensé, qu'il devait plus à la fortune qu'à sa diligence, qu'il tirait profit d'être troublé en parlant, et que ses adversaires craignaient de le piquer de peur que la colère ne le fît redoubler d'éloquence. Je connais par expérience cette sorte de nature qui ne peut soutenir une préméditation intense et laborieuse : si ces natures-là ne vont pas gaiement et librement, elles ne font rien qui vaille. Nous disons de certains ouvrages qu'ils puent l'huile et la lampe, à cause d'une certaine âpreté et d'une certaine rudesse que le travail imprime en ceux où il a grande part. Mais outre cela, la sollicitude de bien faire, et cette contention de l'âme trop bandée et trop tendue vers son entreprise, la rompt et l'empêche, ainsi qu'il advient à l'eau qui à force de se presser du fait de sa violence et de son abondance ne parvient pas à trouver d'issue dans un goulet ouvert.

Dans cette sorte de nature dont je parle, il y a en même temps cela aussi qu'elle demande à être non pas ébranlée et piquée par ces passions fortes, comme la colère de Cassius, car ce mouvement serait trop rude : elle veut être non pas secouée, mais sollicitée, elle veut être échauffée et réveillée par les occasions étrangères, présentes et fortuites. Si elle va toute seule, elle ne fait que traîner et languir. L'agitation est sa vie et sa grâce. Il ne m'est pas facile de me posséder et de disposer de moi. Le hasard a chez moi plus de droit que moi. L'occasion, la compagnie, le branle même de ma voix, tirent plus de mon esprit que je n'y trouve lorsque je le sonde et emploie à part moi. Ainsi les paroles en valent mieux que les écrits, s'il y peut avoir un choix dans ce qui n'a point de prix.

Il m'arrive aussi que je ne me trouve pas où je me cherche, et je me trouve plus par hasard que par l'inquisition de mon jugement. J'aurai lancé quelque subtilité en écrivant – j'entends bien, émoussée pour un autre, pointue pour moi, mais laissons toutes ces honnêtetés : chacun dit ces choses selon sa force – je l'ai si bien perdue que je ne sais ce que j'ai voulu dire, et l'étranger l'a parfois découverte avant moi. Si je portais le rasoir partout où cela m'advient, je me déferai tout ! Le hasard quelque autre fois me fera voir la chose dans un jour plus lumineux qu'à midi, et me fera m'étonner de mon hésitation.

Des prognostications [1]

[Chapitre XI]

Quant aux oracles, il est certain que beau temps avant la venue de Jésus-Christ ils avaient commencé à perdre leur crédit, car nous voyons que Cicéron se met en peine de trouver la cause de leur déclin, et ces mots sont de lui : *Cur isto modo iam oracula Delphis non eduntur, non modo nostra ætate, sed iamdiu, ut nihil possit esse contemptius ?* [2] Pourquoi ne rend-on plus à Delphes d'oracles de cette sorte, non seulement de nos jours, mais depuis longtemps déjà, en sorte qu'il n'est rien dont on puisse faire moins de cas ? » Mais pour ce qui est des autres pronostiques qui se tiraient de l'anatomie des bêtes dans ces sacrifices auxquels Platon attribue en partie la constitution naturelle des membres internes de ces animaux, ou du trépignement des poulets, ou du vol des oiseaux, *aues quasdam rerum augurandarum causa natas esse putamus* [3] certains oiseaux, croyons-nous, sont nés pour le service des augures », ou des foudres, ou du tourbillon des rivières, *multa cernunt aruspices, multa augures prouident, multa oraculis declarantur, multa uaticinationibus, multa somniis, multa portentis* [4] les aruspices discernent bien des choses, les augures en prévoient beaucoup, maintes sont annoncées par des oracles, maintes par divination, maintes par les rêves, maintes par les prodiges, et de bien d'autres faits encore sur lesquels l'antiquité appuyait la plupart de ses entreprises tant publiques que privées, notre religion les a abolis. Et, encore qu'il reste parmi nous quelques moyens de divination dans les astres, les esprits, les figures du corps, les songes, et ailleurs – notable exemple de la folle curiosité de notre nature qui s'amuse à anticiper les choses futures comme si elle n'avait pas assez à faire à digérer les présentes :

pourquoi, maître de l'Olympe,
Au malheur des humains rajouter ce souci
De prévoir leurs maux à venir par de cruels présages ?
Que de tous tes projets l'événement reste soudain,
Que l'esprit des mortels soit aveugle au destin,
Que l'espoir soit permis à leurs craintifs courages !

1. Prévisions de l'avenir (oracles, prophéties). Le mot est tout à fait sorti d'usage, mais les titres des chapitres sont si célèbres dans les *Essais* que j'ai
2. Cicéron, *De divininatione*, II, 57.
3. Cicéron, *De natura deorum,* II, 64.
4. Cicéron, *De natura deorum,* II, 65.

cur hanc tibi, rector Olympi,
Sollicitis uisum mortalibus addere curam,
Noscant uenturas ut dira per omina clades ?
Sit subitum quodcumque paras, sit caeca futuri
Mens hominum fati, liceat sperare timenti ! [1]

Il ne sert même à rien de savoir ce qui doit arriver, car il est malheureux de se tourmenter sans profit *ne utile quidem est scire quid futurum sit, miserum est enim nihil proficientem angi* [2] –, il reste que la divination est aujourd'hui d'une bien moindre autorité.

Voilà pourquoi l'exemple de François, marquis de Saluces[e], m'a semblé remarquable. Alors qu'il était le lieutenant du roi François dans son armée d'au-delà les monts, qu'il était infiniment favorisé par notre cour, qu'il était obligé au roi du marquisat même qui avait été confisqué à son frère, et alors même qu'il n'y avait par ailleurs aucune raison de faire ce qu'il fit, et que ses sentiments mêmes y contredisaient, cet homme se laissa si fortement épouvanter, comme il s'est avéré, par les belles prognostications qu'on faisait alors courir de tous côtés à l'avantage de l'empereur Charles Quint et à notre désavantage (et en Italie même, où ces folles prophéties avaient pris tant de place qu'à Rome une forte somme d'argent fut engagée à la banque sur la certitude qu'on avait de notre ruine prochaine), cet homme, dis-je, se laissa donc si fortement épouvanter que, après s'être souvent plaint à ses familiers et aux amis qu'il avait là des maux qu'il voyait inévitablement préparés à la couronne de France, il se retourna et changea de parti, à son grand dommage pourtant, quelque constellation qu'il y eût. Mais il s'y conduisit en homme battu de sentiments contraires, car alors qu'il avait en main des villes et des forces, que l'armée ennemie sous Antoine de Leve était à trois pas de lui, et que nous étions sans soupçon de son projet, il était en son pouvoir de faire pis qu'il ne fit : du fait de sa trahison nous ne perdîmes en effet ni homme ni ville, hormis Fossano, et encore après l'avoir longtemps disputée.

Dieu dans sa prudence enveloppe
Le futur d'une épaisse nuit ;
Il rit quand un mortel
S'inquiète au-delà du permis.
Tel est maître de lui,
Et sa vie coule heureuse,
Qui chaque jour peut dire :
« J'ai vécu ; qu'importe que Jupin

1. Lucain, *Pharsale*, II, 4-6 et 14-15.
2. Cicéron, *De natura deorum*, III, 6.

Emplisse l'air de noires nues demain
Ou d'une clarté radieuse »

Prudens futuri temporis exitum
Caliginosa nocte premit deus,
Ridetque si mortalis ultra
Fas trepidat.
Ille potens sui
Lætusque deget cui licet in diem
Dixisse : « uixi, cras uel atra
Nube polum pater occupato,
Vel sole puro ! » [1]

Heureuse du présent, l'âme aura horreur
De se préoccuper de ce qui n'est encore

Lætus in praesens animus quod ultra est,
Oderit curare.

Et ceux qui croient ce mot de sens contraire, le croient à tort : « C'est réciproque : si la divination est, les dieux sont, et si les dieux sont, la divination est *ista sic reciprocantur ut et si diuinatio sit, dii sint, et si dii sint, sit diuinatio* [2]. Pacuvius dit beaucoup plus sagement :

Ceux-là qui des oiseaux croient entendre la langue,
Et d'un foie étranger tirent plus que du leur,
Mieux vaut les écouter que les croire, je pense

Nam istis qui linguam auium intelligunt,
Plusque ex alieno iecore sapiunt quam ex suo,
Magis audiendum quam auscultandum censeo.

Cet art de deviner qu'ont découvert les Toscans et qu'on a tant célébré naquit ainsi : un laboureur en fendant profondément la terre de son coutre en vit sourdre Tagès [3], demi-dieu au visage enfantin, mais prudent comme un vieillard. Chacun accourut, et ses paroles et sa science qui contenaient les principes et les moyens de cet art furent recueillies et conservées pour plusieurs siècles. Naissance conforme à son progrès ! J'aimerais bien mieux régler mes affaires par le sort des dés que par ces songes. Et de vrai dans toutes les républiques on a toujours laissé au sort une bonne part d'autorité. Platon, dans cette constitution qu'il forge à sa discrétion, lui attribue la décision de plusieurs actes d'importance. Il veut entre autres choses que les mariages se fassent par tirage au sort parmi les bons. Et il donne un si grand poids à cette élection fortuite qu'il ordonne que les enfants qui

1. Horace, *Odes*, III, 29, 29-32 et 41-45 ; à quoi M. rajoute *ibid.* II, 16, 25-26.
2. Cicéron, *De divinatione*, I, 6, 10. Citation suivante : *ibid.* I, 57, 50. Citation suivante, *ibid.* II, 59, 121.
3. Dieu étrusque à qui était attribuée l'invention de l'aruspicine.

en naissent soient nourris au pays, et que ceux qui naissent des mauvais en soient chassés hors. Toutefois si quelqu'un de ces bannis venait par cas d'aventure à montrer en grandissant quelque bonne espérance de lui, il veut qu'on puisse le rappeler, et exiler aussi bien celui d'entre les retenus qui montrera peu d'espérance dès son adolescence.

J'en vois qui étudient et annotent leurs almanachs et qui nous en allèguent l'autorité pour toutes les choses qui se passent. Pour en dire tant, il faut qu'ils disent et la vérité et le mensonge. *Quis est enim qui totum diem iaculans, non aliquando conlineet ?* Qui en effet à tirer à longueur de journée ne finirait par atteindre la cible ? » Je ne les en estime nullement mieux pour les voir tomber juste en quelque occasion. Ce serait plus de certitude s'ils avaient pour règle et pour vérité de mentir toujours ! Ajoutez que personne ne tient registre de leurs mécomptes, parce qu'ils sont ordinaires et infinis, et qu'on fait valoir leurs divinations par le fait qu'elles sont rares, incroyables, et prodigieuses. À quelqu'un qui, dans l'île de Samothrace, lui montrait au temple force vœux et tableaux de ceux qui avaient échappé au naufrage et lui disait : « eh bien ! vous qui pensez que les dieux ne se soucient pas des choses humaines, que dites-vous de tant d'hommes sauvés par leur grâce ? », Diagoras, dit l'Athée, fit cette réponse : « Cela s'explique ainsi : ceux-là ne sont pas peints qui sont demeurés noyés, en bien plus grand nombre. » Cicéron dit que le seul Xénophane de Colophon, entre tous les philosophes qui ont avoué les dieux, a essayé de déraciner toute sorte de divination. Il faut donc d'autant moins nous étonner qu'on ait vu parfois, à leur détriment, certaines de nos âmes princières s'arrêter à ces vanités.

Je voudrais bien avoir reconnu de mes yeux ces deux merveilles : l'une est le livre où Joachim, un abbé de Calabre, prédisait tous les papes futurs, leurs noms et leurs visages, et l'autre celui de l'empereur Léon qui prédisait les empereurs et les patriarches de la Grèce. Ce que du moins j'ai reconnu de mes yeux, c'est que dans les troubles publics, les hommes, abasourdis par leur fortune, se mettent, comme dans toute superstition, à rechercher au ciel les causes et les menaces anciennes de leur malheur. Et sur ce terrain-là ils sont si étrangement heureux de mon temps qu'ils m'ont persuadé que, de même que la divination est un amusement d'esprits pointus et oisifs, de même ceux qui se sont appris à la subtilité de donner des replis aux textes et de les dénouer, seraient capables de trouver en tout écrit tout ce qu'ils y demandent. Mais surtout ce qui leur prête beau jeu, c'est le parler obscur, ambigu et fantastique du jargon prophétique, auquel leurs auteurs ne donnent aucun sens clair afin que la postérité puisse y appliquer celui qu'il lui plaira.

Le démon de Socrate était d'aventure une certaine impulsion de la volonté qui se présentait à lui sans l'avis de sa raison. Dans une âme bien épurée comme la sienne, et préparée par un entraînement continu à la sagesse et à la vertu, il est vraisemblable que ces inclinations, quoiqu'inconsidérées et difficiles à avaler, étaient toujours importantes et dignes d'être suivies. Chacun sent en soi quelque image de semblables agitations d'une pensée prompte, vive et fortuite. C'est à moi de leur donner quelque autorité, moi qui en donne si peu à notre sagesse. Et j'en ai eu qui étaient aussi faibles en raison que violentes en persuasion – ou en dissuasion, ce qui était plus courant chez Socrate – auxquelles je me suis laissé emporter de façon si profitable et si heureuse qu'on pourrait juger qu'elles tenaient quelque chose d'une inspiration divine.

De la constance

[Chapitre XII]

La loi de la résolution et de la constance ne porte pas que nous ne devions pas nous protéger, autant que nous le pouvons, des maux et des inconvénients qui nous menacent, ni par conséquent d'avoir peur qu'ils nous surprennent. Au rebours, tous les moyens honnêtes de se garantir des maux sont non seulement permis, mais louables. Et le jeu de la constance se joue principalement à supporter de pied ferme les inconvénients quand il n'y a point de remède. De sorte qu'il n'y a pas de geste de souplesse du corps ni mouvement avec les armes de main que nous trouvions mauvais s'il sert à nous garantir du coup qu'on nous porte.

Plusieurs nations très belliqueuses se servaient en leurs faits d'armes de la fuite pour avantage principal, et montraient le dos à l'ennemi plus dangereusement que leur visage. Les Turcs en gardent quelque chose. Et Socrate dans Platon se moque de Lachès qui avait défini le courage « se tenir ferme à son rang contre les ennemis » : « Quoi, lui dit-il, serait-ce donc lâcheté de les battre en leur laissant la place ? » Et il lui cite Homère qui loue chez Énée la science de fuir. Et parce que Lachès, se ravisant, approuve cet usage chez les Scythes, et enfin généralement chez tous les gens de cheval, il lui cite encore l'exemple des gens de pied de Lacédémone, nation entre toutes apprise à combattre de pied ferme, qui à la bataille de Platées, ne pouvant ouvrir la phalange perse, s'avisèrent de s'écarter et de scier arrière [1], pour parvenir, en faisant croire qu'ils fuyaient, à faire se rompre et se désunir cette masse en l'attirant à leur poursuite. Par où ils se donnèrent la victoire.

Touchant les Scythes, on dit d'eux quand Darius alla pour les subjuguer, qu'il fit connaître à leur roi force reproches parce qu'il le voyait toujours reculer devant lui et fuir la mêlée. À quoi Indathyrsès, car ainsi se nommait-il, fit réponse que ce n'était pas qu'il eût peur de lui, ni d'homme vivant, mais que c'était la façon de marcher de sa nation, qui n'ayant ni terre cultivée, ni ville ni maison à défendre, n'avait point à craindre que l'ennemi pût en faire profit. Mais s'il avait si grand faim d'en manger, qu'il approchât donc pour voir le lieu de leurs anciennes sépultures, et que là il trouverait à qui parler tout son saoul.

Toutefois dans les canonnades, dès qu'on en est la cible, comme les occasions de la guerre l'amènent souvent, il est messéant de se déplacer à cause de la menace du coup, parce que par sa violence et sa vitesse nous le tenons pour inévitable, et il y en a maint qui pour avoir ou haussé la main ou baissé la tête, a pour le moins prêté à rire à ses compagnons.

Pourtant lors de l'expédition que l'empereur Charles Quint fit contre nous en Provence, le Marquis de Guast qui était allé reconnaître la ville d'Arles et s'était aventuré hors du couvert d'un moulin à vent à la faveur duquel il s'était approché, fut aperçu par les seigneurs de Bonneval et par le sénéchal de l'Agenais qui se promenaient sur le théâtre des arènes. Ceux-ci le montrèrent au sieur de Villiers, commissaire de l'artillerie, qui braqua si bien une couleuvrine que si ledit marquis ne se fût rejeté de côté en voyant mettre à feu, chacun tenait pour certain qu'il en eût pris dans le corps. Et de même, quelques années auparavant, Laurent de Médicis, duc d'Urbino, père de la reine, mère du Roi, alors qu'il assiégeait la place de Mondolfo en Italie, dans les terres dites du Vicariat, voyant mettre à feu une pièce qui le regardait, bien lui servit de faire la cane [2], car autrement le coup qui ne lui rasa que le dessus de la tête lui donnait sans doute dans l'estomac. Pour en dire le vrai, je ne crois pas que ces mouvements se fissent avec réflexion, car quel jugement pouvez-vous faire de la mire haute ou basse en une affaire aussi soudaine ? Et il est bien plus aisé à croire que la fortune favorisa leur frayeur, et qu'une autre fois ce serait

1. Terme de marine : battre soudain en arrière « en sciant partout ».
2. Plonger vivement la tête sous l'eau comme le canard qui cherche provende.

un aussi bon moyen de s'exposer au coup que de l'éviter. Si le bruit éclatant d'une arquebusade vient à me frapper les oreilles à l'imprévu, en un lieu où je ne dusse pas m'y attendre, je ne puis m'empêcher d'en tressaillir, ce que j'ai vu aussi arriver à d'autres qui valent mieux que moi.

Les stoïciens n'exigent pas que l'âme de leur sage puisse résister aux premières visions et fantaisies qui lui surviennent, mais ils consentent qu'il cède, comme à une sujétion naturelle, au fracas du ciel ou d'une ruine, par exemple, jusqu'à la pâleur et à la contraction. De même pour les autres passions, pourvu que son opinion demeure sauve et entière, et que l'assiette de son raisonnement n'en souffre aucune atteinte ou altération quelconque, et qu'il ne prête aucun consentement à son effroi et à sa souffrance. Chez celui qui n'est pas sage, il en va de même pour la première partie, mais tout autrement pour la seconde, car l'impression des passions ne demeure pas en lui superficielle, mais pénètre jusqu'au siège de sa raison, l'infecte et la corrompt. Il juge selon elles, et s'y conforme. Voyez bien clairement et pleinement l'état du sage stoïque :

Son esprit reste coi, ses pleurs coulent en vain
Mens immota manet, lacrimae uoluuntur inanes. [1]

Le sage péripatéticien ne s'exempte pas des perturbations, mais il les modère.

Cérémonie de l'entrevue des rois

[Chapitre XIII]

Il n'est sujet si vain qui ne mérite un rang dans cette rapsodie. Selon nos règles communes, ce serait une notable discourtoisie et à l'endroit d'un pair, et plus encore à l'endroit d'un grand, de faillir à vous trouver chez vous quand il vous aurait averti qu'il devait y venir. La reine Marguerite de Navarre ajoutait même à ce propos que c'était de l'incivilité de la part d'un gentilhomme de partir de sa maison, comme il se fait le plus souvent, pour aller au-devant de celui qui le vient trouver, pour grand qu'il soit, et qu'il est plus respectueux et civil de

1. Virgile, *Énéide*, IV, 449.

l'attendre pour le recevoir, ne fût-ce que de peur de manquer sa route, et qu'il suffit de l'accompagner à son départ. Pour moi j'oublie souvent l'un et l'autre de ces vains devoirs, tout comme je retranche de ma maison autant de cérémonie que je puis. Quelqu'un s'en offense, qu'y ferais-je ? Il vaut mieux que je l'offense lui pour une fois que moi tous les jours : ce serait une sujétion continuelle. Pourquoi fuit-on la servitude des cours si on l'entraîne jusque dans sa tanière ?

C'est aussi une règle commune dans toutes les assemblées qu'il revient aux moindres gens de se trouver les premières au rendez-vous, parce qu'il est mieux dû aux personnages les plus en vue de se faire attendre. Toutefois, lors de l'entrevue qui se fit à Marseille entre le pape Clément et le roi François, le roi, après avoir ordonné les apprêts nécessaires, s'éloigna de la ville, et laissa au pape un loisir de deux ou trois jours pour faire son entrée et se rafraîchir, avant qu'il le vînt trouver. Et de même aussi lors de l'entrée du pape et de l'empereur à Bologne, l'empereur donna moyen au pape d'y être le premier et n'y survint qu'après lui. C'est, dit-on, le cérémonial ordinaire dans les rencontres de tels princes que le plus grand soit avant les autres au lieu assigné, voire avant celui chez qui se fait l'assemblée. On le comprend ainsi : c'est afin que cette apparence témoigne que c'est le plus grand que les moindres vont trouver, que ce sont eux qui cherchent à le voir, non pas lui, eux. Non seulement chaque pays, mais chaque cité et chaque profession ont leur civilité particulière. J'y ai été assez soigneusement dressé dans mon enfance, et j'ai vécu en assez bonne compagnie pour n'ignorer pas les lois de la nôtre française, et j'en tiendrais école. J'aime à les suivre, mais non pas si couardement que ma vie en demeure contrainte. Elles ont quelques formes pénibles : si on les oublie par choix, non par erreur, on n'en a pas moins de grâce. J'ai vu souvent des hommes incivils par trop de civilité, et importuns par courtoisie. C'est au demeurant une très utile science que la science de l'entregent. Elle est, comme la grâce et la beauté, conciliatrice des premiers abords de la vie en société et de toute familiarité, et par conséquent elles nous ouvrent la porte à nous instruire par les exemples d'autrui, et à exploiter et produire notre propre exemple s'il a quelque chose d'instructif et de communicable.

On est puni de s'opiniâtrer en une place sans raison

[Chapitre XIV]

La vaillance a ses limites, comme les autres vertus, lesquelles franchies on se trouve dans le train du vice, de sorte que par chez elle on peut en arriver à la témérité, à l'obstination et à la folie pour qui n'en sait pas bien les bornes, malaisées en vérité à discerner sur leurs confins. De cette considération est née la coutume que nous avons, pendant les guerres, de punir, et de mort même, ceux qui s'opiniâtrent à défendre une place qui, selon les règles militaires, ne peut être soutenue. Autrement, sous l'espérance de l'impunité, il n'y aurait poulailler qui n'arrêtât une armée ! Monsieur le Connétable de Montmorency au siège de Pavie, ayant reçu mission de passer le Tessin et de s'installer dans les faubourgs Saint-Antoine, empêché par une tour au bout du pont qui s'opiniâtra jusqu'à se faire aplatir, fit pendre tout ce qui était dedans. Et depuis encore, accompagnant Monsieur le Dauphin dans son voyage au-delà les monts, après qu'il eut pris de vive force le château de Villane, et que tout ce qui était dedans eut été mis en pièces par la furie des soldats, hormis le capitaine et l'enseigne, il les fit pendre et étrangler pour cette même raison, comme en fit aussi le capitaine Martin du Bellay, alors gouverneur de Turin, en cette même contrée, du capitaine de Saint-Bony, dont le reste des gens avait été massacré lors de la prise de la place. Mais parce que le jugement de la valeur et de la faiblesse de la place se fait d'après l'estimation et la comparaison des forces qui l'assaillent (car tel s'opiniâtrerait justement contre deux couleuvrines qui ferait l'enragé de s'opposer à trente canons), et qu'on prend encore en compte la grandeur du prince conquérant, sa réputation et le respect qu'on lui doit, il y a danger qu'on presse un peu la balance de ce côté-là. Et il advient par ces mêmes raisons que certains ont une si grande opinion d'eux et de leurs moyens que, rien ne leur semblant raisonnablement digne de leur faire tête, ils passent le couteau partout où ils rencontrent de la résistance, tant que fortune leur dure, comme on le voit dans les formes de sommation et de défi que les princes d'Orient et leurs successeurs qui règnent encore ont en usage : fières, hautaines et pleines d'une arrogance barbare.

Et dans le quartier par où les Portugais écornèrent les Indes, ils trouvèrent des États avec cette loi universelle et inviolable que tout ennemi vaincu par le roi en sa présence, ou par son lieutenant, est hors de négociation pour toute rançon ou merci.

Ainsi il faut surtout se garder, si l'on peut, de tomber entre les mains d'un juge ennemi, victorieux et armé.

De la punition de la couardise

[Chapitre XV]

J'ouis autrefois dire à un prince, et très grand capitaine, que pour lâcheté de cœur un soldat ne pouvait être condamné à mort, alors qu'à table on venait de lui faire le récit du procès du seigneur de Vervins qui fut condamné à mort pour avoir rendu Boulogne. À la vérité c'est raison qu'on fasse une grande différence entre les fautes qui viennent de notre faiblesse et celles qui viennent de notre malice. Car en celles-ci nous nous sommes bandés sciemment contre les règles de la raison que nature a empreintes en nous, tandis qu'en celles-là il semble que nous puissions appeler en garant cette même nature pour nous avoir laissé dans une telle imperfection et une telle défaillance. De manière que prou de gens ont pensé qu'on ne se pouvait s'en prendre à nous que de ce que nous faisons contre notre conscience : sur cette règle est en partie fondée l'opinion de ceux qui condamnent les punitions capitales pour les hérétiques et les mécréants, et celle qui établit qu'un avocat et un juge ne puissent être tenus de ce que, par ignorance, ils aient failli à leur charge.

Mais quant à la couardise, il est certain que la plus commune façon de la châtier, c'est par la honte et l'ignominie. Et l'on tient que cette règle a été d'abord mise en usage par le législateur Charondas : avant lui, les lois en Grèce punissaient de mort ceux qui s'étaient enfuis d'une bataille, tandis qu'il ordonna qu'ils fussent seulement assis trois jours sur la place publique, vêtus d'une robe de femme, espérant encore pouvoir se servir d'eux une fois qu'il leur aurait fait revenir le courage par cette honte. *Suffundere malis hominis sanguinem quam effundere*[1] faire monter le sang aux joues plutôt que de le verser. Il semble aussi que les lois romaines punissaient anciennement de mort ceux qui avaient fui. Ammien Marcellin dit en effet que l'empereur Julien condamna dix

1. Tertullien, *Apologétique*, IV, 9.

de ses soldats qui avaient tourné le dos lors d'une charge contre les Parthes à être dégradés et à souffrir ensuite la mort, selon, dit-il, les lois anciennes. Toutefois ailleurs pour une pareille faute il en condamne d'autres seulement à se tenir parmi les prisonniers sous l'enseigne du bagage. L'âpre châtiment du peuple romain contre les soldats échappés de Cannes, et, au cours de cette même guerre, contre ceux qui accompagnèrent Cn. Fulvius dans sa défaite, n'en vint pas jusqu'à la mort. Il est pourtant à craindre que la honte désespère ces couards, et qu'elle en fasse non pas froids amis seulement, mais bien des ennemis. Du temps de nos pères, le seigneur de Franget, autrefois lieutenant de la compagnie de monsieur le maréchal de Châtillon, que Monsieur le Maréchal de Chabannes avait fait gouverneur de Fontarrabie, au lieu de monsieur du Lude, et qui avait livrée la place aux Espagnols, fut condamné à être dégradé de sa noblesse, et, tant lui que sa postérité, déclaré roturier, taillable, et incapable de porter les armes, et cette rude sentence fut exécutée à Lyon.

Depuis, pareille punition fut soufferte par tous les gentilshommes qui se trouvèrent dans Guise lorsque le comte de Nassau y entra, et autres encore depuis.

Toutefois quand il y aurait une ignorance ou une couardise si grossière et si apparente qu'elle surpassât tous les cas ordinaires, ce serait raison de la prendre pour preuve suffisante de méchanceté et de malice, et de la châtier pour telle.

Un trait de quelques ambassadeurs

[Chapitre XVI]

Dans mes voyages, pour apprendre toujours quelque chose par la communication d'autrui – qui est une des plus belles écoles qui puisse être –, j'observe cette pratique de ramener toujours ceux avec qui je converse à parler des choses qu'ils savent le mieux :

Que le marin s'en tienne à nous parler des vents,
Le laboureur de ses taureaux,
Le soldat de ses plaies, le pâtre de ses troupeaux

Basti al nocchiero ragionar de'venti,
Al bifolco dei tori, et le sue piaghe
Conti'l guerrier, conti'l pastor gli armenti. [1]

1. Vers italiens imités de Properce (II, 1, 45).

Car il advient le plus souvent au contraire que chacun choisit plutôt de discourir du métier d'un autre que du sien, estimant que c'est autant de nouvelle réputation acquise, témoin le reproche qu'Archidamos fit à Périandre qu'il quittait la réputation de bon médecin pour acquérir celle de mauvais poète. Voyez combien César s'étend largement pour nous expliquer les inventions auxquelles il eut recours pour bâtir ponts et engins, et combien, à côté, il se fait concis quand il parle des vertus propres à sa profession, de sa vaillance, et de la conduite de son armée. Ses exploits démontrent assez qu'il est un capitaine excellent : il veut se faire connaître comme excellent ingénieur, qualité quelque peu étrangère. Denys l'Ancien était un très grand chef de guerre, comme il convenait à sa fortune, mais il se travaillait à se faire estimer avant tout par la poésie, et pourtant il ne s'y entendait guère. Et un homme, juriste de profession, qu'on emmena ces jours derniers voir une étude fournie de toutes sortes de livres relatifs à son métier et à tout autre métier, n'y trouva nulle occasion de s'en entretenir, mais il s'arrêta à critiquer rudement, et en maître de l'art, une barricade qui défendait l'escalier à vis de l'étude, que cent capitaines et soldats approchent tous les jours sans faire de remarque et sans s'en offusquer :

Le bœuf lent aspire à la selle, au coutre le coursier
Optat ephippia bos piger, optat arare caballus. [1]

Par ce train, vous ne faites jamais rien qui vaille. Ainsi, il faut travailler à rejeter toujours l'architecte, le peintre, le cordonnier, et ainsi du reste : à chacun son gibier ! Et à ce propos, à la lecture des récits d'histoire, matière sur laquelle écrivent toutes sortes de gens, j'ai accoutumé de considérer qui en sont les écrivains : si ce sont des personnes qui ne font profession que de lettres, j'en apprends principalement le style et le langage ; si ce sont des médecins, je les crois plus volontiers dans ce qu'ils nous disent de la composition de l'air, de la santé et du tempérament des princes, des blessures et des maladies ; si ce sont des jurisconsultes, il faut prendre chez eux les controverses sur le droit, les lois, l'établissement des constitutions, et autres choses de cet ordre ; s'ils sont théologiens, les affaires de l'Église, les censures ecclésiastiques, les dispenses et les mariages ; si courtisans, les mœurs et les cérémonies ; si gens de guerre, ce qui est propre à leur charge, et principalement les récits des faits d'armes où ils se sont trouvés en personne ; si ambassadeurs, les menées, les intelligences et les négociations, et la manière de les conduire. Pour cette raison, ce que j'eusse

1. Horace, *Épîtres*, I, 14, 43

passé à un autre sans m'y arrêter, je l'ai pesé et remarqué dans l'histoire du seigneur de Langey [1], homme très entendu en ce genre de choses. Il commence par nous raconter les belles remontrances que l'empereur Charles Quint fit au consistoire à Rome, en présence de l'évêque de Mâcon, et du seigneur du Velly, nos ambassadeurs, où se mêlaient plusieurs propos outrageux à notre encontre, et, entre autres, que si ses capitaines et ses soldats n'avaient pas plus de fidélité et de compétence militaire que ceux du roi de France, il s'attacherait sur l'heure la corde au cou pour aller lui demander miséricorde. Et de ceci, du reste, il semble qu'il en crût quelque chose, car deux ou trois fois dans sa vie par la suite il lui advint de redire ces mêmes mots. Le récit mentionne aussi le défi que l'empereur lança au roi de venir le combattre en chemise, à l'épée et au poignard, sur un bateau. Or après avoir raconté tout cela, ledit seigneur de Langey, poursuivant son histoire, ajoute alors que lesdits ambassadeurs firent une dépêche au roi pour l'informer de ces choses, mais qu'ils lui en dissimulèrent la plus grande partie, et même qu'ils lui cachèrent les deux points précédents. À ce moment, j'ai trouvé bien étrange qu'il fût au pouvoir d'un ambassadeur de prendre des libertés avec les informations dont il doit avertir son maître, même quand les propos sont d'une telle conséquence, dès lors qu'ils viennent d'un personnage de ce rang, et qu'ils ont été prononcés devant une aussi grande assemblée. Et il m'eût semblé que le devoir du serviteur fût de fidèlement représenter les choses en leur entier, comme elles sont advenues, afin que la liberté d'ordonner, de juger, et de choisir demeurât au maître. Car lui altérer ou cacher la vérité de peur qu'il ne la prenne autrement qu'il ne doit et que cela ne le pousse à quelque mauvais parti, et le laisser pendant ce temps ignorant de ses affaires, cela m'eût semblé appartenir à celui qui donne la loi, non à celui qui la reçoit, à un curateur [2] ou à un maître d'école, non à celui qui doit se considérer comme inférieur, non seulement en autorité, aussi en prudence et en bon conseil. Quoi qu'il en soit, je ne voudrais pas être servi de cette façon dans mon petit cas.

C'est si volontiers que, sous quelque prétexte, nous nous soustrayons au commandement et usurpons les droits du maître, c'est si naturellement que chacun aspire à la liberté et à l'autorité que nul secours ne saurait être aussi cher au supérieur, venant de ceux qui le

1. Guillaume du Bellay, seigneur de Langey, diplomate influent, chargé de plusieurs missions délicates durant les guerres d'Italie, et auteur d'une histoire de ces guerres.

2. Le curateur est celui qui est chargé d'une curatelle, c'est-à-dire d'assister un incapable et de répondre pour lui.

servent, que leur simple et naïve obéissance. On corrompt l'esprit du commandement quand chacun obéit à sa discrétion, et non par sujétion. P. Crassus, celui que les Romains estimèrent cinq fois heureux lorsqu'il était consul en Asie, avait mandé à un ingénieur grec de lui faire mener le plus grand des deux mâts de navire qu'il avait vus à Athènes, pour quelque engin de batterie qu'il voulait en faire. L'ingénieur, au titre de sa science, se donna tout loisir de choisir autrement, et il ramena le plus petit, qui, selon la raison de l'art, était le plus commode. Crassus, après avoir patiemment ouï ses raisons, lui fit très bien donner le fouet, faisant passer l'intérêt de la discipline avant celui de l'ouvrage.

D'autre part pourtant on pourrait aussi considérer que cette obéissance si contrainte n'est due qu'aux commandements précis et préfix. Les ambassadeurs ont une charge plus libre qui sur plusieurs points dépend souverainement de leur disposition. Ils n'exécutent pas simplement, mais ils forment aussi et dressent par leur conseil la volonté du maître. J'ai vu de mon temps des hommes chargés d'un commandement se faire reprendre pour avoir obéi au mot à mot des lettres du roi plutôt qu'aux circonstances dans lesquelles ils se trouvaient engagés. Les hommes d'entendement accusent encore aujourd'hui l'usage des rois de Perse de tailler leurs morceaux si courts à leurs agents et lieutenants que, pour les moindres choses, ils devaient réclamer leurs ordres : ce délai, dans un empire aussi étendu, a souvent causé en effet des dommages notables à leurs affaires. Et Crassus, en écrivant à un homme du métier, et en l'informant de l'usage auquel il destinait ce mât, ne semblait-il pas entrer en discussion avec lui sur le parti à prendre, et le convier à interposer son décret ?

De la peur

[Chapitre XVII]

Obstupui, steteruntque comae, et uox faucibus hæsit [1]
Je me figeai, me hérissai, ma voix s'étouffa net.

Je ne suis pas bon « naturaliste », comme ils disent, et je ne sais guère par quels ressorts la peur agit en nous, mais toujours est-il que

1. Virgile, *Énéide*, II, 774.

c'est une étrange passion, et les médecins disent qu'il n'en est aucune qui emporte plutôt notre jugement hors de son assiette normale. De vrai, j'ai vu beaucoup de gens devenir insensés sous le coup de la peur, et, même chez le plus rassis, il est certain que, pendant que son accès dure, elle engendre de terribles éblouissements. Je laisse à part le vulgaire, à qui elle représente tantôt les bisaïeuls sortis du tombeau enveloppés de leur suaire, tantôt des loups-garous, des lutins, et des chimères. Mais parmi les soldats mêmes, où elle devrait trouver moins de place, combien de fois n'a-t-elle pas changé un troupeau de brebis en un escadron de cuirassiers ? des roseaux et des cannes en gens d'armes et en lanciers ? nos amis en nos ennemis ? et la croix blanche en la croix rouge ?

Lorsque Monsieur de Bourbon prit Rome [1], un porte-enseigne qui était à la garde du bourg Saint-Pierre fut saisi d'un tel effroi à la première alarme que par le trou d'une ruine il se jeta, l'enseigne au poing, hors la ville droit aux ennemis, pensant tirer vers le dedans de la ville. En voyant se ranger pour lui tenir tête la troupe de Monsieur de Bourbon, qui croyait que ce fût une sortie que faisaient ceux de la ville, c'est à peine enfin s'il se reconnut, et, faisant volte-face, il rentra par ce même trou par lequel il était sorti de plus de trois cents pas en avant dans la campagne. L'issue ne fut pas aussi heureuse pour l'enseigne du capitaine Juille lorsque Saint-Pol nous fut repris par le comte de Bures et monsieur du Reu. Cet homme aussi fut en effet si fort éperdu de frayeur qu'il alla se jeter hors la ville avec son enseigne par une meurtrière, mais lui fut mis en pièces par les assaillants. Et, au même siège, mémorable fut la peur qui serra, saisit, et glaça si fort le cœur d'un gentilhomme qu'il en tomba roide mort par terre, à la brèche, sans aucune blessure.

Pareille rage pousse parfois toute une multitude. Au cours de l'une des rencontres de Germanicus contre les Allemands, deux grosses troupes prirent d'effroi deux routes opposées : l'une fuyait d'où l'autre partait. Tantôt la peur nous fait pousser des ailes aux talons, comme aux deux premiers, tantôt elle nous cloue les pieds et les entrave, comme on lit de l'empereur Théophile, qui, dans une bataille qu'il perdit contre les Agarènes, se trouva si abasourdi et si transi qu'il ne pouvait prendre le parti de s'enfuir, *adeo pauor etiam auxilia formidat* [2] tant la peur fait craindre même les secours, jusqu'à ce que Manuel, l'un des principaux chefs de son armée, l'ayant tirassé et secoué, comme

1. Sac de Rome en mai 1527 par les mercenaires allemands et luthériens de Charles de Bourbon.

2. Quinte-Curce, III, XI, 12.

pour l'éveiller d'un profond sommeil, lui dit : « Si vous ne me suivez pas, je vous tuerai, car il vaut mieux que vous perdiez la vie que si, fait prisonnier, vous veniez à perdre l'empire. » Elle exprime sa dernière force quand, pour son service, elle nous rejette à la vaillance qu'elle a d'abord soustraite à notre devoir et à notre honneur. Dans la première bataille en ligne que les Romains perdirent contre Hannibal, sous le consul Sempronius, une troupe de bien dix mille hommes de pied prit l'épouvante. Ne voyant ailleurs par où donner passage à sa lâcheté, elle alla se jeter au travers du gros des ennemis, lequel elle perça au prix d'un effort prodigieux, avec force meurtre de Carthaginois : elle rachetait une fuite honteuse au prix même qui lui eût acquis une glorieuse victoire. Ce dont j'ai le plus de peur, c'est la peur. Aussi surpasse-t-elle en aigreur tous autres maux.

Quelle émotion peut être plus âpre et plus juste que celle des amis de Pompée qui se trouvaient à bord de son navire, spectateurs de cet horrible massacre [1] ? Pourtant la peur des voiles égyptiennes qui commençaient à se rapprocher l'étouffa, de sorte qu'on a remarqué qu'ils ne s'employèrent qu'à presser les marins de faire diligence et de se sauver à coups d'aviron, jusqu'à ce que, arrivés à Tyr, libres de crainte, ils eurent loisir de tourner leur pensée vers la perte qu'ils venaient de faire et de lâcher la bride aux lamentations et aux larmes que cette autre plus forte passion avait suspendues :

L'effroi m'arrache alors du cœur tout éclair de raison
Tum pauor sapientiam omnem mihi ex animo expectorat. [2]

Ceux qui se seront bien fait frotter dans quelque échauffourée à la guerre, tous blessés encore et ensanglantés, on les ramène bien le lendemain à la charge. Mais ceux qui ont conçu quelque bonne peur des ennemis, vous ne les leur feriez pas seulement regarder en face. Ceux qui sont en pressante crainte de perdre leur bien, d'être exilés, d'être subjugués vivent dans une angoisse continuelle ; ils en perdent le boire, le manger et le repos. Alors que les pauvres, les bannis, les serfs, vivent souvent aussi joyeusement que les autres. Et tant de gens qui, faute de pouvoir endurer des morsures de la peur, se sont pendus, noyés ou précipités nous ont bien appris qu'elle est encore plus importune et plus insupportable que la mort.

Les Grecs en reconnaissent une autre espèce qui vient de plus loin que du seul égarement de notre jugement. Cette peur-là, disent-ils, est

1. Lors de la bataille de Pharsale, qui consomma la ruine des Pompéiens et consacra la victoire de César et la fin de la guerre civile.

2. Cicéron, *Tusculanes*, IV, 8, 19.

sans cause apparente, et vient d'une impulsion céleste. Des peuples entiers s'en voient souvent frappés, et des armées entières. Telle fut celle qui apporta à Carthage une prodigieuse désolation. On n'y oyait que des cris et des voix effrayées, on voyait les habitants sortir de leurs maisons, comme si l'on eût appelé aux armes, et se charger, se blesser et s'entre-tuer les uns les autres, comme si ce fussent des ennemis qui fussent parvenus à occuper leur ville. Tout y était en désordre et en fureur, jusqu'à ce que, par des prières et des sacrifices, ils eussent apaisé l'ire des dieux. Ils nomment cela terreurs *paniques*.

Qu'il ne faut juger de notre heur [1] *qu'après la mort*

[Chapitre XVIII]

Scilicet ultima semper
Expectanda dies homini est ; dicique beatus
Ante obitum nemo, supremaque funera debet [2]

Oui bien l'homme toujours
Doit attendre, c'est sûr, le dernier de ses jours :
Nul ne se peut dire heureux avant la mort et la tombe

Les enfants savent le conte du roi Crésus à ce propos, qui ayant été pris par Cyrus et condamné à mort, s'écria sur le point de l'exécution : « ô Solon, Solon ! » Cela fut rapporté à Cyrus, qui s'enquit de ce que c'était à dire. Crésus lui fit entendre qu'il vérifiait alors à ses dépens l'avertissement qu'autrefois lui avait donné Solon que les hommes, quelque beau visage que fortune leur fasse, ne se peuvent appeler heureux jusqu'à ce qu'on leur ait vu passer le dernier jour de leur vie, à cause de l'incertitude et de la variabilité des choses humaines qui d'un bien léger mouvement se changent d'un état en un autre tout divers. Et pourtant Agésilas, à quelqu'un qui disait heureux le roi de Perse de ce qu'il était venu fort jeune à un si puissant état : « Oui, mais, dit-il, Priam a même âge n'était pas malheureux. » Bientôt, des rois de Macédoine, successeurs du grand Alexandre, voici qu'on fait des menuisiers ou des greffiers à Rome ; des tyrans de Sicile, des maîtres d'école à Corinthe ; d'un conquérant de la moitié du monde et général de tant d'armées, on en fait un misérable suppliant des

1. *Heur* signifie fortune : si elle est bonne, c'est *(bon) heur* ; si mauvaise, *mal heur*.
2. Ovide, *Métamorphoses*, III, 135-137.

bélîtres officiers d'un roi d'Égypte : c'est ce qu'il en coûta au grand Pompée d'avoir de cinq ou six mois prolongé sa vie. Et, du temps de nos pères, ce fameux Ludovic Sforza, dixième duc de Milan, sous qui avait si longtemps remué toute l'Italie, on l'a vu mourir prisonnier à Loches, mais après y avoir vécu dix ans, ce qui est le pis de son marché. La plus belle reine, veuve du plus grand roi de la chrétienté, ne vient-elle pas de mourir par la main d'un bourreau [1] ? Indigne et barbare cruauté !

Et mille exemples pareils ! Car il semble que, comme les orages et les tempêtes se piquent contre l'orgueil et la hauteur de nos bâtiments, il y ait aussi là-haut des esprits envieux des grandeurs d'ici-bas,

Tant une invisible main moud les destinées humaines,
Renverse les faisceaux et les haches hautaines
Et comme d'un jouet semble s'en égayer

Usque adeo res humanas uis abdita quaedam
Obterit, et pulchros fasces saeuasque secures
Proculcare, ac ludibrio sibi habere uidetur ! [2]

Et il semble que la fortune quelquefois guette à point nommé le dernier jour de notre vie pour montrer qu'elle a le pouvoir de renverser en un moment ce qu'elle avait bâti en de longues années, et elle nous fait crier après Labérius : « *Nimirum hac die una plus uixi mihi quam uiuendum fuit* [3] pas de doute, avec ce jour, j'en ai vécu un de plus que je n'aurais dû. »

Ainsi peut se comprendre avec raison ce bon avis de Solon. Mais, parce que c'est un philosophe, gens aux yeux desquels les faveurs et les disgrâces de la fortune n'ont rang ni d'heur ni de malheur, et pour qui les grandeurs et les puissances ne sont que des accidents de qualité à peu près indifférente, je trouve vraisemblable qu'il ait regardé plus avant et voulu dire que ce même bon heur de notre vie qui dépend de la tranquillité et du contentement d'un esprit bien né et de la résolution et de l'assurance d'une âme réglée, ne se doive jamais attribuer à l'homme qu'on ne lui ait vu jouer le dernier acte de sa comédie, et sans doute le plus difficile. Dans tout le reste il peut y avoir du masque : ou ces beaux discours de la philosophie ne sont en nous que par contenance, ou les accidents, en ne nous essayant pas jusqu'au vif, nous donnent loisir de maintenir toujours notre visage rassis. Mais

1. Marie Stuart, jeune veuve du roi de France François II, décapitée en 1587 pour empêcher tout maintien de l'Ecosse dans le giron de la France.

2. Lucrèce, V, 1233-35.

3. Macrobe, *Saturnales*, II, 7 (ce Labérius avait été contraint par César de jouer des mimes dont il était l'auteur).

dans ces dernières répliques échangées entre la mort et nous, il n'y a plus moyen de feindre, il faut parler français, il faut montrer ce qu'il y a de bon et de net dans le fond du pot,

> Car ce n'est qu'alors que le cœur parle son vrai langage,
> Quand le masque arraché laisse à nu le visage
> *Nam uerae uoces tum demum pectore ab imo*
> *Eiiciuntur, et eripitur persona, manet res.* [1]

Voilà pourquoi c'est à ce dernier trait qu'il faut toucher et éprouver toutes les autres actions de notre vie. C'est le maître jour, c'est le jour juge de tous les autres, c'est le jour, dit un ancien qui doit juger de toutes mes années passées. Je remets à la mort l'essai du fruit de mes études. Nous verrons là si mes discours me partent de la bouche ou du cœur. J'en ai vu plusieurs donner par leur mort à toute leur vie une bonne ou mauvaise réputation. Scipion, le beau-père de Pompée, rhabilla par une belle mort la mauvaise opinion qu'on avait eue de lui jusqu'alors.

Epaminondas à qui l'on demandait qui des trois il estimait le plus, ou Chabrias, ou Iphicrate, ou lui-même : « Il faut nous voir mourir, dit-il, avant que d'en pouvoir trancher. » De vrai, on déroberait beaucoup à celui-là si on le pesait sans l'honneur et la grandeur de sa fin. Dieu l'a voulu comme il lui a plu, mais de mon temps les trois plus exécrables personnes que je connusse, les plus abominables et les plus infâmes par leur vie, ont eu des morts réglées et composées en toutes circonstances jusqu'à la perfection. Il est des morts braves et fortunées. J'ai vu la mort trancher le fil de la destinée d'un homme qui avançait prodigieusement, et ce dans la fleur de son croît, par une fin si éclatante qu'à mon avis ses ambitieux et courageux desseins n'avaient rien d'aussi élevé que leur interruption. Il arriva, sans y aller, où il prétendait, avec plus de grandeur et de gloire que n'en portaient son désir et son espérance. Et il devança par sa chute la puissance et le renom où il aspirait par sa course [2]. Quand je juge de la vie d'autrui, je regarde toujours comment s'en est passé le bout, et l'une des principales études de la mienne, c'est que ce terme se passe bien, c'est-à-dire dans la quiétude et sans bruit.

---

1. Lucrèce, III, 57-58.

2. Il ne peut guère s'agir, à mon sens, que de Henri de Guise, assassiné à Blois fin 1588 sur ordre d'Henri III. La carrière et la mort de La Boétie n'ontpas l'éclat guerrier et généreux de la mort illustre dont parle ici Montaigne. Ce passage est d'ailleurs une addition très postérieure à la première rédaction de ce chapitre.

Que philosopher c'est apprendre à mourir[f]

[Chapitre XIX]

Cicéron dit que philosopher n'est pas autre chose que de s'apprêter à la mort. C'est parce que l'étude et la contemplation retirent quelque peu notre âme hors de nous et l'embesognent à part du corps, ce qui est une forme d'apprentissage et d'imitation de la mort. Ou bien c'est que toute la sagesse et toute la raison du monde se résolvent à la fin en ce point de nous apprendre à ne craindre point de mourir. De vrai, ou la raison se moque, ou elle ne doit viser qu'à notre contentement, et tout son travail tendre en somme à nous faire bien vivre et à notre aise, comme dit la Sainte Écriture. Toutes les opinions du monde en sont-là que le plaisir est notre but quoiqu'elles en prennent divers moyens, autrement on les chasserait d'emblée. Car qui écouterait celui qui pour fin se proposerait notre peine et notre mésaise ? Les dissensions des sectes philosophiques en ce cas ne sont que verbales. *Transcurramus solertissimas nugas* [1] passons sur ces trop subtiles bagatelles : il y a là plus d'opiniâtreté et de picoterie qu'il n'appartient à une si sainte profession, mais quelque rôle que l'homme entreprenne, il joue toujours le sien parmi... Quoi qu'ils disent, dans la vertu même, le dernier but de notre visée, c'est la volupté. Il me plaît de rebattre leurs oreilles de ce mot qu'ils prennent si fort à contrecœur. Et s'il signifie quelque suprême plaisir et quelque excessif contentement, il est mieux dû à l'assistance de la vertu qu'à nulle autre assistance. Cette volupté, pour être plus gaillarde, plus musclée, plus robuste, plus virile n'en est que plus sérieusement voluptueuse. Et nous aurions dû lui donner le nom du plaisir, plus favorable, plus doux et naturel, non celui de la vigueur dont nous l'avons dénommée. Cette autre volupté plus basse, si elle méritait ce beau nom, ce devait être en concurrence et non par privilège. Je la trouve moins pure de désagréments et de traverses que n'est la vertu. Outre que son goût est plus momentané, plus fluide et plus caduc, elle a ses veilles, ses jeûnes et ses travaux, et la sueur et le sang, et en outre particulièrement ses passions tranchantes de tant de sortes, et elle s'accompagne d'une satiété si lourde qu'elle vaut pénitence.

1. Sénèque, *Lettres à Lucilius*, 117, 30.

Nous avons grand tort d'estimer que ses désagréments servent à elle d'aiguillon et à sa douceur de condiment comme dans la nature le contraire se vivifie par son contraire, et de dire, quand nous en venons à la vertu, que des suites et des difficultés pareilles l'accablent et la rendent austère et inaccessible, alors que, beaucoup plus proprement qu'avec la volupté, elles anoblissent, aiguisent et rehaussent le plaisir divin et parfait qu'elle nous procure. Celui-là est certes bien indigne de son accointance qui contrebalance son coût avec son fruit et il n'en connaît ni les grâces ni l'usage. Ceux qui ne cessent de nous enseigner que sa quête est pentue et laborieuse, sa jouissance agréable, que nous disent-ils d'autre par-là sinon qu'elle est toujours désagréable ? Car quel moyen humain arriva jamais à sa jouissance ? Les plus parfaits se sont assez contentés d'y aspirer et de l'approcher sans la posséder. Mais ils se trompent, vu que, parmi tous les plaisirs que nous connaissons, la poursuite même de la vertu est plaisante.

L'entreprise se ressent de la qualité de la chose qu'elle vise, car c'est une bonne portion de l'effet, et consubstantielle. Le bonheur et la béatitude qui reluisent dans la vertu remplissent toutes ses dépendances et toutes ses avenues jusqu'à la première entrée et à l'extrême barrière.

Or parmi les principaux bienfaits de la vertu, c'est le mépris de la mort qui fournit notre vie d'une molle tranquillité et nous en rend le goût pur et aimable, sans quoi toute autre volupté est éteinte. Voilà pourquoi toutes les règles se rencontrent et s'accordent sur ce point. Et, bien qu'elles nous conduisent aussi toutes d'un commun accord à mépriser la douleur, la pauvreté, et les autres accidents auxquels la vie humaine est sujette, ce n'est pas avec le même soin, à la fois parce que ces accidents-là ne sont pas d'une nécessité comparable (la plupart des hommes passent leur vie sans tâter de la pauvreté, et tels autres encore sans ressentir de douleur ou de maladie, comme Xénophilos le musicien qui vécut cent six ans en pleine santé), et aussi parce qu'au pis aller la mort peut mettre fin quand il nous plaira et couper ras le sifflet [1] à tous les autres inconvénients. Mais quant à la mort, elle est inévitable :

1. Montaigne dit « couper *broche* », c'est-à-dire couper ras la « broche », le « broquereau », ou le « sifflet », mots qui désignent en tonnellerie la cheville de bois taillée en sifflet, qui permet d'écouler le vin du tonneau : tant qu'elle dépasse, on peut la retirer aisément à la main ; une fois la « broche » sciée au ras de la douelle, il faut repercer un trou si l'on veut de nouveau tirer du vin de la barrique : je concède que l'expression que je risque ici n'a pas son sens familier habituel, mais elle s'en rapproche tout de même un peu.

Tous nous sommes poussés vers le même rivage,
De tous l'urne agite le lot ;
Pour l'éternel exil le billet du passage
En va sortir ou plus tard ou plus tôt
Omnes eodem cogimur, omnium
Versatur urna, serius ocius
Sors exitura, et nos in aeter-
Num exitium impositura cymbae. [1]

Et par conséquent, si la mort nous fait peur, c'est un sujet de tourment continuel et qui ne se peut aucunement soulager. Il n'est point de lieu d'où elle ne nous vienne. Nous pouvons tourner sans cesse la tête çà et là comme en pays suspect : *quae quasi saxum Tantalo semper impendet* [2] elle est comme le rocher toujours suspendu sur Tantale. Nos Cours de Parlement renvoient souvent exécuter les criminels au lieu même où le crime a été commis : durant le chemin, promenez-les par de belles maisons, faites-leur aussi bonne chère qu'il vous plaira,

non Siculæ dapes
Dulcem elaborabunt saporem,
Non auium cytharæque cantus
Somnum reducent [3]
Les festins de Syracuse auront peine à les séduire,
Ni le chant des oiseaux ni les sons de la lyre
Ne sauront les bercer...

Pensez-vous qu'ils puissent s'en réjouir et que la destination finale de leur voyage qui est toujours devant les yeux ne leur ait altéré et affadi le goût de tous ces agréments ?

Il s'enquiert de la route, il compte les jours et mesure
Sa vie au chemin fait, torturé par sa fin future
Audit iter, numeratque dies, spatioque uiarum
Metitur uitam, torquetur peste futura. [4]

Le but de notre carrière, c'est la mort, c'est l'objet nécessaire de notre visée : si elle nous effraye, comment est-il possible d'aller un pas avant sans fièvre ? Le remède du vulgaire, c'est de n'y penser pas. Mais de quelle brutale stupidité lui peut venir un si grossier aveuglement ? Il lui faut faire brider l'âne par la queue,

1. Horace, *Odes*, III 3, 25-28.
2. Cicéron, *De finibus*, I, 18, 60.
3. Horace, *Odes*, III, 1, 18-21.
4. Claudien, *Contre Rufin*, II, 137-138.

Qui capite ipse suo instituit uestigia retro [1]

Qui s'obstine à marcher en retournant la tête.

Ce n'est pas merveilleux s'il est si souvent pris au piège. On fait peur à nos gens seulement à nommer la mort, et la plupart s'en signent comme du nom du diable. Et parce qu'il s'en fait mention dans les testaments, ne vous attendez pas qu'ils y mettent la main avant que le médecin ne leur donne l'extrême sentence. Et Dieu sait alors, entre la douleur et la frayeur, de quel bon jugement ils vont vous le pâtisser ! Parce que cette syllabe frappait trop rudement leurs oreilles et que ce mot leur semblait malencontreux, les Romains avaient appris à l'adoucir ou à le diluer en périphrases. Au lieu de dire « il est mort », ils disaient « il a cessé de vivre », « il a vécu ».

Pourvu qu'il y ait « vie », soit-elle défunte, ils se consolent. Nous en avons emprunté notre « *feu* [2] *maître Jean.* » C'est d'aventure, comme on dit, que « délai vaut argent » ! Je naquis entre onze heures et midi, le dernier jour de février mil cinq cent trente-trois, comme nous comptons à cette heure en faisant commencer l'année en janvier. Il n'y a justement que quinze jours que j'ai franchi trente-neuf ans. Il m'en faut pour le moins encore autant. S'embarrasser pendant si longtemps de la pensée d'une chose aussi éloignée, ce serait folie. Mais quoi ! les jeunes et les vieux quittent la vie aux mêmes conditions. Nul n'en sort autrement que s'il venait d'y entrer à l'instant. Ajoutons qu'il n'est homme si décrépit qui, tant qu'il voit Mathusalem devant, ne pense avoir encore vingt ans dans le corps ! De plus, pauvre fou que tu es, qui t'a établi les termes de ta vie ? Tu te fondes sur les contes des médecins : regarde plutôt les faits et l'expérience. Selon le train ordinaire des choses, tu vis depuis déjà longtemps par une faveur extraordinaire. Tu as passé les termes accoutumés de vivre. Et pour preuve, compte parmi tes connaissances combien sont morts avant ton âge : plus qu'il n'y en a qui l'aient atteint. Et de ceux-là mêmes qui ont anobli leur vie par renommée, fais-en le registre, et j'entrerai en gageure d'en trouver plus qui sont morts avant qu'après trente-cinq ans. Il est plein de raison et de piété de prendre exemple sur l'humanité même de Jésus-Christ. Or il finit sa vie à trente et trois ans.

Le plus grand homme simplement homme, Alexandre, mourut aussi à ce terme. Combien la mort a-t-elle de façons de nous surprendre !

1. Lucrèce, IV, 474.

2. Ce mot *feu* vient du latin *fatutus*, « qui a accomplit sa destinée » ; or « avoir accompli sa destinée », qu'est-ce d'autre que « d'avoir vécu » ? Cet euphémisme français est donc bien comparable au *uixit* des Latins.

Jamais nul ne saura des périls qu'il faut éviter
Heure après heure assez bien s'abriter
Quid quisque uitet, nunquam homini satis
Cautum est in horas. [1]

Je laisse à part les fièvres et les pleurésies. Qui eût jamais pensé qu'un duc de Bretagne dût être étouffé par la foule comme le fut celui-là à l'entrée du pape Clément, mon voisin, à Lyon [2] ?

N'as-tu pas vu tuer l'un de nos rois tandis qu'il s'amusait ? Et l'un de ses ancêtres ne mourut-il pas choqué par un pourceau ? Eschyle, menacé de la chute d'une maison, à beau se tenir en alerte, le voilà assommé par un toit de tortue qui échappa des pattes d'un aigle en l'air ! Cet autre mourut d'un grain de raisin ; un empereur de l'égratignure d'un peigne en se coiffant ; Emilius Lepidus pour avoir heurté du pied contre le seuil de son huis ; Aufidius pour avoir choqué en entrant contre la porte de la chambre du conseil ; et entre les cuisses des femmes, le préteur Cornelius Gallus, Tigillinus, capitaine du guet à Rome, Ludovic, fils de Guy de Gonzague, marquis de Mantoue, et, exemples pires encore, Speusippe, un philosophe platonicien, et l'un de nos papes ! Le pauvre juge Bebius, cependant qu'il donne délai de huitaine à une partie, le voilà saisi, son délai de vie venant d'expirer, et le médecin Caius Julius qui oignait les yeux d'un patient, voilà la mort qui lui clôt les siens ! Et s'il m'y faut mêler, un de mes frères, le capitaine Saint-Martin, âgé de vingt-trois ans, qui avait déjà donné d'assez bonnes preuves de sa valeur, en jouant à la paume reçut de la balle un coup qui l'assena un peu au-dessus de l'oreille droite sans aucune apparence de contusion ni de blessure : il ne s'en assit ni reposa, mais cinq ou six heures après il mourut d'une apoplexie que ce coup lui causa. Quand ces exemples si fréquents et si ordinaires nous passent devant les yeux, comment est-il possible qu'on se puisse défaire de la pensée de la mort, et qu'à chaque instant il ne nous semble qu'elle nous tienne au collet ? Qu'importe, me direz-vous, comment que ce soit, pourvu qu'on ne s'en mette point en peine ! Je suis de cet avis, et de quelque façon qu'on se puisse mettre à l'abri des

---

1. Horace, *Odes*, II, 13, 13-14.

2. « *Le pape Clément, mon voisin* » : Bertrand de Got, qui devint pape en 1505, lors de son entrée à Lyon, sous le nom de Clément V ; il était en effet bordelais et avait été archevêque de Bordeaux avant d'accéder au saint Siège. Ce duc de Bretagne étouffé était Jean II. Les exemples suivants sont, successivement : Henri II mort en tournoi, Philippe, fils de Louis le Gros, les poètes grecs Eschyle et Anacréon, un empereur non identifié, divers inconnus. Le pape est Jean XII. M. tire tout cela d'un abréviateur, Ravisius Textor.

coups, fût-ce sous la peau d'un veau, je ne suis pas homme qui y reculât, car il me suffit de passer à mon aise, et le meilleur jeu que je me puisse donner, je le prends, si peu glorieux au reste et exemplaire que vous voudrez :

J'aimerais mieux passer pour fol ou pour une oie
Pourvu que mes maux m'agréent ou que point je ne les voie,
Plutôt que d'être sage et de grogner

praetulerim delirus inersque uideri,
Dum mea delectent mala me, uel denique fallant,
Quam sapere et ringi. [1]

Mais c'est folie d'y penser arriver par là. Ils vont, ils viennent, ils trottent, ils dansent : de mort, nulles nouvelles ! Tout cela est beau, mais aussi quand elle arrive, ou à eux, ou à leurs femmes, enfants ou amis, les surprenant en dessoude [2] et à découvert, quels tourments, quels cris, quelle rage et quel désespoir les accable ! Vîtes-vous jamais rien si rabaissé, si changé, si confus ? Il y faut pourvoir de meilleure heure et cette nonchalance bestiale, quand elle pourrait loger dans la tête d'un homme d'entendement (ce que je trouve entièrement impossible), nous vend trop cher ses denrées. Si la mort était un ennemi qui se pût éviter, je conseillerais d'emprunter les armes de la couardise, mais puisqu'on ne peut, puisque cet ennemi vous attrape fuyant et poltron aussi bien qu'honnête homme,

Et bien sûr à chasser les fuyards il se lance ;
Il n'épargne ni les mollets ni les dos apeurés
Des béjaunes sans vaillance

Nempe et fugacem persequitur uirum,
Nec parcit imbellis iuuentae
Poplitibus, timidoque tergo, [3]

et que nulle trempe de cuirasse ne vous protège,

Il peut bien se garder du fer en se couvrant d'acier,
Sous le heaume la mort saura sa tête aller chercher

Ille licet ferro cautus se condat in aere,
Mors tamen inclusum protrahet inde caput : [4]

apprenons donc à le soutenir de pied ferme et à le combattre. Et pour commencer à lui ôter son plus grand avantage contre nous, prenons

1. Horace, *Épîtres*, II, 2, 126-128.
2. En désordre.
3. Horace, *Odes*, III, 2, 14-16.
4. Properce, III, 18, 25-26.

une voie toute contraire à la commune. Ôtons-lui l'étrangeté, pratiquons-le, accoutumons-le, n'ayons rien si souvent dans la tête que la mort. À tout instant représentons-la à notre imagination et sous tous ses visages. Au broncher d'un cheval, à la chute d'une tuile, à la moindre piqûre d'épingle, remâchons soudain : « eh bien ! quand ce serait la mort même ? » et là-dessus roidissons-nous et nous efforçons. Parmi les fêtes et la joie, ayons toujours ce refrain de nous ressouvenir de notre condition, et ne nous laissons pas si fort emporter au plaisir que parfois il ne nous revienne en mémoire de combien de façons notre allégresse est en butte à la mort et de combien de prises elle la menace. Ainsi faisaient les Égyptiens qui, au milieu de leurs festins et parmi leur meilleure chère, faisaient apporter l'anatomie desséchée d'un homme pour servir d'avertissement aux conviés :

Omnem crede diem tibi diluxisse supremum :
Grata superueniet quae non sperabitur hora [1]

Dis-toi de chaque jour qu'il a lui pour toi le dernier :
L'heure en plus que tu n'attends pas viendra comme une grâce.

Il est incertain où la mort nous attende : attendons-la partout. La préméditation de la mort est préméditation de la liberté. Qui a appris à mourir, il a désappris à servir. Il n'y a rien de mal dans la vie pour celui qui a bien compris que la privation de la vie n'est pas un mal. Le savoir mourir nous affranchit de toute sujétion et contrainte. Paul Émile répondit à celui que ce misérable roi de Macédoine, son prisonnier, lui envoyait pour le prier de ne le mener pas en son triomphe : « Qu'il en fasse la requête à lui-même ! »

À la vérité, en toutes choses, si la nature ne prête un peu, il est malaisé que l'art et l'industrie aillent guère avant. Je suis par moi-même non mélancolique, mais songe-creux. Il n'est rien dont je me sois dès toujours plus entretenu que des imaginations de la mort, voire en la saison la plus licencieuse de mon âge,

Quand mon âge en sa fleur vivait son doux printemps
Jucundum cum aetas florida uer ageret. [2]

Parmi les dames et les jeux, tel me pensait empêché à ruminer à part moi quelque jalousie ou l'incertitude de quelque espérance, cependant que je m'entretenais de je ne sais qui surpris les jours précédents par une fièvre chaude et de sa fin au partir d'une fête pareille, et la tête

1. Horace, *Épîtres*, I, 4, 13-14.
2. Catulle, LXVIII, 16.

pleine d'oisiveté, d'amour et de bon temps comme moi, et qu'autant m'en pendait à l'oreille :

> Ce jourd'hui ne sera plus et jamais ne reviendra
> *Jam fuerit, nec post umquam reuocare licebit.* [1]

Je ne me ridais pas plus le front de cette pensée-là que d'une autre. Il est impossible que de prime abord nous ne sentions les piqûres de ce genre d'idées, mais en les maniant et en les repassant au long cours on les apprivoise sans aucun doute. Autrement pour ma part je fusse en continuelle frayeur et frénésie, car jamais homme ne se défia tant de sa vie, jamais homme ne fit moins d'état de sa durée. Ni la santé, que j'ai eue jusqu'à présent très vigoureuse et peu souvent interrompue, ne m'en allonge l'espérance, ni les maladies ne me l'accourcissent. À chaque minute il me semble que je m'échappe. Et je me rechante sans cesse : « Tout ce qui peut être fait un autre jour, le peut être aujourd'hui. » De vrai, les hasards et les dangers nous approchent de peu ou de rien de notre fin, et si, outre cet accident qui semble nous menacer le plus, nous pensons combien il nous en reste de millions d'autres sur nos têtes, nous trouverons que, gaillards ou fiévreux, en mer ou dans nos maisons, dans la bataille et dans le repos, elle nous est également près. *Nemo altero fragilior est ; nemo in crastinum sui certior* [2] nul n'est plus fragile qu'un autre ; nul n'est plus assuré du lendemain. Ce que j'ai à faire avant de mourir, tout loisir pour l'achever me semble court, fût-ce d'une heure. Quelqu'un, en feuilletant l'autre jour mes tablettes, trouva un mémoire sur certaine chose que je voulais qu'on fît après ma mort ; je lui dis, comme il était vrai, que, n'étant qu'à une lieue de ma maison, et sain et gaillard, je m'étais hâté de l'écrire là parce que je ne m'assurais point d'arriver jusque chez moi. Comme celui qui me couve continuellement de mes pensées et les couche en moi, je suis préparé à toute heure à peu près autant que je puis l'être, et la survenance de la mort ne m'avertira de rien de nouveau.

Il faut être toujours botté et prêt à partir autant qu'il est en nous, et surtout veiller à n'avoir alors affaire qu'à soi.

> *Quid breui fortes iaculamur aeuo*
> *Multa ?* [3]
>
> Que lançons-nous hardiment maints projets
> En notre âge si court ?

---

1. Lucrèce, III, 928.
2. Sénèque, *Lettres*, 91, 16.
3. Horace, *Odes*, II, 16, 17-18.

Car nous y aurons assez de besogne sans nul autre surcroît. L'un, plus que de la mort, se plaint qu'elle lui rompe le train d'une belle victoire, l'autre qu'il lui faille déloger avant que d'avoir marié sa fille ou contrôlé l'éducation de ses enfants ; l'un regrette la compagnie de sa femme, l'autre celle de son fils comme les agréments principaux de son être. Je suis pour cette heure en état, Dieu merci, de pouvoir déloger quand il lui plaira, sans regretter quelque chose que ce soit.

Je me dénoue partout, mes adieux sont tantôt pris de chacun, sauf de moi. Jamais homme ne se prépara à quitter le monde plus purement et pleinement, ni ne s'en déprit plus universellement que je m'applique à le faire. Les plus mortes morts sont les plus saines :

las, las, disent-ils, il a suffi d'un soir funeste
Pour que le bonheur l'abandonne au milieu de la fête
misero misere, aiunt, omnia ademit.
Una dies infesta mihi tot praemia uitae, [1]

et le bâtisseur :

manent, dit-il, *opera interrupta minaeque*
Murorum ingentes.
Il reste des travaux en suspens et d'immenses murs
Qui menacent.

Il ne faut rien projeter de si longue haleine, ou du moins avec une telle ardeur qu'on se passionne d'en voir la fin. Nous sommes nés pour agir :

Quand je mourrai, que je parte au milieu de mes travaux
Cum moriar, medium soluar et inter opus !

Je veux qu'on agisse et qu'on allonge les actions de la vie autant qu'on peut et que la mort me trouve plantant mes choux mais insoucieux d'elle, et plus encore de mon jardin inachevé. J'en vis mourir un qui, étant à l'extrémité, se plaignait sans cesse que sa destinée vînt couper le fil de l'histoire qu'il avait en main sur le quinzième ou seizième de nos rois :

Que ne rajoute-t-on : « Ô joie ! Le regret de ces choses
Désormais dans la mort ne pèse plus sur lui ! »
Illud in his rebus non addunt, nec tibi earum
Jam desiderium rerum super insidet una. [2]

---

1. Lucrèce, III, 911-12 ; cit. suivante : Virgile, *Énéide*, IV, 88 ; suivante : Ovide, *Amores*, II, I0, 36 ; suivante : Lucrèce, III, 913-14.

2. Lucrèce, III, 913-14.

Il faut se décharger de ces humeurs vulgaires et nuisibles. Tout ainsi qu'on a planté nos cimetières à côté des églises et dans les lieux les plus fréquentés de la ville pour accoutumer, disait Lycurgue, le bas peuple, les femmes et les enfants à ne s'effaroucher point de voir un homme mort, et afin que ce continuel spectacle d'ossements, de tombeaux et de convois nous avertisse de notre condition,

Bien mieux, jadis par le meurtre on égayait les agapes
Et l'on mêlait aux grands festins le spectacle sanglant
De combattants frappant du glaive et tombant sur les nappes,
Qui souvent inondaient les tables de leur sang

Quin etiam exhilarare uiris conuiuia caede
Mos olim, et miscere epulis spectacula dira
Certantum ferro, sæpe et super ipsa cadentum
Pocula, respersis non parco sanguine mensis, [1]

et de même que les Égyptiens après leurs festins faisaient présenter aux assistants une grande image de la mort par quelqu'un qui leur criait : « Bois, et te réjouis car mort tu seras tel », de même aussi ai-je pris la coutume d'avoir la mort non seulement présente à mon imagination, mais continuellement à la bouche. Et il n'est rien dont je m'informe si volontiers que de la mort des hommes, de quelle parole, quel visage, quelle contenance ils y ont eus, non plus qu'il n'est d'endroit dans les histoires que je remarque avec autant d'attention. Il apparaît à la farcissure de mes exemples que j'ai cette matière en particulière affection. Si j'étais faiseur de livres, je ferais un registre commenté des morts diverses. Qui apprendrait aux hommes à mourir leur apprendrait à vivre. Dicéarque en fit un sous un titre semblable, mais à une fin autre et moins utile.

On me dira que la réalité dépasse de si loin la pensée qu'il n'y a si belle escrime qui ne se perde quand on en vient là. Laissez-les dire : la préméditation donne sans aucun doute un grand avantage. Et puis est-ce rien d'aller au moins jusque-là sans altération et sans fièvre ? Il y a plus ; Nature même nous prête la main et nous donne courage : si c'est une mort courte et violente, nous n'avons pas loisir de la craindre ; si elle est autre, je m'aperçois qu'à mesure que je m'engage dans la maladie j'entre naturellement dans un certain dédain de la vie. Je trouve que j'ai bien plus à faire à digérer cette résolution de mourir quand je suis en bonne santé que lorsque j'ai la fièvre, parce que je ne tiens plus si fort aux agréments de la vie. À proportion que je commence à en perdre l'usage et le plaisir, j'en vois la mort d'une vue beaucoup moins effrayée. Cela me fait espérer que plus je m'éloignerai

1. Silius Italicus, XI, 51-54.

de celle-là et m'approcherai de celle-ci, plus aisément j'entrerai en composition au sujet de leur échange. Tout ainsi que j'ai essayé en plusieurs autres occurrences ce que dit César que les choses nous paraissent souvent plus grandes de loin que de près, j'ai trouvé que, bien portant, j'avais eu les maladies beaucoup plus en horreur que lorsque je les ai ressenties. L'allégresse où je suis, le plaisir et la force me font paraître l'autre état si disproportionné à celui-là que par imagination je grossis ces incommodités de moitié et les conçois plus pesantes que je ne les trouve quand je les ai sur les épaules. J'espère qu'il m'en adviendra ainsi de la mort. Voyons à ces mutations et à ces déclins ordinaires que nous souffrons comment Nature nous dérobe la vue de notre perte et de notre empirement. Que reste-il à un vieillard de la vigueur de sa jeunesse et de sa vie passée :

Heu senibus uiae portio quanta manet ? [1]

César à un soldat de sa garde recru et cassé qui venait dans la rue lui demander congé de se faire mourir, regardant son maintien décrépit, répondit plaisamment : « Tu penses donc être en vie ! » Si l'on y tombait tout d'un coup, je ne crois pas que nous fussions capables de supporter un tel changement ; mais, conduits par sa main, au long d'une pente douce et comme insensible, peu à peu, de degré en degré, elle nous roule dans ce misérable état et nous y apprivoise. Si bien que nous ne ressentons aucune secousse quand la jeunesse meurt en nous, qui est en substance et en vérité une mort plus dure que n'est la mort entière d'une vie languissante, et que n'est la mort de la vieillesse, parce que le saut n'est pas si lourd du mal être au non être que d'un être doux et fleurissant à un être pénible et douloureux.

Courbé et plié, le corps a moins de force pour soutenir un fardeau, ainsi notre âme. Il faut la dresser et l'élever contre l'effort de cet adversaire. Car comme il est impossible qu'elle se mette en repos pendant qu'elle le craint, si elle parvient à s'assurer face à lui, elle peut se vanter – chose qui pour ainsi dire dépasse l'humaine condition – qu'il est impossible que l'inquiétude, le tourment, la peur, et même le moindre déplaisir logent en elle,

Rien n'en ébranle le courage
Ni l'œil d'un tyran menaçant,
Ni sur la mer l'autan en rage,
Ni le grand bras de Jupiter tonnant

Non uultus instantis tyranni
Mente quatit solida, neque Auster

1. Maximianus, I, 16. Montaigne a paraphrasé ce vers avant de le citer.

Dux inquieti turbidus Adriæ,
Nec fulminantis magna Jovis manus. [1]

Elle est rendue maîtresse de ses passions et de ses concupiscences, maîtresse de l'indulgence, de la honte, de la pauvreté, et de toutes les autres injures de la fortune. Gagnons cet avantage qui pourra : c'est ici la vraie liberté souveraine qui nous donne de quoi faire la nique à la force et à l'injustice et nous moquer des prisons et des fers :

« – Pieds et poings
Liés, je te tiendrai reclus sous bonne garde !
– Dieu même me délivrera sitôt que je voudrai ! »
C'est là bien dire, à mon sens : « je mourrai » :
Le point d'arrivée est pour tous fixé par la camarde

« – In manicis et
Compedibus saeuo te sub custode tenebo !
– Ipse deus simul atque uolam me soluet ! » Opinor,
Hoc sentit 'moriar' : mors ultima linea rerum est. [2]

Notre religion n'a point eu de fondement humain plus assuré que le mépris de la vie. Non seulement le discours de la raison nous y appelle, car pourquoi craindrions-nous de perdre une chose dont la perte ne peut être regrettée ? Mais aussi puisque nous sommes menacés de tant de sortes de mort, n'y a-t-il pas plus de mal à les craindre toutes qu'à en soutenir une ?

Qu'importe quand ce soit puisqu'elle est inévitable ? À quelqu'un qui lui disait : « Les trente tyrans t'ont condamné à mort », Socrate répondit : « Nature en fait autant d'eux. » Quelle sottis de nous mettre en peine, sur le point du passage, de nous voir exempts de toute peine ! De même que notre naissance nous apporta la naissance de toutes choses, de même aussi notre mort de toutes choses sera la mort. Par quoi c'est pareille folie de pleurer parce ce que nous ne vivrons pas dans cent ans que de pleurer parce ce que nous ne vivions pas il y a cent ans. La mort est l'origine d'une autre vie : ainsi pleurâmes-nous, ainsi nous en coûta-il d'entrer dans celle-ci, ainsi nous dépouillâmes-nous de notre ancien voile en y entrant. Rien ne peut grever qui n'est qu'une fois. Est-ce raison de craindre si longtemps une chose de si brève durée ? Le longtemps vivre et le vivre peu de temps sont rendus tout un par la mort. Car de long et de court il n'est point pour les choses qui ne sont plus. Aristote dit qu'il y a de petites bêtes sur la rivière Hypanis qui ne vivent qu'un jour. Celle qui meurt à huit

1. Horace, *Odes*, III, 3, 3-6.
2. Horace, *Épîtres*, I, 16, 76-79.

heures du matin, elle meurt dans sa jeunesse ; celle qui meurt à cinq heures du soir meurt dans sa décrépitude. Qui de nous ne se moque d'aller considérer l'heur ou le malheur dans ce point de durée ? Le plus et le moins dans la nôtre, si nous la comparons à l'éternité, ou encore à la durée des montagnes, des rivières, des étoiles, des arbres, et même de certains animaux, n'est pas moins ridicule.

Mais Nature nous force à mourir : « sortez, dit-elle, de ce monde comme vous y êtes entrés. Le même passage que vous fîtes de la mort à la vie, sans passion et sans frayeur, refaites-le de la vie à la mort. Votre mort est une des pièces de l'ordre de l'univers, c'est une pièce de la vie du monde,

Entre les vivants la vie est chose mutuelle (...)
Le flambeau de vie entre eux court de relais en relais
inter se mortales mutua uiuunt,
Et quasi cursores uitai lampada tradunt, [1]

vais-je changer pour vous cette belle contexture des choses ? C'est la condition de votre création, c'est une partie de vous que la mort : vous vous fuyez vous-mêmes ! Cet être dont vous jouissez se départit également entre la mort et la vie. Le premier jour de votre naissance vous achemine à mourir comme à vivre,

La première heure en nous donnant la vie l'a entamée
Prima quae uitam dedit, hora, carpsit, [2]
En naissant nous mourons, la fin dépend de l'origine
Nascentes morimur finisque ab origine pendet,

tout ce que vous vivez, vous le dérobez à la vie ; c'est à ses dépens. Le continuel ouvrage de votre vie, c'est de bâtir la mort. Vous êtes dans la mort pendant que vous êtes en vie, car vous êtes après la mort quand vous n'êtes plus en vie. Ou, si vous l'aimez mieux ainsi, vous êtes mort après la vie, mais, pendant la vie, vous êtes mourant, et la mort touche bien plus rudement le mourant que le mort, et plus vivement, et plus substantiellement. Si vous avez fait votre profit de la vie, si vous en êtes repu, allez-vous-en satisfait :

Que ne sors-tu content du banquet de la vie
Cur non ut plenus uitae conuiua recedis ? [3]

---

1. Lucrèce, II, 76 et 79.
2. Sénèque, *Hercule furieux*, 874-75 ; cit. suivante : Manilius, IV, 16.
3. Lucrèce, III, 951 ; cit. suivante : *ibid.* 954-55.

Si vous n'en n'avez su user, si elle vous était inutile, que vous importe de l'avoir perdue ? À quoi bon la vouloir vous encore ?

Que veux-tu donc surseoir encore
Pour mourir de male mort sans gagner plus d'espérance
Cur amplius addere quaeris
Rursum quod pereat male, et ingratum occidat omne ?

La vie n'est en soi ni bien ni mal ; c'est la place du bien ou du mal, selon que vous la leur faites. Et si vous avez vécu un jour, vous avez tout vu : un jour est égal à tous les jours. Il n'y a point d'autre lumière, et point d'autre nuit. Ce soleil, cette lune, ces étoiles, cette disposition, c'est celle même dont vos aïeux ont joui, et qui entretiendra vos arrière-neveux,

Vos pères n'en virent d'autre, et vos neveux n'en verront
D'autre
Non alium uidere patres, aliumue nepotes
Aspicient. [1]

Et, au pis aller, la distribution et la variété de tous les actes de ma comédie se fournissent parfaitement en un an. Si vous avez pris garde au branle de mes quatre saisons, elles embrassent l'enfance, l'adolescence, la virilité, et la vieillesse du monde. Il a joué son jeu ; il n'y sait d'autre finesse que de recommencer : ce sera toujours cela même,

Toujours dans le même cercle en même place on reste
uersamur ibidem, arque insumus usque, [2]
L'an roule sur lui-même et remet ses pas dans ses pas
Atque in se sua per uestigia uoluitur annus : [3]

je ne suis pas résolue à vous forger d'autres nouveaux passe-temps,

Pour te plaire il n'est rien que je puisse trouver
Tout ce qui viendra ressemble à ce qui put arriver
Nam tibi prœterea quod machiner inueniamque
Quod placeat nihil est : eadem sunt omnia semper. [4]

Faites place aux autres, comme d'autres vous l'ont faite. L'égalité est la première pièce de l'équité. Qui peut se plaindre d'être compris dans un lot où tous sont compris ? Aussi avez-vous beau vivre, vous n'en rabattrez rien du temps que vous avez à être mort : c'est pour

1. Manilius, I, 522-23.
2. Lucrèce, III, 1093.
3. Virgile, *Géorgiques*, II, 402.
4. Lucrèce, III, 957-58.

néant ! Vous resterez dans cet état que vous craignez aussi longtemps que si vous étiez mort en nourrice :

autant de siècles une vie ensevelisse en elle,
À terme échu, la mort n'en sera pas moins éternelle
licet quod uis, uiuendo uincere saecla,
Mors aeterna tamen, nihilominus illa manebit, [1]

et je vous mettrai en un point tel que vous n'aurez aucun mécontentement,

en ta mort vraie il ne sera d'autre toi-même
Qui puisse, bien vivant, s'affliger de ta propre mort
Et, debout, te pleurer gisant
In uera nescis nullum fore morte alium te,
Qui possit uiuos tibi te lugere peremptum,
Stansque jacentem,

et que vous ne désirerez plus la vie que vous plaignez tant,

Car, de sa vie ou de soi, comment eût-on des dépits
Quand l'esprit et le corps tous deux reposent assoupis
Nec sibi enim quisquam tum se uitamque requirit,
Nec desiderium nostri nos afficit ullum ?

La mort est moins à craindre que rien, s'il y avait quelque chose qui fût moins que rien :

La mort est moindre encor pour nous, on le doit bien penser,
– si tant est qu'on puisse amoindrir ce qui pour nous n'est rien –
multo mortem minus ad nos esse putandum,
Si minus esse potest quam quod nihil esse uidemus ;

elle ne vous concerne ni mort ni vif : vif, parce que vous êtes ; mort, parce que vous n'êtes plus.

De surcroît, nul ne meurt avant son heure. Ce que vous laissez de temps n'était pas plus vôtre que celui qui s'est passé avant votre naissance, et ne vous touche pas plus.

Retourne-toi maintenant et contemple au loin derrière
Le néant que fut pour nous cette immense éternité
Respice enim quam nil ad nos ante acta uetustas
Temporis aeterni fuerit [2] :

---

1. *Id., ibid.,* 1103-1104 ; cit. suivante : *ibid.* 898-900 ; suivante : *ibid.* 932 et 935 ; suivante : *ibid.* 939-940.

2. Lucrèce, III, 985-986 ; suivante : *ibid.* 981 ; suivante : *id.*, II, 578-580.

où que votre vie finisse, elle est là toute ! L'utilité du vivre n'est pas dans la longueur, elle est dans l'usage. Tel a vécu longtemps qui a peu vécu. Donnez toute votre attention à la vie pendant que vous y êtes. Il gît en votre volonté, non au nombre des ans, que vous ayez assez vécu.

Pensiez-vous donc n'arriver jamais là vers où vous alliez sans cesse ? Il n'y a pas encore de chemin qui n'ait son issue ! Et, si la compagnie peut vous soulager, le monde ne va-t-il pas du même train que vous allez ?

Toutes choses vous suivront outre tombe
Omnia te uita perfuncta sequentur,

tout ne branle-il pas du même branle que vous ? Y a-t-il chose qui ne vieillisse avec vous ? Mille hommes, mille animaux et mille autres créatures meurent à l'instant même où vous mourez :

La nuit ne suit jamais le jour ni l'aurore la nuit
Sans qu'on n'entende parmi les plaintifs vagissements
Les pleurs qui suivent les convois et les enterrements
Nam nox nulla diem, neque noctem aurora sequuta est,
Quæ non audierit mistos vagitibus ægris
Ploratus mortis comites et funeris atri.

À quoi bon reculer si vous ne pouvez tirer arrière ? Vous en avez assez vu qui se sont bien trouvés de mourir, qui ont achevé par-là de grandes misères. Mais quelqu'un qui s'en soit mal trouvé, en avez-vous vu ? Aussi est-ce une grande naïveté de condamner une chose que vous n'avez éprouvée ni par vous ni par un autre. Pourquoi te plains-tu donc de moi et de la destinée ?

Te faisons-nous du tort ? Est-ce à toi de nous gouverner, ou à nous de te gouverner ? Encore que tout ton âge ne soit achevé, ta vie l'est. Un petit homme est un homme entier tout comme un grand. Ni les hommes ni leurs vies ne se mesurent à l'aune. Chiron refusa l'immortalité quand il eut été informé de ses conditions par le dieu même du temps et de la durée, Saturne, son père. Imaginez, de vrai, combien une vie perdurable serait moins supportable à l'homme, et plus pénible, que n'est la vie que je lui ai donnée ! Si vous n'aviez pas la mort, vous me maudiriez sans cesse de vous en avoir privé ! J'y ai sciemment mêlé quelque peu d'amertume pour vous empêcher, voyant la commodité de son usage, de l'embrasser trop avidement et sans discernement ; pour vous tenir dans cette modération que je vous demande, ni de fuir la vie ni de refuir devant la mort, j'ai tempéré l'une et l'autre de douceur et d'aigreur. J'appris à Thalès, le premier de vos sages, que le vivre et le mourir étaient indifférents. C'est pourquoi à celui qui lui demandait pourquoi donc il ne mourait pas, il répondit très sagement : « Parce que c'est indifférent. » L'eau, la terre, l'air et le feu, et les autres membres de ce mien bâtiment ne sont pas plus les instruments de ta vie que les instruments de ta mort. Pourquoi crains-tu ton dernier jour ? Il ne concourt pas plus à ta mort que chacun des autres. Le dernier pas ne fait pas la lassitude, il la déclare. Tous les jours vont à la mort, le dernier y arrive. »

Voilà les bons avertissements de notre mère Nature. Or j'ai pensé souvent d'où pouvait venir que pendant les guerres le visage de la mort, que nous la voyions sur les nôtres ou sur autrui, nous semble sans comparaison moins effroyable qu'en nos maisons – autrement ce serait une armée de médecins et de pleurards ! –, et que, alors qu'elle est toujours la même, il y ait toutefois beaucoup plus d'assurance parmi les gens de village et de basse condition que chez les autres. Je crois à la vérité que ce sont ces mines et ces appareils effroyables dont nous l'entourons qui nous font plus peur qu'elle : une toute nouvelle façon de vivre, les cris des mères, des femmes, et des enfants, la visite de personnes atterrées et transies, l'assistance d'un nombre de valets pâles et éplorés, une chambre sans jour, des cierges allumés, notre chevet assiégé de médecins et de prêcheurs : en somme tout n'est plus qu'horreur et effroi autour de nous, nous voilà déjà ensevelis et enterrés ! Les enfants ont peur de leurs amis mêmes quand ils les voient masqués, de même nous. Il faut ôter le masque aussi bien aux choses qu'aux personnes. Dès qu'il sera ôté, nous ne trouverons dessous que cette même mort qu'un valet ou une simple chambrière passèrent dernièrement sans peur. Heureuse la mort qui ôte le loisir aux apprêts d'un pareil équipage !

De la force de l'imagination

[Chapitre XX]

Fortis imaginatio generat casum, disent les clercs, une forte imagination produit l'événement. Je suis de ceux qui sentent une très grande force dans l'imagination. Chacun en est heurté, mais d'aucuns en sont renversés. Ce qu'elle empreint dans l'âme me transperce, et mon art est de lui échapper, faute de force pour lui résister. Je vivrais avec la seule compagnie de personnes saines et gaies : la vue des angoisses d'autrui m'angoisse matériellement, et mon sentiment a souvent usurpé le sentiment d'un tiers. Un tousseur continuel irrite mon poumon et mon gosier. Je visite plus mal volontiers les malades auxquels le devoir m'intéresse que ceux auxquels je suis moins attentif et que je considère moins. Je m'empare du mal que j'étudie et je le couche en moi. Je ne trouve pas étrange que l'imagination donne les fièvres et la mort à ceux qui la laissent faire et qui lui applaudissent. Simon Thomas était un grand médecin en son temps. Il me souvient de l'avoir un jour rencontré à Toulouse chez un riche vieillard pulmonaire : alors qu'il traitait avec lui des moyens de sa guérison, il lui dit que c'en était un pour lui de me donner l'occasion de me plaire en sa compagnie, et que, s'il fichait ses yeux sur la fraîcheur de mon visage et sa pensée sur cette vigoureuse allégresse qui regorgeait de mon adolescence, et que, s'il remplissait tous ses sens de cet état florissant dans lequel j'étais alors, sa propre santé pourrait s'en trouver améliorée. Mais il oubliait de dire que la mienne pourrait aussi en empirer ! Un certain Gallus Vibius banda si bien son âme à comprendre l'essence et les mouvements de la folie qu'il emporta son jugement hors de son siège, si bien que jamais depuis il ne l'y put remettre, et qu'il pouvait se vanter d'être devenu fou par sagesse. Il y en a qui, de frayeur, anticipent la main du bourreau, et tel qu'on débandait pour lui lire sa grâce se trouva roide mort sur l'échafaud sous le seul coup de son imagination. Nous transpirons, nous tremblons, nous pâlissons, nous rougissons sous les impulsions de notre imagination, et, renversés dans la plume, nous sentons notre corps agité par leur branle, quelquefois jusqu'à en expirer. Et la jeunesse bouillante s'échauffe si avant en son harnois tout endormie qu'elle assouvit en songe ses amoureux désirs :

Croyant l'affaire faite, ils répandent à flots
Un fleuve de liqueur et souillent leurs maillots

Ut quasi transactis sæpe omnibus rebus profundant
Fluminis ingentes fluctus uestemque cruentent. [1]

Et encore qu'il ne soit pas nouveau de voir croître la nuit des cornes à tel qui ne les avait pas en se couchant, toutefois l'événement de ce Cyppus, roi d'Italie, est mémorable, qui pour avoir assisté le jour avec beaucoup de passion à un combat de taureaux, et pour avoir eu en songe toute la nuit des cornes dans la tête, les fit pousser à son front par la force de l'imagination ! La passion donna, dit-on, au fils de Crésus la voix que Nature lui avait refusée. Et Antiochus prit la fièvre

1. Lucrèce IV, 1035-1036.

à cause de la beauté de Stratonice trop vivement empreinte en son âme. Pline dit avoir vu un dénommé Lucius Cossitius changé de femme en homme le jour de ses noces. Pontano et d'autres racontent de pareilles métamorphoses survenues en Italie au cours des siècles passés. Et selon le violent désir qu'ils en avaient lui-même et sa mère,

> Faite homme, Iphis remplit les vœux qu'elle avait formés fille
> *Vota puer soluit quae faemina uouerat Iphis* [1]

Passant à Vitry-le-François, je pus voir un homme que l'évêque de Soissons avait dénommé « Germain » en confirmation, et que tous les habitants de là-bas avaient connu et vu fille jusqu'à l'âge de vingt-deux ans portant le nom de « Marie ». Il était à cette heure-là tout barbu, et vieux, et point marié. Ce fut, dit-il, en faisant quelque effort en sautant que ses membres virils étaient sortis ; et une chanson est encore en usage parmi les filles de là-bas dans laquelle elles s'entravertissent de ne faire point de grandes enjambées de peur de « devenir garçons comme Marie Germain ». Ce n'est pas si merveilleux que cette sorte d'accident se rencontre fréquemment, car si l'imagination a un pouvoir dans ces sortes de choses, elle est si continuellement et si vigoureusement attachée à ce sujet que, pour n'avoir pas si souvent à rechoir dans la même pensée et la même âpreté de désir, elle a meilleur compte d'incorporer une fois pour toutes ces viriles parties aux filles.

Les uns attribuent à la force de l'imagination les cicatrices du roi Dagobert et de saint François. On dit que, sous son effet, les corps se soulèvent parfois de leur place. Et Celse raconte qu'un prêtre ravissait son âme dans une telle extase que le corps en demeurait longtemps sans respiration ni sentiment. Saint Augustin en nomme un autre à qui il ne fallait que faire ouïr des cris lamentables et plaintifs, et soudain il défaillait et s'emportait si vivement hors de lui qu'on avait beau le tempêter, hurler, le pincer, le griller, rien n'y faisait jusqu'à ce qu'il fût ressuscité. Alors il disait avoir ouï des voix, mais comme venant de loin, et il découvrait ses échaudures et ses meurtrissures. Et que ce ne fût pas une obstination feinte contre son sentiment, ce qui le montrait c'était qu'il n'avait pendant ce temps ni pouls ni haleine. Il est vraisemblable que le principal crédit des visions, des enchantements et des effets extraordinaires de ce genre vienne de la puissance de l'imagination, qui agit principalement contre les âmes des gens du vulgaire, plus molles. Leur crédulité est si fortement saisie qu'ils pensent voir ce qu'ils ne voient pas.

1. Ovide, *Métamorphoses*, IX, 794.

Je soupçonne encore que ces plaisants « nouements d'aiguillettes » [1] dont notre monde se voit si entravé qu'on ne parle pas d'autre chose, sont souvent des effets de l'appréhension et de la crainte. Car je sais par expérience que tel, dont je puis répondre comme de moi-même [2], sur qui ne pouvait choir aucun soupçon de faiblesse, et aussi peu d'enchantement, ayant ouï un de ses compagnons lui raconter une défaillance extraordinaire dans laquelle il était tombé au moment où il en avait le moins besoin, se retrouvant en pareille situation, l'horreur de ce récit lui vint tout à coup si rudement frapper l'imagination qu'il en connut une fortune pareille. Et depuis lors il fut sujet à y rechoir, ce vilain souvenir de sa déconfiture le tenaillant et le tyrannisant. Il trouva quelque remède à cette rêverie par une autre rêverie. C'est qu'en avouant lui-même et en dénonçant avant la main ce à quoi il était sujet, la tension de son âme se soulageait par le fait qu'en donnant ce mal comme attendu ses obligations s'en amoindrissaient et lui pesaient moins. Quand il a eu loisir, à son choix – une fois sa pensée débrouillée et débandée, son corps se trouvant dans son assiette normale – de le faire d'abord essayer, saisir et surprendre par l'autre ainsi prévenu, il s'est guéri alors tout net. Avec quelqu'un avec qui on a été une fois capable, on n'est plus jamais incapable, sinon par vraie faiblesse. Ce malheur n'est à craindre que dans les situations où notre âme se trouve outre mesure tendue de désir et de respect, et notamment quand les opportunités se rencontrent imprévues et pressantes. On n'a pas moyen de se ravoir de ce trouble. J'en sais un à qui il a servi d'y venir même le corps à demi rassasié ailleurs pour endormir l'ardeur de cette fureur, et qui, avec l'âge, se trouve moins impuissant du fait qu'il est moins puissant ; et tel autre aussi à qui il a suffi pour le préserver qu'un ami l'ait assuré qu'il disposait d'une contre-batterie d'enchantements d'une efficacité certaine. Il vaut mieux que je dise comment ce fut. Un comte, du meilleur sang, et de qui j'étais fort familier [3], le jour où il se mariait avec une belle dame

1. Des « aiguillettes » servaient à fixer la « braguette » à l'entrejambe des hauts-de-chausses. Ce qu'on appelait « nouements d'aiguillettes », c'étaient ces défaillances passagères qu'ont parfois les jeunes mariés au soir des noces. Outre la gaudriole, si l'on parlait beaucoup alors de ce grave sujet (Jean Bodin, Bouchet, et tant d'autres), c'était qu'on attribuait ces défaillances à la sorcellerie, question alors des plus sérieuses en théologie comme en droit judiciaire : qui pouvait sentir le fagot !

2. Il ne peut s'agir, bien sûr, que de Montaigne lui-même.

3. Il s'agit sans aucun doute du comte de Gurson, intime et voisin de Montaigne. Il était marié à Diane de Foix, à qui Montaigne a dédié son essai sur l'éducation des enfants.

qui avait été poursuivie par les assiduités de certain personnage qui assistait à la fête, mettait en grande peine ses amis, et nommément une vieille dame, sa parente, qui présidait à ces noces et les faisait chez elle, et qui craignait ce genre de sorcelleries [1], à ce qu'elle me fit entendre. Je la priai de s'en reposer sur moi. J'avais de fortune dans mes coffres certaine petite pièce d'or plate où étaient gravées quelques figures célestes contre le coup de soleil et pour ôter le mal de tête. Il fallait la placer à point sur la couture du crâne, et, pour l'y maintenir, elle était cousue à un ruban qu'on nouait sous le menton, rêverie germaine à celle dont nous parlons ! Jacques Peletier, durant son séjour chez moi, m'avait fait ce présent singulier. J'avisai d'en tirer quelque usage, et je dis au comte qu'il pourrait bien encourir mauvaise fortune comme les autres puisqu'il y avait là des hommes susceptibles de lui en vouloir réserver une, mais qu'il allât donc se coucher sans crainte, que je lui ferais un tour d'ami, et que pour son besoin je n'allais pas épargner un miracle qui était en mon pouvoir, pourvu que, sur son honneur, il me promît de le garder très fidèlement secret ; qu'il lui suffirait, quand sur la nuit on irait lui porter le réveillon, s'il lui en était mal allé, de me faire tel signe. Il avait eu l'âme et les oreilles si rebattues qu'en effet il se trouva paralysé par le trouble de son imagination, et il me fit donc son signe à l'heure dite. Je lui glissai alors à l'oreille qu'il se levât, sous couleur de nous chasser, qu'il prît en se jouant la robe de nuit que j'avais sur moi (nous étions de taille fort voisine) et qu'il s'en vêtît jusqu'à tant qu'il aurait exécuté mes instructions, qui étaient celles-ci : quand nous serions sortis, qu'il se retirât pour lâcher ses eaux, dît trois fois telles paroles, et fît tels mouvements ; qu'à chacune de ces trois fois il ceignît le ruban que je lui mettais en main et qu'il couchât bien soigneusement sur ses rognons la médaille qui y était attachée, côté face dans telle position ; enfin que, cela fait, et quand il aurait à la dernière fois bien serré ce ruban pour qu'il ne se pût ni dénouer ni mouvoir de sa place, qu'il s'en retournât à sa besogne en toute assurance, et qu'il n'oubliât pas alors de jeter ma robe sur son lit de façon qu'elle pût les recouvrir tous deux. Ces singeries sont le principal de l'effet. Notre pensée ne se pouvant démêler de l'idée que des moyens si étranges proviennent de quelque science abstruse, leur inanité leur donne poids et révérence. En somme, il fut certain que les formules gravées sur mon talisman se trouvèrent plus vénériennes que solaires, et plus propres à inciter qu'à protéger. Ce furent la hâte et la curiosité de voir qui me poussèrent à agir de cette façon, très éloignée de ma nature. Je suis ennemi des actions subtiles et feintes, et je hais

1. Les « nouements d'aiguillettes ».

manier des finesses, non seulement récréatives, mais aussi profitables. Si l'action n'est pas vicieuse, la route l'est.

Amasis, roi d'Égypte, épousa Laodice, une très belle fille grecque, et lui qui se montrait dru compagnon partout ailleurs, se trouva court à jouir d'elle. Il menaça de la tuer, estimant que ce fût quelque sorcellerie. Comme pour les choses qui relèvent de l'imagination, elle lui conseilla la dévotion, et quand il eut fait ses vœux et ses promesses à Vénus il se trouva divinement remis dès la première nuit qui suivit ses oblations et sacrifices.

Maintenant, les femmes ont tort de nous accueillir avec ces mines boudeuses, fâchées et fuyantes qui nous éteignent tout en nous allumant. La bru de Pythagoras disait que la femme qui couche avec un homme doit en même temps que sa chemise laisser sa honte pour la reprendre en reprenant son cotillon. L'âme de l'assaillant, troublée par plusieurs diverses inquiétudes, se perd aisément, et celui à qui l'imagination a fait une fois souffrir cette honte (et elle ne la fait souffrir qu'aux premières accointances, d'autant qu'elles sont plus ardentes et plus âpres, et d'autant aussi qu'en cette première connaissance qu'on donne de soi, on craint beaucoup plus de faillir), ayant mal commencé, il se met en fièvre et en dépit de cet accident qui de ce fait lui dure aux occasions suivantes. Les mariés, qui ont tout leur temps, ne doivent ni presser leur entreprise ni en tâter s'ils ne sont pas prêts. Et mieux vaut faillir indécemment à étrenner la couche nuptiale, pleine de trouble et de fièvre, et attendre une, puis une autre opportunité plus intime et moins inquiète que de tomber dans une perpétuelle misère pour s'être frappé et désespéré du premier refus. Avant la prise de possession, l'homme patient doit, par des saillies et en divers temps, s'essayer légèrement et se donner l'occasion, sans se vexer ni s'opiniâtrer, de se rassurer définitivement lui-même. Quant à ceux qui savent leurs membres naturellement dociles, qu'ils aient soin seulement de contre-leurrer leurs fantasmes.

On a bien raison de remarquer l'indocile liberté de ce membre, qui, s'ingérant si importunément alors que nous n'en avons que faire et défaillant si importunément alors que nous en avons le plus affaire, dispute l'autorité à notre volonté de façon si impérieuse en refusant avec tant de fierté et d'obstination nos sollicitations tant mentales que manuelles. Si toutefois, parce qu'on lui fait grief de sa rébellion et qu'on en tire preuve pour le condamner, il m'avait payé pour plaider sa cause, d'aventure mettrais-je en soupçon nos autres membres, ses compagnons, d'être allés, par jalousie de l'importance et de la douceur de son usage, lui dresser cette fausse querelle, et d'avoir comploté pour armer le monde à son encontre en le chargeant seul de leur faute commune par malignité. Car je vous laisse à penser s'il y a un seul des organes de notre corps qui ne refuse pas souvent son opération à notre volonté ou qui souvent ne s'exerce pas contre notre volonté ! Ils ont chacun des passions propres qui les éveillent et les endorment sans notre congé. Combien de fois les mouvements forcés de notre visage révèlent-ils des pensées que nous tenions secrètes et nous trahissent aux yeux des assistants ? Cette même cause qui anime ce membre anime aussi à notre insu le cœur, le poumon et le pouls, la vue d'un objet agréable répandant imperceptiblement partout en nous la flamme d'une émotion fiévreuse. N'y a-t-il donc que ces muscles et ces veines qui s'élèvent et se couchent sans l'aveu non seulement de notre volonté, mais aussi de notre pensée ? Nous ne commandons pas à nos cheveux de se hérisser, ni à notre peau de frissonner de désir ou de crainte. La main se porte souvent ou nous ne l'envoyons pas. La langue se transit, et la voix se fige à son heure. Lors même que, n'ayant de quoi frire, nous le lui défendrions volontiers, l'appétit de manger et de boire ne laisse pas d'émouvoir les organes qui lui sont assujettis ni plus ni moins que cet autre appétit-là, et lui aussi nous abandonne hors de propos quand bon lui semble. Les outils qui servent à décharger le ventre ont leurs dilatations et leurs compressions propres, outre et contre notre avis, tout comme ceux qui sont destinés à décharger nos rognons. Et le fait que saint Augustin, pour accréditer la puissance de notre volonté, allègue avoir vu quelqu'un qui commandait à son derrière autant de pets qu'il en voulait, et sur lequel Vivès dans son commentaire renchérit avec un autre exemple de son temps de pets modulés selon le ton de diverses répliques qu'on lui déclamait, ne suppose pas non plus que cet organe s'en tienne simplement à obéir. Car en est-il ordinairement un qui soit plus indiscret et plus tumultueux ? Ajoutons que j'en connais un qui est si turbulent et si rebelle qu'il y a quarante ans qu'il contraint son maître à péter tout d'une haleine et avec une obligation constante et ininterrompue, et le mène ainsi à la mort. Plût à Dieu que je ne susse que par les histoires combien de fois notre ventre, par le refus d'un seul pet, nous mène jusqu'aux portes d'une mort très angoissante, et qu'il lui plût que l'empereur Claude, qui nous donna liberté de péter partout, nous en eût aussi donné le pouvoir ! Mais notre volonté, pour les droits de laquelle nous mettons en avant ce reproche, combien plus vraisemblablement la pouvons-nous taxer de rébellion et de sédition pour son dérèglement et sa désobéissance ! Veut-elle toujours ce que nous voudrions qu'elle voulût ? Ne veut-elle pas souvent ce que nous lui défendons de vouloir, et à notre évident dommage ? Se laisse-t-elle non plus mener par les conclusions de notre raison ?

Enfin je demanderais en faveur de monsieur mon client qu'il plaise à la Cour de vouloir bien considérer qu'alors que dans ce cas d'espèce sa cause est inséparablement et indissolublement conjointe à un consort, ce n'est pourtant qu'à lui que l'on dresse procès, et ce avec des accusations et des griefs qu'on ne peut par nature retourner contre ledit consort. Car le rôle de celui-ci est bien de convier, inopportunément parfois, mais de refuser, jamais, et de convier encore de façon tacite et discrète [1]. Ainsi rend-on manifeste l'animosité et l'illégalité des accusateurs. Quoi qu'il en soit, en protestant que les avocats et les juges ont beau quereller et rendre les sentences qu'ils voudront, Nature ira son train pendant ce temps : elle n'aurait fait que raison quand elle aurait doué ce membre de quelque privilège particulier, puisqu'il est l'auteur du seul ouvrage immortel chez les mortels, ouvrage divin selon Socrate, Amour étant désir d'immortalité et immortel Démon lui-même.

Tel par cet effet de l'imagination guérit peut-être ici des écrouelles que son compagnon va porter jusqu'en Espagne [2]. Voilà pourquoi dans ce genre de choses l'on a coutume de demander une âme préparée. Pourquoi les médecins tâchent de gagner avant main la croyance de leur patient avec tant de fausses promesses de sa guérison, si ce n'est afin que l'effet de l'imagination supplée à l'imposture de leurs décoctions ? Ils savent qu'un des maîtres de ce métier leur a laissé par écrit qu'il s'est trouvé des hommes à qui la seule vue de la médecine faisait l'opération. Et tout ce caprice m'est tombé présentement en main à cause du conte que me faisait un domestique apothicaire de feu mon père, homme simple, venu de Suisse, nation peu vaine et peu mensongère. Il avait connu longtemps, me disait-il, un marchand à Toulouse maladif et sujet à la pierre qui avait souvent besoin de clystères. Il se les faisait diversement ordonner par les médecins au gré de la survenue de son mal. Une fois qu'on les lui avait apportés, rien

1. Ce « consort » ou complice du fiasco est la femme objet du désir : la partenaire a sa part de responsabilité dans l'impuissance. Or on ne saurait à ladite partenaire faire grief de ne pas se montrer elle-même active, puisque sa part est de recevoir le jeu d'amour et d'y inciter passivement sans prendre l'initiative. Cf. ci-dessus : « les femmes ont tort de nous accueillir avec ces mines boudeuses, fâchées et fuyantes qui nous éteignent tout en nous allumant. »

2. Une fois sacrés, les rois de France, on le sait, passaient pour avoir le pouvoir surnaturel de guérir des écrouelles (la scrofule) ; pendant que François Ier fut retenu prisonnier en Espagne par Charles Quint, bien des Français franchisaient les Pyrénées pour aller faire toucher au roi leurs écrouelles, quand d'autres, observe Montaigne, en guérissaient de ce côté-ci des monts peut-être par le seul effet de leur imagination.

n'était omis des formes accoutumées. Souvent il tâtait s'ils étaient trop chauds. Le voilà couché, renversé, et toutes les approches faites, sauf qu'on ne lui faisait jamais l'injection. Quand l'apothicaire s'était retiré après cette cérémonie, une fois le patient installé comme s'il avait véritablement pris le clystère, il en ressentait le même effet que ceux qui les prennent. Et si le médecin n'en trouvait pas l'opération suffisante, il lui en redonnait deux ou trois autres, sous la même forme. Mon témoin jure que pour épargner la dépense, car il payait ces clystères comme s'il les eût pris, la femme de ce malade avait quelquefois essayé d'y faire mettre seulement de l'eau tiède, mais que le résultat découvrit sa fourbe parce que, comme il avait trouvé ces derniers sans effet, il fallut revenir à la première façon.

Une femme, pensant avoir avalé une épingle avec son pain, criait et se tourmentait en disant ressentir une douleur insupportable au gosier, où elle pensait la sentir arrêtée. Mais, comme il n'y avait ni enflure ni altération par le dehors, un habile homme ayant jugé que ce n'était que fantaisie et imagination, parce que quelque morceau de pain l'aurait piquée en passant, la fit vomir et jeta à la dérobée dans ce qu'elle rendit une épingle tordue. Cette femme, croyant l'avoir rendue, se sentit soudain délivrée de sa douleur. Je sais qu'un gentilhomme qui avait traité chez lui une bonne compagnie se vanta trois ou quatre jours après par manière de jeu, car il n'en était rien, de leur avoir fait manger un chat en pâté : une demoiselle de la troupe en prit une telle horreur qu'elle en tomba dans un grand dévoiement d'estomac avec de la fièvre, et qu'il fut impossible de la sauver. Les bêtes mêmes se voient comme nous sujettes à la force de l'imagination, témoin ces chiens qui se laissent mourir de deuil après la perte de leurs maîtres. Nous les voyons aussi japper et se trémousser en songe, et les chevaux hennir et se débattre. Mais tout ceci peut se rapporter à l'étroite couture de l'esprit et du corps qui s'entre-communiquent leurs fortunes. C'est tout autre chose que l'imagination agisse quelquefois non contre son corps seulement mais contre le corps d'autrui. Et de même qu'un corps rejette son mal à son voisin, comme on le voit dans la peste, dans la vérole, et dans le mal des yeux qui se propagent de l'un à l'autre :

À voir blessure à l'œil, l'œil lui-même est blessé,
Et de maints maux le corps par contagion est touché

Dum spectant oculi læsos læduntur et ipsi,
Multaque corporibus transitione nocent [1]

1. Ovide, *Les Remèdes de l'amour*, 615-616.

de même, l'imagination, quand elle est ébranlée avec violence, lance des traits qui peuvent affecter l'objet étranger. L'antiquité a tenu de certaines femmes en Scythie qu'animées et courroucées contre quelqu'un, elles le tuaient du seul regard. Les tortues et les autruches couvent leurs œufs de leur seule vue, signe qu'ils y ont quelque vertu éjaculatrice. Et quant aux sorciers, on les dit avoir des yeux offensifs et néfastes :

Je ne sais là quel œil fascine mes tendres agneaux
Nescio quis teneros oculus mihi fascinat agnos. [1]

Mais ce sont pour moi de mauvais garants que les magiciens. Quoi qu'il en soit d'eux, nous voyons par expérience les femmes transmettre aux corps des enfants qu'elles portent au ventre des marques de leurs fantasmes, témoin celle qui engendra « le Maure » [2]. Et on présenta à Charles, roi de Bohême et Empereur, une fille de la région de Pise, toute velue et hérissée, que sa mère disait avoir été ainsi conçue à cause d'une image de saint Jean Baptiste pendue à son lit. Des animaux il en est de même, témoin les brebis de Jacob [3], et les perdrix et les lièvres que la neige blanchit dans les montagnes. On vit dernièrement chez moi un chat qui guettait un oiseau au haut d'un arbre ; après qu'ils se furent fixés des yeux l'un l'autre quelque temps, l'oiseau se laissa choir comme mort entre les pattes du chat, ou enivré par sa propre imagination, ou attiré par quelque force attractive du chat. Ceux qui aiment la volerie ont ouï faire le conte du fauconnier qui, arrêtant obstinément sa vue sur un milan en l'air, gageait de le ramener en bas par la seule force de sa vue, et qui le faisait, à ce qu'on dit. Car les histoires que j'emprunte, je les renvoie à la conscience de ceux à qui je les prends. Les raisonnements sont à moi, et ils se tiennent par la preuve de la raison, non de l'expérience. Chacun peut y joindre ses exemples, et s'il n'en a point, qu'il ne laisse pas de croire qu'il en est assez, vu le nombre et la variété des accidents. Si je ne commente pas bien qu'un autre commente pour moi. Aussi dans

1. Virgile, *Bucoliques*, III, 103.

2. Saint Jérôme raconte cette fable d'une femme accusée d'adultère pour avoir accouché d'un enfant noir, et qui fut absoute par Hippocrate qui expliqua le fait par la présence d'un portrait d'homme noir dans sa chambre. Cette histoire, comme la suivante, traînait chez tous les compilateurs, qui étaient légion en ce temps, comme dans l'*Occulta Philosophia* de Cornelius Agrippa, où Montaigne les a trouvées.

3. Genèse XXX : Jacob obtenait des brebis rayées en plaçant devant leurs crèches des baguettes de couleurs différentes.

l'étude que je fais de nos mœurs et de nos comportements, les témoignages fabuleux, pourvu qu'ils soient possibles, y servent-ils comme les vrais. Advenu ou non advenu, à Rome ou à Paris, à Jean ou à Pierre, c'est toujours un tour de l'humaine capacité dont je suis utilement avisé par ce récit. Je le vois, et j'en fais mon profit aussi bien en ombre qu'en corps. Et entre les diverses leçons [1] que présentent souvent les textes des historiens, je commence par me servir de celle qui est la plus rare et la plus mémorable. Il y a des auteurs dont la fin est de parler les événements. La mienne, si je savais y parvenir, serait de parler de ce qui peut advenir. Il est légitimement permis aux Écoles d'inventer des comparaisons quand elles n'en ont point. Je n'en fais pas ainsi pour autant, et je surpasse de ce côté-là en religion superstitieuse toute foi historienne. Aux exemples que je tire céans de ce que j'ai lu, ouï, fait, ou dit, je me suis défendu d'oser altérer jusqu'aux plus légères et inutiles circonstances. Ma conscience ne falsifie pas un iota ; mon inscience, je ne sais ! Sur ce propos, j'en viens à me demander s'il peut assez bien convenir à un théologien, à un philosophe, et à tous ces gens d'une conscience et d'une prudence exquises et si exactes, d'écrire l'histoire. Comment peuvent-ils engager leur foi sur une foi populaire ? Comment répondre des pensées de personnes inconnues, et donner pour argent comptant leurs conjectures ? D'actions dont divers éléments se passent en leur présence, ils refuseraient de témoigner sous serment devant un juge. Et il n'est point d'homme, si familier leur soit-il, dont ils accepteraient de répondre pleinement des intentions ! Je tiens qu'il est moins hasardeux d'écrire les choses passées que les présentes, parce que l'écrivain n'a à rendre compte que d'une vérité empruntée. D'aucuns me convient à écrire sur les affaires de mon temps, estimant que je les vois d'une vue moins blessée de passion qu'un autre, et de plus près, pour l'accès que fortune m'a donné aux chefs de divers partis. Mais ils ne disent pas que, fût-ce pour m'attirer la gloire d'un Salluste, je n'en prendrais pas la peine parce que je suis un ennemi juré de l'obligation, de l'assiduité, de la constance, et qu'il n'est rien de si contraire à mon style qu'une narration étendue. Je me recoupe si souvent, faute d'haleine ! Je n'ai ni composition ni explication qui vaille. J'ignore plus qu'un enfant des phrases et des vocables qui servent aux choses les plus communes. Aussi me suis-je pris à dire ce que je sais dire en accommodant la matière à ma force. Si je prenais un sujet qui me guidât, ma mesure pourrait faillir à la sienne. Ils oublient aussi de dire que, ma liberté

1. Lectures variantes transmises par les divers témoins manuscrits d'une tradition textuelle.

étant si libre, j'eusse publié des jugements, selon mon gré même et selon la raison, qui eussent été illégitimes et punissables. Plutarque nous dirait probablement, au sujet de ce qu'il a fait, que c'est l'ouvrage d'autrui si ses exemples sont en tout et partout véritables, mais que le fait qu'ils soient utiles à la postérité et présentés sous un jour qui nous éclaire la voie vers la vertu est bien son ouvrage. Il n'est pas dangereux, comme ce le serait dans une drogue médicinale, que dans un conte ancien il en soit ainsi ou ainsi.

Le profit de l'un est dommage de l'autre

[Chapitre XXI]

Démade, un Athénien, condamna un homme de sa ville qui faisait métier de vendre les choses nécessaires aux enterrements, au titre qu'il en demandait trop de profit, et que ce profit ne lui pouvait venir sans la mort de beaucoup de gens. Ce jugement semble être mal pris, d'autant qu'aucun profit ne se fait jamais qu'au dommage d'autrui, et qu'à ce compte il faudrait condamner toute sorte de gain. Le marchand ne fait bien ses affaires qu'avec la débauche de la jeunesse, le laboureur avec la cherté des blés, l'architecte avec la ruine des maisons, les officiers de justice avec les procès et les querelles des hommes, l'honneur même et la pratique des ministres de la religion se tire de notre mort et de nos vices. Nul médecin ne prend plaisir à la santé de ses amis mêmes, dit l'ancien poète comique grec, ni aucun soldat à la paix de sa ville, ainsi du reste. Et, qui pis est, que chacun se sonde au-dedans, il trouvera que nos souhaits intérieurs pour la plupart naissent et se nourrissent aux dépens d'autrui. Ce que considérant, je me suis pris à imaginer combien Nature ne se dément point en cela de sa police générale, car les physiciens soutiennent que la naissance, le nourrissement, et l'augmentation de chaque chose est l'altération et la corruption d'une autre :

Car dès qu'un être se transmute et qu'il sort de son champ,
Tout aussitôt périt de ce qu'il fut avant

Nam quodcumque suis mutatum finibus exit,
Continuo hoc mors est illius quod fuit ante [1]

1. Lucrèce ; il s'agit de l'un des multiples couplets récurrents dans le poème *De la Naissance des choses*, comme par exemple II, 753-756 ou III, 519-520. Ces cellules refrains, d'usage constant chez Lucrèce, sont à l'image des atomes et des

De la coutume et de ne changer aisément une loi reçue

[Chapitre XXII]

Celui-là me semble avoir très bien conçu la force de la coutume qui le premier forgea ce conte qu'une villageoise qui avait appris à caresser et porter entre ses bras un veau dès l'heure de sa naissance, et qui, continuant toujours à ce faire, gagna cela par l'accoutumance que tout grand bœuf qu'il était, elle le portait encore. Car c'est à la vérité une maîtresse d'école violente et traîtresse que la coutume. Elle établit en nous, peu à peu, à la dérobée, le pied de son autorité, mais par ce doux et humble commencement, l'ayant rassis et planté avec l'aide du temps, elle nous découvre bientôt un visage furieux et tyrannique contre lequel nous n'avons plus la liberté de hausser seulement les yeux. Nous lui voyons forcer à tous les coups les règles de Nature : *usus efficacissimus rerum omnium magister* [1] l'usage est en tout le plus puissant maître.

Là-dessus, j'en crois l'antre de Platon dans sa *République* ; les médecins qui quittent si souvent pour son autorité les raisons de leur art ; ce roi qui par son moyen rangea son estomac à se nourrir de poison [2] ; la fille qu'Albert le Grand raconte s'être accoutumée à vivre d'araignées ; et dans ce monde des Indes nouvelles on trouva de grands peuples, et sous de fort divers climats, qui en vivaient, en faisaient provision, et les appâtaient, comme aussi des sauterelles, fourmis, lézards, chauves-souris, et un crapaud fut vendu six écus lors d'une disette de vivres : ils les cuisent et apprêtent à diverses sauces. Il en fut trouvé d'autres auxquels nos chairs et nos viandes étaient mortelles et venimeuses. Grande est la force de la coutume. Les chasseurs passent des nuits dans la neige, ils supportent d'être brûlés dans les montagnes. Les pugilistes blessés par le ceste ne gémissent même pas *consuetudinis magna uis est. Pernoctant uenatores in niue, in montibus uri se patiuntur. Pugiles caestibus contusi ne ingemiscunt quidem* [3].

Ces exemples étrangers ne sont pas étranges si nous considérons, chose que nous essayons tous les jours, combien l'accoutumance

---

molécules qui tour à tour dans la nature se composent et se décomposent pour former successivement divers corps. Montaigne, annotant son exemplaire de l'édition de Lambin, avait été frappé par ces récurrences poético-philosophiques.

1. Pline, XXVI, 11.
2. Mithridate, roi du Pont, qui s'était « mithridatisé ».
3. Cicéron, *Tusculanes*, II, 17, 40.

hébète nos sens. Il ne nous faut pas aller chercher ce qu'on dit des voisins des cataractes du Nil, et ce que les philosophes estiment de la musique céleste, à savoir que les corps de ces cercles, qui sont solides et polis, quand ils viennent à se lécher et frotter l'un à l'autre en roulant ne peuvent faillir de produire une merveilleuse harmonie, aux cadences et aux muances de laquelle se règlent les tours et les variations de la ronde des astres. Mais il faut voir qu'universellement les ouïes des créatures de là-bas, endormies, comme celles des Égyptiens par la continuité de ce son, ne peuvent plus le percevoir, pour grand qu'il soit. Les maréchaux-ferrants, les meuniers, les armuriers ne sauraient tenir au bruit qui les frappe s'il leur perçait les tympans comme à nous. Mon collet de fleurs sert à mon nez, mais après que je m'en suis vêtu trois jours de suite, il ne sert qu'aux nez assistants. Ceci est plus étrange que, nonobstant les longs intervalles et les intermissions, l'accoutumance puisse joindre et établir l'effet de son impression sur nos sens, comme l'essaient les voisins des clochers. Je loge chez moi dans une tour où à la diane et à la retraite [1] une fort grosse cloche sonne tous les jours l'*Ave Maria*. Ce tintamarre étonne [2] ma tour même, et les premiers jours il me semblait insupportable : en peu de temps je m'apprivoise de manière que je l'entends sans offense, et souvent sans m'en éveiller. Platon tançait un enfant qui jouait aux noix. Il lui répondit : « Tu me tances pour peu de chose. – L'accoutumance, répliqua Platon, n'est pas chose de peu. » Je trouve que nos plus grands vices prennent leur pli dès notre plus tendre enfance, et que notre principal gouvernement est entre les mains des nourrices. C'est un passe-temps pour les mères de voir un enfant tordre le cou à un poulet, et jouer à blesser un chien ou un chat. Et tel père est bien sot de prendre pour bon augure d'une âme martiale quand il voit son fils gourmer injurieusement un paysan ou un laquais qui ne se défend point, et de finesse quand il le voit duper son compagnon par quelque tromperie maligne et déloyale. Ce sont là pourtant les semences et les racines véritables de la cruauté, de la tyrannie, de la trahison. Elles germent là, et s'élèvent après gaillardement, et profitent à force entre les mains de la coutume. Et c'est une très dangereuse éducation d'excuser ces inclinations viles par la faiblesse de l'âge et la légèreté du sujet. Premièrement, c'est Nature qui parle, dont la voix est alors d'autant plus pure et plus naïve qu'elle est plus grêle et plus neuve.

1. La « diane » (au point du jour) et la « retraite » (au coucher du soleil, pour la retraite au camp) étaient des batteries de tambour ou des sonneries de trompe signalant le début et la fin des combats journaliers.

2. Ébranle de son fracas.

Secondement, la laideur de la piperie ne dépend pas de la différence des écus aux épingles : elle dépend de soi. Je trouve bien plus juste de raisonner ainsi : « Pourquoi ne tromperait-il aux écus, puisqu'il trompe aux épingles ? » que, comme ils font : « Ce n'est qu'aux épingles, il n'aurait garde de le faire avec des écus. » Il faut apprendre soigneusement aux enfants à haïr les vices pour leur nature propre, et il leur en faut apprendre la naturelle difformité afin qu'ils les fuient non dans leur action seulement, mais surtout dans leur cœur, que la pensée même leur en soit odieuse, quelque masque qu'ils portent. Je sais bien que pour m'être appris dans mon enfance à aller toujours mon chemin grand et plain, et pour avoir pris en aversion de mêler tricotage ou finesse à mes jeux enfantins (et, de vrai, il faut noter que les jeux des enfants ne sont pas des jeux, et qu'il les faut juger chez eux comme leurs plus sérieuses actions), il n'est point de passe-temps si léger où je n'apporte du dedans, et par une propension naturelle et sans étude, une extrême répugnance à tromper. Je joue aux cartes pour des doubles deniers, mais je tiens les comptes comme avec des doubles doublons [1], et ce lorsque gagner ou perdre contre ma femme ou ma fille m'est indifférent comme lorsqu'on joue pour de bon. En tout et partout il y a assez de mes yeux pour me tenir dans mon devoir ; il n'y en a point qui me surveillent d'aussi près ni que je respecte plus.

Je viens de voir chez moi un petit homme natif de Nantes qui est né sans bras. Il a si bien façonné ses pieds au service que lui devaient les mains qu'ils en ont à la vérité à demi oublié leur office naturel. Au demeurant, il les nomme ses mains. Il tranche, il charge un pistolet et le lâche, il enfile son aiguille, il coud, il écrit, il ôte son bonnet, il se peigne, il joue aux cartes et aux dés, et il les manie avec autant de dextérité que pourrait le faire quelque autre. L'argent que je lui ai donné, il l'a emporté dans son pied comme nous le faisons dans notre main. J'en vis un autre, étant enfant, qui maniait une épée à deux mains et une hallebarde avec le pli du cou faute de mains, les jetait en l'air et les reprenait, lançait une dague et faisait craqueter un fouet aussi bien que charretier de France.

Mais on découvre bien mieux les effets de la coutume par les impressions étranges qu'elle fait sur nos âmes, où elle ne trouve pas tant de résistance. Que ne peut-elle sur nos jugements et sur nos croyances ? Y a-t-il opinion si bizarre (je laisse à part la grossière imposture des religions, dont tant de grandes nations et tant de

1. « Aux cartes, quand on ne mise que de la menue monnaie, je tiens les comptes aussi scrupuleusement que si l'on jouait des pièces d'or. »

suffisants personnages se sont vus enivrés, car cette partie étant hors de nos raisons humaines, il est plus excusable de s'y perdre, à qui n'y est extraordinairement éclairé par faveur divine) mais d'autres opinions y en a-t-il de si étranges qu'elle n'ait planté et établi par lois dans les régions que bon lui a semblé ? Et très juste est cette antique exclamation : *Non pudet physicum, idest speculatorem uenatoremque naturae, ab animis consuetudine imbutis quaerere testimonium ueritatis !* [1] Quelle honte pour un physicien, qui est l'observateur et l'examinateur de la nature, d'aller demander la vérité à des âmes imprégnées par la coutume !

J'estime qu'il ne tombe dans l'imagination humaine aucune fantaisie si insensée qui ne rencontre l'exemple de quelque usage public, et par conséquent que notre raison n'étaie et ne fonde. Il est des peuples où l'on tourne le dos à celui qu'on salue et où l'on ne regarde jamais celui qu'on veut honorer. Il en est où quand le roi crache, la plus favorite des dames de sa cour tend la main ; et dans une autre nation les plus apparents qui sont autour de lui se baissent à terre pour amasser son ordure dans un linge. Dérobons ici la place d'un conte. Un gentilhomme français se mouchait toujours dans sa main, chose très contraire à notre usage. Défendant son fait là-dessus, et il était fameux en bonnes réparties, il me demanda quel privilège avait ce sale excrément que nous allions lui apprêter un beau linge délicat pour le recevoir, et puis, qui plus est, pour l'empaqueter et le serrer soigneusement sur nous ; que cela devrait nous soulever le cœur bien plus que de le voir verser où que ce fût, comme nous le faisons de toutes nos autres ordures. Je trouvai qu'il ne parlait pas du tout sans raison, et il m'avait ôté la coutume de remarquer cette étrangeté, que pourtant nous trouvons si hideuse quand elle est racontée d'un autre pays.

Les miracles sont en raison de l'ignorance où nous sommes de la nature, non de l'être de la nature. L'assuétude endort la vue de notre jugement. Les Barbares ne sont en rien plus étranges pour nous que nous ne le sommes pour eux, ni avec plus de raison, comme chacun l'avouerait si chacun, après s'être promené parmi ces lointains exemples, savait les confronter aux siens propres et les comparer sainement. La raison humaine est une teinture infuse, avec environ le même poids, de toutes nos opinions et mœurs, de quelque forme qu'elles soient : infinie en matière, infinie en diversité. Je m'en retourne à mon propos. Il est des peuples où, sauf sa femme et ses enfants, personne ne parle au roi qu'à travers une sarbacane. Dans une même nation on voit à la fois les vierges montrer à découvert leurs parties honteuses et les mariées les couvrir et cacher soigneusement. Chose à quoi cette

1. Cicéron, *De natura deorum*, I, XXX, 83.

autre coutume qu'on trouve ailleurs a quelque relation : la chasteté n'y est en honneur que pour le service du mariage, car les filles peuvent s'abandonner à leur guise, et, une fois engrossées, se faire avorter grâce à des médicaments appropriés au vu de tout un chacun. Et ailleurs, si c'est un marchand qui se marie, tous les marchands conviés à la noce couchent avant lui avec l'épousée, et plus il y en a, plus a-t-elle d'honneur et de réputation de fermeté et de capacité ; si c'est un officier qui se marie, il en va de même, de même si c'est un noble, et ainsi des autres, sauf si c'est un laboureur ou quelqu'un du bas peuple, car alors c'est au seigneur à faire, et pourtant on ne laisse pas d'y recommander étroitement la loyauté pendant le mariage ! Il en est où il se voit des bordels publics de mâles, et même des mariages où les femmes vont à la guerre avec leurs maris, et ont rang non au combat seulement, mais aussi au commandement. Où non seulement les bagues se portent au nez, aux lèvres, aux joues et aux orteils des pieds, mais aussi des verges d'or bien pesantes au travers des tétins et des fesses. Où en mangeant on s'essuie les doigts sur les cuisses, sur la bourse des génitoires et sur la plante des pieds. Où les enfants ne sont pas héritiers, ce sont les frères et les neveux, et ailleurs les neveux seulement, sauf pour la succession du prince. Où, pour régler la communauté des biens qu'on y observe, certains magistrats souverains ont la charge universelle de la culture des terres et de la distribution des fruits selon les besoins de chacun. Où l'on pleure la mort des enfants et festoie celle des vieillards. Où ils couchent dans des lits à dix ou douze à la fois avec leurs femmes. Où les femmes qui perdent leurs maris de mort violente se peuvent remarier, les autres non. Où l'on a si peu d'estime pour la condition des femmes que l'on y tue les femelles qui y naissent tandis que l'on achète aux voisins des femmes pour le besoin. Où les maris peuvent répudier sans alléguer aucune cause, les femmes non, pour quelque cause que ce soit. Où les maris ont loisir de les vendre si elles sont stériles. Où ils font cuire le corps du trépassé et puis le pilent jusqu'à ce qu'il soit réduit en une sorte de bouillie qu'ils mêlent à leur vin et qu'ils boivent. Où la plus désirable sépulture est d'être mangé par les chiens, ailleurs par les oiseaux. Où l'on croit que les âmes heureuses vivent en toute liberté dans des campagnes riantes, fournies de tous les agréments, et que ce sont elles qui font l'écho que nous entendons. Où ils combattent dans l'eau, et tirent sûrement à l'arc en nageant. Où pour signe de sujétion il faut hausser les épaules, baisser la tête, et déchausser ses souliers quand on entre au logis du roi. Où les eunuques qui ont en garde les femmes consacrées se voient couper le nez et les lèvres pour qu'on ne puisse leur faire l'amour, et où les prêtres se crèvent les yeux pour approcher les démons et prendre les oracles. Où chacun fait un dieu de ce qu'il lui plaît, le chasseur d'un lion ou d'un renard, le pêcheur de certain poisson, et où l'on fait des idoles de chaque action ou passion humaine ; où le soleil, la Lune et la terre sont les dieux principaux ; où la façon de jurer, c'est de toucher la terre en regardant le soleil, et où l'on mange la chair et le poisson crus. Où le grand serment, c'est de jurer le nom de quelque homme trépassé qui a été en bonne réputation dans le pays en touchant de la main sa tombe. Où les étrennes que le roi envoie tous les ans aux princes ses vassaux, c'est du feu : une fois qu'il a été apporté, tout le vieux feu est éteint, et les peuples voisins sont tenus de venir puiser chacun pour soi à ce nouveau foyer sous peine de crime de lèse-majesté. Où quand le roi, pour s'adonner tout à fait à la dévotion, se retire de sa charge, ce qui advient souvent, son premier successeur est obligé d'en faire autant, et le droit du royaume passe à son troisième successeur. Où l'on diversifie la forme des institutions selon que les affaires semblent le requérir : on dépose le roi quand il semble bon, et on lui substitue des anciens pour prendre le gouvernail de l'État, et on le laisse parfois aussi aux mains de la communauté. Où hommes et femmes sont circoncis, et pareillement baptisés. Où le soldat qui, en un ou plusieurs combats, est arrivé à présenter à son roi sept têtes d'ennemis est fait noble. Où l'on vit sous cette opinion si rare et si insociable que les âmes sont mortelles. Où les femmes accouchent sans plainte et sans effroi. Où les femmes sur l'une et l'autre jambe portent des jambières de cuivre ; où, si un pou les mord, elles sont tenues par devoir de magnanimité de le remordre ; et où elles n'osent épouser qu'elles n'aient d'abord offert leur pucelage à leur roi, s'il en veut. Où l'on salue en mettant le doigt à terre et puis en le haussant vers le ciel. Où les hommes portent les charges sur la tête, les femmes sur les épaules ; où elles pissent debout, les hommes, accroupis. Où ils envoient de leur sang en signe d'amitié, et où ils encensent comme les dieux les hommes qu'ils veulent honorer. Où non seulement jusqu'au quatrième degré, mais même jusqu'à certain degré plus éloigné, la parenté n'est pas soufferte dans les mariages. Où les enfants restent quatre ans en nourrice, et souvent douze, et où là même on juge mortel de donner à l'enfant à téter dès le premier jour. Où les pères ont charge du châtiment des mâles, et les mères à part des femelles, et le châtiment est de les mettre à fumer pendus par les pieds. Où on fait circoncire les femmes. Où l'on mange toute sorte d'herbes sans autre discrétion que de refuser celles qui leur semblent avoir mauvaise odeur. Où tout est ouvert, et où les maisons, pour belles et riches qu'elles soient, sont sans porte, sans fenêtre, sans coffre qui ferme, et où les larrons sont doublement punis qu'ailleurs.

Où ils tuent les poux avec les dents comme les magots, et trouvent horrible de les voir écraser sous les ongles. Où l'on ne coupe de toute la vie ni poil ni ongle, ailleurs où l'on ne coupe que les ongles de droite, ceux de gauche se nourrissant en signe de noblesse. Où ils nourrissent tout le poil du côté droit tant qu'il peut croître et tiennent ras le poil de l'autre côté. Et dans des provinces voisines, celle-ci nourrit le poil de devant, celle-là le poil de derrière, tandis qu'elles rasent l'opposite. Où les pères prêtent leurs enfants et les maris leurs femmes pour que leurs hôtes en jouissent en payant. Où l'on peut honnêtement faire des enfants à sa mère, et les pères se mêler à leurs filles et à leurs fils. Où dans les assemblées des festins ils s'entre-prêtent sans distinction de parenté les enfants les uns aux autres.

Ici on vit de chair humaine, là c'est un devoir de piété de tuer son père à un certain âge, ailleurs les pères décident quand ils sont encore au ventre des mères des enfants qu'ils veulent voir nourris et conservés et de ceux qu'ils veulent voir abandonnés et tués ; ailleurs les vieux maris prêtent leurs femmes à la jeunesse pour s'en servir ; et ailleurs elles sont communes sans péché, et même en certain pays elles portent pour marque d'honneur autant de belles houppes frangées au bord de leurs robes qu'elles ont fréquenté de mâles. La coutume n'a-t-elle pas fait encore une république de femmes à part ? Ne leur a-t-elle pas mis les armes à la main ? fait dresser des armées, et livrer des batailles ? Et ce que toute la philosophie ne peut planter dans la tête des plus sages, ne l'apprend-elle pas sur sa seule injonction au plus grossier vulgaire ? Car nous savons des nations entières où non seulement la mort était méprisée, mais festoyée, où les enfants de sept ans souffraient à être fouettés jusqu'à la mort sans changer de visage, où la richesse était en tel mépris que le plus chétif citoyen de la ville n'eût daigné baisser le bras pour ramasser une bourse d'écus. Et nous savons des régions très fertiles en toutes sortes de vivres, où toutefois les mets les plus ordinaires et les plus savoureux, c'étaient du pain, du cresson et de l'eau. Fit-elle pas encore ce miracle à Chio qu'il s'y passa sept cents ans sans mémoire que femme ni fille y eût fait faute à son honneur ? Et somme, à ma fantaisie, il n'est rien qu'elle ne fasse, ou qu'elle ne puisse, et avec raison Pindare l'appelle, à ce qu'on m'a dit, la reine et l'impératrice du monde. Quelqu'un qu'on rencontra en train de battre son père répondit que c'était la coutume de sa maison, que son père avait ainsi battu son aïeul, son aïeul son bisaïeul, et, montrant son fils : « Celui-ci me battra quand il sera venu au terme de l'âge où je suis. » Et ce père que le fils tirassait et houspillait au milieu de la rue lui commanda de s'arrêter à un certain huis, car lui, il n'avait traîné son père que jusque-là, et que c'était là la borne des traitements héréditaires injurieux que les enfants avaient en usage de faire subir à leurs pères dans leur famille. Par coutume, dit Aristote, aussi souvent que par maladie, des femmes s'arrachent le poil, rongent leurs ongles, mangent des charbons et de la terre, et plus par coutume que par nature les mâles se mêlent aux mâles.

Les lois de la conscience que nous disons naître de nature naissent de la coutume, chacun, du fait qu'il a en intime vénération les opinions et les mœurs approuvées et reçues autour de lui, ne s'en peut déprendre sans remords ni s'y appliquer sans se voir applaudi. Quand ceux de Crète voulaient au temps passé maudire quelqu'un, ils priaient les dieux de l'engager dans quelque mauvaise coutume. Mais le principal effet du pouvoir de la coutume, c'est de nous saisir et de nous prendre aux serres de telle sorte que c'est à peine si nous pouvons nous ravoir de sa prise et rentrer en nous pour discourir et raisonner de ses prescriptions. De vrai, parce que nous les humons avec le lait de notre naissance, et que le visage du monde se présente en cet état à notre première vue, il semble que nous soyons nés prédisposés à suivre ce train-là. Et les fantaisies communes que nous trouvons en crédit autour de nous, et qui ont été infusées en notre âme par la semence de nos pères, il nous semble que ce soient des idées universelles et naturelles. Par où il advient que ce qui est hors des gonds de la coutume, on le croit hors des gonds de la raison, Dieu sait combien déraisonnablement le plus souvent. Si, comme nous qui nous étudions nous avons appris à le faire, chaque homme qui entend une maxime judicieuse regardait aussitôt par où elle le concerne en propre, chacun trouverait que celle-ci n'est pas tant un bon mot qu'un bon coup de fouet à la bêtise ordinaire de son jugement. Mais on reçoit les avis de la vérité et ses préceptes comme adressés au peuple, non jamais à soi, et au lieu de les coucher sur ses mœurs, chacun les couche en sa mémoire, très sottement et très inutilement. Revenons à l'empire de la coutume. Les peuples nourris à la liberté et à se commander eux-mêmes, estiment toute autre forme de gouvernement monstrueux et contre nature, Ceux qui sont appris à la monarchie en font de même. Et quelque facilité que la fortune leur prête pour changer, alors même qu'ils se sont avec grandes difficultés défaits de l'importunité d'un maître, ils courent en replanter un nouveau avec de pareilles difficultés, faute de pouvoir se résoudre à prendre en haine l'autorité d'un maître. C'est par l'entremise de la coutume que chacun est content du lieu où nature l'a planté, et les sauvages d'Écosse n'ont que faire de la Touraine, ni les Scythes de la Thessalie. Darius demandait à quelques Grecs à quel prix ils accepteraient de prendre la coutume des Indes de manger leurs pères trépassés – c'était en effet leur façon, car ils estimaient ne pouvoir leur donner de plus favorable sépulture qu'à l'intérieur d'eux-mêmes –, ils lui répondirent qu'il n'était chose au monde pour laquelle ils le feraient, mais quand il s'essaya aussi de persuader aux Indiens de laisser leur façon et de prendre celle de la Grèce qui était de brûler les corps de leurs pères, il leur fit encore plus d'horreur. Chacun en fait ainsi, d'autant que l'usage nous dérobe le vrai visage des choses,

Il n'est rien au début de si grand et si merveilleux
Qui ne semble au commun de moins en moins prodigieux

Nil adeo magnum, nec tam mirabile quicquam
Principio quod non minuant mirarier omnes
Paulatim. [1]

J'ai eu autrefois à faire valoir quelqu'une des coutumes que nous observons, et qui était reçue avec une autorité résolue bien loin autour de nous. Comme je ne voulais point, comme il se fait, l'établir seulement par la force des lois et des exemples, mais que je ne cessais d'enquêter toujours jusqu'à son origine, j'en trouvai le fondement si faible que j'eus grand peine à ne pas la prendre en dégoût, moi qui avais à l'affermir dans l'esprit d'autrui.

Voici par quelle recette, qu'il estime souveraine et fondamentale, Platon entreprend de chasser les amours dénaturées et inverties de son temps : que l'opinion publique les condamne, et que les poètes en fassent chacun des contes horribles, recette par le moyen de laquelle les plus belles filles n'attireraient plus l'amour des pères, ni les frères les plus éminents en beauté l'amour des sœurs, les fables mêmes de Thyeste, d'Œdipe, de Macarée [2], ayant, avec le plaisir de leur chant, infusé cette utile croyance dans la tendre cervelle des enfants.

De vrai, la pudicité est une belle vertu, et dont l'utilité est assez connue, mais de la traiter et faire valoir selon Nature, c'est aussi malaisé qu'il est aisé de la faire valoir selon l'usage, les lois et les préceptes. Les raisons premières et universelles sont difficiles à scruter. Et nos maîtres les survolent en écumant, ou, n'osant pas seulement les tâter, ils se réfugient dès l'abord dans la sauveté de la coutume, là ils s'enflent et triomphent à bon compte. Ceux qui ne veulent pas se laisser entraîner hors de cette source originelle défaillent encore plus et s'obligent à des opinions sauvages, témoin Chrysippe qui sema en tant d'endroits de ses écrits le peu de compte qu'il faisait des unions

1. Lucrèce, II, 1028-1030.

2. Héros de tragédies qui sont tous trois coupables d'inceste, Thyeste avec la femme de son frère, Œdipe avec sa mère, Macarée avec sa sœur.

incestueuses, quelles qu'elles fussent. Qui voudra se défaire de ce violent préjudice de la coutume, il trouvera plusieurs choses reçues avec une résolution indubitable qui n'ont d'autre appui que la barbe chenue et les rides de l'usage qui les accompagne ; mais une fois ce masque arraché, s'il rapporte les choses à la vérité et à la raison, il sentira son jugement, pour ainsi dire à la fois tout bouleversé et pourtant remis en bien plus sûr état. Par exemple, je lui demanderai alors quelle chose peut être plus étrange que de voir un peuple obligé de suivre des lois qu'il ne comprit jamais, et tenu pour toutes ses affaires privées, mariages, donations, testaments, ventes, et achats, de respecter des règles qu'il ne peut connaître, vu qu'elles ne sont écrites ni publiées dans sa langue, et dont il lui faille par nécessité acheter la traduction et les usages ; et ce, non pas certes selon l'ingénieuse idée d'Isocrate qui conseillait à son roi de rendre les trafics et le commerce de ses sujets libres, francs, et lucratifs, mais de grever lourdement leurs litiges et leurs querelles de pesants subsides, mais selon une idée monstrueuse qui revient à mettre en trafic la raison même et à donner aux lois cours de marchandise ! Je sais bon gré à la fortune de ce que, selon ce qu'en disent nos historiens, ce fut un gentilhomme gascon et de mon pays qui le premier s'opposa à Charlemagne qui voulait nous donner les lois latines et impériales ! Qu'y a-t-il de plus barbare en effet que de voir une nation où, en vertu d'une coutume ayant force de loi, la charge de juger se vende ? Où les jugements soient payés à purs deniers comptants ? Où la justice soit légalement refusée à qui n'a de quoi la payer ? Où cette marchandise ait un si grand crédit qu'il se constitue au sein des institutions un quatrième état formé des gens qui ont en main les procès [1] qui vienne s'adjoindre aux trois anciens du Clergé, de la Noblesse, et du Peuple ? Et où cet état, qui a la charge des lois et une autorité souveraine sur les biens et les vies, fasse un corps à part de celui de la noblesse ? Où il advienne ainsi qu'il y ait des lois doubles, celles de l'honneur et celles de la justice, fort contraires sur plusieurs sujets, celles-là condamnant un démenti souffert aussi rigoureusement que celles-ci un démenti vengé par les armes ; les unes enjoignant que celui qui souffre une injure soit dégradé d'honneur et de noblesse, les autres qu'en vertu du droit civil celui qui s'en venge encoure la peine capitale (car qui s'adresse aux lois pour avoir

1. À l'assemblée des notables qui se tint à Paris en 1558, aux côtés des députés des trois États traditionnels du Clergé, de la Noblesse et du Tiers État, on fit comparaître des magistrats dans des costumes imaginés pour l'occasion comme « députés de la Justice ». Ce prétendu « quatriesme Estat » était chose nouvelle, au grand dégoût de bien des contemporains.

raison d'une offense faite à son honneur, il se déshonore ; qui ne s'adresse à elles, il en est puni et châtié par les lois !), et où, alors que ces deux corps si divers se rapportent toutefois à un seul chef, il advienne enfin que ceux-là aient la paix, ceux-ci la guerre en charge ; que ceux-là aient le gain, ceux-ci l'honneur ; ceux-là le savoir, ceux-ci la vaillance ; ceux-là la parole, ceux-ci l'action ; ceux-là la justice, ceux-ci la vaillance ; ceux-là la raison, ceux-ci la force ; ceux-là la longue robe, ceux-ci la courte en partage ?

Quant aux choses indifférentes comme les vêtements, qui les voudra ramener à leur vraie fin, qui est le service et la commodité du corps d'où dépendent leur grâce et leur bienséance originelles, je lui donnerais pour les plus fantastiques qui se puissent imaginer à mon gré entre autres nos bonnets carrés, cette longue queue de velours plissé qui pend aux têtes de nos femmes avec son attirail bigarré, et ce modèle vain et inutile d'un membre que nous ne pouvons seulement honnêtement nommer, mais dont toutefois nous faisons montre et parade en public [1]. Ces considérations ne détournent pourtant pas un homme d'entendement de suivre le style commun, mais au rebours il me semble que toutes les façons écartées et particulières partent plutôt de la folie, ou d'une affectation ambitieuse que de la véritable raison, et que le sage doit au-dedans retirer son âme de la multitude, et la garder en liberté et en puissance de juger librement des choses, mais quant au dehors, qu'il doit suivre entièrement les façons et les formes reçues. La société publique n'a que faire de nos pensées, mais le demeurant, comme nos actions, notre travail, nos fortunes et notre vie, il faut le prêter et l'abandonner à son service et aux opinions communes, comme ce bon et grand Socrate qui refusa de sauver sa vie en désobéissant au magistrat, ce magistrat fût-il très injuste et très inique. Car c'est la règle des règles, et la loi générale des lois, que chacun observe celles du lieu où il est : Il est bien pour ceux du pays d'en suivre les lois *Νόμοις ἕπεσθαι τοῖσιν ἐγχώροις καλόν* [2].

En voici d'une autre cuvée. Il y a grand doute si à changer une loi reçue, quelle qu'elle soit, on peut trouver un profit aussi évident qu'il y a de mal à la remuer, d'autant qu'une constitution, c'est comme un bâtiment formé de diverses pièces jointes les unes aux autres et si bien liées ensemble qu'il est impossible d'en ébranler une sans que tout le

1. Allusion à la « braguette » (de *braga*, braie), pointe de tissu qui moulait la virilité des hommes (et se fixait à l'entrecuisse par ces « aiguillettes » dont il a été question plus haut).

2. Sentence recueillie par Crespin, section « In leges ». Première citation grecque dans les *Essais*.

corps ne s'en ressente. Le législateur de Thurium [1] ordonna que quiconque voudrait ou abolir l'une des vieilles lois, ou en établir une nouvelle, se présenterait au peuple la corde au cou, afin que si la nouvelleté n'était pas approuvée par chacun, il fût incontinent étranglé. Et celui de Lacédémone [2] employa sa vie pour tirer de ses concitoyens une promesse assurée de n'enfreindre aucune de ses ordonnances. L'éphore [3] qui coupa si rudement les deux cordes que Phrinys avait ajoutées à la musique, ne s'émeut pas de savoir si elle en vaut mieux ou si les accords en sont mieux remplis : il lui suffit pour les condamner que ce soit une altération de la vieille façon. C'est ce que signifiait cette épée rouillée de la justice de Marseille. Je suis dégoûté de la nouvelleté, quelque visage qu'elle porte, et j'ai raison, car j'en ai vu des effets très dommageables. Celle qui nous presse depuis tant d'années [4], elle n'a pas tout exploité, mais on peut dire avec apparence que par accident, elle a tout produit et engendré, voire même les maux et les ruines qui se font depuis sans elle et contre elle, c'est à elle à s'en prendre au nez

Je saigne, hélas ! des plaies dues à mes propres traits !
Heu patior telis uulnera facta meis ! [5]

Ceux qui donnent le branle à un État sont souvent les premiers absorbés dans sa ruine. Le fruit du trouble ne demeure guère à celui qui l'a ému : il bat et brouille l'eau pour d'autres pécheurs. La liaison et la structure de cette monarchie et de ce grand bâtiment ayant été par elle démises et dissoutes, notamment sur ses vieux ans, donne tant qu'on veut d'ouverture et d'entrée à de pareilles injures. La majesté royale se ravale plus difficilement du sommet au milieu qu'elle ne se précipite du milieu au fond. Mais si les inventeurs sont plus dommageables, les imitateurs [6] sont plus vicieux de se jeter dans des exemples dont ils ont senti et puni l'horreur et le mal. Et s'il y a quelque degré d'honneur, même dans le mal faire, ceux-ci doivent aux autres la gloire de l'invention et le courage du premier effort.

Toutes sortes de nouvelle débauche puisent heureusement dans cette première et féconde source les images et les patrons pour trou-

1. Charondas.
2. Lycurgue.
3. À Sparte, l'un des cinq magistrats annuels chargé de contrebalancer le pouvoir des deux rois et du sénat.
4. Cette « nouvelleté » qui dure depuis tant d'années, c'est bien sûr la Réforme.
5. Ovide, *Héroïdes*, II, 48.
6. Ceux du parti catholique, qui, en formant « la Ligue », imitèrent les protestants (les « inventeurs ») en se rebellant à leur tour contre le roi.

bler notre ordre politique. On lit dans nos lois mêmes, faites pour remédier à ce premier mal, l'apprentissage et l'excuse de toutes sortes de mauvaises entreprises. Et il nous advient ce que Thucydide dit des guerres civiles de son temps, savoir qu'en faveur des vices publics, on les baptisait de mots nouveaux, plus doux pour leur excuse, en abâtardissant et amollissant leurs vrais titres. Cet usage est pourtant fait pour réformer nos consciences et nos croyances, *honesta oratio est* [1] le prétexte en est honnête, mais le meilleur prétexte à nouvelleté est très dangereux, tant il est vrai qu'aucun changement des institutions anciennes ne vaut d'être approuvé *adeo nihil motum ex antiquo probabile est* [2]. Aussi, pour le dire franchement, me semble-t-il qu'il y a grand amour de soi et grande présomption à estimer ses opinions jusque-là que, pour les établir, il faille renverser la paix publique et introduire tant de maux inévitables et une corruption des mœurs aussi horrible que celle qu'apportent les guerres civiles et la subversion de l'État dans une affaire d'un pareil poids, et à les introduire dans son propre pays. N'est-ce-pas un mauvais calcul de donner essor à tant de vices certains et connus pour combattre des erreurs contestées et discutables ? Est-il quelque pire espèce de vices que ceux qui choquent la conscience personnelle et le sentiment naturel ?

Le sénat, lors du différend entre lui et le peuple sur le ministère de leur religion, osa se payer de ce prétexte : cela, dit-il, concernait les dieux plus que le sénat ; ceux-ci veilleraient eux-mêmes à empêcher la profanation de leur culte *ad deos id magis quam ad se pertinere, ipsos uisuros ne sacra sua polluantur* [3]. Cette réponse était du même ordre que ce que répondit l'oracle à ceux de Delphes qui, lors des guerres médiques, craignaient l'invasion des Perses. Ils demandèrent au dieu ce qu'ils avaient à faire des trésors sacrés de son temple, s'ils devaient les cacher ou les enlever. Il leur répondit qu'ils ne bougeassent rien, qu'ils se souciassent d'eux, qu'il était assez capable de pourvoir à ce qui lui était propre.

La religion chrétienne a toutes les marques d'une justice et d'une utilité extrêmes, mais aucune qui soit plus apparente que la recommandation d'obéir exactement au magistrat et de maintenir les gouvernements. Quel merveilleux exemple nous en a laissé la sapience divine, qui, pour assurer le salut du genre humain et remporter sa glorieuse victoire contre la mort et le péché, ne l'a voulu faire qu'en se mettant à la merci de notre ordre politique, et qui a soumis son progrès et la poursuite d'un effet si élevé et si salutaire à l'aveuglement et à l'injustice de nos observances et de nos usages, en laissant courir

1. Térence, *Andrienne*, I, I, 141.
2. Tite-Live, XXXIV, LIV, 8.
3. Tite-Live, X, 6, 10.

le sang innocent de tant d'élus ses favoris, et en souffrant de perdre tant d'années à mûrir ce fruit inestimable ?

Grande est la différence entre la cause de celui qui suit les formes et les lois de son pays et celui qui entreprend de les régenter et changer. Celui-là allègue pour son excuse la simplicité, l'obéissance et l'exemple : quoi qu'il fasse ce ne peut être malice, c'est un malheur tout au plus : quel est celui en effet que n'émeut l'antiquité attestée et consignée par les plus illustres monuments *quis est enim quem non moueat clarissimis monimentis testata consignataque antiquitas ?* [1] Outre ce que dit Isocrate que le défaut tient dans la modération une part plus grande que l'excès, l'autre est en bien plus rude parti. Car qui se mêle de choisir et de changer usurpe l'autorité de juger, et il doit se faire fort de voir la faute de ce qu'il chasse et le bien de ce qu'il introduit. Cette considération si commune m'a affermi dans ma position, et elle a même tenu en bride ma jeunesse plus téméraire : c'est de ne pas charger mes épaules d'un faix aussi lourd que celui de me porter garant d'une science d'une telle importance, et de ne pas oser dans celle-ci ce qu'avec un sain jugement je ne pourrais oser dans la plus facile de celles dans lesquelles on m'avait instruit et dans lesquelles la témérité de juger n'est d'aucun préjudice. Il me semble très injuste de vouloir soumettre les constitutions et les coutumes, publiques et immuables, à l'instabilité d'une fantaisie privée, car la raison privée n'a qu'une juridiction privée, et d'entreprendre sur les lois divines ce qu'aucune constitution politique ne supporterait qu'on fît sur les lois civiles. Ces dernières, encore que la raison humaine ait beaucoup plus de commerce avec elles, sont souverainement juges de leurs juges, et la suprême habileté [2] y sert à expliquer et étendre l'usage qui en est reçu, non à le détourner et à innover. Si certaines fois la providence divine a passé par-dessus les règles auxquelles elle nous a astreints selon la nécessité, ce n'est pas pour nous en dispenser. Ce sont là des coups de la main divine qu'il nous faut non pas imiter mais admirer, et ce sont des exemples hors du commun, marqués par quelque signe exprès et particulier de reconnaissance, du genre des miracles, que, pour témoignage de sa toute-puissance, elle nous offre au-dessus de nos rangs et de nos forces, qu'il est fou et impie d'essayer de représenter, et que nous ne devons pas suivre mais contempler avec étonnement. Actions propres à son personnage, non au nôtre. Cotta déclara bien opportunément : *Quum de religione agitur, T. Coruncanum, P. Scipionem, P. Scaeuolam, pontifices*

1. Cicéron, *De diuinatione*, I, XI, 87.
2. De la part du juriste.

maximos, non Zenonem aut Cleantem aut Chrysippum sequor [1] quand il s'agit de religion, c'est T. Coruncanus, P. Scipion, P. Scaeuola, grands pontifes, non Zénon ou Cléanthe ou Chrysippe que je suis.

Dieu seul sait, dans notre présente querelle [2] où il y a cent articles à ôter et à remettre, et de grands et profonds articles, combien sont ceux qui pourraient se vanter d'avoir exactement reconnu les raisons et les fondements de l'un et l'autre parti ! C'est un nombre, si c'en est un, qui n'aurait pas grand moyen de nous troubler. Mais toute cette autre multitude où va-t-elle ? Sous quelle enseigne se jette-t-elle à l'écart ? Il en advient de leur médecine [3] comme de toutes celles qui sont faibles et mal appliquées : les humeurs qu'elle voulait purger en nous, elle les a échauffées, exaspérées et aigries par le conflit, et pourtant elle nous est demeurée dans le corps. Elle n'a su nous purger du fait de sa faiblesse, et dans le même temps elle nous a affaiblis, de sorte que nous ne pouvons pas l'évacuer non plus, et que nous ne recevons de son opération que des douleurs longues et intestines.

Pourtant la fortune, qui conserve toujours son autorité au-dessus de nos raisons, nous présente certaines fois la nécessité si urgente qu'il est besoin que les lois lui fassent quelque place. Et quand on résiste à l'accroissance d'une innovation qui vient à s'introduire par violence, se tenir en tout et partout en bride et en règle contre ceux qui ont la clef des champs, auxquels est loisible tout ce qui peut faire avancer leur dessein, qui n'ont ni loi ni ordre sinon de poursuivre leur avantage, c'est là une obligation dangereuse et une inégalité :

La confiance ouvre au perfide un chemin pour vous nuire
Aditum nocendi perfido præstat fides. [4]

Du fait que la discipline ordinaire d'un État qui est en sa santé ne pourvoit pas à ces accidents extraordinaires, elle présuppose un corps qui se tient en ses principaux membres et offices, et un commun consentement à son observation et à son obéissance. L'allure légitime est une allure froide, pesante et contrainte, et elle n'est pas faite pour tenir bon à une allure licencieuse et effrénée.

On sait qu'il est encore reproché à ces deux grands personnages, Octavius et Caton, lors des guerres civiles, celle de Sylla, et celle de César, d'avoir laissé leur patrie encourir toutes les extrémités plutôt que de la secourir aux dépens de ses lois et que de rien bouleverser.

1. Cicéron, *De natura deorum*, III, II, 5.
2. Entre catholiques et protestants.
3. Celle que les « médecins » de la Réforme s'efforcent de faire avaler de vive force à tout le pays, soi-disant pour le guérir.
4. Sénèque, *Œdipe*, V. 686.

Car à la vérité, dans ces dernières nécessités où il n'y a plus moyen de tenir, il serait d'aventure plus sage de baisser la tête et de prêter un peu au coup que de s'obstiner, au-delà du possible, à ne rien relâcher, en donnant occasion à la violence de tout fouler aux pieds, et mieux vaudrait alors faire vouloir aux lois ce qu'elles peuvent, puisqu'elles ne peuvent ce qu'elles veulent. Ainsi firent celui qui ordonna qu'elles dormissent vingt et quatre heures [1], et celui qui changea pour cette fois un jour du calendrier, et cet autre qui du mois de juin fit un second mai. Les Lacédémoniens mêmes, observateurs si scrupuleux des lois de leur pays, qui se trouvaient pris par la loi qui leur défendait d'élire deux fois amiral le même homme, alors que d'autre part leurs affaires requéraient de toute nécessité que Lysandre prît derechef cette charge, ils firent bien un Aracos amiral, mais avec Lysandre comme surintendant de la marine. Et c'est avec la même subtilité que l'un de leurs ambassadeurs qu'ils avaient envoyé vers les Athéniens pour obtenir le changement de quelque ordonnance, comme Périclès lui alléguait qu'il était interdit d'ôter le tableau où une loi avait été une fois apposée, lui conseilla de le tourner seulement, parce que cela n'était pas défendu. C'est ce dont Plutarque loue Philopoemen : étant né pour commander, il savait non seulement commander selon les lois, mais aussi aux lois mêmes quand la nécessité publique le requérait.

Divers événements de même conseil

[Chapitre XXIII]

Jacques Amyot, grand Aumônier de France, me raconta un jour cette histoire qui est tout à l'honneur d'un prince des nôtres, et celui-là était nôtre à très bonnes enseignes, encore que son origine fût étrangère [2]. Durant nos premiers troubles, au siège de Rouen, ce prince avait été averti par la reine mère du roi d'une entreprise qu'on faisait contre sa vie, et en particulier il avait été instruit par ses lettres

1. Agésilas, à Sparte, pour éviter de punir des soldats qui avaient fui une bataille ; « cet autre » est Alexandre, à qui l'on faisait observer que les lois interdisaient de commencer une campagne en « juin ».

2. Il s'agit de François de Lorraine, duc de Guise, chef du parti catholique ; Montaigne le dit « étranger », car Guise était une petite ville de Lorraine et que cette province n'avait pas encore été rattachée à la France

de celui qui devait la mener à bien. Il s'agissait d'un gentilhomme, angevin ou manceau, qui pour cet effet fréquentait alors ordinairement la maison de ce prince. Il ne fit part à personne de cet avertissement, mais, alors qu'il se promenait le lendemain au mont Sainte-Catherine, d'où se faisait notre tir de batterie sur Rouen, car c'était au temps que nous la tenions assiégée, et ayant à ses côtés ledit seigneur grand Aumônier et un autre évêque, il aperçut ce gentilhomme qui lui avait été signalé, et le fit appeler. Quand il fut en sa présence, il lui dit ainsi, le voyant déjà pâlir et frémir des alarmes de sa conscience : « Monsieur de tel lieu, vous vous doutez bien de ce que je vous veux, et votre visage le montre. Vous n'avez rien à me cacher, car je suis si avant instruit de votre affaire que vous ne feriez qu'empirer votre marché en essayant de le couvrir. Vous savez bien, n'est-ce pas, telle chose, et telle encore (et il s'agissait des tenants et des aboutissants des plus secrètes pièces de cette menée) : ne manquez pas, sur votre vie, de me confesser la vérité de tout ce dessein. » Quand ce pauvre homme se trouva pris et convaincu, car le tout avait été découvert à la reine par l'un des complices, il n'eut plus qu'à joindre les mains et requérir la grâce et la miséricorde de ce prince aux pieds duquel il voulut se jeter. Mais ce dernier l'en garda, poursuivant ainsi son propos : « Venez çà ! Vous ai-je autrefois fait déplaisir ? Ai-je offensé quelqu'un des vôtres par quelque haine particulière ? Il n'y a pas trois semaines que je vous connais : quelle raison a pu vous émouvoir à entreprendre de me tuer ? » Le gentilhomme répondit à cela, d'une voix tremblante, que ce n'était aucune raison particulière qu'il eût, mais l'intérêt de la cause générale de son parti, et que certains l'avaient persuadé que ce serait une exécution pleine de piété que d'extirper de quelque manière que ce fût un si puissant ennemi de leur religion. « À présent, poursuivit ce prince, je veux vous montrer combien la religion que j'observe est plus douce que celle que vous professez. La vôtre vous a conseillé de me tuer sans m'ouïr, alors qu'elle n'a reçu de moi aucune offense, et la mienne me commande de vous pardonner, tout convaincu que vous êtes d'avoir voulu me tuer sans raison. Allez-vous-en, retirez-vous, que je ne vous voie plus ici. Et, si vous êtes sage, prenez dorénavant pour vos entreprises des conseillers qui soient plus gens de bien que ceux-là. »

L'empereur Auguste se trouvait en Gaule quand il reçut certain avertissement d'une conjuration que L. Cinna manigançait contre lui. Il délibéra de s'en venger, et pour cet effet manda au lendemain le conseil de ses amis. Mais la nuit entre-deux, il la passa dans une grande inquiétude, considérant qu'il avait à faire mourir un jeune homme de bonne maison, et neveu du grand Pompée, et il produisait en se plaignant plusieurs discours opposés : « Quoi donc, faisait-il, sera-t-il dit que je demeurerai dans la crainte et l'alarme, et que pendant ce temps je laisserai mon meurtrier se promener à son aise ? S'en ira-t-il quitte, alors qu'il a voulu assaillir ma tête, elle que j'ai sauvée de tant de guerres civiles, de tant de batailles sur mer et sur terre ? Et après que j'ai établi la paix universelle du monde, sera-t-il absous, lui, alors qu'il a délibéré non de me meurtrir seulement, mais de me sacrifier ? » Car la conjuration était faite pour le tuer tandis qu'il ferait quelque sacrifice. Après cela, s'étant tenu coi quelque espace de temps, il recommençait d'une voix plus forte, et s'en prenait à lui-même : « Pourquoi vis-tu s'il importe à tant de gens que tu meures ? N'y aura-t-il donc point de fin à tes vengeances et à tes cruautés ? Ta vie vaut-elle que tant de dommage se fasse pour la conserver ? » Livie, sa femme, le sentant dans ces angoisses : « Et les conseils des femmes y seront-ils reçus ? lui dit-elle. Fais ce que font les médecins : quand les recettes accoutumées ne peuvent servir, ils en essaient de contraires. Par la sévérité tu n'as jusqu'à cette heure eu aucun profit : Lépide à suivi Savidienus ; Murena, Lépide ; Cæpion, Murena ; Egnatius, Cæpion. Commence à expérimenter comment te succéderont la douceur et la clémence. Cinna se voit convaincu : pardonne-lui. De te nuire désormais, il ne pourra, et il profitera à ta gloire. » Auguste fut bien aise d'avoir trouvé un avocat de son humeur, et après avoir remercié sa femme et contremandé ses amis qu'il avait assignés au conseil, il ordonna qu'on fît venir à lui Cinna tout seul. Une fois qu'il eut fait sortir tout le monde de sa chambre et fait donner un siège à Cinna, il lui parla de cette manière : « En premier lieu je te demande, Cinna, de m'écouter paisiblement. Ne m'interromps pas : je te donnerai le temps et le loisir de me répondre. Tu le sais, Cinna : t'ayant fait prisonnier dans le camp de mes ennemis, alors que toi, non seulement tu t'étais fait mon ennemi, mais que tu étais né tel, je t'ai sauvé ; je t'ai mis entre les mains tous tes biens, et j'ai fait de toi enfin un homme si bien pourvu et si aisé que les vainqueurs sont envieux de la condition du vaincu. Le sacerdoce que tu m'as demandé, je te l'ai octroyé, alors que je l'avais refusé à d'autres dont les pères avaient toujours combattu avec moi. Et quand je t'avais si fort obligé, tu as entrepris de me tuer ! » Àquoi Cinna s'étant écrié qu'il était bien éloigné d'une si méchante pensée : « Tu ne me tiens pas, Cinna, ce que tu m'avais promis, poursuivit Auguste ; tu m'avais assuré que je ne serais pas interrompu. Oui, tu as entrepris de me tuer, en tel lieu, tel jour, en telle compagnie, et de telle façon », et le voyant transi par ces nouvelles et qui gardait le silence non plus pour tenir le marché de se taire, mais oppressé par sa conscience :

« Pourquoi, ajouta-t-il, le fais-tu ? Est-ce pour être empereur ? Vraiment cela va bien mal pour la chose publique s'il n'y a que moi qui t'empêche d'arriver à l'empire ! Tu ne peux pas seulement défendre ta maison, et tu as perdu dernièrement un procès par la faveur d'un simple affranchi. Quoi ! n'as-tu ni moyen ni pouvoir pour autre chose que t'en prendre César ? J'abandonne le règne s'il n'y a que moi qui empêche tes espérances. Penses-tu que Paulus, que Fabius, que les Cosséens et les Serviliens te souffrent ? Et une si grande troupe de nobles, non seulement nobles de nom, mais qui par leur vaillance honorent leur noblesse ? » Après plusieurs autres propos, car il lui parla plus de deux heures entières : « Or va, Cinna, lui dit-il, à toi qui es devenu traître et parricide je te donne la vie que je t'ai donnée autrefois comme à mon ennemi. Que l'amitié commence de ce jour entre nous. Essayons qui de nous deux de meilleure foi, ou moi t'aurai donné ta vie, ou toi l'auras reçue. » Et il se sépara de lui de cette manière. Quelque temps après, il lui donna le consulat, en se plaignant de ce qu'il n'avait osé le lui demander. Il l'eut depuis pour grand ami, et il fut par lui fait seul héritier de ses biens. Or, depuis cet accident qui advint à Auguste la quarantième année de son âge, il n'y eut jamais de conjuration ni d'entreprise contre lui, et il reçut une juste récompense de cette sienne clémence. Mais il n'en advint pas de mêmes à notre gentilhomme, car sa douceur ne le sut garantir qu'il ne chût depuis dans les lacs d'une pareille trahison [1]. Tant c'est chose vaine et frivole que l'humaine prudence, et au travers de tous nos projets, de nos conseils et de nos précautions, la fortune maintient toujours la possession des événements.

Nous appelons chanceux les médecins quand ils arrivent à quelque bonne fin, comme s'il n'y avait que leur art qui ne se pût maintenir de lui-même et qui eût les fondements trop fragiles, pour s'appuyer sur sa propre force, et comme s'il n'y avait que lui qui ait besoin que la fortune prête la main à ses opérations. Je crois de lui tout le pis ou le mieux qu'on voudra, car nous n'avons, Dieu merci, nul commerce ensemble. Je suis au rebours des autres, car je le méprise bien toujours, mais quand je suis malade, au lieu de venir à composition, je commence encore à la haïr et à la craindre, et je réponds à ceux qui me pressent de prendre médecine qu'ils attendent au moins que je sois rendu à mes forces et à ma santé pour que j'aie plus de moyen de soutenir l'effort et le hasard de leur breuvage. Je laisse faire Nature, et je présuppose qu'elle s'est pourvue de dents et de griffes pour se

1. Après avoir déjoué la tentative de Rouen, François de Guise fut assassiné au siège d'Orléans par un protestant fanatique, en 1562.

défendre des assauts qui lui viennent et pour maintenir cet organisme dont elle tend à éviter la dissolution. Je crains que, au lieu d'aller la secourir quand elle est aux prises bien étroites et bien jointes avec la maladie, on secoure son adversaire au lieu d'elle, et qu'on la charge encore de nouvelles affaires.

Maintenant, je dis que non seulement dans la médecine, mais dans plusieurs arts plus assurés, la fortune y a sa bonne part. Les saillies poétiques qui emportent leur auteur et le ravissent hors de lui, pourquoi ne les attribuerons-nous pas à sa bonne fortune, puisqu'il confesse lui-même qu'elles surpassent son génie et ses forces, qu'il reconnaît qu'elles viennent d'ailleurs que de lui, et qu'il ne les a nullement en son pouvoir, non plus que les orateurs ne disent avoir en le leur ces mouvements et ces agitations extraordinaires qui les poussent au-delà de leur dessein ? Il en est de même pour la peinture, qu'il échappe parfois des traits de la main du peintre qui dépassent sa conception et sa science, qui le tirent lui-même en admiration, et qui l'étonnent. Mais la fortune montre bien encore plus évidemment la part qu'elle a dans tous ces ouvrages par les grâces et les beautés qui s'y trouvent, non seulement sans l'intention, mais sans la connaissance même de l'ouvrier. Un lecteur habile découvre souvent dans les écrits d'autrui des perfections autres que celles que l'auteur y a mises et aperçues, et il y prête des sens et des visages plus riches. Quant aux entreprises militaires, chacun voit comment la fortune y a sa bonne part. Dans nos conseils mêmes et dans nos délibérations, il faut certes qu'il y ait du sort et du bonheur mêlé parmi, car tout ce que notre sagesse peut, ce n'est pas grand-chose. Plus elle est aiguisée et vive, plus elle trouve en elle de faiblesse, et elle se défie d'autant plus d'elle-même. Je suis de l'avis de Sylla, et quand je prends garde de près aux plus glorieux exploits de la guerre, je vois, ce me semble, que ceux qui les conduisent n'y emploient la délibération et le conseil que par acquit, et que la meilleure part de l'entreprise, ils l'abandonnent à la fortune, et, sur la confiance qu'ils ont en son secours, ils passent à tous les coups au-delà des bornes de tout raisonnement. Il survient des allégresses fortuites et des fureurs étrangères parmi leurs délibérations qui les poussent le plus souvent à prendre le parti le moins fondé en apparence, et qui grossissent leur courage au-dessus de la raison. D'où il est advenu à plusieurs grands capitaines de l'antiquité, pour donner crédit à ces résolutions téméraires, d'alléguer à leurs gens qu'ils y étaient conviés par quelque inspiration, par quelque signe et pronostique. Voilà pourquoi dans cette incertitude et dans cette perplexité que nous apporte l'impuissance de voir et choisir ce qui est le plus avantageux, en raison des difficultés que les divers accidents et circonstances de chaque chose comportent, le plus sûr, quand d'autres considérations ne nous y convieraient, est à mon avis de se rejeter au parti où il y a plus d'honnêteté et de justice, et puisqu'on est en doute du plus court chemin, de tenir toujours le droit. Ainsi dans les deux exemples que je viens de proposer n'y a-t-il point de doute qu'il ne fût plus beau et plus généreux pour celui qui avait reçu l'offense de la pardonner que s'il eût fait autrement. S'il en est mal advenu au premier, il ne faut pas s'en prendre au bon dessein qui fut le sien, et l'on ne sait, quand il eût pris le parti contraire, s'il eût échappé à la fin à laquelle son destin l'appelait, et s'il eût perdu la gloire d'une telle humanité.

On voit dans les récits des historiens force gens dans cette crainte qui a fait que la plupart ont suivi le chemin de prévenir les conjurations qu'on faisait contre eux par la vengeance et par des supplices, mais j'en vois fort peu auxquels ce remède ait servi, témoin tant d'empereurs romains. Celui qui se trouve en ce danger ne doit pas beaucoup espérer ni de sa force ni de sa vigilance. Car combien est-il mal aisé de se garantir d'un ennemi qui est couvert sous le visage du plus officieux ami que nous ayons ? et de connaître les volontés et les pensées intimes de ceux qui nous assistent ? Il a beau employer des nations étrangères pour sa garde, et être toujours ceint d'une haie d'hommes armés, quiconque aura sa vie à mépris se rendra toujours maître de celle d'autrui. Et puis ce continuel soupçon qui met le prince en doute sur tout le monde doit être pour lui un prodigieux tourment. C'est pourquoi Dion, averti que Callippe épiait les moyens de le faire mourir, n'eut jamais le cœur d'en informer, disant qu'il aimait mieux mourir que vivre dans cette misère, d'avoir à se garder non de ses ennemis seulement, mais aussi de ses amis. Ce qu'Alexandre représenta bien plus vivement par effet, et plus roidement, quand ayant eu avis par une lettre de Parménion que Philippe, son plus cher médecin, était corrompu par l'argent de Darius pour l'empoisonner, en même temps qu'il donnait à lire sa lettre à Philippe, il avala le breuvage qu'il lui avait présenté. Fut-ce pas exprimer cette résolution que si ses amis le voulaient tuer, il consentait qu'ils le pussent faire ? Ce prince est le souverain patron des actes hasardeux, mais je ne sais s'il y a aucun trait dans sa vie qui ait plus de fermeté que celui-ci, ni une beauté plus éclatante par tant d'aspects.

Ceux qui conseillent aux princes une défiance si attentive, sous couleur de leur prêcher leur sûreté, leur conseillent leur ruine et leur honte. Rien de noble ne se fait sans hasard. J'en sais un d'un courage très martial et très entreprenant de nature, dont tous les jours on corrompt la bonne fortune par ce genre de conseils : qu'il se resserre entre les siens, qu'il ne se prête à aucune réconciliation avec ses anciens ennemis, qu'il se tienne à part, et ne se confie pas à des mains plus fortes, quelque promesse qu'on lui fasse, quelque utilité qu'il y voie. J'en sais un autre qui a inespérément avancé sa fortune pour avoir pris un conseil tout contraire. La hardiesse dont ils cherchent si avidement la gloire se représente quand il est besoin aussi magnifiquement en pourpoint qu'en armes, dans un cabinet que dans un camp, le bras pendant que le bras levé. La prudence, si tendre et si circonspecte, est la mortelle ennemie des grandes exécutions. Pour se ménager le bon vouloir de Syphax, en quittant son armée et en abandonnant l'Espagne, douteuse encore sous sa nouvelle conquête, Scipion sut passer en Afrique dans deux simples vaisseaux pour se confier, en terre ennemie, à la puissance d'un roi barbare, à une foi inconnue, sans obligation, sans otage, sous la seule sûreté de la grandeur de son propre courage, de sa bonne fortune, et de ce que lui promettaient ses hautes espérances. *Habita fides ipsam plerumque fidem obligat* [1] la confiance appelle le plus souvent la confiance.

Qui aspire à une vie ambitieuse et fameuse, il lui faut au rebours prêter peu aux soupçons et leur tenir la bride courte. La crainte et la défiance attirent l'offense et la convient. Le plus défiant de nos rois conforta ses affaires principalement pour avoir volontairement abandonné et commis sa vie et sa liberté aux mains de ses ennemis, montrant qu'il avait une entière confiance en eux, afin qu'ils prissent confiance en lui. À ses légions mutinées et armées contre lui, César opposait seulement l'autorité de son visage et la fierté de ses paroles, et il se fiait tant à lui-même et à sa fortune qu'il ne craignait point de l'abandonner et de la confier à une armée séditieuse et rebelle :

Il se campa debout au haut d'une prairie,
Le visage intrépide, et, n'ayant peur de rien,
Mérita d'être craint

stetit aggere fulti
Caespitis, intrepidus uultu, meruitque timeri
Nil metuens. [2]

Mais il est bien vrai que cette forte assurance ne peut se montrer entière et naturelle que chez ceux auxquels l'imagination de la mort et du pis qui puisse advenir après tout ne donne point d'effroi, car de la présenter tremblante encore, douteuse et incertaine, pour le service d'une importante réconciliation, ce n'est rien faire qui vaille. C'est un excellent moyen de gagner le cœur et la volonté d'autrui que d'aller s'y

1. Tite-Live, XXII, XXII, 14.
2. Tite-Live, XXVIII, XVII, 2-7.

soumettre et confier, pourvu que ce soit librement et sans contrainte d'aucune nécessité, et que ce soit à la condition qu'on y apporte une confiance pure et nette, le front au moins déchargé de tout scrupule. Je vis dans mon enfance un gentilhomme [1] qui, commandant à une grande ville, pressé par l'émotion d'un peuple furieux, prit le parti, pour éteindre ce commencement de trouble, de sortir d'un lieu très assuré où il se trouvait et de se rendre à cette tourbe mutine, d'où mal lui en prit, et il y fut misérablement tué. Mais il ne me semble pas que sa faute fût tant d'être sorti ainsi qu'ordinairement on le reproche à sa mémoire, que d'avoir pris une voie de soumission et de mollesse et d'avoir voulu endormir cette rage en suivant plutôt qu'en guidant, et en priant plutôt qu'en faisant des remontrances ; et j'estime qu'une clémente sévérité, avec l'autorité militaire assurée et confiante qui convenait à son rang et à la dignité de sa charge, lui eût mieux succédé, au moins avec plus d'honneur et de bienséance. Il n'est rien qu'on puisse moins espérer de ce monstre ainsi agité que de l'humanité et de la douceur. Il recevra bien plutôt le respect et la crainte. Je lui reprocherais aussi cela qu'après avoir pris une résolution plutôt brave à mon sens que téméraire, il soit allé se jeter, faible et en pourpoint, au milieu de cette mer démontée d'hommes en fureur : il devait l'avaler jusqu'au bout et ne pas quitter son personnage, alors qu'il lui advint, après avoir reconnu le danger de près, de saigner du nez [2] et de changer encore par la suite la mine humble et flatteuse qu'il avait prise en une mine effrayée, la voix et les yeux pleins d'étonnement et de repentir. En cherchant à se terrer comme un lapin et à se dérober, il les enflamma et les appela sur soi.

On délibérait à Bordeaux de faire une revue générale de diverses troupes en armes [3] : c'est le lieu des vengeances secrètes, et il n'en est point où l'on puisse les exercer en plus grande sûreté. Il y avait des signes publics et notoires qu'il n'y ferait pas fort bon pour certains de ceux auxquels revenait la charge principale et nécessaire de les passer

---

1. Il s'agit de monsieur de Monneins, gouverneur de la place de Bordeaux, qui fut lynché par la foule lors de la révolte du sel en 1548. Il sortit en chemise pour tenter d'apaiser les émeutiers, qui, après l'avoir boxé et fait saigner du nez, finirent par le mettre en pièces. Montaigne avait alors quinze ans.

2. L'expression était proverbiale au sens de « baisser la tête et fléchir au moment de l'action », mais dans le cas du lynchage de Monneins, elle est à entendre aussi littéralement.

3. Cette revue eut lieu à Bordeaux en 1585, Montaigne étant maire. Le gouverneur militaire, le maréchal de Matignon, venait de relever de ses fonctions le commandant du Château-Tropeyte, la bastille de la ville, alors que ce dernier était un des chefs de la Ligue à Bordeaux.

en revue. On y proposa divers conseils, comme dans une affaire délicate et qui avait beaucoup de poids et de conséquence. Le mien fut qu'on évitât surtout de laisser paraître quelque marque que ce fût de ce doute ; qu'on s'y trouvât et mêlât parmi les rangs, la tête droite et le visage ouvert, et, au lieu de retrancher certaine chose à la revue, ce à quoi les autres opinions visaient le plus, qu'au contraire on demandât aux capitaines d'avertir leurs soldats de tirer leurs salves belles et gaillardes en l'honneur des assistants et de n'épargner pas leur poudre. Ce fut un témoignage de faveur envers ces troupes suspectes, et il fit naître dès lors une confiance mutuelle et profitable.

La voie que prit Jules César, je trouve que c'est la plus belle qu'on puisse prendre en la matière. Premièrement il essaya par la clémence de se faire aimer de ses ennemis mêmes, se contentant, quand des conjurations lui étaient découvertes, de déclarer simplement qu'il en était averti. Cela fait, il prit la très noble résolution d'attendre sans effroi et sans sollicitude ce qui lui en pourrait advenir, s'abandonnant et se remettant à la garde des dieux et de la fortune. Car certainement c'est l'état où il était quand il fut tué.

Un étranger avait dit et publié partout qu'il pourrait instruire Denys, le tyran de Syracuse, d'un moyen de pressentir et de découvrir en toute certitude les entreprises que ses sujets machineraient contre lui s'il voulait bien lui donner une bonne pièce d'argent. Denys en fut averti, et il le fit appeler à lui pour s'éclaircir d'un art si nécessaire à sa conservation. Cet étranger lui dit alors qu'il n'y avait pas d'autre art, sinon qu'il lui fît délivrer un talent et se vantât d'avoir appris de lui un singulier secret. Denys trouva cette invention bonne, et lui fit compter six cents écus. Il n'était pas vraisemblable qu'il eût donné une si grande somme à un inconnu autrement qu'en récompense d'un très utile enseignement, et cette réputation servait à tenir ses ennemis en crainte. C'est pourquoi les princes publient sagement les avis qu'ils reçoivent des menées qu'on dresse contre leur vie, afin de faire croire qu'ils sont bien avertis et qu'il ne se peut rien entreprendre dont ils ne sentent le vent. Le duc d'Athènes fit plusieurs sottises dans l'établissement de sa récente tyrannie sur Florence, mais la plus notable est qu'ayant reçu le premier avis des complots que ce peuple dressait contre lui de Mattheo di Morozo, leur complice, il le fit mourir pour supprimer cet avertissement et ne pas donner à penser que quelqu'un dans la ville pût trouver sa domination insupportable.

Il me souvient avoir lu autrefois l'histoire de certain Romain, haut dignitaire, qui, fuyant la tyrannie du triumvirat, avait échappé mille fois aux mains de ceux qui le poursuivaient grâce à la subtilité de ses inventions. Il advint un jour qu'une troupe de cavaliers qui avait charge de le capturer passa tout contre un hallier ou il s'était tapi et faillit le découvrir. Mais lui, à ce moment-là, considérant la peine et les difficultés dans lesquelles il avait déjà si longtemps vécu pour échapper aux recherches continuelles et soigneuses qu'on faisait de lui partout, le peu de plaisir qu'il pouvait espérer d'une telle vie, et combien il lui valait mieux passer une fois le pas plutôt que de demeurer toujours dans cette transe, lui-même il les rappela et leur trahit sa cachette, s'abandonnant volontairement à leur cruauté pour les ôter eux et lui d'une plus longue peine. Appeler les mains ennemies, c'est un conseil un peu gaillard. Pourtant je crois qu'il vaudrait encore mieux le prendre que de demeurer dans la fièvre continuelle d'un accident, chose qui n'a point de remède. Mais, puisque les précautions qu'on y peut apporter sont pleines d'inquiétude et d'incertitude, il vaut mieux se préparer avec une belle assurance à tout ce qui pourra advenir, et tirer quelque consolation de ce qu'on n'est pas assuré que la chose advienne.

Du pédantisme

[Chapitre XXIV]

Je me suis souvent dépité dans mon enfance de voir dans les comédies italiennes un *pedante* pour farceur, et que le nom de *magister* n'ait guère plus de signification honorable parmi nous. Car, puisque je leur étais donné en gouvernement, pouvais-je faire moins que d'être jaloux de leur réputation ? Je cherchais bien à les excuser par la disconvenance naturelle qu'il y a entre le vulgaire et les personnes rares et éminentes par le jugement et le savoir, d'autant que les uns et les autres vont d'un train entièrement contraire. Mais là où je perdais mon latin, c'était de voir que les esprits les plus distingués étaient ceux qui les tenaient le plus en mépris, témoin notre bon du Bellay :

> Mais je hay par surtout un savoir pédantesque [1].

Et cette coutume est ancienne, car Plutarque dit que *grec* et *écolier* étaient des mots de reproche chez les Romains, et de mépris. Par la suite, avec l'âge, j'ai trouvé qu'on avait une grandissime raison et que *magis magnos clericos non sunt magis magnos sapientes* « les savants les plus grands

1. Joachim Du Bellay, *Les Regrets*, sonnet 68.

ne sont pas les plus fins ». Mais d'où peut venir qu'une âme riche de la connaissance de tant de choses n'en devienne pas plus vive et plus éveillée, et qu'un esprit grossier et vulgaire puisse loger en soi, sans s'amender, les discours et les jugements des meilleurs esprits que le monde ait portés, j'en suis encore à me le demander. À absorber tant de cervelles étrangères, et si fortes, et si grandes, il est nécessaire, me disait, à propos de quelqu'un, une fille, la première de nos princesses, que la sienne se foule, se contraigne et se rapetisse pour faire place aux autres. Je dirais volontiers que, comme les plantes s'étouffent avec trop d'eau et les lampes avec trop d'huile, autant en fait l'esprit avec trop d'étude et de matière, qui, occupé et embarrassé par une grande diversité de choses, perd le moyen de se démêler, et que cette charge le tient courbé et accroupi. Mais il en va autrement, car notre âme s'élargit d'autant plus qu'elle se remplit. Et dans les exemples des vieux temps, on voit tout au rebours des hommes habiles employés au maniement des affaires publiques, de grands capitaines, et de grands conseillers aux affaires d'État qui ont été aussi très savants. Et quant aux philosophes retirés de toute occupation publique, ils ont été aussi quelquefois, à la vérité, méprisés par la liberté des poètes comiques de leur temps, car leurs opinions et leurs façons les rendaient ridicules. Les voulez-vous faire juges des droits d'un procès, des actions d'un homme ? Ils en sont bien prêts ! Ils cherchent encore s'il y a vie, s'il y a mouvement, si l'homme est autre chose qu'un bœuf, ce que c'est qu'agir et pâtir, quelles bêtes ce sont que lois et justice ! Parlent-ils du magistrat, ou s'adressent-ils à lui ? C'est d'une liberté irrévérente et incivile. Entendent-ils louer un prince ou un roi ? C'est un pâtre pour eux, oisif comme un pâtre, occupé à pressurer et tondre ses bêtes, mais bien plus rudement ! En estimez-vous quelqu'un plus grand pour posséder deux mille arpents de terre ? Eux s'en moquent bien, accoutumés à embrasser le monde entier comme leur domaine ! Vous vantez-vous de votre noblesse parce que vous comptez sept aïeux riches ? Ils vous estiment de peu parce que vous ne concevez pas l'image universelle de la nature, et combien chacun de nous a eu de prédécesseurs, riches et pauvres, rois ou valets, grecs et barbares. Et quand vous seriez le cinquantième descendant d'Hercule, ils vous trouvent vain de faire valoir ce présent de la fortune. Ainsi le vulgaire les dédaignait-il, les jugeant ignorants des choses premières et les plus communes, présomptueux et insolents. Mais cette peinture platonique [1] est bien éloignée de celle qu'il faut à nos hommes. On enviait ceux-là comme étant au-dessus des façons communes, comme méprisant les actions publi-

1. La satire qui précède est en effet tirée du *Théétète* (XXIV) de Platon.

ques, comme ayant dressé une vie particulière et inimitable, réglée selon certains discours hautains et inusités, ceux-ci on les dédaigne comme étant au-dessous des façons communes, comme incapables des charges publiques, comme traînant une vie et des mœurs plus basses et plus viles encore que le vulgaire.

Je hais ces mous du bras, qui n'ont de ferme que la langue
Odi homines ignaua opera, philosopha sententia. [1]

Quant à ces philosophes, dis-je, comme ils étaient grands en science, ils étaient encore plus grands en toute action. Et de même qu'on dit de ce géomètre de Syracuse qui avait été détourné de sa contemplation pour en mettre quelque chose en pratique pour la défense de son pays qu'il mit soudain en train des engins épouvantables avec des effets qui surpassaient toute croyance humaine, mais qu'il dédaignait toutefois lui-même toute cette manufacture, et pensait avoir en cela corrompu la dignité de son art, dont ses ouvrages n'étaient que l'apprentissage et le jouet, de même eux, si quelquefois on les a mis à l'épreuve de l'action, on les a vus voler d'une aile si haute qu'il apparaissait bien que leur cœur et leur âme s'étaient merveilleusement grossis et enrichis par l'intelligence des choses. Mais certains, voyant la place du gouvernement politique saisie par des hommes incapables, s'en sont reculés, et celui qui demanda à Cratès jusqu'à quand il faudrait philosopher en reçut cette réponse : « Jusqu'à tant que ce ne soient plus des âniers qui conduisent nos armées. » Héraclite résigna la royauté à son frère. Et aux Éphésiens qui lui reprochaient de passer son temps à jouer avec les enfants devant le temple : « Vaut-il pas mieux faire ceci que gouverner les affaires en votre compagnie ? » D'autres, qui avaient leur imagination logée au-dessus de la fortune et du monde, trouvèrent les sièges de la justice et les trônes mêmes des rois bas et vils. Et Empédocle refusa la royauté que les Agrigentins lui offraient. À Thalès, qui blâmait parfois le soin de gérer son ménage et de s'enrichir, on reprocha que c'était à la mode du renard de la fable, faute d'y pouvoir atteindre. Il lui prit envie par passe-temps d'en montrer l'expérience, et, ayant pour le coup ravalé son savoir au service du profit et du gain, il monta un trafic qui en un an rapporta de telles richesses qu'à peine en toute leur vie les plus expérimentés dans ce métier-là en pouvaient amasser de pareilles.

Ce qu'Aristote raconte à propos de certains qui appelaient celui-là aussi bien qu'Anaxagore et leurs semblables des *sages* mais non des *prudents*, parce qu'ils ne se souciaient pas assez des choses les plus

1. Aulu-Gelle, *Nuits*, XIII, VIII, 4 et Juste-Lipse, *Politica*, I, 10.

utiles, outre que je ne digère pas bien cette différence de mots, cela ne sert point d'excuse à mes gens, et à voir la fortune basse et nécessiteuse dont ils se payent, nous aurions plutôt raison de dire qu'ils sont à la fois non sages et non prudents.

Je quitte cette première raison, et je crois qu'il vaut mieux dire que ce mal vient de leur mauvaise façon d'aborder les sciences, et qu'à voir la façon dont nous sommes instruits, ce n'est pas merveille si ni les écoliers ni les maîtres n'en deviennent pas plus habiles quoiqu'ils s'y fassent plus doctes. De vrai, le soin et la dépense de nos pères ne visent qu'à nous meubler la tête de science : du jugement et de la vertu, peu de nouvelles. Criez au sujet d'un passant à notre peuple : « oh ! le savant homme ! » Et à propos d'un autre : « oh ! l'homme de bien ! » : il ne manquera pas de détourner les yeux et son respect vers le premier. Il en faudrait un troisième qui crierait : « oh les lourdes têtes ! » Nous nous enquérons volontiers : « Sait-il du grec ou du latin ? Écrit-il en vers ou en prose ? » Mais s'il est devenu meilleur ou plus avisé, c'était le principal, et c'est ce qui demeure derrière. Il fallait demander qui est mieux savant, non qui est plus savant. Nous ne travaillons qu'à remplir la mémoire, et nous laissons l'entendement et la conscience vides. Tout ainsi que les oiseaux vont quelquefois à la quête du grain et le portent au bec sans le tâter pour en faire la becquée à leurs petits, ainsi nos pédants vont pillotant la science dans les livres et ne la logent qu'au bout de leurs lèvres, pour la dégorger seulement et la mettre au vent.

C'est merveille combien proprement la sottise se loge sur mon exemple. Est-ce pas faire de même que ce que je fais dans la plupart de cette composition ? Je m'en vais écorniflant par-ci par-là dans les livres les sentences qui me plaisent, non pour les garder (car je n'ai point de gardoire) mais pour les transporter dans celui-ci, où, à vrai dire, elles ne sont pas plus miennes qu'en leur première place. Nous ne sommes, je crois, savants que de la science présente, non de la passée, aussi peu que de la future. Mais, qui pis est, leurs écoliers et leurs petits ne s'en nourrissent et ne s'en alimentent pas plus, mais elle passe de main en main, à la seule fin d'en faire parade, d'en entretenir autrui, et d'en faire des contes, comme une vaine monnaie inutile à tout autre usage et emploi qu'à compter et servir de jetons : Ils ont appris à parler devant les autres, non à eux-mêmes *apud alios loqui didicerunt, non ipsi secum* [1] ; il ne s'agit pas de parler, mais de tenir le timon *non est loquendum, sed gubernandum* [2].

---

1. Cicéron, *Tusculanes*, V, XXXI,
2. Sénèque, *Lettres à Lucilius*, 108, 37.

Nature, pour montrer qu'il n'y a rien de sauvage dans ce qu'elle conduit, fait naître souvent parmi les nations les moins cultivées par les arts des productions d'esprit qui rivalisent avec les productions les plus artistes. À ce propos, comme ce proverbe gascon tiré d'une chanson qu'on accompagne au chalumeau est-il délicieux ! *Buffa prou, buffa ! Mas qu'em a remuda lous dits* (Souffle bien, souffle ! Plus n'a qu'à remuer les doigts). Oui, « souffler, souffler beaucoup », mais « à remuer les doigts », nous en sommes là [1] !

Nous savons dire : « Cicéron dit ainsi », « Voilà les mœurs de Platon », « Ce sont les mots mêmes d'Aristote » : mais nous, que disons-nous nous-mêmes ? Que faisons-nous ? Que jugeons-nous ? Autant en dirait bien un perroquet ! Cette façon me fait souvenir de ce riche Romain qui avait pris soin, à fort grande dépense, de récupérer des hommes habiles en tout genre de science qu'il tenait continuellement autour de lui, afin que, quand il survenait entre ses amis quelque occasion de parler de chose ou d'autre, ils le suppléassent et fussent tout prêts à le fournir qui d'un discours, qui d'un vers d'Homère, chacun selon son gibier, et il pensait ce savoir être sien parce qu'il était dans la tête de ses gens. Et c'est bien ce que font aussi ceux dont le talent loge dans leurs somptueuses librairies. J'en connais un à qui quand je demande ce qu'il sait, il me demande un livre pour me le montrer, et il n'oserait me dire qu'il a le derrière galeux s'il n'allait sur-le-champ étudier dans son *lexicon* ce que c'est que « galeux » et ce que c'est que « derrière » !

Nous mettons les opinions et le savoir d'autrui dans notre réserve, et puis c'est tout : il les faut faire nôtres ! Nous ressemblons proprement à quelqu'un qui, ayant besoin de feu, en irait quérir chez son voisin, et qui, y en ayant trouvé un beau et grand, s'arrêterait là à se chauffer sans plus se souvenir d'en rapporter chez lui. Que nous sert-il d'avoir la panse pleine de nourriture, si elle ne se digère pas ? si elle ne se transforme en nous ? si elle ne nous augmente ni ne nous fortifie ? Pensons-nous que Lucius Licinus Lucullus, dont les lettres firent et formèrent un si grand capitaine sans le secours de l'expérience, les eût prises à notre mode ?

Nous nous laissons si fort aller sur les bras d'autrui que nous anéantissons nos forces. Me veux-je armer contre la crainte de la

---

1. Montaigne a une façon assez personnelle de transcrire le gascon à l'oreille, qu'il n'a pas fort bonne, ainsi note-t-il ailleurs « **behore* » pour « *defora* », et de même ici « **bouha* » pour « *buffa* » : une *h*, fortement aspirée, est mise pour la fricative sourde. La phrase qui suit n'est pas la traduction de la formule occitane, mais plutôt une reprise avec variation en forme de soupir désabusé et ironique.

mort ? C'est aux dépens de Sénèque. Veux-je tirer de la consolation pour moi ou pour un autre ? Je l'emprunte à Cicéron : je l'eusse prise en moi-même, si on m'y eût exercé ! Je n'aime point cette habileté rapportée et mendiée. Quand bien même nous pourrions être savants du savoir d'autrui, au moins ne pouvons-nous être sages que de notre propre sagesse :

Μισῶ σοφιστὴν ὅστις οὐχ αὑτῷ σοφός. [1]

Je hais sage qui n'est un sage pour lui-même,

ex quo Ennius : *Nequidquam sapere sapientem qui ipse sibi prodesse non quiret* [2]
le sage serait sage en vain s'il ne pouvait être utile à lui-même,

s'il est avare, s'il est
Vantard, et cent fois plus peureux qu'agnelle d'Euganée

si cupidus, si
Vanus et Euganea quantumuis uilior agnea, [3]

car il ne suffit pas d'acquérir la sagesse, il nous faut en faire fruit *non enim paranda nobis solum sed fruenda sapientia est* [4]. Denys se moquait des grammairiens qui ont soin de s'enquérir des maux d'Ulysse et qui ignorent les leurs propres, des musiciens qui accordent leurs flûtes et n'accordent pas leurs mœurs, des orateurs qui s'appliquent à dire la justice, non à la faire. Si notre âme n'en va pas d'un meilleur branle, si nous n'en avons pas le jugement plus sain, j'aimerais autant que mon écolier eût passé son temps à jouer à la paume, au moins le corps en serait plus allègre. Voyez le revenir de là après qu'il y aura employé quinze ou seize ans : il n'est rien de si mal propre à mettre en besogne ! Tout ce que vous y reconnaissez comme avantage, c'est que son latin et son grec l'ont rendu plus sot et plus présomptueux qu'il n'était parti de la maison. Il en devait rapporter l'âme pleine, il ne l'en rapporte que bouffie, et l'a seulement enflée au lieu de la grossir. Ces maîtres-ci, comme Platon dit des sophistes, leurs cousins germains, sont de tous les hommes ceux qui promettent d'être les plus utiles aux hommes, et les seuls entre tous les hommes qui non seulement n'amendent point ce qu'on leur confie, comme le fait un charpentier ou un maçon, mais l'empirent, et se font payer pour l'avoir empiré. Si la règle que Protagoras proposait à ses disciples était suivie, ou qu'ils le payassent selon ce qu'il demandait, ou qu'ils jurassent au temple combien ils estimaient

---

1. Cicéron, *Ad familiares*, XIII, XV, 2.
2. Cicéron, *De officiis*, III, XV, 62.
3. Juvénal, VII, 14-15.
4. Cicéron, *De finibus*, I, 1.

le profit qu'ils avaient retiré de son enseignement et le payassent de sa peine selon ce prix, mes pédagogues se trouveraient floués s'ils s'en étaient remis au serment, si j'en crois mon expérience.

Mon patois périgourdin appelle fort plaisamment « lettre-férits » ces savanteaux, comme si vous disiez « lettre-férus », en somme : « auxquels les lettres ont donné un bon coup de marteau », comme on dit. De vrai, le plus souvent ils semblent ravalés même au-dessous du sens commun. Car le paysan et le cordonnier, vous les voyez aller simplement et naïvement leur train, parlant de ce qu'ils savent ; ceux-ci, pour vouloir s'élever et se donner de grands airs avec ce savoir qui nage à la surface de leur cervelle, vont s'embarrassant et s'empêtrant sans cesse. Il leur échappe de belles paroles, mais qu'un autre les accommode ! Ils connaissent bien Galien, mais nullement le malade. Ils vous ont déjà rempli la tête de lois, et pourtant ils n'ont pas encore compris le nœud de la cause. Ils savent la théorie de toutes choses : cherchez donc qui la mette en pratique !

J'ai vu chez moi un de mes amis qui avait affaire à l'un de ceux-ci contrefaire par manière de passe-temps un jargon de galimatias, propos sans suite, tout tissu de pièces rapportées, sauf qu'il était souvent entrelardé de mots propres à leur dispute, et amuser ainsi ce sot tout un jour à débattre, qui pensait toujours répondre aux objections qu'on lui faisait. Et pourtant c'était un homme de lettres réputé, et qui avait une belle robe,

Vous, ô sang patricien, qui jugez séant de vivre
Sans yeux sur la nuque, souffrez les lazzis dans le dos

Vos, o patritius sanguis, quos uiuere par est
Occipiti caeco, posticae occurrite sannæ. [1]

Qui regardera de bien près à ce genre de gens qui s'étend bien loin, il trouvera comme moi que le plus souvent ils n'entendent ni eux-mêmes ni autrui, et qu'ils ont la mémoire bien pleine, mais le jugement entièrement creux, à moins que leur nature d'elle-même le leur ait autrement façonné, comme j'ai vu Adrien Turnèbe qui, n'ayant fait d'autre profession que des lettres, en laquelle il était, à mon avis, le plus grand homme qui fût depuis mille ans, n'avait toutefois rien de pédantesque, hormis le port de sa robe, et une certaine manière extérieure qui pouvait n'être pas raffinée à la courtisane, qui sont choses de rien. Et je hais nos gens qui supportent plus malaisément une robe qu'une âme de travers, et qui jugent à quel homme ils ont affaire à sa façon de faire révérence, à son maintien et à ses bottes. Car

1. Perse, I, 61-62.

au-dedans, c'était l'âme la plus polie du monde. Je l'ai souvent sciemment lancé sur des sujets éloignés de son expérience : il y voyait si clair, avec une compréhension si prompte, avec un jugement si sain qu'il semblait qu'il n'eût jamais fait d'autre métier que la guerre et les affaires d'État. Ce sont des natures belles et fortes,

> dont, avec un art bienveillant
> Et d'un meilleur limon, Titan [1] a pétri les courages
> *queis arte benigna*
> *Et meliore luto finxit præcordia Titan,* [2]

qui se maintiennent au travers d'une mauvaise éducation. Or ce n'est pas assez que notre éducation ne nous gâte pas, il faut encore qu'elle nous change en mieux.

Il y a certains de nos Parlements, quand ils ont à recevoir des officiers, qui les examinent seulement sur la science, les autres y ajoutent encore l'essai de leur bon sens en leur présentant le jugement de quelque cause. Ceux-ci me semblent avoir une bien meilleure méthode. Et encore que ces deux éléments soient nécessaires et qu'il faille qu'ils s'y trouvent tous deux, pourtant, à la vérité, le savoir est moins prisable que le jugement : celui-ci peut se passer de l'autre, et non l'autre de celui-ci. Car comme dit ce vers grec,

> La science n'est rien que le bon sens n'assiste
> *Ὡς οὐδὲν ἡ μάθησις ἢν μὴ νοῦς παρῇ* [3]

À quoi bon la science, si l'entendement n'y est ? Plût à Dieu que pour le bien de notre justice ces compagnies-là se trouvassent aussi bien fournies d'entendement et de conscience qu'elles le sont encore de science. *Non uitæ, sed scolæ discimus* [4] on nous instruit non pour la vie, mais pour l'école. Or il ne faut pas attacher le savoir à l'âme, il faut l'y incorporer ; il ne faut pas l'en arroser, il faut l'en teindre, et s'il ne la change et n'améliore son état imparfait, certainement il vaut beaucoup mieux le laisser là. C'est un dangereux glaive, qui embarrasse et blesse son maître s'il est dans une main faible et qui n'en sache l'usage, *ut fuerit melius non didicisse* [5] au point qu'il valût mieux n'avoir point étudié. D'aventure est-ce la cause que, et nous, et la théologie, nous ne demandons pas beaucoup de science aux femmes, et que François,

1. Prométhée, l'un des Titans.
2. Juvénal, XIV, 34-35.
3. Vers anonyme recueilli par Stobée et repris par Juste-Lipse.
4. Sénèque, *Lettres à Lucilius*, 106, 11.
5. Cicéron, *Tusculanes*, II, IV, 12.

duc de Bretagne, fils de Jean V, quand on lui parla de son mariage avec Isabeau, une fille d'Écosse, et qu'on lui ajouta qu'elle avait été nourrie simplement et sans aucune instruction de lettres, répondit qu'il l'en aimait mieux, et qu'une femme était assez savante quand elle savait faire la différence entre la chemise et le pourpoint de son mari.

Aussi ce n'est pas si grande merveille qu'on crie que nos ancêtres n'aient pas fait grand cas des lettres, et qu'encore aujourd'hui elles ne se trouvent que par rencontre dans les principaux conseils de nos rois. Et si cette fin de s'en enrichir, qui seule nous est aujourd'hui proposée par le moyen de la jurisprudence, de la médecine, de l'enseignement des arts, et de la théologie, ne les maintenait encore en crédit, vous les verriez sans doute aussi marmiteuses qu'elles furent jamais. Quel dommage si elles ne nous apprennent ni à bien penser ni à bien faire ! *Postquam docti prodierunt, boni desunt* [1] depuis qu'ont paru les doctes, il n'est plus de gens de bien.

Toute autre science est dommageable à celui qui n'a la science de la bonté. Mais la raison que je cherchais tantôt ne viendrait-elle point aussi de là que, nos études en France n'ayant quasi d'autre but que le profit, bien moins de ceux que leur naissance appelle à des emplois plus nobles que lucratifs s'adonnent aux lettres, ou si courtement ! (Puisqu'avant que d'en avoir pris appétit ils s'en retirent pour une profession qui n'a rien de commun avec les livres), et qu'il ne reste donc plus ordinairement pour s'engager tout à fait à l'étude que les gens de basse fortune qui y cherchent des moyens de vivre. Et de ces gens-là, les âmes étant, et par nature et par éducation domestique et par exemple, du plus bas aloi, donnent une image fausse du fruit de la science. Car elle n'est pas pour donner jour à l'âme qui n'en a point, ni pour faire voir un aveugle. Son métier est, non de le fournir d'une vue, mais de la lui dresser, de lui régler ses allures, pourvu qu'elle ait de soi les pieds et les jambes droites et capables. C'est une bonne drogue que la science, mais nulle drogue n'est assez forte pour se préserver sans altération ni corruption du fait du vice du vase qui la contient. Tel a la vue claire qui ne l'a pas droite, et par conséquent voit le bien, et ne le suit pas, et voit la science, et ne s'en sert pas. La principale ordonnance de Platon dans sa *République*, c'est de donner leur charge à ses concitoyens selon leur nature. Nature peut tout, et fait tout. Les boiteux sont peu propres aux exercices du corps, et aux exercices de l'esprit les âmes boiteuses. Les âmes bâtardes et vulgaires sont indignes de la philosophie. Quand nous voyons un homme mal chaussé, nous disons que ce n'est pas merveille s'il est chausseur. De

1. Sénèque, *Lettres à Lucilius*, 95, 13.

même il semble que l'expérience nous offre souvent un médecin plus mal médeciné, un religieux moins austère, et coutumièrement un savant moins sachant que tout autre. Ariston de Chio avait anciennement raison de dire que les philosophes nuisaient aux auditeurs dans la mesure où la plupart des âmes ne se trouvent pas propres à faire leur profit d'une instruction de ce genre, qui, si elle ne porte au bien, porte au mal : on sort débauché de l'école d'Aristippe, et fanatique de celle de Zénon : ἀσώτους *ex Aristippi, acerbos ex Zenonis schola exire* [1].

Dans cette belle forme d'éducation que Xénophon prête aux Perses, nous trouvons qu'ils apprenaient la vertu à leurs enfants comme les autres nations leur apprennent les lettres. Platon dit que le fils aîné dans leur succession royale était ainsi nourri : après sa naissance, on le donnait non à des femmes, mais à des eunuques jouissant de la plus grande autorité dans l'entourage des rois, à cause de leur vertu. Ceux-ci prenaient à charge de lui rendre le corps beau et sain, et après sept ans lui apprenaient à monter à cheval et à aller à la chasse. Quand il était arrivé à sa quatorzième année, ils le déposaient entre les mains de quatre hommes : le plus sage, le plus juste, le plus tempérant, le plus vaillant de la nation. Le premier lui apprenait la religion ; le second, à être toujours véritable ; le tiers, à se rendre maître des désirs ; le quart, à ne rien craindre. C'est chose digne d'une très grande attention que dans cette excellente constitution de Lycurgue, et à la vérité monstrueuse par sa perfection, si soigneuse pourtant de la nourriture des enfants, comme de sa principale charge, et au gîte même des Muses, il s'y fasse si peu mention du savoir, comme si, cette généreuse jeunesse dédaignant tout autre joug que celui de la vaillance, on lui ait dû fournir, au lieu de nos maîtres de science, seulement des maîtres de vaillance, de prudence et de justice. Exemple que Platon a suivi dans ses *Lois*. Leur façon d'enseigner, c'était de leur faire des questions sur la façon dont ils jugeaient des hommes et de leurs actions, et s'ils condamnaient et louaient ou ce personnage ou ce fait, ils devaient argumenter leur dire, et par ce moyen ils aiguisaient ensemble leur entendement et apprenaient le droit. Astyage chez Xénophon demande à Cyrus de lui rendre compte de sa dernière leçon, « C'est, dit-il, qu'en notre école un grand garçon qui avait un petit sayon l'avait donné à l'un de ses compagnons de plus petite taille et lui avait pris son sayon qui était plus grand. » Notre précepteur m'ayant fait juge de ce différend, je jugeai qu'il fallait laisser les choses en l'état et qu'ils semblaient ainsi mieux accommodés l'un et l'autre. Sur quoi il me remontra que j'avais mal fait, car je m'étais arrêté à

1. Cicéron, *De natura deorum*, III, XXXI, 77.

considérer ce qui seyait bien, et il aurait d'abord fallu satisfaire à la justice qui voulait que nul ne fût forcé dans ce qui lui appartenait. Et il ajoute qu'il en fut fouetté, tout ainsi que nous le sommes dans nos villages pour avoir oublié le premier aoriste de τύπτω Mon régent pourrait me faire une belle harangue *in genere demonstratiuo*[1] avant de me persuader que son école vaut celle-là. Ils ont voulu couper le chemin, et puisqu'il en est ainsi que les sciences, alors même qu'on les prend de droit fil, ne peuvent que nous enseigner la prudence, la prud'homie et la résolution, ils ont voulu mettre d'emblée leurs enfants à même de les expérimenter, et les instruire non par ouï-dire, mais par l'essai de l'action, en les formant et les moulant vivement non seulement avec des préceptes et des paroles, mais principalement avec des exemples et des œuvres, afin que ce ne fût pas une science qu'ils eussent dans leur âme, mais que celle-ci devînt sa nature même et sa façon d'être habituelle, que ce ne fût pas un acquêt, mais une possession naturelle. À ce propos, on demandait à Agésilas ce qu'il serait d'avis que les enfants apprissent : « Ce qu'ils doivent faire étant hommes », répondit-il. Ce n'est pas merveille si une telle éducation a produit des effets si admirables.

On allait, dit-on, dans les autres villes de Grèce chercher des rhétoriciens, des peintres et des musiciens, mais à Lacédémone des législateurs, des magistrats, et des généraux d'armée. À Athènes on apprenait à bien dire, et ici à bien faire ; là, à se démêler d'un argument sophistique et à rabattre l'imposture des mots captieusement entrelacés, ici à se démêler des appas de la volupté et à rabattre avec un grand courage les menaces de la fortune et de la mort ; ceux-là s'embesognaient après les paroles, ceux-ci après les choses ; là, c'était un exercice continuel de la langue, ici un exercice continuel de l'âme. Par quoi il n'est pas étrange si quand Antipater leur demanda cinquante enfants pour otages, ils répondirent tout au rebours de ce que nous ferions qu'ils aimaient mieux donner deux fois autant d'hommes faits, tant ils estimaient la perte de l'éducation de leur pays. Quand Agésilas invite Xénophon à envoyer nourrir ses enfants à Sparte, ce n'est pas pour y apprendre la rhétorique, ou la dialectique, mais pour apprendre, dit-il, la plus belle science qui soit, à savoir la science d'obéir et de commander.

Il est très plaisant de voir Socrate se moquer à sa mode de Hippias qui lui raconte comment il a gagné, spécialement dans certaines petites bourgades de Sicile, une bonne somme d'argent à faire le

1. « Dans le genre démonstratif », l'éloquence d'apparat, l'un des trois genres de l'éloquence, avec le genre judiciaire et le genre délibératif.

maître d'école, et qu'à Sparte il n'a gagné pas un sou ; que ce sont gens idiots qui ne savent ni mesurer ni compter, qui ne font cas ni de grammaire ni de rythme, s'amusant seulement à savoir la suite des rois, l'établissement et la décadence des États, et tout un fatras de comptes de cet ordre. Et au bout de cela, Socrate en lui faisant avouer par le menu l'excellence de leur forme de gouvernement publique, l'heur et la vertu de leur vie privée, lui laisse deviner la conclusion que les arts qu'il professe ne servent à rien. Les exemples nous apprennent, et dans cette cité martiale et dans toutes ses semblables que l'étude des sciences amollit et efféminе les cœurs plus qu'il ne les affermit et aguerrit. L'État le plus puissant qui paraisse au monde pour le présent est celui des Turcs, peuples également appris à estimer les armes et à mépriser les lettres. Je trouve que Rome était plus vaillante avant qu'elle fût savante. Les nations les plus belliqueuses de nos jours sont les plus grossières et les ignorantes. Les Scythes, les Parthes, Tamerlan nous servent ici de preuve. Quand les Goths ravagèrent la Grèce, ce qui sauva toutes les librairies d'être passées au feu, ce fut un d'entre eux qui sema cette idée qu'il faillait laisser ce meuble entier aux ennemis, fort propre à les détourner de l'exercice militaire et à les amuser à des occupations sédentaires et oisives. Quand notre roi, Charles VIII, quasi sans tirer l'épée du fourreau, se vit maître du Royaume de Naples et d'une bonne partie de la Toscane, les seigneurs de sa suite attribuèrent cette facilité de conquête inespérée à ce que les princes et la noblesse d'Italie s'amusaient plus à se rendre ingénieux et savants que vigoureux et guerriers.

De l'institution des enfants

[Chapitre XXV]

À Madame Diane de Foix, Comtesse de Gurson.

Je ne vis jamais père, pour bossu ou teigneux que fût son fils, qui laissât de l'avouer pour sien. Non pourtant, s'il n'est pas complètement enivré par cette affection, qu'il ne s'aperçoive de son défaut, mais il reste toujours qu'il est sien. De même moi, je vois mieux que tout autre que ce ne sont ici que les rêveries d'un homme qui n'a goûté des sciences que la première croûte dans son enfance et n'en a retenu qu'un visage informe et général : un peu de chaque chose, et rien à fond, à la française. Car en somme, je sais qu'il y a une médecine, une jurisprudence, quatre parties dans la mathématique [1], et grossièrement ce à quoi elles visent. Et d'aventure je sais encore la prétention des sciences en général à servir à notre vie, mais de m'y enfoncer plus avant, de m'être rongé les ongles à l'étude d'Aristote, monarque de la doctrine moderne, ou opiniâtré après quelque science, je ne l'ai jamais fait, non plus qu'il n'est d'art dont je pusse décrire seulement les premiers linéaments. Et il n'est pas un enfant des petites classes qui ne puisse se dire plus savant que moi, qui n'ai seulement pas de quoi l'examiner sur sa première leçon. Et si l'on m'y force, je suis contraint assez mal à propos d'en tirer quelque sujet de portée générale sur lequel j'examine son jugement naturel : leçon qui leur est aussi inconnue qu'à moi la leur. Je n'ai noué commerce avec aucun livre solide, sinon Plutarque et Sénèque, où je puise à la mode des Danaïdes, remplissant et versant sans cesse. J'en attache quelque chose à ce papier ; à moi, si peu que rien. L'histoire, c'est mon gibier en matière de livres, ou la poésie, que j'aime avec une inclination particulière, car, comme disait Cléanthe, tout ainsi que la voix contrainte dans l'étroit canal d'une trompette sort plus aiguë et plus forte, ainsi me semble-t-il que la pensée pressée dans les pieds nombreux [2] de la poésie s'élance bien plus brusquement et me frappe d'une plus vive secousse. Quant aux facultés naturelles qui sont en moi, dont c'est ici l'essai, je les sens fléchir sous la charge. Mes conceptions et mon jugement ne marchent qu'à tâtons, chancelant, bronchant et chopant, et quand je suis allé le plus avant que je puis, pour autant je ne me suis aucunement satisfait. Je vois encore du pays au-delà, mais d'une vue trouble et en nuage, que je ne puis démêler. Et comme je me mêle de parler indifféremment de tout ce qui se présente à ma fantaisie, et que je n'y emploie que mes moyens propres et naturels, s'il m'advient, comme souvent, de rencontrer de fortune dans les bons auteurs ces mêmes lieux que j'ai entrepris de traiter, comme je viens de trouver chez Plutarque tout présentement son discours sur la force de l'imagination, alors, à me reconnaître auprès de ces gens-là si faible et si chétif, si pesant et si endormi, je me fais pitié ou dédain à moi-même. Pourtant je me sais gré de ceci que mes opinions ont l'honneur de rencontrer souvent les leurs, et que je les suis au moins de loin en disant « c'est vraiment ça ! » ; aussi que

1. Arithmétique, géométrie, astronomie, musique.

2. *Pieds nombreux* : mesures rythmiques savamment réglées ; on parle toujours aujourd'hui de « pieds » en poésie ancienne, et d'une éloquence, d'une prose « nombreuses », ou d'un style « nombreux » pour dire « rythmé avec art ».

j'ai cela, que chacun n'a pas, de reconnaître l'extrême différence qu'il y a d'eux à moi. Et je laisse néanmoins courir mes inventions ainsi faibles et basses, comme je les ai produites, sans en replâtrer ni recoudre les défauts que cette comparaison m'y a fait découvrir. Il faut avoir les reins bien fermes pour entreprendre de marcher front à front avec ces gens-là.

Les écrivains indiscrets de notre siècle qui parmi leurs ouvrages de rien vont semant des passages entiers des auteurs anciens pour se faire honneur, font le contraire. Car cette infinie dissemblance de lustre donne à ce qui vient d'eux un visage si pâle, si terne et si laid qu'ils y perdent beaucoup plus qu'ils n'y gagnent. C'étaient deux humeurs contraires : le philosophe Chrysippe mêlait à ses livres non des passages seulement, mais des ouvrages entiers d'autres auteurs, et surtout dans l'un, la *Médée* d'Euripide, au point qu'Apollodore disait que qui en retrancherait ce qu'il y avait d'étranger, son papier demeurerait blanc. Épicure au rebours, en trois cents volumes qu'il laissa, n'avait pas mis une seule citation. Il m'advint l'autre jour de tomber sur un tel passage. J'avais traîné languissant après des paroles françaises si exsangues, si décharnées et si vides de matière et de sens que ce n'étaient vraiment que paroles françaises. Au bout d'un long et ennuyeux chemin, je vins à rencontrer une pièce haute, riche et élevée jusqu'aux nues. Si j'eusse trouvé la pente douce, et la montée un peu allongée, cela eût été excusable : c'était un précipice si droit et si abrupt que dès les six premiers mots je connus que je m'envolais en l'autre monde. De là je découvris la fondrière d'où je venais, si basse et si profonde que je n'eus jamais depuis le cœur de m'y ravaler. Si j'étoffais l'un de mes discours de ces riches dépouilles, il éclairerait par trop la bêtise des autres. Reprendre mes propres fautes chez autrui ne me semble pas plus contradictoire que de reprendre, comme je fais souvent, celles d'autrui chez moi. Il faut les blâmer partout et leur ôter tout lieu de sauveté et de franchise. Je sais pourtant avec quelle audace j'entreprends moi-même à tous les coups de m'égaler à mes larcins, de marcher de pair avec eux, non sans la téméraire espérance que je puisse tromper les yeux des juges qui chercheraient à les discerner. Mais c'est autant par le bénéfice de mon application que par le bénéfice de mon invention et de ma force. Et puis, je ne lutte point de front avec ces vieux champions-là, et corps à corps : c'est par reprises, par de menues et légères atteintes. Je ne m'y aheurte pas : je ne fais que les tâter ; et je n'y vais pas autant que j'hésite à y aller. Si je pouvais leur renvoyer la balle, je serais un habile homme, car je ne les entreprends que par où ils sont les plus roides. Faire ce que j'ai découvert chez certains, se couvrir des armes d'autrui jusqu'à ne montrer pas seulement le bout de ses doigts, conduire son dessein, comme le font aisément les savants sur des matières communes sous couvert d'inventions anciennes rapiécées par-ci par-là, premièrement, de la part de ceux qui veulent ainsi cacher ces larcins et se les approprier, c'est de l'injustice et de la lâcheté en ce que, n'ayant rien de vaillant par où se produire, ils cherchent à se présenter avec une valeur purement empruntée ; et puis, grande sottise, se contenter de s'acquérir par tromperie l'ignorante approbation du vulgaire, c'est se décrier aux yeux des gens d'entendement qui hochent le nez devant cette incrustation empruntée, alors que d'eux seuls la louange a du poids. Pour ma part il n'est rien que je veuille moins faire. Je ne dis les autres, sinon pour d'autant plus me dire. Ceci ne vise pas les centons que l'on publie pour des centons, et j'en ai vu de très ingénieux en mon temps, entre autres un, sous le nom de Capilupus, outre ceux des anciens. Ce sont des esprits qui se font voir à la fois par ailleurs et par là, comme Juste Lipse dans le docte et laborieux tissu de ses *Politiques* [1]. Quoi qu'il en soit, veux-je dire, et quelles que soient ces inepties que j'écris, je n'ai pas délibéré de les cacher, non plus que je ne le ferais d'un mien portrait chauve et grisonnant où le peintre aurait mis non un visage parfait, mais le mien. Car aussi ce sont ici mes humeurs et mes opinions. Je les donne pour ce que je crois, non pour ce qui est à croire. Je ne vise ici qu'à découvrir qui je suis moi-même, moi qui d'aventure serai autre demain si de nouvelles leçons ne me changent. Je n'ai point l'autorité d'être cru, ni ne le désire, me sentant trop mal instruit pour instruire autrui.

Quelqu'un donc qui avait vu l'essai précédent me disait chez moi l'autre jour que j'aurais dû m'étendre un peu plus au sujet de l'institution [2] des enfants. À ce jour, Madame, si j'avais quelque compétence sur ce sujet, je ne pourrais mieux l'employer qu'en en faisant un présent à ce petit homme qui vous menace de faire bientôt une belle sortie de chez vous (vous êtes trop généreuse [3] pour commencer autrement que par un mâle), car ayant eu tant de part à la conduite de

---

1. Un centon, comme on sait, est un « pot-pourri » tissu comme à plaisir de citations ravaudées bout à bout. L'Antiquité tardive avait volontiers cultivé ce petit genre drolatique. Camille Capilupi est un auteur italien qui avait composé en 1543 un centon de citations de Virgile. Les *Politicorum siue ciuilis doctrinae libri VI* (1589) de Juste Lipse sont pour une bonne part une sorte de « digest » de jurisconsultes de l'Antiquité.

2. L'*institution* des enfants, entendons : leur « éducation » (cf. notre mot « *instituteur* »). Montaigne emploie aussi « nourrir » les enfants là où nous disons les « élever » ou les « éduquer ». Je garde ici tout au long ces deux mots de Montaigne.

3. Bien née.

votre mariage, j'ai quelque droit et quelque intérêt à la grandeur et à la prospérité de tout ce qui en viendra, outre que l'ancienne possession que vous avez sur ma servitude [1] m'oblige assez à désirer honneur, bien et avantage à tout ce qui vous touche. Mais à la vérité je n'y entends rien sinon que la plus grande et la plus importante difficulté pour l'humaine science semble être dans ce chapitre où l'on traite de la nourriture et de l'institution des enfants.

Tout ainsi qu'en agriculture les façons qui précèdent la plantation sont certaines et aisées, comme la plantation elle-même, mais qu'une fois que ce qui est planté vient à prendre vie, pour l'élever, il y a une grande variété de façons et de grandes difficultés, de même pour les hommes il faut peu d'industrie pour les planter, mais, une fois qu'ils sont nés, on se charge de maints soucis divers, pleins d'embesognement et de crainte, pour les dresser et les nourrir. La manifestation de leurs inclinations est si tendre en ce bas âge, et si obscure, les promesses si incertaines et si fausses qu'il est malaisé d'y établir aucun solide jugement. Voyez Cimon, voyez Thémistocle et mille autres, combien ils ont changé par rapport à eux-mêmes. Les petits des ours et des chiens montrent leur inclination naturelle, mais les hommes qui se jettent aussitôt dans des accoutumances, dans des opinions, dans des lois, se changent ou se déguisent facilement. Il est pourtant difficile de forcer les propensions naturelles. D'où il advient que, faute d'avoir bien choisi leur route, on se travaille souvent pour rien, et l'on emploie beaucoup d'âge à dresser des enfants à des choses dans lesquelles ils ne peuvent prendre pied. Toutefois, dans cette difficulté, mon opinion est de les acheminer toujours aux meilleures choses et aux plus profitables, et qu'on doit prêter peu d'attention à ces divinations et à ces prophéties à la légère que nous tirons des actions de leur enfance. Platon dans sa *République* me semble leur donner trop d'autorité.

Madame, c'est un grand ornement que la science, et un outil d'un merveilleux secours, notamment pour les personnes élevées dans un degré de fortune tel que celui où vous êtes. À la vérité, elle n'a point son véritable emploi entre des mains viles et basses. Elle est bien plus fière de prêter ses moyens à conduire une guerre, à commander un peuple, à pratiquer l'amitié d'un prince ou d'une nation étrangère qu'à dresser un argument dialectique, ou à plaider un appel ou ordonner un monceau de pilules. Ainsi, Madame, parce que je crois que vous n'oublierez pas cette partie dans l'institution des vôtres, vous qui

1. Montaigne avait une relation de client et d'obligé à cette famille des Foix-Candale, qui était la première de la noblesse de Guyenne. Voisin et ami de Louis de Foix, comte de Gurson, il avait été son représentant lors de son mariage.

en avez savouré la douceur, et qui êtes d'une race lettrée – car nous avons encore les écrits de ces anciens comtes de Foix d'où Monsieur le comte votre mari et vous êtes descendus, et François, monsieur de Candale [1], votre oncle, en fait naître tous les jours d'autres qui étendront la connaissance de cette qualité de votre famille sur plusieurs siècles –, je veux vous dire là-dessus la seule idée que j'ai contraire au commun usage. C'est tout ce que je puis apporter à votre service en cela.

La charge du gouverneur que vous lui donnerez, du choix duquel dépend tout l'effet de son institution, comporte plusieurs autres grandes parties, mais je n'y touche point, pour n'y savoir rien apporter qui vaille. Et sur le point sur lequel je me mêle de lui donner mon avis, il m'en croira autant qu'il y verra d'apparence. À un enfant de bonne maison qui recherche les lettres, non pour le gain – car une fin si abjecte est indigne de la grâce et de la faveur des Muses, et puis elle regarde autrui et en dépend –, ni tant pour les avantages extérieurs que pour les siens propres, et pour s'en enrichir et parer au-dedans, comme j'ai plutôt envie d'en faire un habile homme qu'un homme savant, je voudrais aussi qu'on fût soigneux de lui choisir un conducteur qui eût plutôt la tête bien faite que bien pleine, et qu'on y requît tous les deux, mais les mœurs et l'entendement plus que la science, et qu'il se conduisît dans sa charge d'une manière nouvelle. On ne cesse de criailler à nos oreilles d'enfants comme qui verserait dans un entonnoir, et notre charge ce n'est que redire ce qu'on nous a dit. Je voudrais qu'il corrigeât cette partie, et que, dès l'abord, selon la portée de l'âme qu'il a en main, il commençât à la mettre sur la montre [2], en lui faisant goûter les choses, en les lui faisant choisir et discerner par elle-même, quelquefois lui ouvrant le chemin, quelquefois le lui laissant ouvrir. Je ne veux pas qu'il invente et parle seul : je veux qu'il écoute son disciple parler à son tour. Socrate, et par la suite Arcésilas, faisaient d'abord parler leurs disciples, et puis ils leur parlaient. L'autorité de ceux qui enseignent la plupart du temps fait de l'ombre à

1. Une branche de la famille de Foix, les Foix-Candale, avait reçu du roi d'Angleterre le titre de comte de « Candale ». François de Foix-Candale, évêque d'Aire, qui fondera en 1591 la chaire de mathématique à la faculté des arts de Bordeaux, s'intéressait aux sciences ésotériques. Il venait de publier en 1579 une traduction d'*Hermès Trismégiste* intitulée *Le Pimandre*.

2. La « montre » : ici, la piste où le maquignon fait aller ses chevaux afin de montrer leurs allures au chaland. En général, la « montre » est l'étal du marchand. La comparaison hippique sera filée plus avant. Ces pages, ces formules sont si fameuses, et elles ont connu une telle fortune qu'on n'y saurait porter la main sans trembler !

ceux qui sont désireux d'apprendre *obest plerumque iis qui discere uolunt auctoritas eorum qui docent* [1]. Il est bon qu'il le fasse trotter devant lui, pour juger de son train, et juger jusqu'à quel point il doit se ravaler pour s'accommoder à sa force. Faute de cette proportion, nous gâtons tout. Et savoir la choisir et s'y porter avec la juste mesure, c'est une des besognes les plus ardues que je sache. C'est l'effet d'une âme haute et très forte que de savoir condescendre aux allures puériles de son élève et les guider : je marche plus ferme et plus sûr quand je vais à mont qu'à val ! Ceux qui, comme le veut notre usage, entreprennent, dans une même leçon et selon un même train, de régenter plusieurs esprits de mesures et de formes si diverses, ce n'est pas merveille si dans tout un peuple d'enfants ils en rencontrent à peine deux ou trois qui retirent quelque juste fruit de leur enseignement. Qu'il ne lui demande pas seulement compte des mots de sa leçon, mais du sens et de la substance. Et qu'il juge du profit qu'il aura fait non par le témoignage de sa mémoire, mais par celui de sa vie. Ce que l'élève viendra d'apprendre, qu'il le lui fasse mettre en cent visages et accommoder à autant de divers sujets, pour voir encore s'il l'a bien compris et fait sien, en ordonnant son progrès selon les idées pédagogiques de Platon. C'est preuve qu'elle est restée crue et n'a pas été digérée que de régurgiter la nourriture telle qu'on l'a avalée : l'estomac n'a pas fait son opération s'il n'a pas fait changer de façon et de forme ce qu'on lui avait donné à cuire. Notre âme ne s'ébranle qu'à crédit, liée et contrainte au bon plaisir des fantaisies d'autrui, serve et captive sous l'autorité de leur leçon. On nous a tant assujettis à la longe que nous n'avons plus d'allures franches, notre vigueur et notre liberté sont éteintes, jamais ils ne sont leurs propres tuteurs *numquam tutelæ suæ fiunt* [2]. Je vis en privé à Pise un honnête homme [3], mais si aristotélicien que le plus général de ses dogmes est que la pierre de touche et la règle de toutes les conceptions solides et de toute vérité, c'est la conformité à la doctrine d'Aristote ; que, hors de là, ce ne sont que chimères et inanité ; qu'Aristote a tout vu et tout dit. Cette sienne position, pour avoir été interprétée dans un sens un peu trop large et injustement, le mit autrefois et le tint longtemps en grand péril devant le tribunal de l'Inquisition à Rome. Qu'il lui fasse tout passer par l'étamine et ne loge rien dans sa tête par simple autorité et à crédit. Que les principes

1. Cicéron, *De natura deorum*, I, V, 10.

2. Sénèque, *Lettres à Lucilius*, 33, 10.

3. Le *Journal de voyage* de Montaigne donne le nom de cet aristotélicien : Girolamo Borro. Il était professeur de philosophie à l'université de Rome. Incarcéré sur arrêt de l'Inquisition, il dut quitter sa chaire.

d'Aristote ne soient pas plus ses principes que ceux des stoïciens ou des épicuriens. Qu'on lui propose cette diversité de jugements : il choisira s'il peut, sinon il en demeurera en doute.

Che non men che saper dubbiar m'aggrada [1]

Car non moins que savoir, douter aussi m'agrée.

Car s'il embrasse les opinions de Xénophon et de Platon par son propre raisonnement, ce ne seront plus les leurs, ce seront les siennes. Qui suit un autre, il ne suit rien, il ne trouve rien, voire il ne cherche rien. *Non sumus sub rege : sibi quisque se uindicet* [2] nous ne sommes pas sous un roi : que chacun dispose de soi-même ! Qu'il sache qu'il sait, au moins ! Il faut qu'il s'imbibe de leurs humeurs, non qu'il apprenne leurs préceptes, et qu'il oublie, hardiment s'il veut, d'où il les tient, mais qu'il sache se les approprier. La vérité et la raison sont communes à tout un chacun, et ne sont pas plus à qui les a dites en premier qu'à qui les dit après. Ce n'est pas plus selon Platon que selon moi, puisque lui et moi nous l'entendons et le voyons de même. Les abeilles pillotent deçà delà les fleurs, mais elles en font après le miel, qui est tout leur : ce n'est plus thym ni marjolaine. Ainsi les pièces empruntées à autrui, il les transformera et les fondra ensemble pour en faire un ouvrage tout à lui, à savoir son jugement : son institution, son travail et son étude ne visent qu'à le former. Qu'il cèle tout ce dont il a été secouru et ne montre que ce qu'il en a fait. Les pilleurs, les emprunteurs mettent en parade ce qu'ils ont bâti ou acheté, non pas ce qu'ils soustraient à autrui. Vous ne voyez pas les épices qu'a perçues un parlementaire [3], vous voyez les alliances et les honneurs qu'il a gagnés pour ses enfants. Nul ne met sa recette en compte public, chacun y met son acquêt. Le gain de notre étude, c'est d'en être devenu meilleur et plus sage.

C'est, disait Epicharme, l'entendement seul qui voit et qui oit [4], c'est l'entendement qui met tout à profit, qui dispose tout, qui agit, qui domine et qui règne : toutes les autres choses sont aveugles, sourdes et sans âme. Certes nous rendons notre élève servile et couard si nous ne lui laissons pas la liberté de rien faire par soi. Qui demanda jamais à son disciple ce qu'il pense personnellement de la rhétorique et de la grammaire, de telle ou telle sentence de Cicéron ? On nous les

1. Dante, *Enfer*, XI, 93.
2. Sénèque, *Lettres à Lucilius*, 33, 4.
3. Les « épices » étaient ces petits cadeaux qu'il était lors d'usage de faire aux magistrats de la cour, les « parlementaires », pour les concilier à sa cause.
4. Entend (verbe *ouïr*).

plaque dans la mémoire toutes empennées [1], comme des oracles où les caractères et les syllabes participent de la substance même de la chose. Savoir par cœur n'est pas savoir, c'est détenir ce qu'on a donné en garde à sa mémoire. Ce qu'on sait correctement, on en dispose sans regarder au modèle, sans tourner les yeux vers son livre. Fâcheuse compétence qu'une compétence purement livresque ! Je m'attends qu'elle serve d'ornement, non de fondement, suivant l'avis de Platon qui dit que la fermeté, la foi, la sincérité sont la vraie philosophie, et que les autres sciences, qui visent ailleurs, ne sont que fard. Je voudrais bien voir que le Paluel ou Pompée, ces beaux danseurs de mon temps, nous apprissent des cabrioles à les voir seulement faire, sans nous faire bouger de nos places, comme ceux-ci veulent instruire notre entendement sans le mettre en mouvement, ou qu'on nous apprît à manier un cheval, ou une pique, ou un luth, ou la voix sans nous y exercer, comme ceux-ci veulent nous apprendre à bien juger et à bien parler sans nous exercer à parler ni à juger. Or, dans cet apprentissage, tout ce qui se présente à nos yeux sert de livre suffisant : la malice d'un page, la sottise d'un valet, un propos de table, voilà autant de nouvelles matières.

Pour cette raison, le commerce des hommes y est merveilleusement propre, ainsi que la visite des pays étrangers, non pour en rapporter seulement, à la mode de notre noblesse française, combien de pas fait la *Santa Rotonda* [2], ou la magnificence des caleçons de la *Signora Livia* [3], ou comme d'autres, combien le visage de Néron, dans quelque vieille ruine de là-bas, est plus long ou plus large que celui de quelque médaille du même, mais pour en rapporter principalement les humeurs de ces nations et leurs façons, et pour frotter et limer notre cervelle contre celle d'autrui. Je voudrais qu'on commençât à le promener dès sa tendre enfance, et, premièrement, pour faire d'une pierre deux coups, par les nations voisines où le langage est le plus éloigné du nôtre, et auquel, si vous ne la formez de bonne heure, la langue ne peut se plier.

Aussi bien est-ce une opinion reçue de tout un chacun que ce n'est pas raison de nourrir un enfant au giron de ses parents. Cet amour naturel les attendrit trop, et il relâche même les plus sages : ils ne sont capables ni de châtier ses fautes, ni de le voir nourri à la dure comme il

1. « Déjà munies de leurs « pennes », *i.e* de leurs plumes », comme des flèches toutes prêtes dont on peut faire trait sans avoir d'abord à les tailler, épointer et emplumer soi-même.

2. Le Panthéon d'Agrippa, à Rome, devenu Sainte-Marie-aux-Martyrs.

3. Nom réel ou imaginé d'une courtisane romaine typique.

faut, et hasardeusement. Ils ne sauraient souffrir qu'il revienne suant et poudreux de son exercice, qu'il boive chaud, qu'il boive froid, ni de le voir sur un cheval rétif, ni face à un rude tireur, le fleuret ou sa première arquebuse au poing. Car il n'y a pas d'autre remède : si l'on veut en faire un homme de bien, sans nul doute il ne faut pas l'épargner durant sa jeunesse, et il faut souvent heurter les règles de la médecine,

Oui, qu'il vive donc au grand air
Et dans l'action trépidante

uitamque sub dio et trepidis agat
In rebus. [1]

Ce n'est pas assez de lui roidir l'âme, il faut aussi lui roidir les muscles. L'âme est trop oppressée si elle n'est secondée, et elle a trop à faire si elle doit seule fournir à deux offices. Je sais combien la mienne ahane en compagnie d'un corps si tendre, si sensible, qui se laisse si fort aller sur elle. Et je m'aperçois souvent dans mes lectures que mes maîtres, dans leurs écrits, font valoir pour de la magnanimité et de la force de courage des exemples qui souvent tiennent plus de l'épaississement de la peau et de la dureté des os. J'ai vu des hommes, des femmes et des enfants ainsi nés qu'une bastonnade leur est moins qu'à moi une chiquenaude, qui ne remuent ni langue ni sourcil aux coups qu'on leur donne. Quand les athlètes contrefont les philosophes en endurance, c'est plutôt vigueur de muscles que de cœur. Or l'accoutumance à supporter le travail est accoutumance à supporter la douleur : *labor callum obducit dolori* [2] le labeur oppose le cal à la douleur. Il faut le rompre à la peine et à l'âpreté des exercices pour le dresser à la peine et à l'âpreté de la luxation, de la colique, du cautère, et de la geôle aussi, et de la torture. Car il peut être encore exposé à ces deux dernières-ci qui concernent les bons comme les méchants, selon les temps : nous en faisons l'épreuve ; quiconque combat les lois menace les gens de bien du fouet et de la corde. Et puis, l'autorité du gouverneur, qui doit être souveraine sur lui, s'interrompt et s'empêche par la présence des parents. Sans compter que ce respect que la famille lui porte, la connaissance des moyens et des grandeurs de sa maison, ce ne sont pas, à mon sens, de légères incommodités à cet âge-là.

Dans cette école du commerce des hommes, j'ai souvent remarqué ce vice qu'au lieu de chercher à connaître l'autre, nous ne travaillons qu'à nous faire connaître, et nous sommes plus soucieux de débiter

1. Horace, *Odes*, III, II, 5-6.
2. Cicéron, *Tusculanes*, II, XV, 36.

notre marchandise que d'en acquérir de nouvelle. Le silence et la modestie sont des qualités très commodes à la conversation. On dressera cet enfant à épargner et ménager son savoir quand il en aura acquis, à ne se formaliser point des sottises et des fables que l'on dira en sa présence, car c'est une incivile importunité de s'en prendre à tout ce qui n'est pas de notre goût. Qu'il se contente de se corriger lui-même, et qu'il ne semble pas reprocher à autrui tout ce qu'il se refuse à faire, ni contrevenir aux mœurs publiques. *Licet sapere sine pompa, sine inuidia* [1] on peut être sage sans ostentation, sans acrimonie. Qu'il fuie ces mines à vouloir régenter le monde, si inciviles, et cette puérile ambition de vouloir paraître plus fin en se montrant différent, et de prétendre s'acquérir par ses critiques la réputation d'avoir quelque mérite particulier, comme si ce fût une rare marchandise que les critiques et les nouvelletés. Comme il ne sied qu'aux grands poètes d'user des licences de l'art, aussi n'est-il supportable que chez grandes âmes illustres de s'accorder des privilèges au-dessus de la coutume. S'il est arrivé à un Socrate, à un Aristippe de s'écarter de la coutume et de l'usage, qu'il ne se croie pas autorisé à faire de même : ceux-là en effet méritaient cette liberté par des qualités éminentes et divines *Siquid Socrate et Aristippus contra morem et consuetudinem fecerunt, idem sibi ne arbitretur licere, magnis enim illi et diuinis bonis hanc licentiam assequebantur* [2]. On lui apprendra à ne se mettre à raisonner et à discuter que là où il verra un champion digne de sa lutte, et, lors même, à n'employer pas tous les tours qui peuvent lui servir, mais ceux-là seulement qui lui peuvent le plus servir. Qu'on le rende délicat dans le choix et tri de ses raisons en lui apprenant à aimer la pertinence, et par conséquent la brièveté. Qu'on l'instruise surtout à se rendre et à quitter les armes devant la vérité, tout aussitôt qu'il l'aura aperçue, soit qu'elle naisse des mains de son adversaire, soit qu'elle naisse en lui-même si quelquefois il se ravise. Car on ne va pas le mettre en chaire pour dire un rôle écrit d'avance, il n'est engagé à aucune cause [3] sinon parce qu'il l'approuve, et il ne sera pas non plus du métier où l'on vend à purs deniers comptants la liberté de pouvoir se repentir et reconnaître ses torts [4], aucune nécessité ne le force à défendre des idées qu'on lui aurait prescrites et imposées *neque ut omnia quæ præscripta et imperata sint defendat necessitate ulla cogitur* [5].

Si son gouverneur tient de mon humeur, il lui formera la volonté à être un serviteur très loyal de son prince, et très affectionné, et très

1. Sénèque, *Lettres à Lucilius*, 103, 5, fin.
2. Cicéron, *De officiis,* I, XLI, 148.
3. À aucune cause partisane, politique ou religieuse.
4. Avocat.
5. Cicéron, *Premiers Académiques*, II, III, 8.

courageux, mais il lui refroidira l'envie de s'y attacher autrement que par un devoir public. Outre plusieurs autres inconvénients qui blessent notre liberté, par ces obligations particulières le jugement d'un homme gagé et acheté ou bien est moins entier et moins libre, ou bien est entaché à la fois d'imprudence et d'ingratitude. Un pur courtisan ne peut avoir ni loisir ni volonté de parler et de penser que favorablement d'un maître qui, parmi tant de milliers d'autres sujets, l'a choisi pour le nourrir et l'élever de sa main. Cette faveur et cet intérêt corrompent, non sans quelque raison, sa franchise et l'éblouissent. Aussi voit-on coutumièrement que le langage de ces gens-là diffère de tout autre langage dans un État, et qu'il est de peu de foi en une telle matière.

Que sa conscience et sa vertu éclatent dans son parler et n'aient que la raison pour les conduire. Qu'on lui fasse entendre que confesser la faute qu'il découvrira dans son propre raisonnement, encore qu'elle ne soit aperçue que par lui, est une preuve de jugement et de sincérité, qui sont les principales qualités qu'il recherche ; que s'opiniâtrer et contester sont des manières communes, plus apparentes chez les âmes les plus basses ; que se raviser et se corriger, qu'abandonner un mauvais parti dans le fort de son ardeur, ce sont des qualités rares, fortes, et philosophiques.

On l'avertira, quand il sera en compagnie, d'avoir les yeux partout, car je vois que les premiers sièges sont communément accaparés par les hommes de moindre mérite, et que les grandeurs d'établissement ne se trouvent guère jointes au talent. J'ai vu, cependant qu'on s'entretenait au haut bout d'une table de la beauté d'une tapisserie ou du goût du malvoisie, se perdre beaucoup de beaux traits à l'autre bout. Il sondera la portée de chacun : un bouvier, un maçon, un passant, il faut tout mettre en besogne, et emprunter à chacun selon sa marchandise, car tout sert en ménage, la sottise même, et la faiblesse d'autrui lui servira d'instruction. À observer les grâces et les bonnes façons de chacun, il fera naître en lui l'envie des bonnes et le mépris des mauvaises. Qu'on lui mette dans l'esprit une honnête curiosité de s'enquérir de toutes choses. Tout ce qu'il y aura de singulier autour de lui, il le verra : un bâtiment, une fontaine, un homme, le lieu d'une bataille ancienne, le passage de César ou de Charlemagne,

Quelle terre est gourde de gel, quelle est de chaud flétrie,
Quel vent porte avec faveur nos voiles vers l'Italie

Quæ tellus sit lenta gelu, quæ putris ab æstu,
Ventus in Italiam quis bene uela ferat. [1]

1. Properce, IV, III, 39-40.

Il s'enquerra des mœurs, des moyens et des alliances de ce prince, et de celui-là. Ce sont des choses très plaisantes à apprendre et très utiles à savoir. Dans cette pratique des hommes, j'entends y comprendre, et principalement ceux qui ne vivent que dans la mémoire des livres. L'élève pratiquera à travers l'histoire ces grandes âmes des meilleurs siècles. C'est une étude vaine si l'on veut, mais si on le veut aussi, c'est une étude d'un fruit estimable, et la seule étude, comme dit Platon, que les Lacédémoniens eussent réservée pour leur part. Quel profit ne fera-t-il dans cette part-là à la lecture des *Vies* de notre Plutarque ? Mais que mon guide se souvienne où vise sa charge, et qu'il n'imprime pas tant à son disciple la date de la ruine de Carthage que les mœurs d'Hannibal et de Scipion, ni tant où mourut Marcellus que pourquoi il fut indigne de son devoir qu'il mourût là [1]. Qu'il ne lui apprenne pas tant les histoires qu'à en juger. C'est à mon sens, entre toutes, la matière à laquelle nos esprits s'appliquent de la façon la plus diverse. J'ai lu dans Tite-Live cent choses que tel n'y a pas lues. Plutarque y en a lu cent, outre ce que j'y ai su lire, et d'aventure outre ce que l'auteur y avait mis. Pour certains, c'est une simple étude littéraire, pour d'autres, c'est la dissection de la philosophie, par laquelle on pénètre les parties les plus secrètes de notre nature. Il y a dans Plutarque beaucoup de discours étendus très dignes d'être sus, car à mon gré c'est le maître ouvrier en pareille besogne, mais il y a mille sujets qu'il n'a que touchés simplement ; il pointe seulement du doigt par où nous irons, s'il nous plaît, et se contente quelquefois de ne porter qu'un coup dans le plus vif d'un propos. Il faut arracher ces questions de là et les mettre en place marchande. Comme ce mot de lui que les habitants de l'Asie étaient serfs d'un seul pour ne savoir prononcer cette seule syllabe qui est « *Non !* », donna peut être la matière et l'occasion à la Boétie de sa *Servitude volontaire*. Le fait même de lui voir choisir une légère action dans la vie d'un homme, ou un mot qui semble ne porter pas cela, vaut une réflexion. C'est dommage que les gens d'entendement aiment tant la brièveté : sans doute leur réputation en vaut mieux, mais nous en valons moins. Plutarque aime mieux que nous le vantions de son jugement que de son savoir, il aime mieux nous laisser désir de lui que satiété. Il savait que même dans les choses bonnes on peut trop dire, et qu'Alexandridas reprocha justement à celui qui tenait aux éphores [2] de bons propos, mais trop longs : « ô étranger, tu dis ce qu'il faut autrement qu'il ne faut. » Ceux qui

1. Marcellus (268-208) : vainqueur des Gaulois, il prit Syracuse, et affronta Hannibal après Cannes. Couvert de gloire, il mourut dans une embuscade.

2. Magistrats de Sparte.

ont le corps grêle le grossissent de rembourrures, ceux qui ont le fonds maigre l'enflent de paroles.

Il se tire une merveilleuse clarté pour le jugement humain de la fréquentation du monde. Nous sommes tous contraints et amoncelés en nous, et nous avons la vue raccourcie à la longueur de notre nez. On demandait à Socrate d'où il était : il ne répondit pas d'Athènes, mais du monde. Lui qui avait l'imagination plus pleine et plus étendue embrassait l'univers comme sa ville, destinait ses connaissances, sa société et ses affections à tout le genre humain, non pas comme nous qui ne regardons que sous nous. Quand les vignes gèlent dans mon village, mon prêtre en conclut à l'ire de Dieu sur la race humaine, et croit que la pépie tient déjà les cannibales. À voir nos guerres civiles, qui ne crie que notre machine ronde se bouleverse et que le jour du Jugement nous prend au collet sans s'aviser que plusieurs pires choses se sont vues et que les dix mille parts du monde ne laissent pas de prendre du bon temps pendant ce temps ? Moi, à voir la licence de nos guerres et leur impunité, je m'étonne de les voir si douces et si peu rudes. À qui la grêle tombe sur la tête, tout l'hémisphère semble être en tempête et sous l'orage. Et ce Savoyard disait bien que si ce sot de roi de France avait su bien conduire sa fortune, il était homme à devenir maître d'hôtel de son duc ! Son imagination ne concevait d'autre grandeur plus élevée que celle de son maître. Nous sommes insensiblement tous dans cette erreur, erreur de grande conséquence et fort préjudiciable. Mais qui se représente comme dans un tableau cette grande image de notre mère nature, en son entière majesté, qui lit en son visage une si générale et constante variété, qui se remarque là-dedans, et non soi seulement mais tout un royaume, comme un trait d'une pointe très délicate, celui-là seul estime les choses selon leur juste grandeur. Ce grand monde, que les uns multiplient encore comme espèces sous un genre, c'est le miroir où il nous faut regarder pour nous connaître sous le bon biais : somme toute, je veux que ce soit là le livre de mon écolier. Tant d'humeurs, de sectes, de jugements, d'opinions, de lois, et de coutumes nous apprennent à juger sainement des nôtres, et apprennent notre jugement à reconnaître son imperfection et sa naturelle faiblesse, ce qui n'est pas un léger apprentissage. Tant de remuements d'État et de changements de la fortune publique nous instruisent à ne faire pas grand miracle de la nôtre. Tant de noms, tant de victoires et de conquêtes ensevelies sous l'oubli rendent ridicule l'espérance d'éterniser notre nom par la prise de dix argoulets [1] et

1. Archers ou arquebusiers à cheval, mercenaires, et méprisés par les chevaliers lanciers.

d'un poulailler [1] qui n'est connu que par sa chute. L'orgueil et la fierté de tant de pompes étrangères, la majesté si enflée de tant de cours et de grandeurs, nous affermit et assure la vue à soutenir l'éclat des nôtres sans ciller les yeux. Tant de trillions d'hommes enterrés avant nous nous encouragent à ne pas craindre d'aller trouver si bonne compagnie en l'autre monde, ainsi du reste. Notre vie, disait Pythagore, ressemble à la grande et populeuse assemblée des Jeux Olympiques : les uns exercent le corps pour en acquérir la gloire des jeux, d'autres y portent des marchandises à vendre pour le gain ; il en est, et ce ne sont pas les pires, qui n'y cherchent d'autre fruit que de regarder comment et pourquoi chaque chose se fait et d'être spectateurs de la vie des autres hommes pour en juger et régler la leur.

Aux exemples se pourront proprement assortir tous les discours les plus profitables de la philosophie, d'après laquelle les actions humaines doivent s'évaluer comme d'après leur règle. On lui dira :

Quels vœux lui sont permis ; ce que vaut un rude sou
Et combien il sied qu'il donne à sa patrie,
Comme à ses chers aimés ; qui lui enjoint d'être le dieu,
Et, dans la masse humaine, où se trouve son lieu...
Qui donc nous sommes, nous, et nés pour quelle vie

Quid fas optare, quid asper
Utile nummus habet, patriæ carisque propinquis
Quantum elargiri deceat, quem te deus esse
Jussit, et humana qua parte locatus es in re,
Quid sumus, aut quidnam uicturi gignimur, [2]

ce que c'est que savoir et ignorer, ce qui doit être le but de l'étude, ce que c'est que vaillance, tempérance et justice, ce qui diffère entre l'ambition et l'avidité, la servitude et l'obéissance, la licence et la liberté, à quelles marques on reconnaît le bonheur véritable et solide, jusqu'où il faut craindre la mort, la douleur et la honte,

Et comment fuir ou supporter chacune de nos peines

Et quo quemque modo fugiatque feratque laborem, [3]

quels ressors nous meuvent, et le moyen de tant divers branles en nous. Car il me semble que les premiers discours dont on lui doit abreuver l'entendement, ce doivent être ceux qui règlent ses mœurs et son bon sens, ceux qui lui apprendront à se connaître et à savoir bien

1. Bicoque (au sens militaire) : minuscule fortin.
2. Perse, III, 69-72, puis 67.
3. Virgile, *Énéide*, III, 459.

mourir et bien vivre. Entre les arts libéraux [1], commençons donc par l'art qui nous fait libres ! Ils servent tous vraiment en quelque façon à l'instruction de notre vie et à son usage, comme toutes les autres choses y servent en quelque façon aussi, mais choisissons celui qui y sert directement et expressément.

Si nous savions restreindre ce qui appartient à notre vie à ses justes et naturelles limites, nous trouverions que la meilleure part des sciences qui sont en usage est hors de notre usage, et que, dans celles mêmes qui le sont, il y a des étendues et des renfoncements très inutiles que nous ferions mieux de laisser là, et nous verrions que, suivant la leçon de Socrate, nous devrions borner le cours de notre étude pour éviter de pénétrer dans ces recoins dès le moment où l'utilité fait défaut :

ose être sage,
Commence ! Qui du vivre droit va retarder les jours
Attend, gros rustaud, que du fleuve ait pris fin le décours,
Or il coule et ses eaux rouleront jusqu'au bout de l'âge

sapere aude,
Incipe, uiuendi qui recte prorogat horam,
Rusticus expectat dum defluat amnis, at ille
Labitur, et labetur in omne uolubilis æuum : [2]

C'est une grande simplicité que d'apprendre à nos enfants :

L'influence des Poissons, de la constellation si coléreuse du Lion,
Ou du Capricorne qui plonge en la mer d'Hespérie

Quid moueant pisces, animosaque signa leonis,
Lautus et Hesperia quid capricornus aqua, [3]

la science des astres et le mouvement de la huitième sphère avant que les leurs propres,

Qu'ai-je à faire, moi, des Pléiades ?
Et de la constellation du Bouvier ?

Τί πλειαδεσσι κἀμοί,
Τί δ ' ἀστρασι βοωτέω ; [4]

1. Montaigne joue sur les mots. Par opposition aux « arts mécaniques », réservés aux serfs, les « arts libéraux » étaient ceux que pouvait exercer un homme libre (droit, médecine, lettres). Dans le cursus scolaire, ils comprenaient grammaire, rhétorique et dialectique, puis arithmétique, géométrie, astronomie et musique.
2. Horace, *Épîtres*, I, II, 40-43
3. Properce, IV, I, 85-86.
4. *Anacreontea*, IV, 10-12.

Anaximène écrivait à Pythagore : « Quel serait mon jugement si je pouvais m'amuser aux secrets des étoiles en ayant la mort ou la servitude toujours présente aux yeux ? », car alors les rois de Perse préparaient la guerre contre son pays. Chacun doit dire ainsi : « Assailli par l'ambition, la cupidité, la légèreté, la superstition, et ayant au-dedans de pareils autres ennemis de la vie, irai-je songer au branle du monde ? »

Après qu'on lui aura appris ce qui sert à le rendre plus sage et meilleur, on l'entretiendra de ce que c'est que logique, physique, géométrie, rhétorique, et la science qu'il choisira, ayant déjà le jugement formé, il en viendra bientôt à bout. Sa leçon se fera tantôt par la conversation, tantôt par le livre ; tantôt son gouverneur lui fournira le texte de l'auteur même propre à cette fin de son instruction, tantôt il lui en donnera la moelle et la substance toute mâchée. Et si par lui-même il n'est pas assez familier des livres pour y trouver tant de beaux discours qui y sont, on pourra, pour l'effet de son dessein, lui adjoindre quelque homme de lettres qui, à chaque besoin, puisse fournir les munitions qu'il faudra pour les distribuer et dispenser à son nourrisson. Et que cette leçon ne soit plus aisée et plus naturelle que celle de Gaza [1], qui peut en douter ? Chez ce grammairien, ce ne sont que des préceptes épineux et mal plaisants et des mots vains et décharnés où il n'y a point de prise, rien qui vous éveille l'esprit : dans la leçon que je conseille, l'âme trouve où mordre, où se paître. Le fruit est plus grand sans comparaison, et ainsi sera plus tôt mûri.

C'est un accident singulier que les choses dans notre siècle en soient là que la philosophie soit, jusque pour les gens d'entendement, un nom vain et chimérique qui ne se trouve d'aucun usage et de nul prix pour l'opinion comme de fait. Je crois que les *ergotismes* en sont la cause qui ont envahi ses avenues. On a grand tort de la peindre inaccessible aux enfants, et sous un visage renfrogné, sourcilleux et terrible : qui me l'a masquée de ce faux visage pâle et hideux ? Il n'est rien de plus gai, de plus gaillard, de plus enjoué, et peu s'en faut que je ne dise folâtre. Elle ne prêche que fête et bon temps ! Une mine triste et transie montre que ce n'est pas là son gîte. Le grammairien Démétrios rencontrant dans le temple de Delphes une troupe de philosophes assis ensemble, il leur dit : « Ou je me trompe, ou à vous voir la

---

1. Théodore Gaza, érudit grec venu enseigner en Italie en 1444. Il est, entre autres, l'auteur d'une grammaire grecque qui était encore en usage ans les collèges au temps de la jeunesse de Montaigne (on conserve encore son exemplaire). Un chef-d'œuvre d'aridité grammairienne, qui faisait pâlir tous les enfants sur leurs aoristes.

mine si paisible et si gaie, vous n'êtes pas en grand discours entre vous. » À quoi l'un d'eux, Héracléon de Mégare, répondit : « C'est à faire à ceux qui cherchent si le futur du verbe βάλλω a double λ, ou qui cherchent la dérivation des comparatifs χεῖϱον et βέλτιον, et des superlatifs χεῖϱιστον et βέλτιοντον de se rider le front en s'entretenant de leur science, mais quant aux discours de la philosophie, ils ont accoutumé d'égayer et de réjouir ceux qui les traitent, non de les renfrogner et contrister » :

On peut surprendre les tourments de l'âme au fond d'un corps
Malade, l'on y surprend les joies aussi : le visage
Prend de fait tantôt l'une et tantôt l'autre image

Deprendas animi tormenta latentis in ægro
Corpore, deprendas et gaudia, sumit utrumque
Inde habitum facies. [1]

L'âme qui loge la philosophie doit par sa santé rendre sain encore le corps. Elle doit faire luire jusqu'au-dehors son repos et son aise. Elle doit former à son moule le port extérieur et l'armer par conséquent d'une gracieuse fierté, d'un maintien actif et allègre, et d'une contenance constante et débonnaire. La plus expresse marque de la sagesse, c'est une réjouissance constante, son état est comme celui des choses au-dessus de la lune, toujours serein. C'est *Baroco* et *Baralipton* [2] qui rendent leurs suppôts ainsi crottés et enfumés, ce n'est pas elle : ils ne la connaissent que par ouï-dire. Comment ! elle fait état de rasséréner les tempêtes de l'âme et d'apprendre à rire à la faim et aux fièvres, non par quelques épicycles imaginaires, mais par des raisons naturelles et palpables. Elle a pour but la vertu, qui n'est pas, comme dit l'école, plantée au haut d'un mont abrupt, raboteux et inaccessible. Ceux qui l'ont approchée tiennent au rebours qu'elle loge sur un beau plateau, fertile et fleurissant, d'où elle voit bien sous soi toutes choses, mais qui en connaît l'adresse peut y arriver par des routes ombragées, gazonnées et fleurant doux, de façon plaisante, et par une pente facile et unie, comme l'est celle des voûtes célestes. Pour n'avoir pas hanté cette vertu suprême, belle, triomphante, amoureuse, délicieuse pareillement, et courageuse, ennemie avouée et irréconciliable de l'aigreur, du déplaisir, de la crainte, et de la contrainte, qui a pour guide Nature, Fortune et Volupté pour compagnes, ils sont allés avec leur faiblesse feindre cette sotte image, triste, querelleuse, dépite, menaçante,

1. Juvénal, IX, 18-20.

2. Termes pédants, caractéristiques du formalisme desséché de la dialectique médiévale, qui désignaient deux formes de syllogismes.

mineuse, et la placer sur un rocher à l'écart, au milieu des ronces, fantôme propre à frapper les gens de stupeur !

Mon gouverneur, qui sait devoir remplir la volonté de son disciple autant ou plus d'affection que de révérence envers la vertu, lui saura dire que les poètes suivent les humeurs communes, et lui faire toucher du doigt que les dieux ont mis la sueur dans les avenues qui mènent aux cabinets de Vénus plutôt qu'au séjour de Pallas. Et quand il commencera de se connaître, lui présentant Bradamante ou Angélique [1] pour maîtresse à jouir, l'une d'une beauté naïve, active, généreuse, non pas hommasse mais virile, auprès de l'autre, d'une beauté molle, affétée, délicate, artificielle, l'une travestie en garçon, coiffée d'un casque luisant, l'autre vêtue en fille, coiffée d'un bonnet emperlé, il jugera mâle son amour même s'il choisit tout autrement que cet efféminé pasteur de Phrygie [2]. Il lui fera cette nouvelle leçon que le prix et la hauteur de la vraie vertu est dans la facilité, l'utilité et le plaisir de son exercice, qu'elle est si exempte de difficulté que les enfants en sont aussi capables que les hommes, les simples autant que les subtils. La retenue est son outil, non pas la force. Socrate, son premier amant, renonce volontairement à sa force pour se couler dans la naïveté et l'aisance de son progrès. C'est la mère nourrice des plaisirs humains. En les rendant justes, elle les rend sûrs et purs. En les modérant, elle les tient en haleine et en appétit. En retranchant ceux qu'elle refuse, elle aiguise notre désir envers ceux qu'elle nous laisse, et elle nous laisse abondamment tous ceux que veut Nature, et jusqu'à la satiété, sinon jusqu'à la lassitude, maternellement, sauf si d'aventure nous voulons dire que le régime qui arrête le buveur avant l'ivresse, le mangeur avant l'aigreur d'estomac, le paillard avant la pelade soit ennemi de nos plaisirs. Si la fortune commune lui fait faute, elle lui échappe, ou elle s'en passe et s'en forge une autre toute sienne, et non plus flottante et houleuse. Elle sait être riche, et puissante, et savante, et coucher sur des matelas parfumés. Elle aime la vie, elle aime la beauté, la gloire, et la santé. Mais son office propre et particulier, c'est de savoir user de ces biens-là de façon réglée et de savoir les perdre avec constance : exigence bien plus noble que rude, sans laquelle tout cours de vie est dénaturé, turbulent et difforme, de sorte que l'on y peut justement attacher ces fameux rochers, ces ronces et ces monstres !

1. Bradamante et Angélique : deux héroïnes du *Roland furieux* de l'Arioste, Bradamante figurant la beauté gaillarde et « virile », Angélique la beauté affétée et captieuse. *Orlando furioso* était alors un best-seller de la littérature romanesque.

2. Pâris, qui déclencha la guerre de Troie en préférant Vénus (la beauté féminine) à Minerve (la beauté de la sagesse).

Si ce disciple se trouve être d'une nature si singulière qu'il aime mieux ouïr une fable que la narration d'un beau voyage, ou un sage propos quand il pourra le comprendre ; s'il est ainsi fait qu'au son du tambourin qui arme la jeune ardeur de ses compagnons il se détourne vers un autre qui l'appelle au jeu des bateleurs ; si par goût il ne trouve pas plus plaisant et plus doux de revenir poudreux et victorieux d'un combat que de la paume ou du bal, avec le prix de cet exercice, je n'y trouve d'autre remède, sinon qu'on le mette pâtissier dans quelque bonne ville, fût-il fils d'un duc, suivant le précepte de Platon qu'il faut placer les enfants non selon les facultés de leur père, mais selon les facultés de leur âme. Puisque la philosophie est celle qui nous instruit à vivre, et que l'enfance y a sa leçon comme les autres âges, pourquoi ne la lui communique-t-on ?

C'est là, là que l'on doit, quand humide et molle est l'argile
Se hâter et sans fin le pétrir sur la roue agile

Udum et molle lutum est, nunc, nunc properandus, et acri
Fingendus sine fine rota. [1]

On nous apprend à vivre quand la vie est passée ! Cent écoliers ont pris la vérole avant que d'en être arrivés à leur leçon d'Aristote sur la tempérance. Cicéron disait que, quand il vivrait la vie de deux hommes, il ne prendrait pas le loisir d'étudier les poètes lyriques. Et je trouve ces *ergotistes* plus tristement inutiles encore. Notre enfant est bien plus pressé, il ne doit au pédagogisme que les premiers quinze ou seize ans de sa vie, le demeurant est dû à l'action. Employons un temps si court aux instructions nécessaires. Ce sont des abus : ôtez toutes ces subtilités épineuses de la dialectique, par quoi notre vie ne peut s'amender ; prenez les simples discours de la philosophie, sachez les choisir et les traiter à point nommé : ils sont plus aisés à concevoir qu'un conte de Boccace. Un enfant en est capable au partir de la nourrice, beaucoup mieux que d'apprendre à lire ou écrire. La philosophie a des discours pour la naissance des hommes, comme pour leur décrépitude.

Je suis de l'avis de Plutarque qu'Aristote n'amusa pas tant son éminent disciple à l'art de composer des syllogismes ou aux principes de la géométrie qu'à l'instruire des bons préceptes touchant la vaillance, la prouesse, la magnanimité et la tempérance, et l'assurance de ne rien craindre. Et ainsi muni, il l'envoya encore enfant subjuguer l'empire du monde avec 30 000 hommes de pied, 4 000 chevaux, et quarante-deux mille écus seulement. Les autres arts et sciences, dit-il,

1. Perse, III, 23-24.

Alexandre les honorait bien, et il louait leur excellence et leur noblesse, mais quelque plaisir qu'il y prît, il n'était pas homme à se laisser facilement surprendre par la tentation de vouloir les exercer :

Guignez par là, jeunes et vieux,
Un but certain pour l'âme, et votre viatique pour l'âge misérable et chenu

petite hinc iuuenesque senesque
Finem animo certum, miserique uiatica canis. [1]

C'est ce que disait Épicure au commencement de sa lettre à Ménécée : « Que ni le plus jeune fuie de philosopher, ni le plus vieux s'y lasse. Qui fait autrement semble dire ou qu'il n'est pas encore en âge de vivre heureux, ou qu'il n'en a plus l'âge. »

Pour tout ceci, je ne veux pas qu'on emprisonne ce garçon. Je ne veux pas qu'on l'abandonne à la colère et à l'humeur mélancolique d'un maître d'école furibond. Je ne veux pas corrompre son esprit à le tenir à la géhenne et au travail, à la mode des autres, quatorze ou quinze heures par jour comme un portefaix. Et je ne trouverais pas bon non plus qu'on la lui nourrît, pour le cas où, sous l'effet d'un tempérament solitaire et mélancolique, on le verrait s'adonner avec une application trop indiscrète à l'étude des livres. Cela les rend ineptes à la conversation civile, et les détourne de meilleures occupations. Et combien ai-je vu de mon temps d'hommes abêtis, par leur téméraire avidité de science ? Carnéade en devint si fou qu'il n'avait plus le loisir de se faire le poil et les ongles. Je ne veux pas non plus gâter ses mœurs généreuses par l'incivilité et la barbarie d'autrui. La sagesse française passait proverbialement jadis pour une sagesse qui commençait de bonne heure et n'avait guère de durée. À la vérité, nous voyons encore qu'il n'est rien d'aussi noble et gracieux que les petits enfants en France, mais ordinairement ils trompent l'espérance qu'on en avait conçue, et, devenus hommes faits, on n'y voit aucune excellence. J'ai ouï soutenir par des gens d'entendement que ce sont ces collèges où on les envoie, dont il y a foison, qui les abrutissent ainsi. Pour le nôtre, un cabinet ou un jardin, la table ou le lit, la solitude ou la compagnie, le matin ou le soir, toutes les heures lui seront unes, tous les lieux lui seront salle d'étude, car la philosophie, qui comme formatrice du jugement et des mœurs sera sa principale leçon, a ce privilège de trouver matière partout. L'orateur Isocrate fut prié au cours d'un festin de parler de son art, et chacun trouve qu'il eut raison de répondre : « Il n'est pas maintenant temps de parler de

1. Perse, V, 64-65.

ce que je sais faire, et ce dont il est maintenant temps, je ne le sais pas faire. » Car de présenter des harangues ou des disputes de rhétorique à une compagnie assemblée pour rire et faire bonne chère, ce serait un mélange d'un trop mauvais accord. Et autant en pourrait-on dire de toutes les autres sciences. Mais pour ce qui est la philosophie, dans la partie où elle traite de l'homme et de ses devoirs et offices, ça a été le jugement commun de tous les sages que, pour la douceur de sa conversation, elle ne devait être refusée ni aux festins ni aux jeux. Et Platon l'ayant invitée à son *Banquet*, nous voyons comme elle entretient l'assistance d'une façon douce et accommodée au moment et au lieu, quoique ce soit l'un de ses plus hauts discours et des plus salutaires :

Elle sert tout autant aux riches qu'aux nécessiteux,
La négliger portera tort tant aux enfants qu'aux vieux

Aeque pauperibus prodest, locupletibus aeque,
Et neglecta aeque pueris senibusque nocebit. [1]

Ainsi sans aucun doute il chômera moins que les autres, mais de même que les pas que nous faisons en nous promenant dans une galerie, quoiqu'il y en ait trois fois plus, ne nous lassent pas autant que ceux que nous employons à suivre quelque chemin assigné, de même notre leçon se passant comme par rencontre, sans obligation de temps et de lieu, et se mêlant à toutes nos actions, se coulera sans se faire sentir. Les jeux mêmes et les exercices seront une bonne partie de l'étude : la course, la lutte, la musique, la danse, la chasse, le maniement des chevaux et des armes. Je veux que la bienséance extérieure, et l'entregent, et la disposition de la personne se façonnent en même temps que l'âme. Ce n'est pas une âme, ce n'est pas un corps que l'on dresse, c'est un homme : il n'en faut pas faire deux. Et, comme dit Platon, il ne faut pas les dresser l'un sans l'autre, mais les conduire également, comme une paire de chevaux attelés au même timon. Et quand on l'écoute ne semble-t-il pas accorder plus de temps et de soin aux exercices du corps, et estimer que l'esprit s'exerce avec lui, et non pas le contraire ?

Au demeurant, cette institution doit être conduite avec une sévère douceur, et non pas comme l'on fait. Au lieu de convier les enfants aux lettres, on ne leur présente, à la vérité, qu'horreur et cruauté. Ôtez-moi la violence et la force ! Il n'est rien à mon avis qui abâtardisse et étourdisse aussi fortement une nature bien née. Si vous avez envie qu'il craigne la honte et le châtiment, ne l'y endurcissez pas. Endurcissez-le à la sueur et au froid, au vent, au soleil et aux hasards

1. Horace, *Épîtres*, I, I, 25-26.

qu'il lui faut mépriser ; ôtez-lui toute mollesse et toute délicatesse dans le vêtir et le coucher, dans le manger et le boire, accoutumez-le à tout. Que ce ne soit pas un beau garçon dameret, mais un garçon vert et vigoureux. Enfant, homme, vieux, j'ai toujours cru et jugé de même, mais, entre autres choses, le règlement de la plupart de nos collèges m'a toujours déplu. On eût failli d'aventure de façon moins dommageable en inclinant vers l'indulgence. C'est une vraie geôle de jeunesse captive. On la rend débauchée en l'en punissant avant qu'elle le soit. Arrivez-y au moment de leur leçon : vous n'oyez que cris d'enfants suppliciés et de maîtres enivrés de leur colère ! La belle manière d'éveiller l'appétit pour leur leçon chez ces âmes tendres et craintives, et que de les y guider avec une trogne effroyable, les mains armées de fouets ! Inique et pernicieuse forme ! Ajoutez, chose que Quintilien a très bien remarquée, que cette impérieuse autorité entraîne des suites périlleuses, et nommément en raison de notre façon de châtier. Combien leurs classes seraient plus décemment jonchées de fleurs et de feuillées que de tronçons d'osiers sanglants ! J'y ferais portraire la joie, l'allégresse, et Flora, et les Grâces, comme le fit dans son école le philosophe Speusippe : où est leur profit, que là fût aussi leur ébat ! On doit ensucrer les nourritures salubres à l'enfant et enfieller celles qui lui sont nuisibles. Il est merveilleux de voir combien Platon se montre soigneux dans ses *Lois* de la gaieté et des passe-temps de la jeunesse de sa cité, et combien il s'arrête à leurs courses, jeux, chansons, sauts et danses, dont il dit que l'Antiquité a confié la conduite et le patronage aux dieux mêmes, à Apollon, aux Muses et à Minerve. Il s'étend en mille préceptes pour ses gymnases. Pour les sciences lettrées, il s'y attarde fort peu et semble ne pas recommander particulièrement la poésie, sinon pour la musique.

Toute étrangeté et toute particularité dans nos mœurs et nos manières est à éviter, comme ennemie de la vie en société. Qui ne s'étonnerait du tempérament d'un Démophon, le maître d'hôtel d'Alexandre, qui suait à l'ombre et frissonnait au soleil ? J'en ai vu fuir la senteur des pommes plus que les arquebusades, d'autres s'effrayer pour une souris, d'autres rendre la gorge à voir de la crème, d'autres à voir brasser un lit de plume, comme Germanicus ne pouvait souffrir ni la vue ni le chant des coqs. Il peut y avoir d'aventure à cela quelque cause occulte, mais on l'éteindrait, à mon avis, si l'on s'y prenait de bonne heure. L'éducation a gagné cela sur moi – il est vrai que ce n'a point été sans quelque soin – que, sauf la bière, mon goût s'accommode indifféremment à tout ce dont on se repaît. Le corps est encore souple : on doit pour cette raison le plier à toutes les façons et coutumes. Et pourvu qu'on puisse en leur passant l'anneau dans le nez tenir l'appétit et la volonté, qu'on rende hardiment un jeune homme accommodable à toutes les nations et à toutes les compagnies, voire au dérèglement et aux excès, si besoin est. Que sa pratique suive l'usage. Qu'il puisse faire toutes choses, et n'aime à faire que les bonnes. Les philosophes mêmes ne trouvent pas louable chez Callisthène d'avoir perdu la bonne grâce du grand Alexandre, son maître, pour n'avoir pas voulu boire autant que lui. Il rira, il folâtrera, il se débauchera avec son prince. Je veux que dans la débauche même il surpasse ses compagnons en vigueur et en fermeté et qu'il ne s'abstienne de faire le mal ni faute de force ni faute de science, mais faute d'intention : Loin y a-t-il entre ne vouloir ou ne savoir faire le mal *multum interest utrum peccare quis nolit aut nesciat* [1]. Je pensais faire honneur à un seigneur aussi éloigné de ces débordements qu'on en puisse trouver en France, en lui demandant, en bonne compagnie, combien de fois dans sa vie il s'était enivré pour la nécessité des affaires du roi en Allemagne. Il le prit de cette façon et me répondit que c'était trois fois, lesquelles il raconta. J'en sais qui, faute de cette faculté, se sont mis en grand peine quand ils ont eu à pratiquer cette nation ! J'ai souvent remarqué avec une grande admiration cette merveilleuse nature qu'avait Alcibiade qui lui permettait de se transformer si aisément pour s'accommoder aux façons les plus diverses sans dommage pour sa santé, en surpassant tantôt la somptuosité et la pompe des Persans, tantôt l'austérité et la frugalité des Spartiates, aussi rigoureux à Sparte que voluptueux en Ionie.

À Aristippe tout seyait, tout état, et tout bien
Omnis Aristippum decuit color, et status et res, [2]

tel voudrais-je former mon disciple,

Son endurance à vivre enveloppé de deux haillons,
Je l'admirerai s'il se plaît à sa nouvelle vie,
Et ses deux rôles soutient sans nulle disharmonie
quem duplici panno patientia uelat,
Mirabor, uitae uia si conuersa decebit,
Personamque feret non inconcinnus utramque. [3]

Voici mes leçons. Mieux en a fait son profit qui les fait que qui les sait : si vous le voyez, vous l'oyez ; si vous l'oyez, vous le voyez. Certes, à Dieu ne plaise, dit quelqu'un chez Platon, que philosopher ce soit

1. Sénèque, *Lettres*, 90, 46.
2. Horace, *Épîtres*, I, XVII, 23.
3. *Ibidem*, 25-26 puis 29.

apprendre maintes choses et traiter des arts. Cette science de la vie bonne, la plus haute de toutes, c'est par la vie plus que par les livres qu'ils l'ont acquise *Hanc amplissimam omnium artium bene uiuendi disciplinam, uita magis quam litteris persequuti sunt* [1]. Léon, prince de Phlionte, s'enquérait auprès d'Héraclite du Pont de quelle science, de quel art il faisait profession : « Je ne sais, dit-il, ni art ni science, mais je suis philosophe. » On reprochait à Diogène que, tout ignorant qu'il fût, il se mêlât de philosophie : « Je m'en mêle, dit-il, d'autant mieux à propos. » Hégésias le priait de lui lire quelque livre : « Vous êtes plaisant, lui répondit-il, vous choisissez vos figues vraies et naturelles, non pas peintes : que ne choisissez-vous donc aussi des exercices naturels, vrais, et non écrits ? » Mon élève ne dira pas tant sa leçon qu'il la fera. Il la répétera dans ses actions. On verra s'il y a de la prudence dans ses entreprises, s'il y a de la bonté, de la justice dans ses comportements, s'il a du jugement et de la grâce dans son parler, de la vigueur dans ses maladies, de la modestie dans ses jeux, de la tempérance dans ses voluptés, de l'ordre dans son économie, de l'indifférence dans son goût, que ce soit chair ou poisson, vin ou eau. Qu'il pense que sa science n'est pas pour la montre mais pour régler sa vie, et qu'il s'obéisse à lui-même et défère à ses décrets *qui disciplinam suam non ostentationem scientiæ, sed legem uitae putet, quique obtemperet ipse sibi, et decretis pareat* [2]. Le vrai miroir de nos discours est le cours de nos vies. À quelqu'un qui lui demandait pourquoi les Lacédémoniens ne rédigeaient pas par écrit les règles de la prouesse et ne les donnaient à lire à leurs jeunes gens, Zeuxidamos répondit que c'était parce qu'ils voulaient les accoutumer aux faits et non pas aux paroles. Comparez à mon élève, au bout de quinze ou seize ans, l'un de ces latineurs de collège qui aura passé autant de temps à n'apprendre qu'à parler ! Le monde n'est que babil, et je ne vis jamais homme qui ne dise plutôt plus que moins qu'il ne doit, toutefois la moitié de notre âge s'en va là ! On nous tient quatre ou cinq ans à entendre les mots et à les coudre en phrases, encore autant à en proportionner un grand corps étendu en quatre ou cinq parties, cinq autres pour le moins à les savoir brièvement mêler et entrelacer de quelque subtile façon. Laissons donc ça à ceux qui en font profession expresse !

Allant un jour à Orléans, je trouvai dans cette plaine, au-delà de Cléry, deux régents qui allaient à Bordeaux, environ à cinquante pas l'un de l'autre. Plus loin derrière eux je voyais une troupe et un maître à sa tête qui était feu Monsieur le comte de la Rochefoucauld. L'un de mes gens demanda au premier de ces régents qui était le gentilhomme

1. Cicéron, *Tusculanes*, IV, III, 5.
2. Cicéron, *Tusculanes*, II, IV, 11.

qui arrivait derrière lui. Lui qui n'avait pas vu le train qui le suivait et qui pensait qu'on lui parlât de son compagnon, répondit plaisamment : « Il n'est pas gentilhomme ! C'est un grammairien, et moi, je suis logicien. » Or nous qui cherchons ici, au rebours, à former non pas un grammairien ou un logicien, mais un gentilhomme, laissons-les abuser de leur loisir : nous avons à faire ailleurs. Mais que notre disciple soit bien pourvu d'idées, les paroles ne suivront que trop. Il les traînera si elles ne veulent pas suivre. J'en entends qui s'excusent de ne pouvoir s'exprimer et qui font mine d'avoir la tête pleine de maintes belles choses, mais de ne savoir les mettre en évidence faute d'éloquence : c'est une blague. Savez-vous à mon avis ce que c'est là ? Ce sont des ombres qui leur viennent de quelques conceptions informes qu'ils ne peuvent démêler et éclaircir au-dedans ni par conséquent produire au-dehors. Ils ne s'entendent pas encore eux-mêmes, et voyez-les un peu bégayer sur le point de l'enfanter : vous jugez que leur travail n'en est point à l'accouchement, mais encore à la conception, et qu'ils ne font que lécher encore cette matière imparfaite. Pour ma part, je soutiens, et Socrate ordonne que celui qui a dans l'esprit une idée vive et claire, il la produira, que ce soit en bergamasque [1] ou par grimaces s'il est muet :

Ce que l'on conçoit bien s'énonce clairement
Et les mots pour le dire arrivent aisément [2]
Verbaque prœuisam rem non inuita sequentur.

Et comme celui-là le disait tout aussi poétiquement dans sa prose : *cum res animum occupauere, uerba ambiunt* [3] quand la matière a pris possession de l'esprit, les mots vont avec. Et cet autre : *ipsæ res verba rapiunt* la matière même appelle les mots. Il ne sait pas ce qu'est l'ablatif, le subjonctif, le substantif, ni la grammaire. Son laquais non plus, pas plus qu'une harangère du Petit Pont, et pourtant ils vous entretiendront tout votre saoul, si vous en avez envie, et d'aventure ils perdront aussi peu leurs fers avec les règles de leur langage que le meilleur maître ès arts de France. Il ne sait pas la rhétorique, ni en avant-jeu capter la bienveillance du candide lecteur, ni ne lui chaut de le savoir. De vrai, toute cette belle peinture s'efface aisément sous l'éclat d'une vérité simple et naïve.

1. Le patois de Bergame, qui était l'une des « parlures » de la comédie italienne, réservée aux rustres.

2. À tout seigneur tout honneur... Horace, *Art poétique*, 311.

3. Sénèque le Rhéteur, *Controverses*, VII, préface, 3 ; allégation suivante : Cicéron, *De finibus*, III, V, 19.

Ces gentillesses ne servent que pour amuser le vulgaire, incapable d'absorber la viande plus massive et plus ferme, comme Afer le montre bien clairement chez Tacite : les ambassadeurs de Samos étaient venus trouver Cléomène, le roi de Sparte, en ayant préparé une belle et longue harangue pour l'inciter à la guerre contre le tyran Polycrate. Après qu'il les eut bien laissés dire, il leur répondit : « Quant à votre commencement et votre exorde, il ne m'en souvient plus, ni par conséquent du milieu, et quant à votre conclusion, je n'en veux rien faire. » Voilà une belle réponse, ce me semble, et des harangueurs qui s'étaient bien cassé le nez. Et que dire de cet autre ? Les Athéniens étaient à choisir entre deux architectes pour conduire un grand chantier. Le premier, plus affété, se présenta avec un beau discours prémédité relatif à cette besogne, et le jugement du peuple tirait en sa faveur, mais l'autre, en trois mots : « Seigneurs athéniens ce que celui-ci a dit, je le ferai. »

À la meilleure époque de l'éloquence de Cicéron, plusieurs en entraient en admiration, mais Caton ne faisait qu'en rire : « Nous avons, disait-il, un consul amusant. » Que cela aille devant ou après, une utile sentence, un beau trait sont toujours de saison. Si cela ne va pas bien à ce qui va devant ni à ce qui vient après, c'est toujours bon en soi. Je ne suis pas de ceux qui pensent que de bonnes rimes fassent un bon poème : laissez le poète allonger une syllabe courte s'il veut ; pour cela il n'importe. Si les inventions y rient, si l'esprit et le jugement y ont bien fait leur office, voilà un bon poète, dirai-je, mais un mauvais versificateur,

> Quoiqu'il ait le nez fin, il écrit des vers durs
> *Emunctæ naris, durus componere versus.* [1]

Qu'on fasse, dit Horace, perdre à son ouvrage toutes ses coutures et ses mesures,

> Ses temps forts et ses pieds, qu'on inverse l'ordre des mots,
> Les premiers mis derniers et les derniers premiers,
> On y verra toujours les membres disjoints du poète
> *Tempora certa modosque, et quod prius ordine uerbum est,*
> *Posterius facias, præponens ultima primis,*
> *Inuenias etiam disiecti membra poetæ,* [2]

il ne se démentira point pour cela, les pièces mêmes en seront belles. C'est ce que répondit Ménandre, comme on le tançait, le jour

1. Horace, *Satires*, I, IV, 8.
2. *Ibidem*, 58-59, puis 62.

approchant pour lequel il avait promis une comédie, de n'y avoir encore mis la main : « Elle est composée et prête, il ne reste qu'à y ajouter les vers. » Ayant les choses et la matière disposée dans l'âme, il faisait peu de cas du reste. Depuis que Ronsard et du Bellay ont donné crédit à notre poésie en français, je ne vois de si petit apprenti qui n'enfle ses mots et n'arrange ses cadences à peu près comme eux. *Plus sonat quam ualet* [1] plus de son que de sens. Pour la langue vulgaire, il n'y eut jamais autant de poètes. Mais autant il leur a été bien aisé d'imiter leurs rythmes, autant ils demeurent courts à imiter les riches descriptions de l'un et les délicates inventions de l'autre.

Oui, mais que fera-t-il si on le presse avec la subtilité sophistique de quelque syllogisme : le jambon fait boire, le boire désaltère, donc le jambon désaltère ? Qu'il s'en moque ! Il est plus subtil de s'en moquer que d'y répondre. Qu'il emprunte à Aristippe cette plaisante contre-finesse : « Pourquoi le délierai-je, puisque tout lié qu'il est, il m'empêche ? » Quelqu'un proposait contre Cléanthe des finesses dialectiques, et Chrysippe lui dit : « Joue-toi de ces tours de passe-passe avec les enfants, et ne détourne pas à cela les pensées sérieuses d'un homme d'âge. » Si ces sottes arguties, *contorta et aculeata sophismata* [2], sophismes entortillés et pointus, doivent le persuader d'un mensonge, cela est dangereux, mais si elles demeurent sans effet et ne l'émeuvent qu'à rire, je ne vois pas pourquoi il s'en devrait garder. Il en est de si sots qu'ils se détournent de leur voie d'un quart de lieue pour courir après un beau mot, ou qui loin d'ajuster les mots aux idées vont chercher ailleurs des idées qui conviennent à leurs mots *aut qui non uerba rebus aptant, sed res extrinsecus arcessunt quibus uerba conveniant* [3]. Et l'autre : Il en est qui, pour placer un bon mot, sont amenés à des choses qu'ils n'avaient pas prévu d'écrire *sunt qui alicuius uerbi decore placentis uocentur ad id quod non proposuerant scribere* [4]. Je tords bien plus volontiers une belle sentence pour la coudre sur moi que je ne détords mon fil pour l'aller chercher. Au rebours, c'est aux paroles à servir et à suivre, et que le gascon y arrive, si le français n'y peut aller ! Je veux que les choses dominent et qu'elles remplissent l'imagination de celui qui écoute de façon qu'il n'ait aucun souvenir des mots. Le parler que j'aime, c'est un parler simple et naïf, tel sur le papier qu'à la bouche, un parler succulent et musclé, court et serré, non tant délicat et peigné que véhément et brusque :

1. Sénèque, *Lettres à Lucilius*, 40, 5.
2. Cicéron, *Premiers académiques*, II, XXIV, 75.
3. Quintilien, VIII, III, 30.
4. Sénèque, *Lettres à Lucilius*, 59, 5.

Seul vaut le mot qui frappe
Hæc demum sapiet dictio quæ feriet, [1]

plutôt difficile qu'ennuyeux, éloigné de toute affectation, déréglé, décousu et hardi, où chaque lopin fasse un tout ; un parler non pédantesque, non de prêcheur, non de plaideur, mais plutôt soldatesque, comme Suétone appelle celui de Jules César. Et pourtant je ne sens pas bien pourquoi il l'appelle ainsi.

J'ai volontiers imité cette débauche que l'on voit chez nos jeunes gens dans le port de leurs vêtements : un manteau en écharpe, la cape sur une épaule, un bas mal tendu qui figure une fierté dédaigneuse de ces parements étrangers et peu soucieuse d'artifice, mais je la trouve encore mieux employée dans la façon de parler. Toute affectation, surtout dans la gaieté et dans la liberté française, est malséante chez un homme de cour. Et dans une monarchie, tout gentilhomme doit être dressé à l'allure d'un courtisan. Par quoi nous faisons bien d'insister un peu sur le naturel et le mépris de la recherche.

Je n'aime point un tissu où les liaisons et les coutures paraissent : tout ainsi qu'en un beau corps, il ne faut point qu'on y puisse compter les os et les veines. *Quæ ueritati operam dat oratio, incomposita sit et simplex* [2] le discours qui s'attache à la vérité, qu'il soit simple et sans apprêts ; qui donc s'étudie à parler, sinon celui qui veut parler avec affectation *quis accurate loquitur, nisi qui uult putide loqui ?* [3] L'éloquence qui nous détourne à soi fait injure aux choses. De même que dans les accoutrements il est pusillanime de vouloir se démarquer par quelque façon particulière et inusitée, de même dans le langage la recherche de tours de phrase nouveaux et de mots peu connus vient d'une ambition scolastique et puérile. Pussé-je ne m'être servi que de ceux qui servent aux halles à Paris ! Aristophane le grammairien n'y entendait rien d'aller reprendre chez Épicure la simplicité de ses mots et le but de son art oratoire, qui était seulement la clarté du langage. L'imitation du parler, vu sa facilité, gagne aussitôt tout un peuple ; l'imitation du jugement, de l'invention ne va pas si vite. La plupart des lecteurs, pour avoir trouvé pareille robe, pensent très faussement tenir pareil corps. La force et les muscles ne s'empruntent point ; les atours et le manteau s'empruntent. La plupart de ceux qui me fréquentent parlent comme mes *Essais*, mais je ne sais s'ils pensent de même. Les Athéniens, dit Platon, ont pour leur part le soin de l'abondance et de l'élégance du

1. C'était, dans la *Vita Lucani* des éditions du XVIe siècle le vers final, et, en somme, l'épitaphe de Lucain, poète vigoureux s'il en fut.
2. Sénèque, *Lettres à Lucilius*, 40, 4.
3. *Ibidem*, 75, 1.

parler ; les Lacédémoniens, celui de la brièveté ; et ceux de Crète, celui de la fécondité des idées plus que du langage : ceux-ci sont les meilleurs. Zénon disait qu'il avait deux sortes de disciples, les uns qu'il nommait *φιλολόγους*, curieux d'apprendre les choses, et qui étaient ses mignons, les autres *λογοφίλους* qui n'avaient soin que du langage. Ce n'est pas à dire que ce ne soit une belle et bonne chose que le bien dire, mais non pas si bonne qu'on la fait, et je suis dépité que notre vie s'embesogne toute à cela. Je voudrais premièrement bien savoir ma langue et celle de mes voisins avec qui j'ai le plus souvent commerce. C'est un bel et grand ameublement sans doute que le grec et latin, mais on l'achète trop cher. Je dirai ici une façon d'en avoir meilleur marché que de coutume qui a été essayée sur moi-même. S'en servira qui voudra. Feu mon père avait fait parmi les gens savants et d'entendement toutes les recherches qu'homme puisse faire d'une forme d'éducation excellente. Il fut avisé de cet inconvénient habituel à l'apprentissage du grec et du latin, et on lui disait que cette longueur que nous mettions à apprendre des langues qui pourtant ne coûtaient rien aux Grecs et aux Romains de l'antiquité était la seule raison pour laquelle nous ne pouvions arriver à leur hauteur d'âme et de savoir. (Je ne crois pas que c'en soit la seule cause !) Quoi qu'il en soit, l'expédient que mon père y trouva, ce fut qu'en nourrice, et avant le premier dénouement de ma langue, il me donna en charge à un Allemand, qui depuis est mort en France comme un médecin réputé, lequel ignorait tout de notre langue mais était fort versé dans la latine. Celui-ci, qu'il avait fait venir exprès, et qui était fort chèrement gagé, m'avait continuellement sur les bras. Mon père en prit aussi deux autres en même temps, moindres en savoir, pour me suivre et soulager le premier. Ceux-ci ne me parlaient jamais autrement qu'en latin. Et pour le reste de sa maison, c'était une règle inviolable que ni mon père lui-même ni ma mère ni valet ni chambrière ne dussent employer pour parler en ma compagnie que ce que chacun avait appris de mots latins pour jargonner avec moi. C'est merveille du fruit que chacun y fit : mon père et ma mère y apprirent assez de latin pour l'entendre et en acquirent assez pour s'en servir au besoin, comme le firent aussi les autres domestiques qui étaient plus particulièrement attachés à mon service. En somme, nous nous latinisâmes tant et si bien qu'il en regorgea jusque sur nos villages des alentours, où il y a encore plusieurs appellations latines d'artisans et d'outils qui ont pris pied par l'usage. Quant à moi, j'avais plus de six ans avant que je n'entendisse non plus de français ou de périgourdin que d'arabe, et sans art, sans livre, sans grammaire ou précepte, sans fouet, et sans larmes, j'avais appris un latin tout aussi pur que mon maître d'école le savait, car je ne pouvais l'avoir mêlé ni corrompu. Si par essai on voulait me donner un thème, à la mode des collèges, on le donne aux autres en français, mais à moi, il fallait le donner en mauvais latin pour le tourner en bon. Et Nicolas Groucchi, qui a écrit *De comitiis Romanorum*, Guillaume Guérente, qui a commenté Aristote, George Buchanan, ce grand poète écossais, Marc-Antoine Muret, que la France et l'Italie reconnaissent pour le meilleur orateur du temps, qui furent mes précepteurs particuliers, m'ont dit souvent que j'avais eu ce langage dans mon enfance si prêt et si à main qu'ils craignaient de m'accoster. Buchanan, que je vis depuis dans la suite de feu monsieur le maréchal de Brissac, me dit qu'il était en train d'écrire sur l'institution des enfants, et qu'il prenait l'exemple de la mienne, car il avait alors en charge ce comte de Brissac que nous avons vu depuis si valeureux et si brave.

Quant au grec, duquel je n'ai quasi du tout point d'intelligence, mon père décida me le faire apprendre dans les règles de l'art. Mais selon une voie nouvelle, sous forme d'ébats et de jeux, nous nous renvoyions nos déclinaisons comme à la pelote, à la manière de ceux qui apprennent l'arithmétique et la géométrie par certains jeux de damier. Car entre autres choses, il avait été conseillé de me faire goûter la science et le devoir par une volonté non forcée, et de mon propre désir, et d'élever mon âme en toute douceur et liberté, sans rigueur ni contrainte. J'ajoute qu'il alla jusqu'à une telle superstition que, parce que certains disaient que cela trouble la cervelle tendre des enfants de les éveiller le matin en sursaut et de les arracher tout à coup et violemment du sommeil, où ils sont plongés beaucoup plus profondément que nous, il me faisait éveiller par le son de quelque instrument, et je ne fus jamais sans homme qui m'en jouât.

Cet exemple suffira pour juger du reste et pour recommander aussi la prudence et l'affection d'un si bon père. Ce n'est pas à lui qu'il faut s'en prendre s'il n'a recueilli aucun fruit répondant à une si exquise culture. Deux choses en furent cause : en premier, le champ stérile et incommode. Car quoique j'eusse la santé ferme et entière, et en même temps un naturel doux et traitable, j'étais avec cela si pesant, si mou et si endormi qu'on ne pouvait m'arracher de l'oisiveté, pas même pour me faire jouer. Ce que je voyais, je le voyais bien, et sous ce naturel lourd, je nourrissais des idées hardies et des opinions au-dessus de mon âge. L'esprit, je l'avais lent, et qui n'allait qu'autant qu'on le menait, la compréhension tardive, l'invention lâche, et avec le tout un incroyable défaut de mémoire. De tout cela il n'est pas merveille si mon père ne sut rien tirer qui vaille. Secondement, comme ceux que presse un furieux désir de guérison se laissent aller à toute sorte de conseil, le bon homme, ayant une extrême peur de faillir en une chose qu'il avait tant à cœur, se laissa enfin emporter à l'opinion commune qui suit toujours ceux qui vont devant, comme les grues, et il se rangea à la coutume, n'ayant plus autour de lui ceux qui lui avaient donné ces premières formes d'éducation qu'il avait rapportées d'Italie, et il m'envoya, environ mes six ans, au collège de Guyenne, très florissant alors, et le meilleur de France. Et là, il n'est possible de rien ajouter au soin qu'il eut pour me choisir des précepteurs de chambre compétents, et pour toutes les autres circonstances de mon éducation, dans laquelle il réserva plusieurs façons particulières, contre l'usage des collèges. Mais il reste que c'était toujours un collège. Mon latin s'abâtardit aussitôt, dont depuis par désaccoutumance j'ai perdu tout usage. Et cette éducation inaccoutumée que j'avais eue ne me servit qu'à me faire enjamber d'entrée les premières classes, car à treize ans que je sortis du collège j'avais achevé mon cours, comme on dit, et à la vérité sans aucun fruit que je pusse à présent mettre en compte.

Le premier goût que j'eus pour les livres me vint du plaisir des fables des *Métamorphoses* d'Ovide. Car, environ l'âge de sept ou huit ans, je me dérobais à tout autre plaisir pour les lire, d'autant que cette langue était la mienne maternelle, et que c'était le livre le plus aisé que je connusse, et le plus accommodé à la faiblesse de mon âge à cause de la matière. Car des *Lancelots du Lac*, des *Amadis*, des *Huons de Bordeaux*, et tout le fatras des livres de ce genre à quoi l'enfance s'amuse, je n'en connaissais pas seulement le nom, ni n'en sais encore la substance, tant exacte était ma discipline. Je m'en rendais plus nonchalant à l'étude de mes autres leçons prescrites. Là il me vint singulièrement à propos d'avoir affaire à un précepteur qui était un homme d'entendement. Il sut adroitement se faire le complice de cette débauche que j'avais, et d'autres pareilles. Car par là, j'enfilai tout d'un train l'*Énéide* de Virgile, et puis Térence, et puis Plaute, et des comédies italiennes, leurré toujours par la douceur du sujet. S'il eût été assez fou pour rompre ce train, j'estime que je n'eusse rapporté du collège que la haine des livres, comme le fait quasi toute notre noblesse. Il s'y gouverna ingénieusement, faisant semblant de n'en voir rien. Il aiguisait ma faim en ne me laissant qu'à la dérobée dévorer ces livres qui étaient ma gourmandise, et en me tenant doucement dans mon devoir pour les autres études réglementaires. Car les principales qualités que mon père recherchait chez ceux à qui il me donnait en charge, c'était la bonté et la facilité de caractère. Aussi le mien n'avait d'autre vice que la langueur et la paresse. Le danger n'était pas que je fisse mal, mais que je ne fisse rien. Nul ne pronostiquait que je dusse devenir mauvais, mais inutile. On prévoyait chez moi de la fainéantise, non pas de la malice.

Je sens qu'il en est advenu comme cela. Les plaintes qu'on me corne aux oreilles sont telles : « Il est oisif ; froid dans les devoirs de l'amitié et de la famille ; et dans les charges publiques, trop personnel, trop dédaigneux. » Les plus injurieux mêmes ne disent pas : « Pourquoi a-t-il pris sans payer ? » mais « Pourquoi ne donne-t-il pas quittance, pourquoi ne donne-il pas ? » Je recevrais comme une faveur qu'on ne désirât chez moi que des actions qui excèdent mes devoirs telles que celles-ci, mais ils sont injustes d'exiger ce que je ne dois pas beaucoup plus rigoureusement qu'ils n'exigent d'eux ce qu'ils doivent. En m'y condamnant, ils effacent le remerciement et la gratitude qui me seraient dus pour mon action, alors que la faveur que j'accorde spontanément de ma main devrait d'autant plus peser que je ne dois rien. Je puis d'autant plus librement disposer de ma fortune qu'elle est plus mienne, et de moi que je suis plus mien. Toutefois, si je savais parer mes actions de belles enluminures, d'aventure rembarrerais-je bien ces reproches, et je ferais bien voir à certains qu'ils sont moins offensés de me voir ne pas faire assez que de ce que je pourrais faire bien plus que je ne fais. Mon âme ne laissait pourtant en même temps d'avoir à part soi des mouvements fermes et des jugements sûrs et ouverts sur les objets qu'elle connaissait, et elle les digérait seule, sans que j'en parle à personne. Et, entre autres choses, je crois, à la vérité, qu'elle eût été tout à fait incapable de se rendre à la force et à la violence.

Mettrai-je en compte cette faculté de mon enfance : une assurance de visage, et une souplesse de la voix et du geste pour m'adapter aux rôles que j'entreprenais de jouer ? Car avant l'âge,

> À peine avais-je atteint ma douzième année
> *Alter ab undecimo tum me uix ceperat annus,* [1]

j'ai tenu les premiers personnages dans les tragédies latines de Buchanan, de Guérente, et de Muret que l'on représenta dans notre collège de Guyenne avec dignité. En cela, André Gouvéa, notre principal, comme dans toutes les autres parties de sa charge, fut sans comparaison le plus grand principal de France, et on m'en tenait pour le maître ouvrier. C'est un exercice que je ne blâme point pour les jeunes enfants de maison, et j'ai vu nos princes s'y adonner depuis, en personne, à l'exemple de certains des anciens, de façon honnête et louable. Il était même loisible aux gens d'honneur en Grèce d'en faire métier : Il s'ouvrit de la chose à l'acteur tragique Aristogiton. C'était un homme

1. Virgile, *Bucoliques*, VIII.

distingué par sa naissance et sa fortune, que son métier n'abaissait en rien parce que rien de cela n'est déshonorant chez les Grecs *Aristoni tragico actori rem aperit, huic et genus et fortuna honesta erant, nec ars, quia nihil tale apud Græcos pudori est, ea deformabat* [1]. Car j'ai toujours accusé d'impertinence ceux qui condamnent ces ébats, et d'injustice ceux qui refusent l'entrée de nos bonnes villes aux comédiens qui le valent, et refusent au peuple ces plaisirs publics. Les bons gouvernements prennent soin d'assembler les citoyens et de les réunir aussi pour les exercices et les jeux, comme pour les offices sérieux de la dévotion. La sociabilité et l'amitié s'en augmentent, et puis on ne saurait concéder au peuple des passe-temps plus réglés que ceux qui se font en présence de tout un chacun et à la vue même du magistrat, et je trouverais raisonnable que le prince, à ses dépens, en gratifiât quelquefois la communauté, avec une affection et une bonté pour ainsi dire paternelle, et que dans les villes populeuses il y eût des lieux destinés et disposés pour ces spectacles : c'est un bon moyen de divertir le peuple d'actions pires et occultes.

Pour revenir à mon propos, il n'y a rien de tel que d'allécher l'appétit et l'affection : autrement on ne fait que des ânes chargés de livres. On leur donne en garde à coups de fouet leur sac empli de science. Or, pour bien faire, il ne faut pas seulement le ranger chez soi, il faut l'épouser.

C'est folie de rapporter le vrai et le faux à notre suffisance [2]

[Chapitre XXVI]

Ce n'est pas d'aventure sans raison que nous attribuons à la naïveté et à l'ignorance la facilité de croire et de se laisser persuader. Car il me

1. Tite-Live, XXIV, XXIV, 2-3.

2. « À notre suffisance » : entendre ici « à notre capacité à juger ». Ce chapitre très court n'a guère retenu l'attention des critiques. Il est pourtant comme un prélude à l'*Apologie de Raimond de Sebonde* : le premier témoignage de ce qu'on pourrait appeler un scepticisme chrétien. Il est aussi vain d'être crédule que de présumer de notre jugement et de notre raison. Aussi le juste milieu serait-il de savoir suspendre notre jugement devant ce qui nous semble passer les bornes du vraisemblable, du moins quand les témoins jouissent de la plus haute autorité qui soit reconnue de longue main parmi les hommes, car nous ne saurions croire que nous ayons dans notre tête les limites du possible, la puissance d'invention de la nature dépassant toujours notre imagination.

semble avoir appris autrefois que la créance était comme une impression qui se faisait en notre âme, et que, à mesure qu'elle se trouvait plus molle et de moindre résistance, il était plus aisé d'y empreindre quelque chose. Tout aussi nécessairement que penche le plateau de la balance quand on y pose un poids, l'esprit s'incline de même devant l'évidence *ut necesse est lancem in libra ponderibus impositis deprimi, sic animum perspicuis cedere* [1]. D'autant que l'âme est plus vide et sans contrepoids, elle se baisse plus facilement sous la charge de la première persuasion. Voilà pourquoi les enfants, le vulgaire, les femmes et les malades sont plus sujets à être menés par les oreilles. Mais aussi, d'autre part, c'est une sotte présomption que d'être toujours à dédaigner et condamner pour faux ce qui ne nous semble pas vraisemblable, ce qui est un vice ordinaire chez ceux qui pensent avoir quelque solidité de jugement au-delà du commun. J'en faisais ainsi autrefois, et si j'entendais parler ou des esprits qui reviennent ou du pronostic des choses futures, des enchantements, des sorcelleries, ou faire quelque autre conte où je ne pusse pas mordre,

Songes, magiques effrois, prodiges, sorcellerie,
Apparitions de nuit et monstres de Thessalie

Somnia, terrores magicos, miracula, sagas,
Nocturnos lemures, portentaque Thessala :

j'en venais à prendre en compassion le pauvre peuple abusé par ces folies. Et à présent je trouve que j'étais pour le moins autant à plaindre moi-même. Non que l'expérience m'ait depuis rien fait voir qui fût au-dessus de mes premières croyances – et pourtant cela n'a pas tenu à un manque de curiosité –, mais la raison m'a instruit que condamner ainsi résolument une chose pour fausse et impossible, c'est se donner l'avantage d'avoir dans la tête les bornes et les limites de la volonté de Dieu et de la puissance de notre mère Nature, et qu'il n'y a point de plus notable folie au monde que de les ramener à la mesure de notre capacité et de notre jugement. Si nous appelons monstres ou miracles ce où notre raison ne peut aller, combien alors s'en présente-t-il continuellement à notre vue ! Considérons au travers de quels nuages et comment on nous mène à tâtons à la connaissance de la plupart des choses qui sont à nos mains, certes nous trouverons que c'est plutôt l'accoutumance que la science qui nous en ôte l'étrangeté :

---

1. Cicéron, *Premiers Académiques*, II, XII, 38. Emprunt suivant : Horace, *Épîtres*, II, II, 208-209.

nos yeux à présent, las et rassasiés,
Ne considèrent qu'assez peu les cieux ensoleillés
iam nemo fessus satiate uidendi,
Suspicere in cœli dignatur lucida templa, [1]

et que ces choses-là, si elles nous étaient présentées de nouveau, nous les trouverions autant ou plus incroyables qu'aucunes autres :

supposé qu'au front des mortels, pour la première fois,
Cela vînt impromptu tout soudain se suspendre,
Quoi de plus merveilleux pût-on dire qu'il soit,
Et même à quoi les nations osassent moins s'attendre ?
si nunc primum mortalibus adsint
Ex improviso, ceu sint objeta repente,
Nil magis his rebus poterat mirabile dici,
Aut minus ante quod auderent fore credere gentes ?

Celui qui n'avait jamais vu de rivière, à la première qu'il rencontra, il pensa que ce fût l'océan, et les choses qui sont à notre connaissance les plus grandes, nous les jugeons être les extrêmes que nature fasse en ce genre,

Bien sûr, oui, comme tel fleuve apparaît prodigieux
À qui jamais n'en vit de plus large ! Ou faramineux
Tel arbre ou tel géant ! Ce qu'on a vu dans chaque espèce
De plus grand semble toujours le comble de la prouesse
Scilicet et fluuius qui non est maximus, ei est
Qui non ante aliquem maiorem uidit, et ingens
Arbor homoque uidetur, et omnia de genere omni
Maxima quæ uidit quisque, hæc ingentia fingit.

L'accoutumance des yeux familiarise nos esprits avec les choses ; ils ne s'étonnent plus de ce qu'ils voient sans cesse et n'en recherchent pas les causes *consuetudine oculorum assuescunt animi, neque admirantur, neque requirunt rationes earum rerum quas semper uident* [2]. La nouvelleté des choses nous incite plus que leur grandeur à en rechercher les causes. Il faut juger avec plus de révérence de cette infinie puissance de la nature, et mieux reconnaître notre ignorance et notre faiblesse. Combien y a-t-il de choses peu vraisemblables, dont ont témoigné des gens dignes de foi, et que, si nous ne pouvons en être persuadés, il faut au moins laisser en suspens ! Car de les condamner comme impossibles, c'est se faire fort par une présomption téméraire de savoir jusqu'où vont les possibles. Si

1. Lucrèce, *De natura rerum,* chant II, 1038-1039. Emprunt suivant : *ibidem*, 1033-1036 ; suivant, *idem*, chant VI, 674-677.

2. Cicéron, *De natura deorum*, II, XXXVIII, 96.

l'on entendait bien la différence qu'il y a entre l'impossible et l'inusité, et entre ce qui est contre l'ordre du cours de la nature, et contre l'opinion commune des hommes, en ne croyant pas témérairement, ni aussi en ne décroyant pas facilement, on observerait la règle du « rien trop » recommandée par Chilon.

Quand on trouve dans Froissart que le comte de Foix sut en Béarn la défaite du roi Jean de Castille à Juberoth le lendemain qu'elle fut advenue, et les moyens qu'il en allègue, on s'en peut moquer ; et de ce même que nos annales disent que le pape Honorius, le jour même où le roi Philippe Auguste mourut à Mantes, fit faire ses funérailles publiques et manda qu'on les fît par toute l'Italie. Car l'autorité de ces témoins n'est pas d'aventure d'assez haut rang pour nous tenir en bride. Mais quoi ! si Plutarque, outre plusieurs exemples qu'il allègue de l'antiquité, dit savoir de science certaine que du temps de Domitien la nouvelle de la bataille perdue par Antonius en Allemagne à plusieurs journées de là fut publiée à Rome et semée par tout le monde le même jour qu'elle avait été perdue ; et si César tient qu'il est souvent advenu que la renommée ait devancé l'événement, dirons-nous que ces simples gens-là se sont laissé piper à la suite du vulgaire pour n'être pas clairvoyants comme nous ? Est-il rien de plus délicat, de plus net et de plus vif que le jugement de Pline quand il lui plaît de le mettre en jeu, rien plus éloigné de vanité ? Je laisse à part l'éminence de son savoir, dont je fais moins de cas, dans laquelle de ces deux qualités-là le surpassons-nous ? Toutefois il n'est si petit écolier qui ne le convainque de mensonge et qui ne lui veuille faire la leçon sur le progrès des ouvrages de la nature.

Quand nous lisons dans Bouchet les miracles des reliques de saint Hilaire, passe : son crédit n'est pas assez grand pour nous ôter la licence d'y contredire, mais condamner du même train toutes les histoires de ce genre me semble une singulière impudence. Le grand saint Augustin témoigne avoir vu sur les reliques de saint Gervais et de saint Protais à Milan un enfant aveugle recouvrer la vue ; une femme à Carthage, être guérie d'un cancer par le signe de croix que lui fit une femme nouvellement baptisée ; Hesperius, l'un de ses familiers, avoir chassé les esprits qui infestaient sa maison avec un peu de terre du sépulcre de Notre Seigneur ; et, cette terre ayant été par la suite transportée à l'église, un paralytique en avoir été soudain guéri ; une femme dans une procession ayant touché à la châsse de saint Étienne avec un bouquet, et de ce bouquet s'étant frottée les yeux, avoir recouvré sa vue depuis longtemps perdue, et plusieurs autres miracles auxquels il dit lui-même avoir assisté. De quoi accuserons-nous lui et deux saints évêques Aurelius et Maximinus qu'il appelle pour ses témoins ? Sera-ce d'ignorance, de naïveté, de facilité, ou de malice et d'imposture ? Est-il homme en notre siècle si impudent qui pense être comparable, soit en vertu et piété, soit en savoir, en jugement et en compétence à ces hommes, eux qui, quand bien même ils n'apporteraient aucun argument, me briseraient sous le poids même de leur autorité *qui ut rationem nullam afferrent, ipsa autoritate me frangerent* [1]. C'est une hardiesse dangereuse et de conséquence, outre l'absurde témérité qu'elle traîne avec soi, que de mépriser ce que nous ne concevons pas. Car, après que selon votre bel entendement vous avez établi les limites de la vérité et du mensonge, et qu'il se trouve que vous avez nécessairement à croire des choses où il y a encore plus d'étrangeté que dans ce que vous niez, vous vous êtes déjà obligés à les abandonner. Or ce qui me semble apporter autant de désordre dans nos consciences parmi ces troubles de la religion où nous sommes, c'est cet abandon que les catholiques font de leur croyance. Il leur semble faire bien les modérés et les entendus quand ils concèdent aux adversaires certains articles parmi ceux qui sont en débat. Mais outre ce qu'ils ne voient pas quel avantage c'est pour celui qui vous charge de commencer à lui céder et reculer, et combien cela l'anime à poursuivre sa pointe, ces articles-là, qu'ils choisissent pour les plus légers, sont parfois très importants. Ou il faut se soumettre tout à fait à l'autorité de notre État ecclésiastique, ou tout à fait s'en dispenser. Ce n'est pas à nous à établir la part que nous lui devons d'obéissance. Et de plus, je le puis dire pour l'avoir essayé, ayant autrefois usé de cette liberté de choix et de tri personnels en négligeant certains points de l'observance de notre Église qui semblent avoir un visage ou plus vain ou plus étrange [2], quand je suis venu à en parler aux hommes savants, j'ai trouvé que ces choses-là ont un fondement massif et très solide, et que ce ne sont que la bêtise et l'ignorance qui nous les font recevoir avec une moindre révérence que le reste. Que ne nous souvient-il combien nous sentons de contradiction dans notre jugement même ? Combien de choses nous servaient hier d'articles de foi qui pour nous sont des fables aujourd'hui ? La gloire et la curiosité sont les fléaux de notre âme. Celle-ci nous conduit à mettre le nez partout ; celle-là nous défend de rien laisser d'irrésolu et d'indécis.

---

1. Cicéron, *Tusculanes*, I, XXI, 49.
2. Montaigne a donc été tenté, comme beaucoup d'humanistes, par le protestantisme, ou par l'évangélisme tout au moins. C'est par un scepticisme méthodique qu'il en est revenu à la foi de l'Église : un chrétien doit toujours douter de pouvoir douter. Son fidéisme part de là.

De l'amitié

[Chapitre XXVII]

Considérant comme un peintre que j'ai chez moi conduisait sa besogne, il m'a pris envie de l'imiter. Il choisit le plus bel endroit, au milieu de chaque mur, pour y loger son tableau, qu'il peint avec tout l'art dont il est capable. Puis, ce qu'il reste de vide tout autour, il le remplit de grotesques, ces figures fantasques qui n'ont de grâce que par leur variété et leur étrangeté. Et que sont ici aussi ces *Essais*, à la vérité, sinon des « grotesques », des corps monstrueux, rapiécés de membres dépareillés, sans forme précise, et qui pour l'ordonnancement, la cohérence, et la proportion n'ont rien que de fortuit ?

La gorge avantageuse en queue de poisson se finit,
Desinit in piscem mulier formosa superne : [1]

je sais bien aller avec mon peintre jusqu'à ce second point. Mais je demeure court pour l'autre partie, qui est la plus exigeante, car mon talent ne va pas assez loin pour que j'ose entreprendre un tableau riche, fini, et peint selon toutes les règles de l'art. Je me suis avisé d'en emprunter un à Étienne de la Boétie [2] : il fera honneur à tout le reste de ce travail. C'est un discours que lui-même a intitulé *La Servitude volontaire*. Ceux qui n'en connaissaient pas le titre l'ont fort proprement rebaptisé le « *Contre-Un* ». Il l'écrivit en manière d'essai, dans sa première jeunesse, en l'honneur de la liberté contre les tyrans. Il court depuis entre les mains des hommes de jugement, non sans recueillir de grands éloges, et fort mérités, car c'est un ouvrage noble et riche à souhait. Il s'en faut pourtant de beaucoup que ce soit le meilleur qu'il eût pu faire. Si dans l'âge plus avancé où je l'ai connu il avait eu, comme moi, le dessein de mettre par écrit ses fantaisies, nous verrions aujourd'hui plusieurs choses rares, et bien proches des chefs-d'œuvre

---

1. Horace, *Art poétique*, 4.
2. Étienne de La Boétie (1530-1563), comme l'auteur conseiller au Parlement de Bordeaux, fut le grand ami de Montaigne, son « frère d'alliance ». L'essai fut écrit en deux temps. Dans la première partie, Montaigne se propose d'insérer le *Discours de la Servitude volontaire* de La Boétie. Dans la seconde il déclare y renoncer, celui-ci ayant été déjà publié par ailleurs « à mauvaise fin » par les Huguenots.

de l'antiquité, car, notamment pour ce genre de dons naturels, je ne connais personne qui lui soit comparable. Mais il n'est resté de lui que ce discours, et encore par hasard – je crois même qu'il ne l'a jamais revu depuis qu'il lui est sorti des mains –, et quelques mémoires sur cet Édit de janvier [1] rendu célèbre par nos guerres civiles, qui trouveront peut-être ailleurs leur place. C'est là, outre le petit recueil de ses œuvres que j'ai déjà fait paraître, tout ce que j'ai pu récupérer de ce qu'il a laissé, moi qu'avec tant d'amoureuse recommandation il avait, la mort entre les dents, institué par testament l'héritier de sa bibliothèque et de tous ses papiers. Et, de vrai, je suis d'autant plus particulièrement obligé envers ce traité de la *Servitude volontaire* qu'il a servi de truchement pour notre première rencontre. On m'a montré l'ouvrage bien longtemps avant que je n'en eusse vu l'auteur. Cette occasion me fit découvrir son nom, et nous mit sur le chemin de cette amitié que nous avons nourrie tant que Dieu l'a voulu, qui était si entière et parfaite qu'assurément on n'en lit guère de pareilles dans l'histoire, et que parmi par nos gens d'aujourd'hui, on n'en voit aucune trace en usage. Il faut tant de hasards pour parvenir à la bâtir que c'est déjà beaucoup si la fortune y parvient une fois en trois siècles !

Il n'est rien à quoi, semble-t-il, Nature nous ait plus acheminés qu'à vivre en société. Aristote dit même que les législateurs se sont plus souciés de l'amitié que de la justice [2]. Or le dernier degré de perfection des liens sociaux se trouve dans l'amitié. Car en général toutes les alliances que forgent et que nourrissent le plaisir ou le profit et le besoin public ou privé en sont d'autant moins belles et nobles, et d'autant moins des amitiés, que s'y mêlent d'autres motifs, d'autres buts, et d'autres intérêts que l'amitié même. Quant aux quatre espèces d'amitié des anciens, « naturelle », « sociale », « hospitalière », « amoureuse », elles ne conviennent pas à l'amitié véritable, ni chacune en particulier, ni conjointement. Des enfants aux pères, il s'agit plutôt de respect. L'amitié se nourrit par la communication, qui ne peut se faire entre eux du fait de leur trop grande disparité, et peut-être même offenserait-elle à l'occasion les devoirs naturels. Car toutes les secrètes pensées des pères ne peuvent se communiquer aux enfants, ce qui ferait naître entre eux une inconvenante privauté, non plus que des enfants aux pères ne pourraient s'exercer ces avertissements et ces exhortations qui sont l'un des premiers devoirs de

1. Édit dit « de tolérance » du 17 janvier 1562, organisant la coexistence en France de la religion catholique et de la religion réformée. Les mémoires dont parle Montaigne n'ont été publiés qu'en 1917.

2. *Éthique à Nicomaque,* VIII, 1.

l'amitié. Il s'est trouvé des nations où, par usage, les enfants tutoient leurs pères, d'autres où les pères tutoient leurs enfants, pour lever la retenue qu'ils peuvent avoir parfois les uns vis-à-vis des autres, et naturellement l'un dépend de la ruine de l'autre. Il s'est trouvé des philosophes pour dédaigner cette façon qu'a la nature de nous coudre entre nous, témoin Aristippe : comme on le pressait de se souvenir de l'affection qu'il devait à ses enfants du fait qu'ils fussent sortis de lui, il se mit à cracher, disant que, ça aussi, c'en était sorti et que nous faisions bien aussi des poux et des vers [1]. Et cet autre, que Plutarque voulait inciter à s'accorder avec son frère : « Je n'en fais pas, dit-il, plus grand cas pour être sorti du même trou [2]. » C'est à la vérité un beau nom, et plein d'amour, que celui de frère, et aussi est-ce sous son signe que, lui et moi, nous avions placé notre amitié, mais ce mélange de biens indivis, ces partages, et le fait qu'en enrichissant l'un l'on appauvrit l'autre [3], voilà qui détrempe et relâche singulièrement ce lien qui soude les frères. Les frères ont à conduire le progrès de leur marche sur un même sentier, et du même train. Il est donc forcé qu'ils se heurtent et se choquent souvent. Mais mieux : ces similitudes et ces correspondances qui engendrent les vraies et parfaites amitiés, pourquoi les trouverait-on chez eux ? Le père et le fils peuvent avoir des tempéraments entièrement opposés, et les frères aussi : c'est mon fils, c'est mon parent, mais c'est un ours, un méchant, ou un sot ! Et puis, dans la mesure où ce sont des amitiés que la loi et l'obligation naturelles nous commandent, il y entre d'autant moins de notre choix et de notre libre volonté. Or notre libre volonté n'a pas d'effet qui lui soit plus propre que l'affection et l'amitié. Ce n'est pas faute d'avoir éprouvé de ce côté-là tout ce qu'on y peut trouver : j'ai eu le meilleur père qui fut jamais, le plus indulgent, jusque dans son extrême vieillesse ; et je viens d'une famille renommée et exemplaire de père en fils pour ce qui est de la concorde fraternelle,

et je suis moi-même connu
Pour l'amour paternel que je porte à mes frères

et ipse
Notus in fratres animi paterni. [4]

Il n'est pas possible non plus de comparer à l'amitié l'affection que l'on a pour les femmes, quoique celle-là naisse de notre choix, et

1. Diogène Laërce, II, 81.
2. Plutarque, *De l'amitié fraternelle*, IV.
3. À cause du droit d'aînesse.
4. Horace, *Odes*, II, II, 5-6.

l'on ne peut donc la mettre dans le même registre. Son feu, je le confesse

(car Vénus ne m'est pas étrangère,
Qui mêle sa douce amertume à nos plus beaux soucis
neque enim est dea nescia nostri
Quæ dulcem curis miscet amaritiem) [1]

est plus actif, plus cuisant et plus âpre. Mais c'est un feu téméraire et volage, ondoyant et divers, un feu de fièvre, sujet à des accès et à des rémissions, et qui ne nous tient que par un coin. Dans l'amitié, c'est une chaleur générale et universelle, tempérée au demeurant, et égale, une chaleur constante et bien établie, partout douce et lisse, qui n'a rien d'âpre ni de déchirant. Qui plus est, dans l'amour, ce n'est jamais qu'un désir forcené d'attraper ce qui nous fuit :

Comme un chasseur qui son lièvre poursuit
Endurant chaud et froid par monts et vaux,
Ne fait plus cas du gibier qu'il voit pris
Et n'a plus d'yeux que pour celui qui fuit
Come segue la lepre il cacciatore
Al freddo, al caldo, alla montagna, al lito ;
Ne piu l'estima poi, che presa vede,
Et sol dietro à chi fugge affreta il piede. [2]

Aussitôt que l'amour entre dans les bornes de l'amitié, c'est-à-dire dans la concorde des désirs, il s'évanouit et s'alanguit : la jouissance le ruine, parce que son but est charnel et sujet à satiété. De l'amitié au contraire, on jouit à mesure qu'elle est désirée. Elle ne s'élève, ne se nourrit et ne s'accroît qu'à travers sa jouissance, parce qu'elle est spirituelle, et que l'âme s'affine en la pratiquant. Au-dessous de cette parfaite amitié, les amours volages ont autrefois trouvé place chez moi – pour ne rien dire de lui [3], qui n'en confesse que trop dans ses vers ! Ainsi ces deux passions sont entrées chez moi en connaissance l'une de l'autre, mais jamais en concurrence, car la première maintenait sa route d'un vol hautain et superbe et regardait dédaigneusement l'autre faire ses saillies bien loin au-dessous d'elle.

Quant au mariage, outre que c'est un marché qui n'a que l'entrée de libre (puisque sa durée est contrainte et forcée, et dépend d'autres causes que de notre seul vouloir, et un marché qui d'ordinaire se fait à d'autres fins), il y survient mille fuseaux étrangers à démêler parmi,

1. Catulle, *Épigrammes*, LXVIII, 17-18.
2. L'Arioste, *Roland furieux*, X, stance 7.
3. La Boétie.

qui suffisent à rompre le fil et troubler le cours d'une vive affection, là où dans l'amitié il n'y a d'affaire ni de commerce que d'elle-même. De plus, à vrai dire, le talent ordinaire des femmes n'est pas fait pour répondre aux échanges et aux entretiens dont se nourrit cette « sainte couture », non plus que leur âme ne semble assez ferme pour soutenir l'étreinte d'un nœud si serré et si durable. Et sans cela, certes, s'il pouvait s'établir une pareille alliance, libre et volontaire, où non seulement les âmes eussent cette entière jouissance, mais encore où les corps eussent part à l'union – où l'homme fût donc engagé tout entier – il est certain que l'amitié en serait plus pleine et plus comble, mais ce sexe, par nul exemple, n'y est encore parvenu, et les écoles anciennes le rejettent de l'amitié.

Quant à cette autre sorte, la licence des Grecs, elle est à juste raison abhorrée par nos mœurs. Pour des raisons semblables, du fait que, selon leur usage, elle imposait une si nécessaire disparité des âges et une telle différence de devoirs entre les amants, cette sorte d'amitié ne répondait pas bien non plus à l'union parfaitement harmonieuse qu'ici nous demandons. Car qu'est-ce enfin que cet amour d'amitié ? Que ne voyons-nous jamais dans cet amour ni jouvenceau disgracié ni vieux beau ? *Quis est enim iste amor amicitiæ ? cur neque deformem adolescentem quisquam amat, neque formosum senem ?* [1] La peinture même qu'en font les sages de l'Académie [2] ne me contredira pas, je pense. Cette première fureur que le fils de Vénus inspire à l'amant pour la fleur d'une tendre jeunesse, et à laquelle ces Grecs permettent les plus insolents assauts de passion que peut produire une ardeur immodérée, était simplement fondée sur une beauté extérieure, simulacre trompeur de l'engendrement corporel. Car elle ne se pouvait fonder sur l'esprit, dont la manifestation restait encore cachée, et qui, n'étant qu'à naître, n'était point encore à l'âge de germer. Si cette folie s'emparait d'un cœur vil, les moyens de faire sa cour, c'étaient les richesses, les présents, quelque faveur pour l'avancement dans les dignités, et autre basse marchandise semblable que ces sages-là réprouvent. Si elle tombait au contraire dans un cœur plus généreux [3], les moyens de plaire étaient généreux de même : leçons philosophiques, enseignements portant à révérer la religion, à obéir aux lois et mourir pour son pays, exemples de vaillance, de prudence ou de justice. L'amant s'étudiait à se faire accepter par la bonne grâce et la beauté de son âme, celle de son corps étant depuis

---

1. Cicéron, *Tusculanes* IV, XXXIII, 70.
2. L'école de Platon, établie dans les jardins d'Akadémos, fut appelée l'Académie. Montaigne évoque ici le discours de Pausanias dans le *Banquet*.
3. Naturellement noble, bien né.

longtemps fanée. Par cette société d'esprit, il espérait passer un marché plus ferme et plus durable. Quand ces assiduités arrivaient à produire leur effet, et une fois la saison venue (car, ce que ces philosophes ne requièrent point chez l'amant, à savoir qu'il apporte du temps et du discernement dans son entreprise, ils le requièrent d'autant plus soigneusement de la part de l'aimé qu'il lui fallait juger d'une beauté intérieure, difficile à reconnaître et obscure à découvrir), alors naissait chez l'aimé le désir de concevoir spirituellement par l'entremise d'une spirituelle beauté. Celle-ci était ici essentielle et première, alors que la beauté du corps, tout à l'opposé de l'amant, n'était qu'accidentelle et seconde. C'est pourquoi ces Grecs que j'évoque préfèrent l'aimé et nous assurent que les dieux aussi le préfèrent. Ils blâment vivement le poète Eschyle d'avoir, dans l'amour d'Achille et de Patrocle, donné le rôle de l'amant à Achille, qui était alors dans la première et imberbe verdeur de son adolescence, et le plus beau des Grecs [1]. Une fois établie cette communauté générale et dès lors que la maîtresse et la plus digne part de celle-là [2] remplissait ses devoirs et prédominait, ces mêmes sages nous disent qu'il en provenait des fruits très utiles à la vie tant privée que publique ; que c'était la force des pays qui en recevaient l'usage et le principal rempart de la justice et de la liberté, témoins les salutaires amours d'Harmodios et d'Aristogiton [3]. C'est dans cette mesure qu'ils la disent sacrée et divine, et, à leur compte, il n'est que la violence des tyrans et la lâcheté des peuples qui lui soient contraires. Enfin, tout ce qu'on peut accorder en faveur de l'Académie, c'est de dire que c'était un amour se terminant en amitié : chose qui ne se rapporte pas mal à la définition stoïcienne de l'amour : l'amour est le désir de faire notre ami d'une personne de bel aspect *amorem conatum esse amicitiæ faciendæ ex pulchritudinis specie* [4]. J'en reviens à ma description, en affirmant de façon plus équitable et plus adéquate qu'on ne peut vraiment juger des amitiés qu'une fois que les caractères se sont, avec l'âge, formés et affermis, *omnino amicitiæ, corroboratis iam confirmatisque ingeniis et ætatibus, iudicandæ sunt* [5].

Au demeurant, ce que nous appelons ordinairement amis et amitiés, ce ne sont que des relations de familiarité nouées à la faveur de

1. Platon, *Banquet*.
2. La communauté d'esprit.
3. Ils avaient par vengeance médité d'assassiner le tyran Hippias, fils de Pisistrate, et, se croyant trahis, se jetèrent sur le premier des Pisistratides qu'ils rencontrèrent, Hipparque, et le massacrèrent. Une légende fit plus tard de ces deux amants des champions de la liberté.
4. Cicéron, *Tusculanes*, IV, XXXIV.
5. Cicéron, *De amicitia*, XX, 74.

quelque occasion ou du fait d'une certaine opportunité grâce auxquelles nos âmes trouvent moyen de s'entre-attacher. Dans l'amitié dont je parle, elles se mêlent et se confondent l'une en l'autre en un mélange si parfait qu'elles effacent et ne retrouvent plus la couture qui les a jointes. Si l'on me presse de dire pourquoi je l'aimais, je sens que cela ne se peut exprimer qu'en répondant : parce que c'était lui, parce que c'était moi. Il y a, au-delà de tout mon discours et de ce que je puis dire particulièrement de notre amitié, je ne sais quelle force inexplicable et fatale qui fut médiatrice de cette union. Nous nous cherchions avant que de nous être vus par tout ce que nous entendions dire l'un de l'autre, qui faisait plus d'effet sur nos sentiments que n'en doivent causer des récits en raison, je crois, de quelque disposition du ciel. Nous nous embrassions d'avance par nos noms. Notre première rencontre se fit par hasard au milieu d'une grande fête qui réunissait en ville toute une compagnie [1]. Nous nous trouvâmes si pris, si connus, si obligés entre nous, que dès lors rien ne nous fut si proche que l'un à l'autre. Il écrivit une satire latine excellente [2], qui est publiée, par laquelle il excuse et explique la précipitation de notre bonne entente, si promptement parvenue à sa perfection. Ayant si peu à durer, et ayant si tard commencé (car nous étions tous deux hommes faits, lui de quelques années de plus [3]), elle n'avait point de temps à perdre. Et elle n'avait pas à se régler sur le patron de ces amitiés molles et convenues qui ont tant besoin des précautions d'un long et préalable commerce. Celle-ci n'a point d'autre idéal que tiré d'elle-même et ne peut se référer qu'à elle-même. Ce n'est pas une propriété spéciale, ni deux, ni trois, ni quatre, ni mille : c'est je ne sais quelle quintessence de tout ce mélange qui, ayant saisi toute ma volonté, l'amena à se plonger et se perdre dans la sienne ; qui ayant saisi toute sa volonté, la mena se plonger et se perdre en la mienne, avec une faim, avec une émulation pareille. Je dis bien « perdre » véritablement, puisque nous ne nous réservions rien qui nous fût propre, ni qui fût ou sien ou mien.

Quand, en présence des consuls romains qui, après la condamnation de Tibérius Gracchus, poursuivaient tous ceux qui avaient été d'intelligence avec lui, Laelius vint à demander à Caius Blossius, qui était le premier des amis de Gracchus, combien il eût accepté de faire

1. À Bordeaux, vers 1558.

2. Dans le recueil que Montaigne fit imprimer en 1571, sous le titre *La Ménagerie (i.e. L'Économique) de Xénophon, Les Règles du mariage de Plutarque, et des vers français de feu Estienne de La Boétie*. Dans la poésie latine, une « satire » était un « pot-pourri », une libre causerie en vers. Celle de La Boétie était expressément dédiée à Montaigne.

3. Lors de leur rencontre, La Boétie avait vingt-huit ans, Montaigne, vingt-cinq.

pour lui et qu'il lui eut répondu : « Tout ! » – Comment tout ? reprit Laelius [1], eh quoi ! même s'il t'eût commandé de mettre le feu à nos temples ? – Jamais il ne me l'eût commandé, répliqua Blossius. – Mais s'il l'eût fait ? insista Lælius. – J'y eusse obéi, répondit l'autre. S'il était aussi parfaitement ami de Gracchus que le disent les livres d'histoire, il n'avait que faire d'offenser les consuls par ce dernier aveu bravache, et il n'aurait pas dû se départir de l'assurance qu'il avait de la volonté de Gracchus. Il n'en reste pas moins que ceux qui reprochent à cette réponse d'être séditieuse n'entendent pas bien ce mystère et ne présupposent pas, comme c'est le cas, qu'il avait la volonté de Gracchus dans sa manche, tant par ascendant que par connaissance. Ils étaient plus amis que citoyens, plus amis qu'amis ou ennemis de leur pays, et plus qu'amis de l'ambition et du trouble. S'étant par tous leurs brins parfaitement commis l'un à l'autre, ils tenaient parfaitement en main les rênes de l'intention l'un de l'autre, et faites seulement guider et conduire ce harnais-là par la vertu et par la raison (aussi bien est-il absolument impossible de l'atteler sans cela), la réponse de Blossius est bien alors telle qu'elle devait être. Si leurs actions se sont démanchées, c'est qu'ils n'étaient ni amis l'un de l'autre selon ma mesure, ni amis d'eux-mêmes. Au demeurant cette réponse ne sonne pas mieux que ne le ferait la mienne si l'on me demandait : « Si votre volonté vous commandait de tuer votre fille, la tueriez-vous ? » et que je répondisse oui. Cela n'atteste nullement en effet d'un consentement à ce faire, parce que je ne suis point en doute de ma propre volonté, et tout aussi peu de celle d'un pareil ami. Tous les discours du monde ne peuvent me déloger de la certitude que j'ai des intentions et des avis du mien : aucune de ses actions ne saurait m'être présentée, quelque visage qu'elle eût, que je n'en pusse incontinent trouver le ressort. Nos âmes ont ensemble charroyé si uniment, elles se sont regardées avec une si ardente affection et avec une pareille affection se sont si bien découvertes l'une à l'autre jusqu'au fin fond des entrailles que non seulement je connaissais la sienne comme la mienne, mais que je me fusse certainement fié à lui sur mon propre compte plus volontiers qu'à moi-même. Qu'on n'aille pas me mettre sur le même rang ces autres amitiés qui sont communes : j'en ai connaissance autant qu'un autre, et même des plus parfaites en leur genre, mais je ne conseille pas qu'on confonde leurs règles : on s'y tromperait. Dans ces autres amitiés, il faut marcher la bride à la main, avec prudence et précau-

1. Laelius (185-115 av. J.-C.), consul de Rome, ami de Scipion, a été mis en scène par Cicéron dans le *De Amicitia*. Après avoir soutenu la révolte des Gracques, il les abandonna, ce qui lui valut d'être appelé « le Sage ».

tion. L'attelage n'est pas lié d'une manière telle qu'on n'ait aucunement à s'en défier. Votre ami, « aimez-le, disait Chilon [1], comme si vous aviez un jour à le haïr ; haïssez-le, comme si vous aviez à l'aimer ». Ce précepte, qui est si abominable dans cette souveraine et maîtresse amitié dont je parle, il est salutaire dans la pratique des amitiés ordinaires et coutumières à l'égard desquelles il convient d'employer ce mot qu'Aristote avait très souvent : « O mes amis, il n'y a point d'ami. » Dans ce noble commerce, les services et les bienfaits qui nourrissent les autres amitiés ne méritent pas même d'être comptés. Cette fusion si complète de nos volontés en est la cause. Car, tout ainsi que l'amitié que je me porte ne reçoit point d'augmentation pour le secours que je me donne au besoin, quoi qu'en disent les Stoïciens, et tout comme je ne me sais aucun gré du service que je me rends, de même aussi l'union de tels amis, du fait qu'elle est véritablement parfaite, leur fait perdre le sentiment des devoirs de cette sorte et haïr et chasser d'entre eux ces mots signes de division et de différence que sont : « bienfait », « obligation », « reconnaissance », « prière », « remerciement », et tous leurs pareils. Tout est commun entre eux dans les faits : volontés, pensées, jugements, biens, femmes, enfants, honneur et vie, et leur parfait emboîtement n'est pas autre chose qu'une seule âme en deux corps, selon la très juste définition d'Aristote. De ce fait, ils ne peuvent rien se prêter ni se donner. Voilà pourquoi les faiseurs de lois, pour honorer le mariage par quelque illusoire ressemblance avec cette divine union, défendent les donations entre le mari et la femme. C'est qu'ils veulent inférer par là que tout doit appartenir à chacun des deux époux et qu'ils n'ont rien à diviser et partager entre eux. Dans l'amitié dont je parle, si l'un pouvait donner à l'autre, ce serait celui qui recevrait le bienfait qui obligerait son compagnon. Car l'un comme l'autre tenant plus que tout à se faire mutuellement du bien, celui qui en fournit le motif et l'occasion, est bien celui qui a la libéralité de procurer à son ami le plaisir de faire à son endroit ce qu'il désire le plus. Quand le philosophe Diogène manquait d'argent, il disait qu'il le redemandait à ses amis, non qu'il le demandait. Et pour montrer comment cela se pratique dans les faits, j'en citerai un exemple singulier venu de l'antiquité. Un homme de Corinthe, Eudamidas, avait deux amis : Charixène, citoyen de Sicyone, et Aréthéos, un Corinthien. Sur le point de mourir pauvre alors que ses deux amis étaient riches, il fit ainsi son testament : « Je lègue à Aréthéos le soin de nourrir ma mère et de l'entretenir dans sa vieillesse ; à Charixène, celui de marier ma fille et de lui donner le

1. L'un des Sept Sages de la Grèce.

douaire [1] le plus grand qu'il pourra. Et au cas que l'un d'eux vienne à mourir, je substitue dans sa part celui qui survivra. » Les premiers qui virent ce testament éclatèrent de rire, mais ses héritiers, lorsqu'on leur en eut donné connaissance, l'acceptèrent avec un rare contentement. Et l'un d'eux, Charixène, ayant trépassé cinq jours après, et la substitution s'étant ainsi trouvée ouverte en faveur d'Aréthéos, ce dernier veilla avec soin à l'entretien de cette mère, et, sur les cinq talents qu'il avait par-devers lui, il en donna deux et demi pour le mariage de sa fille unique, et deux et demi pour le mariage de la fille d'Eudamidas, et des deux il fit faire les noces le même jour. Cet exemple serait des plus complets, si l'on n'y trouvait à dire une circonstance, qui est la pluralité des amis. Car cette parfaite amitié dont je parle est indivisible : chacun se donne si entier à son ami qu'il ne lui reste rien à partager ailleurs : au rebours, il est tout marri de n'être double, triple, ou quadruple, et de n'avoir pas plusieurs âmes et plusieurs volontés pour les rapporter toutes ensemble à ce seul objet ! Les amitiés communes, on les peut répartir : on peut aimer en celui-ci la beauté, en cet autre la facilité de ses mœurs, en l'autre la générosité, en celui-là ses qualités de père, en cet autre celles de frère, et ainsi du reste. Mais cette amitié, qui possède l'âme et la régente en toute souveraineté, il est impossible qu'elle soit double. Si les deux en même temps demandaient à être secourus, auquel courriez-vous ? S'ils requéraient de vous des services contradictoires, quel ordre y mettriez-vous ? Si l'un confiait à votre silence quelque chose qu'il fût utile à l'autre de savoir, comment vous en démêleriez-vous ? L'unique et principale amitié découd toutes les autres obligations : ce secret que j'ai juré de ne révéler à un autre, je puis bien, sans parjure, le communiquer à mon ami, qui n'est pas un autre puisqu'il est moi ! C'est un assez grand miracle déjà de se dédoubler, et ceux qui parlent de se tripler n'en connaissent point la dimension : rien n'est suprême, qui a son pareil. Et qui présupposera que de deux j'en aime l'un autant que l'autre et qu'ils s'aiment entre eux et m'aiment autant que je les aime, il démultiplie en une véritable confrérie la chose la plus une et unie qui soit et dont une seule illustration reste encore la chose la plus rare à trouver au monde. Pour tout le reste, cette histoire convient très bien à ce que je disais, car Eudamidas fait à ses amis cette grâce et cette faveur de les

1. Le mot est toujours en usage, non la chose. Dans l'ancien droit, le « douaire » était un droit d'usufruit que le mari, par son mariage, assignait à son épouse sur tels de ses biens et dont elle jouissait si elle lui survivait. Le mot vient du latin médiéval *dotarium*, lui-même dérivé du latin classique *dos, dotis*, la dot. Le douaire est en effet une sorte de « dot à l'envers ».

employer à le secourir : il les laisse héritiers de cette sienne libéralité qui consiste à leur mettre en main les moyens de lui rendre un bienfait. Et sans aucun doute, la force de l'amitié se montre bien plus richement dans son geste qu'en celui d'Aréthéos. Au fond, ce sont des faits inimaginables pour qui n'en a pas goûté et qui me font, moi, tenir pour merveille la réponse de ce jeune soldat à Cyrus qui lui demandait pour combien il voudrait céder un cheval grâce auquel il venait de gagner le prix d'une course, et s'il le voulait échanger contre un royaume : « Non certes, Sire ! Mais bien le laisserai-je volontiers pour en acquérir un ami, si jamais je trouvais un homme qui fût digne d'une pareille alliance [1]. » Il ne faisait pas mal de dire : « *si je trouvais* ». Car on trouve facilement des hommes propres à une fréquentation superficielle. Mais en celle-ci, dans laquelle on met dans le marché le fin fonds de son cœur [2], qui ne fait réserve de rien, il est besoin assurément que tous les ressorts soient nets et parfaitement sûrs. Dans les fréquentations qui ne tiennent que par un bout, on n'a besoin que de pourvoir aux imperfections qui intéressent particulièrement ce bout-là. Que peut bien m'importer de quelle religion soit mon médecin ou mon avocat ? Pareille considération n'a rien à voir avec les services de l'amitié qu'ils me doivent. Et dans les relations domestiques qui s'établissent entre moi et ceux qui me servent, j'en fais de même : je m'enquiers peu d'un laquais s'il est chaste, je cherche s'il est diligent ; je ne crains pas tant un muletier joueur qu'imbécile, ni un cuisinier jureur qu'ignorant. Je ne me mêle pas de dire au monde ce qu'il faut faire, d'autres s'en mêlent assez, mais ce que j'y fais :

Ainsi fais-je : vous, faites donc comme bon jugerez,
Mihi sic usus est : tibi, ut opus est facto, face. [3]

Aux familiarités de la table, j'attache le plaisant, non le prudent ; au lit, la beauté avant la bonté ; à la conversation, le talent, fût-ce sans la vertu. Et pareillement pour le reste.

Tout ainsi que celui qu'on surprit à chevaucher un bâton tandis qu'il jouait avec ses enfants pria celui qui l'y surprit de n'en rien dire jusqu'à ce qu'il fût père lui-même, car il estimait que les sentiments qui lui naîtraient alors en l'âme le rendraient juge équitable d'un pareil comportement, je souhaiterais moi aussi parler à des gens qui auraient l'expérience de ce que je dis. Mais sachant combien c'est chose éloignée du commun usage qu'une telle amitié, et combien elle

1. Il s'agit d'Agésilas, voir Plutarque, *Agésilas,* IX.
2. Toutes ses qualités foncières.
3. Térence, *Heautontimoroumenos*, I, I, 80.

est rare, je ne m'attends pas à trouver personne qui en soit bon juge. Car les discours mêmes que l'antiquité nous a laissés sur ce sujet me semblent bien mous au prix du sentiment que j'en ai. Sur ce point les faits surpassent les préceptes mêmes de la philosophie :

Pour moi, si j'ai la santé, rien de mieux qu'un bon ami,
Nil ego contulerim iucundo sanus amico. [1]

Chez les anciens, Ménandre [2] déclarait heureux celui qui avait pu rencontrer seulement l'ombre d'un ami. Il avait assurément raison, et surtout s'il en avait lui-même tâté. Car à la vérité, si je compare tout le reste de ma vie (quoiqu'avec la grâce de Dieu je l'aie passée douce, aisée, et, sauf la perte d'un tel ami, exempte d'affliction pesante, pleine de tranquillité d'esprit, m'étant toujours satisfait de mes qualités naturelles et originelles, sans en rechercher d'autres), si je la compare, dis-je, tout entière aux quatre années où il m'a été donné de jouir de la douce compagnie et de la société de ce personnage, ce n'est que fumée, ce n'est qu'une nuit obscure et ennuyeuse. Depuis le jour que je le perdis,

jour à jamais odieux
Qu'à jamais vous avez voulu que je pleure, ô grands dieux !
quem semper acerbum,
Semper honoratum, sic, dii, uoluistis, habebo, [3]

je ne fais que traîner et me languir, et les plaisirs mêmes qui s'offrent à moi, au lieu de me consoler, me redoublent le regret de sa perte. Nous étions de moitié en tout : il me semble que je lui dérobe sa part,

Je me suis dès lors défendu de prendre aucun plaisir,
Si longtemps que ma moitié manquerait à mon désir,
Nec fas esse ulla me uoluptate hic frui
Decreui tantisper dum ille abest meus particeps.

Je m'étais déjà si fait et accoutumé à être son second en tout qu'il me semble n'être plus qu'à demi :

Ce coup a de mon cœur ôté
Bien trop tôt sa moitié :
Que tardé-je, moi, la seconde,

1. Horace, *Satires*, I, V, 44.
2. Il s'agit bien du célèbre auteur de la comédie nouvelle à Athènes.
3. Virgile, *Énéide*, V, 49-50. Emprunt suivant : Térence, *Heautontimoroumenos*, I, I, 149-150 ; suivant : Horace, *Odes*, II, XVII, 5-9 ; suivant : *ibidem*, I, XXIV, 1-2 ; suivant : Catulle, LXVIII, 20-26.

Qui ne m'aime, et ne suis au monde
Plus un ? Ce jour affreux
Fit notre ruine à tous deux

Illam meæ si partem animæ tulit
Maturior uis, quid moror altera,
Nec carus æque nec superstes
Integer ? Ille dies utramque
Duxit ruinam.

Il n'est point d'action ou de songerie où je ne le trouve à dire, tout ainsi qu'il l'eût fait de moi, car tout comme il me surpassait d'une distance infinie en tout autre talent et vertu, il le faisait aussi dans les devoirs de l'amitié :

Pourquoi se contenir et rougir quand on pleure
Une tête si chère ?

Quis desiderio sit pudor aut modus
Tam cari capitis ?

Ô frère, toi que plaint mon déplorable cœur,
Avec toi s'en sont allés tous les moments de bonheur
Dont ta douce amitié avait nourri ma vie,
Ta mort, ô mon doux frère, brise tous mes plaisirs,
Mon âme avec la tienne s'est entière ensevelie,
Et depuis que tu n'es plus j'ai vu de mon cœur s'enfuir
Tout cela que j'aimais et les joies de ma vie ;
Pourrais-je te parler ? Ta voix faudra-t-il que j'oublie ?
O frère qui m'étais bien plus cher que mes jours,
Je ne te verrai plus ! Du moins t'aimerai-je toujours.

O misero frater adempte mihi !
Omnia tecum una perierunt gaudia nostra,
Quæ tuus in uita dulcis alebat amor.
Tu mea, tu moriens fregisti commoda frater ;
Tecum una tota est nostra sepulta anima,
Cuius ego interitu tota de mente fugaui
Hæc studia atque omnes delicias animi.
Alloquar ? Audiero nunquam tua uerba loquentem ?
Nunquam ego te, uita frater amabilior,
Aspiciam posthac ! At certe semper amabo.

Mais écoutons un peu parler ce garçon de seize ans.

Parce que j'ai découvert que cet ouvrage a été publié depuis – et à mauvaise fin ! – par ceux qui cherchent à troubler et changer le régime de notre politique sans se soucier de savoir s'ils l'amenderont, et qu'ils l'ont mêlé à d'autres écrits de leur farine [1], je me suis dédit du dessein

1. Montaigne vise évidemment ici les partisans de la religion réformée qui, pour dénoncer les persécutions politiques dont ils étaient l'objet, faisaient du roi un tyran, un nouveau Néron.

que j'avais eu d'abord de loger ici ce traité *De la Servitude volontaire*. Et afin que la mémoire de l'auteur n'en soit pas entachée auprès de ceux qui n'ont pu connaître de près ses opinions et ses actions, je les prie de bien considérer que ce sujet fut traité par lui dans sa jeunesse, à titre d'exercice seulement, et comme un sujet commun et rebattu en mille endroits dans les livres. Je ne fais nul doute qu'il ne crût ce qu'il écrivait, car il était assez consciencieux pour ne mentir pas même en se jouant. Et je sais aussi que s'il eût eu à choisir, il eût mieux aimé être né à Venise [1] qu'à Sarlat, non sans raison : mais il avait une autre maxime souverainement empreinte en son âme, qui était d'obéir et de se soumettre très religieusement aux lois sous lesquelles il était né. Jamais il n'y eut meilleur citoyen, ni plus soucieux du repos de son pays, ni plus ennemi des soulèvements et des nouvelletés de son temps. Il eût bien plutôt employé son talent à les éteindre qu'à leur fournir de quoi les émouvoir davantage : il avait son esprit moulé sur le patron d'autres siècles que ceux-ci. À présent, en échange de cet ouvrage sérieux, je vais lui en substituer un autre, composé dans la même période de sa vie, mais plus gaillard et plus enjoué [2].

---

1. Entendons dans une république plutôt que sous une monarchie (La Boétie était né à Sarlat).

2. Dans les éditions de 1580, 1582 et 1588, vingt-neuf sonnets amoureux de La Boétie figuraient ici. Après avoir dû renoncer en 1580 à publier le *Contre Un* dans ce chapitre qui pourtant n'était destiné à l'origine qu'à lui servir de cadre, et l'avoir remplacé par ces vingt-neuf sonnets, Montaigne les a, de quatorze grands traits de plume, biffés sur l'Exemplaire de Bordeaux, avec la mention laconique (et dépitée) « ces vers se voient ailleurs », mention que Mlle de Gournay remplaça à son tour par celle qui figure en italique à la fin du chapitre XXVIII : entre-temps, une édition semble en effet avoir paru de certaines *Œuvres* de La Boétie, dont à ce jour aucun exemplaire n'a été retrouvé. Ainsi le corps de l'ami a-t-il été deux fois chassé du centre du livre premier des *Essais*, qui devait d'abord en être le monument. Si la suppression initiale du *Discours de la servitude volontaire* s'expliquait par des accommodements raisonnables d'ordre politique, l'élimination *in fine* des sonnets correspond surtout au souci de cohérence littéraire et philosophique qui anima Montaigne lors de ses ultimes corrections, entre 1588 et 1592 : comment une amitié aussi exclusive et parfaite que celle que célèbre le présent essai pouvait-elle cohabiter avec des vers dans lesquels l'ami tant vanté chantait son amour exclusif et passionné pour cette non moins idéale amante que ce même La Boétie dénommait « Dourdouigne » ? Vestiges de l'édition de 1580, lesdits sonnets sont donnés en appendice à la présente édition, au titre de variante, par exception, vu que notre parti est de ne faire pas état des variantes, la présente édition n'ayant rien d'une édition critique.

Vingt et neuf sonnets d'Étienne de La Boétie [1], [g]

[Chapitre XXVIII]

À Madame de Grammont, Comtesse de Guissen.

Madame, je ne vous offre rien du mien, ou parce qu'il est déjà vôtre, ou pour ce que je n'y trouve rien qui soit digne de vous. Mais j'ai voulu que ces vers, en quelque lieu qu'ils se vissent, portassent votre nom en tête, pour l'honneur que ce leur sera d'avoir pour guide cette grande Corisande d'Andoins. Ce présent m'a semblé vous être propre, d'autant qu'il est peu de dames en France qui jugent mieux et se servent plus à propos que vous de la poésie. Et puisqu'il n'en est point qui la puissent rendre vive et animée comme vous le faites par ces beaux et riches accords dont parmi un million d'autres beautés Nature vous a étrennée, Madame, ces vers méritent que vous les chérissiez, car vous serez de mon avis qu'il n'en est point sorti de Gascogne qui eussent plus d'invention, de noblesse et de grâce et qui témoignent être sortis d'une plus riche main. Et n'entrez pas en jalousie du fait que vous n'ayez que le reste de ce que depuis longtemps j'en ai fait imprimer sous le nom de monsieur de Foix, votre bon parent, car certes ceux-ci ont je ne sais quoi de plus vif et de plus bouillant, comme il les fit en sa plus verte jeunesse, et échauffé par une belle et noble ardeur que je vous dirai, Madame, un jour à l'oreille. Les autres furent faits par la suite en faveur de sa femme, alors qu'il était à la poursuite de son mariage, et qu'il ressentait déjà je ne sais quelle froideur maritale. Et moi je suis de ceux qui tiennent que la poésie ne rit point ailleurs comme elle le fait sur un sujet folâtre et déréglé.

1. *Ces vingt-neuf sonnets d'Étienne de la Boétie qui étaient mis en ce lieu ont été depuis imprimés avec ses œuvres.*

De la modération

[Chapitre XXIX]

Comme si nous avions le toucher infecté, nous corrompons, rien qu'à les manier, des choses qui d'elles-mêmes sont belles et bonnes. Nous pouvons saisir la vertu de façon telle qu'elle en deviendra vicieuse si nous l'embrassons avec un désir trop âpre et trop violent. Ceux qui disent qu'il n'y a jamais d'excès dans la vertu parce qu'il ne s'agit plus de vertu si l'excès s'y joint jouent sur les mots :

Le sage n'a plus nom que de fol, le juste d'injuste
S'ils ne gardent mesure en quêtant la vertu
Insani sapiens nomen ferat, æquis iniqui,
Ultra quam satis est, uirtutem si petat ipsam. [1]

C'est là une considération subtile de la philosophie : on peut trop aimer la vertu et se montrer excessif dans une action juste. En ce sens va la parole divine : « Ne soyez pas plus sages qu'il ne faut, mais soyez sobrement sages [2]. » J'ai vu tel grand nuire à la réputation de sa religion pour vouloir se montrer religieux au-delà de tout exemple des hommes de sa condition. J'aime les natures tempérées et moyennes. Si elle ne me choque pas, l'immodération, fût-ce en faveur du bien même, me laisse stupide et me met en peine de la baptiser. La mère de Pausanias [3], qui la première incita à mettre à mort son fils et lui jeta la première pierre, et le dictateur Posthumius [4], qui fit mourir le sien que l'ardeur de sa jeunesse avait avec succès poussé vers les ennemis un peu en avant de son rang, me semblent moins justes que monstrueux, et je n'aime ni à conseiller ni à suivre une vertu aussi sauvage et aussi chèrement payée. L'archer qui outrepasse le blanc de la cible ne manque pas moins son coup que celui qui n'arrive pas jusqu'à elle.

---

1. Horace, *Épîtres*, I, VI, 15-16.
2. Saint Paul, *Épître aux Romains,* XIII, 3. Cette phrase était inscrite en latin dans la librairie de Montaigne.
3. Régent de Sparte qui se fit haïr : son autorité avait été jugée trop rude à la bataille de Platées (- 479), et on l'accusa par la suite d'avoir voulu soulever les hilotes.
4. Vainqueur des Èques durant la première guerre latine, au IVe siècle avant J.-C.

Mes yeux se troublent tout autant à se lever d'un coup vers une lumière vive qu'à se rabaisser dans l'ombre. Dans Platon, Calliclès affirme que la philosophie poussée à l'extrême est dommageable, et il conseille de ne s'y enfoncer outre les bornes de l'utile ; il dit que, prise avec modération, elle est plaisante et commode, mais qu'elle finit par rendre un homme sauvage et vicieux, dédaigneux des religions et des lois communes, ennemi de la conversation civile, ennemi des voluptés humaines, incapable de toute administration politique, impropre à secourir autrui comme à se secourir lui-même, et tout juste bon à être impunément souffleté. Il dit vrai, car, dans son excès, elle asservit notre franchise naturelle et, par une importune subtilité, nous dévoie du beau chemin plat et uni que Nature nous trace.

L'affection que nous portons à nos femmes est très légitime : la théologie pour autant ne laisse pas de la brider et de la restreindre. Il me semble avoir lu autrefois chez saint Thomas, dans un passage où il condamne les mariages entre parents aux degrés défendus, cette raison, parmi d'autres, qu'il y a danger que l'amitié qu'on porte à une telle femme soit immodérée, car si l'affection maritale s'y trouve entière et parfaite, comme il se doit, et qu'on la surcharge encore de celle qu'on doit à sa parentèle, il n'y a point de doute que ce surcroît n'emporte un tel mari hors des barrières de la raison.

Les sciences qui règlent les mœurs des hommes, comme la théologie et la philosophie, se mêlent de tout. Il n'est point d'action si privée et si secrète qui échappe à leur connaissance et à leur juridiction. Bien apprentis sont ceux qui croient pouvoir syndiquer leur liberté ! Les femmes prêtent tant qu'on veut leurs avantages à tâter aux garçons : aux médecins, la pudeur le leur défend. Je veux donc de leur part apprendre ceci aux maris, s'il s'en trouve encore qui y soient trop acharnés, c'est que les plaisirs mêmes qu'ils ont à s'accointer à leurs femmes sont réprouvés si la modération n'y est pas observée, et qu'il y a de quoi faillir en licence et en débordement avec cet objet-là comme avec un objet illégitime. Ces attouchements impudiques que la chaleur première nous suggère dans ce jeu sont employés envers nos femmes de façon non seulement indécente mais dommageable. Que ce soit au moins d'une autre main qu'elles apprennent l'impudence. Elles sont toujours bien assez éveillées pour notre besoin ! Pour ma part, je ne m'y suis jamais servi que de ce dont Nature simplement nous instruit. C'est une liaison religieuse et dévote que le mariage, voilà pourquoi le plaisir qu'on en tire doit être un plaisir retenu, sérieux et mêlé de quelque sévérité, et pourquoi ce doit être une volupté en quelque sorte prudente et consciencieuse. Et, parce que sa principale fin est la génération, il y en a qui mettent en doute si, lorsque nous sommes sans espérance de ce fruit, comme quand elles sont hors d'âge ou enceintes, il est permis d'en rechercher les étreintes. C'est un homicide selon les vues de Platon ! Certaines nations, et entre autres la mahométane, abominent l'accouplement avec les femmes enceintes, plusieurs aussi avec celles qui ont leurs fluences. Zénobie ne recevait son mari que pour une seule charge, et, cela fait, elle le laissait courir tout le temps de sa conception, lui donnant seulement alors loisir de recommencer : brave et généreux exemple de mariage ! C'est à quelque poète disetteux et affamé de ce plaisir [1] que Platon emprunta ce récit, que Jupiter livra un jour à sa femme une si chaleureuse charge que, ne pouvant avoir la patience qu'elle eût gagné son lit, il la renversa sur le plancher, et que, dans la véhémence du plaisir, il oublia les grandes et importantes résolutions qu'il venait de prendre avec les autres dieux en sa cour céleste, se vantant qu'il l'avait, ce coup-là, trouvé aussi bon que lorsque pour la première fois il l'avait dépucelée en cachette de leurs parents. Les rois de Perse appelaient leurs femmes à la compagnie de leurs festins, mais quand le vin venait à les échauffer sérieusement et qu'il fallait tout à fait lâcher la bride à la volupté, ils les renvoyaient en leur privé pour ne les faire pas participer à leurs appétits immodérés, et ils faisaient venir à leur place des femmes auxquelles ils n'eussent point cette obligation de respect. Tous les plaisirs et toutes les faveurs ne sont pas à leur place chez toutes gens. Epaminondas avait fait emprisonner un garçon dévoyé. Pélopidas le pria de le remettre en liberté en sa faveur. Il le lui refusa, et l'accorda à l'une de ses putains qui l'en avait aussi prié en disant que c'était là une faveur due à une amie, non à un capitaine. Sophocle, au temps où Périclès exerçait la préture avec lui, voyant par cas de fortune passer un beau garçon : « O le beau garçon que voilà ! fit-il à Périclès : – Cela serait bon à un autre qu'un préteur, lui dit Périclès, qui doit avoir non les mains seulement, mais aussi les yeux chastes. » À sa femme qui se plaignait de ce qu'il se laissait aller à l'amour d'autres femmes, l'empereur Aelius Verus répondit qu'il le faisait pour une raison de conscience parce que le mariage était le royaume de l'honneur et de la dignité, non d'une folâtre et lascive concupiscence. Et notre histoire ecclésiastique a conservé avec honneur la mémoire de cette femme qui répudia son mari parce qu'elle ne voulait pas supporter ses attouchements trop insolents et débordés, ni s'y prêter. En somme, il n'est point de volupté si légitime dans laquelle l'excès et l'intempérance ne puissent nous être reprochés !

1. Ce poète libidineux n'est autre qu'Homère !

Mais pour parler sérieusement, est-ce pas un misérable animal que l'homme ? À peine est-il en son pouvoir par sa condition naturelle de goûter un seul plaisir entier et pur, encore se met-il en peine de le retrancher par la raison : il n'est pas assez chétif si par art et par étude il n'augmente sa misère :

Nous avons par notre art au malheur ouvert des chemins
Fortunæ miseras auximus arte vias. [1]

La sagesse humaine fait bien sottement l'ingénieuse quand elle s'exerce à rabattre le nombre et la douceur des voluptés qui nous appartiennent, alors qu'elle s'ingénie favorablement et industrieusement quand elle emploie ses artifices à peigner et farder nos maux et à nous en alléger la perception. Si j'eusse été à la tête d'une école philosophique, j'eusse pris une autre voie, plus naturelle, et qui nous fait défaut, une voie vraie, commode et sainte, et je me fusse peut-être rendu assez fort pour savoir lui imposer des bornes. Et que dire du fait que nos médecins spirituels et corporels, comme par un complot fait entre eux, ne trouvent aucune voie à la guérison, ni aucun remède aux maladies du corps et de l'âme que par le tourment, la douleur et la peine ? Les veilles, les jeûnes, les haires, les exils lointains et solitaires, les prisons perpétuelles, les verges et autres afflictions ont été introduits pour cela, mais à la condition que ce soient véritablement des afflictions, qu'il y ait de l'aigreur poignante, et qu'il n'en advienne point comme à un certain Gallio : alors que celui-ci avait été envoyé en exil sur l'île de Lesbos, on fut averti à Rome qu'il s'y donnait du bon temps et que ce qu'on lui avait enjoint pour peine tournait à son avantage. Par quoi ils se ravisèrent de le rappeler auprès de sa femme et dans sa maison, et ils lui ordonnèrent de s'y tenir pour accommoder leur punition à sa façon de prendre les choses. Car chez qui le jeûne aiguiserait la santé et l'allégresse, chez qui le poisson serait plus appétissant que la chair, ce ne serait plus un remède salutaire, non plus qu'en l'autre médecine les drogues n'ont d'effet à l'endroit de celui qui les prend avec appétit et plaisir : l'amertume et la rudesse sont des circonstances qui servent à leur opération. Le naturel qui accepterait la rhubarbe comme familière en corromprait l'usage : il faut que ce soit chose qui blesse notre estomac pour le guérir, et ici défaille la règle commune que les choses se guérissent par leurs contraires, car le mal y guérit le mal.

Cette idée n'est pas sans rapport avec cette autre, si ancienne, qui est de penser plaire au Ciel et à la nature par notre propre massacre et

1. Properce, III, VII, 32.

notre propre meurtre, idée qui fut universellement embrassée par toutes les religions. Encore du temps de nos pères, Amurat, lors de la prise de l'Isthme [1] immola six cents jeunes hommes grecs à l'âme de son père, afin que ce sang servît de propitiation à l'expiation des péchés du trépassé. Et dans ces nouvelles terres découvertes en notre âge, pures encore et vierges en comparaison des nôtres, l'usage en est reçu un peu partout. Toutes leurs idoles s'abreuvent de sang humain, non sans divers exemples d'une horrible cruauté. On les brûle vifs, et on les retire demi-rôtis du brasier pour leur arracher le cœur et les entrailles. Pour d'autres victimes, même les femmes, on les écorche vives, et de leur peau ainsi sanglante on en fait des masques dont on revêt d'autres. Et l'on y voit non moins d'exemples de constance et résolution. Car ces pauvres gens qu'on voue au sacrifice, vieillards, femmes, enfants, quelques jours avant, quêtent eux-mêmes les aumônes pour l'offrande de leur sacrifice, et ils se présentent à la boucherie en chantant et en dansant avec les assistants. Les ambassadeurs du roi de Mexico, pour faire entendre à Fernand Cortez la grandeur de leur maître, après lui avoir dit qu'il avait trente vassaux dont chacun pouvait assembler cent mille combattants, et qu'il se tenait dans la ville la plus belle et la plus forte qui fût sous le ciel, lui ajoutèrent qu'il avait cinquante mille hommes par an à sacrifier aux dieux. De vrai, ils disent qu'il nourrissait la guerre avec certains grands peuples voisins, non seulement pour l'exercice de la jeunesse du pays, mais principalement pour avoir de quoi fournir à ses sacrifices avec des prisonniers de guerre. Ailleurs, dans un certain bourg, pour la bienvenue dudit Cortez, ils sacrifièrent cinquante hommes tout à la fois. Je ferai encore ce conte : certains de ces peuples qu'il avait vaincus lui dépêchèrent des envoyés pour le reconnaître et rechercher son amitié. Les messagers lui présentèrent trois sortes de présents de cette façon : « Seigneur, voilà cinq esclaves : si tu es un dieu farouche qui te repaisses de chair et de sang, mange-les, et nous t'en amènerons davantage ; si tu es un dieu débonnaire, voilà de l'encens et des plumes ; si tu es homme, prends les oiseaux et les fruits que voici. »

1. L'isthme de Corinthe. « Amurat » est Mourad II (1404-1451), sultan turc qui, après que son père eut soumis la Grèce du nord-est à l'Islam, en poursuivit la conquête jusqu'en Albanie.

Des Cannibales [h]

[Chapitre XXX]

Quand le roi Pyrrhus passa en Italie, après qu'il eut reconnu le bon ordre de l'armée que les Romains lui envoyaient au-devant : « Je ne sais, dit-il, quels barbares sont ceux-ci (car les Grecs appelaient ainsi toutes les nations étrangères) mais la disposition de cette armée que je vois n'est nullement barbare. Autant en dirent les Grecs de celle que Flaminius fit passer dans leur pays, et Philippe en découvrant du haut d'un tertre l'ordre et la distribution d'un camp romain établi dans son royaume sous Publius Sulpicius Galba. Voilà comment il faut se garder de s'attacher aux opinions vulgaires, et il faut les juger par la voie de la raison, non par la voix commune.

J'ai eu longtemps avec moi un homme qui était demeuré dix ou douze ans dans cet autre monde qui a été découvert en notre siècle, à l'endroit où Villegaignon prit terre et qu'il dénomma la France antarctique [1]. Cette découverte d'un pays infini semble d'une grande considération. Je ne sais si je puis me répondre qu'il ne s'en fasse à l'avenir quelque autre, tant de personnages plus grands que nous ayant été trompés à propos de celle-ci. J'ai peur que nous ayons les yeux plus grands que le ventre, et plus de curiosité que nous n'avons de capacité. Nous embrassons tout, mais nous n'étreignons que du vent. Platon met en scène Solon qui raconte avoir appris des prêtres de la ville de Saïs en Égypte que jadis et avant le déluge il y avait une grande île nommée Atlantide, droit à la bouche du détroit de Gibraltar, qui couvrait plus de pays que l'Afrique et l'Asie toutes deux ensemble, et que les rois de cette contrée-là, qui ne possédaient pas seulement cette île mais s'étaient étendus sur la terre ferme si avant qu'ils détenaient dans la largeur de l'Afrique jusqu'en Égypte et dans la longueur de l'Europe, jusqu'en Toscane, entreprirent d'enjamber jusqu'en Asie et de subjuguer toutes les nations qui bordent la mer Méditerranée jusqu'au golfe de la mer Noire, et pour cet effet qu'ils traversèrent les Espagnes, la Gaule, et l'Italie jusqu'en Grèce, où les

---

1. Nicolas Durand, vice-amiral de Bretagne, qui, envoyé par Henri II et Coligny, débarqua en 1555 à l'embouchure du rio de Janeiro dans l'intention d'y établir une colonie. L'affaire tourna court, faute d'effectifs.

Athéniens les arrêtèrent, mais que, quelque temps après, et les Athéniens et eux et leur île furent engloutis par le déluge. Il est bien vraisemblable que cet extrême ravage des eaux ait produit des changements extraordinaires dans les séjours de la terre, de même qu'on tient que la mer a retranché la Sicile d'avec l'Italie,

Ces lieux, dit-on, disjoints jadis de vive force
Dans les convulsions d'un vaste effondrement,
N'étaient qu'un autrefois

Hæc loca ui quondam, et uasta conuulsa ruina,
Dissiluisse ferunt, cum protinus utraque tellus
Una foret, [1]

Chypre d'avec la Syrie, l'île de Nègrepont [2] de la terre ferme de Béotie, tandis qu'elle a réuni ailleurs des terres qui étaient divisées en comblant de limon et de sable les fosses d'entre-deux :

Un marais longtemps stérile et qu'écumait l'aviron,
Nourrit les bourgs voisins et porte de lourdes charrues

sterilisque diu palus aptaque remis
Vicinas urbes alit et graue sentit aratrum. [3]

Mais il n'y a pas grande apparence que cette île soit ce monde nouveau que nous venons de découvrir, car elle touchait quasi l'Espagne, et ce serait un effet peu croyable pour une inondation que de l'en avoir reculée, comme elle l'est, de plus de douze cents lieues, outre que les navigations des modernes ont déjà presque découvert que ce n'est point une île mais une terre ferme et attenante à l'Inde orientale d'un côté et aux terres qui sont sous les deux pôles de l'autre, ou, si elle en est séparée, que c'est par un si petit détroit et si peu d'intervalle qu'elle ne mérite pas d'être nommée île pour cela. Il semble qu'il y ait dans ces grands corps des mouvements, les uns naturels, les autres fiévreux, comme dans les nôtres. Quand je considère le creusement que ma rivière de Dordogne fait de mon temps sur la rive droite de sa descente et qu'en vingt ans elle a tellement gagné et dérobé les fondations de plusieurs bâtiments, je vois bien que c'est un mouvement extraordinaire, car si elle fût toujours allée ce train, où dût aller de même à l'avenir, la face du monde en serait bouleversée. Mais il arrive aux rivières de varier : tantôt elles se répandent d'un côté, tantôt d'un autre, tantôt elles se contiennent. Je ne parle pas des

1. Virgile, *Énéide*, III, 414 et 416-417.
2. L'Eubée, dont « île de Nègrepont » (*i.e.* « de la mer Noire ») était le nom au temps des croisades, et sous la plume de leurs chroniqueurs.
3. Horace, *Art poétique*, 65-66.

inondations soudaines dont nous avons les causes à notre main. En Médoc, le long de la mer, mon frère, le sieur d'Arsac, voit l'une de ses terres ensevelie sous les sables que la mer vomit devant elle : le faîte de certains bâtiments paraît encore ; ses rentes et ses domaines se sont changés en pacages bien maigres. Les habitants disent que, depuis quelque temps, la mer se pousse si fort vers eux qu'ils ont perdu quatre lieues de terre. Ces sables sont les fourriers qu'elle envoie en avant, et nous voyons de grandes montagnes de sables mouvants qui marchent une demie lieue devant elle et gagnent sur le pays. L'autre témoignage de l'antiquité auquel on veut rapporter cette découverte se trouve dans Aristote, du moins si ce petit livret *Des merveilles inouïes* est de lui. Il raconte là que certains Carthaginois qui s'étaient lancés à travers la mer Atlantique hors du détroit de Gibraltar, ayant navigué longtemps, avaient découvert enfin une grande île fertile, toute revêtue de bois et arrosée par de grandes et profondes rivières, fort éloignée de toute terre ferme, et qu'eux, et d'autres à leur suite, attirés par la bonté et la fertilité du terroir, y allèrent avec leurs femmes et leurs enfants et commencèrent à y habiter. Les seigneurs de Carthage, voyant que leur pays se dépeuplait peu à peu, firent défense expresse, sous peine de mort, que personne n'eût plus à aller là-bas, et ils en chassèrent ces nouveaux habitants, craignant, à ce qu'on dit, qu'au fil du temps ils n'en vinssent à multiplier tellement qu'ils les supplantassent eux-mêmes et ruinassent leur État. Ce récit d'Aristote ne s'accorde pas non plus avec nos terres neuves.

Cet homme que j'avais était un homme simple et fruste, ce qui est une condition propre à rendre véritable un témoignage, car les fines gens remarquent avec bien plus de soin, et remarquent plus de choses, mais ils les glosent, et pour faire valoir leur interprétation et la persuader, ils ne peuvent se garder d'altérer un peu l'histoire. Ils ne vous représentent jamais les choses pures : ils les inclinent et les masquent selon le visage qu'ils leur ont vu, et pour donner crédit à leur jugement et vous y attirer, ils prêtent volontiers à la matière de ce côté-là, l'allongent et l'amplifient. Il faut un homme ou très fidèle ou si simple qu'il n'ait pas de quoi bâtir des inventions fausses et leur donner de la vraisemblance, et qui n'ait rien épousé. Le mien était tel, et, outre cela, il m'a fait rencontrer à diverses reprises plusieurs matelots et marchands qu'il avait connus au cours de son voyage. Ainsi je me contente de cette information, sans m'enquérir de ce que les cosmographes [1] en disent. Il nous faudrait des topographes qui

1. Les géographes ici visés pourraient être Sébastien Münster, François de Belleforest ou André Thevet. C'étaient des voyageurs qui, comme un autre, « haïs-

nous fissent la description particulière des endroits où ils sont allés. Mais, parce qu'ils ont cet avantage sur nous d'avoir vu la Palestine, ils veulent jouir du privilège de nous conter nouvelles de tout le reste du monde [1]. Je voudrais que chacun écrivît ce qu'il sait, et autant qu'il en sait, non sur cela seulement, mais sur tous les autres sujets. Car tel peut avoir quelque science ou expérience particulière de la nature d'une rivière ou d'une source, qui, pour le reste, ne sait que ce que chacun en sait. Il entreprendra toutefois, pour étendre ce petit lopin, d'écrire tout le traité de la physique ! De ce vice sourdent plusieurs grands inconvénients.

Or je trouve, pour revenir à mon propos, qu'il n'y a rien de barbare ni de sauvage dans cette nation, à ce qu'on m'en a rapporté, sinon que chacun appelle barbarie ce qui n'est pas de son usage, tout comme, à la vérité, nous n'avons pas d'autre mire pour jauger la vérité et la raison que l'exemple et l'idée des opinions et des usages du pays où nous sommes. Là sont toujours la parfaite religion, le parfait gouvernement, le parfait et accompli usage de toutes choses. Ils sont sauvages de même que nous appelons sauvages les fruits que de soi et dans son progrès ordinaire Nature a produits, là où, à la vérité, ce sont ceux que nous avons altérés par notre artifice et détournés de l'ordre commun que nous devrions plutôt appeler sauvages. Chez ces hommes de là-bas, les vraies vertus et les vraies qualités, les plus utiles et les plus naturelles, que nous avons abâtardies chez eux en les accommodant au plaisir de notre goût corrompu, sont restées vives et vigoureuses. Et si par conséquent il se trouve que la saveur même et la délicatesse soient, à notre goût même, excellentes à l'égal des nôtres dans divers fruits de ces contrées-là, qui viennent sans culture, ce n'est pas raison que l'art gagne le point d'honneur sur notre grande et puissante mère Nature. Nous avons tant rechargé la beauté et la richesse de ses ouvrages par nos inventions que nous l'avons tout étouffée. Pourtant, partout où sa pureté reluit, elle fait une merveilleuse honte à nos vaines et frivoles entreprises :

D'eux-mêmes mieux viennent les lierres
L'arbousier, lui, croît plus beau dans les antres solitaires,
Et sans art les oiseaux rendent un chant plus doux

---

saient les voyages », et se contentaient de compiler des ouvrages, de préférence antiques.

1. Ce coup d'estoc vise le cordelier André Thevet, qui, de retour de Palestine, avait successivement publié une *Cosmographie du Levant*, puis une *Cosmographie universelle*.

Et ueniunt hederæ sponte sua melius,
Surgit et in solis formosior arbutus antris,
Et uolucres nulla dulcius arte canunt. [1]

Tous nos efforts ne peuvent seulement arriver à reproduire le nid du moindre oiselet, sa contexture, sa beauté, et l'utilité de son usage, non plus que la tissure de la chétive araignée. Toutes choses, dit Platon, sont produites ou par la nature, ou par la fortune, ou par l'art. Les plus grandes et les plus belles par l'une ou l'autre des deux premières, les moindres et imparfaites par la dernière.

Ces nations me semblent donc ainsi barbares pour avoir reçu fort peu de façon de l'esprit humain et être encore fort voisines de leur naïveté originelle. Les lois naturelles leur commandent encore, fort peu abâtardies par les nôtres. Mais c'est avec une telle pureté qu'il me prend quelquefois déplaisir que la connaissance n'en soit venue plus tôt, du temps qu'il y avait des hommes qui en eussent su mieux juger que nous. Il me déplaît que Lycurgue et Platon [2] ne l'aient eue, car il me semble que ce que nous voyons par expérience chez ces nations-là surpasse non seulement toutes les peintures dont la poésie a embelli l'âge d'or et toutes ses inventions pour feindre une heureuse condition des hommes, mais encore les conceptions et le désir mêmes des philosophes. Ils n'ont pu imaginer une naïveté aussi pure et simple, comme nous la voyons par expérience, ni n'ont pu croire que notre société se pût maintenir avec si peu d'artifice et de soudure humaine. C'est une nation, dirais-je à Platon, où il n'y a aucune espèce de trafic, aucune connaissance des lettres, nulle science des nombres, nul nom de magistrat ni de hiérarchie politique, nul usage de la servitude, où il n'y a ni richesse ni pauvreté, nuls contrats, nulles successions, nuls partages, nulles occupations autres qu'oisives, nul respect particulier pour les parents hors le respect humain mutuel, nuls vêtements, nulle agriculture, nul métal, nul usage du vin ou du blé. Les mots mêmes qui signifient le mensonge, la trahison, la dissimulation, l'avarice, l'envie, la médisance, le pardon, n'y sont pas connus. Combien trouverait-il la république qu'il a imaginée éloignée de cette perfection ?

Telles sont les lois que nature a tout d'abord données
Hos natura modos primum dedit. [3]

1. Properce, I, II, 10-11 et 14.
2. Lycurgue est ce législateur mythique qui aurait donné à Sparte sa si fameuse constitution. Platon figure ici son pendant athénien en tant qu'auteur des *Lois* et de *La République*, dialogues dans lesquels le philosophe imagine une cité et des lois idéales.
3. Virgile, *Géorgiques*, II, 20.

Au demeurant, ils vivent dans un coin de pays très plaisant, et bien tempéré, de sorte qu'il est rare, à ce que m'ont dit mes témoins, d'y voir un homme malade, et ils m'ont assuré n'y en avoir vu aucun tremblant, chassieux, édenté, ou courbé de vieillesse. Ils sont établis le long de la mer et fermés du côté de la terre par de grandes et hautes montagnes, avec entre les deux, cent lieues environ d'étendue en largeur. Ils ont une grande abondance de poissons et de chairs qui n'ont aucune ressemblance avec les nôtres, et ils les mangent sans autre artifice que de les cuire. Le premier qui y mena un cheval, quoiqu'il les eût pratiqués lors de plusieurs autres voyages, leur fit tant d'horreur dans cette posture qu'ils le tuèrent à coups de traits avant que de pouvoir le reconnaître. Leurs bâtiments sont fort longs, et capables de deux ou trois cents âmes, étoffés d'écorce de grands arbres. Ils reposent à terre par un bout en se soutenant et s'appuyant un pan contre l'autre par le faîte, à la mode de certaines de nos granges dont la couverture pend jusqu'à terre et sert de flanc. Ils ont du bois si dur qu'ils en coupent pour faire leurs épées et des grils pour cuire leurs aliments. Leurs lits sont faits d'un tissu de coton et suspendus au toit, comme ceux de nos navires ; à chacun le sien, car les femmes couchent à part des maris. Ils se lèvent avec le soleil et mangent sitôt après s'être levés pour toute la journée, car ils ne font d'autre repas que celui-là. Ils ne boivent pas à ce moment-là, comme Suidas le dit de quelques autres peuples d'Orient qui buvaient hors du manger ; ils boivent plusieurs fois le jour, et à l'envi. Leur breuvage est tiré d'une certaine racine, et il est de la couleur de nos vins clairets. Ils ne le boivent que tiède. Ce breuvage ne se conserve que deux ou trois jours ; il a le goût un peu piquant, n'enfume nullement ; il est salutaire à l'estomac, et laxatif pour ceux qui ne l'ont accoutumé ; c'est une boisson très agréable pour qui y est habitué. Au lieu du pain ils usent d'une certaine matière blanche, semblable à du coriandre confit [1]. J'en ai tâté : le goût en est doux et un peu fade. Toute la journée se passe à danser. Les plus jeunes vont à la chasse des bêtes avec des arcs. Une partie des femmes s'amuse cependant à chauffer leur breuvage, ce qui est leur principal office. Il y a quelqu'un parmi les vieillards qui, le matin, avant qu'ils ne se mettent à manger, prêche en commun toute la grangée, en se promenant d'un bout à l'autre, et en redisant une même phrase plusieurs fois, jusqu'à ce qu'il ait achevé le tour, car ce sont des bâtiments qui ont bien cent pas de longueur. Il ne leur recommande que deux choses, la vaillance contre les ennemis, et l'amitié pour leurs femmes. Et ils ne manquent jamais de souligner

1. La farine de manioc.

dans leur refrain cette obligation que ce sont elles qui leur maintiennent leur boisson tiède et assaisonnée. On voit en plusieurs lieux, et entre autres chez moi [1], la forme de leurs lits, de leurs cordons, de leurs épées, et des bracelets de bois dont ils couvrent leurs poignets dans les combats, et de grandes cannes ouvertes à un bout, par le son desquelles ils soutiennent le rythme de leur danse. Ils sont rasés partout, et ils se font le poil de beaucoup plus près que nous sans autre rasoir que de bois ou de pierre. Ils croient que les âmes sont éternelles, et que celles qui ont bien mérité des dieux sont logées à l'endroit du ciel où le soleil se lève, les maudites, du côté de l'occident.

Ils ont je ne sais quels prêtres et prophètes qui se présentent bien rarement au peuple, parce qu'ils ont leur demeure dans les montagnes. À leur arrivée, il se fait une grande fête et une assemblée solennelle de plusieurs villages : chaque grange, comme je l'ai décrit, fait un village, et elles sont environ à une lieue française l'une de l'autre. Ce prophète leur parle en public en les exhortant à la vertu et à leur devoir, mais toute leur science éthique ne contient que ces deux articles : la résolution à la guerre, et l'affection pour leurs femmes. Celui-ci leur prédit les choses à venir et l'issue qu'ils doivent espérer de leurs entreprises. Il les achemine à la guerre ou les en détourne, mais c'est à telle condition que lorsqu'il manque à deviner juste, et s'il leur en advient autrement qu'il ne le leur a prédit, il est haché en mille morceaux, s'ils l'attrapent, et condamné comme faux prophète. C'est pour cette raison que celui qui s'est une fois mécompté, on ne le revoit plus.

C'est un don de Dieu que la divination, voilà pourquoi ce devrait être une imposture punissable que d'en abuser. Parmi les Scythes, quand les devins avaient failli à trouver juste, on les couchait, les fers aux pieds et aux mains, sur des chariots pleins de bruyère tirés par des bœufs, dans lesquels on les faisait brûler. Ceux qui manient les choses sujettes à se conduire selon les capacités humaines sont excusables d'y faire ce qu'ils peuvent. Mais ces autres qui nous viennent duper en nous assurant qu'ils ont une faculté extraordinaire qui est hors de notre connaissance, ne faut-il pas les punir de ce qu'ils ne maintiennent pas l'effet de leur promesse, et de la témérité de leur imposture ?

Les Cannibales livrent des guerres contre les nations qui sont au-delà de leurs montagnes, plus avant dans la terre ferme, auxquelles ils vont tous nus, n'ayant d'autres armes que des arcs ou des épées de bois appointées par un bout, à la mode des langues de nos épieux.

1. Comme d'autres humanistes, Montaigne avait installé chez lui un cabinet de curiosités.

C'est une chose stupéfiante que de la dureté de leurs combats, qui ne finissent jamais que par le meurtre et l'effusion de sang, car de déroutes et d'effroi, ils ne savent ce que c'est. Chacun rapporte pour son trophée la tête de l'ennemi qu'il a tué et l'attache à l'entrée de son logis. Après avoir longtemps bien traité leurs prisonniers, et avec tous les agréments dont ils peuvent s'aviser, celui qui en est le maître fait une grande assemblée de ses connaissances. Il attache une corde à l'un des bras du prisonnier, par le bout de laquelle il le tient éloigné de quelques pas, de peur d'en être blessé, et il donne au plus cher de ses amis l'autre bras à tenir de même, et eux deux, en présence de toute l'assemblée, l'assomment à coups d'épée. Cela fait, ils le rôtissent et en mangent en commun, non sans en envoyer quelques lopins à ceux de leurs amis qui sont absents. Ce n'est pas comme on pense, pour s'en nourrir, ainsi que faisaient anciennement les Scythes : c'est pour représenter une extrême vengeance. Et pour preuve qu'il en soit bien ainsi : ayant aperçu que les Portugais qui s'étaient ralliés à leurs adversaires usaient d'une autre sorte de mort contre eux quand ils les prenaient, qui était de les enterrer jusqu'à la ceinture et de tirer sur le reste du corps force coups de traits pour les pendre après, ils pensèrent que ces gens de l'autre monde, en hommes qui avaient semé la connaissance de beaucoup de vices parmi leur voisinage, et qui étaient bien plus grands maîtres qu'eux en toute sorte de malice, ne prenaient pas sans raison cette sorte de vengeance, et qu'elle devait être plus aigre que la leur, si bien qu'ils commencèrent de quitter leur façon ancienne pour suivre celle-ci. Je ne suis pas marri que nous remarquions l'horreur barbare qu'il y a dans une telle action, mais marri, oui bien, de ce que nous qui ne les manquons pas quand nous jugeons de leurs fautes, nous soyons si aveugles sur les nôtres. Je pense qu'il y a plus de barbarie à manger un homme vivant qu'à le manger mort, à déchirer par tortures et par géhennes un corps encore plein de sentiment, à le faire rôtir par le menu, à le faire mordre et tuer aux chiens et aux pourceaux – comme nous l'avons non seulement lu, mais vu de fraîche mémoire non entre des ennemis anciens, mais entre des voisins et des concitoyens, et qui pis est, sous prétexte de piété et de religion [1] – que de le rôtir et manger après qu'il est trépassé.

---

1. Les guerres de religion ont donné lieu de part et d'autre à d'horribles massacres. Chacun a en mémoire celui de la Saint-Barthélemy. Mais les protestants mettaient tout à feu et à sang et finissaient pendus par dizaines à l'entrée des villages. Burie, qu'accompagnait La Boétie, s'indigne d'avoir vu des huguenots jetés aux dents des pourceaux.

Chrysippe et Zénon, les chefs de la secte stoïque, ont bien pensé qu'il n'y avait aucun mal à se servir de notre charogne à quoi que ce fût pour notre besoin et à en tirer de la nourriture, comme nos ancêtres assiégés par César dans la ville d'Alesia qui se résolurent à soutenir la faim de ce siège avec les corps des vieillards, des femmes, et d'autres personnes inutiles au combat :

Les Gascons, dit-on, grâce à de telles viandes
Ont prolongé leur vie

Vascones, fama est, alimentis talibus usi
Produxere animas. [1]

Et les médecins ne craignent pas de s'en servir à toute sorte d'usage pour notre santé, pour l'appliquer soit au-dedans, soit au-dehors. Mais il ne se trouva jamais aucune opinion si déréglée qui excusât la trahison, la déloyauté, la tyrannie, la cruauté, qui sont nos fautes ordinaires.

Nous pouvons donc bien les appeler barbares eu égard aux règles de la raison, mais non pas eu égard à nous qui les surpassons en toute sorte de barbarie. Leur guerre est toute noble et généreuse, et elle a autant d'excuse et de beauté que cette maladie humaine en peut recevoir. Elle n'a autre fondement parmi eux que la seule jalousie de la vertu. Ils ne sont pas en débat de la conquête de nouvelles terres, car ils jouissent encore de cette fécondité naturelle qui les fournit sans travail et sans peine de toutes les choses nécessaires en une telle abondance qu'ils n'ont que faire d'agrandir leurs limites. Ils sont encore en cet heureux point de ne désirer qu'autant que leurs nécessités naturelles le leur demandent : tout ce qui est au-delà est superflu pour eux. Ceux de même âge s'entr'appellent généralement « frères » ; « enfants », ceux qui sont au-dessous ; et les vieillards sont « pères » pour tous les autres. Ceux-ci laissent à la communauté de leurs héritiers une pleine possession de biens par indivis, sans autre titre que celui, tout pur, que nature donne à ses créatures en les produisant au monde. Si leurs voisins passent les montagnes pour venir les assaillir, et qu'ils remportent la victoire sur eux, l'acquêt du vainqueur, c'est la gloire, et l'avantage d'être demeuré maître en valeur et en vertu, car autrement ils n'ont que faire des biens des vaincus, et ils s'en retournent dans leurs pays, où ils n'ont faute d'aucune chose nécessaire, ni faute encore de cette grande qualité qui est de savoir heureusement jouir de leur condition, et de s'en contenter. Autant en font ceux-ci à leur tour. Ils ne demandent à leurs prisonniers d'autre rançon que

1. Juvénal, XV, 93-94.

l'aveu et la reconnaissance de leur défaite. Mais il ne s'en trouve pas un en tout un siècle qui n'aime mieux la mort que de céder, par contenance ou en parole, un seul point de la grandeur d'un courage invincible. Il ne s'en voit aucun qui n'aime mieux être tué et mangé que de requérir seulement de ne l'être pas. Ils les traitent en toute liberté, afin que la vie leur soit d'autant plus chère, et ils les entretiennent communément des menaces de leur mort future, des tourments qu'ils auront à y souffrir, des apprêts qu'on dresse pour cet effet, du tranchage de leurs membres, et du festin qui se fera à leurs dépens. Tout cela se fait pour la seule fin d'arracher de leur bouche quelque parole molle ou rabaissée, ou de leur donner envie de s'enfuir pour gagner l'avantage de les avoir épouvantés, et d'avoir forcé leur constance. Car aussi, à le bien prendre, c'est en ce seul point que consiste la vraie victoire :

il n'est point de victoire
Que celle qui l'ennemi force à s'avouer vaincu
Jusqu'en son cœur aussi

uictoria nulla est
Quam quæ confessos animo quoque subiugat hostes. [1]

Les Hongrois, combattants très belliqueux, ne poursuivaient jadis leur pointe outre avoir rendu l'ennemi à leur merci. Car après avoir arraché cette confession, ils le laissaient aller sans offense, sans rançon, sauf, tout au plus, à en tirer parole de ne s'armer plus dorénavant contre eux.

Nous gagnons sur nos ennemis assez d'avantages qui sont des avantages empruntés, non pas nôtres. C'est le propre d'un portefaix, non celui du courage, que d'avoir les bras et les jambes plus roides ; c'est une qualité morte et purement corporelle que l'heureuse disposition du corps ; c'est un coup de la fortune de faire broncher notre ennemi et de lui éblouir les yeux par la lumière du soleil ; c'est un tour d'art et de science, et qui peut échoir à une personne lâche et de néant, que d'être adroit à l'escrime. Ce qui fait la valeur et le prix d'un homme se tient dans le cœur et dans la volonté : c'est là ou gît son véritable honneur. La vaillance, c'est la fermeté non pas des jambes et des bras, mais du courage et de l'âme. Elle ne tient pas à la valeur de notre cheval ni de nos armes, mais à la nôtre. Celui qui tombe obstiné en son courage, *si succiderit, de genu pugnat* [2] s'il tombe il se bat encore à genoux, qui, pour quelque danger d'une mort voisine, ne relâche

1. Claudien, *Le Sixième Consulat d'Honorius*, 248.
2. Sénèque, *De Providentia*, II, 6.

aucun point de son assurance, qui regarde encore en rendant l'âme son ennemi d'une vue ferme et dédaigneuse, celui-là est battu non pas par nous, mais par la fortune : il est tué, non pas vaincu. Les plus vaillants sont parfois les plus infortunés. Aussi y a-t-il des défaites triomphantes à l'égal des victoires. Ni ces quatre victoires sœurs, les plus belles que le soleil ait onques vues de ses yeux, de Salamine, de Platées, de Mycale, de Sicile [1], n'osèrent jamais opposer toute leur gloire réunie à la gloire de la déconfiture du roi Léonidas et des siens au passage des Thermopyles [2]. Qui courut jamais d'une plus glorieuse envie, et plus ambitieuse, au gain du combat que le capitaine Ischolas à la défaite ? Qui plus ingénieusement et plus soigneusement s'est assuré de son salut que lui de sa ruine ? Il était commis à défendre certain passage du Péloponnèse contre les Arcadiens. Pour ce faire, il se trouvait tout à fait incapable, vu la nature du lieu et l'inégalité des forces, et, concluant que tous ceux qui se présenteraient aux ennemis devraient nécessairement y rester, estimant d'autre part indigne et de sa propre vertu et magnanimité et du nom Lacédémonien de faillir à sa charge, il prit entre ces deux extrémités un moyen parti, qui fut tel : les plus jeunes et les plus dispos de sa troupe, il les conserva pour la protection et le service de leur pays, et il les y renvoya. Et avec ceux dont la perte serait moindre, il résolut de soutenir ce passage et d'en faire par leur mort acheter l'entrée aux ennemis le plus cher qu'il lui serait possible, comme il advint. Car étant bientôt environné de toutes parts par les Arcadiens, après en avoir fait une grande boucherie, lui et les siens furent tous passés au fil de l'épée. Est-il quelque trophée assigné aux vainqueurs qui ne soit mieux dû à ces vaincus ? Le vrai vaincre a pour son rôle l'estoc, non pas le salut ; et l'honneur de la vertu consiste à combattre, non à battre.

Pour revenir à notre histoire, il s'en faut tant que ces prisonniers se rendent à la suite de tout ce qu'on leur fait qu'au rebours, pendant ces deux ou trois mois qu'on les garde, ils montrent une mine gaie ; ils pressent leurs maîtres de se hâter de les soumettre à cette épreuve ; ils les défient, les injurient, leur reprochent leur lâcheté, et le nombre des batailles perdues contre les leurs. J'ai une chanson faite par un prisonnier où il y a ce trait : qu'ils viennent donc tous hardiment, et qu'ils

1. Les Grecs remportèrent les trois premières victoires citées sur les Perses, en 480 puis en 479, sur mer à Salamine et au cap Mycale, sur terre à Platées. La dernière fut remportée par les Spartiates contre les Athéniens en 413 avant J.-C.

2. Le sacrifice si fameux de Léonidas et de ses trois cents hoplites au défilé des Thermopyles (480) retint l'armée perse, et les Grecs purent se replier en bon ordre et éviter un massacre. Ainsi furent possibles le sursaut et la défaite ultérieure des envahisseurs.

s'assemblent pour dîner de lui, car ils mangeront en même temps leurs pères et leurs aïeux, qui ont servi d'aliment et de nourriture à son corps. « Ces muscles, leur dit-il, cette chair et ces veines, ce sont les vôtres ! Pauvres fous que vous êtes, vous ne reconnaissez pas que la substance des membres de vos ancêtres s'y tient encore ? Savourez-les bien : vous y trouverez le goût de votre propre chair ! », chanson dont l'invention ne sent en rien la barbarie. Ceux qui les peignent au moment de leur mise à mort et qui représentent cette action à l'instant où on les assomme, ils peignent le prisonnier en train de cracher au visage de ceux qui le tuent et de leur faire la moue. De vrai, ils ne cessent jusqu'au dernier soupir de les braver et de les défier par leurs paroles et par leur contenance. Sans mentir, au prix de nous, voilà des hommes bien sauvages, car il faut ou qu'ils le soient bien vraiment, ou que nous, nous le soyons : il y a une prodigieuse distance entre leur façon et la nôtre.

Les hommes ont là-bas plusieurs femmes, et ils en ont un nombre d'autant plus grand qu'ils sont en meilleure réputation de vaillance. C'est une beauté remarquable dans leurs mariages que la même jalousie que nos femmes ont pour nous éloigner de l'amitié et de la bienveillance d'autres femmes, les leurs l'ont toute pareille pour les leur acquérir. Étant plus soigneuses de l'honneur de leurs maris que de toute autre chose, elles cherchent et mettent leur sollicitude à avoir le plus de compagnes qu'elles peuvent, d'autant que c'est un témoignage de la vertu du mari.

Les nôtres crieront au miracle : ce ne l'est pas. C'est une vertu proprement matrimoniale, mais du plus haut étage. Et dans la Bible, Léa, Rachel, Sarah et les femmes de Jacob fournirent leurs belles servantes à leurs maris ; Livie seconda les appétits d'Auguste, à son propre détriment, et la femme du roi Déjotarus, Stratonice, prêta non seulement à l'usage de son mari, une fort belle jeune fille de chambre qui la servait, mais elle en nourrit soigneusement les enfants, et leur fit épaule pour succéder aux États de leur père.

Et afin qu'on ne pense point que tout ceci se fasse par une simple et servile soumission à leur usage et par ce que l'autorité de leur coutume ancestrale aurait pu imprimer eu eux, sans raisonnement et sans jugement, et parce qu'ils auraient l'âme si stupide que de ne pouvoir prendre d'autre parti, il faut alléguer quelques traits de leur talent. Outre celui que je viens de raconter au sujet de l'une de leurs chansons guerrières, j'en ai une autre, amoureuse, qui commence en ce sens : « Couleuvre, arrête-toi ! Arrête-toi, couleuvre, afin que ma sœur, sur le modèle de ta peinture, tire la façon et l'ouvrage d'un riche cordon que je puisse donner à m'amie. Ainsi soit en tout temps ta beauté et ta tournure préférée à tous les autres serpents. » Ce premier couplet, c'est le refrain de la chanson. Or j'ai assez de commerce avec la poésie pour juger ceci que, non seulement il n'y a rien de barbare dans cette idée, mais qu'elle est tout à fait anacréontique [1]. Leur langage, au demeurant, c'est un langage doux, et qui a le son agréable, qui ressemble aux terminaisons grecques.

Trois d'entre eux, bien misérables de s'être laissés prendre au désir de la nouvelleté et d'avoir quitté la douceur de leur ciel pour venir voir le nôtre, ignorant combien coûtera un jour à leur repos et à leur bonheur la connaissance des corruptions de deçà [2] et que de ce commerce naîtra leur ruine qui, comme je le présume, est déjà avancée, furent à Rouen du temps que le feu roi Charles IX y était. Le roi leur parla longtemps. On leur fit voir notre façon, notre pompe, la forme d'une belle ville. Après cela, quelqu'un en demanda leur avis et voulut savoir d'eux ce qu'ils y avaient trouvé de plus admirable. Ils répondirent trois choses, dont j'ai perdu la troisième, et j'en suis bien marri, mais j'en ai encore deux en mémoire. Ils dirent qu'ils trouvaient en premier lieu fort étrange que tant de grands hommes portant la barbe, forts et armés, qui étaient autour du roi – il est vraisemblable qu'ils parlaient des Suisses de sa garde – se soumissent à obéir à un enfant, et qu'on ne choisît pas plutôt quelqu'un d'entre eux pour commander. Secondement (ils ont un tour propre à leur langue qui leur fait nommer les hommes *moitiés* les uns des autres) qu'ils avaient aperçu qu'il y avait parmi nous des hommes pleins et gorgés de toutes sortes de biens, tandis que leurs *moitiés* mendiaient à leurs portes, décharnés par la faim et la pauvreté, et ils trouvaient étrange que ces *moitiés*-ci, si nécessiteuses, pussent souffrir une telle injustice qu'ils ne prissent les autres à la gorge ou ne missent le feu à leurs maisons.

Je parlai à l'un d'eux fort longtemps, mais j'avais un interprète qui me suivait si mal, et qui par sa bêtise était si incapable de comprendre mes idées que je n'en pus rien tirer qui vaille. Sur ce que je lui demandai quel fruit il recevait de la supériorité qu'il avait parmi les siens – car c'était un chef de guerre, et nos matelots le nommaient roi – il me dit que c'était de marcher le premier à la guerre ; de combien d'hommes il était suivi : il me montra une étendue pour signifier que

1. La première édition française des *Odelettes* d'Anacréon par Henri Estienne bouleversa le goût des poètes. On sait que Ronsard, entre cent autres, les imita à satiété dans ses *Odes*. Jean Balsamo note très justement que c'est sans doute la première occurrence en français de l'adjectif « anacréontique ».

2. « De*çà* » désigne ce côté-*ci* de l'océan où nous nous trouvons ; « de*là* », l'autre rive, celle de *là*-bas, et l'Amérique, donc.

c'était autant qu'on en pourrait loger en un tel espace, et ce pouvait être quatre à cinq mille hommes ; si hors la guerre toute son autorité expirait : il dit qu'il lui en restait cela que, quand il visitait les villages qui dépendaient de lui, on lui ouvrait des sentiers au travers des haies de leurs bois par où il pût passer bien à l'aise.

Tout cela ne va pas trop mal, mais quoi ? ils ne portent point de haut-de-chausses.

Qu'il faut sobrement se mêler de juger des ordonnances divines[i]

[Chapitre XXXI]

Le vrai champ et le vrai sujet de l'imposture ce sont les choses inconnues. C'est, en premier lieu, que leur étrangeté même leur donne du crédit ; et puis, n'étant point sujettes à nos raisons ordinaires, elles nous ôtent le moyen de les combattre. C'est pourquoi, dit Platon, il est bien plus aisé de donner satisfaction en parlant de la nature des dieux que de la nature des hommes, parce que l'ignorance des auditeurs prête une belle et large carrière et toute liberté au maniement d'une matière cachée.

Il advient de là qu'il n'est rien qui soit si fermement cru que ce qu'on sait le moins, ni gens si assurés que ceux qui nous content des fables, comme les alchimistes, pronostiqueurs, astrologues, chiromanciens, médecins, *id genus omne et toute leur engeance* [1]. Auxquels je joindrais volontiers, si j'osais, un tas de gens, interprètes et contrôleurs ordinaires des desseins de Dieu, qui font état de trouver les causes de chaque accident et de voir dans les secrets de la volonté divine les motifs incompréhensibles de ses œuvres. Quoique la variété et la discordance continuelle des événements les rejettent de coin en coin et d'Orient en Occident, ils ne laissent de suivre pourtant leur balle et de peindre d'un même crayon le blanc et le noir.

Chez une nation indienne, il y a cette louable observance : quand ils ont quelque mécompte au cours d'une rencontre ou d'une bataille, ils en demandent publiquement pardon au soleil, qui est leur dieu, comme d'une action injuste, rapportant leur heur ou leur malheur à la raison divine, et lui soumettant leur jugement et leurs raisons.

1. Horace, Satires, I, II, 2.

Suffit à un chrétien de croire que toutes choses viennent de Dieu, de les recevoir en reconnaissant sa divine et inscrutable sapience, et partant de les prendre en bonne part, sous quelque visage qu'elles lui soient envoyées. Mais je trouve mauvais – chose que je vois en usage – de chercher à affermir et appuyer notre religion par la prospérité de nos entreprises. Notre croyance a assez d'autres fondements sans l'autoriser par les événements. Car, le peuple une fois accoutumé à ces arguments plausibles, et proprement de son goût, il est à craindre, quand les événements deviennent à leur tour contraires et désavantageux, qu'il en ébranle sa foi. De même, dans les guerres où nous sommes pour la religion, ceux qui eurent l'avantage lors du combat de la Roche-l'Abeille faisant grand fête de cet accident et se servant de cette fortune comme d'une approbation certaine de leur parti, quand ils viennent après à excuser leurs infortunes de Moncontour et de Jarnac [1] en nous expliquant que ce sont là des verges et des châtiments paternels, s'ils n'ont pas un peuple tout à fait à leur merci, ils lui font assez aisément sentir que c'est tirer deux moutures d'un même sac, et de même bouche souffler le chaud et le froid. Il vaudrait mieux l'entretenir des vrais fondements de la vérité. C'est une belle bataille navale qui s'est gagnée ces mois passés contre les Turcs, sous la conduite de dom Juan d'Autriche [2] : mais il a bien plu à Dieu d'en faire voir autrefois d'autres semblables à nos dépens. En somme, il est malaisé de ramener les choses divines à notre balance sans qu'elles n'y souffrent du déchet. Et qui voudrait rendre raison de ce que Arius et Léon, son pape, chefs principaux de cette hérésie [3], moururent en divers temps de morts si pareilles et si étranges (car, retirés du débat dans les petits lieux pour des douleurs de ventre, tous deux y rendirent subitement l'âme), et qui voudrait exagérer cette vengeance divine par la circonstance du lieu, il y pourrait bien encore ajouter la mort de Héliogabale qui fut aussi tué dans un recoin. Mais quoi ? Irénée s'est trouvé engagé en même fortune ! Dieu nous voulant apprendre que les bons ont autre chose à espérer et les mauvais autre chose à craindre

1. Roche-l'Abeille (en Limousin) fut une victoire remportée en juin 1569 par l'amiral de Coligny pour le compte des huguenots. Moncontour (octobre 1569, au sud de Loudun) et Jarnac (mars 1569, à l'est de Cognac) sont deux victoires du parti catholique, remportées toutes deux par le duc d'Anjou.

2. Bataille fameuse de Lépante (1571), remportée sur les Ottomans de Selim II par la flotte de la Ligue chrétienne que commandait Dom Juan d'Autriche.

3. Arius est l'initiateur de l'hérésie arianiste qui niait la divinité de Jésus-Christ, et « Léon-son-pape », un antipape qui avait embrassé cette même doctrine. Arius fut excommunié par le concile de Nicée en 325. Ironie de l'histoire : Arius et « Léon son pape » moururent tous deux aux toilettes.

que les fortunes ou les infortunes de ce monde, il les manie et les applique selon sa disposition secrète et nous ôte le moyen d'en faire sottement notre profit. Et ils se moquent ceux qui veulent s'en prévaloir selon l'humaine raison. À tous les coups, pour une touche qu'ils portent, ils en reçoivent deux. Saint Augustin en fait une belle preuve contre ses adversaires. C'est un conflit qui se décide par les armes de la mémoire plus que par celles de la raison. Il faut se contenter de la lumière qu'il plaît au soleil de nous communiquer par ses rayons. Et qui lèvera ses yeux pour en prendre une plus grande en plein dans son corps même, qu'il ne trouve pas étrange si, pour la peine de son outrecuidance, il y perd la vue. *Quis hominum potest scire consilium Dei ? aut quis poterit cogitare quid uelit Dominus ?* [1] *Qui parmi les hommes peut savoir le dessein de Dieu ? Qui peut imaginer ce que veut le Seigneur ?*

De fuir les voluptés au prix de la vie [j]

[Chapitre XXXII]

J'avais bien vu converger la plupart des opinions anciennes sur ce point qu'il est l'heure de mourir lorsqu'il y a plus de mal que de bien à vivre, et que vouloir conserver notre vie pour notre tourment et notre incommodité, c'est choquer les règles mêmes de Nature, comme le disent ces vieilles règles :

Vivre sans deuil ou bien mourir heureux ;
Il est beau de mourir quand la vie est à charge ;
Mieux vaut ne vivre plus que vivre malheureux

Ἢ ζῆν ἀλύπως, ἢ θανεῖν εὐδαιμονως.
Καλόν θνήσκειν οἷς ὕβριν τὸ ξῆν θέσει.
Κρεῖσσον τὸ μὴ ζῆν ἐστίν ἢ ζῆν ἀθλίως .

Mais de pousser le mépris de la mort jusqu'à un tel degré que de l'employer pour se distraire des honneurs, des richesses, des grandeurs, et des autres faveurs et biens que nous disons être les biens de la fortune, comme si la raison n'avait pas assez à faire pour nous persuader de les abandonner sans y ajouter cette nouvelle surcharge, je ne l'avais vu ni recommander ni pratiquer jusqu'au moment où un passage de Sénèque me tomba entre mains. Il y conseille à Lucilius,

1. Sagesse, IX, 13.

personnage puissant et d'une grande autorité dans l'entourage de l'empereur, de renoncer à cette vie voluptueuse et pompeuse et de se retirer de cette ambition du monde pour quelque vie solitaire, tranquille et philosophique. Sur quoi Lucilius alléguait quelques difficultés. « Je suis d'avis, lui dit Sénèque, que tu quittes cette vie-là, ou la vie tout à fait. Je te conseille fort de suivre la plus douce voie, et de dénouer plutôt que de rompre ce que tu as mal noué, pourvu que, si cela ne se peut autrement dénouer, tu le rompes. Il n'y a homme si couard qui n'aime mieux tomber une fois que de demeurer toujours en branle. » J'eusse trouvé ce conseil assorti à la rudesse stoïque, mais il est plus étrange qu'il soit emprunté à Épicure qui écrit à ce propos des choses toutes pareilles à Idoménée.

Pourtant je pense avoir remarqué quelque trait semblable parmi nos gens, mais avec la modération chrétienne. Saint Hilaire, évêque de Poitiers, ce fameux ennemi de l'hérésie arienne, se trouvait en Syrie quand il fut averti qu'Abra, sa fille unique, qu'il avait laissée par deça avec sa mère, était poursuivie en mariage par les plus apparents seigneurs du pays, du fait qu'elle était une fille très bien éduquée, belle, riche, et dans la fleur de son âge. Il lui écrivit, comme nous voyons, qu'elle ôtât son affection de tous ces plaisirs et avantages qu'on lui présentait ; qu'il lui avait trouvé en son voyage un parti bien plus grand et plus digne, celui d'un mari de bien autre pouvoir et magnificence qui lui ferait présent de robes et de joyaux d'un prix inestimable. Son dessein était de lui faire perdre l'appétit et l'usage des plaisirs mondains pour la joindre toute à Dieu. Mais à cela, le moyen le plus court et plus certain lui semblant être la mort de sa fille, il ne cessa par ses vœux, ses prières et ses oraisons, de faire requête à Dieu de l'ôter de ce monde et de l'appeler à soi, comme il advint, car bientôt après son retour, elle lui mourut, ce dont il montra une singulière joie. Celui-ci semble enchérir sur les autres, puisqu'il s'adresse à ce moyen de prime abord, alors qu'on ne le prend que subsidiairement, et puisque c'est à l'endroit de sa fille unique. Mais je ne veux omettre le bout de cette histoire, encore qu'il ne soit pas de mon propos. La femme de Saint Hilaire apprit de sa bouche que la mort de leur fille avait été conduite selon son dessein et sa volonté, et combien elle avait plus d'heur d'être délogée de ce monde que d'y être. Elle prit alors une si vive appréhension de la béatitude éternelle et céleste qu'elle sollicita son mari avec une extrême instance d'en faire autant pour elle. Et Dieu, à leurs prières communes, l'ayant retirée à soi bientôt après, ce fut une mort embrassée avec un singulier contentement commun.

La fortune se rencontre souvent au train de la raison [k]

[Chapitre XXXIII]

L'inconstance du branle changeant de la fortune fait qu'elle doit nous présenter toute espèce de visages. Y a-t-il une action de justice plus expresse que celle-ci ? Le duc de Valentinois avait résolu d'empoisonner Adrian, cardinal de Corneto, chez qui le pape Alexandre VI, son père, et lui allaient souper au Vatican. Il envoya devant une certaine bouteille de vin empoisonné en recommandant au sommelier d'y veiller avec grand soin. Le pape étant arrivé avant son fils, et ayant demandé à boire, le sommelier, qui pensait que ce vin ne lui avait été recommandé que pour sa qualité, en servit au pape. Le duc lui-même arrive au moment de la collation, et, bien persuadé qu'on n'aurait pas touché à sa bouteille, il en prit à son tour, de sorte que le père en mourut sur le coup et que fils, après avoir été longuement tourmenté par la maladie, fut réservé à une autre fortune pire encore.

Quelquefois il semble qu'elle se joue de nous à point nommé. Le seigneur d'Estrée, alors porte-enseigne de Monsieur de Vendôme, et le seigneur de Liques, lieutenant de la compagnie du duc d'Ascot, qui tous deux prétendaient à la main de la sœur du sieur de Foungueselles quoiqu'ils fussent de partis opposés, comme il advient aux voisins de la frontière, le sieur de Licques l'emporta. Mais le jour même des noces, et, qui pis est, avant le coucher, le marié, pris de l'envie de rompre un bois en faveur de sa nouvelle épouse, sortit à l'escarmouche près de Saint-Omer, où le sieur d'Estrée, qui se trouva le plus fort, le fit son prisonnier, et, pour faire valoir son avantage, encore fallut-il que la demoiselle,

Au cou d'un nouvel époux de vive force ravie
Avant qu'un hiver après l'autre eût par de longues nuits
Assez rassasié son amoureuse envie
Pour qu'elle pût survivre à son mariage surpris

Coniugis ante coacta noui dimittere collum,
Quam ueniens una atque altera rursus hiems
Noctibus in longis auidum saturasset amorem,
Posset ut abrupto uiuere coniugio [1,l].

1. Catulle, LXVIII, 81-83.

lui fît elle-même requête de lui rendre son prisonnier par courtoisie, comme il le fit, la noblesse française ne refusant jamais rien aux dames. Semble-t-il pas que ce soit un sort artiste ? Constantin, fils d'Hélène, fonda l'empire de Constantinople, et tant de siècles après un Constantin fils d'Hélène l'a fini [1].

Quelquefois il lui plaît de rivaliser à l'envi avec nos miracles. Nous savons que lorsque le roi Clovis assiégeait Angoulême, les murailles churent d'elles-mêmes par faveur divine. Et Bouchet emprunte à quelque auteur que le roi Robert assiégeant une ville, et s'étant dérobé du siège pour aller à Orléans célébrer la fête de saint Aignan, alors qu'il était en dévotion, à un certain moment de la messe, les murailles de la ville assiégée partirent en ruine sans aucun effort. La fortune fit tout à contre-poil dans nos guerres de Milan : le capitaine Rense qui assiégeait pour nous la ville d'Eronne avait fait placer des mines sous un grand pan de mur, et le mur s'étant brusquement soulevé de terre, il rechut toutefois tout entier si droit dans ses fondations que les assiégés n'en valurent pas moins.

Quelquefois la fortune se fait médecin. Jason de Phères était abandonné par la médecine pour un abcès qu'il avait dans la poitrine. Comme il avait envie de s'en défaire au moins par la mort, il se jeta à corps perdu dans la presse des ennemis au cours d'une bataille, où il reçut dans le corps une blessure en un point si bien logé que son abcès en creva, et qu'il guérit.

Ne surpassa-t-elle pas le peintre Protogène dans la connaissance de son art ? Celui-ci venait d'achever le tableau d'un chien las et recru ; il en était content pour toutes les autres parties, mais il ne parvenait pas à représenter à son gré l'écume et la bave. Dépité contre sa besogne, il prit son éponge, et alors qu'elle était imbibée de diverses peintures, il la jeta contre pour tout effacer : la fortune porta tout à propos le coup à l'endroit de la bouche du chien, et sut parfaire ainsi ce à quoi l'art n'avait pu atteindre.

Ne redresse-t-elle parfois nos desseins, et ne les corrige-t-elle pas ? Isabelle, reine d'Angleterre, ayant à repasser de Zélande en son Royaume avec une armée levée en faveur de son fils contre son mari était perdue si elle fût arrivée au port qu'elle avait projeté, car elle y était attendue par ses ennemis. Mais contre son vouloir la fortune la jeta ailleurs, où elle prit terre en toute sûreté. Et cet ancien qui, ruant

---

1. Constantin le Grand (274-337), fils de sainte Hélène, fonda Constantinople, dont il fit la nouvelle capitale de l'empire romain. Le dernier des Constantins, Constantin XI Paléologue, lui aussi fils d'une Hélène, périt sous les murs de sa ville forcée par les Turcs en 1453.

une pierre à un chien, en assena et tua sa marâtre, n'eut-il pas raison de prononcer ces vers :

Ταὐτόματον ἡμῶν καλλίω βουλεύεται, [1]
La fortune a meilleur avis que nous ?

Ikétès, un Syracusain, avait suborné deux soldats pour tuer Timoléon qui séjournait à Adrane en Sicile. Ils prirent heure au moment où il devait faire un sacrifice. Et, se mêlant parmi la multitude, comme ils se faisaient signe l'un l'autre que l'occasion était propice à leur besogne, voici un tiers qui d'un grand coup d'épée en assène un à la tête, le rue mort à terre, et s'enfuit. Le compagnon, se tenant pour découvert et perdu, courut à l'autel en requérant sauveté et en promettant de dire toute la vérité. Tandis qu'il faisait le récit de la conjuration, voici le tiers qui avait été attrapé et que, comme meurtrier, le peuple pousse et houspille à travers la presse vers Timoléon et les plus éminents de l'assemblée. Là, il crie merci, et dit avoir légitimement tué l'assassin de son père, en prouvant sur-le-champ par des témoins que son bon sort lui fournit tout à propos que dans la ville des Léontins son père avait, de vrai, été tué par celui sur lequel il s'était vengé. On le récompensa par dix mines attiques pour avoir eu cette bonne fortune d'avoir pu, en se vengeant de la mort de son père, sauver de la mort le père commun des Siciliens. Cette fortune-là est mieux réglée encore que les règles de l'humaine prudence !

Pour la fin : en ce fait-ci, ne découvre-t-on pas une application bien explicite de sa faveur, d'une bonté et d'une piété singulières ? Les Ignatius père et fils, proscrits par les triumvirs à Rome, se résolurent à ce généreux devoir de rendre leurs vies entre les mains l'un de l'autre et d'en frustrer la cruauté des tyrans. Ils se coururent sus, l'épée au poing : la fortune en dirigea les pointes dont elle porta deux coups également mortels, et elle accorda qu'en l'honneur d'une si belle amitié ils eussent juste la force de retirer encore des plaies leurs bras sanglants et armés pour s'entre-embrasser dans cet état en une si forte étreinte que les bourreaux durent couper ensemble leurs deux têtes, laissant les corps toujours pris en ce noble nœud, et leurs plaies jointes, qui humaient l'une de l'autre amoureusement le sang et les restes de la vie.

1. Ménandre, puisé dans les *Gnômica* de Crespin, III.

D'un défaut de nos polices [1],[m]

[Chapitre XXXIV]

Feu mon père, qui, pour un homme qui n'était aidé que par l'expérience et son naturel, avait un jugement bien juste, m'a dit autrefois qu'il avait désiré mettre en train qu'il y eût dans les villes certain lieu désigné où ceux qui auraient besoin de quelque chose se pussent rendre et faire enregistrer leur affaire par un officier établi pour cet effet, comme : je cherche à vendre des perles, je cherche des perles à vendre ; tel veut des compagnons pour aller à Paris ; tel s'enquiert d'un serviteur de telle qualité ; tel d'un maître ; tel demande un ouvrier, qui ceci, qui cela, chacun selon son besoin. Et il semble que ce moyen de nous entravertir apporterait au commerce public une commodité non légère, car à tous les coups il y a des conditions qui s'entre-cherchent, et qui, pour ne s'entre-entendre, laissent les gens dans une extrême nécessité.

J'entends à la grande honte de notre siècle qu'à notre vue deux personnages d'un savoir très éminent sont morts n'ayant pas leur saoul à manger : Lilius Gregorius Giraldus en Italie, et Sebastianus Castalio en Allemagne. Et je crois qu'il y a mille hommes qui les eussent appelés à de très avantageuses situations, ou secourus là où ils étaient, s'ils l'eussent su. Le monde n'est pas si généralement corrompu que je ne sache tel homme qui souhaiterait bien vivement que les moyens que les siens lui ont mis en main se pussent employer, tant qu'il plaira à la fortune qu'il en jouisse, à mettre à l'abri de la nécessité les personnages rares et remarquables par quelque espèce de valeur que le malheur combat quelquefois jusqu'à l'extrémité, et qui les mettrait pour le moins en tel état qu'il ne tiendrait qu'à un manque de bon sens s'ils n'étaient pas contents.

Dans sa police économique, mon père avait cet ordre que je sais louer mais nullement suivre. Outre le registre des négoces du ménage, où se logent les menus comptes, paiements, marchés qui ne requièrent pas la main du notaire, registre dont un intendant a la charge, il ordonnait à celui de ses gens qui lui servait à écrire de tenir un papier journal pour insérer tous les faits notables et, jour par jour, les

1. « Sur une lacune de nos administrations ».

mémoires de l'histoire de sa maison, très plaisante à voir quand le temps commence à en effacer le souvenir, et très à propos pour nous ôter souvent de peine : quand fut entamée telle besogne, quand achevée, quels trains y ont passé, combien arrêté, nos voyages, nos absences, les mariages, les morts, la réception des heureuses ou malencontreuses nouvelles, le changement des serviteurs principaux, telles matières. Usage ancien que je trouve bon à rafraichir, chacun dans sa chacunière, et je me trouve un sot d'y avoir failli.

De l'usage de se vêtir [n]

[Chapitre XXXV]

Où que je veuille aller, il me faut forcer quelque barrière de la coutume, tant elle a soigneusement bridé toutes nos avenues. Je m'entretenais, en cette saison frileuse, de savoir si la façon d'aller tout nu de ces nations dernièrement trouvées est une façon forcée par la chaude température de l'air, comme nous le disons des Indiens et des Maures, ou si c'est l'originelle façon des hommes. Les gens d'entendement, parce que tout ce qui est sous le ciel, comme dit la sainte Parole, est sujet aux mêmes lois, ont accoutumé, dans des considérations pareilles à celles-ci où il faut distinguer les lois naturelles des controuvées, de recourir à l'ordre universel du monde, où il ne peut y avoir rien de contrefait. Or tout ailleurs étant exactement fourni de fil et d'aiguille pour maintenir son être, il est difficile de croire que nous seuls soyons mis au monde dans un état défectueux et indigent, et tel qu'il ne se puisse maintenir sans secours étranger. Ainsi je tiens que, tout comme les plantes, les arbres, les animaux et tout ce qui vit se trouve naturellement équipé d'une couverture suffisante pour se défendre de l'injure du temps,

> Puisque tous les animaux ou presque sont ou de cuir,
> De soies, de nacres ou de cals ou d'écorces couverts
>
> *Propterea que fere res omnes, aut corio sunt,*
> *Aut seta, aut conchis, aut callo, aut cortice tectæ,* [1]

1. Lucrèce, *De Rerum Natura*, IV, v. 935-936.

nous l'étions aussi de même. Mais, de même que ceux qui éteignent celle du jour par une lumière artificielle, nous avons éteint nos moyens propres par des moyens empruntés. Et il est aisé de voir que c'est la coutume qui nous fait croire impossible ce qui ne l'est pas, car, parmi ces nations qui n'ont aucune connaissance des vêtements, il s'en trouve qui sont établies environ sous le même ciel que le nôtre, et parfois sous des cieux bien plus rudes que le nôtre ; et puis, c'est la partie de notre personne la plus délicate que l'on tient toujours découverte : les yeux, la bouche, le nez, les oreilles ; chez nos paysans, comme chez nos aïeux, c'est la partie pectorale et le ventre. Si nous fussions nés avec l'obligation de porter cotillons et culottes à la grecque, il ne faut point douter que Nature n'eût armé d'une peau plus épaisse ce qu'elle eût abandonné aux assauts des saisons, comme elle a l'a fait pour le bout des doigts et la plante des pieds. Pourquoi cela semble-t-il difficile à croire ? Entre ma façon de me vêtir et celle du paysan de mon pays, je trouve bien plus de distance que de sa façon à celle d'un homme qui n'est vêtu que de sa peau. Combien d'hommes, et en Turquie surtout, vont nus par dévotion !

Je ne sais qui demandait à l'un de nos gueux qu'il voyait en chemise en plein hiver aussi à l'aise que tel qui se tient emmitonné dans les martres jusqu'aux oreilles comment il pouvait y durer : « Et vous, monsieur, répondit-il, vous avez bien la face découverte, eh bien, moi je suis tout face. » Les Italiens contents à propos du fou du duc de Florence, ce me semble, que son maître s'enquérant comment il pouvait supporter le froid ainsi mal vêtu, ce dont il était bien empêché lui-même : « Suivez, dit-il, ma recette : mettez sur vous tous vos accoutrements, comme je le fais des miens, et vous n'en souffrirez pas plus que moi. » Le roi Massinissa jusqu'à l'extrême vieillesse ne put se faire à aller la tête couverte, quelque froid, orage ou pluie qu'il fît, ce qu'on dit aussi de l'empereur Sévère. Lors des batailles livrées entre les Égyptiens et les Perses, Hérodote dit qu'il a été remarqué et par d'autres et par lui que, parmi ceux qui y demeuraient morts, le crâne était sans comparaison plus dur chez les Égyptiens que chez les Perses, à raison que ceux-ci portent toujours leurs têtes couvertes de béguins et de turbans ; ceux-là, rases dès l'enfance et découvertes. Et le roi Agésilas observa jusqu'à sa décrépitude de porter la même vêture en hiver qu'en été. César, dit Suétone, marchait toujours devant sa troupe, et le plus souvent à pied, la tête découverte, qu'il fît soleil ou qu'il plût, et autant en dit-on d'Hannibal,

qui recevait lors tête nue
Les trombes de la pluie et les cataractes du ciel
tum uertice nudo
Excipere insanos imbres, cælique ruinam. [1]

Un Vénitien, qui y séjourna longtemps et qui ne fait que d'en revenir, écrit qu'au royaume du Pégu [2], alors que les autres parties du corps sont vêtues, les hommes et les femmes vont toujours les pieds nus, même à cheval. Et Platon, de façon surprenante, conseille pour la santé de tout le corps de ne donner aux pieds et à la tête d'autre couverture que celle que Nature y a mise. Celui que les Polonais ont choisi pour roi après le nôtre [3], et qui est à la vérité l'un des plus grands princes de notre siècle, ne porte jamais de gants, ni ne quitte en hiver, et quelque temps qu'il fasse, le bonnet qu'il porte à l'intérieur. Alors que moi je ne puis souffrir d'aller déboutonné et détaché, les laboureurs de mon voisinage, eux, se sentiraient entravés d'être boutonnés. Varron prétend que quand on ordonna que nous gardions la tête découverte en présence des dieux ou du magistrat, on le fit plus pour notre santé et pour nous affermir contre les injures du temps que pour le compte de la révérence.

Et puisque nous sommes sur le froid, et en bons Français accoutumés à nous chamarrer – non pas moi, car je ne m'habille guère que de noir ou de blanc, à l'imitation de mon père –, ajoutons d'autre part que le capitaine Martin du Bellay raconte, lors de l'expédition du Luxembourg, avoir vu les gelées si âpres que le vin de munition se coupait à coups de hache et de cognée, se débitait aux soldats au poids, et qu'ils l'emportaient dans des paniers, et Ovide :

Les vins durcissent et du pot conservent les contours,
On donne à boire non du vin mais des croutons qu'on scie
Nudaque consistunt formam seruantia testæ
Vina, nec hausta meri, sed data frusta bibunt. [4]

Les gelées sont si âpres à l'embouchure des palus Méotides qu'à la même place où le lieutenant de Mithridate avait livré bataille aux

1. Silius Italicus, I, 250.
2. Aux Philippines.
3. Avant de succéder en France à Charles IX sous le titre de Henri III, Henri de Valois régna sur la Pologne de 1575 à 1586. Si, en raison de son caractère encore très primitif, on peut penser que cet essai fut rédigé, pour l'essentiel, à une date assez ancienne, il reste que cet exemple au moins ne peut qu'être postérieur à l'avènement du Polonais qui succéda à « notre » Valois.
4. Ovide, *Les Tristes*, III, x, 23-24.

ennemis à pied sec et les avait défaits, l'été venu, il y gagna contre eux encore une bataille navale. Les Romains souffrirent un grand désavantage lors du combat qu'ils livrèrent contre les Carthaginois près de Plaisance, parce qu'ils allèrent à la charge le sang figé et les membres perclus de froid, là où Hannibal avait fait répandre du feu par toute son armée pour réchauffer ses soldats, et fait distribuer de l'huile dans les compagnies afin qu'en s'oignant ils rendissent leurs muscles plus souples et moins gourds et qu'ils encroûtassent les pores contre les coups de l'air et du vent gelé qui courait alors. La retraite des Grecs depuis Babylone jusqu'à leurs pays est fameuse pour les difficultés et les souffrances qu'ils eurent à surmonter. Celle-ci en fut une : accueillis dans les montagnes d'Arménie par une horrible tourmente de neige, ils en perdirent la connaissance du pays et des chemins, et se trouvant assiégés tout d'un coup, ils restèrent un jour et une nuit sans boire et sans manger, avec la plupart de leurs bêtes mortes, parmi eux plusieurs morts, plusieurs aveuglés par le coup du grésil et l'éclat de la neige, plusieurs estropiés aux extrémités, plusieurs roides transis et immobiles de froid, qui avaient encore tout leur sentiment. Alexandre vit une nation chez laquelle on enterre les arbres fruitiers en hiver pour les défendre de la gelée, et nous en pouvons aussi voir.

Sur ce sujet du vêtir : le roi du Mexique changeait quatre fois par jour d'accoutrements, et jamais ne les remettait, employant ses dépouilles à ses continuelles libéralités et récompenses, comme aussi ni pot, ni plat, ni ustensile de sa cuisine et de sa table ne lui étaient servis deux fois.

Du jeune Caton [1],[o]

[Chapitre XXXVI]

Je n'ai point cette erreur commune de juger d'un autre selon ce que je suis. Je crois aisément qu'il diffère de moi. Pour me sentir engagé à une forme, je n'y oblige pas le monde, comme chacun fait, et je crois et je conçois mille façons de vie contraires et au rebours du commun. Chez nous, je reçois plus facilement la différence que la ressemblance. Je décharge autant qu'on veut un autre être de mes conditions et de mes principes, et je le considère simplement en lui-même, sans rela-

1. « Le jeune Caton », c'est Caton le Jeune, ou Caton d'Utique, arrière-petit-fils de Caton l'Ancien.

tion, en l'étoffant sur son propre modèle. Pour n'être point abstinent, je ne laisse pas d'admettre sincèrement l'abstinence des Feuillants[p] et des Capucins et de trouver bon l'air de leur train. Je m'insinue fort bien par l'imagination à leur place, et je les aime et les honore d'autant plus qu'ils sont autres que moi. Je désire singulièrement qu'on nous juge chacun à part soi et qu'on ne conclue pas sur moi d'après les exemples communs.

Ma faiblesse n'altère en rien les idées que je dois avoir sur la force et la vigueur de ceux qui le méritent. *Sunt qui nihil suadent quam quod se imitari posse confidunt* [1] il en est qui ne louent que ce qu'ils croient pouvoir imiter. Moi qui rampe sur le limon de la terre, je ne laisse pas de remarquer jusque dans les nues la hauteur inimitable de certaines âmes héroïques. C'est beaucoup pour moi d'avoir le jugement réglé, si les actes ne le peuvent être, et de maintenir au moins cette maîtresse partie exempte de corruption. C'est quelque chose d'avoir la volonté bonne quand mes jambes défaillent. Ce siècle où nous vivons, au moins pour notre climat, est si plombé que je ne dis pas l'exécution, mais l'imagination même de la vertu en est à dire, et il semble que ce ne soit pas autre chose qu'un mot du jargon des collèges :

Pour eux, la vertu n'est qu'un mot
Comme un bois sacré que du bois

Uirtutem uerba putant, ut
Lucum ligna, [2]

elle qu'ils eussent dû vénérer même s'ils ne la pouvaient entendre *quam uereri deberent etiam si percipere non possent* [3], c'est un affiquet à suspendre dans un cabinet ou au bout de la langue, comme au bout de l'oreille, pour parement. On ne reconnaît plus d'action vertueuse ; celles qui en portent le visage, elles n'en ont pas pour autant l'essence, car le profit, la gloire, la crainte, l'accoutumance, et d'autres causes étrangères telles nous acheminent à les produire. La justice, la vaillance, la bonté que nous exerçons alors, elles peuvent bien être ainsi nommées pour la considération d'autrui et du visage qu'elles portent en public, mais chez l'ouvrier, ce n'est aucunement vertu. Il s'est proposé une autre fin, il y a une autre cause qui le meut. Or la vertu n'avoue rien que ce qui se fait par elle, et pour elle seule.

Dans cette grande bataille de Potidée que les Grecs sous Pausanias gagnèrent contre Mardonios et les Perses, les vainqueurs, suivant leur

1. Cicéron, *Tusculanes*, II, I, 3.
2. Horace, *Épîtres*, I, VI, 31-32.
3. Cicéron, *Tusculanes*, V, II, 6.

coutume, venant à départir entre eux la gloire de l'exploit, attribuèrent à la nation spartiate la précellence pour la vaillance dans ce combat. Les Spartiates, excellents juges de la vertu, quand ils vinrent à décider à quel particulier de leur nation devait demeurer l'honneur d'avoir le mieux fait lors de cette journée, trouvèrent qu'Aristodème s'était le plus courageusement exposé, mais pour autant ils ne lui donnèrent point de prix, parce que sa vertu avait été incitée par le désir de se laver du reproche qu'il avait encouru dans l'engagement des Thermopyles, et par un appétit de mourir courageusement pour couvrir sa honte passée.

Nos jugements sont malades à cette heure et suivent la dépravation de nos mœurs. Je vois la plupart des esprits de mon temps faire les ingénieux pour obscurcir la gloire des belles et généreuses actions anciennes en leur donnant quelque interprétation vile et en leur controuvant des occasions et des causes vaines. Grande subtilité ! Qu'on me donne l'action la plus excellente et la plus pure, et je m'en vais y trouver vraisemblablement cinquante intentions vicieuses. Dieu sait, pour qui veut les développer, quelle diversité de représentations ne souffre pas notre volonté intérieure ! Ils ne font pas tant malicieusement que lourdement et grossièrement les ingénieux avec leur médisance. La même peine qu'on prend à médire de ces grands noms, et la même licence, je les prendrais volontiers pour leur prêter quelque tour d'épaule afin de les hausser. Ces rares figures, et triées par le consentement des sages pour l'exemple du monde, je ne me gênerais pas pour accroître leur honneur autant que mon invention le pourrait par l'interprétation et la mise en un jour favorable. Et il faut croire que les efforts de notre invention sont loin au-dessous de leur mérite. C'est le devoir des gens de bien de peindre la vertu la plus belle qu'il se puisse, et cela n'aurait rien de malséant, quand bien même la passion nous transporterait en faveur de visages aussi saints. Ce que ceux-ci font au contraire, ils le font ou par malice, ou par ce vice dont je viens de parler de ramener ce qu'ils croient à leur portée, ou, comme je pense plutôt, pour n'avoir pas la vue assez forte et assez nette, ni dressée à concevoir la splendeur de la vertu dans sa pureté naïve, comme Plutarque dit que, de son temps, certains attribuaient la cause de la mort de Caton le Jeune à la crainte qu'il avait eue de César, ce dont il s'irrite avec raison. Et on peut juger par là combien il se fût plus encore offensé de ceux qui l'ont attribuée à l'ambition. Sottes gens ! Il eût bien fait une belle action, généreuse et juste, plutôt en encourant l'ignominie que pour la gloire. Ce personnage-là fut véritablement un patron que Nature choisit pour montrer jusqu'où la vertu et la fermeté de l'homme pouvaient atteindre.

Mais je ne suis pas ici à même de traiter ce riche argument. Je veux seulement faire lutter ensemble les traits de cinq poètes latins sur la louange de Caton, à la fois pour l'intérêt de Caton et, par incidence, pour le leur aussi. Or l'enfant bien éduqué devrait trouver au prix des autres les deux premiers traînants ; le troisième, plus vert, mais qui s'est abattu par l'extravagance de sa force. Il estimera que là il y aurait place pour un ou deux degrés d'invention encore pour arriver au quatrième, sur le point duquel il joindra les mains d'admiration. Au dernier, premier à quelque distance, mais à une distance qu'il jurera ne pouvoir être couverte par aucun esprit humain, il sera stupéfait, il se transira. Voici merveilles : nous avons bien plus de poètes que de juges et d'interprètes de la poésie. Il est plus aisé de la faire que de la connaître. À un niveau assez bas, on peut la juger par les préceptes et par l'art. Mais la bonne, la suprême, la divine, est au-dessus des règles et de la raison. Quiconque en discerne la beauté d'une vue ferme et rassise, il ne la voit pas, non plus que la splendeur d'un éclair. Elle ne flatte point notre jugement : elle le ravit et le ravage. La fureur qui époinçonne celui qui la sait pénétrer frappe encore un troisième qui la lui entend traiter et raconter, comme l'aimant attire non seulement une aiguille, mais infuse encore en elle sa faculté d'en attirer d'autres. Et l'on voit le plus clairement dans les théâtres que l'inspiration sacrée des muses, qui a d'abord mû le poète à la colère, au deuil, à la haine, et hors de lui où elles veulent, frappe encore par le poète l'acteur, et, par l'acteur, tout un peuple consécutivement : c'est l'enfilure de nos aiguilles suspendues l'une à l'autre. Dès ma première enfance, la poésie a eu le pouvoir de me transpercer et de me transporter. Mais ce sentiment si vif qui est naturellement en moi a été diversement touché selon la diversité des formes, non pas tant par leur différence d'élévation du sublime au bas, car c'étaient toujours les formes les plus élevées qu'il y eût en chaque genre, que par leur différence de couleurs. Premièrement une fluidité gaie et ingénieuse, puis une subtilité aiguë et élevée, enfin une force mûre et constante. L'exemple le dira mieux : Ovide, Lucain, Virgile. Mais voilà nos gens sur la carrière :

Que Caton de son vivant soit plus grand que César même
Sit Cato dum uiuit sane uel Cæsare maior, [1]

dit l'un ;

1. Martial, VI, XXXII.

Et Caton invaincu avait vaincu la mort

Et inuictum deuicta morte Catonem, [1]

dit l'autre. Et l'autre, parlant des guerres civiles entre César et Pompée :

Les vainqueurs plurent aux dieux, mais les vaincus à Caton

Victrix causa dis placuit, sed uicta Catoni, [2]

et le quatrième sur les louanges de César :

Il eut l'univers à ses pieds
Hormis l'âme indomptable de Caton

Et cuncta terrarum subacta,
Præter atrocem animum Catonis, [3]

et le maître du chœur, après avoir étalé les noms des plus grands Romains dans sa peinture, finit de cette manière :

À tous ceux-là Caton dicte leurs lois

his dantem iura Catonem. [4]

Comme nous pleurons et rions d'une même chose [q]

[Chapitre XXXVII]

Quand nous rencontrons dans les récits des historiens qu'Antigone sut très mauvais gré à son fils de lui avoir présenté la tête du roi Pyrrhus, son ennemi, qui venait sur l'heure même d'être tué en combattant contre lui ; et que, l'ayant vue, il se prit bien fort à pleurer, et que le duc René de Lorraine déplora lui aussi la mort du duc Charles de Bourgogne qu'il venait de défaire et qu'il en porta le deuil à son enterrement, et qu'à la bataille d'Auray, que le comte de Montfort gagna contre Charles de Blois, son rival pour le duché de Bretagne, le vainqueur, quand il croisa le corps de son ennemi trépassé, en mena grand deuil, il ne faut pas s'écrier soudain :

1. Manilius, IV, 87.
2. Lucain, I, 128.
3. Horace, *Odes*, II, I, 23-24.
4. Virgile, *Énéide*, VIII, 670.

Car ainsi advient-il à l'âme de masquer
Toutes ses passions d'une cape contraire,
Dont la vue ore est sombre, ore claire

Et cosi aven che l'animo ciascuna
Sua passion sotto el contrario manto
Ricopre, con la vista hor'chiara, hor bruna. [1]

Quand on présenta à César la tête de Pompée, l'histoire dit qu'il en détourna sa vue comme d'un spectacle vil et répugnant. Il y avait eu entre eux une si longue intelligence, une si longue association dans le maniement des affaires publiques, tant de communauté de fortunes, tant de services réciproques et d'alliance qu'il ne faut pas croire que cette contenance fût toute fausse et contrefaite, comme l'estime cet autre :

Se croyant désormais tranquille
De s'afficher en bon beau-père, il laissa s'écouler
Des larmes de crocodile et gémit le cœur léger

tutumque putauit
Jam bonus esse socer, lacrimas non sponte cadentes
Effudit, gemitusque expressit pectore læto, [2]

car bien qu'à la vérité la plupart de nos actions ne soient que masque et fard et qu'il puisse quelquefois être vrai que :

Les pleurs d'un héritier sont des ris sous le masque

Heredis fletus sub persona risus est, [3]

il reste que dans le jugement de ces faits il faut considérer combien nos âmes se trouvent souvent agitées de passions divergentes. Et tout ainsi qu'en nos corps on dit qu'il y a un assemblage de diverses humeurs dont celle-là est maîtresse qui commande le plus ordinairement en nous selon nos tempéraments, aussi en notre âme, bien qu'il y ait divers mouvements qui l'agitent, il faut pourtant qu'il y en ait un à qui le champ demeure. Mais ce n'est pas avec un avantage si entier que, vu la mobilité et la souplesse de notre âme, les plus faibles par occasion ne regagnent encore la place et ne fassent pas une courte charge à leur tour. D'où nous voyons non seulement les enfants, qui suivent tout naïvement la nature, pleurer et rire souvent d'une même chose, mais aucun d'entre nous ne peut se vanter, quelque voyage qu'il fasse à son souhait, qu'encore en se séparant de sa famille et de ses

1. Pétrarque, *Chansonnier*, LXXXII, 9-11 ; CII dans les éditions modernes.
2. Lucain, IX, 1037-1039.
3. Aulu-Gelle, XVII, XIV, 4.

amis il ne se sente le cœur frissonner, et, si les larmes ne lui en échappent pas tout à fait, au moins met-il le pied à l'étrier avec un visage morne et attristé. Et, quelque noble flamme qui échauffe le cœur des filles bien nées, encore les dépend-on de force du cou de leurs mères pour les rendre à leur époux, quoi qu'en dise ce bon compagnon :

Vénus est-elle odieuse à ces jeunes mariées,
N'abusent-elles leurs parents par ces pleurs simulés
Qu'elles versent au seuil de la chambre nuptiale ?
Par les dieux, ces gémissements ne sont pas très sincères

Estne nouis nuptis odio Venus, anne parentum
Frustrantur falsis gaudia lacrimulis,
Ubertim thalami quas intra limina fundunt ?
Non, ita me diui, uera gemunt, iuuerint. [1]

Ainsi il n'est pas étrange de regretter quand il est mort celui qu'on ne voudrait aucunement voir en vie.

Quand je tance mon valet, je le tance du meilleur cœur que j'aie, ce sont de vraies et non de feintes imprécations, mais, une fois cette fumée passée, qu'il ait besoin de moi, et je lui rendrai volontiers service : je tourne à l'instant le feuillet. Quand je le traite de pitre, de veau, je n'entreprends pas de lui coudre à jamais ces titres, pas plus que je ne pense me dédire si je le dis honnête homme aussitôt après. Nulle qualité ne nous embrasse purement et universellement. Si ce n'était la contenance d'un fou de parler seul, il n'est jour ni heure à peine où l'on ne m'entendît gronder en moi-même et contre moi : « Merde du fat ! », et pourtant je n'entends pas que ce soit ma définition. Qui, pour me voir la mine tantôt froide, tantôt amoureuse envers ma femme, estime que l'une ou l'autre soit feinte, il est un sot. Néron prenant congé de sa mère qu'il envoyait noyer sentit toutefois l'émotion de cet adieu maternel, et en eut horreur et pitié. On dit que la lumière du soleil n'est pas d'une pièce continue, mais qu'il nous élance si dru sans cesse de nouveaux rayons les uns sur les autres que nous n'en pouvons apercevoir l'entre deux :

Les clairs rayons du jour, de leur source millionnaire,
Sans cesse inondent les cieux de leur vive nouveauté,
Sans relâche ressourçant la lumière à la lumière,

Largus enim liquidi fons luminis ætherius sol
Inrigat assiduè cælum candore recenti,
Suppeditatque novo confestim lumine lumen ; [2]

---

1. Catulle, LXVI, 15-18.
2. Lucrèce, V, 281-283.

ainsi notre âme élance ses pointes diversement et imperceptiblement.

Artabanus surprit Xerxès, son neveu, et le tança du soudain changement de sa contenance. Il était à considérer la grandeur démesurée de ses forces lors du passage de l'Hellespont pour l'entreprise contre la Grèce. Il lui prit d'abord un tressaillement d'aise à voir tant de milliers d'hommes à son service, et il le témoigna par l'allégresse et la fête de son visage, et tout soudain, au même instant, sa pensée lui suggérant que tant de vies avaient à défaillir au plus tard dans un siècle, il renfrogna son front et s'attrista jusqu'aux larmes.

Nous avons poursuivi avec une volonté résolue la vengeance d'une injure et ressenti un singulier contentement de la victoire : nous en pleurons pourtant ; ce n'est pas de cela que nous pleurons, il n'y a rien de changé, mais notre âme regarde la chose d'un autre œil, et se la représente sous un autre visage, car chaque chose a plusieurs biais et plusieurs jours. La parenté, les accointances et les amitiés anciennes s'emparent de notre imagination et la passionnent sur l'heure selon leur caractère, mais le retournement en est si brusque qu'il nous échappe :

Rien au monde ne peut voler d'une aussi vive allure
Que l'esprit qui se propose et commence une action :
Plus vite va donc l'esprit que tout ce dont la nature
Produit au jour sous nos yeux la distincte vision

Nil adeo fieri celeri ratione uidetur,
Quam si mens fieri proponit et inchoat ipsa.
Ocius ergo animus quam res se perciet ulla,
Ante oculos quarum in promptu natura uidetur. [1]

Et pour cette raison quand nous voulons de toute cette suite former un corps continu, nous nous trompons. Quand Timoléon pleure le meurtre qu'il avait commis après une si mûre et si généreuse réflexion, il ne pleure pas la liberté rendue à sa patrie, il ne pleure pas le tyran, mais il pleure son frère. Une partie de son devoir est jouée, laissons-lui jouer l'autre.

1. Lucrèce, III, 182-185.

De la solitude[r]

[Chapitre XXXVIII]

Laissons à part cette longue comparaison de la vie solitaire à la vie active, et quant à ce beau mot dont se couvrent l'ambition et l'avarice, que nous ne sommes pas nés pour notre particulier mais pour le public, rapportons-nous-en hardiment à ceux qui sont dans la danse, et qu'ils se battent la conscience en se demandant si au contraire les états, les charges et toute cette tracasserie du monde ne se recherchent pas plutôt pour tirer du public son profit particulier ! Les mauvais moyens par où l'on s'y pousse en notre siècle montrent bien que la fin n'en vaut guère. Répondons à l'ambition que c'est elle-même qui nous donne le goût de la solitude, car que fuit-elle tant que la société ? Que cherche-t-elle tant que d'avoir les coudées franches ? Il y a de quoi bien et mal faire partout. Toutefois si le mot de Bias est vrai que « la pire part c'est la plus nombreuse », ou ce que dit l'*Ecclésiaste* « qu'entre mille il n'en est pas un qui soit bon »,

Rares, oui, sont les bons : ils sont autant à peine
Que Thèbes de portes compte ou de bouches l'heureux Nil

Rari quippe boni numero uix sunt totidem quot
Thebarum portæ uel diuitis ostia Nili, [1]

la contagion alors est très dangereuse au milieu de la multitude. Il faut, ou imiter les vicieux, ou les haïr. Les deux partis sont dangereux, et de leur ressembler parce qu'ils sont beaucoup, et d'en haïr beaucoup parce qu'ils sont différents. Et les marchands qui vont en mer ont raison de regarder que ceux qui s'embarquent dans le même vaisseau ne soient pas dissolus, blasphémateurs, méchants, estimant que pareille compagnie porte infortune. C'est pourquoi Bias dit en plaisantant à ceux qui traversaient avec lui le danger d'une grande tourmente et appelaient le secours des dieux : « Taisez-vous, qu'ils ne sentent point que vous soyez ici avec moi ! » Et pour un exemple plus saisissant : Albuquerque, vice-roi des Indes pour Emmanuel, roi du Portugal, dans un extrême péril de fortune de mer, prit sur ses épaules un jeune garçon à cette seule fin qu'en associant leur péril son inno-

1. Juvénal, XIII, 26-27.

cence lui servît de garant et de recommandation envers la faveur divine parce qu'il l'avait à son bord. Ce n'est pas que le sage ne puisse vivre heureux partout, et même seul parmi la foule d'un palais, mais si c'est à choisir, il en fuira, dit-il, même la vue : il supportera cela s'il est besoin, mais s'il est en lui, il élira ceci. Il ne lui semble point s'être suffisamment défait des vices s'il faut encore qu'il lutte contre ceux d'autrui. Charondas châtiait pour mauvais ceux qui étaient convaincus de hanter mauvaise compagnie. Il n'est rien d'aussi peu sociable et d'aussi sociable que l'homme, l'un du fait de son vice, l'autre du fait de sa nature. Et Antisthène ne me semble pas avoir satisfait à celui qui lui reprochait sa conversation avec les méchants en disant que les médecins vivent bien parmi les malades. Car, s'ils servent à la santé des malades, ils détériorent la leur par la contagion, la vue continuelle, et la pratique des maladies.

Maintenant, la fin de la solitude, je crois, est toute une : c'est d'en vivre plus à loisir et plus à son aise. Mais on n'en cherche pas toujours bien le chemin. Souvent on pense avoir quitté les affaires, on ne les a que changées. Il n'y a guère moins de tourment à gouverner une famille qu'un État tout entier : où que l'âme soit empêchée, elle y est toute, et pour être moins importantes les occupations domestiques n'en sont pas moins importunes. De surcroît, pour nous être défaits de la Cour [1] et du marché, nous ne sommes pas défaits des principaux tourments de notre vie :

La raison, la prudence enlèvent nos soucis,
Et non de voir la mer aux vastes étendues

ratio et prudentia curas,
Non locus effusi late maris arbiter aufert. [2]

L'ambition, l'avarice, l'irrésolution, la peur et les concupiscences ne nous abandonnent point parce que nous changeons de contrée,

Et le noir chagrin monte en croupe au dos du cavalier

Et post equitem sedet atra cura ; [3]

elles nous suivent souvent jusque dans les cloîtres et dans les écoles de philosophie. Ni les déserts, ni les rochers creux, ni la haire, ni les jeûnes ne nous en démêlent :

---

1. La Cour, au sens judiciaire : les tracas de conseiller du roi au Parlement (de Bordeaux, bien sûr : Montaigne songe à lui, qui a résigné sa charge).
2. Horace, *Épîtres*, I, XI, 25-26.
3. Horace, *Odes*, III, I, 40.

La flèche mortelle est plantée à son flanc
hæret lateri letalis arundo. [1]

On disait à Socrate que quelqu'un ne s'était aucunement amendé au cours de son voyage : « Je crois bien, dit-il, il s'était emporté avec soi. »

Pourquoi donc changeons-nous pour des climats brûlés
Par un autre soleil ? En fuyant sa patrie
Croit-on que c'est soi que l'on fuie ?
Quid terras alio calentes
Sole mutamus ? Patria quis exul
Se quoque fugit ? [2]

Si on ne décharge d'abord soi et son âme du faix qui l'oppresse, le remuement la foulera davantage, comme sur un navire les charges empêchent moins quand elles sont arrimées. Vous faites plus de mal que de bien au malade en le faisant changer de place. Vous faites pénétrer le mal en le remuant, comme les pals s'enfoncent plus avant et s'affermissent quand on les branle et qu'on les secoue. C'est pourquoi ce n'est pas assez de s'être écarté du peuple, ce n'est pas assez de changer de place : il faut s'écarter des façons populaires qui sont en nous, il faut se séquestrer et se ravoir de soi :

j'ai rompu mes fers, diras-tu :
Oui, par long effort le chien défait le nœud qui l'enchaîne,
Mais dans sa fuite il traîne au col un long morceau de chaîne
rupi iam uincula, dicas,
Nam luctata canis nodum arripit, attamen illi,
Cum fugit, a collo trahitur pars longa catenæ. [3]

Nous emportons nos fers avec nous. Ce n'est pas une entière liberté : nous tournons encore la vue vers ce que nous avons laissé, nous en avons l'imagination pleine :

Mais qui n'a su laver son cœur, quelle guerre il doit faire,
Et dans quels périls malgré lui se voit-il attirer !
Combien d'âpres désirs nous vont notre homme déchirer,
Que de soucis térébrants, oui, que d'effroyables craintes !
Colère, Luxure, Orgueil : que de mortelles atteintes
Ne nous portez-vous pas ! Et le Faste ? Et l'Oisiveté ?
Nisi purgatum est pectus quæ proelia nobis
Atque pericula tunc ingratis insinuandum ?

1. Virgile, *Énéide*, IV, 73.
2. Horace, *Odes*, II, XVI, 18-20.
3. Perse, V, 158-160.

Quantae conscindunt hominem cuppedinis acres
Sollicitum curae quantique perinde timores ?
Quidue superbia, spurcitia, ac petulantia quantas
Efficiunt clades quid luxus desidiesque ? [1]

Notre mal nous colle à l'âme, or elle ne peut s'échapper à elle-même :
In culpa est animus qui se non effugit unquam. [2]

Ainsi il faut la ramener et la faire se retirer en elle-même : c'est la vraie solitude, et dont on peut jouir au milieu des villes et des cours des rois, mais on en jouit plus commodément à part.

Maintenant, puisque nous entreprenons de vivre seuls et de nous passer de compagnie, faisons que notre contentement dépende de nous : déprenons-nous de tous les liens qui nous attachent à autrui, gagnons sur nous de pouvoir vivre seuls à bon escient, et d'y vivre à notre aise. Stilpon avait réchappé de l'embrasement de sa ville où il avait perdu femme, enfants et chevance [3]. Demétrios Poliorcète, le voyant le visage sans effroi dans une si grande ruine de sa patrie, lui demanda s'il n'avait pas eu du dommage. Il répondit que non, et qu'il n'y avait, Dieu merci, rien perdu de sien. C'est ce que le philosophe Antisthène disait plaisamment que l'homme devait se pourvoir de munitions qui flottassent sur l'eau et pussent à la nage avec lui réchapper du naufrage. Assurément, l'homme d'entendement n'a rien perdu s'il a soi-même. Quand la ville de Nole fut ruinée par les Barbares, Paulin qui en était l'évêque, qui y avait tout perdu et qui était leur prisonnier, priait ainsi Dieu : « Seigneur, garde-moi de ressentir cette perte, car tu sais qu'ils n'ont encore rien touché de ce qui est à moi. » Les richesses qui le faisaient riche et les biens qui le faisaient bon étaient encore en leur entier. Voilà ce que c'est que de bien choisir des trésors qui se puissent affranchir des atteintes, et que de les cacher en un lieu où personne n'aille et qui ne puisse être trahi que par nous-mêmes. Il faut avoir femmes, enfants, biens, et surtout la santé si l'on peut, mais non pas s'y attacher de manière que notre bonheur en dépende. Il faut se réserver une arrière-boutique toute nôtre, toute franche, dans laquelle nous établissions notre vraie liberté, notre principale retraite et notre solitude. C'est là qu'il nous faut tenir notre entretien ordinaire de nous avec nous-mêmes, et si

1. Lucrèce, V, 43-48.
2. Horace, *Épîtres*, I, XIV, 13.
3. « Ses biens », « son patrimoine » ; ce joli vieux mot, dérivé de « *chevir* » (« disposer de quelque chose », « en venir à bout »), attesté depuis le XIIIe siècle, l'est encore chez Balzac et même encore, en 1903, chez Huysmans : voilà pourquoi j'aime à vous le garder. : vous en saurez bien chevir.

privé que nulle accointance ou communication de chose étrangère n'y trouve place, discourir et rire comme si nous étions sans femme, sans enfants, et sans biens, sans train et sans valets, afin que, quand il nous arrivera de les perdre, il ne soit pas nouveau pour nous de nous en passer. Nous avons une âme qui peut rentrer en elle-même : elle peut se faire compagnie ; elle a de quoi assaillir et de quoi défendre, de quoi recevoir et de quoi donner : ne craignons pas dans cette solitude de nous croupir d'oisiveté ennuyeuse,

Sois pour toi-même au désert une foule
In solis sis tibi turba locis : [1]

la vertu se contente de soi, sans discipline, sans paroles, sans actes.

Dans nos actions accoutumées, sur mille il n'en est pas une qui nous regarde. Celui que tu vois grimpant en haut des ruines de ce mur, furieux et hors de soi, en butte à tant d'arquebusades, et cet autre, couvert de cicatrices, transi et pâle de faim qui est bien résolu à crever plutôt qu'à lui ouvrir la porte, penses-tu qu'ils soient là pour eux ? Non, mais ils y seront pour tel que d'aventure ils ne virent jamais, qui ne se met nullement en peine de leur fait et vit plongé pendant ce temps dans l'oisiveté et les délices ! Celui-ci, tout pituiteux, chassieux et crasseux, que tu vois sortir après minuit de son cabinet d'étude, penses-tu qu'il cherche parmi les livres comment il se rendra plus homme de bien, plus content et plus sage ? Nulles nouvelles ! Il y mourra, ou il apprendra à la postérité la mesure des vers de Plaute et la vraie orthographe d'un mot latin ! Qui n'échange volontiers la santé, le repos et la vie contre la réputation et la gloire ? La plus inutile, la plus vaine et la plus fausse monnaie qui soit en notre usage ! Notre mort ne nous faisait pas assez peur : chargeons-nous encore de celle de nos femmes, de nos enfants et de nos gens ! Nos affaires ne nous donnaient pas assez de peine : prenons-nous encore à nous tourmenter et nous rompre la tête avec celles de nos voisins et amis !

Bah ! qu'un homme eût en tête ou bien qu'il mît de pair
Que rien lui soit plus cher que lui-même à lui-même ?
Vah ! quemquamne hominem in animum instituere, aut
Parare quod sit charius quam ipse est sibi ? [2]

La solitude me semble avoir plus d'apparence et de raison chez ceux qui ont donné au monde leur âge le plus actif et le plus florissant, à l'exemple de Thalès. C'est assez vécu pour autrui, vivons pour nous

1. Tibulle, IV, XIII, 12.
2. Térence, *Adelphes*, I, I, 13-14.

au moins ce bout de vie, ramenons à nous et à notre aise nos pensées et nos intentions. Ce n'est pas une légère partie que de faire sûrement sa retraite ; elle nous empêche assez sans y mêler d'autres entreprises. Puisque Dieu nous donne loisir de disposer de notre délogement [1] : préparons-nous-y, plions bagage, prenons de bonne heure congé de la compagnie, dépêtrons-nous de ces violentes prises qui nous engagent ailleurs et nous éloignent de nous. Il faut dénouer ces obligations si fortes et désormais aimer ceci ou cela, mais n'épouser rien que soi. C'est-à-dire : que le reste soit à nous, mais non pas joint et collé de façon telle qu'on ne puisse l'en déprendre sans nous écorcher et nous arracher du même coup quelque pièce de ce qui est proprement nôtre. La plus grande chose du monde, c'est de savoir être à soi. Il est temps de nous détacher de la société dès que nous n'y pouvons rien apporter. Et qui ne peut prêter qu'il se défende d'emprunter. Nos forces défaillent en nous : retirons-les et les resserrons en nous-mêmes. Qui peut retourner et confondre en soi les devoir de tant d'amitiés et de la compagnie, qu'il le fasse. Dans cette chute qui le rend inutile, pesant et importun aux autres, qu'il se garde d'être importun à soi-même, et pesant et inutile. Qu'il se flatte et se caresse, et surtout qu'il se régente en respectant et craignant sa raison et sa conscience, si bien qu'il ne puisse sans honte broncher en leur présence. *Rarum est enim ut satis se quisque uereatur* [2] il est rare en effet que l'on se respecte assez soi-même. Socrate dit que les jeunes doivent se faire instruire, les hommes s'exercer à bien faire, les vieux se retirer de toute occupation civile et militaire pour vivre à leur discrétion, sans être obligés à une tâche déterminée.

Il y a des natures plus propres à ces préceptes sur la retraite les unes que les autres. Celles qui ont la compréhension molle et lâche, une affection et une volonté délicates, et qui ne s'asservissent et ne s'emploient pas aisément, dont je suis, et par disposition naturelle et par réflexion, ils se plieront mieux à ce conseil que les âmes actives et occupées qui embrassent tout et s'engagent partout, qui se passionnent pour toutes choses, qui s'offrent, qui se présentent, et qui se donnent à toutes occasions. Il faut se servir de ces commodités accidentelles et hors de nous en tant qu'elles nous sont plaisantes, mais sans en faire notre principal fondement. Ce ne l'est pas : ni la raison ni la nature ne le veulent. Pourquoi contre ses lois asservirions-nous notre contentement à la puissance d'autrui ? Anticiper aussi les accidents de fortune, se priver des commodités qui nous sont en main, comme plusieurs l'ont fait par dévotion et quelques philosophes par

1. « Déloger », c'est partir, et « partir », en l'occurrence, c'est mourir.
2. Quintilien, *Institution oratoire*, X, VII, 24.

réflexion, se servir soi-même, coucher sur la dure, se crever les yeux, jeter ses richesses au milieu de la rivière, rechercher la douleur, les uns pour acquérir par le tourment de cette vie la béatitude d'une autre, les autres pour se garantir, en se logeant sur la plus basse marche, d'une nouvelle chute, c'est l'action d'une vertu excessive. Que les natures plus roides et plus fortes rendent leur cachette même glorieuse et exemplaire.

Le sûr et le petit me siéent
Quand l'argent fait défaut, d'un rien sachant être heureux ;
Mais quand les choses vont mieux et que les choux sont plus gras,
Je dis aussi que seuls sont sages et bons vivants ceux
Dont on voit l'aisance trôner dans leurs riches villas

tuta et paruula laudo,
Cum res deficiunt, satis inter vilia fortis ;
Verum ubi quid melius contingit et unctius, idem
Hos sapere et solos aio bene uiuere quorum
Conspicitur nitidis fundata pecunia uillis. [1]

Il y a pour moi assez affaire sans aller si avant. Il me suffit dans la faveur de la fortune de me préparer à sa défaveur et de me représenter le mal à venir quand je suis à mon aise, autant que l'imagination y peut atteindre, tout comme nous nous accoutumons aux joutes et aux tournois et contrefaisons la guerre en pleine paix.

Je n'estime point Arcésilas, le philosophe le moins austère, pour savoir qu'il a usé d'ustensiles d'or et d'argent selon ce que la condition de sa fortune lui permettait, mais je l'estime mieux que s'il s'en fût démis parce ce qu'il en usait avec modération et libéralité.

Je vois jusqu'à quelles limites va la nécessité naturelle, et considérant le pauvre mendiant à ma porte, souvent plus enjoué et mieux portant que moi, je me plante en sa place, j'essaie de chausser mon âme à son biais, et, courant ainsi par les autres exemples, quoique je pense que la mort, la pauvreté, le mépris, et la maladie sont sur mes talons, je me résous aisément à n'entrer en effroi des choses qu'un moindre que moi accepte avec une telle patience. Et je ne veux croire que la bassesse de l'entendement puisse plus que sa vigueur, ou que les effets de la raison ne puissent arriver aux effets de l'accoutumance. Et connaissant combien ces commodités accessoires tiennent à peu, je ne laisse pas, en pleine jouissance, de supplier Dieu, pour ma souveraine requête, qu'il me rende content de moi-même et des biens qui naissent de moi. Je vois des jeunes hommes gaillards qui emportent nonobstant dans leurs coffres une masse de pilules pour s'en servir quand le

1. Horace, *Épîtres*, I, XV, 42-46.

rhume les pressera, lequel ils craignent d'autant moins qu'ils en pensent avoir en main le remède. Ainsi faut-il faire, et, si l'on se sent sujet à quelque maladie plus grave, se munir encore des médicaments qui assoupissent et endorment la partie.

L'occupation qu'il faut choisir pour une telle vie, ce doit être une occupation qui ne soit ni pénible ni ennuyeuse, autrement c'est en vain que nous ferions état d'y être venus chercher le séjour. Cela dépend du goût particulier de chacun. Le mien ne s'accommode aucunement à l'économie et au ménage des biens. Ceux qui l'aiment, ils s'y doivent adonner avec modération,

Tâchant de soumettre à eux les choses sans s'y soumettre
Conentur sibi res, non se submittere rebus, [1]

autrement c'est un office servile que de ménager sa maison, comme le dit Salluste. Cela a des parties plus excusables, comme le soin des jardins que Xénophon prête à Cyrus, et l'on peut trouver un moyen terme entre ce soin bas et vil, tendu et plein de sollicitude, qu'on voit chez les hommes qui s'y plongent tout à fait, et cette profonde et extrême nonchalance qui laisse tout aller à l'abandon qu'on voit chez d'autres :

Le troupeau de Démocrite engloutit champs et moissons,
Tandis que son esprit se perd loin du corps dans l'espace
Democriti pecus edit agellos
Cultaque, dum peregre est animus sine corpore uelox. [2]

Mais écoutons le conseil que Pline le Jeune donne à son ami Cornelius Rufus sur ce propos de la solitude : « Je te conseille en cette pleine et grasse retraite où tu es de laisser à tes gens ce soin du ménage bas et abject et de t'adonner à l'étude des lettres pour en tirer quelque chose qui soit tout à toi. » Il entend la réputation, étant d'un sentiment pareil à celui de Cicéron qui dit vouloir employer sa solitude et son éloignement des affaires publiques à s'acquérir par ses écrits une vie immortelle :

en es-tu donc au point
Que ton savoir n'est rien si l'autre ne sait que tu saches ?
usque adeo ne
Scire tuum nihil est, nisi te scire hoc sciat alter ? [3]

1. Horace, *Épîtres*, I, I, 19.
2. Horace, *Épîtres*, I, XII, 12-13.
3. Perse, I, 26-27.

Il semble que ce soit raison, puisqu'on parle de se retirer du monde, qu'on regarde hors de lui. Ceux-ci ne le font qu'à demi, ils préparent bien leur affaire pour quand ils n'y seront plus, mais le fruit de leur dessein, ils prétendent le tirer du monde encore alors qu'ils seront absents, par une ridicule contradiction. L'idée de ceux qui cherchent la solitude par dévotion et remplissent leur cœur de la certitude des promesses divines dans l'autre vie est bien plus sainement assortie. Ils se proposent Dieu, objet infini en bonté et en puissance. L'âme a de quoi y rassasier ses désirs en toute liberté. Les afflictions, les douleurs employées à acquérir une santé et une réjouissance éternelles leur surviennent à leur profit, à leur souhait la mort, qui est le passage en un état si parfait. L'âpreté de leurs règles est incontinent aplanie par l'accoutumance, et les appétits charnels rebutés et endormis par leur refus, car rien ne les entretient que l'usage et l'exercice. Seule cette fin d'une autre vie heureusement immortelle mérite légitimement que nous abandonnions les commodités et les douceurs de cette vie qui est la nôtre. Et qui peut embraser son âme de l'ardeur de cette vive foi et de cette espérance, réellement et constamment, il se bâtit dans la solitude une vie voluptueuse et délicieuse au-delà de toute autre sorte de vie.

Ni la fin donc ni le moyen de ce conseil ne me contentent. Nous retombons toujours de fièvre en chaud mal. Cette occupation des livres est aussi pénible que toute autre, et autant ennemie de la santé, qui doit être principalement considérée. Et il ne faut point se laisser endormir au plaisir qu'on y prend : c'est le même plaisir qui perd le ménager, l'avaricieux, le voluptueux, et l'ambitieux ! Les sages nous apprennent assez à nous garder de la trahison de nos appétits et à discerner les plaisirs vrais et entiers des plaisirs mêlés et bigarrés de plus de peine. Car la plupart des plaisirs, disent-ils, nous chatouillent et nous embrassent pour nous étrangler, comme faisaient les larrons que les Égyptiens appellaient « *philistas* » [1], et si la douleur de tête nous venait avant l'ivresse, nous nous garderions de trop boire, mais la volupté, pour nous tromper, marche devant et nous cache ses suites. Les livres sont plaisants, mais si par leur fréquentation nous en perdons à la fin la gaieté et la santé, eux notre meilleure part, quittons-les. Je suis de ceux qui pensent que leur fruit ne peut contrebalancer cette perte. De même que les hommes qui se sentent depuis longtemps affaiblis par quelque indisposition se rangent à la fin à la merci de la médecine et se font prescrire par l'art certaines règles de

1. Sénèque écrit (en grec) « *philètas* » (*philètes*), c'est-à-dire « brigands », mais Montaigne lisait bien « philestas* » dans son édition.

vie pour ne les plus outrepasser, de même celui qui se retire ennuyé et dégoûté de la vie publique doit conformer sa vie aux règles de la raison, l'ordonner et l'arranger par préméditation et réflexion. Il doit avoir pris congé de toute espèce de travail, quelque visage qu'il porte, fuir en général les passions qui empêchent la tranquillité du corps et de l'âme, et choisir enfin la route qui est le plus selon son humeur :

Unusquisque sua nouerit ire uia. [1]

Au ménage, à l'étude, à la chasse, et à tout autre exercice, il faut donner jusqu'aux derniers limites du plaisir, et garder de s'engager plus avant, là où la peine commence à se mêler parmi. D'embesognement et d'occupation, il ne faut réserver qu'autant seulement qu'il en est besoin pour nous tenir en haleine et pour nous garantir des incommodités que traîne après soi l'autre extrémité d'une oisiveté lâche et assoupie. Il y a des sciences stériles et épineuses, et la plupart forgées pour la multitude : il faut les laisser à ceux qui sont au service du monde. Je n'aime pour moi que des livres ou plaisants et faciles qui me chatouillent ou ceux qui me consolent et me conseillent pour régler ma vie et ma mort :

flâner en silence, au bon air des forêts,
Vaquant à ce qui sied au sage et à tout honnête homme
tacitum siluas inter reptare salubres,
Curantem quidquid dignum sapiente bonoque est. [2]

Les gens plus sages peuvent se forger un repos tout spirituel puisqu'ils ont l'âme forte et vigoureuse. Moi qui l'ai commune, il faut que j'aide à me soutenir par les agréments du corps, et, l'âge m'ayant tantôt dérobé celles qui étaient le plus à ma fantaisie, j'instruis et j'aiguise mon appétit à ceux qui restent les mieux assortis à cette autre saison. Il faut retenir avec nos dents et nos griffes l'usage des plaisirs de la vie que nos ans nous arrachent des poings les uns après les autres :

cueillons les douceurs : est à nous
Ce qu'on vit : demain tu seras cendre, esprit, et légende
carpamus dulcia, nostrum est
Quod uiuis, cinis et manes et fabula fies. [3]

1. Properce, II, XXV, 38.
2. Horace, *Épîtres*, I, IV, 4-5.
3. Perse, V, 151-152.

Maintenant, pour en revenir à la fin que Pline et Cicéron nous proposent, celle de la gloire, c'est bien loin de mon compte ! L'humeur la plus contraire à la retraite, c'est l'ambition. La gloire et le repos sont des choses qui ne peuvent loger en même gîte. À ce que je vois, ceux-ci n'ont que les bras et les jambes hors de la foule : leur âme, leur intention y demeurent engagées plus que jamais :

> Pauvre vieux, tu cherches des vers pour l'oreille des autres ?
> *Tun' uetule auriculis alienis colligis escas ?* [1]

Ils se sont seulement reculés pour mieux sauter, et ont pris plus d'élan pour faire une plus vive saillie dans la troupe. Vous plaît-il de voir comment leur tir est court d'un poil ? Mettons en contrepoids l'avis de deux philosophes et de deux sectes très différentes, l'un écrivant à Idoménée, l'autre à Lucilius, leurs amis, pour les retirer du maniement des affaires et des grandeurs à la solitude : « Vous avez, disent-ils, vécu en voguant et en flottant jusqu'à présent : venez-vous-en mourir au port. Vous avez donné le reste de votre vie à la lumière, donnez ceci à l'ombre. » Il est impossible de quitter les occupations si vous n'en quittez pas le fruit : à cette fin, défaites-vous de tout soin de renom et de gloire. Il est à craindre que l'éclat de vos actions passées ne vous éclaire que trop et vous suive jusque dans votre tanière. Quittez avec les autres voluptés celle qui vient des applaudissements d'autrui. Et quant à votre science et à vos talents, nul souci : ils ne perdront pas leur effet si vous en valez mieux vous-même. Qu'il vous souvienne de celui à qui l'on demandait pourquoi il se travaillait si fort dans un art qui ne pouvait venir à la connaissance de guère de gens : « J'en ai assez de peu, répondit-il ; j'en ai assez d'un, j'en ai même assez d'aucun. » Il disait vrai : vous et un compagnon vous êtes un bien suffisant théâtre l'un pour l'autre, ou vous seul pour vous-même. Que le peuple vous soit un, et qu'un seul vous soit tout un peuple. C'est une lâche ambition de vouloir tirer gloire de son oisiveté et de sa cachette. Il faut faire comme les animaux qui effacent leur trace à la porte de leur tanière. Que le monde parle de vous, ce n'est plus ce qu'il vous faut rechercher, mais comment il faut que vous vous parliez à vous-même. Retirez-vous en vous, mais préparez-vous d'abord à vous y recevoir : ce serait folie de vous fier à vous-même si vous ne vous savez vous gouverner. Il y a moyen de faillir dans la solitude comme dans la compagnie. Jusqu'à ce que vous vous soyez rendu tel que vous n'osiez clocher devant vous, et jusqu'à ce que vous ayez honte et respect de vous-

1. Perse, I, 22.

même, *obuersentur species honestæ animo* [1] représentez à vos esprits de nobles visages : représentez-vous toujours en imagination Caton, Phocion et Aristide, en la présence desquels les fous mêmes cacheraient leurs fautes, et établissez-les contrôleurs de toutes vos intentions. Si elles se détraquent, le respect pour ces personnages vous remettra en train. Ils vous contiendront dans cette voie de vous contenter de vous-même, de n'emprunter rien que de vous, d'arrêter et d'affermir votre âme à des réflexions bien définies et limitées où elle se puisse plaire, puis, quand vous aurez compris quels sont les vrais biens dont on jouit à mesure qu'on les comprend, de vous en contenter sans désirer prolonger votre vie ni votre nom. Voilà le conseil de la vraie et naïve philosophie, non d'une philosophie ostentatrice et parolière, comme l'est celle des deux premiers.

Considération sur Cicéron [s]

[Chapitre XXXIX]

Encore un trait sur la comparaison de ces couples [2]. Il se tire des écrits de Cicéron et de ce Pline-là, peu ressemblant, à mon avis, aux humeurs de son oncle, d'infinis témoignages de leur nature outre mesure ambitieuse. Entre autres, qu'ils sollicitent, au su de tout le monde, les historiens de leur temps de ne les oublier point dans leurs registres. Et la fortune, comme par dépit, a fait durer jusqu'à nous la vanité de ces requêtes et depuis longtemps fait perdre ces récits historiques. Mais ce qui surpasse toute bassesse de cœur, chez des personnes d'un tel rang, c'est qu'ils aient voulu tirer quelque principale gloire du caquet et de la parlerie, jusqu'à y employer les lettres privées écrites à leurs amis, de manière que certaines qui avaient manqué leur saison pour être envoyées, ils les font néanmoins publier avec cette digne excuse qu'ils n'ont pas voulu perdre leur travail et

1. Cicéron, *Tusculanes*, II, XXII, 52.

2. Ces « couples » d'écrivains philosophes sont ceux dont il vient d'être question dans le chapitre précédent : Pline le Jeune et Cicéron d'une part, Épicure et Sénèque de l'autre, en tant qu'ils ont été tous les quatre des épistoliers. L'angle est toutefois différent : il ne s'agira plus ici de préconiser la retraite (Épicure, Sénèque), ou de flétrir la gloriole littéraire (Cicéron, Pline le Jeune), mais d'opposer la vanité littéraire de Cicéron et de Pline au sérieux philosophique des lettres d'Épicure et de Sénèque.

leurs veillées ! Sied-il pas bien à deux consuls romains, souverains magistrats de la chose publique impératrice du monde, d'employer leur loisir à ordonner et fagoter gentiment une belle missive pour en tirer la réputation de bien entendre le langage de leur nourrice ? Que ferait de pis un simple maître d'école qui en gagnerait sa vie ? Si les hauts faits de Xénophon et de César n'eussent pas de bien loin surpassé leur éloquence, je ne crois pas qu'ils les eussent jamais écrits. Ils ont cherché à recommander, non point leur dire, mais leur faire. Et si la perfection du bien parler pouvait apporter quelque gloire assortie à un grand personnage, certainement Scipion et Lælius n'eussent pas laissé l'honneur de leurs comédies, et toutes les mignardises et les délices du langage latin à un serf africain. Car que cet ouvrage soit leur, sa beauté et son excellence le prouvent assez, Térence l'avoue lui-même, et l'on me ferait déplaisir de me déloger de cette croyance.

C'est une espèce de moquerie et d'injure de vouloir faire valoir un homme par des qualités indignes de son rang, quoiqu'elles soient louables ailleurs, et par des qualités aussi qui ne doivent pas être les siennes principales, comme qui louerait un roi d'être bon peintre ou bon architecte, ou encore bon arquebusier ou bon coureur de bague [1]. Ces louanges ne font pas honneur si elles ne sont présentées dans la masse et à la suite des qualités qui lui sont propres, à savoir celles de la justice et de la science de conduire son peuple en paix comme en guerre. De cette façon l'agriculture fait honneur à Cyrus, et l'éloquence et la connaissance des bonnes lettres à Charlemagne. J'ai vu de mon temps, pour l'exprimer plus fortement, des personnages qui tiraient de l'écriture à la fois leurs titres et leur vocation, désavouer leur apprentissage, corrompre leur plume, et affecter d'ignorer une qualité aussi vulgaire que le style, dont notre peuple juge qu'elle ne se rencontre guère aux mains des vrais savants, et veiller à se faire valoir par de plus hautes qualités.

Les compagnons de Démosthène, lors de l'ambassade envoyée à Philippe, louaient ce prince d'être beau, éloquent, et bon buveur. Démosthène disait que c'étaient là des louanges qui convenaient mieux à une femme, à un avocat, ou à une éponge qu'à un roi :

Qu'il commande, farouche à qui combat,
Clément pour l'homme à terre

Imperet bellante prior, iacentem
Lenis in hostem. [2]

---

1. Jeu de tournoi dans lequel les cavaliers devaient, au galop, enlever de la pointe de leur lance des anneaux (des « bagues ») suspendus.

2. Horace, *Chant séculaire*, 51-52.

Ce n'est pas sa profession de savoir ou chasser bien ou bien danser,

D'autres plaideront, au compas d'autres mesureront
Les mouvements du ciel et les feux des astres diront :
Lui, saura seulement mener les multitudes

Orabunt causas alii, cœlique meatus
Describent radio, et fulgentia sidera dicent,
Hic regere imperio populos sciat. [1]

Plutarque dit de plus que paraître si éminent dans ces parties moins nécessaires, c'est produire contre soi la preuve d'avoir mal dispensé son loisir et son étude, qui devait être employée à des choses plus nécessaires et plus utiles. De sorte que Philippe, le roi de Macédoine, ayant entendu ce grand Alexandre, son fils, chanter dans un festin à l'envi des meilleurs musiciens : « N'as-tu pas honte, lui dit-il, de chanter aussi bien ? » Et à ce même Philippe, un musicien avec lequel il débattait de son art : « Ah ! à Dieu ne plaise, sire, dit-il, qu'il t'advienne jamais tant de mal que tu entendes ces choses-là mieux que moi ! » Un roi doit pouvoir répondre comme Iphicrate répondit à l'orateur qui dans son invective le pressait de cette manière : « Eh bien ! qu'es-tu pour faire tant le brave ? Es-tu homme d'armes, es-tu archer, es-tu piquier ? – Je ne suis rien de tout cela, mais je suis celui qui sait commander à tous ceux-là. » Et Antisthène prit pour un argument de peu de valeur, s'agissant d'Isménias, le fait qu'on le vantait d'être excellent joueur de flûte.

Je sais bien, quand j'entends quelqu'un qui s'arrête au langage des *Essais,* que j'aimerais mieux qu'il s'en tût. Ce n'est pas tant élever les mots que rabaisser le sens, et d'une façon d'autant plus irritante qu'elle est plus oblique. Pourtant je suis trompé s'il y en a beaucoup d'autres qui donnent plus à prendre dans leur matière, et, que ce soit mal ou bien, s'il est aucun écrivain qui l'ait semée sinon beaucoup plus riche, du moins plus drue sur son papier. Pour en ranger davantage, je n'en entasse que les têtes : que j'y attache leurs suites, et je multiplierai plusieurs fois ce volume. Et combien y ai-je répandu d'histoires qui ne disent mot [2], dont qui voudra les éplucher un peu plus soigneusement, il en produira des *Essais* à l'infini ! Ni elles ni mes citations ne servent pas toujours simplement d'exemple, d'autorité ou d'ornement. Je ne les regarde pas seulement sous l'angle de l'usage que j'en tire. Elles apportent souvent, hors de mon propos, la semence

1. D'après Virgile, *Énéide*, VI, 849-851.
2. « Sans qu'elles soient assorties d'un commentaire ». L'expression est si souvent citée par les spécialistes de Montaigne que je n'ai eu garde d'y rien changer.

d'une matière plus riche et plus hardie, et souvent, à côté, un ton plus délicat, tant pour moi qui n'en veux en ce lieu exprimer d'avantage que pour ceux qui rencontreront mes vues. Retournant à cette vertu parolière, je ne trouve pas grand choix entre ne savoir dire que mal ou ne savoir rien que bien dire. *Non est ornamentum uirile concinnitas* [1] ce n'est pas un ornement viril que l'euphonie. Les sages disent que, pour ce qui regarde le savoir, il n'y a que la philosophie, et, pour ce qui regarde les actes, que la vertu qui soit généralement propre aux hommes de tous les degrés et de tous les ordres.

Il y a quelque chose de comparable chez ces autres deux philosophes, Épicure et Sénèque, car ils promettent eux aussi l'éternité aux lettres qu'ils écrivent à leurs amis. Mais c'est d'une autre façon, et en s'accommodant pour une bonne fin à la vanité d'autrui. Car ils mandent à leurs correspondants que si le soin de leur renommée et de se faire connaître aux siècles à venir les arrête encore au maniement des affaires et leur fait craindre la solitude et la retraite où ils veulent les appeler, qu'ils ne s'en donnent plus de peine, parce qu'ils ont assez de crédit auprès de la postérité pour leur répondre que, ne fût-ce que par les lettres qu'ils leur écrivent, ils rendront leur nom aussi connu et fameux que pourraient le faire leurs actions publiques. Et, outre cette différence, encore ne sont-ce pas des lettres vides et décharnées qui ne se soutiennent que par un choix délicat de mots entassés et rangés selon une juste cadence, mais des lettres farcies et pleines de beaux discours de sapience, par lesquelles on se rend non pas plus éloquent mais plus sage, et qui nous apprennent non à bien dire mais à bien faire. Fi de l'éloquence qui nous laisse désir d'elle et non des choses, même si l'on dit que celle de Cicéron est d'une perfection si extrême qu'elle se donne corps elle-même ! J'ajouterai encore un conte que nous lisons à ce propos sur ce dernier, pour nous faire toucher du doigt son naturel. Il avait à parler en public, et il était un peu pressé par le temps pour se préparer à son aise. Éros, l'un de ses serfs, vint l'avertir que l'audience était remise au lendemain : il en fut si aise qu'il lui donna la liberté pour cette bonne nouvelle !

Sur ce sujet des lettres, je veux dire un mot. C'est là un genre d'écrire dans lequel mes amis pensent que j'ai quelque possibilité, et j'eusse plus volontiers choisi cette forme pour publier mes verves si j'eusse eu à qui parler. Il m'eût fallu, comme je l'ai eu autrefois [2], un certain commerce qui m'attirât, qui me soustînt et me soulevât. Car débattre au vent, comme d'autres, je ne saurais le faire qu'en songe,

1. Sénèque, *Lettres à Lucilius*, CXV, 2.
2. Avec feu son grand ami La Boétie.

non plus que forger de vains noms pour les entretenir de choses sérieuses, étant l'ennemi juré de toute espèce de falsification. J'eusse été plus attentif et plus sûr si j'eusse eu quelque grand ami à qui m'adresser au lieu de me tourner vers les visages divers de tout un peuple, et je suis déçu si cela ne m'eût pas mieux réussi. J'ai naturellement un style comique [1] et privé, mais c'est d'une forme tout à moi, impropre à des échanges publics, comme l'est de toute manière mon langage, trop serré, désordonné, coupé, particulier. Et je ne m'entends pas à écrire des lettres cérémonieuses qui n'ont d'autre substance que celle d'une belle enfilade de paroles de courtoisie. Je n'ai ni la faculté ni le goût de ces longues offres d'affection et de service. Je n'en crois pas tant, et il me déplaît d'en dire beaucoup plus que ce que j'en crois. C'est bien loin de l'usage présent, car on ne vit jamais une prostitution de présentations aussi abjecte et servile : « la vie », « l'âme », « dévotion », « adoration », « serf », « esclave », tous ces grands mots-là courent si communément dans leurs lettres que quand ils veulent faire sentir une intention plus expresse et plus respectueuse ils n'ont plus de manière pour l'exprimer.

Je hais à mort de sentir le flatteur, ce qui fait que je prends naturellement un parler sec, rond et cru qui, pour qui ne me connaît pas par ailleurs, tire un peu vers le dédaigneux. J'honore le plus ceux à qui je fais le moins d'honneurs, et quand mon âme marche en grande allégresse, j'oublie les pas de convenance : je m'offre maigrement et fièrement à ceux à qui je suis le plus acquis, et je me découvre le moins à ceux à qui je me suis le plus donné. Il me semble qu'ils doivent le lire dans mon cœur, et que l'expression de mes paroles fait tort à ce que je conçois. Pour donner bienvenue, prendre congé, remercier, saluer, présenter mes services, et pour tous les compliments verbeux de ce genre que réclament les lois cérémonieuses de notre civilité, je ne connais personne qui soit aussi sottement stérile que moi dans son langage. Et je n'ai jamais été amené à faire des lettres de faveur et de recommandation sans que celui pour qui c'était ne les ait trouvées sèches et sans vigueur.

Ce sont de grands imprimeurs de lettres que les Italiens. J'en ai, je crois, cent volumes divers. Celles d'Annibal Caro me semblent les

1. Un style *comique* : « comique » n'a jamais voulu dire à l'origine « drôle » ou « qui porte à rire » ; dans la terminologie esthétique alors en usage, le terme s'applique à ce que nous appellerions une écriture *réaliste*, terre à terre, familière, « basse », par opposition au registre élevé, sublime, des œuvres de grand style : tragédies, hymnes, odes, épopées, ou éloquence d'apparat. Ce terme de métier m'a semblé trop précisément daté et connoté pour pouvoir être changé.

meilleures. Si tout le papier existait encore qu'autrefois, lorsque ma main était véritablement emportée par la passion, j'ai barbouillé pour les dames, on y trouverait d'aventure quelque page digne d'être communiquée à la jeunesse oisive, embabouinée de cette fureur d'écrire. J'écris mes lettres toujours en poste, et de façon si précipitée que, quoique j'écrive insupportablement mal, j'aime mieux écrire de ma main que d'y en employer une autre, car je n'en trouve point qui me puisse suivre, et je ne les transcris jamais. J'ai accoutumé les grands qui me connaissent à y supporter mes grattages et mes ratures, et un papier sans pliure et sans marge. Les lettres qui me coûtent le plus sont celles qui valent le moins : dès lors que je les traîne, c'est signe que je n'y suis pas. Je commence volontiers sans projet : le premier trait produit le second. Les lettres de ce temps ont plus de circonlocutions et de préambules que de matière. De même que j'aime mieux composer deux lettres que d'en clore et plier une, et je laisse toujours cette commission à quelque autre, de même quand la matière est achevée, je donnerais volontiers à quelqu'un la charge d'y rajouter ces longues harangues, offres et prières que nous logeons à la fin, et je souhaite que quelque nouvel usage nous en décharge, comme aussi d'y inscrire en légende une kyrielle de qualités et de titres : pour n'y broncher, j'ai maintes fois renoncé à écrire, et notamment aux gens de justice et de finance. Il y a tant d'innovations dans les charges, une distribution et une hiérarchie si délicates des divers noms d'honneur, et ceux-ci sont si chèrement achetés qu'ils ne peuvent être échangés ou oubliés sans offense. Je trouve pareillement de mauvaise grâce d'en charger le frontispice et la page de titre des livres que nous faisons imprimer.

Que le goût des biens et des maux dépend en bonne partie de l'opinion que nous en avons [t]

[Chapitre XL]

Les hommes, dit une sentence grecque ancienne, sont tourmentés par les opinions qu'ils ont des choses, non par les choses mêmes [1]. Ce serait un grand point de gagné pour le soulagement de notre misérable

1. Montaigne avait fait peindre cette maxime si typiquement stoïcienne sur l'une des poutres de sa librairie. Elle est tirée d'Épictète (*Manuel*, V).

condition humaine si l'on pouvait établir que cette proposition est vraie tout partout. Car si les maux n'ont d'entrée en nous que par notre jugement, il semble qu'il soit en notre pouvoir de les mépriser ou de les tourner en bien. Si les choses se rendent à notre merci, pourquoi n'en pourrions-nous chevir [1] ou ne les accommoderions-nous pas à notre avantage ? Si ce que nous appelons mal et tourment n'est ni mal ni tourment en soi, mais que c'est seulement notre fantaisie qui leur donne cette qualité, il est en nous de la changer, et, si nous avons le choix, si nul ne nous force, nous sommes étrangement fous de nous bander pour le parti qui nous est le plus ennuyeux, et de donner aux maladies, à l'indigence et au mépris un aigre et mauvais goût si nous pouvons le leur donner bon, et ainsi la fortune fournissant simplement la matière, c'est bien à nous de lui donner la forme. À présent, que ce que nous appelons mal ne le soit pas en soi, ou du moins, quel qu'il soit, qu'il dépende bien de nous de lui donner une autre saveur et un autre visage, car tout revient au même, voyons si cela peut se soutenir.

Si l'être originel de ces choses que nous craignons avait crédit de se loger en nous de sa propre autorité, il logerait pareil et semblable en tous, car les hommes sont tous d'une même espèce, et sauf le plus et le moins, ils se trouvent munis de pareils outils et instruments pour concevoir et juger. Mais la diversité des opinions que nous avons de ces choses-là montre clairement qu'elles n'entrent en nous que par composition. Tel d'aventure les loge chez soi en leur véritable être, mais mille autres leur donnent chez eux un être nouveau et contraire.

Nous tenons la mort, la pauvreté et la douleur pour nos principaux adversaires. Or cette mort que les uns appellent des choses horribles la plus horrible, qui ne sait que d'autres la nomment l'unique port des tourments de cette vie, le souverain bien de nature, le seul appui de notre liberté, et la commune et prompte recette à tous nos maux ? Et de même que les uns l'attendent tremblants et effrayés, d'autres la supportent plus aisément que la vie. Celui-là se plaint de sa facilité :

Mort, que ne refuses-tu de ravir la vie aux lâches ?
Puisses-tu ne t'offrir qu'à la seule vertu !
Mors, utinam pauidos uita subducere nolles,
Sed uirtus te sola daret ! [2]

Maintenant laissons ces glorieux cœurs. Théodore répondit à Lysimaque qui menaçait de le tuer : « Tu feras un grand coup d'arriver à

1. Disposer.
2. Lucain, IV, 580-581.

la force d'une mouche cantharide [1]. » La plupart des philosophes se trouvent avoir ou prévenu par dessein ou hâté et secouru leur mort.

Combien voit-on de personnes populaires conduites à la mort, et non à une mort simple, mais mêlée de honte, et quelquefois de graves tourments, y apporter une telle assurance qui par opiniâtreté, qui par simplicité naturelle, qu'on n'y aperçoit rien de changé de leur état ordinaire, établissant leurs affaires domestiques, se recommandant à leurs amis, chantant, prêchant et entretenant le peuple, voire y mêlant quelquefois des mots pour rire, et buvant à la santé de leurs connaissances aussi bien que Socrate ? Un qu'on menait au gibet disait qu'on ne prît pas par telle rue, car il y avait danger qu'un marchand lui fît mettre la main au collet à cause d'une vieille dette. Un autre disait au bourreau qu'il ne le touchât pas à sa gorge de peur de le faire tressaillir de rire tant il était chatouilleux ; l'autre répondit à son confesseur qui lui promettait qu'il souperait ce jour-là avec notre Seigneur : « Allez-y donc vous-même, car pour ma part je jeûne. » Un autre avait demandé à boire ; le bourreau ayant bu le premier, il déclara ne vouloir boire après lui de peur de prendre la vérole. Chacun a ouï le conte de ce Picard auquel, alors qu'il est à l'échelle, on présente une garce en lui disant que, comme notre justice le permet quelquefois, s'il voulait l'épouser, on lui sauverait la vie : lui, l'ayant un peu contemplée et s'étant aperçu qu'elle boitait : « Attache, attache, dit-il, elle cloche. » Et on dit de même qu'au Danemark un homme condamné à avoir la tête tranchée, déjà sur l'échafaud, comme on lui offrait une pareille condition, la refusa parce que la fille qu'on lui offrait avait les joues avalées et le nez trop pointu. Un valet à Toulouse accusé d'hérésie, pour toute raison de sa créance, se rapportait à celle de son maître, jeune écolier prisonnier avec lui, et aima mieux mourir que de se laisser persuader que son maître pût errer. Nous lisons de ceux de la ville d'Arras, lorsque le roi Louis XI la prit, qu'il s'en trouva bon nombre parmi le peuple qui se laissèrent pendre plutôt que de crier vive le roi. Et parmi ces viles âmes de bouffons, il s'en est trouvé qui n'ont voulu abandonner leur gaudisserie dans la mort même. L'un d'eux à qui le bourreau donnait le branle, s'écria : « Vogue la galère ! » qui était son refrain habituel. Et l'autre qu'on avait couché sur le point de rendre sa vie le long du foyer sur une paillasse, et à qui le médecin demandait où le mal le tenait : « Entre le banc et le feu », répondit-il. Et le prêtre, pour lui donner l'extrême-

1. La cantharide est un insecte dont le broyat, utilisé en médecine, provoquait sur la peau des ampoules qui s'infectaient si affreusement qu'elles pouvaient tuer à la fin le patient.

onction, cherchant ses pieds qu'il avait resserrés et contractés par la maladie : « Vous les trouverez, dit-il, au bout de mes jambes. » À l'homme qui l'exhortait de se recommander à Dieu : « Qui va le trouver ? », demanda-t-il, et l'autre répondant : « Ce sera tantôt vous-même, s'il lui plaît. », « J'aimerais bien y aller demain soir ! », répliqua-t-il ; « Recommandez-vous seulement à lui, poursuivit l'autre, vous y serez bientôt. Il vaut donc mieux, ajouta-t-il, que je lui porte mes souhaits moi-même. »

Au royaume de Narsinque [1], encore aujourd'hui, les femmes de leurs prêtres sont ensevelies vives avec le corps de leurs maris. Aux funérailles des leurs, toutes les autres femmes sont brûlées, ce qu'elles subissent non seulement avec constance, mais gaiement. À la mort du roi, ses femmes et ses concubines, ses mignons et tous ses officiers et serviteurs, qui font un peuple, s'offrent si allègrement au feu où son corps est brûlé qu'ils montrent qu'ils tiennent à grand honneur d'y accompagner leur maître.

Pendant nos dernières guerres de Milan, après tant de prises et de reprises de la ville, le peuple, impatient de ces si divers changements de fortune, se résolut tellement bien à la mort que j'ai ouï dire à mon père qu'il y vit faire le compte de bien vingt et cinq maîtres de maison qui s'étaient défaits eux-mêmes en une semaine. Cet événement peut se comparer à celui des Xanthiens qui, assiégés par Brutus, se précipitèrent pêle-mêle, hommes, femmes et enfants, avec un si furieux appétit de mourir qu'on ne fait rien pour fuir la mort que ceux-ci ne fissent pour fuir la vie, de sorte que Brutus put avec peine en sauver un bien petit nombre.

Toute opinion est assez forte pour se faire épouser au prix de la vie. Le premier article de ce courageux serment que la Grèce jura et maintint lors des guerres médiques, ce fut que chacun changerait plutôt la mort contre la vie que les lois perses contre les leurs. Combien de gens, lors de la guerre des Turcs et des Grecs, voit-on accepter une mort très âpre plutôt que de se décirconcire pour se baptiser ? Exemple dont nulle sorte de religion n'est incapable.

Après que les rois de Castille eurent banni les Juifs de leurs terres, le roi Jean de Portugal leur vendit à huit écus par tête le droit de se retirer sur les siennes pour un certain temps, à condition que, ce temps venu, ils auraient à les vider ; quant à lui, il leur promettait de leur fournir des vaisseaux pour les faire traverser en Afrique. Le jour arrive passé lequel il était dit que ceux qui n'auraient pas obéi demeureraient esclaves. Les vaisseaux leur furent fournis chichement, et ceux qui s'y

1. En Inde.

embarquèrent furent traités rudement et vilement par les passagers. Outre plusieurs autres indignités, ceux-ci les amusèrent en mer, tantôt avançant, tantôt culant, jusqu'à ce qu'ils eussent consommé leurs victuailles et fussent contraints de leur en acheter si cher et si longtemps qu'on ne les mit point à terre qu'ils ne fussent tout à fait en chemise. La nouvelle de cette inhumanité fut rapportée à ceux qui étaient à terre. La plupart dès lors se résolurent à la servitude. D'aucuns firent mine de changer de religion. Emmanuel, qui succéda à Jean, une fois parvenu à la couronne, les mit dès l'abord en liberté. Puis, changeant d'avis, il leur enjoignit de sortir de ses terres, en assignant trois ports à leur passage. Il espérait, dit l'évêque Osorius, non méprisable historien latin de notre temps, que, puisque la faveur de la liberté qu'il leur avait rendue avait failli à les convertir au christianisme, la difficulté de s'exposer à la volerie des marins, d'abandonner un pays où ils étaient habitués, avec de grandes richesses, pour aller se jeter dans une région inconnue et étrangère, les y ramènerait. Mais, se voyant déchu de son espérance, et eux bien résolus au passage, il retrancha deux des ports qu'il leur avait d'abord promis afin que la longueur et l'incommodité du trajet en fît se raviser certains, ou qu'il eût moyen de les amonceler tous en un même lieu pour exécuter plus aisément ce qu'il avait résolu, et qui était tel : il ordonna d'arracher d'entre les mains de leurs pères et mères tous les enfants au-dessous de quatorze ans pour les transporter hors de leur vue et de leur entretien en un lieu où ils fussent instruits à notre religion. Il dit que cette décision produisit un horrible spectacle, car l'affection naturelle entre les pères et les enfants et, de plus, le zèle pour leur ancienne croyance combattaient à l'encontre de cet ordre brutal. On vit communément des pères et des mères qui se défaisaient eux-mêmes, et, exemple plus rude encore, qui par amour et par compassion précipitaient leurs jeunes enfants dans des puits pour se soustraire à la loi. Au demeurant, le terme qu'il leur avait prescrit une fois expiré, faute de moyens, ils se remirent en servitude. Quelques-uns se firent chrétiens. Encore aujourd'hui, cent ans après, peu de Portugais s'assurent de leur foi ou de celle de leurs descendants, quoiqu'en de telles mutations la coutume et la longueur de temps soient de bien plus fortes conseillères que toute autre contrainte. Dans la ville de Castelnaudary, cinquante Albigeois hérétiques souffrirent à la fois, avec un courage déterminé, d'être brûlés vifs dans un feu avant de désavouer leurs opinions. *Quoties non modo ductores nostri*, dit Cicéron, *sed uniuersi etiam exercitus ad non dubiam mortem concurrerunt* ? [1] Combien de fois,

1. Cicéron, *Tusculanes*, I, XXXVII, 89.

non seulement nos généraux, mais nos armées tout entières ont couru à une mort certaine ? J'ai vu quelqu'un de mes amis intimes courir sus à la mort de vive force, avec un désir véritable et enraciné en son cœur par diverses formes de raisons que je ne lui sus rabattre, et, à la première occasion qui s'offrit coiffée d'une auréole d'honneur, s'y précipiter hors de toute apparence avec une faim âpre et ardente. Nous en avons de notre temps plusieurs exemples, jusqu'à des enfants qui de crainte de quelque légère incommodité se sont donnés à la mort. Et à ce propos : « Que ne craindrons-nous pas, dit un ancien, si nous craignons ce que la couardise même a choisi pour sa retraite ? » À enfiler ici un long registre de ceux de tous sexes et conditions et de toutes sectes qui, dans des siècles plus heureux, ont ou attendu la mort avec constance, ou l'ont recherchée volontairement, et recherchée non seulement pour fuir les maux de cette vie, mais certains pour fuir simplement la satiété de vivre, et d'autres dans l'espérance d'une meilleure condition ailleurs, je n'en aurais jamais fait. Et le nombre en est si infini qu'à la vérité j'aurais meilleur marché de faire le compte de ceux qui l'ont redoutée.

Ceci seulement. Le philosophe Pyrrhon, se trouvant sur un bateau un jour de grande tourmente, montrait à ceux qu'il voyait les plus effrayés autour de lui un pourceau qui était à bord nullement soucieux de cet orage, et il les encourageait par son exemple. Oserons-nous donc dire que cet avantage de la raison, dont nous faisons tant de fête et pour le respect duquel nous nous tenons pour maîtres et empereurs du reste des créatures, ait été mis en nous pour notre tourment ? Pourquoi rechercher la connaissance des choses si nous en devenons plus lâches, si nous en perdons le repos et la tranquillité où nous serions sans cela, et si elle nous rend de pire condition que le pourceau de Pyrrhon ? L'intelligence qui nous a été donnée pour notre plus grand bien, l'emploierons-nous à notre ruine en combattant le dessein de Nature et l'ordre universel des choses, qui porte que chacun use de ses outils et moyens pour sa commodité ? Que votre règle serve pour la mort, soit, me dira-t-on, mais que direz-vous de l'indigence ? Que direz-vous encore de la douleur, qu'Aristippe, Hiéronyme de Cardia et la plupart des sages ont estimé être le dernier des maux, chose que ceux qui le niaient en parole confessaient en effet ? Possidonius étant extrêmement tourmenté par une maladie aiguë et douloureuse, Pompée le fut voir, et s'excusa d'avoir pris une heure si importune pour l'entendre deviser de philosophie : « Certes, à Dieu ne plaise, lui dit Possidonius, que la douleur gagne tant sur moi qu'elle m'empêche d'en discourir », et il se jeta sur ce propos même du mépris de la douleur. Mais pendant ce temps elle jouait son rôle et le pressait incessamment. À quoi il s'écriait : « Tu as beau faire, ô ma douleur, je ne dirai pas pour autant pas que tu sois mal ! » Ce conte qu'ils font tant valoir qu'apporte-t-il pour le mépris de la douleur ? Il ne débat que du mot. Et cependant si ces piqûres ne l'émeuvent point, pourquoi donc en interrompt-il son propos ? Pourquoi pense-t-il faire beaucoup de ne l'appeler pas mal ?

Ici tout n'est pas affaire d'imagination. Pour le reste, nous n'avons que des opinions ; c'est ici la science certaine qui entre en jeu : nos sens mêmes en sont juges,

Qui, s'ils ne sont vrais, la raison tout entière aussi ment
Qui nisi sunt ueri, ratio quoque falsa sit omnis : [1]

ferons-nous accroire à notre peau que les coups d'étrivière la chatouillent ? Et à notre goût que l'aloès soit du vin de Graves ? Le pourceau de Pyrrhon est ici de notre tablée : il est bien sans effroi devant la mort, mais si on le bat, il crie et se tourmente ! Pourrions-nous enfreindre cette loi générale de la nature qui se voit chez tout ce qui est vivant sous le ciel et qui est de trembler sous la douleur ? Les arbres mêmes semblent gémir sous les offenses. La mort ne se ressent que par la pensée, d'autant que ce n'est le mouvement que d'un instant :

Elle est passée ou à venir : rien de présent en elle ;
La mort nous fait moins de mal que l'attente de la mort
Aut fuit, aut ueniet : nihil est praesentis in illa, [2]
Morsque minus poenae quam mora mortis habet. [3]

Mille bêtes, mille hommes sont plus vite morts qu'ils ne sont menacés. Aussi ce que nous disons craindre principalement dans la mort, c'est la douleur, son avant-coureuse coutumière.

Toutefois, s'il en faut croire un saint père, *malam mortem non facit nisi quod sequitur mortem* [4] rien ne rend mauvaise la mort sinon ce qui suit la mort. Et je dirais encore plus vraisemblablement que ni ce qui va devant, ni ce qui vient après n'est des appartenances de la mort. Nous nous donnons de fausses excuses. Et je trouve par expérience que c'est plutôt l'impatience de l'imagination de la mort qui nous rend impatients de la douleur, et que nous la sentons nous grever doublement parce qu'elle nous menace de mourir. Mais comme la raison blâme notre

1. Lucrèce, IV, 485.
2. La Boétie, « Ad Michaëlem Montanum », *Poemata*, XX, 273.
3. Ovide, *Héroïdes*, X, 82.
4. Saint Augustin, *La Cité de Dieu*, I, XI.

lâcheté de craindre une chose si soudaine, si inévitable, si insensible, nous prenons cet autre prétexte, qui est plus excusable. Tous les autres maux qui ne comportent pas d'autre danger que celui de la douleur, nous les disons sans danger. Celui des dents, ou de la goutte, si lourdement qu'il nous grève, qui donc, dès lors qu'il n'est pas homicide, le compte comme maladie ? Posons donc bien dès lors que dans la mort nous regardons principalement la douleur, de même que dans la pauvreté l'on n'a rien d'autre à craindre sinon qu'elle nous jette entre ses bras par les douleurs de la soif, de la faim, du froid, du chaud, des veilles qu'elle nous fait souffrir. Ainsi n'ayons affaire qu'à la douleur. Je leur accorde que ce soit le pire accident de notre être, et volontiers. Car je suis l'homme du monde qui lui veut d'autant plus de mal et qui la fuit d'autant plus que je n'aie pas eu jusqu'à présent, Dieu merci, grand commerce avec elle. Mais il est en nous, sinon de l'anéantir, au moins de l'amoindrir par notre patience, et, quand bien même le corps s'en émouverait, de maintenir l'âme néanmoins et la raison en bonne trempe. Et si cela n'était en notre pouvoir, quoi donc aurait mis en crédit la vertu, la vaillance, la force, la magnanimité et la résolution ? Où joueraient-elles leur rôle s'il n'y avait plus de douleur à défier ? *Auida est periculi uirtus* [1] la vertu est avide de péril. S'il ne faut coucher à la dure, soutenir armé de toutes pièces la chaleur de midi, se repaître d'un cheval ou d'un âne, se voir tailler en pièces et arracher une balle d'entre les os, souffrir qu'on nous recouse, cautérise et sonde, par où donc s'acquerra cet avantage que nous prétendons avoir sur le vulgaire ? On est bien loin de l'idée de fuir le mal et la douleur quand les sages nous disent qu'entre des actions également bonnes la plus souhaitable à faire est celle où il y a le plus de peine : Car ce n'est pas dans la joie, les plaisirs, les ris, le jeu, compagnon de la légèreté, mais souvent dans l'affliction aussi par la fermeté et la constance qu'on est heureux *non enim hilaritate, nec lasciuia, nec risu, aut ioco, comite leuitatis, sed sæpe etiam tristes firmitate et constantia sunt beati.* [2] Et c'est pour cette raison qu'il a été impossible de persuader à nos pères que les conquêtes faites de vive force au hasard de la guerre ne fussent pas plus avantageuses que celles qu'on conduit en toute sûreté par des manœuvres et des menées :

L'honneur est d'autant plus heureux qu'il nous coûte plus cher
Lætius est quoties magno sibi constat honestum. [3]

1. Sénèque, *De providentia*, IV, 4.
2. Cicéron, *De finibus*, II, XX, 65.
3. Lucain, IX, 404.

De plus, cela nous doit consoler que, par nature, si la douleur est violente, elle est courte ; si elle est longue, elle est légère : *si grauis, breuis ; si longus, leuis.* [1] Tu ne la sentiras guère longtemps si tu la sens trop : elle mettra fin à soi ou à toi. L'un et l'autre reviennent au même. Si tu ne la portes pas, elle t'emportera : « N'oublie pas que la mort met fin aux plus grandes douleurs, que les petites ont maints repos, que nous maîtrisons les moyennes : ainsi, si elles sont tolérables, supportons-les, sinon quittons la vie dès lors qu'elle nous déplaît comme on fait sa sortie au théâtre *Memineris maximos morte finiri, paruos multa habere interualla requietis, mediocrium nos esse dominos, ut si tolerabiles sint, feramus, sin minus, e uita quum ea non placeat tanquam e theatro exeamus.* » [2]

Ce qui nous fait souffrir la douleur avec tant d'impatience, c'est de n'être pas accoutumés à prendre notre principal contentement dans l'âme, de ne compter pas assez sur elle, qui seule est souveraine maîtresse de notre condition. Le corps, sauf le plus et le moins, n'a qu'un train et qu'un pli. Elle se varie en toute sorte de formes, et range à soi et à son état, quel qu'il soit, les sensations du corps, et tous ses autres accidents. Aussi faut-il l'étudier, s'en enquérir, et éveiller en elle ses ressorts tout-puissants. Il n'y a raison, ni prescription, ni force qui vaille contre son inclination et son choix. Entre tant de milliers de biais dont elle dispose, donnons-lui-en un qui soit propre à notre repos et à notre conservation, et nous voilà non seulement couverts de toute offense, mais gratifiés même et flattés, si bon lui semble, par les offenses et les maux. Elle fait indifféremment son profit de tout. L'erreur, les songes, lui servent utilement, comme une matière de bon aloi, pour nous mettre en sûreté et en contentement. Il est aisé à voir que ce qui aiguise en nous la douleur et la volupté, c'est la finesse de notre esprit. Les bêtes qui contiennent le leur par l'anneau qu'on leur passe aux naseaux, laissent aux corps leurs sensations libres et naturelles, et par conséquent unes, à peu près en chaque espèce, ainsi qu'elles le montrent par la semblable exécution de leurs mouvements. Si nous ne troublions pas dans nos membres la juridiction qui leur appartient en cela, il est à croire que nous en serions mieux et que Nature leur a donné un tempérament dosé à la juste mesure en ce qui concerne la volupté et la douleur, et il est infailliblement juste, vu qu'il est égal et commun. Mais puisque nous nous sommes émancipés de ses règles pour nous abandonner à la liberté vagabonde de nos fantaisies, au moins aidons-nous à les plier du côté le plus agréable. Platon craint d'autant plus l'âpreté de notre engagement à la douleur et à la

1. Cicéron, *De finibus*, II, XXIX, 94.
2. Cicéron, *De finibus*, I, XV, 49.

volupté qu'il oblige et attache par trop l'âme au corps ; moi au rebours, plutôt d'autant qu'il l'en déprend et décloue ! Tout ainsi que l'ennemi se rend plus âpre face à notre fuite, aussi la douleur s'enorgueillit à nous voir trembler sous elle. Elle se rendra de bien meilleure composition à qui lui fera tête. Il faut s'opposer et se roidir contre. En nous acculant et en nous tirant arrière, nous appelons et attirons sur nous la ruine qui nous menace. De même que le corps est plus ferme à la charge quand on le roidit, de même est l'âme.

Mais revenons-en aux exemples qui sont proprement du gibier des gens faibles des reins comme moi [1], où nous trouverons qu'il en va de la douleur comme des pierres qui prennent une couleur ou plus vive ou plus éteinte selon la feuille de papier sur lequel on les pose, et qu'elle ne tient qu'autant de place en nous que nous lui en faisons : *tantum doluerunt quantum doloribus se inseruerunt* [2] Ils n'ont souffert qu'autant qu'ils se sont abandonnés à la douleur. Nous sentons plus un coup de rasoir du chirurgien que dix coups d'épée dans la chaleur du combat. Les douleurs de l'enfantement, que les médecins et Dieu même estiment grandes, et que nous traversons avec tant de cérémonies, il y a des nations entières qui n'en font nul compte. Je laisse à part les femmes lacédémoniennes, mais chez les femmes suisses, parmi nos gens de pied, quel changement y trouvez-vous, sinon que, trottant après leurs maris, vous leur voyez aujourd'hui porter au cou l'enfant qu'elles avaient hier au ventre, et ces fausses Égyptiennes [3] qui s'amassent chez nous vont-elles-mêmes laver les leurs dès qu'ils viennent de naître et prennent leur bain dans la plus prochaine rivière. Outre tant de garces qui dérobent tous les jours leurs enfants tant lors de la génération que de la conception, cette belle et noble femme de Sabinus [4], un patricien romain, dans l'intérêt d'autrui, supporta seule et sans

1. Cette phrase pourrait sembler parler de gens qui n'ont pas les « reins solides », au sens musculaire, et qui ne peuvent donc porter des faix trop lourds. Il n'en est rien : le contexte immédiat prouve aussitôt que Montaigne ne pense à rien d'autre ici qu'aux douleurs affreuses que lui fait endurer sa maladie de la pierre, autrement dit ses coliques néphrétiques. Aussi ne peut-on pas dater cet *essai*, ou tout au moins ce passage, d'avant 1578, date à laquelle Montaigne ressentit les premières atteintes de sa gravelle. Mais bien d'autres éléments portent à penser que la rédaction primitive elle-même ne dut pas être de beaucoup antérieure, et, entre autres, le fait que ce passage ne soit pas un rajout.

2. Saint Augustin, *La Cité de Dieu*, I, X.

3. Les « *Gypsies* », les « Bohémiennes ».

4. Elle s'appelait Éponine. Son mari s'étant rebellé contre l'empereur Domitien, il dut se cacher et elle le ravitailla secrètement durant plusieurs années (Plutarque, *De l'amour*, XXXIV). Enceinte des œuvres de son époux, elle accoucha seule et

secours et sans cris ni gémissements l'enfantement de deux jumeaux. Un simple garçonnet de Lacédémone, qui avait dérobé un renard, car ils craignaient encore plus la honte de manquer leur larcin que nous ne craignons la peine de notre malice, et qui l'avait mis sous sa cape, endura qu'il lui eût rongé le ventre plutôt que de se découvrir. Et un autre, qui donnait de l'encens lors d'un sacrifice, se laissa brûler jusqu'à l'os par un charbon tombé dans sa manche pour ne troubler pas le déroulement du mystère. Et il s'en est vu un grand nombre qui, pour le seul essai de la vaillance à laquelle les préparait leur éducation, ont souffert à l'âge de sept ans d'être fouettés à mort sans altérer leur visage. Et Cicéron les a vus se battre en bandes à coups de poings, de pieds, et de dents jusqu'à s'évanouir avant que de s'avouer vaincus. *Nunquam naturam mos uinceret, est enim ea semper inuicta, sed nos umbris, delitiis, otio, languore, desidia, animum infecimus ; opinionibus maloque more delinitum molliuimus* [1] : jamais la coutume ne vaincrait la nature, car elle est invincible ; mais nous affaiblissons notre âme de nuées, de délices, de désœuvrement, de nonchalance, de paresse : nous l'avons amollie et séduite par des opinions et de mauvaises habitudes. Chacun sait l'histoire de Scaevola : celui-ci s'était coulé dans le camp ennemi pour en tuer le chef, et comme il avait manqué son coup, pour reprendre son action par une invention plus extraordinaire et soulager sa patrie, non seulement il confessa son dessein à Porsenna, qui était le roi qu'il voulait tuer, mais il ajouta qu'il y avait dans son camp un grand nombre de Romains complices de son entreprise qui étaient tels que lui, et pour montrer quel il était, s'étant fait apporter un brasier, il vit griller et rôtir son bras, et il l'endura, jusqu'à ce que l'ennemi même, pris d'horreur, commanda d'ôter le brasier. Que dire de celui qui ne daigna interrompre la lecture de son livre pendant qu'on l'incisait ? Et de cet autre qui s'obstinait à se moquer et à rire à l'envi des maux qu'on lui faisait, de sorte que la cruauté irritée des bourreaux qui le tenaient et toutes les inventions des tourments redoublés les uns sur les autres lui donnèrent enfin l'avantage ? Mais c'était un philosophe. Quoi ! un gladiateur de César endura bien sans cesser de rire qu'on lui sondât et entaillât ses plaies. *Quis mediocris gladiator ingemuit ? quis uultum mutauit unquam ? Quis non modo stetit, uerum etiam decubuit turpiter ? Quis cum decubuisset, ferrum recipere iussus, collum contraxit ?* [2] Quel gladiateur moyen a-t-il jamais gémi ? Jamais changé de visage ? S'est-il non seulement tenu debout, mais même incliné honteusement ? Et, à terre et sommé de recevoir le coup de grâce, a-t-il jamais rentré le cou ?

---

sans bruit de deux jumeaux pour ne pas découvrir l'intelligence qu'elle avait avec le proscrit.

1. Cicéron, *Tusculanes*, V, XXVII, 77.
2. Cicéron, *Tusculanes*, II, XVII, 41.

Mêlons-y les femmes. Qui n'a ouï parler à Paris de celle qui se fit écorcher pour seulement en acquérir le teint plus frais d'une nouvelle peau ? Il y en a qui se sont fait arracher des dents vives et saines pour en avoir la voix plus molle et plus grasse, ou pour les ranger en meilleur ordre. Combien d'exemples du mépris de la douleur avons-nous de ce genre ? Que ne peuvent-elles, que craignent-elles pour peu qu'il y ait quelque meilleur ajustement à espérer pour leur beauté,

> Elles qui n'ont souci que d'extirper leurs cheveux blancs
> Et d'éplucher leur peau pour se faire un nouveau visage
>
> *Vellere queis cura est albos a stirpe capillos,*
> *Et faciem dempta pelle referre nouam.* [1]

J'en ai vu engloutir du sable, de la cendre, et se travailler à point nommé à ruiner leur estomac pour acquérir un teint pâle. Pour se faire un corps bien espagnolé [2], quelle géhenne ne souffrent-elles pas, guindées et sanglées par ces fortes coches [3] qui leur entaillent les côtes jusqu'à la chair vive ! Oui, quelquefois à en mourir. Il est ordinaire à beaucoup de nations de notre temps de se blesser sciemment pour donner foi à leur parole, et notre roi [4] en raconte de notables exemples de ce qu'il en a vu en Pologne, et à son égard même. Mais, outre que je sais qu'en France certains ont imité ce geste, quand je revins de ces fameux États généraux de Blois, j'avais vu peu auparavant une fille en Picardie qui, pour me témoigner l'ardeur de ses promesses, et aussi sa constance, s'était donné avec l'aiguille qu'elle portait dans les cheveux quatre ou cinq bons coups dans le bras qui lui avaient scarifié la peau et la faisaient saigner bien sérieusement [5]. Les Turcs se font de

1. Tibulle, I, VIII, 45-46.
2. À l'espagnole : taille guêpée et buste haut.
3. Le mot, toujours en usage, désigne une entaille (cf. *encoche*) ; il désigne ici plus spécialement les entailles dans lesquelles on glissait de fortes baleines de corne ou de bois destinées, une fois fortement sanglées à la ceinture, à pincer très étroitement la taille tout en faisant « pigeonner » la gorge (en « *guindant* » le buste, c'est-à-dire en le rehaussant). Une vraie « géhenne », en effet !
4. Henri III, qui régna en Pologne avant d'être appelé au trône de France.
5. Rare confidence. Les États généraux de Blois se tinrent du 16 octobre 1588 au 16 janvier 1589. Henri III les avait convoqués pour trouver, comme toujours, quelque innovation fiscale destinée à rétablir les finances du royaume. Montaigne séjourna à Blois au tout début. Mais il était à Paris depuis déjà plusieurs mois pour négocier une alliance entre Henri III et Henri de Navarre. Fin février, une jeune admiratrice lui manda ses salutations. En juin parut la cinquième édition des *Essais*, augmentée de « l'allongeail » du troisième livre. C'est à la fin de l'été de 1588, donc avant l'ouverture desdits États, qu'il séjourna en Picardie, à Gournay,

grandes escarres pour leurs dames, et, afin que la marque y demeure, ils portent soudain du feu sur la plaie, et l'y tiennent un temps incroyable pour arrêter le sang et former la cicatrice. Des gens qui l'ont vu me l'ont écrit et juré. Mais pour dix *aspres*, il se trouve tous les jours parmi eux quelqu'un qui se donnera une bien profonde taillade dans le bras ou dans les cuisses.

Je suis bien aise que les témoins nous soient plus à main là où nous en avons le plus affaire. Car la chrétienté nous en fournit à suffisance. Et après l'exemple de notre saint guide, il y en a eu force qui par dévotion ont voulu porter la croix. Nous apprenons par un témoin très digne de foi [1] que le roi saint Louis porta la haire jusqu'à ce que, sur sa vieillesse, son confesseur l'en dispensât, et que tous les vendredis il se faisait battre les épaules par son prêtre avec cinq chaînettes de fer que pour cet effet on lui apportait parmi ses besognes de nuit. Guillaume, notre dernier duc de Guyenne, le père de cette Aliénor qui transmit ce duché aux maisons de France et d'Angleterre, porta continuellement durant les dix ou douze derniers ans de sa vie un corps de cuirasse sous un habit de religieux, par pénitence. Foulques, comte d'Anjou, alla jusqu'à Jérusalem pour là se faire fouetter par deux de ses valets, la corde au cou, devant le sépulcre de Notre Seigneur. Mais ne voit-on pas encore tous les Vendredi saints en divers lieux un grand nombre d'hommes et de femmes se battre jusqu'à se déchirer la chair et se percer jusqu'aux os ? J'ai souvent vu cela, et sans qu'il y eût de sortilèges. Et l'on disait, car ils vont masqués, qu'il y en avait qui pour de l'argent entreprenaient ainsi de garantir la religion d'autrui, avec un mépris de la douleur d'autant plus grand que les aiguillons de la dévotion peuvent plus que ceux de l'avarice.

Q. Maximus enterra son fils, personnage de rang consulaire, M. Cato le sien, préteur désigné, et L. Paulus les siens, deux en peu de jours, avec un visage rassis et qui ne portait aucun témoignage de

---

où il rencontra sa jeune admiratrice, Marie Le Jars. Ce jour-là leurs yeux se rencontrèrent, et cette scène de première vue fut aussi leur dernière : dès novembre, Montaigne était de retour sur ses terres, et les deux nouveaux amis de cœur ne se reverront jamais. La scarification de Marie avec son aiguille à chignon scella leur amitié. Le lien spirituel était ainsi noué à jamais entre Montaigne et celle qu'il nommera sa « fille d'alliance ». C'est elle qui soignera l'édition posthume de 1595, laquelle est l'*exemplar* que nous suivons dans cette édition.

1. Ce « témoin digne de foi » est évidemment le chevalier Jean, sire de Joinville, chroniqueur fameux de la *Vie de saint Louis*.

deuil. Je disais, dans mes *Jours* [1], de quelqu'un en me gaussant qu'il avait floué la divine justice. Car la mort violente de trois grands enfants lui ayant été envoyée le même jour pour un âpre coup de verge [2], comme il est à croire, peu s'en fallut qu'il ne la prît pour une faveur et une gratification singulière du ciel ! Je ne suis pas ces humeurs monstrueuses, mais j'en ai perdu deux ou trois en nourrice, sinon sans regret, du moins sans chagrin. Il n'est pourtant guère d'accident qui touche les hommes plus au vif. Je vois assez d'autres communes occasions d'affliction qu'à peine je ressentirais si elles m'arrivaient. Et j'en ai méprisé, quand elles me sont venues, de celles auxquelles le monde donne une si atroce figure que je n'oserais m'en vanter au peuple sans rougir. *Ex quo intelligitur non in natura, sed in opinione esse ægritudinem* par où l'on comprend que l'affliction n'est pas un effet de la nature mais de l'opinion. [3]

L'opinion est un puissant ressort, hardi, et sans mesure. Qui rechercha jamais avec aussi grand faim la sûreté et le repos qu'Alexandre et César ont recherché l'inquiétude et les difficultés ? Térès, le père de Sitalcès, soulait [4] dire que, quand il ne faisait point la guerre, il lui était avis qu'il n'y avait point de différence entre lui et son palefrenier.

Caton, quand il était consul, pour s'assurer de certaines villes en Espagne, avait seulement interdit à leurs habitants de porter les armes, mais grand nombre d'entre eux se tuèrent, nation farouche qui pense qu'on ne peut vivre sans armes *ferox gens, nullam uitam rati sine armis esse.* [5] Combien en savons-nous qui ont fui la douceur d'une vie tranquille dans leurs maisons parmi leurs familiers pour rechercher l'horreur des déserts inhabitables, se sont jetés dans l'abjection, l'avilissement et le mépris du monde, et s'y sont plu jusqu'à l'affectation ? Le cardinal Borromée qui mourut dernièrement à Milan, au milieu de la débauche à quoi le conviaient et sa noblesse et ses grandes richesses et l'air de l'Italie et sa jeunesse, se maintint dans une forme de vie si austère que la même robe qui lui servait en été lui servait en hiver. Il n'avait pour son coucher que de la paille, et les heures qui lui restaient

1. « Dans mes *Jours* » : Montaigne nomme ainsi ce carnet des *Éphémérides* où il notait au jour le jour les faits qu'il voulait remarquer.

2. De verge : d'épée. Ce personnage était le marquis de Trans, Gaston de Foix. L'un de ces « grands enfants » était le comte de Gurson, voisin et ami de Montaigne, époux de Diane de Foix. Il fut tué au cours d'un combat dans la région d'Agen pour le compte du roi de Navarre le même jour que ses deux frères.

3. Cicéron, *Tusculanes*, III, XXVIII, 71.

4. « Avait coutume de ». Je conserve ce verbe délicieux, encore en usage (à l'imparfait seulement) au moins jusqu'à Chateaubriand.

5. Tite-Live, XXXIV, XVII, 6.

après les occupations de sa charge, il les passait à étudier continuellement, planté sur ses genoux, avec un peu d'eau et de pain à côté de son livre : c'était là toute la provision de ses repas et tout le temps qu'il y employait. J'en sais qui ont sciemment tiré et profit et avancement de leur cocuage, dont le seul nom effraie tant de gens. Si la vue n'est pas le plus nécessaire de nos sens, il est du moins le plus plaisant, mais les plus plaisants et les plus utiles de nos membres semblent être ceux qui servent à nous engendrer : toutefois assez de gens les ont pris en haine mortelle pour cela seulement qu'ils étaient trop aimables, et les ont rejetés à cause de leur prix. Autant en opina au sujet des yeux celui qui se les creva [1]. La plus commune et plus saine part des hommes tient pour grand bonheur l'abondance des enfants, moi et quelques autres, pour un égal bonheur leur défaut. Et quand on demande à Thalès pourquoi il ne se marie point, il répond qu'il n'aime point à laisser une lignée de lui. Que notre opinion donne leur prix aux choses, cela se voit par celles auxquelles, en grand nombre, nous ne regardons pas seulement parce que nous les estimons, mais parce que nous regardons à nous. Et nous ne considérons ni leurs qualités, ni leur utilité, mais seulement ce qu'il nous en coûte pour les recouvrer, comme si ce prix constituait quelque élément de leur substance, et nous appelons valeur en elles, non ce qu'elles nous apportent, mais ce que nous y apportons. Sur quoi je m'avise que nous sommes grands ménagers de notre dépense : selon ce qu'elle pèse, elle sert par cela même qu'elle pèse. Notre opinion ne la laisse jamais courir à faux fret. L'achat donne son prix au diamant, et la difficulté à la vertu, et la douleur à la dévotion, et l'âpreté à la médecine. Tel pour arriver à la pauvreté jeta ses écus en cette même mer que tant d'autres fouillent de toutes parts pour y pêcher des richesses. Épicure dit que l'être riche n'est pas soulagement, mais changement d'affaires. De vrai, ce n'est pas la disette, c'est plutôt l'abondance qui produit l'avarice. Je veux dire mon expérience autour de ce sujet.

J'ai vécu en trois sortes de condition, depuis que je suis sorti de l'enfance. Le premier temps, qui a duré près de vingt années, je le passai, n'ayant d'autres moyens que fortuits, et vu que je dépendais des dispositions et du secours d'autrui, sans état précis de mes comptes et sans budget prescrit. Ma dépense se faisait d'autant plus allègrement et avec d'autant moins de soin qu'elle reposait toute sur les caprices de la fortune. Je ne fus jamais mieux. Il ne m'est oncques advenu de trouver close la bourse de mes amis, m'étant enjoint au-delà de toute autre nécessité la nécessité de ne jamais faillir au

1. Démocrite.

terme que j'avais pris pour m'acquitter, lequel ils m'ont mille fois rallongé, voyant l'effort que je faisais pour leur donner satisfaction, de sorte qu'en retour je montrais une loyauté ménagère et quelque peu tricheuse. Je sens naturellement quelque volupté à payer, comme si je déchargeais mes épaules d'un poids accablant, et de cette image de servitude, tout comme il y a quelque contentement qui me chatouille à faire une action juste et à contenter autrui. J'excepte les paiements où il faut en venir à marchander et compter, car si je ne trouve à qui en commettre la charge, je les repousse honteusement et injustement autant que je puis, de peur de cette altercation avec laquelle et mon humeur et ma façon de parler sont tout à fait incompatibles. Il n'est rien que je haïsse comme de marchander : c'est un pur commerce de trichoterie et d'impudence. Après une heure de débat et de barguignage, l'un et l'autre abandonne sa parole et ses serments pour cinq sous de mieux ! Et pourtant j'empruntais avec désavantage. Car n'ayant point le cœur de requérir en présence, j'en renvoyais le hasard sur le papier qui ne fait guère d'effort, et qui prête grandement la main au refus. Pour conduire mon besoin, je m'en remettais plus gaiement aux astres, et plus librement que je n'ai fait depuis, à la providence et à mon bon sens.

La plupart des bons ménagers estiment horrible de vivre ainsi dans l'incertitude, et ils ne s'avisent pas, pour commencer, que la plupart du monde vit ainsi. Combien d'honnêtes hommes ont rejeté tout leur certain à l'abandon, et combien le font tous les jours, pour rechercher le vent de la faveur des rois et de la fortune ? César s'endetta d'un million d'or outre son vaillant pour devenir César. Et combien de marchands commencent leur trafic par la vente de leur métairie qu'ils envoient aux Indes :

Par tant de mers déchaînées

Tot per impotentia freta ? [1]

Dans cette si grande sécheresse de dévotion où nous sommes, nous avons mille et mille couvents qui la passent commodément, attendant tous les jours de la libéralité du Ciel ce qu'il leur faut pour dîner. En second lieu, ils ne s'avisent pas que cette certitude sur laquelle ils se fondent n'est guère moins incertaine et hasardeuse que le hasard même. Je vois d'aussi près la misère au-delà de deux mille écus de rente que si elle était tout contre moi. Car outre que le sort a de quoi ouvrir cent brèches à la pauvreté au travers de nos richesses, vu qu'il n'y a souvent nul moyen terme entre la suprême et l'infime fortune,

1. Catulle, IV, 18.

La fortune est de verre : elle brille et se brise
Fortuna uitrea est, tum quum splendet, frangitur. [1]

Et envoyer cul par-dessus tête toutes nos défenses et nos levées, je trouve que par diverses causes l'indigence loge ordinairement autant chez ceux qui ont des biens que chez ceux qui n'en ont point, et que d'aventure elle est d'une certaine façon moins incommode quand elle est seule que quand elle se rencontre en compagnie des richesses. Elles viennent plus d'une bonne ordonnance que de la recette : *faber est suæ quisque fortunæ* [2] chacun est l'artisan de sa fortune. Et me semble plus misérable un riche malaisé, nécessiteux, affaireux que celui qui est simplement pauvre, *in diuitiis inops, quod genus egestatis grauissimum est* [3] qui est privé de tout alors qu'il a du bien, ce qui est la pire des pauvretés. Les plus grands princes et les plus riches sont par pauvreté et disette poussés ordinairement à l'extrême nécessité. Car en est-il de plus extrême que d'en devenir tyrans et injustes usurpateurs des biens de leurs sujets ?

Ma seconde situation, ç'a été d'avoir de l'argent. À quoi m'étant pris, j'en fis bientôt des réserves notables conformes à ma condition, estimant qu'on ne pouvait parler d'avoir que pour ce qu'on possède outre sa dépense ordinaire, ni qu'on se puisse fier au bien qui est encore en espérance de recette, pour claire qu'elle soit. Car quoi ? disais-je, et si j'étais surpris par tel ou tel accident ? Et à la suite de ces vaines et vicieuses imaginations, je ne laissais pas de m'ingénier à pourvoir par cette réserve superflue à tous les inconvénients, et à qui m'alléguait que le nombre des inconvénients était trop infini je savais encore répondre que si ce n'était à tous, c'était du moins pourvoir à certains, et en bon nombre. Cela ne se passait pas sans une pénible sollicitude. J'en faisais un secret, et moi qui ose tant parler de moi, je ne parlais de mon argent qu'en faisant des mensonges, comme font les autres qui, riches, se disent pauvres, et, pauvres, se prétendent riches, et qui dispensent leur conscience de témoigner certaines fois sincèrement du bien qu'ils ont. Ridicule et honteuse prudence ! Allais-je en voyage ? Il me semblait n'être jamais suffisamment pourvu, et plus je m'étais chargé de monnaie, plus aussi je m'étais chargé de crainte, à propos tantôt de la sûreté des chemins, tantôt de la fidélité de ceux qui conduisaient mon bagage, dont, comme d'autres que je connais, je ne m'assurais jamais assez si je ne l'avais pas sous les yeux. Laissais-je ma

1. Publius Syrus, *Mimes*, 284.
2. Pseudo-Salluste, *De republica ordinanda*, I, I.
3. Sénèque, *Lettres à Lucilius*, LXXIV, 4.

boîte chez moi ? Combien de soupçons et de soucis épineux, et qui pis est incommunicables ! J'avais toujours l'esprit tourné de ce côté-là. Tout bien compté, il y a plus de peine à garder l'argent qu'à l'acquérir. Si je n'en faisais tout à fait autant que j'en dis, au moins il m'en coûtait de m'empêcher de le faire. De profit, j'en tirais peu ou rien. Quoique j'eusse plus de moyen de dépense, elle ne m'en pesait pas moins. Car, comme disait Bion, le chevelu se fâche autant que le chauve qu'on lui arrache le poil. Et dès lors que vous êtes accoutumé et que vous avez planté votre fantaisie sur certain monceau, il n'est plus à votre service : vous n'oseriez l'écorner ! C'est un bâtiment qui, comme il vous semble, croulera tout si vous y touchez : il faut que la nécessité vous prenne à la gorge pour que vous l'entamiez. Et auparavant j'engageais mes hardes et je vendais un cheval avec bien moins de contrainte et moins de regret qu'alors je ne faisais brèche dans cette bourse favorite que je gardais à part. Mais le danger était qu'il est malaisé d'établir des bornes certaines à ce désir – elles sont difficiles à trouver dans les choses qu'on croit bonnes – et de fixer un terme à l'épargne : on va toujours grossissant cet amas et l'augmentant d'un nombre à un autre, jusqu'à se priver vilement de la jouissance de ses propres biens, et jusqu'à la mettre toute dans leur seule conservation, et à n'en user point. À ce compte-là, les plus riches gens du monde sont ceux qui ont en charge la garde des portes et des murs d'une bonne ville ! Tout homme pécunieux est avaricieux à mon gré. Platon ordonne ainsi les biens corporels ou humains : la santé, la beauté, la force, la richesse, et la richesse, dit-il, n'est pas aveugle, mais très clairvoyante quand elle est illuminée par la prudence. Denys le fils eut bonne grâce. On l'avait averti que l'un de ses Syracusains avait caché en terre un trésor. Il lui manda de le lui apporter, ce qu'il fit, non sans s'en réserver à la dérobée quelque partie, avec laquelle il s'en alla dans une autre ville. Là, ayant perdu cet appétit de thésauriser, il se mit à vivre plus libéralement. Denys, qui l'apprit, lui fit rendre le reste de son trésor en lui disant que puisqu'il avait appris à savoir s'en servir, il le lui rendait volontiers.

Je fus quelques années en ce point. Je ne sais quel bon démon m'en jeta hors très utilement, comme le Syracusain, et m'envoya toute cette réserve à l'abandon, le plaisir de certain voyage de grande dépense ayant mis à bas cette sotte imagination. Par là, je suis retombé dans une troisième sorte de vie, je le dis comme je le sens, assurément beaucoup plus plaisante et plus réglée : c'est que je fais courir ma dépense en même temps que ma recette, tantôt l'une devance, tantôt l'autre, mais c'est à peu de délai. Je vis du jour à la journée, et je me contente d'avoir de quoi suffire aux besoins présents et ordinaires :

aux extraordinaires, toutes les provisions du monde n'y sauraient suffire. Et c'est folie de s'attendre que fortune elle-même nous arme jamais suffisamment contre elle. C'est par nos armes qu'il faut la combattre. Les fortuites nous trahiront au fort du fait. Si j'amasse, ce n'est que pour l'espérance de quelque prochaine emplette, et non pour acheter des terres dont je n'ai que faire, mais pour acheter du plaisir. N'être pas cupide, c'est être riche ; n'être pas dépensier, c'est avoir du revenu *Non esse cupidum, pecunia est, non esse emacem, uectigal est* [1]. Je n'ai ni beaucoup peur d'avoir faute de bien, ni nul désir qu'il augmente chez moi. *Diuitiarum fructus est in copia : copiam declarat satietas* [2] le fruit de nos biens, c'est l'abondance, et l'abondance se jauge à notre contentement. Et je me sais singulièrement gré que cette correction me soit arrivée en un âge naturellement enclin à l'avarice, et que je me voie défait de cette folie si commune aux vieux, et la plus ridicule de toutes les humaines folies.

Un certain Persan, dénommé Phéraulas, qui avait passé par les deux fortunes, et compris qu'accroître sa chevance [3] n'était pas accroître l'appétit de boire, manger, dormir et embrasser sa femme, et qui d'autre part sentait peser sur ses épaules l'importunité de l'économie, ainsi qu'elle le fait pour moi, délibéra de contenter un jeune homme pauvre, son fidèle ami, qui aboyait après les richesses, et il lui fit présent de toutes les siennes, qui étaient grandes et excessives, et de celles encore qu'il était en train d'accumuler tous les jours grâce à la libéralité de Cyrus, son bon maître, et par la guerre, moyennant qu'il prît à charge de l'entretenir et de le nourrir honnêtement comme son hôte et son ami. Ils vécurent ainsi depuis très heureusement, et également contents du changement de leur condition. Voilà un tour que j'imiterais de grand cœur. Et je loue grandement la fortune d'un vieux prélat que je vois s'être démis de sa bourse et de sa recette et de sa dépense, tantôt à un serviteur choisi, tantôt à un autre, si complètement qu'il a coulé bon nombre d'années en ignorant autant cette sorte d'affaires de son ménage qu'un étranger. La confiance en la bonté d'autrui est un non léger témoignage de sa propre bonté, partant Dieu la favorise volontiers. Et à cet égard, je ne vois point d'ordre de maison ni plus dignement ni plus constamment conduit que le sien. Heureux qui a réglé son besoin à une si juste mesure que ses richesses y puissent suffire sans souci et sans gêne pour lui, et sans que leur dispensation ou leur accumulation interrompe d'autres occupations

1. Cicéron, *Paradoxes*, VI, III, 51.
2. Cicéron, *Paradoxes*, VI, II, 47.
3. Le bien dont on dispose.

qu'il poursuit, plus convenables, plus tranquilles, et plus selon son cœur. L'aisance donc et l'indigence dépendent de l'opinion de chacun, et non plus la richesse que la gloire ou la santé n'ont qu'autant de beauté et de plaisir que leur en prête celui qui les possède. Chacun est bien ou mal selon ce qu'il s'en trouve. Non de qui on le croit, mais qui le croit de soi est content, et en cela seule la croyance acquiert essence et vérité. La fortune ne nous fait ni bien ni mal. Elle nous en offre seulement la matière et la semence, que notre âme, plus puissante qu'elle, tourne et applique comme il lui plaît, seule cause et maîtresse que sa condition soit heureuse ou malheureuse. Les accessions externes tirent saveur et couleur de notre constitution intérieure, comme nos accoutrements nous réchauffent non par leur chaleur, mais par la nôtre, qu'ils sont propres à couver et nourrir. Qui en abriterait un corps froid, il en tirerait même service pour la froideur : ainsi se conservent la neige et la glace. Certes tout comme à un fainéant l'étude sert de tourment, ou à un ivrogne l'abstinence de vin, de même la frugalité est un supplice pour un luxurieux, et l'exercice une géhenne pour un homme délicat et oisif, ainsi en est-il du reste. Les choses ne sont pas si douloureuses ni difficiles d'elles-mêmes, ce sont notre faiblesse et notre lâcheté qui les rendent telles. Pour juger des choses nobles et hautes, il faut une âme de même, autrement nous leur attribuons le vice qui est le nôtre. Un aviron droit semble courbe dans l'eau. Il n'importe pas seulement qu'on voie la chose, mais sous quel angle on la voit.

Or sus, pourquoi parmi tant de discours qui persuadent diversement les hommes de mépriser la mort et de supporter la douleur, n'en trouvons-nous quelqu'un qui fasse pour nous ? Et sur tant d'espèces d'idées qui l'ont persuadé à autrui, que chacun n'en applique-t-il le plus quelqu'une à soi selon son humeur ? S'il ne peut digérer la drogue à dose forte et détersive pour déraciner le mal, au moins qu'il la prenne à dose lénitive pour le soulager. Il est certain préjugé, efféminé et frivole, et le même dans la douleur et dans la volupté : laquelle quand elle nous amollit et nous liquéfie, nous ne supportons pas sans crier une piqûre d'abeille. Tout est affaire de maîtrise de soi : *opinio est quaedam effoeminata ac leuis, nec in dolore magis quam eadem in uoluptate, qua quum liquescimus fluimusque mollitia, apis aculeum sine clamore ferre non possumus. Totum in eo est ut tibi imperes.* [1] Au demeurant on n'échappe pas à la philosophie en faisant valoir outre mesure l'âpreté des douleurs et humaine faiblesse. Car on la contraint à se rejeter à ces invincibles répliques : s'il est mauvais de vivre dans la nécessité, il n'est du moins d'aucune

1. Cicéron, *Tusculanes*, II, XXII, 52-53.

nécessité de vivre dans la nécessité ; nul n'est mal longtemps que par sa faute ; qui n'a le cœur de souffrir ni la mort ni la vie, qui ne veut ni résister ni fuir, que ferait-on pour lui ?

De ne communiquer sa gloire [u] [1]

[Chapitre XLI]

De toutes les rêveries du monde, la plus reçue et la plus universelle, c'est le soin de la réputation et de la gloire que nous épousons jusqu'à quitter les richesses, le repos, la vie et la santé qui sont des biens effectifs et substantiels, pour suivre cette vaine image et cette simple voix [2] qui n'a ni corps ni prise :

La gloire qui pénètre avec sa douce voix
Les mortels orgueilleux et leur semble si belle,
N'est qu'écho, n'est que songe, ou mieux : d'un rêve l'ombre
Qui va se dissipant à tous les vents puis sombre

La fama ch'invaghisce a un dolce suono
Gli superbi mortali, et par si bella,
E un echo, un sogno, anzi d'un sogno un'ombra
Ch'ad ogni vento si dilegua et sgombra. [3]

Et parmi les humeurs déraisonnables des hommes, il semble que les philosophes eux-mêmes se défassent plus tard et plus à contrecœur de celle-ci que de nulle autre : c'est la plus revêche et la plus opiniâtre, parce qu'elle ne cesse de tenter même les âmes qui ont bien progressé *quia etiam bene proficientes animos tentare non cessat.* [4] Il n'en est guère dont la raison accuse aussi clairement la vanité, mais elle a ses racines si vives en nous que je ne sais pas si jamais personne s'en est pu nettement décharger. Après que vous avez tout dit et tout cru pour la désavouer, elle produit contre votre discours une inclination si intestine que vous avez bien peu de quoi résister à son encontre.

1. « La gloire ne se partage pas ».
2. Bien sûr, « voix » ici veut dire « mot », mais il le dit ici bien mieux que ne le ferait le terme *mot*, parce que « voix » dénote l'oralité et le son qui se perd au vent. « *Voix* » est du reste appelé par « *suono* » au premier vers de la citation du Tasse qui suit aussitôt, et par toute l'image qu'en développe le poète italien.
3. Le Tasse, *La Jérusalem délivrée*, XIV, LXIII
4. Saint Augustin, *La Cité de Dieu*, V, XIV.

Car, comme dit Cicéron, ceux-là mêmes qui la combattent, encore veulent-ils que les livres qu'ils en écrivent portent au front leur nom, et ils veulent se faire gloire du fait qu'ils aient méprisé la gloire. Toutes les autres choses tombent en commerce : nous prêtons nos biens et nos vies au besoin de nos amis, mais partager son honneur, et gratifier autrui de sa gloire, cela ne se voit guère. Catulus Luctatius, lors de la guerre contre les Cymbres, après avoir fait tous ses efforts pour arrêter ses soldats qui fuyaient devant les ennemis, se mit lui-même parmi les fuyards et contrefit le couard afin qu'ils semblassent plutôt suivre leur capitaine que fuir l'ennemi : c'était abandonner sa réputation pour couvrir la honte d'autrui. Quand Charles Quint passa en Provence, l'an mil cinq cent trente-sept, on tient qu'Antoine de Lève, voyant l'empereur résolu à cette expédition, et estimant qu'elle lui serait merveilleusement glorieuse, opinait toutefois pour le contraire et la déconseillait, à la seule fin que toute la gloire et tout l'honneur de ce projet en fût attribué à son maître, et qu'il fût dit que les bons avis et la prévoyance de ce prince avaient été telles que, contre l'opinion de tous, il aurait mené à bonne fin une aussi belle entreprise, ce qui revenait à l'honorer à ses dépens. Quand les ambassadeurs de Thrace consolaient Archiléonide, la mère de Brasidas, de la mort de son fils, et le louaient hautement, jusqu'à dire qu'il n'avait point laissé son pareil, elle refusa cette louange privée et particulière pour la rendre au public : « Ne me dites pas cela, fit-elle, je sais que la ville de Sparte a plusieurs citoyens plus grands et plus vaillants qu'il n'était. » Au cours de la bataille de Crécy, le prince de Galles, encore fort jeune, avait l'avant-garde à conduire. Le principal effort de la rencontre eut lieu à cet endroit. Comme les seigneurs qui l'accompagnaient se trouvaient durement engagés, ils mandèrent au roi Édouard de s'approcher pour les secourir. Celui-ci s'enquit de l'état de son fils, et quand on lui eut répondu qu'il était vivant et à cheval : « Je lui ferais tort, dit-il, d'aller maintenant lui dérober l'honneur d'avoir emporté ce combat qu'il a si longtemps soutenu. Quelque hasard qu'il y ait, cette victoire sera toute sienne », et il n'y voulut aller ni envoyer, sachant que s'il y fût allé on eût dit que tout était perdu sans son secours, et qu'on lui eût attribué l'avantage de cet exploit. Toujours en effet le dernier rajout semble avoir seul remporté l'affaire *semper enim quod postremum adiectum est, id rem totam uidetur traxisse*. [1]

Plusieurs estimaient à Rome – et cela se disait communément – que les principaux beaux faits de Scipion étaient en partie dûs à Lælius, qui toutefois ne cessa jamais de promouvoir et de seconder la

1. Tite-Live, XXVII, XLV, 6.

grandeur et la gloire de Scipion sans aucun soin de la sienne. Et Théopompe, roi de Sparte, à celui qui lui disait que la chose publique ne demeurait sur pieds que pour autant qu'il savait bien commander : « C'est plutôt, dit-il, parce que le peuple sait bien obéir. »

De même que les femmes qui succédaient aux pairies avaient, nonobstant leur sexe, droit d'assister et d'opiner dans les causes qui ressortissent à la juridiction des pairs, de même les pairs ecclésiastiques, nonobstant leur profession, étaient tenus d'assister nos rois dans leurs guerres, non seulement par leurs amis et leurs serviteurs, mais en y allant en personne. Aussi l'évêque de Beauvais, se trouvant avec Philippe Auguste à la bataille de Bouvines, participait bien à l'action fort courageusement, mais il lui semblait qu'il ne devait pas toucher au fruit et à la gloire de cet exercice sanglant et violent. Il amena de sa main plusieurs des ennemis à raison ce jour-là, et au premier gentilhomme qu'il trouvait, il les donnait à égorger ou à faire prisonniers, en lui laissant toute l'exécution. Et il remit ainsi de Guillaume, comte de Salisbury, à messire Jean de Nesle. De cette subtilité de conscience passons à cette autre pareille : l'évêque voulait bien assommer, mais non pas blesser, et pour cela il ne combattait qu'à la masse d'armes. Quelqu'un de nos jours qui s'entendait reprocher par le roi d'avoir *porté la main* sur un prêtre le niait fort et ferme : il n'avait fait que le battre et le fouler *avec ses pieds*.

De l'inégalité qui est entre nous

[Chapitre XLII]

Plutarque dit quelque part qu'il ne trouve point une aussi grande distance de bête à bête que d'homme à homme. Il parle des facultés de l'âme et des qualités intérieures. À la vérité je trouve que d'Epaminondas, tel que je l'imagine, jusqu'à tel que je connais, j'entends capable de sens commun, je trouve qu'il y a si loin que je renchérirais volontiers sur Plutarque et dirais qu'il y a plus de distance de tel à tel homme qu'il n'y en a de tel homme à telle bête :

– De l'homme à l'homme, ah ! quelle distance !
– *Hem uir uiro quid præstat !* [1]

1. Térence, *Phormion*, 790.

et qu'il y a autant de degrés d'esprits qu'il y a de brasses d'ici au ciel, et qu'on ne peut pas plus dénombrer. Mais à propos de l'estimation des hommes, c'est merveille que, sauf nous, aucune chose ne s'estime autrement que par ses qualités propres. Nous louons un cheval de ce qu'il est vigoureux et adroit,

ainsi dans son vol ailé
Louons-nous le coursier dont la facilité
Émeut mainte palme fervente et fait crier victoire
À tout le cirque enroué

uolucrem
Sic laudamus equum, facili cui plurima palma
Feruet, et exultat rauco uictoria circo, [1]

non pour son harnais ! un lévrier, pour sa vitesse, non pour son collier ; un oiseau, pour son aile, non pour ses jets et ses grelots : pourquoi n'estimons-nous pas de même un homme par ce qui est sien ? Il a un grand train, un beau palais, tant de crédit, tant de rente : tout cela, c'est autour de lui, non en lui ! Vous n'achetez pas chat en poche ; si vous marchandez un cheval, vous lui ôtez son caparaçon : vous le voyez nu et à découvert, ou, s'il est couvert, comme on les présentait à vendre aux princes chez les anciens, c'est sur les parties les moins nécessaires, afin que vous ne vous amusiez pas à la beauté de son poil ou à la largeur de sa croupe et que vous vous arrêtiez principalement à considérer les jambes, les yeux et le pied, qui sont les membres les plus utiles :

Toujours nos rois en foire inspectent caparaçonnée
Leur monture : ainsi, fait commun, aucun fier destrier,
Aux pattes frêles, ne surprend le chaland, bouche bée
Devant sa large croupe, un chanfrein court, un port altier

Regibus hic mos est, ubi equos mercantur, opertos
Inspiciunt ne si facies, ut sæpe, decora
Molli fulta pede est, emptorem inducat hiantem,
Quod pulchræ clunes, breue quod caput, ardua ceruix. [2]

Pourquoi, quand vous évaluez un homme, l'estimez-vous tout enveloppé et empaqueté ? Il ne nous présente que des parties qui ne lui sont nullement propres et nous cache celles par lesquelles seules on peut vraiment juger de ce qu'il vaut. C'est le prix de l'épée que vous cherchez, non celui du fourreau. Vous n'en donneriez d'aventure pas un liard quand vous l'auriez dévêtu. Il faut le juger par lui-même, non

1. Juvénal, VIII, 57-59.
2. Horace, *Satires*, I, II, 86-89.

par ses atours. Et comme dit très plaisamment un ancien : « Savez-vous pourquoi vous l'estimez grand ? Vous y comptez la hauteur de ses patins. » La base n'est pas de la statue. Mesurez-le sans ses échasses ! Qu'il mette de côté ses richesses et ses honneurs, qu'il se présente en chemise : a-t-il le corps propre à ses fonctions, sain et allègre ? Quelle âme a-t-il ? Est-elle belle, capable, et heureusement pourvue de toutes ses pièces ? Est-elle riche de son bien propre, ou de celui d'autrui ? La fortune n'y a-t-elle rien à voir ? Est-ce les yeux ouverts qu'elle attend les épées dégainées ? Peu lui chaut-il par où lui peut sortir la vie, par la bouche, ou par le gosier ? Est-elle rassise, égale et contente ? Voilà ce qu'il faut voir, et c'est par là qu'il faut juger des extrêmes différences qu'il y a entre nous. Est-il

un sage, de soi-même empereur,
Que ni la pauvreté, ni la mort, ni les fers n'effraie ?
Sait-il résister aux désirs ? Méprise-t-il l'honneur ?
Se tient-il tout en soi bien rond et sans la moindre raie
Pour que rien du dehors ne le freine et fasse gauchir ?
La fortune chez lui n'a-t-elle par où l'assaillir ?

sapiens, sibique imperiosus,
Quem neque pauperies, neque mors, neque uincula terrent,
Responsare cupidinibus, contemnere honores
Fortis, et in seipso totus teres atque rotundus,
Externi ne quid ualeat per læue morari,
In quem manca ruit semper fortuna ? [1]

Un tel homme est cinq cents brasses au-dessus des royaumes et des duchés : il est lui-même à soi son propre empire,

Car un sage, morbleu, se forge sa propre fortune
Sapiens pol ipse fingit fortunam sibi. [2]

Que lui reste-t-il à désirer ?

ne voit-on l'évidence ?
Bien bas Nature aboie ! Il lui suffit que la souffrance
Veuille lâcher le corps et que l'âme puisse jouir
Du bonheur de sentir sans se soucier ni frémir

nonne uidemus
Nil aliud sibi naturam latrare, nisi ut quoi
Corpore sejunctus dolor absit, mente fruatur,
Jucundo sensu cura semotus metúque ? [3]

1. Horace, *Satires*, II, VII, 83-88.
2. Plaute, *Trinummus*, 363.
3. Lucrèce, IV, 16-19.

Comparez-lui la tourbe de nos hommes, stupide, basse, servile, instable, qui est continuellement à flotter au gré de l'orage des passions divergentes qui la poussent et repoussent, et dépend toute d'autrui : il y a plus de distance entre eux que du ciel à la terre ! Et toutefois l'aveuglement de notre usage est tel que nous en faisons peu ou point de cas. Tandis que, si nous considérons un paysan et un roi, un noble et un vilain, un magistrat et un homme privé, un riche et un pauvre, il se présente soudain à nos yeux une extrême disparité ; or ils ne sont différents, pour ainsi dire, que par leurs chausses. En Thrace, le roi était distingué de son peuple d'une plaisante manière, et bien outrée : il avait une religion à part, un dieu tout à lui qu'il n'appartenait pas à ses sujets d'adorer, lequel était Mercure, et lui dédaignait les leurs, Mars, Bacchus, et Diane. Ce n'est là pourtant qu'un vernis qui ne fait aucune dissemblance substantielle. Car, de même que les joueurs de comédie, vous les voyez sur l'estrade faire une mine de duc et d'empereur, mais sitôt après, les voilà redevenus valets et misérables crocheteurs, ce qui est leur condition naïve et originelle. Il en va de même pour l'empereur dont la pompe vous éblouit en public :

Sûr, verdoient à ses doigts force émeraudes serties d'or,
Et le pourpre marin dont il se vêt pâlit et s'use
À pomper les moiteurs d'amour dont sans frein il abuse

Scilicet et grandes uiridi cum luce smaragdi
Auro includuntur, teriturque Thalassina uestis
Assidue, et Veneris sudorem exercita potat, [1]

mais voyez-le derrière le rideau : ce n'est rien qu'un homme commun, et d'aventure plus vil que le moindre de ses sujets. Le sage est heureux dans son for intérieur ; la félicité de cet autre est dorée à la feuille *ille beatus introrsum est, istius bracteata felicitas est* [2]. La couardise, l'irrésolution, l'ambition, le dépit et l'envie l'agitent comme un autre, car

Ni l'or ni les licteurs d'un noble consulaire
N'allègent de ses maux l'âme tumultuaire,
Ni les soucis qui vont toujours volant
Sous son plafond étincelant

Non enim gazæ, neque consularis
Summouet lictor, miseros tumultus
Mentis et curas laqueata circum
Tecta uolantes, [3]

1. Lucrèce, IV, 1126-1128.
2. D'après Sénèque, *Lettres à Lucilius*, CXIX, 11 et CXV, 9.
3. Horace, *Odes*, II, XVI, 9-12.

et le soin et la crainte le tiennent à la gorge au milieu de ses armées,

De vrai, ni nos effrois ni nos affres obsessionnelles
Ne craignent le bruit des combats ni les flèches cruelles :
Ils s'invitent hardiment chez les rois et les puissants
Sans le moindre respect pour l'or et ses brillants

Re veraque metus hominum curæque sequaces
Nec metuunt sonitus armorum nec fera tela,
Audacterque inter reges rerumque potentes
Versantur, neque fulgorem reuerentur ab auro. [1]

La fièvre, la migraine et la goutte l'épargnent-elles plus que nous ? Quand la vieillesse lui sera sur les épaules, les archers de sa garde l'en déchargeront-ils ? Quand les affres de la mort le transiront, se rassurera-t-il à voir autour de lui les gentilshommes de sa chambre ? Quand il sera en proie à la jalousie et au caprice, nos bonnetades lui rendront-elles la sérénité ? Ce ciel de lit tout renflé d'or et de perles n'a aucune vertu pour rapaiser les coups de pioche d'une colique néphrétique qui s'évertue,

Et la fièvre ne connaît pas de plus prompte accalmie
Sous les brocards épais et sous la pourpre aux fiers éclats
Que si l'on dort enveloppé dans de vulgaires draps

Nec calidæ citius decedunt corpore febres,
Textilibus si in picturis ostroque rubenti
Jacteris quam si plebeia in ueste cubandum est. [2]

Les flatteurs du grand Alexandre voulaient lui donner à croire qu'il était fils de Jupiter. Un jour qu'il était blessé, regardant le sang couler de sa plaie : « Eh bien ! qu'en dites-vous ? fit-il, est-ce pas ici un sang vermeil et purement humain ? Il n'est pas de la trempe de celui qu'Homère fait couler de la plaie des dieux ! » Le poète Hermodoros avait fait des vers en l'honneur d'Antigone où il l'appelait fils du soleil, et lui au contraire : « Celui-là, dit-il, qui vide ma chaise percée sait bien qu'il n'en est rien. » Pour tout potage, il est un homme, et si de soi c'est un homme mal né l'empire de l'univers ne saurait le rhabiller.

Que les filles
Se l'arrachent, qu'à tous ses pas l'on voit naître des roses

puellæ
Hunc rapiant, quicquid calcauerit hic, rosa fiat, [3]

1. Lucrèce, II, 48-51.
2. Lucrèce, II, 34-36.
3. Perse, II, 37-38.

à quoi bon, si c'est une âme grossière et stupide ? La volupté même et le bonheur ne s'aperçoivent point chez qui est sans vigueur et sans esprit,

Les choses sont ce qu'en fait le cœur de leur possesseur,
Un bien s'il sait comme en user, un mal s'il en mésuse
hæc perinde sunt ut illius animus qui ea possidet,
Qui uti scit, ei bona, illi qui non utitur recte, mala. [1]

Les biens de la fortune, tous quels qu'ils soient, encore faut-il avoir le sentiment propre à les savourer : c'est de jouir, non de posséder qui nous rend heureux,

Ni sa maison, ni ses champs, ni son tas de bronze et d'or
N'ôtent à leur seigneur souffrant les fièvres de son corps,
Ni les soucis de son cœur : il faut que qui les possède
Soit d'abord bien portant pour que son avoir l'aide :
À qui désire ou craint, son toit et ses biens précieux
Sont comme à l'aveugle un tableau, ou l'onguent au goutteux
Non domus et fundus, non æris aceruus et auri
Aegroto domini deduxit corpore febres,
Non animo curas : ualeat possessor oportet,
Qui comportatis rebus bene cogitat uti.
Qui cupit aut metuit, iuuat illum sic domus aut res
Ut lippum pictæ tabulæ, fomenta podagram ; [2]

il est un sot, son goût est mousse et ébréché, il n'en jouit pas plus qu'un enrhumé de la douceur d'un vin grec ou qu'un cheval de la richesse du harnais dont on l'a paré, tout comme Platon dit que la santé, la beauté, la force, les richesses, et tout ce qui s'appelle bien, sont autant un mal pour l'injuste qu'un bien pour le juste, et pour les maux inversement. Et puis, là où le corps et l'âme sont mal en point, à quoi bon ces commodités externes, vu que la moindre piqûre d'épingle et la moindre passion de l'âme suffisent à nous ôter le plaisir de la monarchie du monde ? Au premier accès que lui donne la goutte, il a beau être Sire et Majesté, et

Tout boursoufflé d'argent et cousu d'or massif
Totus et argento conflatus, totus et auro, [3]

perd-il pas le souvenir de ses palais et de ses grandeurs ? S'il est en colère, sa principauté le garde-t-elle de rougir, de pâlir, de grincer des

1. Térence, *Heautontimoroumenos*, 195-196.
2. Horace, *Épîtres*, I, II, 47-53.
3. Tibulle, I, II, 69.

dents comme un fou ? Or si c'est un habile homme, et bien né, la royauté ajoute peu à son bonheur.

Si ton ventre et tes poumons et tes pieds se portent bien,
Tous les trésors des rois n'accroîtront ta bonne fortune
Si uentri bene, si lateri est pedibusque tuis, nil
Diuitiæ poterunt regales addere maius, [1]

il voit que ce n'est que fausse pierre et piperie. Oui, d'aventure il sera de l'avis du roi Séleucus que celui qui saurait le poids d'un sceptre, il ne daignerait le ramasser quand il le trouverait à terre. Il disait cela en considération des grandes et pénibles charges qui incombent à un bon roi. Certes ce n'est pas peu de chose que d'avoir à régler autrui puisqu'à nous régler nous-mêmes il se présente tant de difficultés. Quant au commandement, qui semble être si doux, considérant l'imbécillité du jugement humain et la difficulté de choisir parmi les choses nouvelles et douteuses, je suis fort de cet avis qu'il est bien plus aisé et plus plaisant de suivre que de guider, et que c'est un grand repos pour l'esprit que de n'avoir qu'à se tenir à une voie tracée et à ne répondre que de soi :

Aussi bien mieux vaut d'obéir en vivant sans histoire
Que de guigner l'empire et de chercher la gloire
Ut satius multo iam sit, parere quietum,
Quam regere imperio res uelle. [2]

Sans oublier que Cyrus disait qu'il n'appartenait pas de commander à qui ne valût pas mieux que ceux à qui il commande. Mais le roi Hiéron, chez Xénophon, dit de plus que, dans la jouissance même des voluptés, ils sont en plus mauvais point que les privés parce que l'aisance et la facilité leur ôtent l'aigre-douce pointe que nous y trouvons :

Un amour repu qui se voit tout permis nous écœure
Comme un mets trop sucré soulève l'estomac
Pinguis amor nimiumque potens, in tædia nobis
Vertitur, et stomacho dulcis ut esca nocet. [3]

Pensons-nous que les enfants de chœur prennent grand plaisir à la musique ? La satiété la leur rend plutôt assommante. Les festins, les danses, les mascarades, les tournois réjouissent ceux qui n'en voient pas souvent et qui ont été frustré d'en voir, mais à qui en fait son

1. Horace, *Épîtres*, I, XII, 5-6.
2. Lucrèce, V, 1129-1130.
3. Ovide, *Les Amours*, II, XIX, 25-26.

ordinaire, le goût en devient fade et mal plaisant, comme les dames ne chatouillent plus celui qui en jouit à cœur saoul. Qui ne se donne pas loisir d'avoir soif ne saurait prendre plaisir à boire. Les farces des bateleurs nous réjouissent, mais pour ceux qui les jouent elles sont une corvée. Et voilà qui montre qu'il en va bien ainsi : ce sont délices pour les princes, c'est une fête pour eux de pouvoir quelquefois se travestir et se commettre à la façon de vivre du bas peuple,

Souvent à se changer le cœur des princes s'illumine :
Un repas frugal dans une humble chaumine
Sans pourpre ni voiles pompeux
Déride leur front soucieux

Plerumque gratæ principibus uices,
Mundæque paruo sub lare pauperum
Cenae sine aulaeis et ostro,
Sollicitam explicuere frontem. [1]

Il n'est rien de si empêchant, rien d'aussi dégoûté que l'abondance. Quel appétit ne se rebuterait à voir trois cents femmes à sa merci, comme les a le Grand Turc en son sérail ? Et quel appétit et quelle sorte de chasse s'était donc réservé celui de ses ancêtres qui n'allait jamais aux champs à moins de sept mille fauconniers ? Et, outre cela, je crois que le lustre que donne la grandeur apporte de non légères incommodités à la jouissance des plaisirs les plus doux : ces gens-là sont trop éclairés et trop en vue ! Et l'on exige d'eux qu'ils cachent et qu'ils couvrent leur faute plus que les autres, je ne sais comment : c'est qu'en effet ce qui est chez nous un manque de mesure, le peuple juge que chez eux c'est tyrannie, mépris, et dédain des lois, et qu'outre l'inclination au vice, il semble qu'ils y rajoutent encore le plaisir de bafouer et de fouler aux pieds les règles publiques. De fait, Platon dans son *Gorgias* définit le tyran comme celui qui dans une cité a licence de faire tout ce qui lui plaît. Et souvent pour cette raison l'étalage et la publicité de leur vice blessent plus que le vice même. Chacun craint d'être épié et contrôlé : eux le sont jusque dans leurs contenances et dans leurs pensées, tout le peuple estimant avoir droit et intérêt d'en juger. De plus, les taches paraissent plus grandes selon la hauteur et l'éclairage de l'endroit où elles sont placées : au front une tache de naissance ou une verrue paraissent plus que ne le fait ailleurs une balafre. Voilà pourquoi les poètes feignent que Jupiter conduisait ses amours sous un autre visage que le sien, et sur tant de relations amoureuses qu'ils lui attribuent, il n'en est qu'une seule, ce me semble, où il se présente dans sa grandeur et dans sa majesté.

1. Horace, *Odes*, III, XXIX, 13-16.

Mais revenons à Hiéron : il raconte aussi combien il ressent d'incommodités dans l'exercice de la royauté du fait de ne pouvoir aller et voyager en toute liberté, étant comme prisonnier dans les frontières de son pays, et que dans toutes ses actions il se trouve enveloppé d'une fâcheuse presse. De vrai, à voir les nôtres tous seuls à table, assiégés par tant de parleurs et de regardants inconnus, j'en ai eu souvent plus de pitié que d'envie. Le roi Alphonse disait que les ânes avaient à cet égard une meilleure situation que les rois, car leurs maîtres les laissent au moins paître à leur aise, tandis que les rois n'ont pas le pouvoir d'obtenir cela de leurs serviteurs. Et il ne m'est jamais venu à l'idée que ce fût quelque notable commodité pour la vie d'un homme d'entendement que d'avoir une vingtaine de contrôleurs pour sa chaise percée, ni que les services d'un homme qui a dix mille livres de rente, ou qui a pris Casal, ou défendu Sienne lui soient plus commodes et acceptables que ceux d'un bon valet bien expérimenté. Les avantages des princes sont quasi des avantages imaginaires. Chaque degré de fortune offre quelque image de l'état princier. César appelle roitelets tous les seigneurs qui ont justice dans la France de son temps. De vrai, sauf le nom de sire, les libertés que nous avons avec nos rois s'avancent très loin. Et voyez dans les provinces éloignées de la Cour, disons la Bretagne par exemple, le train, les sujets, les officiers, les occupations, le service et la cérémonie d'un seigneur retiré et casanier, nourri au milieu de ses valets, mais voyez aussi le vol de son imagination : il n'est rien de plus royal : il entend parler de son maître une fois l'an, comme du roi de Perse, et il ne le reconnaît que par quelque vieux cousinage dont son secrétaire tient registre ! À la vérité, nos lois sont assez libres, et le poids de la souveraineté ne touche un gentilhomme français qu'à peine deux fois dans sa vie. La sujétion essentielle et effective ne regarde parmi nous que ceux qui s'y convient eux-mêmes et qui aiment à s'honorer et s'enrichir par un tel service, car qui veut se tapir en son foyer et sait conduire sa maison sans querelle ni procès, il est aussi libre que le duc de Venise. *Paucos seruitus, plures seruitutem tenent* [1] peu de gens sont attachés en servitude ; beaucoup plus à leur servitude s'attachent. Mais surtout Hiéron se plaint de ce qu'il se voit privé de toute amitié et de toute société mutuelle, en quoi réside le fruit le plus parfait et le plus doux de la vie humaine : « Car quel témoignage d'affection et de bonne volonté puis-je tirer de celui qui me doit, veuille-t-il ou non tout ce qu'il peut ? Puis-je faire état de son humble parler et de sa courtoise révérence, vu qu'il n'est pas en lui de me les refuser ? L'honneur que nous recevons de ceux qui nous

1. Sénèque, *Lettres à Lucilius*, XXII, 11.

craignent, ce n'est pas honneur : ces respects sont dus à la royauté, non à moi ;

le sommet de la puissance royale,
C'est que le peuple doit non seulement subir
Le fait du prince mais qu'il lui faut l'applaudir

maximum hoc regni bonum est,
Quod facta domini cogitur populus sui
Quam ferre, tam laudare. [1]

Vois-je pas qu'entre le mauvais roi et le bon, celui qu'on hait, celui qu'on aime, l'un reçoit autant que l'autre ? Sous la même forme, avec la même cérémonie était servi mon prédécesseur et le sera mon successeur. Si mes sujets ne m'offensent pas, cela ne témoigne d'aucune bonne affection : pourquoi le prendrais-je en cette part-là puisqu'ils ne pourraient quand bien même ils voudraient ? Nul ne me suit pour l'amitié qu'il y aurait entre lui et moi, car il ne saurait se coudre amitié là où il y a si peu de proportion et de correspondance. Ma hauteur m'a mis hors du commerce des hommes. Il y a trop de disparité et de disproportion. Ils me suivent par contenance et par coutume, ou ne suivent que ma fortune pour en accroître la leur. Tout ce qu'ils me disent et font, ce n'est que fard, car leur liberté est bridée de toutes parts par la grande puissance que j'ai sur eux. Je ne vois rien autour de moi que couvert et masqué. » Ses courtisans louaient un jour l'empereur Julien de rendre bien la justice : « Je m'enorgueillirais volontiers, leur dit-il, de ces louanges si elles venaient de personnes qui osassent blâmer ou dénigrer mes actions contraires quand elles le seraient. »

Toutes les vraies commodités qu'ont les princes leurs sont communes avec les hommes de moyenne fortune. C'est affaire aux dieux de monter des chevaux ailés et de se paître d'ambroisie. Les rois n'ont point un autre sommeil ni un autre appétit que le nôtre ; leur acier n'est pas de meilleure trempe que celui dont nous nous armons ; leur couronne ne les couvre ni du soleil ni de la pluie. Dioclétien, qui en portait une si révérée et si fortunée, y renonça pour se retirer au plaisir d'une vie privée, et, quelque temps après, les nécessités de la chose publique requérant qu'il en revînt prendre la charge, il répondit à ceux qui l'en priaient : « Vous n'entreprendriez pas de me persuader cela si vous aviez vu le bel ordre des arbres que j'ai moi-même plantés chez moi et les beaux melons que j'y ai semés. » Selon l'avis d'Anacharsis, l'état le plus heureux d'un gouvernement serait quand, toutes choses

1. Sénèque, *Thyeste*, 205-207.

égales par ailleurs, la précellence se mesurerait à la vertu et le rebut au vice.

Quand le Roi Pyrrhus entreprenait de passer en Italie, Cynéas son sage conseiller lui voulant faire sentir la vanité de son ambition : « Eh bien ! sire, lui demanda-t-il, à quelle fin dressez-vous donc cette grande entreprise ? – Pour me rendre maître de l'Italie, répondit-il sur-le-champ. – Et puis, poursuivit Cynéas, une fois cela fait ? – Je passerai, dit l'autre, en Gaule et en Espagne ! – Et après ? – Je m'en irai subjuguer l'Afrique, et enfin quand j'aurai mis le monde sous ma sujétion, je me reposerai et je vivrai content et à mon aise. – Pour Dieu, sire, repartit alors Cynéas, dites-moi à quoi tient que vous ne soyez dès à présent dans cet état, si vous le voulez ? Pourquoi dès cette heure ne vous logez-vous pas là où vous dites aspirer et ne vous épargnez-vous pas tant de labeur et de hasard que vous mettez entre les deux ? »

Quoi d'étonnant ? Il ne sait de borne à son avarice,
Ni le point jusqu'auquel il faut qu'un vrai plaisir grandisse

Nimirum quia non bene norat quæ esset habendi
Finis, et omnino quoad crescat uera uoluptas. [1]

Je m'en vais clore ce passage par un verset de l'antiquité que je trouve singulièrement beau à ce propos : *Mores cuique sui fingunt fortunam* [2] ce sont ses mœurs qui à chacun forgent sa fortune.

Des lois somptuaires

[Chapitre XLIII]

La façon dont nos lois essaient de régler les folles et vaines dépenses de table et de vêtements semble être contraire à sa fin. Le vrai moyen, ce serait de faire naître chez les hommes le mépris de l'or et de la soie [3], comme des choses vaines et inutiles. Au lieu de quoi nous en

1. Lucrèce, V, 1432-1433.
2. Fragment d'un sénaire iambique cité par Cornélius Népos, *Vie des grands capitaines*, XI , 6.
3. Ce chapitre, contrairement aux datations systématiquement hautes de Pierre Villey, date de 1577, année où Henri III promulgua des lois pour interdire les vêtements de soie importés d'Italie qui créaient une hémorragie de devise alors que les finances du royaume couraient à leur perte.

augmentons l'honneur et le prix, ce qui est une façon bien peu propre à en dégoûter les hommes. Car dire ainsi qu'il n'y aura que les princes qui mangent du turbot, qui puissent porter du velours et de la tresse d'or et l'interdire au peuple, qu'est-ce d'autre que mettre en crédit ces choses-là et faire croître en chacun l'envie d'en user ? Que les rois quittent hardiment ces marques de grandeur : ils en ont assez d'autres. De tels excès sont plus excusables chez tout autre que chez un prince. Par l'exemple de plusieurs nations nous pouvons apprendre bien assez de meilleures façons de distinguer extérieurement et nous et nos degrés (ce que j'estime être, à la vérité, tout à fait requis dans un État) sans nourrir pour cet effet une corruption et une incommodité aussi apparentes. C'est merveille comme la coutume dans ces choses indifférentes plante aisément et soudain le pied de son autorité ! À peine avions-nous été un an à porter du drap à la cour pour le deuil du roi Henri II que déjà il est certain que dans l'opinion de chacun les soies étaient devenues d'une telle vileté que si vous en voyiez quelqu'un vêtu vous en faisiez aussitôt quelque bourgeois ! Elles étaient restées le partage des médecins et des chirurgiens. Or à la Cour, quoique chacun fût à peu près vêtu de même, il y avait pourtant assez de quoi distinguer apparemment les qualités des hommes. Combien vite dans nos armées les pourpoints crasseux de peau de chamois et de toile viennent en honneur, et à reproche et dédain l'éclat et la richesse des vêtements !

Que les rois commencent à renoncer à ces dépenses : ce sera fait en un mois, sans édit et sans ordonnance, et nous suivrons tous après. La loi devrait dire au rebours que le cramoisi et l'orfèvrerie sont défendus à toute espèce de gens sauf aux bateleurs et aux courtisanes. C'est par une pareille invention que Zéleucos corrigea les mœurs corrompues des Locriens. Ses ordonnances étaient telles : que la femme de condition libre ne puisse avoir après elle plus d'une chambrière, sinon lorsqu'elle sera ivre ; qu'elle ne puisse sortir hors la ville de nuit, ni porter des joyaux d'or sur sa personne, ni de robe enrichie de broderie, si elle n'est publique et putain ; que, sauf aux ruffians, il ne soit loisible à un homme de porter à son doigt un anneau d'or, ni une robe délicate comme sont celles qu'on fait avec les draps tissés dans la ville de Milet. Et ainsi par ces exceptions honteuses divertissait-il ingénieusement ses concitoyens des superfluités et des délices pernicieuses. C'était une très utile manière d'attirer les hommes à leur devoir et à l'obéissance par honneur et par ambition. Nos rois peuvent tout dans de telles réformes extérieures : leur préférence ici tient lieu de loi. *Quicquid principes faciunt, præcipere uidentur* [1] tout ce que font les princes, ils

1. Quintilien, *Declamationes*, III, 15.

semblent l'ordonner. Le reste de la France prend pour règle la règle de la Cour. Qu'ils montrent que désormais plus ne leur plaît ni ce vilain étui qui montre si à découvert nos membres secrets [1] ; ni ce lourd renflement des pourpoints qui nous fait tout autres que nous ne sommes et qui est si incommode pour s'armer ; ni ces longues boucles de cheveux efféminées [2] ; ni cet usage de baiser ce que nous présentons à nos compagnons ; ni celui de nous baiser les mains quand nous les saluons, cérémonie due autrefois aux seuls princes ; ni qu'un gentilhomme puisse aller dans une cérémonie sans épée au côté, tout débraillé et détaché comme s'il venait des petits lieux ; ni que, contre la façon de nos pères et la liberté particulière de la noblesse de ce royaume, nous nous tenions découverts bien loin autour d'eux en quelque lieu qu'ils soient, comme autour de cent autres, tant nous avons de tiercelets et de quartelets de rois [3], et qu'ils renoncent ainsi à d'autres pareilles inventions nouvelles et vicieuses, et on les verra bientôt s'évanouir et n'avoir plus cours. Ce sont des erreurs superficielles, mais pourtant de mauvais présage : nous sommes avertis que le massif de maçonnerie se défait quand nous voyons se fendiller l'enduit et la croûte de nos murailles. Platon dans ses *Lois* estime qu'il n'est peste au monde qui soit plus dommageable à sa cité que de laisser à la jeunesse la liberté de changer en matière d'accoutrements, de gestes, de danses, d'exercices et de chansons d'une forme à une autre, en portant son jugement tantôt en cette assiette, tantôt en celle-là, en courant après les nouvelletés et en honorant leurs inventeurs, car c'est par là que les mœurs se corrompent et que les anciennes institutions tombent en dédain et mépris. En toutes choses, à la seule exception des mauvaises, le changement est à redouter, que ce soit changement des saisons, des vents, des vivres, des humeurs. Et il n'est point d'autres lois qui soient en un vrai crédit que celles auxquelles Dieu a donné quelque ancienne durée, de sorte que personne ne sait leur origine, ni qu'elles aient jamais été autres.

---

1. La *brague*, ou *braguette*, sorte de fourreau pointu ainsi nommé parce qu'il saillait à l'entrejambe des *braies* pour former un faux pénis avantageux. Montaigne avait horreur de ce déguisement à l'italienne.
2. Les perruques.
3. Tant nous avons de petits rois (de roitelets), « de tiers et de quarts de rois » : en fauconnerie, le *tiercelet* désigne l'épervier mâle, plus petit d'un tiers que sa femelle. Montaigne a forgé « quartelet », pour faire bonne mesure.

Du dormir

[Chapitre XLIV]

La raison nous ordonne bien de suivre toujours le même chemin, mais non toutefois le même train, et encore que le sage ne doive pas laisser les passions humaines se fourvoyer hors de la droite carrière, il peut bien aussi sans préjudice de ses devoirs leur accorder de hâter ou retarder son pas, et ne rester pas planté comme un Colosse immobile et impassible [1]. Quand la vaillance même serait incarnée, je crois que le pouls lui battrait plus fort en allant à l'assaut qu'en allant dîner, et même il est nécessaire qu'elle s'échauffe et s'émeuve. C'est pour cette raison que j'ai relevé comme une chose rare de voir quelquefois les grands personnages, dans les plus hautes entreprises et les plus importantes affaires, se tenir si entiers en leur assiette qu'ils n'en raccourcissent pas seulement leur sommeil.

Alexandre le Grand, au jour assigné pour cette furieuse bataille contre Darius, dormit si profondément et si tard dans la matinée que Parménion fut contraint d'entrer dans sa chambre, et, s'approchant de son lit, de l'appeler deux ou trois fois par son nom pour l'éveiller, le temps d'aller au combat pressant. L'empereur Othon avait résolu de se tuer. Cette même nuit, après avoir mis en ordre ses affaires domestiques, partagé son argent à ses serviteurs, et affilé le tranchant d'une épée dont il se voulait frapper, alors qu'il n'attendait plus que de savoir si chacun de ses amis s'était retiré en sûreté, il se prit si profondément à dormir que ses valets de chambre l'entendaient ronfler.

La mort de cet empereur a beaucoup de choses pareilles à celle du grand Caton, et même ceci : Caton en effet était prêt à se tuer, et pendant qu'il attendait qu'on lui rapportât des nouvelles pour savoir si les sénateurs à qui il avait demandé de faire retraite étaient parvenus à se mettre au large du port d'Utique, il se mit à dormir d'un sommeil si profond qu'on l'entendait souffler depuis la chambre voisine. Celui qu'il avait envoyé au port l'ayant réveillé pour lui dire que la

1. *In medio stat uirtus* : le vrai courage fuit les extrêmes de la fuite couarde et la roideur impavide. C'est la leçon d'Aristote. Quant au « Colosse », il s'agit bien sûr du fameux Colosse de Rhodes, cette statue géante, l'une des sept merveilles du monde, qui signalait l'île loin au large.

tourmente empêchait les sénateurs de faire voile à leur aise, il y en renvoya encore un autre, et se renfonçant dans le lit, se remit encore à dormir jusqu'à ce que ce dernier l'eût assuré de leur départ. Nous avons encore matière à le comparer au fait d'Alexandre dans ce grand et dangereux orage qui le menaçait du fait de la sédition du tribun Metellus qui voulait publier le décret rappelant Pompée dans la ville avec son armée lors des émeutes de Catilina. À ce décret Caton seul s'opposait, et Metellus et lui avaient à son propos échangé de vives paroles et de grandes menaces au sénat. Mais c'était le lendemain qu'il était prévu d'en venir à l'exécution, en plein forum. Là, Metellus, outre la faveur du peuple et celle de César qui alors conspirait pour Pompée, devait se trouver accompagné de force esclaves étrangers et escrimeurs à outrance, tandis que Caton serait fort de sa seule constance. Aussi ses parents, ses domestiques, et beaucoup de gens de bien en étaient en grand souci. Il y en eut même qui passèrent la nuit auprès de lui sans vouloir se reposer, ni boire, ni manger en raison du danger qu'ils lui voyaient préparé. Même sa femme et ses sœurs ne faisaient que pleurer et se tourmenter dans sa maison, tandis que lui, au contraire, réconfortait tout le monde. Après avoir soupé comme de coutume, il alla se coucher et il dormit d'un fort profond sommeil jusqu'au matin où l'un de ses pairs au tribunat vint l'éveiller pour aller à l'escarmouche. La connaissance que nous avons par le reste de sa vie de la force de courage de cet homme nous permet de juger en toute sûreté que ceci lui partait d'une âme si loin au-dessus de tels événements qu'il ne daignait pas s'en mettre la cervelle à l'envers, non plus que des événements ordinaires.

Au cours de la bataille navale qu'Auguste gagna contre Sextus Pompée en Sicile, sur le point d'aller au combat, il se trouva pressé d'un si profond sommeil qu'il fallut que ses amis l'éveillassent pour donner le signal de la bataille. Cela donna l'occasion à Marc-Antoine de lui reprocher par la suite qu'il n'avait pas eu seulement le cœur de regarder les yeux ouverts l'ordonnance de son armée et de n'avoir pas osé se présenter aux soldats jusqu'à ce qu'Agrippa lui vînt annoncer la nouvelle de la victoire qu'il avait remportée sur ses ennemis. Mais quant à Marius le jeune [1], il fit encore pis. Car le jour de sa dernière journée contre Sylla, après avoir ordonné son armée et donné le signal de la bataille, il se coucha sous un arbre à l'ombre pour se reposer, et il s'endormit si profondément qu'à peine put-il être réveillé par la déroute et la fuite de ses gens, sans rien avoir vu du combat. On dit

1. Il s'agit du neveu de ce fameux Marius qui après avoir défait les Cimbres et les Teutons, avait affronté Sylla lors de la première guerre civile.

que c'était parce qu'il était trop lourdement grevé de travail et par manque de sommeil que sa nature n'en pouvait plus. Et à ce propos les médecins jugeront si le sommeil est si nécessaire que notre vie en dépende, car nous trouvons bien qu'on fit mourir Persée, le roi de Macédoine prisonnier à Rome, en lui empêchant le sommeil, mais Pline l'Ancien en cite qui ont vécu longtemps sans dormir. Chez Hérodote, il y a des nations chez lesquelles les hommes dorment et veillent par demi-années. Et ceux qui ont écrit la vie du sage Épiménide affirment qu'il dormit cinquante-sept ans de suite.

La bataille de Dreux

[Chapitre XLV]

Il y eut tout plein de rares accidents au cours de notre bataille de Dreux [1], mais ceux qui ne favorisent pas beaucoup la réputation de M. de Guise mettent volontiers en avant qu'on ne peut l'excuser d'avoir fait halte et temporisé avec les forces qu'il commandait cependant qu'on enfonçait avec l'artillerie Monsieur le Connétable, chef de l'armée, et qu'il eût mieux valu qu'il se hasardât à prendre l'ennemi par le flanc plutôt que de souffrir une aussi lourde perte pour avoir attendu l'avantage de le voir en queue [2]. Mais, outre ce que l'issue en témoigna, qui en débattra sans passion me confessera aisément, à mon avis, que le but et la visée, non seulement d'un capitaine, mais de chaque soldat, doit être la victoire générale, et qu'il n'est point d'occurrences particulières, quelque intérêt qu'il y ait, qui doivent le divertir de ce point-là.

Philopoemen, lors d'un engagement contre Machanidas [3], ayant envoyé devant, pour ouvrir l'escarmouche, une bonne troupe d'archers et de gens de trait, l'ennemi, après les avoir renversés, s'amusait à les poursuivre à toute bride et coulait après sa victoire le long des bataillons où se tenait Philopoemen. Quoique ses soldats s'en émussent, celui-ci fut d'avis de ne point bouger de sa place ni de se

1. Cette bataille du 19 décembre 1562 marqua le début des guerres de religion. Les catholiques étaient commandés par le connétable Anne de Montmorency et le duc François de Guise. Louis de Condé et l'Amiral de Coligny emmenaient le parti protestant. La victoire resta aux catholiques.

2. D'en voir les arrières.

3. À la bataille de Mantinée en 188 av. J.-C.

présenter face à l'ennemi pour secourir ses gens, mais, les ayant laissé chasser et mettre en pièces à sa vue, il commença la charge sur les ennemis par le bataillon de leurs gens de pied lorsqu'il les vit tout à fait abandonnés de leurs gens de cheval, et bien que ce fussent des Lacédémoniens, parce qu'il les prit à l'heure où, pensant avoir tout gagné, ils commençaient à se désordonner, il en vint aisément à bout, et, cela fait, il se mit à poursuivre Machanidas. Ce cas est germain à celui de Monsieur de Guise.

Au cours de cette âpre bataille d'Agésilas contre les Béotiens [1], que Xénophon, qui y était, dit être la plus rude qu'il eût oncques vue, Agésilas refusa l'avantage que Fortune lui présentait de laisser passer le bataillon des Béotiens et de les charger en queue, quelque certaine victoire qu'il en prévît. Il estima qu'il y avait là plus d'art que de vaillance, et, pour montrer sa prouesse par une merveilleuse ardeur de courage, il choisit plutôt de leur donner en tête. Mais aussi bien fut-il battu et blessé. Contraint à la fin de se démêler et de prendre le parti qu'il avait d'abord refusé, il fit ouvrir ses gens pour donner passage à ce torrent de Béotiens, puis, quand ils furent passés, observant qu'ils marchaient en désordre comme des gens qui croyaient bien être hors de tout danger, il les fit poursuivre et charger par les flancs. Malgré cela, il ne put les mettre en fuite en les faisant rebrousser en aval de leur route ; tout au contraire, ils se retirèrent au petit pas, montrant toujours les dents, jusqu'au moment où ils se furent rendus en terrain de sauveté.

Des noms

[Chapitre XLVI]

Quelque diversité d'herbes qu'il y ait, tout s'enveloppe sous le nom de salade. De même, au titre des noms, je m'en vais faire ici une galimafrée de divers articles. Chaque nation a quelques noms qui se prennent, je ne sais comment, en mauvaise part, ainsi chez nous *Jean*, *Guillaume*, *Benoît* [2].

---

1. Il s'agit cette fois de la première bataille de Mantinée. Elle avait eu lieu environ cent soixante-quinze ans avant celle dont il vient d'être d'abord question, en 362 av. J.-C.

2. Un « maître-Jean » était un pédant ; traiter quelqu'un de « Jean », c'était l'appeler cornard. Le nom de « guillaume » est resté à un rabot étroit qui sert aux

Item, il semble y avoir dans la généalogie des princes certains noms fatalement affectés, comme celui des *Ptolémées* pour ceux d'Égypte, des *Henrys* en Angleterre, des *Charles* en France, des *Baudoins* en Flandres, et dans notre ancienne Aquitaine celui des *Guillaumes*, d'où l'on dit que le nom de Guyenne est venu, par un jeu de mots qu'on jugerait bien froid s'il n'y en avait d'aussi crus [1] dans Platon même.

Item, c'est une chose légère, mais toutefois digne de mémoire pour son étrangeté, et écrite par un témoin oculaire, que Henry, duc de Normandie, fils du roi d'Angleterre Henri II, un jour qu'il donnait un festin en France, l'assemblée de la noblesse y fut si nombreuse que, s'étant par passe-temps divisée en compagnies selon la ressemblance des noms, dans la première troupe, qui fut celle des Guillaumes, il se trouva cent dix chevaliers assis à table qui portaient ce même nom, sans mettre en compte les simples gentilshommes et les serviteurs. Il est aussi plaisant de distribuer les tables par les noms des assistants qu'il l'était pour l'empereur Géta de faire distribuer le service de ses mets d'après les premières lettres du nom des viandes : on servait celles qui commençaient par *m*, mouton, marcassin, merlus, marsouin, ainsi des autres.

Item, on dit qu'il fait bon « avoir bon nom », c'est-à-dire crédit et réputation, mais encore, à la vérité, est-il commode d'avoir un nom qui se puisse aisément prononcer et mettre en mémoire, car les rois et les grands nous connaissent ainsi plus aisément et nous oublient moins volontiers, et parmi ceux-là mêmes qui nous servent nous commandons et employons plus ordinairement ceux dont les noms se présentent le plus facilement à la langue. J'ai vu le roi Henri II ne pouvoir nommer sans se tromper un gentilhomme de notre pays de Gascogne, et, à une fille d'atour de la reine, il fut lui-même d'avis de donner le nom général de la race, parce que celui de la maison paternelle lui semblait trop à part. Et Socrate estime digne du soin paternel de donner un beau nom aux enfants.

Item, on dit que la fondation de Notre-Dame La Grande à Poitiers tire son origine de ce qu'un jeune homme débauché qui habitait à cet endroit, alors qu'il venait de récupérer une garce, lui ayant d'entrée demandé son nom, qui était Marie, il se sentit alors si vivement épris

---

menuisiers à creuser les plates-bandes des panneaux de meuble : un « têtu », en somme, une « tête étroite », un « petit obstiné ». Quant à Benoît, il nous a laissé « benêt ».

1. *Guyenne* est en fait la déformation par évolution phonétique du latin *Aquitani*. Ces fausses étymologies platement suggérées par la ressemblance des sonorités pullulent dans le *Cratyle* de Platon. Jeux de mots « crus » peut ici s'interpréter par jeux de mots « grossiers ».

de religion et de respect à ce nom sacro-saint de la Vierge mère de notre Sauveur que non seulement il chassa la fille sur-le-champ, mais qu'il en amenda sa vie pour le restant de ses jours, et que c'est donc en considération de ce miracle qu'il fut bâti à la place où était la maison de ce jeune homme une chapelle au nom de Notre Dame, et par la suite l'église que nous y voyons.

Cette réforme morale toute dévotieuse entra par la voix et l'oreille pour lui aller droit à l'âme. Cette autre qui suit, et qui est du même genre, s'insinua par le biais des sens du désir charnel. Pythagore était en compagnie de jeunes gens. Échauffés comme ils l'étaient par la fête, il pressentit qu'ils complotaient d'aller violer une maison honnête. Il commanda à la ménestrelle de changer de tonalité, et, grâce à une musique pesante, sévère, et spondaïque [1], il enchanta tout doucement leur ardeur et l'endormit.

Item, la postérité ne dira-t-elle pas que notre Réforme d'aujourd'hui a été délicate et bien exacte de n'avoir pas seulement combattu les erreurs et les vices, et rempli le monde de dévotion, d'humilité, d'obéissance, de paix, et de toute espèce de vertu, mais d'être allée même jusqu'à combattre nos anciens noms de baptême, Charles, Louis, François, pour peupler le monde de Mathusalem, d'Ezéchiel, de Malachie, qui sentent beaucoup mieux la foi ? Un gentilhomme de mes voisins, quand il évaluait les agréments du vieux temps au prix du nôtre, n'oubliait pas de mettre en compte la fierté et la magnificence des noms de la noblesse de ce temps-là, « Dom Grumédan », « Quadragant », « Agésilan » [2], et il disait qu'à les ouïr seulement sonner il se sentait que ceux-là avaient été de bien autres gens qu'un Pierre, un Guillot ou un Michel.

Item, je sais bon gré à Jacques Amyot d'avoir laissé dans le cours d'une œuvre en prose en français les noms latins tout entiers, sans les bigarrer et changer en leur donnant une terminaison française. Cela semblait un peu rude au commencement, mais déjà l'usage, grâce au crédit de son *Plutarque*, nous en a ôté toute l'étrangeté. J'ai souvent souhaité que ceux qui écrivent l'histoire en latin nous laissassent nos noms tout tels qu'ils sont, car en faisant de Vaudemont *Vallemontanus*, et en les métamorphosant pour les habiller à la grecque ou à la

1. S'agissant du rythme d'une musique, « spondaïque » veut dire « grave », « lent ». Dans la prosodie ancienne les *spondées* étaient des mesures, ou « pieds », composés de deux syllabes longues. Ils équivalaient pour la durée aux dactyles, formés, eux, d'une longue suivie de deux brèves, mais ils étaient perçus comme lourds et graves, par opposition à la vivacité allègre des dactyles.

2. Noms de héros de fiction dans le roman de chevalerie *Amadis de Gaule*.

romaine, nous ne savons plus où nous en sommes et nous perdons la connaissance de ces noms [1].

Pour clore notre conte, c'est un vilain usage, et de très mauvaise conséquence, qu'en notre France on appelle chacun par le nom de sa terre et seigneurie : c'est la chose du monde qui fait le plus mêler et méconnaître les races. Un cadet de bonne maison qui a eu pour son apanage une terre sous le nom de laquelle il a été connu et honoré ne peut honnêtement l'abandonner. Dix ans après sa mort, la terre s'en va à un étranger qui en fait de même : devinez où nous sommes de la connaissance de ces hommes ! Il ne faut pas aller quérir d'autres exemples que ceux de notre maison royale, où autant y a-t-il de partages, autant il y a de noms, cependant que le nom originel de la tige nous a échappé.

Il y a tant de liberté dans ces mutations que de mon temps je n'ai vu personne que la fortune ait élevé à quelque grandeur extraordinaire à qui l'on n'ait aussitôt attaché des titres généalogiques nouveaux et ignorés à son père, et qu'on n'ait enté sur quelque illustre tige. Et par bonne fortune les familles les plus obscures sont les plus idoines pour ce genre de falsification. Combien avons-nous de gentilshommes en France qui sont de sang royal selon ce qu'ils en content ? Plus que d'autres, je crois ! La repartie que voici ne fut-elle pas envoyée de belle façon par l'un de mes amis ? Ils étaient plusieurs assemblés pour la querelle d'un seigneur contre un autre, lequel autre avait, à la vérité, quelque prérogative de titres et d'alliance qui était au-dessus de la noblesse commune. Sur le propos de cette prérogative, chacun cherchant à s'égaler à lui, alléguait qui une origine, qui une autre, qui la ressemblance du nom, qui des armes, qui une vieille charte familiale, et le moindre d'entre eux se retrouvait l'arrière-petit-fils de quelque roi d'outre-mer. Quand ce fut l'heure du dîner, celui-ci, au lieu de prendre sa place, se recula en profondes révérences, suppliant l'assistance de

1. On voit bien à ce trait que les *Essais* sont quasi un livre bilingue : tout comme Montaigne se plaît à intégrer ses citations latines à la syntaxe même de sa phrase française et à la continuer à travers la voix des poètes qu'il applique à la sienne, de même pour les noms propres préfère-t-il le mélange des langues, contrairement à l'usage de franciser les noms latins et grecs des plus fameux personnages de l'antiquité qui prévaudra à partir du XVIIe siècle. Montaigne, qui se disait « métis », est toujours favorable au « métissage », que ce soit en matière de langues ou de coutumes. Vingt ans plus tôt, n'eût-il pas choisi, ou d'écrire en latin, ou de n'écrire pas ? Le projet d'écriture personnelle qu'eut Montaigne est connexe et inhérent à la réhabilitaion de la langue vulgaire dans la composition des ouvrages de l'esprit. Mais le latin n'est pas extérieur au français, puisqu'il en est la matrice même.

l'excuser de ce que par témérité il avait jusqu'alors vécu avec eux en compagnon, mais que depuis qu'il venait de découvrir leurs anciennes qualités, il se mettait en devoir de les honorer selon leurs rangs, et qu'il ne lui appartenait plus de s'asseoir parmi tant de princes. Après sa farce, il leur dit mille injures : « Contentez-vous, par Dieu, de ce dont nos pères se sont contentés et de ce que nous sommes : nous sommes toujours assez si nous le savons bien maintenir ! Ne désavouons pas la fortune et la condition de nos aïeux, et ôtons ces sottes imaginations dont ne peut avoir faute quiconque a l'impudence de les alléguer. »

Les armoiries ne sont pas plus sûres que les noms. Je porte d'azur semé de trèfles d'or, à une patte de lion de même, armée de gueules, mise en fasce [1]. Quel privilège a cette figure pour demeurer particulièrement en ma maison ? Un gendre la transportera dans une autre famille, quelque chétif acheteur en fera ses premières armes : il n'est chose où il se rencontre plus de mutation et de confusion.

Mais cette considération m'entraîne par force vers un autre champ. Sondons un peu de près, et par Dieu regardons à quel fondement nous attachons cette gloire et cette réputation pour laquelle se bouleverse le monde : où asseyons-nous cette renommée que nous allons quêtant à si grand peine ? C'est en somme Pierre ou Guillaume qui la porte, la prend en garde, et qu'elle concerne. Ô la vaillante faculté que l'espérance ! Dans le cœur d'un simple mortel, et en un moment, elle usurpe l'infinité, l'immesuré, et va comblant l'indigence de son maître de la possession de toutes les choses qu'il peut imaginer et désirer, autant qu'elle veut ! Nature nous a donné là un plaisant jouet ! Et ce *Pierre*, ce *Guillaume*, qu'est-ce de plus qu'un mot, pour tout potage, ou si l'on veut, que sont-ils de plus, en premier lieu, que trois ou quatre traits de plume si aisés à varier que je demanderais volontiers à qui revient l'honneur de tant de victoires, à *du Guesquin*, à *du Glesquin*, ou à *du Gueaquin* [2] ? Il y aurait bien plus d'apparence ici que dans Lucien de voir Σ mettre T en procès, car

Le prix qu'on brigue ici n'est ni léger ni futile

non leuia aut ludicra petuntur
Præmia, [3]

---

1. En termes de blason : « Mes armoiries sont sur fond de couleur azur, avec des griffes de lion d'émail rouge (« gueules » vient du persan *ghul*, « rouge »), placées sur la bande (la « fasce » étant une bande horizontale au milieu de l'écu) ».

2. Trois variantes du nom de du Guesclin, qu'on lit bien en effet chez Jean Bouchet ou dans Froissart.

3. Virgile, *Énéide*, XII, 764.

on parle là pour de bon : la question est de savoir laquelle de ces lettres doit être payée pour tant de sièges, de batailles, de blessures, de captivités et de services rendus à la couronne de France par ce sien fameux Connétable ! Nicolas Denisot, pour sa part, n'a eu soin que des lettres de son propre nom, et il en a changé tout l'assemblage pour en faire ce « *Conte d'Alsinois* [1] », qu'il a dédié à la gloire de sa poésie et de sa peinture. Quant à l'historien Suétone, il n'a aimé du sien que la signification, et supprimant *Lenis* qui était le surnom de son père, il a laissé à *Tranquillus* [2] l'héritage de la réputation de ses œuvres. Qui croirait que le capitaine Bayard n'eût pas d'autre honneur que celui qu'il a emprunté aux hauts faits de « Pierre Terrail [3] » ? et qu'Antoine Escalin se laisse voler à sa vue tant de navigations et de missions sur mer et sur terre au profit du « capitaine Poulin » et du « Baron de la Garde [4] » ? En second lieu enfin, ce sont là des traits de plume communs à mille hommes ! Combien dans toutes les races y a-t-il de personnes de même nom et surnom ? Et dans diverses races, siècles et pays : combien ? L'histoire a connu trois Socrates, cinq Platons, huit Aristotes, sept Xénophons, vingt Démétrios, vingt Théodores, et songez donc un peu combien elle n'en a pas connu ! Qui empêche mon palefrenier de s'appeler Pompée Legrand ? Mais après tout, quels moyens, quels ressorts y a-t-il qui puissent attacher ce nom glorieux à mon palefrenier trépassé plutôt qu'à cet autre homme qui eut la tête tranchée en Égypte, et qui puissent les gratifier de ces traits de plume si honorés afin qu'ils en tirent avantage ?

La cendre et les mânes des morts, crois-tu qu'ils s'en soucient
Sous la tombe
Id cinerem et manes credis curare sepultos ? [5]

Que pensent donc les deux compagnons qui, pour la vaillance, tiennent le premier rang entre les hommes, Épaminondas, de ce vers glorieux qui court depuis tant de siècles en son honneur par nos bouches :

---

1. « Conte (*i.e comte*) d'Alsinois » est l'anagramme du poète manceau Nicolas Denisot. Il en signa ses œuvres. Il était fort lié à ceux de la « Pléiade ».
2. *Tranquillus* (« serein ») est en latin un quasi synonyme de *lenis* (doux).
3. Pierre du Terrail est le vrai nom de famille du chevalier Bayard.
4. Cet homme, qui signait R. Escalin, baron de la Garde, était aussi appelé « le capitaine Poulin ». On le connaît surtout par Brantôme (*Vie des grands capitaines français*, IV).
5. Virgile, *Énéide*, IV, 34.

Par mes plans j'ai réduit la gloire de Sparte en poussière
Consiliis nostris laus est attrita Laconum, [1]

et Scipion l'Africain, de cet autre :

Des rives du Levant jusqu'au Palus Maeotide,
Nul ne peut égaler ses faits d'armes aux miens
A sole exoriente, supra Mæotis paludes
Nemo est qui factis me æquiparare queat ? [2]

Les survivants sont chatouillés par la douceur de ces mots, et, comme ils sont par ceux-ci travaillés de jalousie et de désir, ils transmettent inconsidérément par leurs fantasmes [3] aux trépassés ce sentiment qui leur est propre, et, par une trompeuse espérance, ils se donnent à croire qu'ils seront capables de l'éprouver à leur tour. Dieu le sait !

Toutefois

Ce n'est que pour cela qu'on a vu
Que les chefs romains et grecs et barbares se levèrent,
Pour cela qu'à leurs périls et leurs travaux ils se livrèrent,
Tant de gloire on a soif bien plus que de vertu
ad hæc se
Romanus Graiusque et Barbarus induperator
Erexit, causas discriminis atque laboris
Inde habuit, tanto maior famæ sitis est quam
Virtutis ! [4]

1. D'après Cicéron, *Tusculanes*, V, XVIII, 49.
2. Vers d'Ennius cités par Cicéron, *Tusculanes*, V, XVII, 49.
3. « Chatouillés » : flattés, caressés, mais aussi, et par ces *caresses* mêmes, « excités ». Les pulsions du désir (refoulé) qui travaillent l'amour-propre font que l'esprit *projette* (« transmet ») ses *fantasmes* (« fantaisies ») désirants sur le sentiment qu'il attribue à ces deux grandes figures de la vaillance, et qu'il se persuade *inconsciemment* (« inconsidérément » me semble avoir quasi ce sens ici) qu'il serait à son tour capable d'éprouver lui aussi une ardeur de courage pareille à celle qu'eurent Épaminondas ou Scipion l'Africain. Ces ruses de l'amour-propre mises en relation avec les détournements et les leurres du *désir refoulé*, dont naissent justement tous nos *rêves*, me paraît une remarque finale singulièrement pénétrante sous la plume d'un homme qui ne disposait pas du vocabulaire métapsychologique que les modernes ont sous la main. Ce trait si fin et si profond se loge presque inaperçu à la fin de ce pot-pourri « satirique » (au sens propre, puisque *satura* en latin signifie pot-pourri) à propos de la vaine gloire que les hommes attachent à leur nom. Sous l'ironie du moraliste se découvre la profondeur du philosophe. Il faut toujours se défier de l'apparente facilité de la conversation si plaisante et si enjouée de notre Montaigne.
4. Juvénal, X, 137-141.

De l'incertitude de notre jugement

[Chapitre XLVII]

C'est bien ce que dit ce vers,

Ἐπέων δὲ πολὺς νόμος ἔνθα καὶ ἔνθα [1]

On a prou loisir de parler partout pour et contre.

Par exemple :

Hannibal a vaincu mais n'a su par après
Adroitement user de sa si belle fortune
Vince Hannibal, et non seppe usar' poi
Ben la vittoriosa sua ventura. [2]

Qui voudra être de ce parti et, avec nos gens, faire valoir la faute de n'avoir dernièrement poursuivi notre pointe à Moncontour [3], ou qui voudra blâmer le roi d'Espagne de n'avoir su se servir de l'avantage qu'il eut contre nous à Saint-Quentin, il pourra dire que cette faute part d'une âme enivrée de sa bonne fortune et d'un cœur qui, plein et gorgé de ce commencement de bonheur, perd le goût de l'accroître, déjà par trop empêché de digérer ce qu'il en a eu : il en a sa brassée toute comble ; il n'en peut saisir davantage, indigne que la fortune lui ait mis un tel bien entre les mains, car quel profit en tire-t-il, si malgré sa victoire il donne à son ennemi le moyen de se remettre sus ? Quelle espérance peut-on avoir qu'il ose, une autre fois, les attaquer quand ils se seront ralliés et remis et de nouveau armés de dépit et de vengeance, lui qui n'a osé ou su les poursuivre quand ils étaient tous rompus et effrayés :

Quand la fortune est chaude, quand l'effroi vient à bout de tout
Dum fortuna calet, dum conficit omnia terror ? [4]

---

1. Homère, *Iliade*, XX, 249.
2. Pétrarque, *Canzoniere*, CIII, 1-2.
3. On trouvera regroupées dans une note v page 1106 toutes les informations minimales d'ordre historique qu'on pourrait être curieux de se rappeler à l'occasion de ce chapitre.
4. Lucain, VII, 734.

Mais enfin que peut-il attendre de mieux que ce qu'il vient de perdre ? Ce n'est pas comme à l'escrime, où le nombre de touches donne le gain : tant que l'ennemi est sur pied, c'est à recommencer de plus belle. Ce n'est pas une victoire si elle ne met fin à la guerre. Lors de cette escarmouche où César eut du pire près de la ville d'Oricum, il disait aux soldats de Pompée en manière de critique qu'il eût été perdu si leur capitaine eût su vaincre, et, quand ce fut à son tour, il sut bien autrement lui faire chausser les éperons et piquer des deux !

Mais pourquoi ne dirait-on pas aussi bien le contraire ? Que c'est l'effet d'un esprit précipiteux et insatiable que de ne savoir mettre fin à sa convoitise ; que c'est abuser des faveurs de Dieu que de vouloir leur faire perdre la mesure qu'il leur a prescrite, et que de se rejeter au péril après la victoire, c'est la remettre encore un coup à la merci de la fortune ; que l'une des plus grandes sagesses dans l'art militaire, c'est de ne pousser jamais son ennemi au désespoir. Sylla et Marius ayant, au cours de la guerre sociale, défait les Marses, et voyant encore une troupe de survivants qui par désespoir revenaient se jeter sur eux comme des bêtes furieuses, furent d'avis de ne pas les attendre. Si l'ardeur de Monsieur de Foix ne l'eût emporté à poursuivre trop âprement les restes de la victoire de Ravenne, il ne l'eût pas souillée par sa mort. Encore que toutefois la récente mémoire de son exemple servit au moins à préserver Monsieur d'Enghien d'un pareil malheur à Cérisoles. Il est dangereux d'assaillir un homme à qui vous avez ôté tout autre moyen d'en réchapper que celui des armes, car c'est une violente maîtresse d'école que la nécessité, terribles sont les morsures de la nécessité quand on l'a irritée *grauissimi sunt morsus irritatæ necessitatis,* [1] oui,

> Sa défaite il vend cher qui marche à l'autre gorge nue
> *Vincitur haud gratis iugulo qui prouocat hostem !* [2]

Voilà pourquoi Pharax empêcha le roi de Lacédémone qui venait de gagner la journée contre les Mantinéens d'aller affronter un millier d'Argiens qui avaient réchappé entiers de la déconfiture, mais lui conseilla de les laisser couler en liberté, pour n'en venir pas à essayer ce que pouvait la vaillance piquée et dépitée par le malheur. Le roi d'Aquitaine Clodomir, après sa victoire, alors qu'il poursuivait Gondemard, le roi de Bourgogne, vaincu et en fuite, le força à tourner tête, mais son opiniâtreté lui ôta le fruit de sa victoire, car il y mourut.

Pareillement, à qui aurait à choisir, ou de tenir ses soldats richement et somptueusement armés, ou armés seulement pour la nécessité,

1. Porcius Latro, *Déclamations*, citées par Juste Lipse, *Politicorum libri*, VI, V, 18.
2. Lucain, IV, 275.

s'offrirait d'abord en faveur du premier parti, duquel était Sertorius, Philopoemen, Brutus, César, et d'autres, que c'est toujours un aiguillon d'honneur et de gloire pour le soldat que de se voir paré, et une occasion de se montrer plus obstiné au combat du fait qu'il a à sauver ses armes comme son bien et son héritage propres. Raison, dit Xénophon, pour laquelle les Asiatiques emmenaient dans leurs guerres femmes et concubines, avec leurs joyaux et leurs richesses les plus chères. Mais de l'autre côté il se présenterait aussi à son esprit qu'on doit plutôt ôter au soldat le soin de se conserver que celui de l'accroître ; qu'il craindra par ce moyen doublement à se hasarder, outre que c'est augmenter chez l'ennemi le désir de la victoire par l'espoir de ces riches dépouilles, et l'on a d'autres fois remarqué que cela encouragea merveilleusement les Romains, par exemple à l'encontre des Samnites. Antiochus montrant à Hannibal l'armée qu'il préparait contre eux, pompeuse et magnifique en toute sorte d'équipage, et lui demandant : « Les Romains se contenteront-ils de cette armée ? » Hannibal lui répondit : – « S'ils s'en contenteront ? Vraiment oui, si cupides qu'ils soient ! » Lycurgue défendait aux siens non seulement la somptuosité dans leur équipage, mais encore de dépouiller leurs ennemis vaincus, voulant, disait-il que la pauvreté et la frugalité luisent du même éclat que le reste de la bataille.

Lors des sièges et partout ailleurs où l'occasion nous rapproche de l'ennemi, nous donnons volontiers licence aux soldats de le braver, de le bafouer, et de l'injurier par toutes sortes d'invectives, et non sans apparence de raison. Car ce n'est pas faire peu que de leur ôter toute espérance de grâce et de composition en leur représentant qu'il n'y a plus de raison d'attendre cela de la part de celui qu'ils ont si fort outragé, et qu'il ne reste plus d'autre remède que celui de la victoire. Pourtant il en cuisit à Vitellius. Ce dernier en l'occurrence avait affaire à Othon, qui se trouvait plus faible par la valeur de ses soldats, car ils s'étaient de longue main désaccoutumés des engagements au combat et amollis dans les délices de la ville. Il finit toutefois par les agacer tant et si bien par ses paroles mordantes, en leur reprochant leur pusillanimité et le regret qu'ils avaient des dames et des fêtes qu'ils venaient de laisser à Rome, que par ce moyen il leur remit du cœur au ventre, ce que toutes les exhortations du monde n'avaient su faire, et il se les attira lui-même ainsi sur les bras, où rien n'avait pu les pousser. Et, de vrai, quand ce sont des injures qui touchent au vif, elles peuvent faire aisément que celui qui allait lâchement à la besogne pour la querelle de son roi y aille avec un tout autre zèle pour la sienne propre.

À considérer de combien d'importance est la préservation d'un chef dans une armée, et que la visée de l'ennemi regarde principalement cette tête à laquelle tiennent et dont dépendent toutes les autres, il semble qu'on ne puisse mettre en doute ce conseil que nous voyons avoir été pris par plusieurs grands chefs de se travestir et déguiser sur le point de la mêlée. Toutefois l'inconvénient qu'on encourt par ce moyen n'est pas moindre que celui qu'on pense fuir, car si le capitaine n'est plus reconnaissable par les siens, le courage qu'ils puisent dans son exemple et dans sa présence vient aussi du même coup à leur faillir, et, ne voyant plus ses marques et ses enseignes accoutumées, ils jugent, ou qu'il est mort, ou qu'il s'est dérobé, désespérant de l'affaire. Et quant à l'expérience, nous lui voyons favoriser tantôt l'un tantôt l'autre parti. L'accident de Pyrrhus dans la bataille qu'il livra contre le consul Levinus en Italie nous sert à l'un et l'autre visage, car pour s'être voulu cacher sous les armes de Démogadès, et lui avoir donné les siennes, il sauva bien sans doute sa vie, mais aussi il crut par ce fait encourir l'autre inconvénient qui était de perdre la bataille. Alexandre, César, Lucullus aimaient à se marquer au combat par des accoutrements et des armes riches, de couleur éclatante et particulière. Agis, Agésilaus, et le grand Gylipos au rebours, allaient à la guerre obscurément couverts, et sans les atours d'un général.

À la bataille de Pharsale, le reproche qu'on fait, entre autres, à Pompée, c'est d'avoir arrêté son armée le pied coi en attendant l'ennemi, « parce que cela (je déroberai ici les mots mêmes de Plutarque qui valent mieux que les miens) affaiblit la violence que la course donne aux premiers coups, et ôte en même temps l'élan des combattants les uns contre les autres, alors qu'à l'accoutumée cet élan les remplit plus qu'autre chose d'impétuosité et de fureur quand ils viennent à s'entrechoquer roidement, en augmentant leur courage par les clameurs et la course, et parce que cette position d'attente à l'arrêt rend la chaleur des soldats pour ainsi dire refroidie et figée. » Voilà ce qu'il dit pour ce parti-là. Mais si César eût perdu, qui n'eût pu dire aussi bien qu'au contraire l'assiette la plus forte et la plus roide est celle dans laquelle on se tient planté sans bouger, et que celui qui est arrêté dans sa marche afin de resserrer sa force sur elle-même et de l'épargner pour le besoin a pour lui l'avantage face à celui qui est ébranlé et a déjà épuisé à la course la moitié de son haleine ? Outre que, l'armée étant un corps composé de tant de pièces diverses, il est impossible qu'elle s'émeuve dans cette furie avec un mouvement si bien ajusté qu'elle n'en altère ou rompe son ordonnance, et que le plus dispos ne soit aux prises avant que son compagnon ne le secoure. Dans cette vile bataille [1] des deux frères perses, Cyrus et Artaxerxès,

1. Bataille de Counaxa, en Babylonie, en 401 av. J.-C.

Cléarque, le Lacédémonien qui commandait les Grecs du parti de Cyrus, les mena tout doux à la charge, sans se hâter, mais quand il fut à cinquante pas, il les mit à la course, espérant que la brièveté de la distance ménagerait à la fois leur ordre et leur haleine, tout en leur donnant cependant l'avantage de l'impétuosité, tant pour leurs personnes que pour leurs armes de trait. D'autres chefs ont réglé ce doute dans leur armée de cette manière : si les ennemis vous courent sus, attendez-les de pied coi ; s'ils vous attendent de pied coi, courez-leur sus.

Lorsque l'empereur Charles Quint envahit la Provence, le roi François fut à même de choisir, ou de marcher à ses devants en Italie, ou de l'attendre sur ses terres. Et bien qu'il considérât combien il y a d'avantage à conserver sa maison pure et préservée des troubles de la guerre afin que, entière en ses forces, elle puisse continuer de fournir deniers et secours au besoin ; que les guerres comportent nécessairement de faire à tous les coups des dégâts, ce qui ne se peut faire de gaîté de cœur sur nos biens propres ; qu'en outre le paysan ne supporte pas aussi doucement le ravage de ceux de son parti que celui de l'ennemi, de sorte qu'il s'en peut aisément allumer des séditions et des troubles parmi les nôtres ; que la licence de dérober et de piller qui ne peut être permise en son propre pays réconforte le soldat des travaux de la guerre ; que celui qui n'a autre espérance de gain que sa solde, il est mal aisé qu'il soit tenu dans son devoir quand il est à deux pas de sa femme et de sa retraite ; que celui qui met la nappe fait toujours des dépenses ; qu'il y a plus d'allégresse à assaillir qu'à défendre ; et que la secousse de la perte d'une bataille dans nos entrailles est si violente qu'il est malaisé qu'elle ne fasse s'écrouler tout le corps, attendu qu'il n'est passion aussi contagieuse que la peur, ni qui se prenne si aisément à crédit, et qui s'épande plus brusquement ; et que les villes qui auront ouï l'éclat de cette tempête à leurs portes, qui auront recueilli leurs capitaines et leurs soldats encore tremblants et hors d'haleine, il est dangereux, sur la chaude, qu'ils ne se jettent à quelque mauvais parti : eh bien ! dis-je, malgré toutes ces bonnes raisons, le roi François choisit de rappeler les forces qu'il avait delà les monts et de voir venir l'ennemi. Car il put imaginer au contraire qu'étant chez lui et entre ses amis il ne pouvait faillir d'être pourvu de toutes les commodités : les rivières, les passages à sa dévotion lui conduiraient vivres et deniers en toute sûreté et sans besoin d'escorte ; il aurait ses sujets d'autant plus affectionnés qu'ils auraient le danger plus près ; en ayant tant de villes et de barrières pour sa sûreté, ce serait à lui de dicter sa loi au combat selon son opportunité et à son avantage ; et, à l'abri et à son aise s'il lui plaisait de temporiser, il pourrait voir son ennemi se morfondre et se défaire lui-même sous les difficultés qui l'assailliraient une fois qu'il serait engagé sur une terre hostile où il n'aurait devant ni derrière lui, ni à côté, rien qui ne lui fît guerre, nul moyen de rafraîchir ou d'élargir son armée si les maladies s'y mettaient, ni de loger à couvert ses blessés, nuls deniers, nuls vivres qu'à la pointe des lances, nul loisir de se reposer et de reprendre haleine, nulle science des lieux ni du pays qui sût le défendre des embûches et des surprises, et, s'il venait à perdre une bataille, aucun moyen d'en sauver les reliques. Et il n'avait pas faute d'exemples pour l'un et pour l'autre parti. Scipion trouva bien meilleur d'aller assaillir les terres de son ennemi en Afrique que de défendre les siennes et de le combattre en Italie où il était, d'où bien lui prit. Mais au rebours Hannibal dans cette même guerre [1] se ruina pour avoir abandonné la conquête d'un pays étranger afin de retourner défendre le sien. Les Athéniens qui laissèrent l'ennemi sur leurs terres pour passer en Sicile, eurent la fortune contre eux. Mais Agathoclès, le roi de Syracuse, l'eut favorable quand il passa en Afrique en laissant la guerre chez lui. Ainsi nous avons bien accoutumé de dire avec raison que les événements et les issues dépendent, notamment à la guerre, pour la plupart, de la fortune, laquelle ne veut pas se ranger et s'assujettir à notre discours et à notre prudence, comme le disent ces vers :

De mauvais projets sont heureux ; la prudence nous joue ;
La fortune n'applaudit ni ne suit les bons partis ;
Vagabonde, elle va sans choix se porter parmi tous :
C'est qu'un principe plus haut bien sûr nous pousse et régit
Et conduit les mortels selon ses propres lois

Et male consultis pretium est, prudentia fallax,
Nec fortuna probat causas sequiturque merentes :
Sed uaga per cunctos nullo discrimine fertur :
Scilicet est aliud quod nos cogatque regatque
Maius, et in proprias ducat mortalia leges. [2]

Mais, à le bien prendre, il semble que nos conseils et nos délibérations en dépendent bien autant, et que la fortune engage aussi nos discours dans son trouble et son incertitude. Nous raisonnons hasardeusement et témérairement, dit Timée [3] chez Platon, parce que, comme nous, nos discours participent beaucoup de la témérité du hasard.

1. La deuxième guerre punique.
2. Manilius, IV, 95-99.
3. Dans le *Timée*.

Des destriers [w]

[Chapitre XLVIII]

Me voici devenu grammairien, moi qui n'appris jamais langue que par routine, et qui ne sais encore ce que c'est qu'adjectif, subjonctif, et ablatif ! Il me semble avoir ouï dire que les Romains avaient des chevaux qu'ils appelaient *funales* ou *dextrarios*, qui se menaient « à dextre », ou se prenaient aux relais pour les avoir tout frais au besoin, et de là vient que nous appelons *destriers* les chevaux de service [1]. Et nos romans disent ordinairement *adestrer* pour *accompagner*. Ils appelaient aussi *desultorios equos* [2] des chevaux qui étaient dressés de façon que, courant de toute leur roideur, accouplés côte à côte l'un de l'autre, sans bride, sans selle, les gentilshommes romains, même tout armés, se jetaient et rejetaient de l'un à l'autre en pleine course. Les hommes d'armes numides menaient en main un second cheval pour changer au plus chaud de la mêlée, eux qui avaient coutume, à la mode de nos écuyers, d'emmener une paire de chevaux pour se jeter souvent au plus chaud du combat de la monture recrue sur la fraîche, tant est grande leur célérité, tant docile la race de leurs chevaux *quibus, desultorum in modum, binos trahentibus equos inter acerrimam sæpe pugnam in recentem equum ex fesso armatis transsultare mos erat, tanta uelocitas ipsis, tamque docile equorum genus !* [3] Il se trouve plusieurs chevaux dressés à secourir leur maître, à courir sus à qui leur présente une épée nue, à se jeter des pieds et des dents sur ceux qui les attaquent et les affrontent. Mais il leur advient plus souvent de nuire aux amis qu'aux ennemis. Joint que vous ne les déprenez pas à votre guise quand ils se sont une fois engagés, et que vous demeurez à la merci de leur combat. Bien mal en prit à Artibie, général de l'armée de Perse, tandis qu'il combattait homme à homme contre Onésile, le roi de Salamine, d'être monté sur un cheval façonné à cette école, car il

---

1. Jadis, au Moyen Âge, les chevaliers menaient à main droite leur cheval de combat, le « destrier », tandis qu'ils chevauchaient sur un cheval de marche, le palefroi. Le mot « *dextrarios* » est propre au latin médiéval. « *Funales* » signifie « chevaux de volée », qui galopaient en flèche d'un attelage sans être attelés au timon.

2. *Desultorios equos* : chevaux de voltige.

3. Tite-Live, XXIII, XXIX, 5.

fut cause de sa mort, l'écuyer d'Onésile l'ayant cueilli avec une faux entre les deux épaules au moment où il s'était cabré contre son maître. Quant à ce que les Italiens disent qu'à la bataille de Fornoue le cheval du roi Charles, en ruant et en bottant, se libéra des ennemis qui le pressaient, et qu'il était perdu sans cela, ce fut un grand coup de hasard, si la chose est vraie. Les Mameluks se vantent d'avoir les chevaux les plus adroits de tous les hommes d'armes au monde. Que, par nature et par coutume, ils sont faits à connaître et distinguer l'ennemi, et sur qui il faut qu'ils se ruent de dents et de pieds selon la voix ou signe qu'on leur fait. Et pareillement à ramasser à la bouche les lances et les dards au milieu de la place et à les offrir au maître, selon qu'il le commande.

On dit de César, et aussi du grand Pompée, que parmi leurs autres excellentes qualités ils étaient fort bons cavaliers, et de César qu'en sa jeunesse, monté à cru sur un cheval, et sans bride, il lui faisait prendre carrière en gardant les mains dans le dos. De même que Nature a voulu faire de ce personnage, et d'Alexandre, deux miracles dans l'art militaire, vous diriez qu'elle s'est aussi efforcée de les armer extraordinairement, car chacun sait du cheval d'Alexandre, Bucéphale, qu'il avait la tête « semblable à celle d'un taureau », qu'il ne se souffrait pas d'être monté par un autre que son maître, qu'il ne put être dressé que par lui-même, qu'il fut honoré après sa mort et qu'une ville fut même élevée en son nom. César en avait aussi un autre qui avait les pieds de devant comme un homme, ayant l'ongle coupé en forme de doigts, lequel ne put être monté ni dressé que par César, qui dédia à la déesse Vénus la statue qu'il en fit faire après sa mort.

Je ne démonte pas volontiers quand je suis à cheval, car c'est l'assiette dans laquelle je me trouve le mieux que je sois bien portant ou malade. Platon la recommande pour la santé ; Pline dit aussi qu'elle est salutaire à l'estomac et aux jointures. Poursuivons donc, puisque nous y sommes.

On lit dans Xénophon la loi de Cyrus qui défendait de voyager à pied à tout homme qui posséderait un cheval. Trogue-Pompée et Justin disent que les Parthes avaient accoutumé de faire à cheval non seulement la guerre, mais aussi toutes leurs affaires publiques et privées : marchander, parlementer, s'entretenir et se promener, et que parmi eux la plus notable différence entre les hommes libres et les serfs, c'est que les uns vont à cheval, les autres à pied : institution née du roi Cyrus. Il y a plusieurs exemples dans l'histoire romaine (et Suétone le remarque plus particulièrement de César) des capitaines qui commandaient à leurs gens de cheval de mettre pied à terre quand ils se trouvaient pressés dans une occasion, pour ôter aux soldats toute espérance de fuite, et pour l'avantage qu'ils espéraient de cette sorte de combat, *quo haud dubie superat Romanus* [1], dit Tite Live : où sans nul doute excelle le Romain. Toujours est-il que la première prudence dont ils se servaient pour brider la rébellion des peuples nouvellement conquis, c'était de leur ôter armes et chevaux. Aussi voyons-nous si souvent dans César : *arma proferri, iumenta produci, obsides dari iubet* [2] il ordonne qu'on leur ôte leurs armes, qu'on emmène leurs chevaux, qu'on exige des otages. Le grand Turc ne permet aujourd'hui ni à Chrétien ni à Juif d'avoir cheval à soi sous son empire.

Nos ancêtres, et notamment du temps de la guerre des Anglais, dans les combats solennels et les batailles rangées, se mettaient la plupart du temps tous à pied, parce qu'ils ne se fiaient à rien d'autre qu'à leur force propre et à la vigueur de leur cœur et de leurs membres s'agissant d'une chose aussi chère que l'honneur et la vie. Quoi qu'en dise Chrysantas chez Xénophon, vous engagez votre valeur et votre fortune avec celle de votre cheval : ses plaies et sa mort tirent la vôtre en conséquence ; son effroi ou sa fougue vous rendent ou téméraire ou lâche ; s'il a faute de bouche ou d'éperon, c'est à votre honneur à en répondre. C'est pour cela que je ne trouve pas étrange que ces combats-là fussent plus fermes et plus furieux que ceux qui se font à cheval,

ils reculaient mêmement, et mêmement se ruaient,
Vainqueurs ou vaincus, ceux-ci ne sachant fuir, ni ceux-là
cedebant pariter, pariterque ruebant
Victores victique, neque his fuga nota, neque illis. [3]

Leurs batailles, on le voit, sont bien mieux disputées ; à cette heure, ce ne sont que déroutes : les premières clameurs, le premier assaut décident du combat *primus clamor atque impetus rem decernit* [4]. Et toute chose que nous appelons à nous accompagner dans un si grand hasard doit être en notre puissance le plus qu'il se peut. De même, je conseillerais de choisir les armes les plus courtes, et celles dont nous nous pouvons le mieux répondre. Il est bien plus apparent de s'assurer d'une épée que nous tenons au poing que du boulet qui s'échappe de notre pistole, en laquelle il y a plusieurs pièces, la poudre, la pierre, le rouet, dont la moindre qui vienne à faillir vous fera faillir votre fortune. On assène peu sûrement le coup que l'air vous conduit,

1. Tite-Live, IX, XXII, 10.
2. César, *Guerre des Gaules,* VII, 11.
3. Virgile, *Énéide*, X, 756-757.
4. Tite-Live, XXV, XLI, 6.

Et l'on laisse aux vents à conduire les coups à leur gré :
L'épée est forte, et ce qu'au monde il est de gens de guerre
Se bat avec le glaive

Et quo ferre uelint permittere uulnera uentis :
Ensis habet uires, et gens quæcumque uirorum est
Bella gerit gladiis. [1]

Mais quant à cette arme-là, j'en parlerai plus amplement quand je comparerai les armes anciennes aux nôtres, et, sauf l'assourdissement des oreilles, à quoi désormais chacun est apprivoisé, je crois que c'est une arme de fort peu d'effet, et j'espère que nous en quitterons un jour l'usage. Celle dont les Italiens se servaient d'arme de jet et à feu était plus effroyable. Ils nommaient *phalarica* une certaine espèce de javeline armée par le bout d'un fer de trois pieds afin qu'il pût percer d'outre en outre un homme armé, et qui se lançait tantôt de la main quand on se battait en campagne, tantôt avec des engins pour défendre les places assiégées. La hampe, revêtue d'étoupe trempée dans la poix et huilée, s'enflammait dans sa course et, se fichant dans le corps ou le bouclier, ôtait tout usage des armes et des membres. Toutefois il me semble que, quand on en venait au corps à corps, elle empêchait l'assaillant, et que le champ jonché de ces tronçons brûlants produisait dans la mêlée une commune incommodité :

avec un bruit strident, la phalarique projetée
Tombe comme la foudre

magnum stridens contorta phalarica uenit
Fulminis acta modo. [2]

Ils avaient d'autres moyens à quoi l'usage les dressait et qui nous semblent incroyables du fait de notre inexpérience par où ils suppléaient au défaut de notre poudre et de nos boulets. Ils dardaient leurs pilums avec une telle roideur que souvent ils en enfilaient deux boucliers et deux hommes armés et les cousaient. Les coups de leurs frondes n'étaient pas moins certains et lointains, s'entraînant à lancer au large des galets ronds, habitués à les faire de fort loin passer au travers de couronnes de faible diamètre, ils atteignaient l'ennemi non seulement à la tête mais au point précis qu'ils avaient visé *saxis globosis funda mare apertum incessentes, coronas modici circuli magno ex interuallo loci assueti traiicere, non capita modo hostium uulnerabant, sed quem locum destinassent.* [3] Leurs pièces de batterie, tout comme elles produisaient l'effet des nôtres, en faisaient aussi le tintamarre : au fracas terrible des coups portés aux remparts, la peur et les

1. Lucain, VIII, 384-386.
2. Virgile, *Énéide*, IX, 705-706.
3. Tite-Live, XXXVIII, XXIX, 4. Texte modifié par Montaigne.

tremblements les saisirent *ad ictus moenium cum terribili sonitu editos, pauor et trepidatio cepit* [1]. Les Gaulois nos cousins en Asie haïssaient ces armes traîtresses et volantes, faits à combattre main à main avec plus de courage : ils ne s'émeuvent pas tant des blessures ouvertes ; quand la plaie est plus large que profonde, ils estiment même qu'ils combattent de façon plus glorieuse. Mais quand la pointe d'une flèche ou la balle d'une fronde entrée en eux les brûle d'une blessure petite à voir, alors s'abandonnant à la rage ou à la honte de se voir touchés par un si minuscule péril, ils se roulent à terre *non tam patentibus plagis mouentur ; ubi latior quam altior plaga est etiam gloriosius se pugnare putant ; idem, cum aculeus sagittæ aut glandis abditæ introrsus tenui uulnere in speciem urit, tum in rabiem et pudorem tam paruæ perimentis pestis uersi, prosternunt corpora humi* [2] : peinture bien voisine d'une arquebusade !

Les Dix mille Grecs, dans leur longue et fameuse retraite, rencontrèrent une nation qui les endommagea merveilleusement à coups d'arcs grands et forts et avec des flèches si longues qu'à les reprendre à la main on les pouvait rejeter à la façon d'un javelot, et qu'elles perçaient de part en part un bouclier et un homme armé. Les engins que Denys inventa à Syracuse pour tirer de lourds traits massifs et des pierres d'une horrible grosseur, avec une si longue volée et une telle impétuosité, ressemblaient de bien près à nos inventions.

Encore ne faut-il pas oublier la plaisante assiette qu'avait sur sa mule certain maître Pierre Pol, docteur en théologie, dont Monstrelet raconte qu'il avait accoutumé de se promener par la ville de Paris assis de côté comme les femmes. Il dit aussi ailleurs que les Gascons avaient des chevaux terribles, accoutumés à virer en courant, dont les Français, Picards, Flamands, et Brabançons, faisaient grand prodige, parce qu'ils n'avaient pas coutume de les voir, ce sont ses mots. César parlant des Suèves : Dans les rencontres qui se font à cheval, dit-il, ils se jettent souvent à terre pour combattre à pied, ayant accoutumé leurs chevaux à ne bouger de place pendant ce temps, auxquels ils recourent promptement s'il en est besoin. Et, selon leur coutume, il n'est rien de si vil et de si lâche que d'user de selles et de bardelles, et ils méprisent ceux qui en usent, de sorte que, même fort peu en nombre, ils ne craignent pas d'en assaillir plusieurs.

Je me suis autrefois étonné de voir un cheval dressé à se manier à toutes mains avec une baguette, la bride avalée sur les oreilles : cet usage était ordinaire aux Massyliens qui se servaient de leurs chevaux sans selle et sans bride :

Une race monte à cru, celle des Massyliens :
Ils dirigent à la baguette, et sans passer de freins

1. Tite-Live, XXXVIII, V, 3-4.
2. Tite-Live, XXXVIII, XXI, 10-11.

Et gens quæ nudo residens Massilia dorso,
Ora leui flectit, frænorum nescia, uirga, [1]

Les Numides aussi montent sans mors
Et Numidæ infræni cingunt, [2]

Leurs chevaux vont sans frein, l'allure inélégante, le cou raide, la tête en avant comme en course
equi sine frenis, deformis ipse cursus, rigida ceruice et extento capite currentium. [3]

Le roi Alphonse XI, celui qui fonda en Espagne l'ordre des chevaliers de la Bande, ou de l'Écharpe, leur donna, entre autres règles, de ne monter ni mule ni mulet, sous peine d'un marc d'argent d'amende, comme je viens de l'apprendre dans les lettres de Guevara, sur lesquelles ceux qui les ont appelées *dorées* portaient un jugement bien autre que celui que j'en fais.

Le *Courtisan* de Castiglione dit qu'avant son temps il était blâmable pour un gentilhomme d'en chevaucher. Les Abyssins, au rebours, à mesure qu'ils sont plus proches du Prêtre Jean, leur prince, affectent, pour la dignité et pour la pompe, de monter de grandes mules. Xénophon raconte que les Assyriens tenaient toujours leurs chevaux entravés au campement, tant ils étaient fâcheux et farouches. Et qu'il fallait tant de temps pour les détacher et les harnacher que, pour que ce délai ne leur portât point tort s'ils venaient à être surpris en désordre par les ennemis, ils ne logeaient jamais dans un camp qui ne fût fossoyé et remparé. Son Cyrus, si grand maître en fait de cavalerie, faisait venir les chevaux à sa table et ne leur faisait bailler à manger qu'ils ne l'eussent gagné par la sueur de quelque exercice. Les Scythes, quand la nécessité les pressait en temps de guerre, soutiraient du sang de leurs chevaux et s'en abreuvaient et nourrissaient :

Puis vient le Sarmate nourri du sang de son cheval
Venit et epoto Sarmata pastus equo. [4]

Ceux de Crête, assiégés par Metellus, se trouvèrent dans une telle disette de tout autre breuvage qu'ils eurent à se servir de l'urine de leurs chevaux.

Pour prouver combien les armées turques sont conduites et tenues à meilleur compte que les nôtres, ils disent qu'outre que les soldats ne boivent que de l'eau et ne mangent que du riz et de la chair salée mise

1. Lucain, IV, 682-683.
2. Virgile, *Énéide*, IV, 41.
2. Tite-Live, XXXV, XI, 1.
4. Martial, *De spectaculis,* III, 4.

en poudre, dont chacun porte aisément sur soi provision pour un mois, ils savent aussi vivre du sang de leurs chevaux, comme les Tartares et Moscovites, et qu'ils le salent.

Ces nouveaux peuples des Indes, quand les Espagnols y arrivèrent, jugèrent tant des hommes que des chevaux que ce fussent ou des dieux, ou des animaux d'une noblesse au-dessus de leur nature. D'aucuns, après avoir été vaincus, lorsqu'ils venaient demander paix et pardon aux hommes en leur apportant de l'or et des viandes, ne faillirent point d'en aller offrir autant aux chevaux, avec une toute pareille harangue à celle tenue aux hommes, prenant leur hennissement pour un langage de composition et de trêve. Aux Indes de deçà, le premier honneur, tout royal, était autrefois de chevaucher un éléphant ; le second, d'aller en coche traîné à quatre chevaux ; le troisième, de monter un chameau ; le dernier et le plus vil degré, c'était d'être porté ou charrié par un cheval seul. Quelqu'un de notre temps écrit avoir vu sous ces climats-là des pays où l'on chevauche les bœufs avec des bâts, des étriers et des brides, et s'être bien trouvé de ces montures.

Quintus Fabius Maximus Rutilianus, contre les Samnites, voyant que ses gens de cheval en trois ou quatre charges avaient failli à enfoncer le corps de bataille des ennemis, prit la résolution qu'ils débridassent leurs chevaux et piquassent à toute force des éperons, si bien que rien ne les pouvant plus arrêter, au travers des armes et des hommes renversés ils ouvrirent le pas à leurs gens de pied, qui parfirent une très sanglante défaite. Autant en ordonna Quintus Fulvius Flaccus contre les Celtibériens : « vous aurez plus de puissance en lançant sur l'ennemi vos chevaux libérés de leurs freins ; les annales louent les cavaliers romains de l'avoir souvent fait à leur avantage. » Et, délivrés du mors, ils firent en effet un grand carnage, passant et repassant à travers l'ennemi, dont ils avaient brisé toutes les lances *id cum maiore ui equorum facietis, si effrenatos in hostes equos immittitis, quod sæpe Romanos equites cum laude fecisse sua, memoriæ proditum est. Detractisque frenis bis ultro citroque cum magna strage hostium, infractis omnibus hastis, transcurrerunt.* [1]

Le duc de Moscovie devait anciennement cette révérence aux Tartares quand ils envoyaient vers lui des ambassadeurs d'aller à pied à leurs devants en leur présentant un gobelet de lait de jument, breuvage dont ils font leurs délices, et si, tandis qu'ils buvaient, quelque goutte en tombait sur le crin de leurs chevaux, il était tenu de la lécher avec la langue. En Russie, l'armée que l'empereur Bajazet y avait envoyée, fut accablée par un si horrible ravage de neiges que,

1. Tite-Live, XL, XL.

pour s'en mettre à couvert et se sauver du froid, plusieurs s'avisèrent de tuer et d'éventrer leurs chevaux pour se jeter dedans et jouir de cette chaleur vitale. Bajazet après cette âpre rencontre où il fut mis en pièces par Tamerlan, l'aurait échappé belle sur une jument arabe s'il n'eût été contraint de la laisser boire son saoul au passage d'un ruisseau, ce qui la rendit si flasque et refroidie qu'il fut bien aisément après rejoint par ceux qui le poursuivaient. On dit bien qu'on les amollit en les laissant pisser, mais le boire, j'eusse plutôt estimé qu'il l'eût renforcée.

Crésus, passant le long de la ville de Sardes, y trouva des pâtis où il y avait grande quantité de serpents que les chevaux de son armée mangeaient de bon appétit, ce qui fut un mauvais présage pour ses affaires, dit Hérodote.

Nous appelons entier un cheval qui a crins et oreilles, et les autres ne sont point mis à la montre. Les Lacédémoniens, après avoir défait les Athéniens en Sicile [1], au retour de leur victoire entrèrent en grande pompe dans la ville de Syracuse. Entre autres bravades, ils firent tondre les chevaux vaincus et les menèrent ainsi en triomphe. Alexandre combattit une nation Dahas : ils allaient deux à deux armés à cheval à la guerre, mais dans la mêlée l'un d'eux descendait à terre, et ils combattaient tantôt à pied, tantôt à cheval, l'un après l'autre.

Je ne crois point qu'en adresse et en grâce à cheval nulle nation l'emporte sur nous. « Bon homme de cheval », selon l'usage de notre parler, semble plus regarder au courage qu'à l'adresse. Le plus savant, le plus sûr, le plus habile à mener un cheval à raison que j'aie connu fut selon moi monsieur de Carnavalet, qui servait comme écuyer notre roi Henri second. J'ai vu un homme courir sur la carrière, les deux pieds sur la selle, démonter sa selle, et au tour suivant la rattraper, la réinstaller et s'y rasseoir en galopant toujours à bride abattue. Passer sur un bonnet sur lequel il tirait par-derrière de bons coups de son arc. Ramasser ce qu'il voulait, en se jetant d'un pied à terre, gardant l'autre à l'étrier, et autres pareilles singeries, dont il vivait. On a vu de mon temps à Constantinople deux hommes sur un cheval, qui au plus fort de sa course, se jetaient tour à tour à terre et sur la selle. Et un qui, seulement avec les dents, bridait et harnachait son cheval. Un autre qui, entre deux chevaux, un pied sur une selle, l'autre sur l'autre, en portant un second homme sur les bras, piquait à toute bride, ce second juché tout debout sur lui, tirant pendant la course des coups très assurés avec son arc. Plusieurs qui, les jambes contremont, don-

1. Après leur victoire de 415 sur Nicias, qui commandait l'expédition athénienne.

naient carrière, la tête plantée sur leurs selles entre les pointes des cimeterres attachés au harnais. Dans mon enfance, le prince de Sulmone, à Naples, tandis qu'il maniait un rude cheval dans toute sorte de maniements, retenait sous ses genoux et sous ses orteils des pièces de monnaies, comme si elles y eussent été clouées, pour montrer la fermeté de son assiette.

Des coutumes anciennes[x]

[Chapitre XLIX]

J'excuserais volontiers chez notre peuple qu'il n'ait d'autre patron ni d'autre règle de perfection que ses propres mœurs et usages, car c'est un vice commun, non du vulgaire seulement, mais quasi de tous hommes, que d'avoir leur vue arrêtée sur le train dans lequel ils sont nés. Je veux bien, quand il verra Fabricius ou Lelius, qu'il leur trouve une allure et un port barbares, puisqu'ils ne sont ni vêtus ni façonnés à notre mode. Mais je me plains de son défaut particulier à se laisser si fort piper et aveugler par l'autorité de l'usage présent qu'il soit capable de changer d'opinion et d'avis tous les mois, s'il plaît à la mode, et que, de lui-même, il juge de façon aussi versatile. Quand il portait le busc de son pourpoint entre les mamelles, il soutenait par de vives raisons qu'il était à sa vraie place : quelques années après, le voilà ravalé jusqu'entre les cuisses, et il se moque de son autre usage, le trouve inepte et insupportable ! La façon présente de se vêtir lui fait sur-le-champ condamner l'ancienne avec une résolution si forte et un consentement si universel que vous diriez que c'est quelque espèce de manie qui lui tourneboule ainsi l'entendement. Parce que notre changement est en cela si subit et si prompt que l'invention de tous les tailleurs du monde ne saurait fournir assez de nouvelletés, force est que bien souvent les formes méprisées reviennent en crédit, et que celles-là mêmes tombent en mépris tantôt après, et que le jugement d'un même homme adopte en l'espace de quinze ou vingt ans deux ou trois opinions non diverses seulement, mais contraires, avec une inconstance et une légèreté incroyables. Il n'y a si fin parmi nous qui ne se laisse embabouiner par ces contradictions, et éblouir les yeux tant internes qu'externes, insensiblement. Je veux ici entasser certaines façons anciennes que j'ai en mémoire, les unes semblables aux nôtres, les autres différentes, afin qu'ayant dans l'imagination cette continuelle variation des choses humaines, nous en ayons le jugement plus éclairci et plus ferme.

Ce que nous appelons combat de cape et d'épée était encore en usage chez les Romains, dit César : ils enroulent leur manteau sur le bras gauche et dégainent l'épée *sinistris sagos inuoluunt, gladiosque distringunt* [1]. Et il remarque dès alors dans notre nation ce vice qui y est encore d'arrêter les passants que nous rencontrons en chemin, de les forcer à nous dire qui ils sont, et de recevoir comme une injure et une occasion de querelle s'ils refusent de nous répondre.

Aux bains que les anciens prenaient tous les jours avant le repas, et ils les prenaient aussi ordinairement que nous faisons de l'eau pour nous laver les mains, ils ne se lavaient au début que les bras et les jambes, mais par la suite, et selon une coutume qui a duré plusieurs siècles et dans la plupart des nations du monde, ils se lavaient tout nus avec de l'eau mêlée de parfum, de sorte qu'ils tenaient pour un témoignage de grande rusticité de se laver avec de l'eau simple. Les plus affétés et les plus délicats se parfumaient tout le corps bien trois ou quatre fois par jour. Ils se faisaient souvent épiler tout le poil, comme les femmes françaises en ont pris depuis quelque temps l'habitude de le faire à leur front :

Tu t'épiles la poitrine, et les cuisses, et les bras
Quod pectus quod crura tibi quod brachia uellis. [2]

quoiqu'ils eussent des onguents propres à cela :

Elle luit de cire, ou se cache en la poudre de craie
Psilotro nitet, aut arida latet abdita creta. [3]

Ils aimaient à se coucher mollement, et allèguent pour preuve d'endurance de coucher sur un matelas. Ils mangeaient couchés sur des lits, à peu près dans la même assiette que les Turcs de notre temps :

Lors, du haut de son lit, le père Enée commence ainsi
Inde thoro pater Aeneas sic orsus ab alto. [4]

Et l'on dit du jeune Caton qu'à la suite de la bataille de Pharsale, comme il portait le deuil du mauvais état des affaires publiques, il ne

1. César, *Guerre civile*, I, 75.
2. Martial, II, LXII, 1.
3. Martial, VI, XCIII, 9.
4. Virgile, *Énéide*, II, 2.

mangea plus qu'assis, pour adopter un train de vie austère. Les Anciens baisaient les mains aux grands pour les honorer et les flatter. Et, entre amis, ils s'entrebaisaient en se saluant, comme le font les Vénitiens :

Je te dirai bravo, te donnant baisers et mots doux
Gratatusque darem cum dulcibus oscula uerbis. [1]

Et ils touchaient les genoux pour requérir et saluer un grand. Le philosophe Pasiclès, frère de Cratès, au lieu de porter la main au genou, la porta aux génitoires. Celui à qui il s'adressait l'ayant rudement repoussé : « Comment, lui dit-il, cette partie n'est-elle pas vôtre aussi bien que l'autre ? » Ils mangeaient comme nous le fruit à l'issue de la table. Ils se torchaient le cul – il faut laisser aux femmes cette vaine superstition des mots – avec une éponge, voilà pourquoi *spongia* est un mot obscène en latin, et cette éponge était attachée au bout d'un bâton, comme en témoigne l'histoire de celui qu'on menait pour être offert aux bêtes devant le peuple qui demanda congé pour aller à ses affaires, et qui, n'ayant d'autre moyen de se tuer, se fourra ce bâton et son éponge dans le gosier et s'en étouffa. Ils s'essuyaient le membre avec de la laine parfumée quand ils avaient fait :

Toi, pas touche, que tu n'aies frotté ta queue à la laine
At tibi nil faciam, sed lauta mentula lana. [2]

Il y avait dans les carrefours à Rome des vaisseaux et des demi-cuves pour permettre aux passants d'y pisser :

L'enfant, près du bassin ou du demi-douil, en sa couche,
Prisonnier du sommeil, croit qu'on ôte ses vêtements
Pusi sæpe lacum propter, se ac dolia curta
Sommo deuincti credunt extollere uestem. [3]

Ils faisaient collation entre les repas. Et il y avait en été des vendeurs de neige pour rafraîchir le vin ; certains se servaient de neige même en hiver, ne trouvant pas que leur vin fût alors encore assez frais. Les grands avaient leurs échansons, leurs écuyers tranchants et leurs fous pour leur donner du plaisir. On leur servait en hiver la viande sur des foyers que l'on apportait sur la table, et ils avaient des cuisines portatives, comme j'en ai vu, dans lesquelles on traînait tout leur service après eux :

1. Ovide, *Pontiques*, IV, IX, 13.
2. Martial, XI, LVIII, 11.
3. Lucrèce, IV, 1026-1027.

Gardez vos plats, ô vous, les bien lavés :
Très peu pour moi vos repas qu'on promène

Has uobis epulas habete lauti :
Nos offendimur ambulante cena ! [1]

Et en été ils faisaient souvent dans leurs salles basses couler de l'eau fraîche et claire dans des canaux au-dessous d'eux, où il y avait force poissons vivants que les assistants choisissaient et prenaient à la main pour les faire apprêter, chacun à son gré. Le poisson a toujours eu ce privilège, comme il l'a du reste encore, que les grands se mêlent de le savoir apprêter, aussi le goût en est-il bien plus exquis que de la chair carnée, du moins pour moi. Mais en toute sorte de magnificence, de débauche et d'inventions voluptueuses, de mollesses et de somptuosités, nous faisons à la vérité ce que nous pouvons pour les égaler, car notre volonté est bien aussi gâtée que la leur, mais notre habileté n'y peut arriver : nos forces ne sont pas plus capables de les rejoindre dans ces vicieuses qualités-là que dans les vertueuses, car les unes et les autres partent d'une vigueur d'esprit qui était sans comparaison plus grande en eux qu'en nous. Et les âmes, à mesure qu'elles sont moins fortes, ont d'autant moins de moyen de faire ni fort bien ni fort mal. Le haut bout de la table chez eux, c'était le milieu. Quand ils écrivaient ou parlaient, l'avant et l'après n'avaient aucune signification d'honneur, comme on le voit à l'évidence dans leurs écrits : ils diront *Oppius et Cæsar* aussi volontiers que *Cæsar et Oppius,* et ils diront indifféremment *moi et toi* aussi bien que *toi et moi.* Voilà pourquoi j'ai autrefois remarqué dans la *Vie de Flaminius* de notre Plutarque en français un endroit où il semble que l'auteur, en parlant de la rivalité d'honneur qu'il y avait entre les Étoliens et les Romains pour le gain d'une bataille qu'ils avaient obtenue en commun, accorde quelque poids à ce que, dans les chansons grecques, on nommait les Étoliens avant les Romains, à moins qu'il y ait quelque amphibologie dans les mots français. Les dames, quand elles étaient aux étuves, y recevaient des hommes en même temps, et se servaient là-même de leurs valets pour les frotter et les oindre :

Le pubis ceint d'une peau noire, un esclave t'assiste
Chaque fois que tu prends nue un bain chaud

Inguina succinctus nigra tibi servus aluta
Stat quoties calidis nuda foueris aquis. [2]

1. Martial, VII, XLVIII, 4-5.
2. Martial, VII, XXXV, 1-2.

Elles se saupoudraient de quelque poudre pour absorber les sueurs. Les anciens Gaulois, dit Sidoine Apollinaire, portaient le poil long sur le devant, et le derrière de la tête tondu, ce qui est la façon qui vient d'être renouvelée par l'usage efféminé et mou de ce siècle. Les Romains payaient ce qui était dû aux bateliers pour leur passage dès l'entrée du bateau, ce que nous ne faisons qu'une fois rendus à bon port :

Tandis qu'on donne un sou, qu'on attache ta mule,
Une heure entière passe

dum as exigitur, dum mula ligatur,
Tota abit hora. [1]

Les femmes couchaient au lit du côté de la ruelle, voilà pourquoi on appelait César « la ruelle du roi Nicomède », *spondam regis Nicomedis* [2]. Ils reprenaient haleine en buvant. Ils baptisaient leur vin :

Quel petit va vite mouiller
Le feu de ce falerne
Dans l'eau qu'on voit ici couler ?

quis puer ocius
Restinguet ardentis falerni
Pocula prætereunte lympha ? [3]

Et les gestes grossiers de nos laquais y étaient aussi :

Ô Janus, à qui nul ne fait les cornes dans le dos,
À qui nulle agile main ne met des oreilles d'âne,
À qui l'on ne tire langue aussi longue que les chiots
D'Apulie assoiffés

O Jane, a tergo quem nulla ciconia pinsit,
Nec manus auriculas imitata est mobilis albas,
Nec linguæ quantum sitiet canis Apula tantum. [4]

Les dames d'Argos et de Rome portaient le deuil en blanc, comme les nôtres avaient accoutumé et devraient continuer de le faire, si l'on m'en croyait. Mais il y a des livres entiers faits sur ce sujet.

1. Horace, *Satires*, I, V, 13-14.
2. Suétone, *Vie de César*, XLIX.
3. Horace, *Odes*, II, XI, 18-20.
4. Perse, I, 58-60.

De Démocrite et d'Héraclite

[Chapitre L]

Le jugement est un outil qui s'exerce en tout sujet et se mêle partout. C'est pour cette raison que dans les *Essais* que j'en fais ici, j'y emploie toute sorte d'occasion. Si c'est un sujet que je n'entende point, pour cela même je l'essaie, sondant le gué de loin, et puis quand je le trouve trop profond pour ma taille, je me tiens à la rive. Et cette reconnaissance de ne pouvoir passer outre, c'est un trait de son effet, oui, et de ceux dont il se vante même le plus. Tantôt sur un sujet vain et de rien, j'essaie de voir s'il trouvera de quoi lui donner corps et de quoi l'appuyer et l'étayer. Tantôt je le promène dans un sujet noble et tracassé dans lequel il n'a rien à trouver de soi, le chemin en étant si frayé qu'il ne peut marcher que sur la piste d'autrui. Là, il fait son jeu à élire la route qui lui semble la meilleure, et, entre mille sentiers, il dit que celui-ci, ou celui-là a été le mieux choisi. Je prends de la fortune le premier argument : tous me sont également bons, et je ne prends jamais à dessein de les traiter en entier. Car je ne vois le tout de rien. Ceux qui nous promettent de nous le faire voir ne le font pas. Sur cent membres et cent visages qu'a chaque chose, j'en prends un, tantôt à lécher seulement, tantôt à effleurer, et parfois à pincer jusqu'à l'os. J'y donne une pointe, non pas le plus largement, mais le plus profondément que je sais. Et j'aime le plus souvent à les saisir sous quelque jour inusité. Je me hasarderais à traiter à fond quelque matière si je me connaissais moins et si je me trompais sur mon impuissance. Semant ici un mot, ici un autre, échantillons dépris de leur tout, égarés, allant sans dessein, sans promesse, je ne suis pas tenu d'en traiter pour de bon, ni de m'y tenir moi-même sans varier quand il me plaît et sans m'abandonner au doute et à l'incertitude, et à ma maîtresse forme, qui est l'ignorance. Tout mouvement nous découvre. Cette même âme de César que l'on peut voir quand il ordonne et dresse la bataille de Pharsale, on la voit aussi dresser des parties oisives et amoureuses : on juge un cheval non seulement à le voir à l'œuvre sur une carrière, mais encore à lui voir aller le pas, voire même à le voir au repos à l'étable.

Parmi les fonctions de l'âme, il en est de basses. Qui ne la voit aussi par là n'achève pas de la connaître. Et d'aventure on la remarque mieux quand elle va son pas simple. Elle offre plus de prise aux vents des passions quand elle prend ses hautes allures. Sans compter qu'elle s'applique entière à chaque matière et qu'elle s'y exerce entière, qu'elle n'en traite jamais plus d'une à la fois, et qu'elle la traite non selon ce qu'il en est, mais selon elle-même. Les choses à part elles ont peut-être leurs poids, leurs mesures et conditions, mais au-dedans, en nous, elle les leur taille comme elle l'entend : la mort est effroyable à Cicéron, désirable à Caton, indifférente à Socrate. La santé, la conscience, l'autorité, la science, la richesse, la beauté, et leurs contraires se dépouillent à l'entrée et reçoivent de l'âme une nouvelle vêture, et de la teinture qu'il lui plaît, brune, claire, verte, obscure, aigre, douce, profonde, superficielle, et telle enfin qu'il plaît à chacune d'entre elles. Car elles n'ont pas vérifié en commun leurs styles, leurs règles et leurs formes : chacune est reine en son État. Par quoi ne prenons plus excuse des qualités objectives des choses : c'est à nous à en rendre compte à nous-mêmes. Notre bien et notre mal ne tiennent qu'à nous. Offrons nos offrandes et nos vœux à nous-mêmes et non pas à la fortune : elle ne peut rien sur nos mœurs ; ce sont celles-là au rebours qui l'entraînent à leur suite et la moulent à leur forme. Pourquoi ne jugerais-je d'Alexandre à table devisant et buvant à l'envi ? Ou, s'il maniait les échecs, en me demandant quelle corde de son esprit ne touchait ni n'employait ce jeu niais et puéril ? Je le hais et le fuis parce ce qu'il n'est pas assez jeu et qu'il nous divertit trop sérieusement, et que j'ai honte d'y fournir l'attention qui suffirait à quelque bonne chose : ce grand homme ne fut pas plus embesogné à organiser son glorieux passage aux Indes, ni cet autre à dénouer un passage de l'Écriture dont dépend le salut du genre humain ! Voyez combien notre âme trouble cet amusement ridicule, et si tous ses nerfs ne s'y bandent. Combien amplement elle donne loisir à chacun en cela de se connaître et de juger droitement de soi ! Je ne me vois et ne me retâte plus à fond en nulle autre posture. Quelle passion ne nous y travaille ? La colère, le dépit, la haine, l'impatience, et une véhémente ambition de vaincre dans une chose où il serait plus excusable d'ambitionner d'être vaincu ! Car une prééminence rare et au-dessus du commun messied à un homme d'honneur quand il s'agit d'une chose frivole. Ce que je dis sur cet exemple se peut dire en tous autres : chaque parcelle, chaque occupation de l'homme l'accuse et le montre aussi bien qu'une autre.

Démocrite et Héraclite ont été deux philosophes, dont le premier, qui trouvait vaine et ridicule l'humaine condition, ne sortait en public qu'avec un visage moqueur et riant. Héraclite, par pitié et par compassion pour cette même condition nôtre, en portait le visage continuellement triste et les yeux pleins de larmes :

L'un, à peine avait-il un pied dehors, riait,
Quand l'autre au contraire pleurait

alter
Ridebat quoties a limine mouerat unum
Protuleratque pedem, flebat contrarius alter. [1]

J'aime mieux la première humeur, non parce qu'il est plus plaisant de rire que de pleurer, mais parce qu'elle est plus dédaigneuse et qu'elle nous condamne plus que l'autre, car il me semble que nous ne pouvons jamais être assez méprisés selon ce que nous méritons. La plainte et la commisération sont mêlées de quelque estime qu'on a pour la chose qu'on plaint : les choses dont on se moque, on les estime sans prix. Je ne pense point qu'il y ait autant de malheur en nous qu'il y a de vanité, ni tant de malice que de sottise : nous ne sommes pas si pleins de mal que d'inanité, nous ne sommes pas si misérables que nous sommes vils. Ainsi Diogène qui baguenaudait à part soi, roulant son tonneau et hochant du nez devant le grand Alexandre, quand il estimait que nous n'étions que des mouches ou des vessies pleines de vent, était un juge bien plus aigre et plus tranchant, et par conséquent plus juste à mon goût que ce Timon qui fut surnommé le haïsseur des hommes. Car ce qu'on hait, on le prend à cœur. Celui-ci nous souhaitait du mal, il était passionné du désir de notre ruine, il fuyait notre conversation comme dangereuse, étant celle d'hommes méchants et d'une nature dépravée. L'autre nous estimait si peu que nous ne pourrions ni le troubler ni l'altérer par notre contagion. Il évitait notre compagnie non par crainte, mais par dédain de notre commerce : il ne nous estimait capables ni de bien ni de mal faire. De même marque fut la réponse de Statilius auquel Brutus parla pour le rallier à la conspiration contre César : il trouva l'entreprise juste, mais il ne trouva pas que les hommes fussent dignes qu'on se mît aucunement en peine pour eux, conformément à l'enseignement d'Hégésias qui disait que le sage ne devait rien faire que pour soi, d'autant qu'il est seul digne qu'on fasse pour lui. Et à celui de Théodore de Cyrène qu'il est injuste que le sage se hasarde pour le bien de son pays et qu'il mette en péril la sagesse pour des fous. Notre condition propre est aussi ridicule qu'encline à rire [2].

---

1. Juvénal, X, 28-30.
2. C'est (peut-être) ici la première fois que Montaigne réfléchit sa propre démarche, qui tâtonne et fait sur tout sujet l'*essai* d'elle-même. Apparaît aussi ce contre quoi sa pensée ne cesse de s'escrimer : la bêtise et l'inanité des hommes.

De la vanité des paroles [y]

[Chapitre LI]

Un rhétoricien du temps passé disait que son métier était de faire paraître et trouver grandes les choses petites. C'est là un cordonnier qui sait faire de grands souliers pour un petit pied. On lui eût à Sparte fait donner le fouet pour faire profession d'un art trompeur et mensonger. Et je crois qu'Archidamos, qui en était roi, n'entendit pas sans étonnement la réponse de Thucydide [1], auprès duquel il s'enquérait de savoir qui était le plus fort à la lutte, ou Périclès ou lui : « Cela, fit-il, serait malaisé à vérifier, car, quand je l'ai mis à terre en luttant, il persuade à ceux qui l'ont vu qu'il n'est pas tombé, et qu'il gagne. » Ceux qui masquent et fardent les femmes font moins de mal, car c'est chose de peu de perte de ne les voir pas en leur naturel, alors que ceux-ci font état de tromper non pas nos yeux, mais notre jugement, et d'abâtardir et corrompre l'essence des choses. Les républiques qui se sont maintenues dans un état réglé et bien policé, comme la crétoise ou la lacédémonienne, elles n'ont pas fait grand cas des orateurs. Ariston de Chio définit sagement la rhétorique une « science à persuader le peuple » ; Socrate, Platon, « un art de tromper et de flatter. » Et ceux qui le nient dans leur définition générale le vérifient partout dans leurs préceptes. Les Mahométans défendent qu'on en instruise leurs enfants vu son inutilité. Et les Athéniens, s'apercevant combien son usage qui avait tout crédit dans leur ville était pernicieux, ordonnèrent que sa principale partie, qui est d'émouvoir les affections, fût ôtée à la fois des exordes et des péroraisons. C'est un outil inventé pour manier et agiter une tourbe et une multitude déréglée, et un outil qui ne s'emploie que dans les États malades, comme une médecine. Chez ceux où le vulgaire, ou les ignorants, ou tous ont eu tout pouvoir, comme celui d'Athènes, de Rhodes et de Rome, et où les choses ont été en perpétuelle tempête, là, ont afflué les orateurs. Et, à la vérité, l'on voit peu de personnages dans ces républiques-là qui se soient poussés en grand crédit sans le secours de l'éloquence. Pompée, César, Crassus, Lucullus, Lentulus, Metellus ont pris de là leur grand appui

1. Il s'agit ici de Thucydide d'Alopécée, représentant des aristocrates, adversaire de Périclès.

pour se monter à cette grandeur d'autorité où ils sont enfin arrivés, et ils s'en sont aidés plus que des armes, contre l'opinion qu'on avait dans les meilleurs temps. Car L. Volumnius, parlant en public en faveur de l'élection qu'on venait de faire au consulat des personnes de Q. Fabius et de P. Decius : « Ce sont des gens nés pour la guerre, dit-il, grands dans l'action, à jouter du babil, ignorants : des esprits vraiment consulaires. Les subtils, les éloquents et les savants sont bons pour la ville, et à faire des préteurs pour rendre la justice. » L'éloquence a fleuri le plus à Rome lorsque ses affaires ont été en plus mauvais état et que l'orage des guerres civiles les agitait, tout comme un champ libre et indompté porte les herbes les plus gaillardes. Il semble par là que les États qui dépendent d'un monarque en ont moins de besoin que les autres, car la bêtise et la facilité qu'on trouve dans la multitude, et qui la rend sujette à être maniée et retournée par les oreilles au doux son de cette harmonie sans parvenir à peser et connaître la vérité des choses par la force de la raison, il semble que cette facilité, dis-je, ne se trouve pas si aisément chez un seul et qu'il est plus aisé de le garantir par une bonne éducation et de bons conseils contre l'effet de ce poison. On n'a pas vu sortir de Macédoine ni de Perse aucun orateur de renom.

Si j'en ai dit ces mots, c'est en pensant à un Italien avec lequel je viens de m'entretenir, qui a servi le feu cardinal Caraffa comme maître d'hôtel jusqu'à sa mort. Je lui faisais me raconter sa charge. Il m'a fait un discours sur cette science de gueule avec une gravité et une contenance magistrales comme s'il m'eût parlé de quelque grand point de théologie. Il m'a déchiffré une différence entre les appétits, celui qu'on a à jeun, celui qu'on a après le second et le tiers service, les moyens tantôt de lui plaire simplement, tantôt de l'éveiller et de le piquer, la police de ses sauces, premièrement en général, et puis, particularisant les qualités des ingrédients et leurs effets, les différences entre les salades selon leur saison, celle qui doit être réchauffée, celle qui veut être servie froide, et la façon encore de les orner et embellir pour les rendre plaisantes à la vue. Après cela il est passé à l'ordre du service, avec plein de belles et importantes considérations,

et ce n'est point chose de peu
Que de savoir couper ainsi le lièvre, ainsi la poule

nec minimo sane discrimine refert
Quo gestu lepores, et quo gallina secetur, [1]

1. Juvénal, V, 123-124.

et tout cela enflé de riches et magnifiques paroles, celles-là mêmes qu'on emploie pour traiter du gouvernement d'un empire. Ces vers me sont revenus, à propos de mon homme :

Ça, c'est trop salé ; ça, brûlé ; et ça trop délavé :
Là, c'est bon : souviens-t'en une autre fois. J'ai élevé
Leur savoir comme je peux à hauteur de ma science.
Dans leur vaisselle enfin, Déméa, autant de luisance
Je veux qu'en un miroir : bref, je leur dis comme on fait

Hoc salsum est, hoc adustum est, hoc lautum est parum,
Illud recte : iterum sic memento. Sedulo
Moneo quæ possum pro mea sapientia.
Postremo, tamquam in speculum, in patinas, Demea,
Inspicere iubeo, et moneo quid facto usus sit. [1]

Quoi qu'il en soit, les Grecs eux-mêmes louèrent grandement l'ordre et la disposition que Paul Émile observa lors du festin qu'il leur donna à son retour de Macédoine, mais je ne parle point ici des actes, je parle des mots. Je ne sais s'il en advient aux autres comme à moi, mais, quand j'entends nos architectes s'enfler de ces gros mots de pilastres, d'architraves, de corniches, d'ouvrage corinthien ou dorique, et d'autres termes semblables de leur jargon, je ne puis me garder que mon imagination n'envisage aussitôt le palais d'Apolidon [2], et en réalité je trouve que ce sont les chétives pièces de la porte de ma cuisine. Entendez parler de métonymie, de métaphore, d'allégorie, et d'autres tels mots de grammaire : ne semble-il pas qu'on caractérise ainsi quelque forme de discours rare et étranger ? Ces dénominations s'appliquent au babil de votre chambrière ! C'est une tromperie voisine de celle-ci que d'appeler les offices de notre État par les titres superbes que leur donnaient les Romains, encore que les charges n'aient aucune ressemblance, et moins encore d'autorité et de puissance. Et cette autre aussi, qu'un jour, à mon avis, l'on pourra reprocher à notre siècle, d'employer indignement pour qui bon nous semble les surnoms les plus glorieux dont l'Antiquité ait en plusieurs siècles honoré un ou deux personnages. Platon s'est acquis son surnom de « divin » par un consentement universel qu'aucun n'a essayé de lui envier, mais les Italiens, qui se vantent, et avec raison, d'avoir d'ordinaire l'esprit plus éveillé et la raison plus saine que les autres nations de leur temps, viennent pourtant d'en étrenner l'Arétin, chez lequel, sauf une façon de parler bouffie et bouillonnée de pointes, ingénieuses

1. Térence, *Adelphes*, III, III, 425-429.
2. Palais merveilleux dans le roman d'*Amadis*, paru en 1508, et traduit du castillan en français en 1540.

à la vérité, mais recherchées de fort loin et fantasques, et outre son éloquence enfin, quelle qu'elle puisse être, je ne vois pas qu'il y ait rien au-dessus des auteurs communs de son siècle. Tant s'en faut qu'il approche de cette *divinité* ancienne ! Et le surnom de « Grand », nous le donnons à des princes qui n'ont rien au-dessus de la grandeur ordinaire.

De la parcimonie des anciens[z]

[Chapitre LII]

Attilius Regulus, général de l'armée romaine en Afrique, au milieu de sa gloire et de ses victoires contre les Carthaginois, écrivit à la chose publique qu'un valet de labourage qu'il avait laissé seul au gouvernement de son bien, qui était en tout de sept arpents de terre, s'en était enfui en ayant dérobé ses outils de labourage, et qu'il demandait congé pour s'en retourner et y pourvoir, de peur que sa femme et ses enfants n'eussent à en souffrir. Le Sénat pourvut à commettre un autre à la conduite de ses biens, lui fit rétablir ce qui lui avait été dérobé, et ordonna que sa femme et ses enfants seraient nourris aux dépens du trésor public. Le vieux Caton revenant d'Espagne consul, vendit son cheval de service pour épargner l'argent qu'il en eût coûté de le ramener par mer en Italie, et, quand il était gouverneur de Sardaigne, il faisait ses inspections à pied, n'ayant avec lui autre suite qu'un officier de la chose publique qui lui portait sa robe et un vase pour faire des sacrifices, et le plus souvent il portait sa malle lui-même. Il se vantait de n'avoir jamais eu de robe qui eût coûté plus de dix écus, ni d'avoir dépensé au marché plus de dix sous par jour, et disait de ses maisons des champs qu'il n'en avait aucune qui fût crépie et enduite par dehors. Scipion Emilien après deux triomphes et deux consulats, partit en légation avec sept serviteurs seulement. On tient qu'Homère n'en eut jamais qu'un, Platon trois, Zénon le chef de la secte stoïque, pas un seul. On n'alloua que cinq sous et demi par jour à Tiberius Gracchus qui allait en mission pour la chose publique, lors même qu'il était le premier des Romains.

D'un mot de César

[Chapitre LIII]

Si nous nous amusions parfois à nous considérer, et que le temps que nous mettons à contrôler autrui et à connaître les choses qui sont hors de nous, nous l'employions à nous sonder nous-mêmes, nous sentirions aisément combien toute cette nôtre charpente est bâtie de pièces faibles et défaillantes. N'est-ce pas un singulier témoignage d'imperfection que de ne pouvoir rasseoir notre contentement en aucune chose, et que, par désir même et en imagination, il soit hors de notre puissance de choisir ce qu'il nous faut ? De quoi porte bon témoignage cette grande dispute qui a toujours été entre les philosophes pour trouver le souverain bien de l'homme, et qui dure encore et durera éternellement sans résolution et sans accord :

Absents, les objets de nos vœux nous semblent les meilleurs ;
À peine y touchons-nous que notre désir brûle ailleurs,
Et notre soif reste égale

dum abest quod auemus, id exuperare uidetur
Cætera, post aliud cum contigit illud auemus,
Et sitis æqua tenet. [1]

Quoi que ce soit qui tombe en notre connaissance et en notre jouissance, nous sentons qu'il ne nous satisfait pas, et nous allons béant après les choses à venir et inconnues, d'autant que les présentes ne nous saoulent point. Non pas à mon avis qu'elles n'aient assez de quoi nous saouler, mais c'est que nous les saisissons d'une prise malade et déréglée :

Du besoin il voyait les exigences assurées :
L'homme s'était à peu près toutes choses procurées... ;
Le puissant, comblé de biens, de gloire et de los fleuri,
Se prévalait d'avoir sa descendance renommée ;
Or chacun cependant en son cœur soucieux
Demeurait au tourment et, toujours anxieux,
Conservait contre le ciel sa vengeance tout armée :
Il vit lors que le vase même était cause du mal
Et que, quoi qu'on versât dans ce tonneau bancal,
Tout dedans pourrissait, fût-ce la chose la meilleure

1. Lucrèce, III, 1082-1084.

Nam cum uidit hic ad uictum quæ flagitat usus
Omnia jam ferme mortalibus esse parata...
Diuitiis homines et honore et laude potentis
Affluere atque bona natorum excellere fama,
Nec minus esse domi cuiquam tamen anxia cordi,
Atque animi ingratis uitam uexare sine ulla
Pausa, atque ingratis cogi saeuire querellis [1],
Intellexit ibi uitium uas efficere ipsum,
Omniaque illius uitio corrumpier intus
Quæ collata foris et commoda cumque uenirent. [2]

Notre appétit est irrésolu et incertain ; il ne sait rien tenir, ni jouir de rien en bonne façon. L'homme, estimant que cela vient du vice des choses qu'il détient, se remplit et se repaît d'autres choses qu'il ne sait point et qu'il ne connaît point, où il applique ses désirs et ses espérances ; il les prend en honneur et révérence. Comme le dit César, par un vice commun de notre nature, il se trouve que nous avons plus de confiance et plus de crainte avec les choses qu'on ne voit, qui se cachent, et qu'on ne connaît point *communi fit uitio naturæ ut inuisis, latitantibus atque incognitis rebus magis confidamus uehementiusque exterreamur.* [3]

Des vaines subtilités [aa]

[Chapitre LIV]

Il est de ces subtilités frivoles et vaines par le moyen desquelles les hommes cherchent quelquefois à se glorifier, comme ces poètes qui font des ouvrages de vers entiers commençant par une même lettre [4]. Nous voyons aussi des œufs, des boules, des ailes, des haches façonnées anciennement par les Grecs avec la mesure de leurs vers : ils les allongeaient ou les raccourcissaient de sorte qu'ils viennent à

1. Je restitue le texte selon la correction de Munro (XIXe), parce que le texte transmis par les manuscrits de Lucrèce est ici trop gravement corrompu (deux fins de vers consécutivement répétées, par un saut du même au même), et que Lambin n'avait pas bien su amender ce lieu. Ce n'est pas ce que lisait Montaigne, certes, mais l'idée reste la même, et se retrouve ainsi mieux assertée.

2. Lucrèce, VI, 9-19

3. César, *Guerre civile,* II, 4.

4. Ce sont les « vers lettrisez », ainsi désignés par Tabourot des Accords.

représenter telle ou telle figure [1]. Telle était encore la science de celui qui s'amusa à compter en combien de façons se pouvaient ranger les lettres de l'alphabet, et qui en trouva ce nombre incroyable qu'on voit dans Plutarque. Je trouve bonne l'opinion de celui [2] à qui l'on présenta un homme appris à jeter de la main un grain de mil avec une telle adresse que, sans faillir, il le passait toujours dans le trou d'une aiguille : comme on lui demandait après quelque présent pour loyer d'un si rare talent, il ordonna bien plaisamment, et justement à mon avis, qu'on fît donner à cet ouvrier deux ou trois sacs de mil afin qu'un si bel art ne demeurât point sans avoir de quoi s'exercer. C'est un témoignage merveilleux de la faiblesse de notre jugement qu'il recommande les choses par la rareté ou la nouvelleté, ou encore par la difficulté, si la bonté et l'utilité n'y sont jointes.

Nous venons présentement de jouer chez moi à qui pourrait trouver le plus de choses qui se tinssent par les deux bouts extrêmes, comme *Sire* est le titre qui se donne à la personne la plus élevée de notre État, qui est le roi, et qui se donne aussi à des gens du peuple, comme aux marchands par exemple, et qui ne concerne point ceux de l'entre-deux. Les femmes de qualité, on les nomme dames ; les moyennes, demoiselles ; et dames encore celles de la plus basse marche. Les nappes qu'on étend sur les tables ne sont permises qu'aux maisons des princes et aux tavernes. Démocrite disait que les dieux et les bêtes avaient une sensibilité plus aiguë que les hommes, qui, eux, se situent au moyen étage. Les Romains portaient le même accoutrement les jours de deuil et les jours de fête. Il est certain que la peur extrême, et l'extrême ardeur de courage troublent également le ventre et le lâchent. Le sobriquet de *Tremblant*, dont fut surnommé Sanche, le douzième roi de Navarre, nous apprend que la hardiesse aussi bien que la peur engendrent du trémoussement dans nos membres. Ceux qui l'armaient, ou lui ou quelque autre de pareille nature à qui la peau frissonnait, essayèrent de le rassurer en rapetissant le danger dans lequel il allait se jeter : « Vous me connaissez mal, leur dit-il. Si ma chair savait jusqu'où mon courage la portera tantôt, elle se tasserait à terre toute transie et tout à plat ! » La faiblesse qui nous vient de la froideur et du dégoût pour les exercices de Vénus, elle nous vient aussi bien d'un désir trop violent et d'une ardeur déréglée. L'extrême froideur et l'extrême chaleur cuisent et rôtissent. Aristote dit que les gueuses de plomb fondent et coulent sous l'action du froid et de la

1. Ce sont cette fois les poèmes figuratifs appelés « calligrammes ».
2. C'était Alexandre le Grand.

rigueur de l'hiver comme sous celle d'une forte chaleur [1]. Le désir et la satiété rendent également douloureux les états qui précèdent et suivent la volupté. La bêtise et la sagesse se rencontrent au même point de sensibilité et de résolution quand il s'agit de souffrir les épreuves humaines : les sages gourmandent et commandent le mal, et les autres l'ignorent ; ceux-ci sont, pour ainsi dire, en deçà des maux, les autres, au-delà : après avoir bien pesé et considéré la nature de ces épreuves, après les avoir mesurées et jugées telles qu'elles sont, ils s'élancent au-dessus grâce à la force d'un vigoureux courage ; ils les dédaignent et les foulent aux pieds parce qu'ils ont une âme forte et solide contre laquelle, quand les traits de la fortune viennent à donner, force est qu'ils rejaillissent et s'émoussent en trouvant un corps dans lequel ils ne peuvent s'imprimer. L'ordinaire et moyenne condition des hommes loge entre ces deux extrémités : ce sont ceux qui perçoivent les maux, les ressentent, et ne les peuvent supporter. L'enfance et la décrépitude se retrouvent dans la faiblesse du cerveau. L'avarice et la profusion, dans un pareil désir d'attirer et d'acquérir. L'on peut dire avec apparence qu'il y a l'ignorance abécédaire qui va avant qu'on ait la science, puis une autre, doctorale, qui vient après qu'on l'a acquise : ignorance que la science produit et engendre, tout ainsi qu'elle défait et détruit la première.

Des esprits simples, moins curieux et moins instruits, l'on fait de bons chrétiens, qui, par révérence et par obéissance, croient simplement, et se maintiennent sous les lois. Parmi les esprits de moyenne vigueur et de moyenne capacité s'engendre l'erreur des opinions : ils suivent l'apparence du sens premier [2], et ont quelque raison d'interpréter comme niaiserie et bêtise de nous voir arrêtés à l'ancien train quand ils tournent leurs yeux vers nous qui ne sommes pas instruits par étude. Les grands esprits, plus rassis et plus clairvoyants, font un autre genre de bons croyants : par une longue et scrupuleuse investigation, ceux-là atteignent dans les Écritures à une lumière plus profonde et plus abstruse et sentent le mystérieux et divin secret de notre gouvernement ecclésiastique. Pourtant nous en voyons certains qui sont arrivés à ce dernier étage par le second, avec un merveilleux fruit, avec affermissement, tout comme le font aussi ceux qui sont parvenus

1. Cette sottise est rapportée par Plutarque. Elle n'est point, semble-t-il, dans Aristote lui-même. Pour Montaigne, seul importe que cette affirmation soit attestée et qu'elle lui fournisse un exemple supplémentaire montrant le caractère universel de son procédé favori de tripartition des qualités.

2. Cela vise le littéralisme que prônent les protestants dans la lecture de l'Écriture.

à l'extrême limite de la chrétienne intelligence [1], et qui jouissent de leur victoire avec consolation, action de grâces, réformation de leurs mœurs, et grande modestie. Et à ce rang je n'entends pas loger ces autres qui, pour se purger du soupçon de leur erreur passée, et pour nous donner des assurances sur eux, se montrent extrêmes, sans discernement, et injustes dans la conduite de notre cause, et qui la tachent d'infinis reproches de violence.

Les simples paysans sont d'honnêtes gens, et d'honnêtes gens aussi les philosophes, ou bien ce que notre temps nomme des natures fortes et claires, enrichies par une large instruction dans les sciences utiles. Quant aux *métis*, qui ont dédaigné le premier siège de l'ignorance des lettres, mais qui n'ont pu rejoindre l'autre (le cul entre deux selles, desquels je suis, et tant d'autres), ils sont dangereux, ineptes, importuns : ceux-ci troublent le monde. C'est pour cela que, pour ma part, je me recule autant que je puis au stade premier et naturel, d'où j'ai bien en vain essayé de partir.

La poésie populaire et purement naturelle a des naïvetés et des grâces par où on la peut comparer à la principale beauté de la poésie parfaite selon l'art, comme on le voit dans les villanelles de Gascogne et dans les chansons qu'on nous rapporte de ces nations qui n'ont connaissance d'aucune science, ni même de l'écriture. La poésie médiocre, qui s'arrête entre deux, est dédaignée, sans honneur, et sans prix.

Mais, parce qu'après que le passage a été ouvert à l'esprit, j'ai trouvé, comme il advient ordinairement, que nous avions pris pour un exercice malaisé et concernant un sujet rare ce qui ne l'est aucunement, et qu'après que notre invention a été échauffée, elle découvre un nombre infini de pareils exemples, je n'y ajouterai que celui-ci, que, si ces *Essais* étaient dignes qu'on en jugeât, il en pourrait advenir à mon avis qu'ils ne plairaient guère aux esprits communs et vulgaires, ni guère non plus aux singuliers et excellents : ceux-là n'y entendraient pas assez ; ceux-ci y entendraient trop ; ils pourraient ainsi vivoter dans la moyenne région.

1. La « chrétienne intelligence » est la grâce qu'ont certains esprits supérieurs de voir s'éclairer les mystères de l'Écriture, et elle est tout autre chose, bien sûr, que l'intelligence du ou des chrétiens.

Des senteurs [a, b]

[Chapitre LV]

Il se dit d'aucuns, comme d'Alexandre le Grand, que leur sueur répandait une odeur suave du fait de quelque rare et extraordinaire composition, dont Plutarque et d'autres recherchent la cause. Mais la commune façon des corps est à l'opposé, et la meilleure condition qu'ils aient, c'est d'être exempts de senteur. La douceur même des haleines les plus pures n'a rien de plus parfait que d'être sans aucune odeur qui nous offense, comme le sont celles des enfants bien portants. Voilà pourquoi, dit Plaute,

Mulier tum bene olet ubi nihil olet [1]

La plus exquise odeur d'une femme, c'est de ne sentir rien. Et les bonnes senteurs étrangères, on a raison de les tenir pour suspectes chez ceux qui s'en servent et d'estimer qu'elles sont employées pour couvrir quelque défaut naturel de ce côté-là. D'où naissent ces jeux de mots des poètes anciens : c'est puer que de sentir bon :

Tu te ris, Coracin, que je ne sente rien :
Plutôt que sentir bon, j'aime à ne rien sentir
Rides nos, Coracine, nil olentes :
Malo quam bene olere nil olere, [2]

et ailleurs

Il ne sent point bon, Posthumus, qui sans cesse sent bon
Posthume, non bene olet qui bene semper olet. [3]

J'aime fort pour cela être entouré de bonnes senteurs, et je hais outre mesure les mauvaises, que je sens de plus loin que tout autre,

Car je n'ai mon pareil pour renifler une verrue
Ou bien le bouc puant sous l'aisselle velue,
Mieux même que le fin limier
Qui flaire où gîte un sanglier

1. D'après Plaute, *Mostellaria*, 273.
2. Martial, VI, LV, 4-5.
3. Martial, II, XII, 4.

Namque sagacius unus odoror
Polypus an grauis hirsutis cubet hircus in alis,
Quam canis acer ubi lateat sus. [1]

Les senteurs les plus simples et les plus naturelles me semblent les plus agréables. Et ce soin concerne principalement les dames. Dans la plus épaisse barbarie, les femmes Scythes, après s'être lavées, se saupoudrent et s'encroûtent tout le corps et le visage avec une certaine drogue qui naît sur leur terroir, odoriférante. Et pour approcher les hommes, une fois qu'elles ont ôté ce fard, elles s'en trouvent à la fois lisses et parfumées.

Quelque odeur que ce soit, c'est merveille de voir combien elle s'attache à moi, et combien j'ai la peau propre à s'en abreuver. Celui qui se plaint que Nature ait laissé l'homme sans instrument propre à porter les senteurs au nez a tort, car elles s'y portent d'elles-mêmes. Mais chez moi particulièrement, les moustaches, que j'ai bien fournies, me servent d'un tel instrument : si j'en approche mes gants ou mon mouchoir, l'odeur y tiendra tout un jour ; elles dénoncent l'endroit d'où je viens. Les baisers étroits de la jeunesse, savoureux, gloutons et gluants, s'y collaient autrefois et s'y tenaient plusieurs heures après. Et pourtant je me trouve peu sujet aux maladies épidémiques qui se contractent par la conversation et qui naissent de la contagion de l'air, et je me suis sauvé de celles de mon temps, dont il y a eu plusieurs sortes dans nos villes et dans nos armées. On lit de Socrate que, n'étant jamais parti d'Athènes pendant plusieurs rechutes de peste qui la tourmentèrent tant de fois, lui seul ne s'en trouva jamais plus mal. Les médecins pourraient, je crois, tirer des odeurs plus d'usage qu'ils ne font, car j'ai souvent aperçu qu'elles me changent et qu'elles agissent sur mes esprits selon ce qu'elles sont. Ce qui me fait approuver ce qu'on dit que l'invention des encens et des parfums dans les églises, si ancienne et si répandue dans toutes les nations et toutes les religions, vise à nous réjouir, à nous éveiller et à nous purifier le sens pour nous rendre plus propres à la contemplation.

Je voudrais bien, pour en juger, avoir eu ma part de l'ouvrage de ces cuisiniers qui savent assaisonner les odeurs étrangères avec la saveur des viandes. Comme on le remarqua singulièrement dans le service du roi de Tunis qui, de notre âge, prit terre à Naples pour s'aboucher avec l'empereur Charles Quint [2]. On farcissait ses viandes de drogues odoriférantes d'une telle somptuosité qu'un paon et deux faisans se

1. Horace, *Épodes*, XII, 4-6.
2. Charles Quint avait fait en 1555 une expédition contre Tunis.

trouvèrent, pour ces parties, revenir à cent ducats pour les apprêter à leur manière. Et quand on les dépeçait, non la salle seulement, mais toutes les chambres de son palais, et les rues des alentours, étaient remplies d'une vapeur très suave qui ne s'évanouissait pas si soudain.

Le principal soin que j'aie pour me trouver un logis, c'est de fuir l'air puant et pesant. Ces belles villes, Venise et Paris, altèrent la faveur que je leur porte par l'aigre senteur, l'une de son marais, l'autre de sa boue.

Des prières

[Chapitre LVI]

Je propose des fantaisies [ac] informes et irrésolues, comme font ceux qui publient des questions douteuses à débattre dans les écoles, non pour établir la vérité, mais pour la chercher. Et je les soumets au jugement de ceux à qui il appartient de régler non seulement mes actions et mes écrits, mais encore mes pensées [1]. La condamnation comme l'approbation m'en seront également acceptables et utiles, car, si dans cette rhapsodie se trouve couchée par ignorance ou par inadvertance quelque chose qui soit contraire aux saintes résolutions et aux prescriptions de l'Église Catholique Apostolique et Romaine dans laquelle je meurs et dans laquelle je suis né, je la tiens pour absurde et impie. Et c'est pour cela que, m'en remettant toujours à l'autorité de leur censure, qui peut tout sur moi, je me mêle ainsi témérairement de toute sorte de propos, comme ici.

Je ne sais si je me trompe, mais puisque par une faveur particulière de la bonté divine, une certaine forme de prière nous a été prescrite et dictée mot à mot par la bouche de Dieu, il m'a toujours semblé que nous devrions en faire un usage plus fréquent que nous ne le faisons. Et si j'en étais cru, à l'entrée et à l'issue de nos tables, à notre lever comme à notre coucher, et dans toutes les actions particulières auxquelles on a coutume de mêler des prières, je voudrais que ce fût le *patenotre* que les chrétiens y employassent, sinon seulement, du moins toujours. L'Église peut étendre et diversifier les prières selon le besoin de notre instruction, car je sais bien que c'est toujours même substance et même chose. Mais on aurait dû donner à celle-là ce privilège que le peuple l'eût continuellement à la bouche, car il est certain

1. Je les soumets à l'autorité de l'Église.

qu'elle dit tout ce qu'il faut, et qu'elle est très propre à toutes occasions. C'est l'unique prière dont je me sers partout, et je la répète au lieu d'en changer. D'où il advient que je n'en ai aucune en mémoire aussi bien que celle-là.

J'avais présentement à la pensée d'où nous venait cette erreur de recourir à Dieu dans tous nos desseins et toutes nos entreprises et de l'appeler pour toute sorte de besoin et en quelque lieu que notre faiblesse veuille de l'aide, sans considérer si l'occasion est juste ou injuste, et d'invoquer son nom et sa puissance en quelque état que nous soyons, et dans quelque action que ce soit, si vicieuse soit-elle. Il est bien notre seul et unique protecteur et il peut toutes choses pour nous aider, mais encore qu'il daigne nous honorer de cette douce alliance paternelle, il est pourtant aussi juste qu'il est bon et puissant, mais il use bien plus souvent de sa justice que de son pouvoir, et il nous favorise selon la raison de cette sienne justice, non selon nos demandes. Platon dans ses *Lois* distingue trois sortes de croyances injurieuses envers les dieux : croire qu'il n'y en ait point ; qu'ils ne se mêlent pas de nos affaires ; qu'ils ne refusent rien à nos vœux, à nos offrandes et à nos sacrifices. La première erreur, à son avis, ne demeura jamais immuable en aucun homme depuis son enfance jusqu'à sa vieillesse. Aux deux suivantes il peut arriver de se maintenir constantes.

Sa justice et sa puissance sont inséparables. C'est pour néant que nous implorons sa force dans une mauvaise cause. Il faut avoir l'âme nette, au moins à ce moment où nous le prions, et déchargée de passions vicieuses, autrement nous lui présentons nous-mêmes les verges pour nous châtier. Au lieu de rhabiller notre faute, nous la redoublons en présentant à celui à qui nous avons à demander pardon une affection pleine d'irrévérence et de haine [1]. Voilà pourquoi je ne loue pas volontiers ceux que je vois prier Dieu plus souvent et plus ordinairement si les actions voisines de la prière ne me témoignent pas quelque amendement et quelque réformation,

Si, pour leur adultère de la nuit,
Ils se cachent le chef sous la sainte cuculle

---

1. C'est ce chapitre, et plus particulièrement cette phrase, qui fit sourciller la censure de la Curie romaine : pour l'Église, la prière est bonne en soi, qu'il y ait ou non attrition de la part de celui qui prie, puisque son efficace ne dépend que de ce qu'elle soit dire et de la grâce de Dieu, laquelle ne saurait être conditionnée par d'humaines raisons. En faisant de la foi un acte de la conscience personnelle, Montaigne se rapprochait dangereusement des thèses protestantes.

Si, nocturnus adulter,
Tempora sanctonico uelas adoperta cucullo. [1]

Et l'assiette d'un homme qui mêle la dévotion à une vie exécrable semble être quelque peu plus condamnable que celle d'un homme conforme à soi et dissolu partout. Pourtant notre Église refuse tous les jours la faveur de son entrée et de sa société aux mœurs obstinées dans quelque insigne malice.

Nous prions par usage et par coutume, ou, pour mieux dire, nous lisons ou prononçons nos prières, mais ce n'est enfin que mine. Et il me déplaît de voir faire trois signes de croix au *Benedicite*, autant à *Grâces* (et plus encore m'en déplaît-il parce ce que c'est un signe que j'ai en révérence et continuel usage, même quand je bâille) et de voir dans le même temps toutes les autres heures du jour occupées à la haine, à l'avarice, à l'injustice. « Aux vices leur heure, son heure à Dieu », comme par compensation et par composition ! Il est miraculeux de voir se continuer des actions aussi divergentes avec une telle continuité qu'il ne s'y sente point d'interruption ni d'altération, même à leurs confins, ni de transition de l'une à l'autre.

Quelle prodigieuse conscience peut se donner repos en nourrissant au même gîte, et dans une société si harmonieuse et si paisible, le crime et le juge ? Un homme dont la paillardise sans cesse régente la tête, et qui la juge très odieuse à la vue divine, que dit-il à Dieu quand il lui en parle ? Il se ramène, mais soudain il rechoit. Si l'objet de la divine justice et sa présence frappaient, comme il dit, et châtiaient son âme, pour courte qu'en fût la pénitence, la crainte même y rejetterait si souvent sa pensée qu'incontinent il se verrait maître de ces vices qui sont habitués et acharnés en lui. Mais quoi ! que dire de ceux qui couchent une vie entière sur le fruit et les émoluments du péché qu'ils savent mortel ? Combien avons-nous de métiers et d'emplois parfaitement reçus dont l'essence est vicieuse ? Et celui qui, se confessant à moi, me racontait avoir durant tout son âge avoué et pratiqué une religion damnable à son sens et contraire à celle qu'il avait en son cœur, pour ne perdre point son crédit et l'honneur de ses charges,

1. Le « *cucullus* » était une cape gauloise surmontée d'une très ample capuche, et tout particulièrement, il faut croire, dans la région de Saintes, en Gaule (*santonico... cucullo* dit le texte Juvénal VIII, 144-145). Où le Romain était-il allé pêcher ce détail comique ? Il est vrai qu'il pleut beaucoup sur les bords de la Charente... Mais Montaigne joue sur les mots : il a remplacé *santonico* (« de Saintonge ») par *sanctonico*, car la « cuculle » est précisément le nom du capuchon des moines, qui sont parfois aussi bien que d'autres de faux dévots.

comment parvenait-il à pâtisser ce discours dans son cœur ? De quel langage entretiennent-ils sur ce sujet la justice divine ? Leur repentance consistant en une visible et palpable réparation, ils perdent aussi bien envers Dieu qu'envers nous le moyen de l'alléguer. Sont-ils si hardis de demander pardon sans satisfaction et sans repentance ? Je tiens que de ces premiers il en va comme de ceux-ci, mais il n'est pas chez eux aussi aisé de les convaincre d'opiniâtreté. Cette contrariété et cette volubilité d'opinion qu'ils nous feignent, si soudaine, si violente, sent pour moi son miracle. Ils nous représentent l'état d'une indigestible agonie. Que l'imagination me semblait fantasmatique de ceux qui, ces années passées, avaient coutume de reprocher à chacun en qui reluisait quelque clarté d'esprit et qui professait la religion catholique que c'était par feinte, et qui tenaient même, pour lui faire honneur quoi qu'il pût dire par apparence, qu'il ne pouvait faillir au-dedans d'avoir sa créance réformée à leur mesure ! Fâcheuse maladie que de se croire si fort qu'on se persuade que l'on ne puisse croire le contraire ! Et plus fâcheuse encore qu'on se persuade d'un tel esprit qu'il préfère je ne sais quelle disparité de fortune présente aux espérances et aux menaces de la vie éternelle ! Ils m'en peuvent croire : si quelque chose eût dû tenter ma jeunesse, le goût du risque et la difficulté qui suivaient cette récente entreprise [1] y eût eu bonne part.

Ce n'est pas sans grande raison, ce me semble, que l'Église défend d'user à tout bout de champ, à la légère, et sans discernement des saintes et divines hymnes que le Saint-Esprit a dictées à David. Il ne faut mêler Dieu à nos actions qu'avec révérence et avec une attention pleine d'honneur et de respect. Cette voix est trop divine pour n'avoir autre usage que d'exercer les poumons et plaire à nos oreilles. C'est de la conscience qu'elle doit être produite, et non pas de la langue. Ce n'est pas raison qu'on permette qu'un garçon de boutique s'en entretienne et s'en joue parmi ces vaines et frivoles pensées. Ni n'est certes raison de voir trimbaler de la salle à la cuisine le Saint livre des sacrés mystères de notre foi. C'étaient autrefois des mystères, ce sont à présent des passe-temps et des jeux. Ce n'est pas en passant, et au milieu du tumulte, qu'il faut s'occuper d'une étude si sérieuse et si vénérable. Ce doit être une action préméditée, et rassise, à laquelle on doit toujours ajouter cette préface de notre messe : *sursum corda* [2], et où l'on doit venir en ayant son corps même disposé dans une

1. La Réforme.
2. « Haut les cœurs ! », dans la préface de la messe.

contenance qui témoigne d'une attention et d'une révérence particulières.

Ce n'est pas l'étude de tout le monde, c'est l'étude des personnes qui y sont vouées, que Dieu y appelle. Les méchants, les ignorants s'y empirent. Ce n'est pas une histoire à conter, c'est une histoire à révérer, à craindre et à adorer. Plaisantes gens qui pensent l'avoir mise à la portée du peuple pour l'avoir traduite dans la langue populaire [1] ! Cela ne tient-il donc qu'aux mots si le peuple n'entend pas tout ce qu'il trouve par écrit ? Dirai-je plus ? Pour l'en approcher de ce peu, ils l'en reculent d'autant. L'ignorance pure, et qui s'en remet tout entière à autrui, était bien plus salutaire et plus savante que n'est cette science verbale et vaine, nourrice de présomption et de témérité.

Je crois aussi que la liberté laissée à chacun de dispenser une parole si religieuse et si importante dans tant de sortes d'idiomes comporte beaucoup plus de danger que d'utilité. Les Juifs, les Mahométans, et quasi tous les autres, ont épousé et révèrent la langue dans laquelle leurs mystères ont été originellement conçus, et dont l'altération et le changement sont interdits, non sans quelque apparence de raison. Savons-nous bien qu'en pays basque et en Bretagne il y a assez de bons juges pour établir cette traduction dans leur langue ? L'Église universelle n'a point de jugement plus ardu à faire, et plus solennel. En prêchant et en parlant, l'interprétation est vague, libre, muable, et parcellaire. À l'écrit, il n'en est pas de même.

L'un de nos historiens grecs blâme justement son siècle de ce que les secrets de la religion chrétienne étaient répandus au milieu de la place, dans les mains des moindres artisans, et de ce que chacun en pût débattre et parler selon son sens. Et que ce devait nous être grande honte, nous qui, par la grâce de Dieu, jouissions des purs mystères de la piété, que de les laisser ainsi profaner dans la bouche de personnes ignorantes et du bas peuple, vu que les Gentils [2] interdisaient à Socrate, à Platon, et aux plus sages de s'enquérir et de parler des choses commises aux prêtres de Delphes. Il dit aussi que les factions

---

1. Les protestants usaient de Bibles en français, pour permettre à chaque fidèle d'interpréter sans intermédiaire la parole que Dieu a directement dictée dans l'Écriture. Montaigne préfère l'immutabilité d'une langue sacrée et fixée, mais il semble présupposer que tous dussent l'entendre au moins un peu, comme chez les Juifs et les Mahométans. Ce qui n'était pas loin d'être le cas en pays d'oc, où la prononciation semblable rendait encore possible une très vague intercompréhension entre le latin et les dialectes d'oc, qui en sont restés infiniment plus proches que ceux d'oil, mâtinés de francique :

« Noutre Pai, qui te siete din lou Cieu... ».

2. Les païens.

des princes sur le sujet de la théologie sont armées non par le zèle, mais par la colère. Que le zèle tient de la raison et de la justice divines, se conduisant ordonnément et modérément, mais qu'il se change en haine et en envie, et qu'au lieu du froment et du raisin il produit de l'ivraie et des orties quand il est conduit par une passion humaine. Et justement aussi, cet autre, qui conseillait l'empereur Théodose, disait que les disputes n'endormaient pas tant les schismes de l'Église qu'elles ne les éveillaient qu'elles n'animaient les hérésies. Que pour cette raison il fallait fuir toutes les controverses et toutes les argumentations dialectiques, et s'en rapporter aux prescriptions et aux formules de la foi toutes nues, telles que les avaient établies les anciens. Et l'empereur Andronicus, ayant rencontré dans son palais des hommes importants qui étaient aux prises en paroles avec Léopadios sur un de nos points de grande importance, les tança jusqu'à menacer de les jeter dans la rivière s'ils continuaient.

Les enfants et les femmes, de nos jours, font la leçon aux hommes les plus vieux et les plus expérimentés sur les lois ecclésiastiques. Alors que la première des *Lois* de Platon leur défend de seulement s'enquérir de la raison des lois civiles, qui doivent être tenues pour des ordonnances divines, et que, permettant aux vieillards d'en parler entre eux et avec le magistrat, il ajoute : « pourvu que ce ne soit en présence des jeunes et des personnes profanes. »

Un évêque a laissé par écrit qu'en l'autre bout du monde, il y a une île que les anciens nommaient Dioscoride, commode par sa fertilité en toutes sortes d'arbres et de fruits, et par la salubrité de son air, dont le peuple est chrétien, a des églises et des autels qui ne sont parés que de croix, sans autres images, grand observateur des jeûnes et des fêtes, exacte bailleur de dîmes aux prêtres, et si chaste que nul ne peut chez eux connaître qu'une femme dans sa vie. Au demeurant, si content de sa fortune que, alors qu'il est au milieu de la mer, il ignore l'usage des navires, et si simple que de la religion qu'il observe si soigneusement, il n'en entend un seul mot ! Chose incroyable à qui ne saurait que les païens, si dévots idolâtres, ne connaissent simplement de leurs dieux que le nom et la statue. L'ancien commencement de *Ménalippe*, une tragédie d'Euripide [1], portait ces mots :

O Juppiter, car de toi rien sinon
Je ne connais seulement que le nom. [2]

1. Tragédie perdue d'Euripide. Plutarque (*De l'amour*) en rapporte ces vers, que Montaigne cite dans la traduction française d'Amyot.
2. Vers d'Euripide cités par Plutarque.

J'ai vu aussi de mon temps des gens se plaindre que certains écrits soient purement humains et philosophiques, sans mélange de théologie. Qui dirait le contraire, ce ne serait pourtant pas sans quelque raison : que la doctrine divine tient mieux son rang à part, comme reine et dame. Qu'elle doit être principale partout, et non point suffragante [1] et subsidiaire. Et que les exemples dont on se sert pour la grammaire, la rhétorique, la logique pourraient d'aventure être tirés d'ailleurs plus convenablement que d'une si sainte matière, tout comme aussi les arguments des pièces de théâtre, des jeux et des spectacles publics. Que les raisons divines sont considérées avec plus de vénération et de révérence quand elles sont seules et dans leur style qu'appariées aux discours humains. Que l'on voit plus souvent cette faute que les théologiens écrivent trop humainement que cette autre que les humanistes écrivent trop peu théologalement. La philosophie, dit saint Chrysostome, est depuis longtemps bannie de l'école sainte, comme une servante inutile et qu'on estime indigne de voir seulement en passant depuis l'entrée le sanctuaire des saints trésors de la doctrine céleste. Que la parole humaine a des formes plus basses, et qu'elle ne doit pas se servir de la dignité, de la majesté, de l'autorité de la parole divine. Pour ma part, je lui laisse dire, *uerbis indisciplinatis* [2], « fortune », « destinée », « accident », « heur » et « malheur », et « les dieux », et autres phrases, selon sa mode.

Je propose ici des fantaisies humaines et toutes miennes simplement comme des fantaisies humaines, et considérées en ordre dispersé, non comme arrêtées et réglées par l'ordonnance céleste, ni comme inaccessibles au doute et à la discussion : matière d'opinion, non matière de foi ; choses que je pense selon moi, non que je crois selon Dieu, à la façon d'un laïc, non d'un clerc, mais toujours très religieusement. Comme les enfants proposent leurs essais pour qu'on les instruise, non pour instruire. Et ne pourrait-on pas dire aussi non sans quelque raison que le conseil de ne se mêler d'écrire sur la religion qu'avec beaucoup de réserve ne manquerait pas d'offrir quelque apparence d'utilité et de justice à tous ceux qui n'en font pas

1. « Subordonné ». Terme de droit canon, qui s'applique à tout ce qui dépend d'un archevêque (évêque, surtout, mais aussi bien évêché, abbaye...).

2. « *En termes non approuvés* ». Saisi dans les bagages de Montaigne lors de son séjour à Rome, le livre premier des *Essais* avait fait l'objet d'une censure de la Curie, qui reprochait à l'auteur d'employer des termes païens, comme « fortune » au lieu de Providence, ou bien encore « astres », « cieux », « dieux » et « nature », au lieu de dire « Dieu ». Montaigne se garda bien de changer son vocabulaire, mais il a rajouté le petit préambule dévot sur lequel s'ouvre ce chapitre, ainsi que les considérations que nous lisons ici.

expressément profession, et à moi aussi, peut-être, celui de me taire sur ce sujet ?

On m'a dit que ceux-là mêmes qui ne sont pas des nôtres font pourtant entre eux défense d'user du nom de Dieu dans leurs propos communs. Ils ne veulent pas qu'on s'en serve comme d'une manière d'interjection ou d'exclamation, ni pour témoigner, ni pour comparer. En quoi je trouve qu'ils ont raison. Et de quelque façon que ce soit que nous appelions Dieu dans notre commerce et notre société, il faut que ce soit sérieusement et religieusement. Il y a, ce me semble, dans Xénophon un propos du même ordre, où il montre que nous devons d'autant plus rarement prier Dieu qu'il n'est pas aisé que nous puissions si souvent remettre notre âme dans cette assiette réglée, réformée et dévotieuse où il faut qu'elle soit pour ce faire : autrement nos prières ne sont pas seulement vaines et inutiles, mais viciées. « Pardonne-nous, disons-nous, comme nous pardonnons à ceux qui nous ont offensés ». Que disons-nous par là sinon que nous lui offrons notre âme exempte de vengeance et de rancune ? Toutefois en implorant l'aide de Dieu nous le faisons complice de nos fautes et nous le convions à l'injustice en lui confiant :

Ce qu'on ne dit aux dieux sinon en aparté

Quæ nisi seductis nequeas committere divis : [1]

l'avaricieux le prie pour la conservation vaine et superflue de ses trésors, l'ambitieux, pour ses victoires et pour gérer sa fortune ; le voleur implore son aide pour franchir le péril et les difficultés qui s'opposent à l'exécution de ses méchantes entreprises, ou bien il le remercie de l'aisance qu'il a trouvée à étrangler un passant ! Au pied même de la maison qu'ils vont écheler ou pétarder, ils font leurs prières, l'intention et l'espérance pleines de cruauté, de luxure, et d'avidité,

Ce même que tu veux dire au Dieu-Père en tapinois,
Dis-le donc à Staius : 'Dieu-Père ! Ô Dieu bon !' crierait-il.
Et là Jupin ne s'écrierait lui-même : « Nom de Moi ! » ?

Hoc ipsum quo tu Jouis aurem impellere tentas,
Dic agedum Staio : 'Proh Juppiter ! O bone, clamet,
Juppiter !', at sese non clamet 'Juppiter !' ipse ? [2]

La reine Marguerite de Navarre raconte d'un jeune prince, et encore qu'elle ne le nomme pas, sa grandeur l'a rendu assez reconnaissable, qu'allant à un rendez-vous amoureux et coucher avec la femme

1. Perse, II, 4.
2. Perse, II, 21-23.

d'un avocat de Paris, son chemin donnant au travers d'une église, il ne passait jamais dans ce saint lieu, à l'aller comme au retour de son affaire, qu'il n'y fît ses prières et ses oraisons. Je vous laisse à juger, l'âme pleine de cette belle pensée, à quoi il employait la faveur divine ! Toutefois elle invoque ce fait pour le témoignage d'une singulière dévotion. Mais ce n'est pas seulement par cette preuve qu'on pourrait démontrer que les femmes ne sont guère propres à traiter les matières de la théologie. Une vraie prière, et une religieuse réconciliation de nous à Dieu, elles ne peuvent tomber dans une âme impure et dans cet instant même soumise à la domination de Satan. Celui qui appelle Dieu à son secours alors qu'il s'adonne au vice, il fait comme le coupeur de bourse qui appellerait la justice à son aide, ou comme ceux qui avancent le nom de Dieu pour prouver la vérité d'un mensonge,

Nous murmurons tout bas nos coupables prières
tacito mala uota susurro,
Concipimus. [1]

Il est peu d'hommes qui oseraient mettre en évidence les requêtes secrètes qu'ils font à Dieu :

À tous il n'est permis de chasser de nos temples
Tout ce qui est murmure et chuchotis rampants,
Pour vivre à vœux découverts
Haud cuiuis promptum est, murmurque humilesque susurros
Tollere de templis, et aperto uiuere uoto. [2]

Voilà pourquoi les pythagoriciens voulaient que les prières fussent publiques et ouïes par tout un chacun, afin qu'on ne requît point la divinité d'une chose indécente et injuste, comme celui-là :

quand il a dit : 'Apollon !' à voix haute,
Du bout des lèvres, pour n'être entendu : 'Belle Laverne,
Donne-moi de tromper, fais que je semble juste et bon,
Couvre de nuit mes péchés et de nuages mes fourbes'
clare cum dixit : Apollo !
Labra mouet, metuens audiri : pulchra Lauerna
Da mihi fallere, da iustum sanctumque uideri.
Noctem peccatis et fraudibus obiice nubem. [3]

Les dieux punirent lourdement les vœux iniques d'Œdipe en les lui octroyant. Il avait prié que ses enfants vidassent entre eux par les

1. Lucain, V, 104-105.
2. Perse. II, 6-7.
3. Horace, *Épîtres*, I, XVI, 59-62.

armes la succession de son État : il était si misérable qu'il se vit prendre au mot. Il ne faut pas demander que toutes choses suivent notre volonté, mais qu'elles suivent la prudence.

Il semble, à la vérité, que nous nous servions de nos prières comme d'un jargon et à la façon de ceux qui emploient les paroles saintes et divines pour des sorcelleries et des effets de magie, et que nous y trouvions notre compte, que ce soit de la forme, ou du son, ou de la suite des mots, ou de notre contenance que dépende leur effet : car, avec une âme pleine de concupiscence, non touchée par la repentance, ni par aucune nouvelle réconciliation envers Dieu, nous allons lui présenter ces paroles que la mémoire met sur notre langue en espérant en tirer une expiation de nos fautes. Il n'est rien de si aisé, de si doux, et de si favorable que la loi divine : elle nous appelle à soi, ainsi fautiers et détestables que nous sommes ; elle nous tend les bras, et nous reçoit dans son giron, pour vilains, sales et bourbeux que nous soyons et que nous ayons à l'être à l'avenir. Mais encore en récompense la faut-il regarder d'un bon œil, encore faut-il recevoir ce pardon avec action de grâces, et, au moins dans cet instant où nous nous adressons à elle, avoir l'âme qui se déplaît de ses fautes et ennemie des passions qui nous ont poussé à l'offenser. Ni les dieux, ni les gens de bien, dit Platon, n'acceptent le présent d'un méchant :

Qu'une innocente main s'approche de l'autel,
Un sacrifice somptueux plus délicatement
Ne saurait apaiser les Pénates hostiles
Que le blé consacré joint au sel crépitant

Immunis aram si tetigit manus,
Non sumptuosa blandior hostia
Molliuit auersos Penates,
Farre pio et saliente mica. [1]

De l'âge

[Chapitre LVII]

Je ne puis recevoir la façon dont nous établissons la durée de notre vie. Je vois que les sages l'accourcissent bien fort au prix de l'opinion commune. « Comment, dit le jeune Caton à ceux qui voulaient l'empêcher de se tuer, suis-je à cette heure en un âge où l'on me puisse

1. Horace, *Odes*, III, XXIII, 17-20.

reprocher d'abandonner trop tôt la vie ? » Il n'avait pourtant que quarante et huit ans. Il estimait cet âge-là déjà bien mûr et bien avancé, considérant combien peu d'hommes y arrivent. Et ceux qui se flattent de ce que je ne sais quel cours qu'ils nomment naturel nous promet quelques années au-delà, ils pourraient le faire s'ils avaient un privilège qui les exemptât du si grand nombre d'accidents auxquels chacun de nous est en butte par une sujétion naturelle, et qui peuvent interrompre ce cours qu'ils se promettent. Quelle rêverie est-ce de s'attendre à mourir de la défaillance de nos forces qu'apporte l'extrême vieillesse et de se proposer ce but à notre durée, vu que c'est l'espèce de mort la plus rare de toutes et la moins en usage ? Nous l'appelons seule naturelle comme s'il était contre nature de voir un homme se rompre le cou dans une chute, se noyer dans un naufrage, se laisser surprendre par la peste ou par une pleurésie, et comme si notre condition ordinaire ne nous exposait pas à tous ces inconvénients. Ne nous flattons pas de ces beaux mots : on doit d'aventure appeler plutôt naturel ce qui est général, commun, et universel. Mourir de vieillesse, c'est une mort rare, singulière et extraordinaire, et partant d'autant moins naturelle que les autres. C'est la dernière et ultime façon de mourir. Elle est d'autant moins à espérer qu'elle est plus éloignée de nous : c'est bien la borne au-delà de laquelle nous n'irons pas, et que la loi de nature a prescrite pour n'être point outrepassée, mais c'est un rare privilège qu'elle a de nous faire durer jusque-là. C'est une exemption qu'elle accorde par faveur particulière à un seul en l'espace de deux ou trois siècles, en le déchargeant des traverses et des difficultés qu'elle a jetées entre deux dans cette longue carrière.

Ainsi mon opinion est de regarder que l'âge auquel nous sommes arrivés, c'est un âge auquel peu de gens arrivent. Puisque, selon le train ordinaire, les hommes ne viennent pas jusque-là, c'est signe que nous nous trouvons déjà bien avancés. Et puisque nous avons passé les limites accoutumées, ce qui est la vraie mesure de notre vie, nous ne devons guère espérer aller outre. Ayant échappé à tant d'occasions de mourir où nous voyons trébucher le monde, nous devons reconnaître qu'une fortune extraordinaire comme celle-là qui nous maintient, qui est hors de l'usage commun, ne nous doit guère durer.

C'est un vice des lois mêmes d'entretenir cette fausse imagination : elles ne veulent pas qu'un homme soit capable du maniement de ses biens avant qu'il n'ait vingt et cinq ans, et à peine conservera-il jusqu'alors le maniement de sa vie ! Auguste retrancha cinq ans des anciennes ordonnances romaines et déclara qu'il suffisait à ceux qui prenaient une charge de juge d'avoir trente ans. Servius Tullius dispensa les chevaliers qui avaient passé quarante-sept ans des corvées de la guerre. Auguste les remit à quarante et cinq. De renvoyer les hommes dans leur retraite avant cinquante-cinq ou soixante ans, ce me semble n'avoir pas grande apparence de raison. Je serais d'avis qu'on étendît notre emploi et notre occupation autant qu'on pourrait pour la commodité publique, mais je trouve de l'autre côté que nous avons tort de ne nous y embesogner pas assez tôt. Celui-ci avait été le juge universel du monde à dix-neuf ans, et il veut que pour juger de la place d'une gouttière on en ait trente !

Quant à moi j'estime que nos âmes sont devenues à vingt ans ce qu'elles doivent être, et qu'elles promettent tout ce qu'elles pourront. Jamais une âme qui n'ait dès cet âge-là donné des arrhes bien évidentes de sa force n'en donna par après la preuve. Les qualités et les vertus naturelles produisent dans ce terme-là, ou jamais, ce qu'elles ont de vigoureux et de beau :

Si l'espine nou picque quand nai,
A pene que pique jamai,

disent-ils en Dauphiné.

De toutes les belles actions humaines qui sont venues à ma connaissance, de quelque sorte qu'elles soient, je crois que j'en trouverais la plus grande part en dénombrant celles qui ont été produites à la fois dans les siècles anciens et dans le nôtre avant l'âge de trente ans plutôt qu'après. Oui, et dans la vie des mêmes hommes souvent. Ne le puis-je pas le dire en toute assurance de celles d'Hannibal et de Scipion, son grand adversaire ? La belle moitié de leur vie, ils la vécurent sur la gloire acquise en leur jeunesse, grands hommes par après au prix de tous autres, mais nullement au prix d'eux-mêmes. Quant à moi je tiens pour certain que depuis cet âge et mon esprit et mon corps ont plus diminué qu'augmenté, et plus reculé qu'avancé. Il est possible que, chez ceux qui emploient bien le temps, la science et l'expérience croissent avec la vie, mais la vivacité, la promptitude, la fermeté, et les autres qualités bien plus nôtres, plus importantes et plus essentielles se fanent et s'alanguissent :

Lorsque des assauts du temps le corps se trouve battu,
Que sa force défaille et qu'il est de partout fourbu,
L'esprit boîte, la voix bredouille, la phrase trébuche

Ubi iam ualidis quassatum est uiribus æui
Corpus, et obtusis ceciderunt uiribus artus,
Claudicat ingenium, delirat linguaque mensque. [1]

1. Lucrèce, III, 451-453.

Tantôt c'est le corps qui se rend le premier à la vieillesse, parfois aussi c'est l'âme, et j'en ai vu assez qui ont eu la cervelle affaiblie avant l'estomac et les jambes. Et d'autant que c'est un mal peu sensible à qui le souffre, et dont les signes se montrent peu, d'autant est-il plus dangereux. Pour ce coup, je me plains des lois, non point parce qu'elles nous laissent trop tard à la besogne, mais parce qu'elles nous y emploient trop tard. Il me semble que, considérant la faiblesse de notre vie et à combien d'écueils ordinaires et naturels elle est exposée, on ne devrait pas en laisser une aussi grande part à la croissance, à l'oisiveté de l'enfance et à l'apprentissage.

LIVRE II

De l'inconstance de nos actions

[Chapitre premier]

Ceux qui s'exercent à noter et comparer les actions des hommes ne se trouvent jamais aussi embarrassés que lorsqu'il s'agit de les coudre ensemble et de les mettre en un même jour, car elles se contredisent communément de si étrange façon qu'il semble impossible qu'elles soient parties de la même boutique. Tel jeune Marius se trouve tantôt fils de Mars, tantôt fils de Vénus. Le pape Boniface huitième entra, dit-on, dans sa charge comme un renard, s'y comporta comme un lion, et mourut comme un chien. Et qui croirait que ce fût Néron, cette vraie image de cruauté, qui, comme on lui présentait à signer, selon la procédure, la sentence d'un criminel condamné, eût répondu : « Pût à Dieu que je n'eusse jamais su écrire ! », tant le cœur lui serrait de condamner un homme à mort ? Tout est si plein de tels exemples, et même chacun en peut tant fournir à soi-même que je trouve étrange de voir quelquefois des gens d'entendement se mettre en peine d'assortir ces pièces, vu que l'irrésolution me semble le travers le plus commun et le plus apparent de notre nature, témoin ce fameux vers de Publius, le poète comique :

Bien mauvais avis que celui qu'on ne peut changer
Malum consilium est, quod mutari non potest ! [1]

Il y a quelque apparence de juger d'un homme par les traits les plus communs de sa vie ; mais vu l'instabilité naturelle de nos mœurs et de nos opinions, il m'a semblé souvent que les bons auteurs eux-mêmes ont tort de s'opiniâtrer à former de nous une composition constante

1. Aulu-Gelle, XVII, XIV, 4.

et solide. Ils choisissent un type universel, et suivant cette image, ils vont rangeant et interprétant toutes les actions d'un personnage, et s'ils ne les peuvent assez tordre ils les rapportent à la dissimulation. Auguste leur est échappé, car il se trouve chez cet homme une divergence d'actions si apparente, si soudaine, et si continuelle durant tout le cours de sa vie qu'il s'est vu lâcher par les juges les plus hardis qui ont laissé son cas entier et non résolu. S'agissant des hommes, je crois plus mal aisément à leur constance qu'à toute autre chose, et rien plus aisément qu'à leur inconstance. Qui en jugerait en détail et distinctement, pièce à pièce, se rencontrerait plus souvent à dire vrai.

Dans toute l'antiquité il est malaisé de choisir une douzaine d'hommes qui aient dressé leur vie à un train certain et assuré, ce qui est le but principal de la sagesse. Car celle-ci, pour la comprendre toute en un mot, dit un ancien, et pour embrasser en une seule toutes les règles de notre vie, consiste à vouloir et ne vouloir pas toujours la même chose ; « je ne daignerais pas ajouter, dit-il, pourvu que la volonté soit juste, car si elle n'est pas juste, il est impossible qu'elle soit toujours une. » De vrai, j'ai autrefois appris que le vice n'est que dérèglement et faute de mesure, et par conséquent il est impossible d'y attacher la constance. C'est un mot de Démosthène, dit-on, que le commencement de toute vertu, c'est l'examen et la réflexion, et que sa fin et sa perfection, c'est la constance. Si par réflexion nous entreprenions de suivre une voie déterminée, nous prendrions la plus belle, mais nul n'y a pensé :

Ce qu'il voulait le lasse, il reveut ce qu'il vient de fuir,
Il tourbillonne, et sa vie n'est toute qu'inconséquence
Quod petiit, spernit, repetit quod nuper omisit,
Aestuat, et uitæ disconuenit ordine toto. [1]

Notre façon ordinaire, c'est d'aller après les inclinations de notre appétit, à gauche, à droite, contremont, contre-bas, selon que le vent des occasions nous emporte. Nous ne pensons ce que nous voulons qu'à l'instant où nous le voulons, et nous changeons comme cet animal qui prend la couleur du lieu où on le couche. Ce que nous nous sommes à cette heure proposé, nous le changeons tantôt, et tantôt encore nous retournons sur nos pas : ce n'est que branle et inconstance :

Nous allons comme une poupée entre les mains d'autrui
Ducimur ut neruis alienis mobile lignum. [2]

1. Horace, *Épîtres*, I, I, 98-99.
2. Horace, *Satires*, II, VII, 82.

Nous n'allons pas, on nous emporte, comme les choses qui flottent, ores doucement, ores avec violence, selon que l'eau est tempétueuse ou bonasse :

n'est-il vrai que nous les voyons
Ne sachant quoi se proposer, éternels vibrions,
Guignant de lieux en lieux pour se délivrer de leur charge

nonne uidemus
Quid sibi quisque uelit nescire, et quærere semper,
Commutare locum quasi onus deponere possit ? [1]

Chaque jour une nouvelle fantaisie, et nos humeurs se meuvent avec les mouvements du temps :

les pensées des mortels sont comme les clartés fécondes
Dont Jupiter lui-même a baigné tous les mondes

Tales sunt hominum mentes, quali pater ipse
Juppiter auctifero lustrauit lumine terras. [2]

Nous flottons entre divers avis ; nous ne voulons rien librement, rien absolument, rien constamment.

Chez qui aurait prescrit et établi dans sa tête des lois précises et une ordonnance définie, nous verrions tout partout dans sa vie éclater une égalité de mœurs, un ordre, et une relation infaillible des faits les unes aux autres (Empédocle remarquait cette incohérence chez ses concitoyens d'Agrigente qu'ils s'abandonnaient aux délices comme s'ils avaient à mourir le lendemain, et bâtissaient comme s'ils ne devaient jamais mourir), et l'analyse en serait donc bien aisée à faire, comme on le voit du jeune Caton d'Utique : qui en a touché une clef a touché tout le clavier ; c'est une harmonie de sons très concordants qui ne peut se fausser. Chez nous au rebours, autant d'actions, autant y faut-il de jugements particuliers. Le plus sûr, à mon sens, serait de les rapporter aux circonstances voisines, sans entrer dans une plus longue recherche et sans en tirer plus de conséquence.

Pendant les débauches de notre pauvre État [3], on me rapporta qu'une fille de bien près de là où j'étais s'était précipitée du haut d'une fenêtre pour fuir la violence d'un bélître de soldat, son hôte. Elle ne s'était pas tuée à la chute, et, pour redoubler son entreprise, elle avait voulu se donner d'un couteau dans la gorge, mais on l'en avait empêchée, après toutefois qu'elle s'y fût bien fortement blessée. Elle-même confessait que le soldat ne l'avait encore pressée que de

1. Lucrèce, III, 1057-1059.
2. Homère, *Odyssée*, XVIII, 136-137.
3. Pendant les guerres de religion (troubles de l'année 1572).

requêtes, de sollicitations et de présents, mais qu'elle avait eu peur qu'il n'en vînt à la fin à la contrainte : et là-dessus les paroles, la contenance, et ce sang témoin de sa vertu, à la vraie façon d'une autre Lucrèce ! Or j'ai su à la vérité qu'avant et depuis elle avait été une fille qui ne se montrait pas de si difficile composition. Comme dit le conte, tout beau et honnête que vous soyez, quand vous aurez manqué votre assaut, n'en concluez pas aussitôt à l'inviolable chasteté de votre maîtresse : cela ne veut pas dire que le muletier n'y trouvera pas son heure.

Le roi Antigone avait pris en affection un de ses soldats pour sa vertu et sa vaillance. Il demanda à ses médecins de le soigner d'une maladie longue et intérieure qui l'avait longtemps tourmenté, et, s'apercevant après sa guérison qu'il allait beaucoup plus froidement aux affaires, il lui demanda ce qui l'avait ainsi changé et encouardi : « Vous-même, Sire, lui répondit-il, qui m'avez délivré des maux pour lesquels je ne tenais aucun compte de ma vie. » Un soldat de Lucullus qui avait été dévalisé par les ennemis fit sur eux pour se venger une belle entreprise. Après qu'il se fut remplumé de sa perte, Lucullus, qui l'avait pris en belle estime, essayait un jour de l'employer à quelque exploit hasardeux avec toutes les plus belles exhortations dont il pouvait s'aviser,

> Usant de mots propres à rendre un poltron courageux
> *Verbis quæ timido quoque possent addere mentem :* [1]

– Employez-y, lui répondit cet homme, quelque misérable soldat dévalisé,

> si rustre soit-il, il ira,
> Il ira bien où tu veux qui sa bourse aura perdu
> *quantumuis rusticus ibit,*
> *Ibit eo quo uis qui zonam perdidit, inquit,* [2]

et quant à lui, il refusa résolument d'y aller.

Quand nous lisons, après que Mahomet II eut outrageusement rudoyé Hassan, le chef de ses Janissaires, parce ce qu'il voyait sa troupe enfoncée par les Hongrois et lui se porter lâchement au combat, que ce même Hassan pour toute réponse alla se ruer seul comme un furieux dans l'état où il était, les armes au poing, sur le premier corps d'ennemis qui se présenta, où il fut soudain englouti, ce n'est là peut-être pas tant une façon de se justifier que de se raviser, ni tant

1. Horace, *Épîtres*, II, II, 39-40.
2. Pressac, *Le Cléandre ou De l'honneur et de la vaillance* (1583).

une prouesse naturelle qu'un nouveau dépit. Celui que vous vîtes hier si aventureux, ne trouvez pas étrange de le voir aussi poltron le lendemain : ou la colère, ou la nécessité, ou la compagnie, ou le vin, ou le son d'une trompette, lui avait mis le cœur au ventre : un cœur ainsi tourné n'est pas le fruit de la réflexion ; ces circonstances-là le lui avaient affermi ; ce n'est pas merveille si le voilà devenu autre sous l'effet d'autres circonstances contraires. Cette variation et cette contradiction qu'on voit en nous si souples ont fait que certains imaginent que nous avons deux âmes, d'autres deux puissances, qui nous accompagnent et nous meuvent chacune à sa mode, l'une vers le bien, l'autre vers le mal, une si brusque diversité ne se pouvant bien s'assortir à un sujet simple.

Non seulement le vent des accidents me remue selon son inclination, mais en outre je me remue et me trouble moi-même par l'instabilité de ma posture ; et qui y regarde de très près ne se trouve guère deux fois dans le même état. Je donne à mon âme tantôt un visage, tantôt un autre selon le côté où je la couche. Si je parle diversement de moi, c'est que je me regarde diversement. Tous les contraires s'y retrouvent, selon quelque tour, et en quelque façon : timide et insolent, chaste et luxurieux, bavard et taciturne, dur à la peine ou délicat, ingénieux et hébété, chagrin ou débonnaire, menteur et véridique, savant et ignorant, et libéral et avare et prodigue, tout cela je le vois en moi d'une certaine façon selon que je me vire, et quiconque s'étudie bien attentivement trouve en soi, voire même en son jugement, cette volatilité et cette discordance. Je n'ai rien à dire de moi, entièrement, simplement, et solidement, sans confusion et sans mélange, ni en un seul mot. *Distinguo* est l'article le plus universel de ma logique.

Encore que je sois toujours d'avis de dire le bien du bien et d'interpréter plutôt en bonne part les choses qui le peuvent être, pourtant l'étrangeté de notre condition comporte que nous soyons souvent poussés à bien faire par le vice même, si, bien sûr, le bien faire ne se jugeait pas seulement d'après l'intention. C'est pourquoi un acte courageux ne doit pas faire conclure à un homme vaillant : celui qui le serait bien réellement, il le serait toujours, et en toutes occasions. Si c'était une habitude de vertu, et non une saillie, elle rendrait un homme pareillement résolu en toutes circonstances, tel seul qu'en compagnie, tel en champ clos qu'en une bataille, car quoi qu'on dise, il n'y a pas une vaillance sur le pavé et une autre au camp. Aussi courageusement supporterait-il une maladie en son lit qu'une blessure au camp, et il ne craindrait pas plus de mourir dans sa maison qu'en un assaut. Nous ne verrions pas un même homme charger dans la brèche avec une brave assurance et se tourmenter après comme une femme de la perte d'un procès ou d'un fils. Quand quelqu'un qui est lâche devant l'infamie se montre ferme dans la pauvreté, quand quelqu'un qui mollit face aux lancettes des barbiers se montre roide face aux épées des adversaires, l'action est louable, non pas l'homme. Plusieurs Grecs, dit Cicéron, ne peuvent supporter la vue des ennemis, et se trouvent fermes face aux maladies. Les Cimbres et les Celtibères, tout au rebours : Rien ne peut en effet être constant qui ne procède d'un principe déterminé *nihil enim potest esse æquabile quod non a certa ratione proficiscatur.* [1]

Il n'est point de vaillance plus extrême en son espèce que celle d'Alexandre, mais elle n'est que de son espèce, et n'est point partout assez pleine et universelle. Toute incomparable qu'elle est, pourtant encore a-t-elle ses taches. Ce qui fait que nous le voyons se troubler si éperdument aux plus légers soupçons qu'il prend des machinations des siens contre sa vie, et se comporter dans l'enquête qui s'ensuit avec une injustice si véhémente et si démesurée, et avec une terreur qui subvertit sa raison naturelle. La superstition aussi, dont il était si fort atteint, donne une certaine image de pusillanimité. Et l'excès de la pénitence qu'il fit du meurtre de Clytos témoigne aussi de l'inégalité de son cœur.

Notre fait, ce ne sont que pièces rapportées, et nous voulons acquérir de l'honneur sous de fausses enseignes. La vertu ne veut être suivie que pour elle-même, et si on emprunte parfois son masque pour une autre cause, elle nous l'arrache aussitôt du visage. C'est une vive et forte teinture quand l'âme en est une fois abreuvée, et qui ne s'en va qu'elle n'emporte la pièce. Voilà pourquoi pour juger d'un homme, il faut suivre longuement et attentivement sa trace : si la constance ne se maintient pas de son seul fondement chez celui qui a examiné et prévu sa route *cui uiuendi uia considerata atque prouisa est* [2], si la variété des circonstances lui fait changer de pas, (je veux dire de route : car le pas peut ou se hâter ou se ralentir), laissez le courir : celui-là s'en va à vau-vent, comme dit la devise de notre Talbot.

Ce n'est pas merveille, dit un ancien, que le hasard puisse tant sur nous puisque nous vivons par hasard. À qui n'a dressé en gros sa vie à une certaine fin, il est impossible de disposer les actions particulières. Il est impossible de ranger les pièces à qui n'a pas une forme du total en sa tête. À quoi sert d'avoir fait provision de couleurs à qui ne sait ce qu'il a à peindre ? Personne n'assigne à sa vie un dessein déterminé, et nous n'en délibérons que par parcelles. L'archer doit d'abord savoir

1. Cicéron, *Tusculanes*, II, XXVII, 65.
2. Cicéron, *Paradoxes*, V, I, 34.

où il vise, et puis y accommoder la main, l'arc, la corde, la flèche, et ses mouvements. Nos conseils se fourvoient parce qu'ils n'ont ni cible ni but. Il n'est point de vent favorable à celui qui n'a point de port destiné. Je ne suis pas d'accord avec ce jugement qu'on rendit en faveur de Sophocle quand, pour avoir vu l'une de ses tragédies, on conclut, contre son fils qui le poursuivait, qu'il était compétent dans le maniement des affaires domestiques. Pas plus que je ne trouve que la conjecture des habitants de Paros envoyés pour réformer les Milésiens suffise à la conséquence qu'ils en tirèrent. Visitant l'île, ils notaient les terres les mieux cultivées et les domaines les mieux gouvernés, et ayant enregistré le nom des maîtres de ceux-ci, quand ils eurent réuni l'assemblée des citoyens dans la ville, ils nommèrent ces maîtres-là comme nouveaux gouverneurs et magistrats, jugeant que, soigneux de leurs affaires privées, ils le seraient aussi des publiques.

Nous sommes tous de lopins, et d'une contexture si informe et diverse que chaque pièce, chaque moment y fait son jeu. Et il se trouve autant de différence de nous à nous-mêmes que de nous à autrui. Dis-toi bien que c'est une grande affaire que d'être toujours le même homme *magnam rem puta unum hominem agere* [1]. Puisque l'ambition peut apprendre aux hommes et la vaillance, et la tempérance, et la libéralité, voire même la justice ; puisque l'avarice peut planter au cœur d'un garçon de boutique, nourri dans l'ombre et dans l'oisiveté, l'assurance de se jeter très loin du foyer domestique à la merci des vagues et de Neptune courroucé dans un frêle bateau, et qu'elle apprend encore la discrétion et la prudence, et que Vénus même fournit de résolution et de hardiesse la jeunesse encore sous la discipline et la verge, et qu'elle aguerrit le tendre cœur des pucelles dans le giron de leurs mères :

Sous sa houlette,
La fille glisse sans bruit parmi ses gardiens qui dorment
Et seule dans la nuit s'en va retrouver son amant

Hac duce custodes furtim transgressa iacentes
Ad iuuenem tenebris sola puella uenit. [2]

Ce n'est pas la façon d'un entendement rassis que de nous juger simplement d'après nos actions de dehors : il faut sonder jusqu'au-dedans, et voir par quels ressorts se donne le branle. Mais parce que c'est une grande et hasardeuse entreprise, je voudrais que moins de gens s'en mêlent.

1. Sénèque, *Lettres à Lucilius*, CXX, 22.
2. Tibulle, II, I, 75-76.

De l'ivrognerie

[Chapitre II]

Le monde n'est que variété et dissemblance. Les vices sont tous pareils en ce qu'ils sont tous des vices, et c'est de cette façon que d'aventure l'entendent les Stoïciens, mais encore qu'ils soient également des vices, tous les vices ne sont pas égaux, et il n'est pas croyable que celui qui a franchi de cent pas les limites

Deçà lesquelles et delà ne peut être le bien
Quos ultra citraque nequit consistere rectum, [1]

ne soit de pire nature que celui qui n'en est qu'à dix pas, ou que le sacrilège ne soit pire que le larcin d'un chou de notre jardin :

On ne prouvera pas qu'autant pèche et pas mieux
Qui foule des pousses de chou dans le jardin de l'autre
Et qui pille de nuit le saint trésor des dieux
Nec uincet ratio, tantumdem ut peccet, idemque,
Qui teneros caules alieni fregerit horti,
Et qui nocturnus diuum sacra legerit. [2]

Il y a en cela autant de diversité qu'en toute autre chose.

Confondre l'ordre et la mesure des péchés est dangereux : les meurtriers, les traîtres, les tyrans y trouvent trop d'avantage ; ce n'est pas raison que leur conscience se soulage sur ce que tel autre est ou oisif, ou lascif, ou moins assidu à la dévotion : chacun pèse sur le péché de son compagnon, et allège le sien. Ceux-là mêmes qui ont charge de nous éduquer les rangent souvent mal, à mon gré. De même que Socrate disait que le principal office de la sagesse était de distinguer les biens et les maux, nous autres, chez qui le meilleur est toujours entaché de vice, nous devons en dire autant de la science de distinguer les vices. Sans cette science, et bien exacte, le vertueux et le méchant demeurent mêlés et non reconnus.

Or l'ivrognerie me semble un vice grossier et bestial entre tous. L'esprit a plus de part dans d'autres, et il y a des vices qui ont je ne

1. Horace, *Satires*, I, I, 107.
2. Horace, *Satires*, I, III, 115-117.

sais quoi de généreux, s'il le faut ainsi dire. Il y en a où la science se mêle, la diligence, la vaillance, la prudence, l'adresse et la finesse : l'ivrognerie au contraire est toute corporelle et terrestre. Aussi la plus grossière nation de celles qui sont aujourd'hui [1], c'est celle-là seule qui le tient en crédit. Les autres vices altèrent l'entendement, celui-ci le renverse, et foudroie le corps :

Quand du vin ont gagné les vapeurs traîtresses,
Nous voyons le pas s'alourdir, la jambe tituber,
La langue devenir pâteuse, et l'esprit s'imbiber ;
L'œil se noie, et suivent les cris, les hoquets, l'invective

Cum uini uis penetrauit,
Consequitur grauitas membrorum, præpediuntur
Crura uacillanti, tardescit lingua, madet mens,
Nant oculi, clamor, singultus, iurgia gliscunt : [2]

Le pire état de l'homme, c'est quand il perd la connaissance et le gouvernement de soi. Et l'on dit entre autres à ce propos que, comme le moût qui bout dans un tonneau repousse amont tout ce qu'il y a dans le fonds, le vin de même aussi fait débonder leurs secrets les plus intimes à ceux qui en ont pris outre mesure :

C'est toi qui fais aux sages
Leurs soucis découvrir et leurs secrets courages
Dans les joies de Bacchus

Tu sapientium
Curas et arcanum iocoso
Consilium retegis Lyæo. [3]

Flavius Josèphe raconte qu'il tira les vers du nez à un certain ambassadeur que les ennemis lui avaient envoyé, après l'avoir saoulé. Toutefois Auguste n'éprouva jamais le moindre mécompte d'avoir confié les affaires les plus privées qu'il eût à Lucius Pison, le conquérant de la Thrace, non plus que Tibère avec Cossus, à qui il s'ouvrait de tous ses desseins, quoique nous les sachions avoir été si fort portés au vin que souvent il fallut ramener l'un et l'autre ivres du Sénat,

les veines encore gonflées par le vin de la veille

Hesterno inflatum uenas de more Lyæo. [4]

---

1. Les Allemands.
2. Lucrèce, III, 476-480.
3. Horace, *Odes*, III, XXI, 14-16.
4. Virgile, *Les Bucoliques*, VI, 15.

Et avec autant de confiance qu'à Cassius qui ne buvait que de l'eau on s'en remit à Cimber du dessein de tuer César, quoiqu'il s'enivrât souvent. D'où vint qu'il lança plaisamment : « Que je supportasse un tyran, moi, qui ne puis supporter le vin ! » Nous voyons nos Allemands, tout noyés qu'ils sont dans leur vin, se souvenir encore de leur quartier, du mot de passe, et de leur rang :

et il n'est point aisé de les défaire,
Même noyés de vin, bégayants, titubants

Nec facilis uictoria de madidis et
Blaesis atque mero titubantibus. [1]

Je n'eusse pas cru possible une ivresse si profonde, si étouffée, et si ensevelie, si je n'eusse lu chez les historiens l'anecdote que voici. Attale avait convié à souper pour lui faire une notable indignité ce Pausanias qui, pour des raisons du même ordre, tua par la suite Philippe, roi de Macédoine – un roi qui par ces belles qualités témoignait de la belle éducation qu'il avait reçue dans la maison et dans la compagnie d'Epaminondas –, et il le fit tant boire que celui-ci pût abandonner sa beauté, sans rien sentir, comme le corps d'une putain buissonnière, aux muletiers et à nombre de serviteurs de bas étage de sa maison.

Il y a aussi ce que m'apprit une dame que j'honore et prise fort, que près de Bordeaux, vers Castres, où est sa maison, une riche villageoise, veuve de chaste réputation, ressentant les premières ombres d'une grossesse, disait au début à ses voisines qu'elle aurait pensé d'être enceinte si elle avait eu un mari. Mais la cause de ce soupçon croissant de jour en jour, et à la fin jusqu'à l'évidence, elle en vint à faire déclarer au prône [2] de son église que si quelqu'un reconnaissait le fait en l'avouant, elle promettait de lui pardonner, et s'il le trouvait bon, de l'épouser. Un sien jeune valet de labourage, enhardi par cette proclamation, déclara l'avoir trouvée un jour de fête, largement prise de vin, endormie à son foyer d'une façon si profonde et si indécente qu'il avait pu s'en servir sans l'éveiller. Ils vivent encore mariés ensemble.

Il est certain que l'antiquité n'a pas beaucoup décrié ce vice. Les écrits mêmes de plusieurs philosophes en parlent avec grande indulgence, et, jusqu'aux Stoïciens, il y en a qui conseillent de s'accorder quelquefois de boire d'abondance, et de s'enivrer pour donner relâche à l'âme :

---

1. Juvénal, XV, 47-48.
2. Sermon, chez les protestants.

Dans ce noble combat, Socrate aussi jadis
Remporta, ce dit-on, la palme

Hoc quoque uirtutum quondam certamine magnum
Socratem palmam promeruisse ferunt. [1]

Caton, ce censeur et ce correcteur des autres, s'est vu reprocher de bien boire :

On dit aussi de Caton l'Ancien
Qu'il réchauffait souvent sa vertu dans le vin

Narratur et prisci Catonis
Sæpe mero caluisse uirtus. [2]

Cyrus, roi si renommé, allègue entre ses autres titres d'éloge, pour se préférer à son frère Artaxerxès, qu'il savait beaucoup mieux boire que lui. Et dans les nations les mieux réglées et les mieux policées, cet essai [3] de boire d'abondance était fort en usage. J'ai ouï dire à Silvius, excellent médecin de Paris, que pour éviter que les forces de notre estomac ne s'emparessent, il est bon, une fois le mois, de les réveiller par cet excès, et de les piquer ainsi pour les garder de s'engourdir. On écrit même que les Perses consultaient de leurs principales affaires après avoir bu.

Mon goût et ma nature sont ennemis de ce vice bien plus que ma raison. Car, outre le fait que je soumets aisément mes convictions à l'autorité des Anciens, je trouve bien que l'ivrognerie est un vice lâche et stupide, mais moins pervers et dommageable toutefois que les autres, qui choquent quasi tous de plus droit fil la vie en société. Et si nous ne pouvons nous donner du plaisir sans qu'il ne nous en coûte quelque chose, comme on le dit, je trouve que ce vice-là coûte moins à notre conscience que les autres, sans compter qu'il n'est point difficile de se l'octroyer, ni malaisé à trouver : considération qui n'est point méprisable !

Un homme avancé en dignité et en âge me disait qu'entre les trois principaux plaisirs qu'il lui restait dans la vie, il comptait celui-ci. Et où veut-on les trouver plus justement que parmi ceux qui sont naturels ? Mais il en usait mal. La délicatesse y est à fuir, ainsi que le choix trop soigneux du vin. Si vous fondez votre plaisir de boire sur l'agrément du palais, vous vous obligez à la douleur de devoir boire autrement. Il faut avoir le goût plus lâche et plus libre. Pour être bon buveur, il ne faut pas un palais si tendre. Les Allemands boivent de

---

1. Maximianus, I, 47-48.
2. Horace, *Odes*, III, XXI, 11-12.
3. Cette épreuve, cette expérience.

tout vin quasi avec autant de plaisir : leur but, c'est d'avaler plus que de goûter. Ils en ont bien meilleur marché. Leur volupté est bien plus plantureuse et plus à portée de main. Secondement, boire à la française, aux deux repas, et modérément, c'est trop restreindre les faveurs de ce dieu. Il y faut plus de temps et de constance. Les anciens passaient des nuits entières à cet exercice, et ils y rajoutaient souvent les jours. Aussi faut-il choisir notre ordinaire avec plus d'abondance et de force. J'ai vu un grand seigneur de mon temps, personnage qui fit de hautes entreprises et remporta de fameux succès, qui, sans effort, et au cours de ses repas de tous les jours, ne buvait guère moins de cinq lots [1] de vin, et, au partir de là, il ne se montrait que trop sage et avisé aux dépens des affaires de notre parti. Un plaisir que nous voulons voir compter tout au long de notre vie doit en occuper plus d'espace. Il faudrait, comme les garçons de boutique, et les travailleurs de force, ne refuser aucune occasion de boire, et avoir toujours ce désir en tête. Il semble que tous les jours nous raccourcissons l'usage de ce plaisir et que dans nos maisons, comme je l'ai vu dans mon enfance, les déjeuners, les goûters et les collations fussent plus fréquents et ordinaires qu'à présent. Serait-ce qu'en quelque chose au moins nous nous serions amendés ? Pas vraiment. Mais c'est peut-être que nous sommes beaucoup plus portés à la paillardise que nos pères. Ce sont deux occupations qui s'entre-empêchent dans leur vigueur. Elle a affaibli notre estomac d'une part, et d'autre part la sobriété nous rend plus frais et plus damerets pour l'exercice de l'amour.

C'est merveille que les contes que j'ay ouï faire à mon père sur la chasteté de son siècle. C'était bien à lui d'en parler, car, tant par politesse que par nature, il était très avenant pour le service des dames. Il parlait peu et bien, mêlant pourtant son langage de quelque ornement tiré des livres en langues vulgaires, surtout espagnols, et, parmi les Espagnols, lui était familier celui qu'ils intitulent « *Marc-Aurèle* [2] ». Le port, il l'avait d'une gravité douce, humble, et très modeste. Un soin singulier de l'élégance et de la décence de sa personne, comme de ses habits, que ce soit à pied ou à cheval. Une fidélité prodigieuse à sa parole, et une conscience et une religion en général qui penchaient plutôt vers la superstition que vers l'autre bout. Pour un homme de petite taille, il était plein de vigueur et d'une stature droite et bien proportionnée, d'un visage agréable, tirant sur le brun. Il se montrait adroit et excellent en tous nobles exercices. J'ai vu

1. Un « lot » valait quatre pintes, une pinte faisant presque un litre.
2. *Marc-Aurèle ou l'Horloge des princes*, d'Antonio de Guevara, qui eut un grand succès dans toute l'Europe.

encore des cannes farcies de plomb dont on dit qu'il s'exerçait les bras pour se préparer à lancer la barre, ou la pierre, ou à l'escrime, et des souliers aux semelles plombées pour s'alléger ensuite pour la course et le saut. En matière de saut à pieds joints, il a laissé en mémoire de petits miracles. Je l'ai vu par-delà soixante ans se moquer de nos tours d'agilité, se jeter avec sa robe fourrée sur un cheval, faire le tour de la table sur son pouce, et ne monter guère en sa chambre sans s'élancer trois ou quatre degrés à la fois. Sur cette question de la chasteté, il disait qu'en toute une province à peine y avait-il une femme de qualité qui fût mal renommée. Il racontait des relations étonnamment familières, nommément les siennes, avec d'honnêtes femmes qui restaient des amitiés au-dessus de tout soupçon. Quant à lui-même, il jurait saintement être venu vierge à son mariage, et pourtant c'était après avoir pris longuement part à nos guerres de delà les monts, dont il nous a laissé un journal de sa main qui suit point par point ce qui s'y passa tant dans le domaine public que dans son privé. Aussi se maria-t-il bien avant en âge, l'an 1528, qui était son trente-troisième, sur le chemin de son retour d'Italie. Revenons à nos bouteilles.

Les désagréments de la vieillesse, âge où l'on a besoin de quelque soutien et d'un peu de rafraîchissement, pourraient avec raison faire naître en moi le désir d'avoir cette faculté de bien boire, car c'est quasi le dernier plaisir que le cours des ans nous dérobe. La chaleur naturelle, disent les bons compagnons, se prend premièrement aux pieds : celle-là touche l'enfance. De là, elle monte jusqu'à la moyenne région, où elle se plante longtemps, et elle y produit, selon moi, les seuls vrais plaisirs de la vie corporelle : les autres voluptés dorment en comparaison. Sur la fin, à la mode d'une vapeur qui va montant et s'exhalant, elle arrive au gosier, où elle fait sa dernière pause. Je ne puis pourtant comprendre comment on en vient à allonger le plaisir de boire outre la soif, et à se forger en imagination un appétit artificiel et contre-nature. Mon estomac n'irait pas jusque-là : il est assez embarrassé de venir à bout de ce qu'il prend pour son besoin. Ma constitution est de ne faire cas du boire que pour la suite du manger, et c'est pour cette raison que je bois mon dernier coup toujours le plus grand. Et parce que dans la vieillesse nous apportons un palais encrassé par les rhumes, ou altéré par quelque autre mauvaise constitution, le vin nous semble meilleur à mesure que nous avons ouvert et lavé nos pores. En tout cas, il ne m'arrive guère que, dès la première gorgée, j'en prenne bien le goût. Anacharsis s'étonnait que les Grecs bussent sur la fin du repas dans de plus grands verres qu'au commencement. C'était, je pense, pour la même raison que le font les Allemands, qui commencent alors de rivaliser à qui boira le plus. Platon défend aux enfants de boire du vin avant dix-huit ans, et de s'enivrer avant quarante. Mais à ceux qui ont passé les quarante, il pardonne de s'y plaire et de mêler un peu largement dans leurs banquets l'influence de Dionysos, ce bon dieu qui redonne aux hommes de la gaieté, et de la jeunesse aux vieillards, qui adoucit et amollit les passions de l'âme comme le fer s'amollit par le feu, et dans ses *Lois*, il trouve utiles de telles assemblées à boire, pourvu qu'il y ait un chef de bande pour les contenir et régler, l'ivresse étant une bonne et sûre épreuve de la nature de chacun, et avec cela propre à donner aux personnes d'âge le courage de s'ébaudir dans les danses et dans la musique, choses utiles, et qu'ils n'osent entreprendre lorsqu'ils ont leur sens rassis. Il ajoute que le vin est capable de fournir à l'âme de la tempérance, au corps de la santé. Toutefois lui plaisent ces restrictions, en partie empruntées aux Carthaginois : qu'on doive user du vin avec parcimonie lors d'une expédition militaire ; que tout magistrat et tout juge s'en abstienne quand il est sur le point d'exécuter sa charge et de délibérer des affaires publiques ; qu'on n'y emploie pas le jour le temps dû à d'autres occupations, ni la nuit qu'on destine à faire des enfants. Ils disent que le philosophe Stilpon, grevé de vieillesse, hâta sa fin volontairement en buvant du vin pur. Pareille cause, mais sans qu'elle fût intentionnelle, suffoqua aussi les forces abattues par l'âge du philosophe Arcésilas. Mais c'est une vieille et plaisante question si l'âme du sage serait de nature à se rendre à la force du vin,

s'il vient forcer les murs de la philosophie
Si munitæ adhibet uim sapientiæ. [1]

À combien de vanité nous pousse cette bonne opinion que nous avons de nous ? L'âme la mieux réglée du monde, et la plus parfaite, n'a que trop affaire à se tenir sur pieds, et à se garder de s'étaler par terre sous l'effet de sa propre faiblesse. Sur mille, il n'en est pas une qui soit droite et rassise un seul instant dans sa vie, et l'on pourrait mettre en doute si, selon sa condition naturelle, elle y peut jamais être. Mais d'adjoindre à l'âme la constance, c'est sa dernière perfection, j'entends quand rien ne la choquerait, ce que mille accidents peuvent faire : Lucrèce, ce grand poète, a beau philosopher et se bander, le voilà rendu fou par un philtre amoureux [a]. Pense-t-on qu'une apoplexie n'étourdisse pas aussi bien Socrate qu'un portefaix ? Certains ont oublié leur nom même par la force d'une maladie, et chez d'autres une légère blessure a renversé le jugement. Si sage qu'il se veuille, à la fin c'est toujours un homme : qu'y a-t-il de plus caduque, de plus

1. Horace, *Odes*, III, XXVIII, 4.

misérable, et d'un plus profond néant ? La sagesse ne renforce pas nos dispositions naturelles :

On voit
Tout soudain ruisseler et pâlir le corps qui se pâme,
La langue bégayer, et la voix défaillir,
L'oreille siffler, l'œil s'éteindre, et les jambes faiblir,
Et l'homme enfin crouler sous l'effroi de son âme

Sudores itaque et pallorem existere toto
Corpore, et infringi linguam, uocemque aboriri,
Caligare oculos, sonere aures, succidere artus,
Denique concidere ex animi terrore uidemus. [1]

Il faut qu'il cille les yeux au coup qui le menace ; il faut qu'il frémisse planté au bord d'un précipice, comme un enfant, Nature ayant voulu se réserver ces légères marques de son autorité, inexpugnables à notre raison et à la vertu stoïque, pour lui apprendre sa mortalité et notre fadaise. Il pâlit à la peur, il rougit à la honte, il gémit à la colique, sinon d'une voix désespérée et éclatante, au moins d'une voix cassée et enrouée :

certain que rien d'humain ne lui soit étranger

Humani a se nihil alienum putet. [2]

Les poètes qui imaginent tout à leur guise n'osent pas seulement affranchir leurs héros des larmes : ainsi dit-il en pleurs, lâchant les rênes à la flotte

Sic fatur lacrymans, classique immittit habenas. [3]

Qu'il suffise à l'homme de brider et de modérer ses inclinations, car les supprimer n'est pas en son pouvoir. Même notre Plutarque, si parfait et si excellent juge des actions humaines, en voyant Brutus et Torquatus tuer leurs enfants, est entré en doute si la vertu pouvait aller jusque-là, et si ces personnages n'avaient pas été plutôt agités parquelque autre passion. Toutes actions hors les bornes ordinaires sont sujettes à une interprétation défavorable, parce que notre goût n'atteint pas plus à ce qui est au-dessus de lui qu'à ce qui est au-dessous.

Laissons-là cette autre secte philosophique qui fait expressément profession de fierté. Mais quand, dans la secte même estimée la plus molle, nous entendons ces vantardises de Métrodore : Je t'ai devancée,

1. Lucrèce, III, 154-157.
2. Térence, *Heautontimoroumenos*, 77.
3. Virgile, *Énéide*, VI, I.

Fortune, et je te tiens : j'ai barré tous tes accès, que tu ne pusses venir à moi *occupaui te, Fortuna, atque cepi : omnesque aditus tuos interclusi, ut ad me aspirare non posses.* [1] Quand Anaxarque, sur l'ordre de Nicocréon, tyran de Chypre, couché dans un baquet de pierre, et assommé à coups de maillet de fer, ne cesse de dire : « Frappez, rompez, ce n'est pas Anaxarque, c'est son étui que vous pilez » ; quand nous entendons nos martyrs crier au tyran au milieu des flammes : « C'est assez rôti de ce côté-là, hache-le, mange-le, il est cuit, et recommence de l'autre » ; quand nous entendons dans Flavius Josèphe cet enfant tout déchiré par des tenailles mordantes et transpercé par les alènes d'Antiochus le défier encore en criant d'une voix ferme et assurée : « Tyran, tu perds ton temps, me voici toujours à mon aise : où est cette douleur, où sont ces tourments dont tu me menaçais ? N'y sais-tu donc que ceci ? Ma constance te donne plus de peine que je n'en éprouve de ta cruauté : ô lâche bélître, tu te rends, et je me renforce : fais-moi me plaindre, fais-moi fléchir, fais-moi me rendre à merci si tu peux, donne du courage à tes satellites et à tes bourreaux ; les voilà défaillis de cœur, ils n'en peuvent plus : arme-les, acharne-les », certes il faut confesser qu'en ces âmes-là, il y a quelque altération, et quelque folie furieuse, si sainte soit-elle. Quand nous arrivons à ces saillies stoïques : « J'aime mieux être furieux que voluptueux », selon le mot d'Antisthène *Μανειεῖν μᾶλλον ἢ ησθείειν* [2] ; quand Sextius nous dit qu'il aime mieux être enferré par la douleur que par la volupté ; quand Épicure entreprend de se faire câliner par la goutte, quand, refusant le repos et la santé, il défie les maux de gaieté de cœur, et que, méprisant les douleurs moins âpres, dédaignant de lutter contre elles et de les combattre, il en appelle et désire de fortes, de poignantes, et qui soient dignes de lui,

Appelant de ses vœux quelque sanglier écumant
Fonçant soudain parmi les ouailles paisibles,
Ou que descende des monts un lion au poil ardent

Spumantemque dari pecora inter inertia uotis
Optat aprum, aut fuluum descendere monte leonem, [3]

qui ne juge que ce sont là les accès d'un courage élancé hors de son gîte ? Notre âme ne saurait depuis son siège atteindre aussi haut : il faut qu'elle le quitte et qu'elle s'élève, et que, prenant le mors aux dents, elle emporte et ravisse son homme si loin qu'après il s'étonne lui-même de son fait. De même que dans les exploits de la guerre la

1. Cicéron, *Tusculanes*, V, IX, 27.
2. Diogène Laërce, VI, 3.
3. Virgile, *Énéide*, IV, 158-159.

chaleur du combat pousse souvent les soldats généreux à franchir des pas si hasardeux qu'une fois revenus à eux ils en sont transis d'étonnement les premiers ; de même encore que les poètes sont épris souvent d'admiration pour leurs propres ouvrages et ne reconnaissent plus la trace par où ils ont franchi une aussi belle carrière – c'est ce qu'on appelle aussi chez eux ardeur et manie ; et de même enfin que Platon dit que c'est pour néant qu'un homme rassis heurte à la porte de la poésie, de même Aristote aussi dit qu'aucune âme excellente n'est jamais exempte d'un mélange de folie. Et il a raison d'appeler folie tout élancement, si louable soit-il, qui surpasse notre propre jugement et notre raison, parce que la sagesse est un maniement réglé de notre âme qu'elle conduit avec mesure et proportion, et dont elle répond. Platon argumente ainsi que la faculté de prophétiser est au-dessus de nous, qu'il faut être hors de nous quand nous l'exerçons, et qu'il faut que notre prudence soit offusquée ou par le sommeil ou par quelque maladie, ou enlevée de sa place par un ravissement céleste.

Coutume de l'île de Zéa [b]

[Chapitre III]

Si philosopher c'est douter, comme ils disent, à plus forte raison niaiser et fantasmer comme je le fais, ce doit être aussi douter, car c'est aux apprentis à s'enquérir et à débattre, et au maître en chaire de résoudre. Mon maître en chaire, c'est l'autorité de la volonté divine qui nous règle sans contredit, et qui a son rang au-dessus de ces humaines et vaines contestations.

Philippe étant entré à main armée dans le Péloponnèse, quelqu'un disait à Damidas que les Lacédémoniens auraient beaucoup à souffrir s'ils ne se remettaient pas dans ses grâces : « Eh ! poltron, répondit-il, que peuvent souffrir ceux qui ne craignent point la mort ? » On demandait aussi à Agis comment un homme pourrait vivre libre : « En méprisant la mort, dit-il. » Ces propositions, et mille autres pareilles qui se rencontrent à ce propos, font à l'évidence entendre qu'il y a quelque chose de mieux que d'attendre patiemment la mort quand elle nous vient, car il y a dans la vie plusieurs accidents pires à souffrir que la mort même, témoin cet enfant de Lacédémone, pris par Antigone et vendu pour serf, qui, pressé par son maître de s'employer à quelque service abject : « Tu verras, dit-il, qui tu as acheté ! Ce me serait une honte de servir, alors que j'ai la liberté à ma main », et, ce disant, il se précipita du haut de la maison. Antipater menaçait âprement les Lacédémoniens pour les faire se ranger à certaine sienne demande : « Si tu nous menaces de pis que la mort, répondirent-ils, nous mourrons plus volontiers. » Et à Philippe qui leur avait écrit qu'il empêcherait toutes leurs entreprises : « Quoi ? nous empêcheras-tu aussi de mourir ? » C'est là ce qu'on dit, que le sage vit tant qu'il doit, non pas tant qu'il peut, et que le présent le plus favorable que Nature nous ait fait, et qui nous ôte tout moyen de nous plaindre de notre condition, c'est de nous avoir laissé la clef des champs. Elle n'a ordonné qu'une entrée dans la vie, et y a laissé cent mille issues. Nous pouvons avoir faute de terre pour y vivre, mais de terre pour y mourir, nous n'en pouvons avoir faute, comme répondit Boiocatus aux Romains. Pourquoi te plains-tu de ce monde ? Il ne te tient pas ! Si tu vis en peine, ta lâcheté en est la cause : pour mourir il ne reste qu'à vouloir,

La mort se tient partout. Dieu bien y sut veiller au grain :
Quiconque peut la vie ôter à son prochain ;
Nul ne lui peut ravir la mort : mille routes y mènent

Ubique mors est : optime hoc cauit deus,
Eripere uitam nemo non homini potest :
At nemo mortem : mille ad hanc aditus patent. [1]

Et ce n'est pas la recette pour une seule maladie, la mort est la recette pour tous maux. C'est un port très sûr, qui n'est jamais à craindre et souvent à rechercher. Il revient toujours au même que l'homme se donne sa fin ou qu'il la souffre, qu'il coure au-devant de son jour ou qu'il l'attende : d'où qu'il vienne, c'est toujours le sien ; en quelque lieu que le filet se rompe, il y est tout entier, c'est là le bout du fil au fuseau. La mort la plus volontaire, c'est la plus belle. La vie dépend de la volonté d'autrui, la mort de la nôtre. En aucune chose nous ne devons tant nous accommoder à nos humeurs qu'en celle-là. La réputation ne touche pas une telle entreprise ; c'est folie d'en avoir respect. La vie n'est que servitude si la liberté de mourir en est à dire. Le train commun de la guérison se conduit aux dépens de la vie : on nous incise, on nous cautérise, on nous détranche les membres, on nous soustrait l'aliment et le sang : un pas plus outre, et nous voilà guéris tout à fait. Pourquoi la veine du gosier n'est-elle pas autant à notre commandement que celle du coude ? Aux plus fortes maladies, les plus forts remèdes. Servius le Grammairien, ayant la goutte, n'y

1. Stace, *Thébaïde*, I, I, 151.

trouva meilleur conseil que de s'appliquer du poison à tuer ses jambes : qu'elles fussent podagres, à leur guise, pourvu qu'elles fussent insensibles ! Dieu nous donne assez de congé quand il nous met en tel état que le vivre nous est pire que le mourir. C'est faiblesse de céder aux maux, mais c'est folie de les nourrir. Selon les Stoïciens, c'est également se conformer à Nature que, pour le sage, de se départir de la vie bien qu'il soit en plein bonheur, s'il le fait opportunément, et, pour le fol, de maintenir sa vie bien qu'il soit misérable, pourvu que la plupart de sa vie se conforme à ce qu'ils pensent être selon la nature. De même que je n'offense pas les lois qui sont faites contre les larrons quand j'emporte le mien et que je coupe ma bourse, ni contre les boutefeux quand je brûle mon bois, de même aussi ne suis-je tenu aux lois faites contre les meurtriers pour m'être ôté ma vie. Hégésias disait que tout comme la condition de la vie, de même aussi la condition de la mort devait dépendre de notre choix. Diogène un jour croisa le philosophe Speusippe qui, affligé depuis longtemps d'hydropisie, se faisait porter en litière. Ce dernier lui cria : « Mon bon salut à toi, Diogène ! » – « À toi, point de salut, répondit-il, qui souffres de vivre en étant dans un tel état ! » De vrai, quelque temps après Speusippe se fit mourir, accablé par une si pénible condition de vie.

Mais ceci ne s'en va pas sans débat, car plusieurs soutiennent que nous ne pouvons abandonner cette garnison du monde sans le commandement exprès de celui qui nous y a mis, et que c'est à Dieu, qui nous a envoyés ici non pour nous seulement, mais pour sa gloire et pour le service d'autrui, de nous donner congé quand il lui plaira, et non pas à nous de le prendre ; que nous ne sommes pas nés pour nous, mais aussi pour notre pays : les lois nous redemandent compte de nous, dans leur intérêt, et disposent de l'action d'homicide contre nous-mêmes. Autrement, comme déserteurs de notre charge, nous sommes punis en l'autre monde :

En pleurs tout auprès vont les innocents qui de leur main
Se sont donné la mort, et par haine du jour
Ont précipité leurs âmes

Proxima deinde tenent moesti loca, qui sibi lethum
Insontes peperere manu, lucemque perosi
Proiecere animas. [1]

Il y a bien plus de constance à user la chaîne qui nous tient qu'à la rompre, et plus de preuve de fermeté chez Regulus que chez Caton d'Utique. C'est le manque de discernement et l'impatience qui nous

1. Virgile, *Énéide*, IV, 434-436.

font hâter le pas. Il n'est point d'accidents qui fassent tourner le dos à la vive vertu : elle cherche les maux et la douleur comme son aliment. Les menaces des tyrans, les géhennes et les bourreaux l'animent et la vivifient,

Comme un chêne entaillé par la double cognée
Sur l'Algide couvert de sa noire feuillée,
Fort de sa perte, et fort des coups de l'élagueur,
Par le fer même prend force et vigueur

Duris ut ilex tonsa bipennibus
Nigræ feraci frondis in Algido
Per damna, per cædes, ab ipso
Ducit opes animumque ferro, [1]

Et, comme dit l'autre :

La vertu, ce n'est pas, comme tu le crois, père,
De craindre pour ses jours, c'est d'affronter les grands malheurs
Sans tourner les talons et sans battre en arrière

Non est ut putas uirtus, pater,
Timere uitam, sed malis ingentibus
Obstare, nec se uertere ac retro dare ; [2]

Il est aisé de mépriser la mort dans la tempête,
Il est plus courageux d'affronter le malheur

Rebus in aduersis facile est contemnere mortem.
Fortius ille facit qui miser esse potest. [3]

C'est le rôle de la couardise, non de la vertu, de s'aller tapir dans un trou, sous une tombe massive, pour éviter les coups de la fortune. Elle ne rompt son chemin et son train, quelque orage qu'il fasse,

Que le monde se rompe et vienne à s'effondrer,
De ses ruines, battue, elle tiendra sans broncher

Si fractus illabatur orbis,
Impauidam ferient ruinæ. [4]

Le plus communément, c'est le désir de fuir d'autres maux qui nous pousse à celui-ci, voire quelquefois c'est la fuite de la mort qui fait que nous y courons :

---

1. Horace, *Odes*, IV, IV, 57-60.
2. Sénèque, *Phéniciennes*, 190-192.
3. Martial, XI, LVI, 15-16.
4. Horace, *Odes*, II, III, 7-8.

N'est-ce pas être fou de mourir pour ne point mourir ?
Hic, rogo, non furor est, ne moriare, mori ?, [1]

comme ceux qui de peur du précipice s'y lancent eux-mêmes :

La peur d'un mal prochain dans les plus grands périls
En a jeté plus d'un ; l'âme la plus constante
Est celle qui, prête à subir la menace imminente,
La peut aussi différer

multos in summa pericula misit
Venturi timor ipse mali : fortissimus ille est,
Qui promptus metuenda pati, si cominus instent,
Et differre potest. [2]

Tant qu'enfin par peur de la mort souvent même la vie
Devient à l'homme odieuse et lui fait haïr le jour
Au point de se tuer, le cœur pris d'un deuil sans retour,
Oubliant que c'est cette peur qui produit sa souffrance

usque adeo mortis formidine, vitæ
Percipit humanos odium, lucisque videndæ,
Ut sibi consciscant moerenti pectore lethum,
Obliti fontem curarum hunc esse timorem. [3]

Platon dans ses *Lois* ordonne une sépulture ignominieuse pour celui qui a privé son plus proche et plus ami, à savoir lui-même, de la vie et du libre cours des destinées sans y avoir été contraint par un jugement public, ni par quelque triste et inévitable accident de la fortune, ni par une honte insupportable, mais seulement par la lâcheté et la faiblesse d'une âme craintive. Et l'opinion qui dédaigne notre vie, elle est ridicule, car enfin c'est notre être, c'est notre tout. Les choses [c] qui ont un être plus noble et plus riche peuvent accuser le nôtre, mais c'est contre nature que nous nous méprisons et que nous nous mettons à nous détourner de nous-mêmes ; c'est là une maladie particulière, et qui ne se voit chez aucune autre créature, que de se haïr et dédaigner soi-même. C'est par une pareille vanité que nous désirons être autre chose que ce que nous sommes. Le fruit d'un tel désir ne nous touche pas parce qu'il se contredit et s'empêche en soi : celui qui désire être fait d'un homme un ange, il ne fait rien pour lui. Il n'en vaudrait rien de mieux, car n'étant plus, qui se réjouira et se ressentira pour lui de cet amendement ?

1. Martial, II, LXXX, 2.
2. Lucain, VII, 104-107.
3. Lucrèce, III, 79-82.

Et supposé que demain l'on ait deuils ou maux à craindre,
Encor faudrait-il vivre au temps qu'ils nous dussent atteindre

Debet enim, misere cui forte ægreque futurumst,
Ipse quoque esse in eo tum tempore cui male possit
Accidere. [1]

La sécurité, l'indolence, l'impassibilité, la privation des maux de cette vie, tout cela que nous achetons au prix de la mort ne nous apporte aucun avantage. Pour rien évite la guerre celui qui ne peut jouir de la paix, et pour rien fuit la peine qui n'a de quoi savourer le repos.

Entre ceux du premier avis, il y a eu grand doute sur le point de savoir quelles occasions sont assez justes pour faire entrer un homme dans ce parti de se tuer : ils appellent cela *εὔλογον ἐξαγωγὴν* [2], « une sortie raisonnable ». Car quoiqu'ils disent qu'il faut souvent mourir pour des causes légères, puisque celles qui nous tiennent en vie ne sont guère fortes, pourtant il y faut quelque mesure. Il y a des humeurs fanatiques et sans raison qui ont poussé, non des particuliers seulement, mais des peuples à se tuer. J'en ai allégué ci-devant des exemples, et nous lisons en outre, au sujet des vierges de Milet, que par une conspiration furieuse elles se pendaient les unes après les autres jusqu'à ce que le magistrat y mît bon ordre en décrétant que celles qui se trouveraient ainsi pendues fussent avec le même licol traînées toutes nues par la ville. Quand Thréicion prêche Cléomène de se tuer en raison du mauvais état de ses affaires, et, après qu'il a fui la mort la plus honorable dans la bataille qu'il venait de perdre, l'exhorte à accepter cette autre, qui lui est seconde en honneur, et ne donner point loisir au vainqueur de lui faire souffrir ou une mort ou une vie honteuse, Cléomène, avec un courage lacédémonien et stoïque, refuse ce conseil comme lâche et efféminé : « C'est là une recette, dit-il, qui ne peut jamais me manquer, et dont il ne faut pas se servir tant qu'il reste un doigt d'espérance », ajoutant que le vivre est quelquefois constance et vaillance, qu'il veut que sa mort même serve à son pays, et qu'il veut en faire un acte d'honneur et de vertu. Thréicion se crut lui-même, et se tua. Cléomène en fit aussi autant par la suite, mais ce fut après avoir essayé jusqu'au dernier point de la fortune. Tous les maux ne valent pas qu'on veuille mourir pour les éviter. Et puis comme il y a tant de changements soudains dans les choses humaines, il est malaisé de juger à quel point nous sommes justement au bout de notre espérance :

1. Lucrèce, III, 862-864.
2. Inspiré de Diogène Laërce, VII, 130.

Sur le sablon cruel, le gladiateur défait espère,
Quoique la foule hostile ait mis le pouce en terre

Sperat et in sæua uictus gladiator arena,
Sit licet infesto pollice turba minax. [1]

Tout peut être espéré par un homme tant qu'il vit, selon un dicton des anciens. « Oui, mais, répond Sénèque, pourquoi aurais-je en tête cette idée-ci que la fortune peut tout pour celui qui vit plutôt que cette idée-là que la fortune ne peut rien sur celui qui sait mourir ? » On voit Flavius Josèphe engagé dans un danger si apparent et si prochain, tout un peuple s'étant levé contre lui, que raisonnablement il ne pouvait y avoir aucune ressource. Toutefois alors qu'à cet instant un ami, comme il dit, lui conseillait de se défaire, bien lui en prit de s'obstiner encore à espérer, car la fortune contourna cet accident outre toute raison humaine, si bien qu'il s'en vit délivré sans aucun mal. Et Cassius et Brutus au contraire achevèrent de perdre les derniers restes de la liberté romaine dont ils étaient les protecteurs par la précipitation et la témérité avec laquelle ils se tuèrent avant le temps et l'occasion. À la journée de Cérisoles, Monsieur d'Enghien essaya deux fois de se donner de l'épée dans la gorge, désespéré de la fortune du combat, qui se portait mal à l'endroit où il était, et il faillit par précipitation se priver de la jouissance d'une si belle victoire. J'ai vu cent lièvres se sauver sous les dents des lévriers : certain a pu survivre à son bourreau *aliquis carnifici suo superstes fuit*, [2]

Souvent, le temps et les périls changeants au gré des âges
Ont ramené du mieux ; souvent, alternant ses passages,
Fortune s'est ri des mortels et les a rétablis

Multa dies uariusque labor mutabilis æui
Rettulit in melius, multos alterna reuisens
Lusit, et in solido rursus fortuna locauit. [3]

Pline dit qu'il n'y a que trois sortes de maladie telles que pour les éviter on ait le droit de se tuer, la plus âpre de toutes étant la pierre à la vessie, quand l'urine en est retenue ; Sénèque, celles seulement qui ébranlent pour longtemps les fonctions de l'âme. Pour éviter une pire mort, il y en a qui sont d'avis de la prendre à leur façon. Damocrite, chef des Étoliens qu'on avait emmené prisonnier à Rome trouva moyen de s'échapper de nuit. Mais poursuivi par ses gardes, avant que de se laisser reprendre, il se passa l'épée au travers du corps.

1. Juste Lipse, *Saturnalium libri*, II, XXII.
2. Sénèque, *Lettres à Lucilius*, XIII, II.
3. Virgile, *Énéide*, XI, 425-427.

Antinoüs et Théodote, quand leur ville d'Épire se vit réduite à la dernière extrémité par les Romains, furent d'avis devant l'assemblée du peuple de se tuer tous ; mais le conseil de se rendre plutôt l'ayant emporté, ils allèrent chercher la mort en se ruant sur les ennemis, avec intention de frapper, non pas de se couvrir. Quand l'île de Gozzo fut forcée par les Turcs il y a quelques années, un Sicilien qui avait deux belles filles prêtes à marier les tua de sa main, et leur mère après, accourue à leur mort. Cela fait, sortant dans la rue avec une arbalète et une arquebuse, de deux coups il tua les deux premiers Turcs qui s'approchèrent de sa porte, puis, mettant l'épée au poing, il alla se jeter furieusement dans la mêlée, où il fut soudain enveloppé et mis en pièces, se sauvant ainsi du servage après en avoir délivré les siens.

Les femmes juives, après avoir fait circoncire leurs enfants, allaient se précipiter avec eux, pour fuir la cruauté d'Antiochus. Voici ce qu'on m'a conté d'un prisonnier de qualité qui se trouvait dans nos conciergeries. Ses parents ayant été avertis qu'il serait certainement condamné, pour éviter la honte d'une telle mort, ils lui dépêchèrent un prêtre pour lui dire que le souverain remède de sa délivrance était qu'il se recommandât à tel saint, avec tel et tel vœu, et qu'il fût huit jours sans prendre aucun aliment, quelque défaillance et faiblesse qu'il sentît en lui. Il l'en crut, et par ce moyen se défit sans y penser de sa vie et du danger. Scribonia, en conseillant à Libo son neveu de se tuer plutôt que d'attendre la main de la justice, lui disait que c'était proprement faire l'affaire d'autrui que de conserver sa vie pour la remettre entre les mains de ceux qui la viendraient chercher trois ou quatre jours après, et que c'était servir ses ennemis que de garder son sang pour leur en faire curée.

On lit dans la Bible que Nicanor, persécuteur de la loi de Dieu, avait envoyé ses satellites pour saisir le bon vieillard Razias, surnommé le Père des Juifs en raison de sa vertu. Quand ce brave homme vit qu'il n'y avait plus rien à faire, sa porte brûlée, ses ennemis prêts à le saisir, choisissant de mourir généreusement plutôt que de tomber entre les mains des méchants et de se laisser mâter contre l'honneur de son rang, il se frappa de son épée. Mais le coup, dans la hâte, n'ayant pas été bien assené, il courut au travers de la troupe pour se précipiter du haut d'un mur. Tous s'écartant et lui faisant place, il chut droit sur la tête. Néanmoins, se sentant encore quelque reste de vie, il ralluma son courage, et se redressant sur ses pieds, tout ensanglanté et chargé de coups, il fendit la foule et parvint jusqu'à un certain rocher abrupt et précipiteux, où, n'en pouvant plus, il prit par l'une de ses plaies ses entrailles à deux mains, et, les déchirant et lacérant, il les jeta à travers ses poursuivants, en appelant sur eux la vengeance de Dieu qu'il prenait à témoin.

Des violences qu'on fait à la conscience, la plus à éviter, à mon avis, c'est celle qui attente à la chasteté des femmes, parce qu'il y a quelque plaisir corporel qui naturellement se mêle à la chose. Pour cette raison leur résistance ne peut être assez entière, et il semble que la violence s'y rencontre avec un peu de bien vouloir. L'histoire ecclésiastique révère plusieurs pareils exemples de personnes dévotes qui appelèrent la mort pour se garantir des outrages que les tyrans préparaient contre leur religion et leur conscience. Pélagie et Sophronie furent toutes deux canonisées. La première se précipita dans la rivière avec sa mère et ses sœurs pour éviter d'être violée par quelques soldats, et la seconde se tua aussi pour éviter d'être forcée par l'empereur Maxence. Il sera d'aventure honorable pour nous dans les siècles à venir qu'un savant auteur de ce temps, et plus précisément un Parisien, se soit mis en peine de persuader aux dames de notre siècle de prendre plutôt tout autre parti que d'entrer dans l'horrible conseil d'un tel désespoir. Je suis marri qu'il n'ait su, pour le mêler à ses contes, le bon mot que j'appris à Toulouse d'une femme passée par les mains de quelques soldats : « Dieu soit loué, disait-elle, qu'au moins une fois en ma vie, je m'en suis saoulée sans péché ! » À la vérité ces cruautés ne sont pas dignes de la douceur française. Aussi, Dieu merci, notre air s'en voit infiniment purgé depuis ce précieux avertissement : « Suffit qu'elles disent *Nenni* en le faisant » [1], selon la règle du bon Marot !

L'Histoire est toute pleine de ceux qui en mille façons ont changé contre la mort une vie de souffrance. Lucius Aruntius se tua, pour fuir, disait-il, et l'avenir et le passé. Granius Silvanus et Statius Proximus se tuèrent après avoir été pardonnés par Néron, ou pour ne devoir pas la vie à la grâce d'un si méchant homme, ou pour n'être pas en peine une autre fois d'un second pardon, vu la facilité avec laquelle cet empereur soupçonnait et accusait des gens de bien. Spargapizès, fils de la reine Tomyris, prisonnier de guerre de Cyrus, employa à se tuer la première faveur que Cyrus lui fit de le faire détacher, sans prétendre à d'autre fruit de sa liberté que celui de venger sur lui-même la honte d'avoir été pris. Bogès était gouverneur de la ville d'Eion au nom du roi Xerxès. Assiégé par l'armée des Athéniens que conduisait Cimon, il refusa la proposition de s'en retourner en toute sûreté en Asie avec sa chevance, ne supportant pas de survivre à la perte de ce que son maître lui avait donné en garde. Après avoir défendu sa ville jusqu'à la dernière extrémité, quand il n'y resta plus rien à manger, il commença par faire jeter dans les eaux du Strymon tout l'or et tout ce dont il lui sembla que l'ennemi pouvait faire le plus de butin. Puis il

1. Allusion à l'épigramme de Marot « *De Oui et de Nenni* ».

ordonna d'allumer un grand bûcher et d'égorger femmes, enfants, concubines et serviteurs. Il les fit mettre alors dans le feu, et puis il s'y jeta lui-même. Ninachetuen, seigneur des Indes, avait senti le premier vent de la résolution du vice-roi du Portugal de le déposséder, sans aucune cause apparente, de la charge qu'il avait à Malacca pour la donner au roi de Campar. Il prit à part soi la résolution que voici. Il fit dresser un échafaud plus long que large, appuyé sur des colonnes, royalement tapissé et orné de fleurs et de parfums en abondance. Et puis, s'étant vêtu d'une robe de drap d'or chargée de quantité de pierreries de haut prix, il sortit dans la rue, et par des degrés monta sur l'échafaud dans un coin duquel on avait allumé un bûcher de bois aromatiques. Le monde accourut voir à quelle fin on avait fait ces préparatifs inaccoutumés. Avec un visage hardi et courroucé Ninachetuen remontra l'obligation que la nation du Portugal avait à son égard ; combien fidèlement il s'était versé dans sa charge ; qu'ayant si souvent témoigné pour autrui, les armes à la main, que l'honneur lui était de beaucoup plus cher que la vie, il n'était pas homme à en abandonner le soin pour lui-même ; que la fortune lui refusant tout moyen de s'opposer à l'injustice qu'on voulait lui faire, son courage au moins lui ordonnait de s'en ôter le sentiment, et de ne servir pas de fable au peuple et de triomphe à des personnes qui valaient moins que lui. Ce disant, il se jeta dans le feu.

Sextilia, femme de Scaurus, et Paxea, femme de Labeo, pour encourager leurs maris à éviter les dangers qui les pressaient et auxquels elles n'avaient part que par l'intérêt de l'affection conjugale, engagèrent volontairement leur vie pour leur servir en cette extrême nécessité d'exemple et de compagnie. Ce qu'elles firent pour leurs maris, Cocceius Nerva le fit pour sa patrie, moins utilement, mais avec un pareil amour. Ce grand jurisconsulte, fleurissant en santé, en richesses, en réputation, en crédit auprès de l'empereur, n'eut d'autre raison de se tuer que la compassion que lui inspirait l'état misérable de la chose publique romaine. On ne peut rien ajouter à la délicatesse de la mort de la femme de Fulvius, familier d'Auguste. Auguste ayant découvert qu'il avait éventé un secret important qu'il lui avait confié, un matin qu'il vint le voir, il lui en fit une maigre mine. Il s'en retourne au logis plein de désespoir, et dit tout piteusement à sa femme qu'étant tombé dans ce malheur, il était résolu de se tuer. Elle, tout franchement : « Tu ne feras là que ce qui est de raison, vu qu'ayant assez souvent vérifié l'incontinence de ma langue, tu ne t'en es point gardé. Mais laisse que je me tue la première », et sans autrement marchander, elle se donna d'une épée dans le corps.

Vibius Virius désespérait du salut de sa ville qu'assiégeaient les Romains, et de leur miséricorde. Lors de la dernière délibération de leur sénat, après plusieurs exhortations à cette fin, il conclut que le plus beau serait de se soustraire à la fortune de leurs propres mains : les ennemis les en auraient en honneur, et Hannibal sentirait quels fidèles amis il aurait abandonnés. Il convia ceux qui approuveraient son avis à prendre un bon souper qu'on avait dressé chez lui, où, après avoir fait bonne chère, ils boiraient ensemble de ce qu'on lui présenterait, « un breuvage, leur dit-il, qui délivrera nos corps des tourments, nos âmes des injures, nos yeux et nos oreilles d'avoir à ressentir tant de vils maux que les vaincus ont à souffrir des vainqueurs très cruels et offensés. J'ai disposé, ajouta-t-il, qu'il y aurait des gens pour nous jeter dans un bûcher devant ma porte quand nous serions expirés. » Assez approuvèrent cette haute résolution ; peu l'imitèrent. Vingt-sept sénateurs le suivirent. Après avoir essayé d'étouffer dans le vin cette fâcheuse pensée, ils finirent leur repas par ce mets mortel, et, s'entre-embrassant après avoir en commun déploré le malheur de leur pays, les uns se retirèrent chez eux, les autres restèrent pour être enterrés dans le feu de Vibius avec lui, mais ils eurent tous la mort si longue, la vapeur du vin ayant occupé leurs veines, et retardant l'effet du poison, que certains furent à une heure près de voir les ennemis dans Capoue, qui fut emportée le lendemain, et d'encourir les misères qu'ils avaient si chèrement voulu fuir. Taurea Jubellius, un autre citoyen de là-bas, alors que le consul Fulvius revenait de cette honteuse boucherie qu'il avait faite de deux cent vingt-cinq sénateurs, l'interpella fièrement par son nom, et l'ayant arrêté : « Ordonne, fit-il, qu'on me massacre aussi après tant d'autres afin que tu puisses te vanter d'avoir tué un homme beaucoup plus vaillant que toi ». Fulvius le dédaigna, le prenant pour un insensé, mais aussi parce que sur l'heure il venait de recevoir une lettre de Rome qui condamnait l'inhumanité de son exécution et qui lui liait les mains. Jubellius alors continua : « Puisque, mon pays pris, mes amis morts, et ayant de ma main occis ma femme et mes enfants pour les soustraire à la désolation de cette ruine, il m'est interdit de mourir de la mort de mes concitoyens, alors empruntons à la vertu le moyen de nous venger de cette vie odieuse », et, tirant un glaive qu'il tenait caché, il s'en donna au travers de la poitrine, tomba à la renverse, et mourut aux pieds du consul.

Alexandre assiégeait une ville aux Indes. Ceux de dedans, se trouvant pris à la gorge, se résolurent vigoureusement à le priver du plaisir de cette victoire. Ils s'embrasèrent tous ensemble, eux et leur ville, en dépit de l'humanité dont faisait preuve Alexandre. Guerre vraiment nouvelle : les ennemis combattaient pour les sauver ; eux pour se perdre. Et ils faisaient pour garantir leur mort tout ce qu'on fait pour garantir sa vie.

Astapa ville d'Espagne se trouvant faible de murs et de défenses pour soutenir les Romains, les habitants amassèrent leurs richesses et leurs meubles sur la place, et après avoir rangé les femmes et les enfants au-dessus de ce monceau, et l'avoir entouré de bois et de matières propres à s'embraser aussitôt, ils laissèrent cinquante jeunes hommes pris parmi eux pour exécuter leur résolution. Cela fait, ils firent une sortie, où, selon leur vœu, faute de pouvoir vaincre, ils se firent tous tuer. Les cinquante, après avoir massacré toute âme vivante éparse dans leur ville, et mis le feu à ce monceau, s'y lancèrent à leur tour. Ils finirent ainsi leur généreuse liberté dans un état insensible plutôt que douloureux et honteux, et montrèrent aux ennemis que si la fortune l'eût voulu, ils eussent eu aussi bien le courage de leur ôter la victoire, comme ils avaient eu celui de la leur rendre et frustrante et hideuse, voire même mortelle pour ceux qui, appâtés par la lueur de l'or qui coulait dans cette flamme, s'en étaient approchés en nombre et y furent suffoqués et brûlés, le recul leur étant interdit par la foule qui les suivait. Les Abydéens, serrés de près par Philippe, prirent la même résolution. Mais, comme ils étaient pris de trop court, le roi fut horrifié à l'idée de voir la précipitation téméraire de cette exécution. Après avoir fait saisir les trésors et les meubles qu'ils avaient de divers côtés et qui étaient condamnés au feu et au naufrage, retirant ses troupes, il leur concéda trois jours pour se tuer avec plus d'ordre et plus à leur aise. Ils les remplirent de sang et de meurtre au-delà de toute cruauté qui se puisse attendre de la part d'ennemis, et il ne s'en sauva pas une seule personne qui eût pouvoir sur soi. Il y a d'infinis exemples de pareilles résolutions populaires, qui semblent d'autant plus âpres que l'effet en est plus universel. Elles le sont moins que des résolutions individuelles : ce que le raisonnement ne ferait pas en chacun séparément, il le fait sur tous, l'ardeur collective ravissant les jugements particuliers.

Du temps de Tibère, les condamnés qui attendaient l'exécution perdaient leurs biens et se trouvaient privés de sépulture ; ceux qui l'anticipaient en se tuant eux-mêmes étaient enterrés et pouvaient faire testament. Mais on désire aussi quelquefois la mort pour l'espérance d'un plus grand bien. « Je désire, dit saint Paul, être dissout pour être avec Jésus-Christ », et ailleurs : « Qui me déprendra de ces liens ? » Cleombrotos Ambraciota, après avoir lu le *Phédon* de Platon, entra en un si grand appétit de la vie à venir que sans autre raison il alla se précipiter dans la mer. Par où il apparaît combien improprement nous appelons désespoir cette dissolution volontaire à laquelle la chaleur de l'espoir nous porte souvent, et souvent une tranquille et rassise inclination du jugement. Jacques du Chastel, évêque de

Soissons, lors du voyage que saint Louis fit outre-mer, quand il vit le roi et toute l'armée sur le point de revenir en France en laissant les affaires de la religion imparfaites, prit la résolution de s'en aller plutôt [1] en paradis, et ayant dit adieu à ses amis, seul, à la vue de tout un chacun, il se jeta dans l'armée des ennemis, où il fut mis en pièces. Dans un certain royaume de ces nouvelles terres [2], le jour d'une procession solennelle où l'idole qu'ils adorent est promenée en public sur un char d'une merveilleuse grandeur, outre que l'on en voit plusieurs qui se taillent des morceaux de leur chair vive pour les lui offrir, on en voit nombre d'autres qui se prosternent au milieu de la place et se font moudre et briser sous les roues pour en acquérir après leur mort une vénération de sainteté qui leur est rendue. La mort de cet évêque, les armes au poing, comporte plus de noblesse et moins de souffrance, l'ardeur du combat en amusant une partie.

Il y a des cités qui se sont mêlées de régler la justice et l'opportunité des morts volontaires. En notre Marseille, au temps passé, on gardait aux frais du trésor public du poison préparé avec de la ciguë pour ceux qui voudraient hâter leurs jours après avoir fait d'abord approuver les raisons de leur entreprise par les Six-cents, qui était leur sénat, et il n'était pas loisible de mettre la main sur soi autrement que par le congé du magistrat et pour des raisons légitimes.

Cette loi existait encore ailleurs. Sextus Pompée, allant en Asie, passa par l'île de Zéa de Nègrepont. Il advint par fortune pendant qu'il y était, comme nous l'apprend l'un de ceux de sa compagnie, qu'une femme d'une grande autorité, après qu'elle eut rendu compte à ses concitoyens des raisons pour lesquelles elle était résolue de finir sa vie, pria Pompée d'assister à sa mort afin de la rendre plus honorable. Ce qu'il fit, et, après qu'il eut longtemps en vain essayé à force d'éloquence, qu'il maniait merveilleusement, et de persuasion de la détourner de ce dessein, il souffrit enfin qu'elle se contentât. Elle avait passé quatre-vingt-dix ans dans un état très heureux d'esprit et de corps. Mais lors, couchée sur son lit mieux paré que de coutume, et appuyée sur le coude : « Les dieux, dit-elle, ô Sextus Pompée, et plutôt ceux que je laisse que ceux que je vais trouver, te sachent gré de n'avoir pas dédaigné d'être et le conseiller de ma vie et le témoin de ma mort. De ma part, ayant toujours essayé le visage favorable de Fortune, de peur que l'envie de trop vivre ne m'en fasse voir un

1. Ou « *plus tôt* ».

2. « Ces terres nouvelles » : les Indes orientales aussi bien qu'occidentales. Il pourrait s'agir d'une procession annuelle qui avait lieu dans un état indien de la côte du Bengale.

contraire, je m'en vais par une heureuse fin donner congé aux restes de mon âme, laissant de moi deux filles et une légion de neveux. » Cela fait, quand elle eut prêché et exhorté les siens à l'union et à la paix, qu'elle leur eut départi ses biens, et recommandé les dieux domestiques à sa fille aînée, d'une main assurée, elle prit la coupe où était le poison, et, après avoir fait ses vœux à Mercure et les prières pour la conduire en quelque heureux séjour de l'autre monde, elle avala brusquement ce mortel breuvage. Alors, elle entretint la compagnie du progrès de son action et de la façon dont les parties de son corps se sentaient saisies de froid l'une après l'autre, jusqu'à ce qu'ayant dit enfin qu'il arrivait au cœur et aux entrailles, elle appela ses filles pour qu'elles lui rendent le dernier devoir et lui closent les yeux.

Pline raconte à propos d'une certaine nation hyperboréenne, que chez celle-ci, à cause de la douce température de l'air, les vies ne se finissent d'ordinaire que par la propre volonté des habitants ; mais que quand ils sont las et saouls de vivre, ils ont coutume, au bout d'un long âge, après avoir fait bonne chère, de se précipiter dans la mer du haut d'un certain rocher dédié à ce service.

La douleur, et la crainte d'une mort pire, me semblent les plus excusables incitations.

À demain les affaires

[Chapitre IV]

Je donne, avec raison, ce me semble, la palme à Jacques Amyot sur tous nos écrivains français, non seulement pour la naïveté et la pureté du langage, en quoi il surpasse tous les autres, non seulement pour la constance d'un si long travail, ni pour la profondeur de son savoir, lui qui a pu développer si heureusement un auteur si épineux et si ferré (car on m'en dira ce qu'on voudra, je n'entends rien au grec, mais je vois un sens partout si bien joint et entretenu dans sa traduction que, ou il a certainement entendu l'imagination vraie de l'auteur, ou, ayant par longue conversation planté vivement dans son âme une idée générale de l'imagination de Plutarque, il ne lui a au moins rien prêté qui le démente ou le dédise), mais surtout je lui sais bon gré d'avoir su trier et choisir un livre si digne et si à propos pour en faire présent à son pays. Nous autres ignorants nous étions perdus si ce livre ne nous eût relevés du bourbier : grâce à lui nous osons à cette heure et parler et écrire, les dames en régentent les maîtres d'école : c'est notre bréviaire. Si cet excellent homme vit encore longtemps, je lui désigne Xénophon pour qu'il en fasse autant. C'est une occupation plus aisée, et d'autant plus propre à sa vieillesse. Et puis, je ne sais comment, il me semble, quoiqu'il se démêle bien brusquement et nettement d'un mauvais pas, que toutefois son style est plus chez soi quand il n'est pas pressé et qu'il roule à son aise.

J'étais à cette heure sur ce passage où Plutarque dit de lui-même que Rusticus assistant à une sienne déclamation à Rome, y reçut un paquet de la part de l'empereur, et temporisa avant de l'ouvrir jusqu'à ce que tout fût fait : en quoi, dit-il, toute l'assistance loua singulièrement la gravité de ce personnage. De vrai, puisqu'il était sur le propos de la curiosité et de cette passion avide et gourmande de nouvelles qui nous fait avec tant d'indiscrétion et d'impatience abandonner toutes choses pour entretenir un nouveau venu et perdre tout respect et contenance pour crocheter soudain, où que nous soyons, les lettres qu'on nous apporte, il a eu raison de louer la gravité de Rusticus, et il pouvait encore y joindre l'éloge de sa civilité et de sa courtoisie pour n'avoir pas voulu interrompre le cours de sa déclamation. Mais je doute qu'on le pût louer pour sa prudence, car recevant à l'imprévu une lettre, et notamment d'un empereur, il pouvait bien advenir que de différer à la lire eût été d'un grand préjudice.

Le vice contraire à la curiosité, c'est la nonchalance, vers laquelle je penche évidemment par nature. J'ai vu plusieurs hommes s'y montrer si extrêmes que trois ou quatre jours après on retrouvait encore en leur pochette toujours closes les lettres qu'on leur avait envoyées.

Je n'en ouvris jamais, non seulement de celles qu'on m'eût confiées, mais de celles mêmes que la fortune m'eût fait passer par les mains. Et je fais conscience si mes yeux dérobent par mégarde quelque connaissance des lettres d'importance que lit un grand, quand je suis à ses côtés. Jamais homme ne s'enquit moins et ne fureta moins dans les affaires d'autrui.

Du temps de nos pères Monsieur de Boutières crut perdre Turin pour avoir différé de lire, alors qu'il se trouvait à souper en bonne compagnie, un avertissement qu'on lui donnait des trahisons qui se dressaient contre cette ville où il commandait. Et ce même Plutarque m'a appris que Jules César se fût sauvé si, avant d'aller au sénat le jour qu'il y fut tué par les conjurés, il eût lu certain mémoire qu'on lui présenta. Et, à propos d'Archias, tyran de Thèbes, il raconte aussi que le soir d'avant l'exécution de l'entreprise que Pélopidas avait faite de le tuer pour remettre son pays en liberté, il lui fut écrit par un autre Archias, d'Athènes, de point en point, ce qu'on lui préparait, et que ce paquet lui ayant été rendu pendant son souper, il remit à plus tard de l'ouvrir en disant ce mot qui depuis passa en proverbe en Grèce : « À demain les affaires ! »

Un homme sage peut, à mon sens, pour l'intérêt d'autrui, comme pour ne pas rompre compagnie indécemment ainsi que Rusticus, ou pour ne pas discontinuer une autre affaire d'importance, remettre à plus tard d'entendre ce qu'on lui apporte de nouveau, mais si c'est pour son intérêt ou son plaisir particulier, et même, s'il est investi d'une charge publique, pour ne pas interrompre son dîner, ni même son sommeil, il est inexcusable de le faire. À Rome dans l'antiquité il y avait à table la « place du consul », comme ils l'appelaient, la plus honorable parce qu'elle était la plus libre et la plus accessible à ceux qui surviendraient pour entretenir celui qui y serait assis. Preuve que, même à table, ils ne se départaient pas de l'entremise d'autres affaires et des événements qui pouvaient survenir.

Mais quand tout est dit, il est malaisé dans les actions humaines de donner par les seuls moyens du raisonnement une règle si juste que la fortune n'y conserve ses droits.

De la conscience

[Chapitre V]

Voyageant un jour, mon frère, sieur de la Brousse, et moi, durant nos guerres civiles, nous rencontrâmes un gentilhomme de bonne façon. Il était du parti contraire au nôtre, mais je n'en savais rien car il se contrefaisait autre. Et le pis de ces guerres, c'est que les cartes sont si mêlées, votre ennemi n'étant distingué d'avec vous par aucune marque apparente, ni de langage, ni de port, nourri qu'il est sous les mêmes lois, dans les mêmes mœurs et le même air, qu'il est malaisé d'y éviter confusion et désordre. Cela me faisait craindre à moi-même de rencontrer nos troupes en un lieu où je ne fusse pas connu, pour n'être pas en peine de dire mon nom, et de pis d'aventure, comme il m'était autrefois advenu. Car en un pareil mécompte je perdis et hommes et chevaux, et l'on m'y tua misérablement, entre autres, un page, gentilhomme italien, que je nourrissais soigneusement, et ce fut une très belle enfance, pleine de grandes espérances, qui fut éteinte en lui. Mais celui-ci en avait une frayeur si éperdue, et je le voyais si mort à chaque rencontre d'hommes à cheval, et chaque fois que nous passions dans des villes qui tenaient pour le roi, que je devinai enfin que c'étaient des alarmes que lui donnait sa conscience. Il semblait à ce pauvre homme qu'au travers de son masque et des croix de sa casaque on irait lire jusque dans son cœur ses secrètes intentions. Tant est merveilleux l'effort de la conscience : elle nous fait nous trahir, nous accuser et nous combattre nous-mêmes et, à défaut de témoin étranger, elle nous produit contre nous,

Frappant d'un cœur de bourreau de son fouet invisible
Occultum quatiens animo tortore flagellum. [1]

Ce conte est dans la bouche des enfants. Bessos, un habitant de Péonie, qui se voyait reprocher d'avoir de gaieté de cœur abattu un nid de moineaux et de les avoir tués, disait avoir eu raison parce que ces oisillons ne cessaient de l'accuser à tort du meurtre de son père. Ce parricide jusqu'alors était resté occulte et inconnu, mais les furies vengeresses de la conscience le firent mettre hors à celui-là même qui en devait porter la pénitence. Hésiode corrige le dire de Platon que la peine suit de bien près le péché, car il dit qu'elle naît à l'instant même du péché. Quiconque attend la peine, il la souffre déjà, et quiconque l'a méritée l'attend. La méchanceté fabrique des tourments contre soi : mauvaise intention nuit surtout à son auteur *malum consilium consultori pessimum,* [2] comme la guêpe pique et blesse autrui, mais plus encore elle-même car elle y perd son aiguillon et sa force pour jamais :

Elles laissent leur vie en la plaie qu'elles font
uitasque in uulnere ponunt. [3]

Les mouches d'Espagne ont en elles quelque élément qui sert de contrepoison contre leur poison, par une contradiction de la nature. De même, à mesure qu'on prend plaisir au vice, il s'engendre en la conscience un déplaisir contraire qui nous tourmente de plusieurs idées pénibles, que nous veillions ou dormions,

Et ne dit-on pas que plus d'un qui parlait en rêvant,
Ou lors d'un délire enfiévré, s'est trahi bien souvent,
Laissant sa faute échapper, pourtant longtemps secrète
Quippe ubi se multi per somnia sæpe loquentes
Aut morbo delirantes procraxe ferantur,
Et celata diu in medium peccata dedisse. [4]

1. Juvénal, XIII, 195.
2. Hésiode, *Les Travaux et les Jours*, 266.
3. Virgile, *Géorgiques*, IV, 238.
4. Lucrèce, V, 1158-1160.

Apollodore songeait qu'il se voyait écorcher par les Scythes, et puis bouillir dedans une marmite, et que son cœur murmurait en disant : « Je te suis cause de tous ces maux. » Aucune cachette ne sert aux méchants, disait Épicure, parce qu'ils ne peuvent s'assurer d'être cachés, la conscience les découvrant à eux-mêmes :

voici le premier châtiment,
Point de non-lieu devant le tribunal intime

prima est hæc ultio, quod se
Judice nemo nocens absoluitur. [1]

Comme elle nous remplit de crainte, aussi le fait-elle d'assurance et de confiance. Et je puis dire avoir marché en plusieurs hasards d'un pas bien plus ferme, en considération de la secrète science que j'avais de ma volonté et de l'innocence de mes desseins :

Chacun est conscient et se forge dans sa poitrine
Espérance et remords selon ce qu'il a fait

Conscia mens ut cuique sua est, ita concipit intra
Pectora pro facto, spemque metumque suo. [2]

Il y en a mille exemples : il suffira d'en alléguer trois d'un même personnage. Scipion l'Africain étant un jour accusé devant le peuple Romain d'un grief important. Au lieu de s'excuser ou de flatter ses juges : « Il vous siéra bien, leur dit-il, de vouloir entreprendre de juger de la tête de celui par le moyen duquel vous avez l'autorité de juger de tout le monde. » Et, une autrefois, pour toute réponse aux imputations dont le chargeait un tribun du peuple, au lieu de plaider sa cause : « Allons, dit-il, mes chers concitoyens, allons rendre grâces aux dieux de la victoire qu'ils me donnèrent contre les Carthaginois en un jour pareil à celui-ci. » Et se mettant à marcher devant vers le temple, voilà toute l'assemblée et son accusateur même à sa suite. Et, comme Petilius avait été suscité par Caton pour lui demander compte de l'argent manié dans la province d'Antioche, Scipion, qui s'était rendu au sénat à cet effet, produisit le livre de compte qu'il avait dessous sa robe, et dit que ce livre en contenait au vrai la recette et la mise. Mais quand on le lui demanda pour le mettre au greffe, il refusa en disant qu'il ne voulait pas se faire cette honte à lui-même, et, de ses mains, en présence du sénat, il le déchira et le mit en pièces. Je ne crois pas qu'une âme cautérisée sût contrefaire une telle assurance : il avait le cœur trop gros de nature, et accoutumé à trop haute fortune, dit

1. Juvénal, XIII, 2-3.
2. Ovide, *Fastes*, I, 485-486.

Tite Live, pour savoir être criminel et se commettre à la bassesse de défendre son innocence.

C'est une dangereuse invention que celle des géhennes, et il semble que ce soit une preuve de la patience plutôt que de la vérité. Celui qui les peut souffrir cache aussi bien la vérité que celui qui ne les peut souffrir. Car pourquoi la douleur me ferait-elle confesser ce qui en est plutôt qu'elle ne me forcera de dire ce qui n'est pas ? Et au rebours, si celui qui n'a pas fait ce dont on l'accuse est assez patient pour supporter ces tourments, pourquoi ne le serait celui qui l'a fait, alors qu'une aussi belle récompense que celle de la vie lui est proposée ? Je pense que le fondement de cette invention vient de la considération de l'effort de la conscience. Car au coupable il semble qu'elle aide à la torture pour lui faire confesser sa faute, et qu'elle l'affaiblit, et parce que, d'autre part, elle fortifie l'innocent contre la torture. Pour dire vrai, c'est un moyen plein d'incertitude et de danger. Que ne dirait-on pas, que ne ferait-on pas pour fuir d'aussi cuisantes douleurs ? La douleur fait mentir même les innocents *etiam innocentes cogit mentiri dolor.* [1] D'où il advient que celui que le juge a géhenné pour ne le faire point mourir innocent, il le fait mourir à la fois innocent et géhenné. Pour cela, mille et mille ont chargé leur tête de fausses confessions. Parmi lesquels je loge Philotas, considérant les circonstances du procès qu'Alexandre lui fit, et le progrès de sa géhenne.

Mais toujours est-il que c'est, dit-on, le moindre mal que l'humaine faiblesse ait pu inventer : bien inhumainement pourtant, et bien inutilement à mon avis. Plusieurs nations moins barbares en cela que la Grecque et la Romaine qui les appellent ainsi, estiment horrible et cruel de tourmenter et de rompre un homme dont vous êtes encore en doute de la faute. En quoi est-il responsable de votre ignorance ? Êtes-vous pas injustes si pour ne pas le tuer sans raison vous lui faites pis que de le tuer ? Qu'il en soit ainsi, voyez combien de fois il aime mieux mourir sans raison que de passer par cette information plus pénible que le supplice et qui souvent par son âpreté devance le supplice, et l'exécute. Je ne sais d'où je tiens ce conte, mais il rapporte exactement la conscience de notre justice. Une riche villageoise devant le général d'armée, grand justicier, accusait un soldat d'avoir arraché à ses petits enfants le peu de bouillie qui lui restait pour les sustenter, cette armée ayant tout ravagé. De preuve, il n'y en avait point. Le général somma d'abord la femme de bien regarder à ce qu'elle disait, parce qu'elle serait coupable de son accusation si elle mentait, puis, comme elle persistait, il fit ouvrir le ventre au soldat pour s'éclaircir de

1. Vivès, *La Cité de Dieu*, XIX, VI, p. 234.

la vérité du fait, et la femme se trouva avoir raison. Condamnation instructive.

De l'exercitation [d]

[Chapitre VI]

Il est malaisé que le raisonnement et l'instruction, encore que nous nous en persuadions volontiers, soient assez puissants pour nous acheminer jusqu'à l'action si, outre cela, nous n'exerçons et ne formons pas par l'expérience notre âme au train auquel nous la voulons ranger : autrement quand elle en sera au moment d'agir, elle s'y trouvera sans doute empêchée. Voilà pourquoi, parmi les philosophes, ceux qui ont voulu atteindre à quelque plus grande éminence ne se sont pas contentés d'attendre à couvert et en repos les rigueurs de la fortune, de peur qu'elle ne les surprît inexpérimentés et nouveaux au combat, mais ils sont allés à ses devants et se sont lancés volontairement à l'épreuve des difficultés. Les uns en ont abandonné les richesses pour s'exercer à une pauvreté volontaire, les autres ont recherché le labeur et une austérité de vie pénible pour s'endurcir au mal et au travail, d'autres se sont privés des parties du corps les plus chères, comme de la vue et des membres propres à la génération, de peur que leur service trop plaisant et trop doux ne relâchât et n'attendrît la fermeté de leur âme. Mais à mourir, qui est la plus grande besogne que nous ayons à faire, l'exercice ne nous y peut aider. On peut par usage et par expérience se fortifier contre les douleurs, la honte, l'indigence, et tels autres accidents, mais quant à la mort, nous ne pouvons l'essayer qu'une fois : nous y sommes tous apprentis quand nous y venons.

Il s'est trouvé parmi les anciens des hommes si excellents ménagers de leur temps qu'ils ont essayé, dans la mort même, de la goûter et de la savourer, et ils ont bandé leur esprit pour voir ce que c'était que ce passage, mais ils ne sont pas revenus nous en dire les nouvelles :

de se relever au réveil, nul moyen
Pour celui qu'a transi le froid au bout de sa carrière

nemo expergitus extat
Frigida quem semel est uitai pausa sequuta. [1]

1. Lucrèce, III, 929-930.

Canius Julius, un noble Romain, d'une vertu et d'une fermeté singulières, avait été condamné à mort par ce maraud de Caligula. Outre plusieurs merveilleuses preuves qu'il donna de sa résolution, comme il était sur le point de souffrir la main du bourreau, un philosophe son ami lui demanda : « Eh bien ! Canius, quelle démarche suit à cette heure votre âme ? Que fait-elle ? Dans quelles pensées êtes-vous ? – Je pensais, lui répondit-il, à me tenir prêt et bandé de toute ma force pour voir si en cet instant de la mort, si court et si bref, je pourrais apercevoir quelque délogement de l'âme, et si elle aurait quelque sentiment de son issue, de façon que, si j'en apprends quelque chose, j'en revienne après, si je puis, avertir mes amis. » Celui-ci philosophe non seulement jusqu'à la mort, mais dans la mort même. Quelle assurance était-ce, et quelle fierté de cœur, que de vouloir que sa mort lui servît de leçon, et d'avoir loisir de penser ailleurs en une si grande affaire !

À l'heure de mourir, il régnait sur son âme
Jus hoc animi morientis habebat. [1]

Il me semble toutefois qu'il y a quelque façon de nous apprivoiser à elle et de l'essayer en quelque sorte. Nous pouvons en avoir une expérience, sinon entière et parfaite, telle au moins qu'elle ne soit pas inutile et qu'elle nous puisse rendre plus forts et mieux assurés. Si nous ne pouvons l'atteindre, nous pouvons en tenter une approche, nous pouvons aller la reconnaître, et si nous ne donnons jusqu'au cœur de la place, au moins nous verrons et nous pratiquerons ses avenues. Ce n'est pas sans raison qu'on nous invite à considérer notre sommeil même pour la ressemblance qu'il a avec la mort. Combien facilement nous passons de la veille au dormir ! Avec combien peu d'intérêt nous perdons la connaissance de la lumière et de nous ! D'aventure la faculté du sommeil pourrait sembler inutile et contre-nature, puisqu'elle nous prive de toute action et de tout sentiment, n'était que par ce moyen Nature nous instruit qu'elle nous a faits pour mourir aussi bien que pour vivre, et que, dès la vie, elle nous représente ainsi l'état éternel qu'elle nous réserve après celle-ci, pour nous y accoutumer et nous en ôter la crainte. Mais ceux qui, par quelque accident violent, sont tombés en défaillance de cœur, et qui y ont complètement perdu le sentiment, ceux-là, à mon avis, ont été bien près de voir son visage vrai et naturel, car, quant à l'instant et au point du passage, il n'est pas à craindre qu'il porte avec soi aucun effort ou déplaisir, d'autant que nous ne pouvons avoir nul sentiment sans

1. Lucain, VIII, 636.

loisir. Nos souffrances ont besoin de temps, et il est si court et si précipité dans la mort qu'il faut nécessairement qu'elle soit insensible. Ce sont les approches que nous avons à craindre, et celles-là peuvent être expérimentées à l'occasion.

Plusieurs choses nous semblent plus grandes dans l'imagination que dans l'effet. J'ai passé une bonne partie de mon âge en une parfaite et entière santé, je veux dire non seulement entière, mais encore allègre et bouillante. Cet état plein de verdeur et de fête me faisait trouver si horrible l'idée des maladies que, quand j'en suis venu à les expérimenter, j'ai trouvé leurs morsures molles et lâches au prix de ma crainte. Voici une chose que j'expérimente tous les jours : suis-je à couvert chaudement dans une bonne salle pendant une nuit d'orage et de tempête ? Je me frappe et m'afflige pour ceux qui sont alors à battre la campagne. Y suis-je moi-même ? Je ne désire pas seulement d'être ailleurs ! Le seul fait d'être tout le jour enfermé dans une chambre me semblait insupportable : je fus sur-le-champ dressé à y rester une semaine, et un mois, plein d'agitation, d'altération et de faiblesse. Et j'ai trouvé que, lorsque j'étais bien portant, je plaignais les malades beaucoup plus que je ne me trouve à plaindre moi-même quand je suis de leur nombre, et que la force de mon appréhension renchérissait de près de moitié l'être et la vérité de la chose. J'espère qu'il m'en adviendra de même de la mort, et qu'elle ne vaut pas la peine que je prends à dresser tant d'apprêts, et à appeler et rassembler tant de secours pour en soutenir l'effort. Mais, à toutes aventures, nous ne pouvons nous donner trop d'avantages contre elle.

Pendant nos troisièmes troubles, ou deuxièmes (il ne me souvient pas bien de cela), m'étant allé un jour promener à une lieue de chez moi, qui suis installé au beau milieu de tout le trouble des guerres civiles de France, estimant être en toute sûreté, et si voisin de ma retraite que je n'avais point besoin de meilleur équipage, j'avais pris un cheval aisé, mais non guère ferme. À mon retour, une occasion soudaine s'étant présentée de m'aider de ce cheval pour un service qui n'était pas bien de son usage, un de mes gens, grand et fort, monté sur un puissant roussin, qui avait une bouche désespérée, frais au demeurant et vigoureux, pour faire le hardi et devancer ses compagnons, vint à le pousser à toute bride droit dans ma route, et à fondre comme un colosse sur le petit homme et le petit cheval, et à le foudroyer de sa roideur et de sa pesanteur, nous envoyant l'un et l'autre les pieds contremont, si bien que voilà le cheval abattu et couché tout étourdi, moi à dix ou douze pas au-delà, étendu à la renverse, le visage tout meurtri et tout écorché, mon épée que j'avais à la main, à plus de dix pas de là, ma ceinture en pièces, n'ayant ni mouvement, ni sentiment non plus qu'une souche. C'est le seul évanouissement que j'aie ressenti jusqu'à cette heure. Ceux qui étaient avec moi, après avoir essayé par tous les moyens qu'ils purent, de me faire revenir, me tenant pour mort, me prirent entre leurs bras, et ils m'emportaient avec beaucoup de difficulté jusqu'à ma maison, qui était à environ une demi-lieue française. Sur le chemin, et après avoir été plus de deux grosses heures tenu pour trépassé, je commençai à me mouvoir et à respirer, car il était tombé une si grande abondance de sang dans mon estomac que pour l'en décharger Nature eut besoin de ressusciter ses forces. On me dressa sur mes pieds et je rendis alors un plein seau de bouillons de sang pur, et plusieurs fois sur le chemin, il m'en fallut faire de même. Par là je commençai à reprendre un peu de vie, mais ce fut par le menu, et au prix d'un si long trait de temps que mes premiers sentiments étaient beaucoup plus approchants de la mort que de la vie :

Pour cela qu'incertain de son retour encore,
L'esprit tout étonné ne se peut affermir

Perche dubbiosa anchor del suo ritorno
Non s'assecura attonita la mente.[1]

Cette réminiscence que j'en ai fort empreinte en mon âme, en me représentant le visage de la mort et son idée si près du naturel, me réconcilie un peu avec elle. Quand je commençai à y voir, ce fut d'une vue si trouble, si faible, et si morte que je ne discernais encore rien que la lumière,

Comme tel qui tantôt ouvre et tantôt referme
Les yeux, moitié dormant et moitié réveillé

come quel ch'or apre, or chiude
Gli occhi, mezzo tra'l sonno è l'esser desto. [2]

Quant aux fonctions de l'âme, elles renaissaient avec le même progrès que celles du corps. Je me vis tout sanglant, car mon pourpoint était partout taché du sang que j'avais rendu. La première pensée qui me vint, ce fut que j'avais reçu une arquebusade à la tête : de fait, en même temps, il s'en tirait plusieurs autour de nous. Il me semblait que ma vie ne me tenait plus que du bout des lèvres : je fermais les yeux pour aider, me semblait-il, à la pousser hors, et je prenais plaisir à m'alanguir et à me laisser aller. C'était une imagination qui ne faisait que flotter superficiellement dans mon âme, aussi tendre et aussi faible que tout le reste, mais à la vérité non seulement

1. Le Tasse, *La Jérusalem délivrée*, XII, LXXIV, 5-6.
2. Le Tasse, *La Jérusalem délivrée*, VIII, XXVI, 3-4.

exempte de déplaisir, mais mêlée à cette douceur que ressentent ceux qui se laissent glisser dans le sommeil.

Je crois que c'est dans ce même état que se trouvent ceux qu'on voit défaillir de faiblesse dans l'agonie de la mort. Et je tiens que nous les plaignons sans cause quand nous croyons qu'ils soient agités de graves douleurs ou qu'ils aient l'âme oppressée de pensées pénibles. Tel a toujours été mon avis, contre l'opinion de plusieurs, et même d'Étienne de la Boétie, que ceux que nous voyons ainsi à la renverse et assoupis aux approches de leur fin, ou accablés par la longueur du mal, ou par une attaque d'apoplexie, ou par une crise d'épilepsie :

on voit un homme, par son mal ployé,
Qui sous nos yeux parfois s'effondre, foudroyé,
Il écume, il gémit, son corps, de tous ses membres, tremble,
Il divague, se roidit, se tord, halète, et rassemble
Son souffle par à-coups ; il s'épuise en convulsions.

ui morbi sæpe coactus
Ante oculos aliquis nostros ut fulminis ictu
Concidit, et spumas agit, ingemit, et fremit artus,
Desipit, extentat neruos, torquetur, anhelat,
Inconstanter et in iactando membra fatigat, [1]

ou blessés à la tête, et que nous entendons grommeler et rendre parfois des soupirs déchirants, quoique nous en tirions quelques indices par où il semble qu'il leur reste encore de la connaissance, et qu'il y ait encore quelques mouvements que nous leur voyons faire avec leur corps, j'ai toujours pensé, dis-je, qu'ils avaient et l'âme et le corps ensevelis et endormis :

Il vit, mais il n'est point conscient de son vivre
Viuit et est uitæ nescius ipse suæ, [2]

et je ne pouvais pas croire qu'avec un si grand foudroiement des membres, et une si grande défaillance des sens, l'âme pût maintenir aucune force au-dedans pour se reconnaître, et qu'ainsi ils n'avaient aucune pensée consciente qui les tourmentât et qui leur pût faire juger et sentir la misère de leur condition, et que par conséquent, ils n'étaient pas fort à plaindre.

Je n'imagine pour moi aucun état qui soit aussi insupportable et aussi horrible que d'avoir l'âme vive et affligée, sans moyen toutefois de se déclarer. J'en dirais autant de ceux qu'on envoie au supplice après leur avoir coupé la langue, si ce n'était que, dans cette sorte de

1. Lucrèce, III, 487-491.
2. Ovide, *Les Tristes*, I, III, 12.

mort, la plus muette me semble la mieux séante, si elle est accompagnée d'un visage ferme et grave. Et j'en pourrais dire de même encore de ces malheureux prisonniers qui tombent aux mains des vils soldats bourreaux de ce temps, qui les torturent et soumettent à toute espèce de cruels traitements pour les contraindre à quelque rançon excessive et impossible, alors que dans le même temps on les maintient dans une situation et dans un lieu où ils n'ont pas le moindre moyen d'exprimer et de signifier de leurs pensées et leur souffrance.

Les poètes ont feint quelques dieux favorables à la délivrance de ceux qui traînaient ainsi une mort languissante :

J'ai l'ordre d'apporter à Pluton son tribut
et de ce corps, je te délie

hunc ego Diti
Sacrum iussa fero, teque isto corpore soluo. [1]

Et ces mots et ces réponses courtes et décousues qu'on leur arrache quelquefois à force de crier à leurs oreilles et de les tempêter, ou certains mouvements par lesquels ils semblent consentir à ce qu'on leur demande, ce n'est pas là pour autant la preuve qu'ils vivent, du moins d'une vie entière. Il nous advient ainsi dans le bégaiement du sommeil, avant qu'il nous ait tout à fait saisis, de sentir comme en songe ce qui se fait autour de nous et de suivre les voix d'une ouïe trouble et incertaine qui semble n'atteindre qu'aux bords de l'âme, et nous faisons des réponses à la suite des dernières paroles qu'on nous a dites qui ont plus de fortune que de sens.

Or à présent que j'ai essayé cela en effet, je ne fais nul doute que je n'en aie bien jugé jusqu'à cette heure. Car au début, alors que j'étais encore tout évanoui, je me travaillais à entrouvrir mon pourpoint à belles ongles, car j'étais désarmé, et pourtant je sais que je ne sentais rien en pensée qui me blessât, car il y a plusieurs mouvements en nous qui ne partent pas de notre volonté :

Les doigts tremblent demi-morts, et veulent saisir le fer

Semianimesque micant digiti, ferrumque retractant. [2]

Ceux qui tombent élancent ainsi les bras au-devant de leur chute par une impulsion naturelle qui fait que nos membres se prêtent des offices et ont des mouvements indépendants de notre volonté :

Les chars armés de faux, des corps, dit-on, font grand ravage,
Ils les hachent si promptement, fumants dans le carnage,

1. Virgile, *Énéide*, IV, 702-703.
2. Virgile, *Énéide*, X, 396.

Que sur la poussière on en voit tressauter les quartiers ;
Dans sa flamme pourtant l'âme de ces guerriers
Ne s'en aperçoit point, tant cette coupure est soudaine
Falciferos memorant currus abscindere membra,
Ut tremere in terra uideatur ab artubus, id quod
Decidit abscissum, cum mens tamen atque hominis uis
Mobilitate mali non quit sentire dolorem. [1]

J'avais l'estomac oppressé de ce sang caillé, mes mains y couraient d'elles-mêmes, comme elles le font souvent sans l'avis de notre volonté quand nous avons des démangeaisons. Il y a plusieurs animaux, et des hommes mêmes, après qu'ils sont trépassés, auxquels on voit resserrer et remuer des muscles. Chacun sait par expérience qu'il a des parties qui s'ébranlent, se dressent et se couchent souvent sans son congé. Or ces passions qui ne nous touchent que par l'écorce ne se peuvent dire nôtres : pour les faire nôtres, il faut que l'homme y soit engagé tout entier, et les douleurs que le pied ou la main ressentent pendant que nous dormons ne sont pas à nous.

Alors que j'approchais de chez moi, où l'alarme de ma chute avait déjà couru, et après que ceux de ma famille furent parvenus à ma rencontre, avec les cris accoutumés dans ce genre d'occasion, non seulement je répondais quelque mot à ce qu'on me demandait, mais encore ils disent que je m'avisai de commander qu'on donnât un cheval à ma femme que je voyais s'empêtrer et se tracasser dans le chemin, qui est montueux et malaisé. Il semble que cette considération dût partir d'une âme éveillée. Pourtant, je n'y étais aucunement : c'étaient des pensées vaines, en nuage, qui étaient émues par les sens des yeux et des oreilles : elles ne venaient pas de chez moi. Je ne savais par le fait ni d'où je venais ni où j'allais, et je ne pouvais pas plus peser et considérer ce qu'on me demandait : ce sont de légers effets que les sens produisaient d'eux-mêmes, comme par habitude. Ce que l'âme y prêtait, c'était en songe, touchée bien légèrement, et comme léchée seulement et arrosée par la molle impression venue des sens.

Cependant mon assiette était à la vérité très douce et paisible : je n'avais d'affliction ni pour autrui ni pour moi : c'était une langueur et une extrême faiblesse, sans aucune douleur. Je vis ma maison sans la reconnaître. Quand on m'eut couché, je sentis une infinie douceur à ce repos : car j'avais été vilainement tirassé par ces pauvres gens, qui avaient pris la peine de me porter sur leurs bras par un long et très mauvais chemin, et qui s'y étaient lassés deux ou trois fois les uns après les autres. On me présenta force remèdes, dont je ne voulus

1. Lucrèce, III, 642-646.

recevoir aucun, tenant pour certain que j'étais blessé à mort par la tête. C'eût été, sans mentir, une mort bien heureuse, car la faiblesse de ma conscience me gardait de n'en rien juger, et celle du corps de n'en rien sentir. Je me laissais couler si doucement, et d'une façon si molle et si aisée, que je ne vois guère d'autre action qui puisse être, à mon sens, moins pesante que ne l'était celle-là. Quand j'en vins à revivre et à reprendre mes forces,

Lorsque mes sens enfin reprirent leur vigueur
Ut tandem sensus conualuere mei, [1]

ce qui fut deux ou trois heures après, je me sentis du même train rengager dans les douleurs, car j'avais les membres tout moulus et froissés par ma chute. J'en fus si mal deux ou trois nuits après que j'en crus remourir encore un coup, mais d'une mort plus vive, et du reste je me ressens encore de la secousse de cette froissure. Je ne veux pourtant pas oublier ceci, que la dernière chose en quoi je me pus remettre, ce fut la souvenance de cet accident, et je me fis redire plusieurs fois où j'allais, d'où je venais, à quelle heure cela m'était advenu, avant que de le pouvoir comprendre. Quant à la raison de ma chute, on me la cachait, en faveur de celui qui en avait été la cause, et on m'en forgeait d'autres. Mais un jour, longtemps après, et le lendemain de ce jour, quand ma mémoire vint à s'entrouvrir et à me représenter l'état dans lequel je m'étais trouvé à l'instant où j'avais aperçu ce cheval fondant sur moi, (car je l'avais vu à mes talons, et m'étais aussitôt tenu pour mort, mais cette pensée avait été si soudaine que la peur n'avait pas eu le loisir d'en naître), il me sembla que c'était un éclair qui me frappait l'âme d'une secousse et que je revenais de l'autre monde.

Ce récit d'un événement aussi léger est assez vain, n'était l'instruction que j'en ai tirée pour moi, car, à la vérité, pour s'apprivoiser à la mort, je trouve qu'il suffit de s'en approcher. Or, comme dit Pline, chacun est à soi-même une très bonne école, pourvu qu'il ait le talent de s'épier de près. Ce n'est pas ici ma doctrine, c'est mon étude, et n'est pas la leçon d'autrui, c'est la mienne. Et pour autant l'on ne doit pas me savoir mauvais gré si je la communique. Ce qui me sert peut aussi par accident servir à un autre. Au demeurant, je ne gâte rien : je n'use que du mien. Et si je fais le fol, c'est à mes dépens et sans léser l'intérêt de personne, car c'est une folie qui meurt avec moi et n'a point de suite. Nous n'avons nouvelles que de deux ou trois anciens qui aient battu ce chemin, et pourtant ne pouvons dire si c'est tout à fait de manière pareille à celle-ci, car nous n'en connaissons que les

1. Ovide, *Les Tristes*, I, III, 14.

noms. Nul depuis ne s'est jeté sur leur trace. C'est une entreprise épineuse, et plus qu'il ne semble, que de suivre une allure aussi vagabonde que celle de notre esprit, de pénétrer les profondeurs opaques de ses replis internes, de choisir et d'arrêter tant de menus airs parmi les vents qui l'agitent, et c'est un amusement nouveau et extraordinaire qui nous retire des occupations communes du monde, oui, même des plus recommandées. Il y a plusieurs années que je n'ai que moi pour visée à mes pensées, que je ne mets en registre et n'étudie que moi. Et si j'étudie autre chose, c'est pour l'appliquer soudain à moi, ou en moi, pour mieux dire. Et il ne me semble point être en faute, si, comme il se fait dans les autres sciences (sans comparaison moins utile), je fais part de ce que j'ai appris dans celle-ci, quoique je ne me contente guère du progrès que j'y ai fait. Il n'est point d'autre description pareille en difficulté que la description de soi-même, ni certes en utilité. Encore se faut-il peigner, encore se faut-il ordonner et arranger pour sortir sur la place publique. Or je me pare sans cesse, car je me décris sans cesse. La coutume veut que ce soit un vice de parler de soi, et elle le prohibe obstinément par détestation de la vantardise, qui semble toujours être attachée aux témoignages qu'on fait à propos de soi. Au lieu qu'on doit moucher l'enfant, cela s'appelle proprement l'énaser :

La fuite du péché nous conduit droit au vice
In uitium ducit culpæ fuga. [1]

Je trouve plus de mal que de bien à ce remède ! Mais quand il serait vrai que ce fût nécessairement présomptueux d'entretenir le peuple de soi, je ne dois pas, suivant mon dessein d'ensemble, refuser une action qui publie cette maladive qualité, puisqu'elle est en moi, et je ne dois pas cacher cette faute que non seulement je pratique, mais qu'encore je professe. Toutefois, pour dire ce que j'en crois, cette même coutume a tort de condamner le vin parce que plusieurs s'y enivrent. On ne peut abuser que des choses qui sont bonnes. Et, s'agissant de cette règle de ne point parler de soi, je considère qu'elle ne regarde que la défaillance commune. Ce sont là brides à veaux, dont ni les saints, que nous entendons si hautement parler d'eux, ni les philosophes, ni les théologiens ne se brident point. Non plus que moi, quoique je sois aussi peu l'un que l'autre. S'ils n'en écrivent pas à point nommé, au moins, quand l'occasion les y porte, ne font-ils pas semblant de se lancer franchement dans le manège. De quoi traite Socrate plus largement que de soi ? À quoi achemine-t-il plus souvent les propos de ses

1. Horace, *Art poétique*, 31.

disciples qu'à parler d'eux, non pas de la leçon de leur livre, mais de l'être et du branle de leur âme ? Nous nous confessons scrupuleusement à Dieu et à notre confesseur, comme nos voisins [1] le font à tout leur peuple assemblé. Mais nous n'en disons, me répondra-t-on, que ce que l'on peut avoir à nous reprocher. Nous disons donc tout ! Car notre vertu même est fautive et sujette au repentir ! Mon métier et mon art, c'est vivre. Qui veut me défendre d'en parler selon mon sens, mon expérience et mon usage, qu'il ordonne donc à l'architecte de parler des bâtiments non selon lui mais selon son voisin, selon la science d'un autre et non selon la sienne ! Si c'est se faire gloire que de publier soi-même ce que l'on vaut, que Cicéron ne met-il en avant l'éloquence d'Hortensius, et Hortensius celle de Cicéron ? Peut-être entend-on que je témoigne de moi par mes œuvres et par mes actes, et non tout nuement par des paroles ? Je peins principalement mes réflexions, sujet informe, qui ne peut aboutir à une production bien ouvragée. À grand-peine le puis-je faire tenir dans ce corps aérien de la voix. Des hommes parmi les plus sages et les plus dévots ont vécu en fuyant tous les effets apparents. Les effets parleraient plus de la fortune que de moi. Ils témoignent de la fonction qui les produit, non pas de moi, si ce n'est de façon conjecturale et incertaine : ce ne sont là que les échantillons d'un étal particulier. Moi, je m'étale en entier. C'est un *skeletos* où d'une seule vue paraissent les veines, les muscles, les tendons, chaque pièce à sa place. L'effet de tousser en montrait une partie, l'action de pâlir ou de battre du cœur, une autre, et de façon incertaine. Ce ne sont pas mes gestes que j'écris, c'est moi, c'est mon être. Je tiens qu'il faut être prudent pour s'évaluer soi-même, et pareillement consciencieux pour en témoigner, soit bas, soit haut, indifféremment. S'il me semblait que je fusse tout à fait bon et sage, je l'entonnerais à tue-tête. Dire de soi moins qu'il n'y en a, c'est de la sottise, et non de la modestie : se payer de moins qu'on ne vaut, c'est de la lâcheté et de la pusillanimité, selon Aristote. Nulle vertu ne s'aide de la fausseté, et la vérité n'est jamais matière à erreur. Dire de soi plus qu'il n'en y a, ce n'est pas toujours de la présomption, c'est encore souvent de la sottise. Se complaire outre mesure à ce que l'on est, tomber en amour de soi sans discernement, c'est à mon avis la substance de ce vice. Le suprême remède pour le guérir, c'est de faire tout au rebours de ce qu'ordonnent ceux-là qui, en défendant le parler de soi, défendent par conséquent encore plus de penser à soi. L'orgueil gît dans la pensée, la langue n'y peut avoir qu'une bien légère part. De s'amuser à soi, il leur semble que c'est se complaire à

1. Nos voisins les protestants.

soi, que se fréquenter et pratiquer, c'est trop se chérir. Mais cet excès naît seulement chez ceux qui ne se tâtent que superficiellement, qui ne se voient qu'après leurs affaires, qui appellent rêverie et oisiveté le fait de s'entretenir de soi, et pour qui s'étoffer et se bâtir, c'est faire des châteaux en Espagne, comme s'ils estimaient qu'ils fussent une chose tierce et étrangère à eux-mêmes.

Si quelqu'un s'enivre de sa science en regardant sous soi, qu'il tourne donc les yeux au-dessus vers les siècles passés : il baissera les cornes en y trouvant tant de milliers d'esprits qui le foulent aux pieds ! S'il entre en quelque flatteuse présomption de sa vaillance, qu'il se rappelle les vies de Scipion, d'Épaminondas, et de tant d'armées, de tant de peuples, qui le laissent si loin derrière eux ! Nulle qualité particulière n'enorgueillira celui qui mettra en compte en même temps tant d'autres caractères faibles et imparfaits qui sont en lui, et au bout, le néant de l'humaine condition. Parce que Socrate avait seul mordu sérieusement au précepte de son dieu qui était de se connaître, et que par cette étude il en était arrivé à se mépriser, il fut estimé seul digne du nom de sage. Qui se connaîtra ainsi, qu'il se donne hardiment à connaître par sa bouche.

Des récompenses d'honneur[e]

[Chapitre VII]

Ceux qui écrivent la vie de l'empereur Auguste remarquent ce point dans sa discipline militaire que pour les dons il était merveilleusement libéral envers ceux qui le méritaient, mais que des pures récompenses d'honneur il en était bien autant parcimonieux. Il avait été pourtant lui-même gratifié par son oncle de toutes les récompenses militaires avant qu'il eût jamais été à la guerre. Ce fut une belle invention, et reçue dans la plupart des gouvernements du monde, d'établir certaines marques vaines et sans prix pour en honorer et récompenser la vertu, comme sont les couronnes de laurier, de chêne, de myrte, la forme de certain vêtement, le privilège d'aller en coche par la ville, ou de nuit avec des flambeaux, quelque place particulière dans les assemblées publiques, la prérogative de certains surnoms et titres, certaines marques dans les armoiries, et autres choses semblables, dont l'usage a été diversement reçu selon l'opinion des nations, et dure encore.

Nous avons pour notre part, et plusieurs de nos voisins, les ordres de chevalerie, qui ne sont établis qu'à cette fin. C'est à la vérité une bien bonne et profitable coutume que de trouver moyen de reconnaître la valeur des hommes rares et excellents, et de les contenter et satisfaire par des payements qui ne chargent aucunement le peuple et qui ne coûtent rien au prince. Et, chose qui a été toujours connue par l'expérience ancienne, et que nous avons autrefois aussi pu voir parmi nous, ce fait que les gens de qualité étaient plus jaloux de ce genre de récompenses que de celles où il y avait du gain et du profit, cela n'est pas sans raison et grande apparence. Si au prix, qui doit être simplement d'honneur, on mêle d'autres avantages, et de l'argent, ce mélange, au lieu d'augmenter l'estime, la ravale et en retranche. L'ordre de saint-Michel, qui a été si longtemps en honneur parmi nous, n'avait point de plus grand avantage que celui de ne communiquer aucun autre bénéfice. Cela faisait qu'autrefois il n'y avait ni charge ni état, quel qu'il fût, auquel la noblesse prétendît avec autant de désir et d'affection qu'elle le faisait à cet ordre, ni qualité qui apportât plus de respect et de grandeur, car la vertu tend les bras et aspire plus volontiers à une récompense purement sienne, plus glorieuse qu'utile. Car à la vérité les autres dons ne sont pas d'un usage aussi digne, parce qu'on les emploie à toute sorte d'occasions. Avec de l'argent, on récompense le service d'un valet, la diligence d'un courrier, un danseur, un voltigeur, un beau parleur, et tous les plus vils services qu'on reçoive, voire même le vice s'en paye, et la flatterie, et le maquerellage, et la trahison. Ce n'est pas merveille si la vertu reçoit et désire moins volontiers cette sorte de monnaie commune que celle qui lui est propre et particulière, toute noble et généreuse. Auguste avait raison d'être beaucoup plus ménager et parcimonieux de celle-ci que de l'autre, d'autant que l'honneur est un privilège qui tire sa principale essence de sa rareté, ainsi que la vertu elle-même.

Pour qui nul n'est méchant, qui peut bien être bon ?
Cui malus est nemo, quis bonus esse potest ? [1]

On ne souligne pas pour louer un homme qu'il ait soin de la nourriture de ses enfants, parce que c'est une action commune, quelque juste qu'elle soit, non plus qu'on ne distingue la haute taille d'un arbre, là où la forêt est toute de même venue. Je ne pense pas qu'aucun citoyen de Sparte se glorifiât de sa vaillance, car c'était là une vertu commune dans leur nation, et aussi peu de la fidélité, ou du mépris des richesses. Il n'échoit pas de récompense à une vertu, pour grande qu'elle soit, qui est passée en coutume, et je ne sais, avec ça, si nous l'appellerions jamais grande dès lors qu'elle est commune.

1. Martial, XII, LXXX, 2.

Puis donc que ces loyers d'honneur n'ont d'autre prix et d'autre valeur que celle-là, à savoir que peu de gens en jouissent, il n'est, pour les anéantir, que d'en faire largesse. Quand il se trouverait plus d'hommes qu'au temps passé qui méritassent notre ordre, il n'en fallait pas pour autant corrompre le prestige. Et il peut aisément advenir que plus le méritent, car il n'est aucune des vertus qui se répande aussi aisément que la vaillance militaire. Il y en a une autre vraie, parfaite, et philosophique, dont je ne parle point (et je me sers de ce mot, selon notre usage) bien plus grande que celle-ci et plus pleine, qui est une force et une assurance de l'âme qui méprise également toute sorte d'accidents contraires, égale, uniforme et constante, dont la nôtre n'est qu'un bien petit rayon. L'usage, l'institution, l'exemple et la coutume peuvent tout ce qu'ils veulent dans l'établissement de celle dont je parle, et ils la rendent aisément vulgaire, comme il est très aisé de le voir par l'expérience que nous en donnent nos guerres civiles. Et qui nous pourrait rallier à cette heure et nous acharner tout notre peuple à quelque entreprise commune, nous ferions refleurir notre ancien renom militaire. Il est bien certain que la récompense de l'ordre ne touchait pas au temps passé seulement la vaillance, elle regardait plus loin. Ce n'a jamais été le payement d'un valeureux soldat, mais celui d'un capitaine fameux. La science d'obéir ne méritait pas un loyer aussi honorable : on y requérait anciennement une expertise militaire plus générale, et qui embrassât la plupart et les plus grandes parties d'un chef de guerre, car les talents du soldat et du général ne sont pas les mêmes *neque enim eædem militares et imperatoriæ artes sunt*, [1] et qui fût encore, outre cela, d'une condition accommodable à une telle dignité. Mais je dis que, quand bien même plus de gens en seraient dignes qu'il ne s'en trouvait autrefois, il ne fallait pas pour autant s'en rendre plus libéral, et il eût mieux valu faillir à n'en étrenner pas tous ceux à qui il était dû que de perdre pour jamais, comme nous venons de faire, l'usage d'une invention si utile. Aucun homme de cœur ne daigne s'avantager de ce qu'il a de commun avec plusieurs. Et ceux d'aujourd'hui qui ont le moins mérité cette récompense font le plus mine de la dédaigner, pour se loger par là au rang de ceux à qui on fait tort de répandre indignement et d'avilir cette marque qui leur était particulièrement due.

Or, de s'attendre, en effaçant et en abolissant celle-ci, à pouvoir soudain remettre en crédit et renouveler une semblable coutume, ce n'est pas là une entreprise propre à une saison aussi licencieuse et aussi malade qu'est celle où nous nous trouvons à présent. Et il en adviendra que la dernière encourra dès sa naissance les inconvénients

1. Tite-Live, XXV, XIX, 12.

qui viennent de ruiner l'autre. Les règles de la dispensation de ce nouvel ordre auraient besoin d'être extrêmement tendues et contraintes pour lui donner autorité, et cette saison tumultueuse n'est pas capable d'une bride courte et réglée. Outre ce qu'avant qu'on lui puisse donner crédit, il est besoin qu'on ait perdu la mémoire du premier, et du mépris dans lequel il est chu.

Ce point pourrait recevoir quelques développements sur l'importance de la vaillance, et sur la différence qu'il y a de cette vertu aux autres, mais Plutarque étant souvent revenu sur ce propos, ce serait bien inutilement que je me mêlerais de rapporter ici ce qu'il en dit. Ceci cependant est digne d'être considéré, que notre nation donne à la *vaillance* le premier degré parmi les vertus, comme son nom le montre, qui vient de *valeur*, et que dans notre usage, quand nous disons un *homme de valeur*, ou un *homme de bien*, selon le style de notre cour et de notre noblesse, ce n'est pas à dire autre chose qu'un vaillant homme, d'une façon pareille à la romaine. Car l'appellation générale de vertu prend chez eux son étymologie du mot de *force*. La forme de noblesse propre à la France, et la seule, et l'essentielle, c'est la fonction militaire. Il est vraisemblable que la première vertu qui se soit fait paraître entre les hommes, et qui a donné l'avantage aux uns sur les autres, ç'a été celle-ci, par laquelle les plus forts et les plus courageux se sont rendus maîtres des plus faibles et ont acquis un rang et une réputation particuliers, d'où lui est demeuré cet honneur et cette dignité de langage, ou bien que ces nations, étant très belliqueuses, ont donné le prix, et le plus digne titre, à celle des vertus qui leur était la plus familière. Tout ainsi que notre passion et cette fiévreuse inquiétude que nous avons de la chasteté des femmes fait aussi qu'une *bonne femme*, une *femme de bien*, et une *femme d'honneur et de vertu*, ce ne soit en effet à dire autre chose pour nous qu'une femme *chaste*, comme si pour les obliger à ce devoir nous mettions tous les autres pour bons à négliger, et que nous leur lâchions la bride à toute autre faute pour parvenir à l'accommodement de leur faire quitter celle-ci.

De l'affection des pères aux enfants [f]

[Chapitre VIII]

À Madame d'Estissac.

Madame, si l'étrangeté ne me sauve, et la nouvelleté, qui ont accoutumé de donner du prix aux choses, je ne sors jamais à mon honneur de cette sotte entreprise, mais elle est si extravagante, et a un visage si éloigné de l'usage commun, que cela lui pourra donner passage. C'est une humeur mélancolique, et une humeur par conséquent très ennemie de ma complexion naturelle, produite par le chagrin de la solitude, dans laquelle il y a quelques années que je m'étais jeté, qui m'a mis d'abord en tête cette rêverie de me mêler d'écrire. Et puis me trouvant entièrement dépourvu et vide de toute autre matière, je me suis présenté moi-même à moi pour argument et pour sujet. C'est le seul livre au monde de son espèce, et d'un dessein farouche et extravagant. Il n'y a rien aussi en cette besogne digne d'être remarqué que cette bizarrerie, car à un sujet si vain et si vil, le meilleur ouvrier du monde n'eût su donner une façon qui mérite qu'on en fasse conte. Or, Madame, ayant à m'y portraire au vif, j'en eusse oublié un trait d'importance si je n'y eusse représenté l'honneur que j'ai toujours rendu à vos mérites. Et je l'ai voulu dire de manière insigne à la tête de ce chapitre, d'autant que parmi vos autres bonnes qualités, celle de l'amitié que vous avez montrée à vos enfants tient l'un des premiers rangs. Qui saura l'âge auquel Monsieur d'Estissac votre mari vous laissa veuve, les grands et honorables partis qui vous ont été offerts autant qu'à dame de France de votre condition, la constance et la fermeté dont vous avez soutenu tant d'années et au travers de tant d'épineuses difficultés la charge et la conduite de leurs affaires qui vous ont agitée par tous les coins de France et vous tiennent encore assiégée, l'heureux acheminement que vous y avez donné par votre seule prudence ou bonne fortune, il dira aisément avec moi que nous n'avons point d'exemple d'affection maternelle en notre temps plus manifeste que le vôtre.

Je loue Dieu, Madame, qu'elle ait été si bien employée, car les bonnes espérances que donne de lui Monsieur d'Estissac votre fils assurent assez que quand il sera en âge, vous en tirerez l'obéissance et la reconnaissance d'un très bon enfant. Mais, parce qu'à cause de son enfance il n'a pu remarquer les services extrêmes qu'il a reçus de vous en si grand nombre, je veux, si ces écrits viennent un jour à lui tomber en main lorsque je n'aurai plus ni bouche ni parole qui le puisse dire, qu'il reçoive de moi ce témoignage en toute vérité, qui lui sera encore plus vivement témoigné par les bons effets par lesquels, s'il plaît à Dieu, on ressentira qu'il n'est gentilhomme en France qui doive plus à sa mère qu'il ne le fait, et qu'il ne peut donner à l'avenir de plus certaine preuve de sa bonté et de sa vertu qu'en vous reconnaissant pour telle.

S'il y a quelque loi vraiment naturelle, c'est-à-dire quelque instinct que l'on retrouve universellement et perpétuellement empreint dans les bêtes et en nous (ce qui n'est pas sans controverse), je puis dire qu'à mon avis après le soin que chaque animal a de se conserver et de fuir ce qui nuit, l'affection que l'engendrant porte à son engeance tient ici le second rang. Et parce que Nature semble nous l'avoir recommandée en veillant à étendre et à faire avancer les pièces successives de cette sienne machine, ce n'est pas merveille si, à reculons, des enfants aux pères elle n'est pas si grande.

J'ajoute cette autre considération inspirée d'Aristote que celui qui fait du bien à quelqu'un l'aime mieux qu'il n'en est aimé, et que celui à qui l'on doit aime mieux que celui qui doit : tout ouvrier aime mieux son ouvrage qu'il n'en serait aimé si l'ouvrage avait du sentiment. D'autant que nous chérissons d'être, et qu'être consiste dans le mouvement et l'action. Par quoi l'être de chacun réside en quelque sorte dans son ouvrage. Qui fait du bien accomplit une action belle et honnête ; qui en reçoit, en fait une qui n'est qu'utile. Or l'utile est beaucoup moins aimable que l'honnête. L'honnête est stable et permanent ; il fournit à celui qui l'a fait une gratification constante. L'utile se perd et s'échappe facilement, et la mémoire n'en est ni si fraîche ni si douce. Les choses nous sont plus chères quand elles nous ont plus coûté. Et donner coûte plus que prendre.

Puisqu'il a plu à Dieu de nous douer de quelque capacité de raisonnement, afin que nous ne fussions pas, comme les bêtes, servilement assujettis aux lois communes, mais que nous nous y appliquassions avec notre jugement et notre libre volonté, nous devons bien prêter un peu à la simple autorité de Nature, mais non pas nous laisser tyranniquement emporter par elle : la seule raison doit assurer la conduite de nos inclinations. J'ai pour ma part un goût étrangement émoussé pour ces propensions qui sont produites en nous sans l'ordre et l'entremise de notre jugement. Ainsi sur ce sujet dont je parle je ne puis recevoir cette passion dont on embrasse les enfants à peine encore nés, qui n'ont ni mouvement dans l'âme, ni forme reconnaissable dans le corps par où ils puissent se rendre aimables, et ne je n'ai pas souffert volontiers qu'on les élève près de moi. Une affection vraie et bien réglée devrait naître et s'augmenter avec la connaissance qu'ils nous donnent d'eux, et nous devrions alors, s'ils le valent, la propension naturelle marchant du même pas que la raison, les chérir d'une amitié vraiment paternelle, et en juger de même s'ils sont autres, en nous rendant toujours à la raison nonobstant la force du sentiment naturel. Il en va fort souvent au rebours, et le plus communément nous nous sentons plus émus des trépignements, des jeux et des niaiseries puériles de nos enfants que nous ne le sommes de leurs actions complètement formées, comme si nous les avions aimés pour notre passe-temps, comme des guenons, non comme des hommes. Et tel fournit très libéralement leur enfance de jouets, qui se montre très chiche à la moindre dépense qu'il faut faire pour eux une fois qu'ils sont en âge. Il semble même que la jalousie que nous avons de les voir paraître et jouir du monde quand nous sommes sur le point de le quitter nous rende plus parcimonieux et plus avares envers eux. Il nous fâche qu'ils nous marchent sur les talons, comme pour nous prier de sortir. Et si nous avions à craindre cela, puisque l'ordre des choses comporte qu'ils ne peuvent, à dire la vérité, ni être, ni vivre qu'aux dépens de notre être et de notre vie, nous ne devions pas nous mêler d'être pères.

Quant à moi, je trouve qu'il est injuste et cruel de ne pas les recevoir dans le partage et la société de nos biens, de n'en faire pas nos compagnons dans l'intelligence de nos affaires domestiques, quand ils en sont capables, et de ne vouloir restreindre nos agréments et en retrancher un peu pour pourvoir aux leurs, puisque nous les avons engendrés à cet effet. Il est injuste de voir qu'un père vieux, cassé, et demi-mort, jouisse seul en un coin du foyer des biens qui suffiraient à l'avancement et à l'entretien de plusieurs enfants, et qu'il les laisse pendant ce temps, par faute de moyens, perdre leurs meilleures années sans qu'ils puissent se pousser au service de l'État et à la connaissance des hommes. On les jette au désespoir de chercher par quelque voie, pour injuste qu'elle soit, à pourvoir à leur besoin. Ainsi j'ai vu de mon temps plusieurs jeunes gens de bonne maison si adonnés au larcin qu'aucune correction ne les en pouvait détourner. J'en connais un, fort bien apparenté, à qui, à la prière d'un de ses frères, très honnête et brave gentilhomme, j'eus une fois à parler pour cette raison. Il me répondit et me confessa tout rondement qu'il avait été acheminé à cette ordure par la rigueur et l'avarice de son père, mais qu'à présent il y était si accoutumé qu'il ne pouvait s'en garder. Il venait alors d'être surpris à dérober des bagues à une dame au lever de laquelle il s'était trouvé avec beaucoup d'autres.

Il me fit souvenir du conte que j'avais ouï faire à propos d'un autre gentilhomme. Celui-ci avait été si bien fait et façonné à ce beau métier du temps de sa jeunesse, que, venant après à être maître de ses biens, et bien résolu à abandonner ce trafic, il ne pouvait se garder pour autant, s'il passait près d'une boutique où il y eût quelque chose dont il eût besoin, de le dérober, quitte à l'envoyer payer après. Et j'en ai vu plusieurs si bien dressés et appris à cela que, parmi leurs compagnons mêmes, ils dérobaient ordinairement des choses qu'ils avaient l'intention de rendre. Je suis Gascon, et pourtant il n'est point de vice auquel je m'entende moins. Je le hais un peu plus par tempérament que je ne le condamne par raison. Je ne soustrais rien à personne seulement par désir ! Notre région est à la vérité un peu plus décriée pour cela que les autres parmi la nation française. Pourtant à diverses reprises nous avons vu de notre temps se retrouver entre les mains de la justice des hommes de bonne maison natifs d'autres contrées, que l'on avait convaincus de plusieurs horribles voleries. Je crains que pour cette débauche il ne faille un peu s'en prendre à ce vice des pères.

Et si l'on me répond ce que fit un jour un seigneur de bon jugement, qu'il épargnait de l'argent pour n'en tirer d'autre fruit et usage que celui de se faire honorer et rechercher par les siens ; et que l'âge lui ayant ôté toutes ses autres forces, c'était le seul remède qui lui restait pour maintenir son autorité sur sa famille et éviter de devenir un objet de mépris et de dédain pour tout le monde (de vrai, non seulement la vieillesse, mais toute faiblesse, selon Aristote, incite à l'avarice), cela est bien de quelque poids, certes, mais c'est là la médecine d'un mal dont on aurait dû éviter la naissance. Un père est bien misérable s'il ne retient l'affection de ses enfants que par le besoin qu'ils ont de ses secours, si cela doit encore se nommer affection : il faut se rendre respectable par sa valeur et ses talents, et aimable par sa bonté et par la douceur de ses mœurs. D'une riche matière les cendres mêmes ont leur prix, et les os et les reliques des personnes d'honneur, nous avons coutume de les tenir en respect et en révérence. Nulle vieillesse ne peut être si caduque et si rance pour un personnage qui a vécu tout son âge dans l'honneur qu'elle ne soit vénérable, et notamment pour ses enfants, dont il faut avoir réglé l'âme à leur devoir par raison, non par la nécessité et par le besoin, ni par la rudesse et la force,

Bien se mécompte – au moins, c'est mon opinion –
Qui croit l'autorité plus solide et plus stable
Quand la force la fonde, et non l'affection

et errat longe, mea quidem sententia,
Qui imperium credat esse grauius aut stabilius
Vi quod fit quam illud quod amicitia adiungitur. [1]

J'accuse toute violence dans l'éducation d'une âme tendre qu'on dresse pour l'honneur et pour la liberté. Il y a je ne sais quoi de servile dans la rigueur et dans la contrainte, et je tiens que ce qui ne se peut faire par la raison, avec prudence et adresse, jamais ne se fait par la force. On m'a ainsi élevé : on dit que, dans mon tout premier âge, je n'ai tâté des verges qu'en deux occasions, et bien mollement. J'aurais dû la pareille aux enfants que j'ai eus : ils me meurent tous en

1. Tite-Live, XXV, XIX, 12.

nourrice. Mais Léonor, la seule fille qui a échappé à cette infortune, a atteint six ans et plus sans qu'on ait employé à sa conduite et pour le châtiment de ses fautes enfantines (l'indulgence de sa mère s'y employant aisément) autre chose que des paroles, et bien douces encore. Et, quand bien même mon désir en serait frustré, il est assez d'autres causes auxquelles nous prendre sans qu'on vienne me reprocher ma discipline que je sais être juste et naturelle. J'eusse été beaucoup plus scrupuleux encore en cela envers des mâles, moins nés pour servir et de condition plus libre : j'eusse aimé à leur grossir le cœur de générosité et de franchise. Je n'ai vu d'autre effet des verges que de rendre les âmes plus lâches ou plus malicieusement opiniâtres.

Voulons-nous être aimés de nos enfants ? Leur voulons-nous ôter l'occasion de souhaiter notre mort ? Bien que nulle occasion d'un si horrible souhait ne puisse être ni juste ni excusable, *nullum scelus rationem habet* [1] nul crime n'a de raison, accommodons leur vie raisonnablement, pour ce qui est en notre puissance. Pour cela, il ne faudrait pas nous marier si jeunes que notre âge vienne quasi à se confondre avec le leur, car cet inconvénient nous jette dans plusieurs grandes difficultés. Je le dis spécialement pour la noblesse, qui est d'une condition oisive, et qui ne vit, comme on dit, que de ses rentes, car, ailleurs, où l'on vit des gains de son labeur, la pluralité des enfants et leur présence relèvent de l'organisation du ménage : ils sont autant de nouveaux outils et instruments pour s'enrichir.

Je me mariai à trente-trois ans, et je loue l'opinion qui conseille trente-cinq, qu'on dit être celle d'Aristote. Platon ne veut pas qu'on se marie avant les trente, mais il a raison de se moquer de ceux qui s'adonnent aux œuvres du mariage après cinquante-cinq, et il déclare leur engeance indigne d'aliment et de vie. Thalès en donna les plus justes bornes, qui, jeune, répondit à sa mère qui le pressait de se marier qu'il n'était pas temps, et, une fois sur l'âge, qu'il n'était plus temps. Il faut refuser l'opportunité à toute action importune. Les anciens Gaulois estimaient extrêmement répréhensible de s'accointer à une femme avant l'âge de vingt ans, et ils recommandaient singulièrement aux hommes qui se voulaient dresser pour la guerre, de conserver bien avant en âge leur pucelage, parce que les cœurs s'amollissent et se dévoient par l'accouplement des femmes :

> Mais alors, joint à sa femme en jeune âge
> Joyeux de ses enfants, ses frais amours
> Et de père et d'époux mollissaient son courage

1. Tite-Live, XXV, XIX, 12.

Ma hor congiunto à giovinetta sposa,
Lieto homai de' figli era invilito
Ne gli affetti di padre et di marito. [1]

Moulay-Hassan, roi de Tunis, celui que l'empereur Charles Quint a rétabli sur son trône, reprochait à la mémoire de Mahomet son père sa fréquentation des femmes, l'appelant débauché, efféminé, faiseur d'enfants. L'histoire grecque remarque de Iccos de Tarente, de Crison, d'Astylos, de Diopompe, et d'autres, que pour maintenir leurs corps fermes au service de la course des jeux Olympiques, de la palestre, et autres exercices de ce genre, ils se privèrent autant que leur dura ce soin de toute sorte d'acte vénérien. En certaine contrée des Indes espagnoles, on ne permettait aux hommes de se marier qu'après quarante ans, et pourtant on le permettait aux filles à dix ans.

Un gentilhomme qui a trente-cinq ans, il n'est pas temps qu'il fasse place à son fils qui en a vingt : il est lui-même en état de paraître tant aux expéditions de guerres qu'à la cour de son prince : il a besoin de ses moyens. Il en doit certainement faire part, mais une part telle qu'il ne s'oublie pas pour autrui. À celui-là justement peut servir cette réponse que les pères ont ordinairement à la bouche : « Je ne veux pas me dévêtir avant que d'aller me coucher. » Mais un père terrassé d'années et de maux, privé par sa faiblesse et son peu de santé de la commune société des hommes, il se fait tort, à lui comme aux siens, de couver inutilement un gros tas d'argent. Il est assez en état, s'il est assez sage pour avoir le désir de se dépouiller pour se coucher, non pas jusqu'à la chemise, mais jusqu'à une robe de nuit bien chaude, le reste des pompes, dont il n'a plus que faire, il doit en étrenner de bon cœur ceux à qui, selon l'ordre naturel, cela doit revenir : il est raisonnable qu'il leur en laisse l'usage, puisque nature l'en prive ; autrement sans doute il y a de la malice et de l'envie. La plus belle des actions de l'empereur Charles Quint fut celle-là, à l'imitation de certains anciens de son calibre, d'avoir su reconnaître que la raison nous commande assez de nous dépouiller quand nos robes nous chargent et nous empêchent, et de nous coucher quand les jambes nous manquent. Il résigna ses moyens, sa grandeur et sa puissance à son fils lorsqu'il sentit défaillir en soi la fermeté et la force pour conduire les affaires, avec la gloire qu'il y avait acquise :

Sage, dételle à temps ton vieux cheval fourbu,
Avant qu'il bronche à faire rire, et ne soit fin rendu

1. Le Tasse, *La Jérusalem délivrée*, X, XXXIX, 6-8.

Solue senescentem mature sanus equum, ne
Peccet ad extremum ridendus, et ilia ducat. [1]

Cette faute de ne pas savoir se reconnaître de bonne heure et de ne pas sentir l'impuissance et l'extrême altération que l'âge apporte naturellement et au corps et à l'âme, qui, à mon avis, est égale – si l'âme n'en a pas plus de la moitié ! –, a perdu la réputation de la plupart des grands hommes de ce monde. J'ai vu de mon temps et connu familièrement des personnages d'une grande autorité dont il était bien aisé de voir qu'ils étaient extraordinairement déchus de cette ancienne valeur que je leur connaissais par la réputation qu'ils en avaient acquise dans leurs meilleures années. J'eusse volontiers souhaité, pour leur honneur, qu'ils se fussent retirés à leur aise dans leur maison et déchargés des occupations publiques et guerrières, qui n'étaient plus pour leurs épaules. J'ai autrefois été un familier de la maison d'un gentilhomme veuf et fort vieux, d'une vieillesse toutefois assez verte. Il avait plusieurs filles à marier, et un fils déjà en âge de paraître. Cela chargeait sa maison de plusieurs dépenses et visites étrangères, auxquelles il prenait peu de plaisir, non seulement par souci de l'épargne, mais plus encore parce qu'il avait pris, en raison de l'âge, une forme de vie fort éloignée de la nôtre. Je lui dis un jour un peu hardiment, comme j'ai accoutumé, qu'il lui siérait mieux de nous faire place, de laisser à son fils sa maison principale, car il n'avait que celle-là de bien logée et commode, et de se retirer dans une terre qu'il avait dans les parages, où personne n'apporterait d'incommodité à son repos, puisqu'il ne pouvait autrement éviter notre importunité, vu la condition de ses enfants. Il m'en crut par la suite, et s'en trouva bien.

Ce n'est pas à dire qu'on doive leur donner par la voie d'obligations dont on ne puisse plus se dédire. Je leur laisserais, moi qui suis en position de jouer ce rôle, la jouissance de ma maison et de mes biens, mais avec la liberté de m'en repentir s'ils m'en donnaient l'occasion. Je leur en laisserais l'usage parce que ce ne me serait plus commode, mais pour ce qui est de l'autorité sur les affaires en général, je m'en réserverais autant qu'il me plairait. J'ai toujours jugé que ce doit être une grande satisfaction pour un vieux père de mettre lui-même ses enfants au fait du gouvernement de ses affaires, et de pouvoir de son vivant contrôler leurs comportements, en leur fournissant instructions et avis selon l'expérience qu'il en a, de mettre ainsi lui-même l'ancien honneur et l'ordre de sa maison dans la main de ses successeurs, et de

1. Horace, *Épîtres*, I, I, 8-9.

se répondre par là des espérances qu'il peut avoir de leur conduite à venir. Et pour cet effet je ne voudrais pas fuir leur compagnie, je voudrais les éclairer de près, et jouir, selon la condition de mon âge, de leur allégresse et de leurs fêtes. Si je ne vivais pas au milieu d'eux, du fait que je ne le pourrais sans offenser leur assemblée par le chagrin de mon âge et l'obligation de mes maladies, et sans contraindre aussi et forcer les règles et les façons de vivre que j'aurais alors, je voudrais au moins vivre près d'eux dans un quartier de ma maison, non pas le plus en parade, mais le plus en commodité. Non point certes comme je le vis faire il y a quelques années à un doyen de Saint-Hilaire de Poitiers : l'incommodité de sa mélancolie l'avait réduit à une telle solitude que, lorsque j'entrai dans sa chambre, il y avait vingt-deux ans qu'il n'en était sorti d'un seul pas ! Il avait pourtant toutes ses actions libres et aisées, sauf un rhume qui lui tombait sur l'estomac. À peine une fois la semaine voulait-il permettre que l'on entrât pour le voir. Il se tenait toujours enfermé seul dans sa chambre, sauf qu'un valet lui portait à manger une fois le jour, qui ne faisait qu'entrer et sortir. Son occupation était de se promener, et de lire quelque livre, car il connaissait un peu les lettres, obstiné au demeurant à mourir dans cette démarche, comme il le fit bientôt après.

J'essaierais, par une douce conversation, de nourrir chez mes enfants une vive amitié et une bienveillance non feinte à mon endroit. Ce qu'on obtient aisément avec des natures bien nées, car si ce sont des bêtes furieuses, comme notre siècle en produit à milliers, il les faut haïr et fuir comme telles. J'en veux à cette coutume d'interdire aux enfants d'employer le nom de père, et de leur imposer une appellation étrangère comme plus révérencieuse, nature n'ayant souvent pas suffisamment pourvu à notre autorité. Nous appelons père le Dieu tout-puissant, et nous dédaignons que nos enfants nous appellent ainsi ! J'ai réformé cette erreur dans ma famille. C'est aussi folie et injustice de priver les enfants qui sont en âge de la familiarité de leurs pères, et de vouloir maintenir à leur endroit une morgue austère et dédaigneuse, en espérant par là les tenir dans la crainte et dans l'obéissance. Car c'est là une farce très inutile, qui rend les pères odieux aux enfants, et qui pis est, ridicules. Ils ont la jeunesse et les forces à leur main, et par conséquent le vent et la faveur du monde, aussi reçoivent-ils avec moquerie ces mines fières et tyranniques d'un homme qui n'a plus de sang ni au cœur ni aux veines : vrais épouvantails de chènevière ! Quand je pourrais me faire craindre, j'aimerais encore mieux me faire aimer.

Il y a tant de sortes de défauts dans la vieillesse, tant d'impuissance, elle est si propre au mépris que le meilleur acquêt qu'elle puisse faire, c'est l'affection et l'amour des siens : le commandement et la crainte, ce ne sont plus ses armes. J'en ai vu un, dont la jeunesse avait été très impérieuse. À présent qu'il est venu sur l'âge, quoiqu'il le passe en bonne santé autant qu'il se peut, il frappe, il mord, il jure : le maître le plus tempétueux de France ! Il se ronge de soin et de vigilance. Tout cela n'est qu'une farce, à laquelle la famille même conspire : du grenier, du cellier, voire même de sa bourse, d'autres se servent la meilleure part, cependant qu'il en serre les clefs dans sa gibecière plus chèrement que ses yeux ! Pendant qu'il se contente de l'épargne et de la chicheté de sa table, tout mène débauche aux divers coins de sa maison, à jouer, à dépenser, et à faire des contes sur sa vaine colère et son inutile prévoyance. Chacun est en sentinelle contre lui. Si par fortune quelque chétif serviteur s'attache à lui, aussitôt on s'emploie à éveiller ses soupçons contre lui, travers auquel la vieillesse mord si volontiers d'elle-même. Combien de fois s'est-il vanté à moi de la bride qu'il donnait aux siens, et de l'exacte obéissance et de la révérence qu'il recevait d'eux ! Combien il voyait clair dans ses affaires !

Lui seul ignore tout

Ille solus nescit omnia. [1]

Je ne sache homme qui pût apporter plus de qualités qu'il ne le fait tant naturelles qu'acquises propres à conserver son autorité, et pourtant il en est déchu comme un enfant. Partant, parmi plusieurs situations du même ordre que je connais, je l'ai choisi comme le plus exemplaire. Ce serait matière à une question d'école de savoir si c'est mieux ainsi ou autrement. En sa présence, toutes choses lui cèdent. Et on laisse à son autorité son vain cours en ne lui résistant jamais : on le croit, on le craint, on le respecte tout son saoul ! Donne-t-il congé à un valet ? L'homme plie son paquet, le voilà parti, mais hors de sa vue seulement. Les pas de la vieillesse sont si lents, les sens si troubles, que ce valet vivra et remplira son office un an dans la maison même sans être aperçu. Et quand la saison est venue, on fait arriver une lettre de loin, piteuse, suppliante, pleine de promesse de mieux faire, par où on remet l'homme en grâce. Monsieur fait-il quelque marché ou quelque dépêche qui déplaise ? On supprime le courrier, en forgeant aussitôt après assez de raisons pour excuser le défaut d'exécution ou de réponse. Comme aucune lettre de l'extérieur ne lui est apportée en premier, il ne voit que celles qu'il semble commode qu'il sache. Si par cas il les saisit, comme il a coutume de se reposer sur certaine personne pour les lui lire, on y trouve sur-le-champ ce qu'on veut, et l'on fait à tous les coups que

1. Térence, *Adelphes*, IV, II, 548.

tel lui demande pardon, qui l'injurie dans sa lettre. Enfin il n'est point d'affaires qu'il ne voie autrement qu'à travers une image arrangée à dessein et propre à le satisfaire le plus possible, pour n'éveiller ni son chagrin ni son courroux. J'ai vu sous des figures différentes, assez de trains de maison prolongés et constants d'un tout pareil effet.

C'est toujours un penchant naturel chez les femmes de contrecarrer leurs maris. Elles saisissent à deux mains toutes couvertures pour les contrarier. La première excuse leur sert de pleine justification. J'en ai vu une qui dérobait gros à son mari pour faire, disait-elle, ses aumônes plus grasses à son confesseur. Fiez-vous à cette religieuse distribution ! Nulle affaire ne leur semble avoir assez de dignité si elle vient d'une concession du mari. Il faut qu'elles l'usurpent ou par finesse ou par défi, mais toujours injustement, pour lui donner de la grâce et de l'autorité. Quand, comme dans mon propos, c'est contre un pauvre vieillard et pour des enfants, alors elles empoignent ce titre et en servent leur passion avec gloire, et, comme si elles étaient en un commun servage avec leurs enfants, elles conjurent facilement contre la domination et le gouvernement du vieux mari. Si ce sont des enfants mâles, grands et fleurissants, incontinent ils subornent aussi ou par force ou par faveur le maître d'hôtel, l'intendant, et tout le reste. Ceux qui n'ont ni femme ni fils tombent plus difficilement dans ce malheur, mais aussi de façon plus cruelle et plus indigne. Caton l'Ancien disait en son temps qu'autant de valets, autant d'ennemis. Voyez si, vu la distance de la pureté de son siècle au nôtre, il n'a pas voulu nous avertir que femme, fils, et valet, c'étaient autant d'ennemis pour nous ! Il est bien utile à la décrépitude de nous fournir le doux bienfait de ne nous apercevoir de rien, d'ignorer tout, et de nous laisser tromper aisément. Si nous y mordions, que serait-ce que de nous, même en ce temps où les juges qui ont à décider de nos litiges sont communément partisans de l'enfance, et intéressés ? Au cas où cette duperie m'échapperait à voir, au moins ne m'échappe-il pas à voir que je suis très facile à duper. Et aura-t-on jamais assez dit de quel prix est un ami en comparaison de ces unions civiles ! L'image même, si pure, que je vois de l'amitié chez les bêtes, avec quelle religion je la respecte ! Si les autres me dupent, au moins ne me dupé-je pas moi-même à m'estimer capable de m'en garder, ni à me ronger la cervelle pour y parvenir. Je me sauve de ce genre de trahisons dans mon propre giron non par une curiosité inquiète et tumultueuse, mais en me détournant plutôt d'y penser, et résolument. Quand j'entends raconter l'état de quelqu'un, je ne m'amuse pas de son cas : je tourne aussitôt les yeux sur moi, pour voir où j'en suis. Tout ce qui le touche me regarde. Son accident m'avertit et m'éveille de ce côté-là. Tous les jours, et à toutes les heures, nous disons d'un autre ce que nous dirions plus proprement de nous si nous savions replier sur nous notre regard aussi bien que nous savons l'étendre. Plusieurs auteurs affaiblissent de cette manière la défense de leur cause en courant en avant témérairement à l'encontre de celle qu'ils attaquent et en lançant à leurs ennemis des traits propres à leur être retournés plus avantageusement.

Feu Monsieur le Maréchal de Monluc, après qu'il eut perdu son fils qui mourut à l'île de Madère, un brave gentilhomme à la vérité, et de grande espérance, me faisait fort valoir, entre autres regrets, le déplaisir et le crève-cœur qu'il ressentait de ne s'être jamais ouvert à lui, et d'avoir perdu, à cause de cette humeur paternelle toute de gravité et de grimace, l'agrément de goûter et bien connaître son fils, et celui aussi de lui déclarer l'extrême amitié qu'il lui portait, et l'estime flatteuse qu'il avait de sa vaillance. « Ce pauvre garçon, disait-il, n'a rien vu de moi qu'une mine renfrognée et pleine de mépris, et il a emporté la certitude que je n'ai su ni l'aimer ni l'estimer selon son mérite. Pour qui réservais-je de découvrir la singulière affection que je lui portais dans mon âme ? Était-ce pas lui qui en devait avoir tout le plaisir et toute l'obligation ? Je me suis contraint et gêné pour maintenir ce vain masque, et j'y ai perdu le plaisir de sa conversation, et son affection en même temps, qu'il ne peut m'avoir portée que bien froide, n'ayant de ma part jamais reçu que de la rudesse, ni éprouvé qu'une façon tyrannique. » Je trouve que cette plainte était bien prise et raisonnable, car, comme je le sais par une trop certaine expérience, il n'est aucune consolation aussi douce dans la perte de nos amis que celle que nous apporte la certitude de n'avoir rien oublié de leur dire, et d'avoir eu avec eux une parfaite et entière communication. Ô mon ami ! en vaux-je mieux d'en avoir le goût, ou si j'en vaux moins ? j'en vaux certes bien mieux. Le regret de sa perte me console et m'honore. Est-ce pas un pieux et plaisant devoir de ma vie que d'en faire à tout jamais les obsèques ? Est-il jouissance qui vaille cette privation ? Je m'ouvre aux miens autant que je le puis, et je leur signifie très volontiers l'état de ma volonté et de mon jugement envers eux, comme envers tout un chacun : je me hâte de me produire et de me présenter, car je ne veux pas qu'on s'y méprenne, en quelque part que ce soit.

Entre autres coutumes particulières qu'avoient nos anciens Gaulois, à ce que dit César, celle-ci en était une, que les enfants ne se présentaient pas aux pères, ni n'osaient se trouver en public en leur compagnie que lorsqu'ils commençaient à porter les armes, comme s'ils voulaient dire qu'alors la saison était venue que les pères les reçussent dans leur familiarité et leur accointance.

J'ai vu encore une autre sorte de manque de discernement chez certains pères de mon temps, qui ne se contentent pas d'avoir durant leur longue vie privé leurs enfants de la part qu'ils auraient naturellement dû avoir à leurs fortunes, mais laissent encore après eux à leurs femmes cette même autorité sur tous leurs biens avec le loisir d'en disposer à leur fantaisie. Et j'ai connu tel seigneur des premiers officiers de notre Couronne, qui avait en espérance de droits à venir plus de cinquante mille écus de rente, et qui est mort nécessiteux et accablé de dettes, âgé de plus de cinquante ans, alors que sa mère dans son extrême décrépitude jouissait encore de tous ses biens par la stipulation du père, qui pour sa part avait vécu près de quatre-vingts ans. Cela ne me semble aucunement raisonnable.

Pourtant je trouve qu'il y a peu d'intérêt, pour un homme dont les affaires se portent bien, d'aller chercher une femme qui le charge d'une grande dot. Il n'est point de dette étrangère qui apporte plus de ruine aux maisons : mes prédécesseurs ont communément suivi ce conseil bien à propos, et moi aussi. Mais ceux qui nous déconseillent les femmes riches de peur qu'elles ne soient moins traitables et moins reconnaissantes se trompent en faisant perdre un avantage bien réel pour une conjecture aussi frivole. À une femme déraisonnable, il ne coûte pas plus de passer par-dessus une raison que par-dessus une autre, celles-là s'aiment le mieux quand elles ont le plus de tort, l'injustice les allèche, comme l'honneur de leurs actions vertueuses allèche celles qui sont bonnes. En fait, les femmes sont d'autant meilleures qu'elles sont plus riches, comme elles sont d'autant plus volontiers et glorieusement chastes qu'elles sont belles.

Il est raisonnable de laisser l'administration des affaires aux mères pendant que les enfants ne sont pas à l'âge, selon les lois, d'en administrer la charge, mais un père les a bien mal élevés s'il ne peut espérer qu'en leur maturité ils aient plus de sagesse et d'habileté que sa femme, vu l'ordinaire faiblesse du sexe. Toutefois, il serait à la vérité bien plus contre-nature de faire dépendre les mères du bon vouloir de leurs enfants. On leur doit donner largement de quoi maintenir leur état selon la condition de leur maison et de leur âge, parce que la nécessité et l'indigence sont beaucoup plus mal séantes et malaisées à supporter à elles qu'aux mâles : il faut plutôt en charger les enfants que la mère.

En général, la plus saine distribution de nos biens à notre mort me semble être de les laisser distribuer selon l'usage du pays. Les lois y ont mieux pensé que nous, et il vaut mieux les laisser faillir dans leur choix que de nous risquer à faillir à la légère dans le nôtre. Ils ne sont pas proprement nôtres puisque, par une prescription civile et sans nous, ils sont destinés à des successeurs déterminés. Et encore que nous ayons quelque liberté au-delà, je tiens qu'il faut une grande cause et bien apparente pour nous faire ôter à l'un ce que sa fortune lui avait acquis, et à quoi la justice commune l'appelait, et que c'est abuser contre raison de cette liberté que d'en servir nos fantaisies frivoles et privées. Mon sort m'a fait la grâce de ne m'avoir pas présenté d'occasions qui pussent me tenter et divertir mon affection de la règle commune et légitime. J'en vois envers qui c'est perdre son temps que d'employer un long soin de bons offices : un mot reçu de travers efface le mérite de dix ans ! Heureux qui se trouve à point nommé pour leur oindre la volonté dans ce dernier passage. La dernière action l'emporte ; ce ne sont pas les meilleurs et les plus fréquents services, mais les plus récents et présents qui font l'opération. Ce sont gens qui se jouent de leurs testaments comme de pommes ou de verges pour gratifier ou châtier chaque action de ceux qui prétendent à leur succession. C'est une affaire de trop longue suite et de trop de poids pour être ainsi promenée à chaque instant, et dans laquelle les sages s'en tiennent une fois pour toutes à un parti, en regardant surtout à la raison et aux usages communs.

Nous prenons un peu trop à cœur ces substitutions de mâle en mâle, et nous proposons une éternité ridicule à nos noms. Nous donnons aussi trop de poids aux vaines conjectures de l'avenir que nous donnent les esprits puérils. D'aventure on eût commis une injustice en me déplaçant de mon rang pour avoir été le plus balourd et le plus plombé, le plus lent et le plus dégoûté à suivre ma leçon, non seulement que tous mes frères, mais que tous les enfants de ma province, que ce soit leçon d'exercice d'esprit, ou leçon d'exercice du corps. C'est folie de faire des choix extraordinaires sur la foi de ces divinations par lesquelles nous sommes si souvent trompés. Si on peut violer cette règle, et corriger les destinées dans les choix qu'elles ont faits de nos héritiers, on le peut avec plus d'apparence de raison en considération de quelque remarquable et énorme difformité corporelle, défaut constant et inamendable, et selon nous, qui estimons grandement de la beauté, lourdement préjudiciable.

Le plaisant dialogue du législateur de Platon avec ses citoyens fera honneur à ce passage. « Comment donc, lui disent ceux d'entre eux qui sentaient leur fin prochaine, ne pourrons-nous donc point disposer de ce qui est à nous en faveur de qui il nous plaira ? Ô dieux, quelle cruauté ! Qu'il ne nous soit pas loisible, selon que les nôtres nous auront servi durant nos maladies, dans notre vieillesse, dans nos affaires, de leur donner plus ou moins selon nos fantaisies ! » À quoi le législateur répond ainsi : « Mes amis, qui sans nul doute avez bientôt à mourir, il est malaisé que vous vous connaissiez et que vous connaissiez ce qui est à vous, suivant l'inscription de Delphes. Moi, qui fais les lois, je tiens que ni vous n'êtes à vous, ni n'est à vous ce dont vous jouissez. Vos biens et vous-mêmes, vous êtes à votre famille tant passée que future, mais votre famille et vos biens sont encore plus à l'État. Par quoi, de peur que quelque flatteur dans votre vieillesse ou dans votre maladie, ou quelque passion vous sollicite mal à propos de faire un testament injuste, je vous en garderai. Mais en regardant à la fois à l'intérêt général de la cité et à celui de votre maison, j'établirai des lois, et je ferai sentir qu'il est de raison que la commodité particulière doive le céder à la commune. Allez-vous-en joyeusement là où la nécessité humaine vous appelle. C'est à moi, qui ne regarde pas à une chose plus qu'à une autre, et qui, autant que je puis, m'occupe du général, d'avoir soin de ce que vous laissez. »

Revenant à mon propos, il me semble que, quelque forme que cela puisse prendre, il naît rarement des femmes à qui l'autorité soit due sur des hommes, sauf l'autorité maternelle et naturelle, si ce n'est pour le châtiment de ceux qui par quelque humeur fiévreuse se sont volontairement soumis à elles, mais cela ne touche aucunement les vieilles dont nous parlons ici ! C'est l'apparente justesse de cette considération qui nous a fait forger et mettre si volontiers en honneur cette loi – que nul ne vit onques – qui prive les femmes de la succession à notre couronne. Il n'est guère de seigneurie au monde où elle ne soit alléguée, comme chez nous, avec une apparence de raison qui l'autorise, mais la fortune lui a donné plus de crédit en certaines contrées qu'en d'autres. Il est dangereux de laisser à leur jugement le partage de notre succession, selon le choix qu'elles feront des enfants, qui est à tous les coups inique et fantasque. Car cet appétit déréglé et ce goût malade qu'elles ont au temps de leurs grossesses, elles l'ont en l'âme en tout temps. Communément on les voit s'attacher aux plus faibles et aux plus mal bâtis, ou à ceux, si elles en ont, qui leur pendent encore au col. Car, n'ayant point assez de force de jugement pour choisir et embrasser ce qui le vaut, elles se laissent plus volontiers porter là où les sentiments imprimés par la nature règnent le plus seuls, comme les animaux qui ne reconnaissent leurs petits que pendant qu'ils tiennent à leurs mamelles.

Au demeurant, il est aisé de voir par expérience que cette affection naturelle à laquelle nous donnons tant d'autorité a des racines bien faibles. Pour un bien léger profit, nous arrachons tous les jours leurs propres enfants aux bras de leurs mères pour leur faire prendre les nôtres en charge. Nous leur faisons abandonner les leurs à quelque chétive nourrice, à qui nous ne voulons pas confier les nôtres, ou à quelque chèvre, en leur défendant non seulement de les allaiter, quelque danger qu'ils en puissent encourir, mais encore d'en avoir aucun soin, pour s'employer entièrement au service des nôtres. Et l'on voit chez la plupart d'entre elles naître bientôt par accoutumance une affection bâtarde, plus forte que l'affection naturelle, et une plus grande sollicitude pour la conservation des enfants empruntés que des leurs propres. Si j'ai parlé des chèvres, c'est parce qu'il est ordinaire autour de chez moi de voir les femmes de village, lorsqu'elles ne peuvent nourrir les enfants du lait de leurs mamelles, appeler des chèvres à leurs secours. J'ai à cette heure deux laquais qui ne tétèrent jamais que huit jours du lait de femme. Ces chèvres se dressent aussitôt à venir allaiter ces petits enfants, elles reconnaissent leur voix quand ils crient et elles accourent à eux. Si on leur en présente un autre que leur nourrisson, elles le refusent, et l'enfant en fait de même d'une autre chèvre. J'en vis un l'autre jour à qui on ôta la sienne parce que son père n'avait fait que l'emprunter à l'un de ses voisins : il ne put jamais s'attacher à l'autre qu'on lui présenta, et sans aucun doute mourut de faim ! Les bêtes altèrent et abâtardissent aussi aisément que nous l'affection naturelle.

Dans cette histoire que nous raconte Hérodote à propos d'une certaine contrée de Lybie, je crois qu'il y a souvent des mécomptes : il dit en effet que là-bas les hommes se mêlent aux femmes indifféremment, mais que l'enfant, dès qu'il a la force de marcher, trouve son père en celui vers lequel, au milieu de la multitude, l'inclination naturelle vient à porter ses premiers pas. Or, à considérer simplement cette raison que nous aimons nos enfants parce que nous les avons engendrés, raison pour laquelle nous les appelons « autres nous-mêmes », il semble bien qu'il y ait une autre production provenant de nous qui ne soit pas de moindre valeur. Car ce que nous engendrons par l'âme, oui, les enfantements de notre esprit, de notre cœur et de notre talent, sont produits par une plus noble partie que la corporelle, et sont plus nôtres. Nous sommes père et mère à la fois dans cet engendrement. Ces enfants-là nous coûtent bien plus cher, et nous apportent plus d'honneur s'ils ont quelque chose de bon. Car la valeur de nos autres enfants est beaucoup plus la leur que la nôtre : la part que nous y avons est bien légère, alors que chez ceux-là toute la beauté, toute la grâce et tout le prix sont nôtres. Ce sont ainsi ces enfants qui nous représentent et nous figurent bien plus au vif que les autres. Platon ajoute que, dans ce cas, ce sont des enfants immortels qui immortalisent leurs pères, voire même les déifient, comme Lycurgue, Solon, ou Minos. Maintenant, vu que les livres d'histoire sont pleins d'exemples de cet amour habituel des pères envers les enfants, il ne m'a pas semblé hors de propos d'en trier aussi quelques-uns de cet amour-ci.

Héliodore d'Emèse, ce bon évêque de Tricca, aima mieux perdre le rang, le profit, et la révérence d'une prélature si vénérable que de perdre sa fille, son *Histoire éthiopienne*, fille qui certes dure encore, avec toutes ses grâces, mais d'aventure pourtant un peu trop curieusement et mollement godronnée pour une fille ecclésiastique et sacerdotale, et parée de trop amoureuse façon...

Il y eut un Labienus à Rome, personnage d'une grande valeur et d'une grande autorité, qui entre autres qualités, avait celle d'exceller dans toute sorte de littérature. Il était, je crois, le fils de ce grand Labienus, le premier des capitaines qui furent sous César pendant la guerre des Gaules, qui se jeta par la suite au parti du grand Pompée, et s'y maintint si valeureusement jusqu'à ce que César le défît en Espagne. Ce Labienus dont je parle fit plusieurs envieux de sa valeur, et, comme il est vraisemblable, il eut les courtisans et les favoris des empereurs de son temps pour ennemis de sa franchise et des humeurs paternelles qu'il gardait encore contre la tyrannie, dont on peut bien penser qu'il avait teint ses écrits et ses livres. Ses adversaires poursuivirent devant le magistrat à Rome, et ils obtinrent de faire condamner à être brûlés plusieurs des ouvrages que Labienus avait fait paraître. Ce fut par lui que commença ce nouvel exemple de peine, qui depuis fut continué à Rome pour plusieurs autres, de punir de mort les écrits eux-mêmes et les études. Il n'y avait point assez de moyen et de matière pour la cruauté si nous n'y avions mêlé des choses que Nature a exemptées de tout sentiment et de toute souffrance comme la réputation et les inventions de notre esprit, et si nous n'étions pas allés infliger des maux corporels aux arts et aux monuments des Muses ! Or Labienus ne put souffrir cette perte, ni de survivre à cette sienne si chère progéniture : il se fit porter et enfermer tout vif dans le monument de ses ancêtres, où tout d'un train il pourvut à se tuer et à s'enterrer à la fois. Il est malaisé de montrer aucune autre affection paternelle qui soit plus véhémente que celle-là ! Cassius Severus, homme très éloquent, et son familier, quand il vit brûler les livres de son grand homme, s'écria que par la même sentence on aurait dû le condamner à être brûlé tout vif lui aussi, car il portait et conservait en sa mémoire tout ce que ces œuvres-là contenaient. Pareil accident advint à Cremutius Cordus accusé d'avoir en ses livres loué Brutus et Cassius. Ce sénat vil, servile, corrompu, et digne d'un maître pire que Tibère, condamna ses écrits au feu. Il fut content de les accompagner dans la mort, et il se tua en se privant de manger.

Le bon Lucain fut condamné à mort par ce coquin de Néron. Aux derniers instants de sa vie, alors que la plupart de son sang s'était déjà écoulé par les veines des bras qu'il s'était fait tailler par son médecin pour mourir, et que la froideur avait déjà saisi les extrémités de ses membres et commençait à s'approcher des parties vitales, la dernière chose qu'il eut en mémoire, ce furent certains vers qu'il récitait de son livre sur la bataille de Pharsale, et c'est en ayant cette dernière voix à la bouche qu'il mourut. Cela, qu'était-ce d'autre qu'un tendre et paternel congé qu'il prenait de ses enfants ? Cela ne représentait-il pas les adieux et les étroits embrassements que nous donnons aux nôtres en mourant ? N'était-ce pas un effet de cette inclination naturelle qui dans cette extrémité rappelle à notre souvenir les choses que nous avons eues de plus chères pendant notre vie ?

Pensons-nous qu'Épicure, qui, mourant tourmenté, comme il dit, par les douleurs les plus extrêmes de la colique, puisait toute sa consolation dans la beauté de la doctrine qu'il laissait au monde, eût reçu autant de satisfaction d'enfants nombreux, bien nés et bien élevés, s'il en eût eu, qu'il en reçut d'avoir produit ses riches écrits ? Et que s'il eût eu le choix de laisser après lui un enfant contrefait et mal né ou bien un livre sot et inepte, il n'eût pas choisi, et non seulement lui, mais tout homme de même talent, d'encourir le premier malheur plutôt que l'autre ? Saint Augustin, par exemple, à supposer qu'on lui eût proposé d'un côté d'enterrer ses écrits, qui sont de tant de fruit pour notre religion, de l'autre d'enterrer ses enfants au cas qu'il en eût, aurait d'aventure été impie s'il n'eût pas mieux aimé enterrer ses enfants ! Et je ne sais si je n'aimerais pas beaucoup mieux en avoir produit un parfaitement bien formé du commerce des Muses que du commerce de ma femme. À celui-ci, tel qu'il est, ce que je donne, je le donne entièrement et irrévocablement, comme on donne à ses enfants charnels. Ce peu de bien que je lui ai fait, il n'est plus à ma disposition. Il peut savoir bien des choses que je ne sais plus, et tenir de moi des choses que je n'ai point retenues et qu'il faudrait que, tout comme un étranger, j'empruntasse de lui si le besoin m'en venait. Si je suis plus sage que lui, il est plus riche que moi.

Il est peu d'hommes adonnés à la poésie qui ne se féliciteraient pas plus d'être pères de l'*Énéide* que du plus beau garçon de Rome, et qui ne souffriraient pas plus aisément une perte que l'autre. Car, selon Aristote, de tous les ouvriers, le poète est nommément le plus amoureux de son ouvrage. Il est malaisé de croire qu'Épaminondas qui se vantait de laisser pour toute postérité « deux filles qui feraient un jour honneur à leur père » (c'étaient les deux nobles victoires qu'il avait gagnées sur les Lacédémoniens) eût volontiers consenti d'échanger celle-là contre les plus girondes de toute la Grèce, ou qu'Alexandre et César aient jamais souhaité se voir privés de la grandeur de leurs glorieux faits d'armes pour l'agrément d'avoir des enfants et des héritiers, quelque parfaits et accomplis qu'ils pussent être. Je doute même fort que Phidias, ou tout autre excellent sculpteur, aimât la conservation et la durée de ses enfants naturels autant qu'il le ferait pour une excellente statue qu'au prix de beaucoup de travail et d'étude il aurait su parfaire selon les règles de l'art. Et quant à ces passions vicieuses et furieuses qui ont échauffé quelquefois les pères à l'amour de leurs filles, ou les mères envers leurs fils, encore s'en trouve-t-il de pareilles dans cette autre sorte de parenté, témoin ce que l'on raconte de Pygmalion, qui, ayant édifié une statue de femme d'une singulière beauté, devint si éperdument pris par l'amour forcené de ce sien ouvrage qu'il fallut qu'en faveur de sa rage les dieux la lui rendissent vivante :

L'ivoire qu'il effleure en perd sa dureté
Et cède sous ses doigts

Tentatum mollescit ebur, positoque rigore
Subsidit digitis. [1]

Des armes des Parthes [g]

[Chapitre IX]

C'est une façon vicieuse de la noblesse de notre temps, et pleine de mollesse, de ne prendre les armes que sur le point d'une extrême nécessité, et s'en décharger aussitôt qu'il y a tant soit peu d'apparence que le danger soit éloigné. D'où il survient plusieurs désordres, car chacun criant et courant à ses armes dans l'instant de la charge, les uns sont encore à lacer leur cuirasse que leurs compagnons sont déjà rompus ! Nos pères donnaient leur saladier, leur lance, et leurs gantelets à porter, mais ils n'abandonnaient pas le reste de leur équipage tant que la corvée durait. Nos troupes sont à cette heure toutes troublées et désorganisées par la confusion du bagage et des valets qui ne peuvent s'éloigner de leurs maîtres à cause de leurs armes.

Tite Live parlant des nôtres : tout à fait incapables, écrit-il, de supporter la fatigue, c'est à grand-peine qu'ils portaient leurs armes à l'épaule *intolerantissima laboris corpora uix arma humeris gerebant.* [2]

1. Ovide, *Métamorphoses*, X, 283-284.
2. Tite-Live, XXVII, XLVIII, 16.

Plusieurs nations vont encore et allaient anciennement à la guerre sans se couvrir, ou se couvraient d'inutiles défenses :

D'une écorce de liège ils protégeaient leur tête
Tegmina queis capitum raptus de subere cortex ! [1]

Alexandre, le plus audacieux capitaine qui fut jamais, prenait très rarement l'armure. Et ceux d'entre nous qui la méprisent n'empirent pas de beaucoup pour cela leur marché. Si l'on voit parfois quelqu'un de tué par le défaut d'un harnois [2], il n'en est guère moins que l'empêchement des armes a fait perdre, engagés sous leur poids, ou froissés et rompus, ou par un contrecoup, ou autrement. Car il semble, à la vérité, à voir le poids des nôtres et leur épaisseur, que nous ne cherchons qu'à nous défendre, et nous en sommes plus chargés que couverts. Nous avons assez à faire à en soutenir le fardeau, entravés et contraints, comme si nous n'avions à combattre que du choc de nos armes, et comme si nous n'avions pas la même obligation de les défendre que celle qu'elles ont pour nous.

Tacite peint plaisamment des gens de guerre chez nos anciens Gaulois ainsi armés pour se maintenir seulement, qui n'avaient moyen ni de blesser ni d'être blessés, ni de se relever s'ils étaient abattus. Lucullus, voyant certains hommes d'armes chez les Mèdes qui faisaient front dans l'armée de Tigrane pesamment et malaisément armés, comme pris dans une prison de fer, prit de là l'idée qu'il les déferait aisément, et il commença par eux sa charge et sa victoire. Et, à présent que nos mousquetaires sont à l'honneur, je crois qu'on trouvera quelque invention pour nous emmurer afin de nous en garantir, et pour nous faire traîner à la guerre enfermés dans des bastions, comme ceux que les anciens faisaient porter à leurs éléphants.

Cette humeur est bien éloignée de celle de Scipion Emilien, qui blâma aigrement ses soldats de ce qu'ils avaient semé des chausse-trapes sous l'eau à l'endroit du fossé par où ceux d'une ville qu'il assiégeait pouvaient faire des sorties contre lui, en disant que ceux qui assaillaient devaient penser à entreprendre, non pas à craindre. Et il craignait avec raison que cette précaution n'endormît leur vigilance à se garder. Il dit aussi à un jeune homme qui lui montrait son beau bouclier : « Il est vraiment beau, mon fils, mais un soldat romain doit avoir plus confiance en sa main droite qu'en la gauche. »

---

1. Virgile, *Énéide*, VII, 742.

2. « Harnois » : « harnachement », « armure » (cf. l'expression « blanchi sous le harnois »).

Or il n'est que la coutume qui nous rende insupportable la charge de nos armes :

> Le haubert sur le dos, le heaume sur la tête,
> Les deux preux qu'à présent dans mon hymne je fête,
> Ni le jour ni la nuit, depuis qu'ils sont entrés
> Dans ce château, jamais n'ont dépouillé l'armure,
> Qu'ils portent à leur aise autant que leur vêture,
> Tellement ils y sont dès longtemps entraînés
>
> *L'husbergo in dosso haveano, et l'elmo in testa,*
> *Due di quelli guerrier d'i quali io canto.*
> *Ne notte o di doppo ch'entraro in questa*
> *Stanza, gl'haveano mai mesi da canto,*
> *Che facile a portar comme la vesta*
> *Era lor, perche in uso l'avean tanto.* [1]

L'empereur Caracalla allait à pied par le pays armé de pied en cap quand il conduisait son armée.

Les fantassins romains portaient non seulement le casque, l'épée, et l'écu, car quant aux armes, dit Cicéron, ils étaient si accoutumés à les avoir sur le dos qu'elles ne les empêchaient pas plus que leurs membres : *arma enim membra militis esse dicunt* ils disent en effet que les armes sont les bras des soldats. [2] Mais en même temps encore ce qu'il leur fallait de vivres pour quinze jours, et une certaine quantité de pieux pour faire leurs remparts, jusqu'à soixante livres de poids. Et les soldats de Marius ainsi chargés, quand ils marchaient en bataille, étaient appris à faire cinq lieues en cinq heures, et six s'il y avait hâte. Leur discipline militaire était beaucoup plus rude que la nôtre, aussi produisait-elle de tout autres effets. Le jeune Scipion, quand il réforma son armée en Espagne, ordonna à ses soldats de ne manger que debout, et rien de cuit. Ce trait est merveilleux à ce propos, qu'il fut reproché à un soldat lacédémonien, qu'étant à l'expédition d'une guerre, on l'avait vu sous le couvert d'une maison : ils étaient si endurcis à la peine que c'était une honte pour eux que d'être vus sous un autre toit que celui du ciel, quelque temps qu'il fît. Nous ne mènerions guère loin nos gens à ce prix-là.

Au demeurant, Ammien Marcellin, homme nourri aux guerres romaines, remarque soigneusement la façon que les Parthes avaient de s'armer, et il la remarque d'autant qu'elle était éloignée de la romaine. « Ils avaient, dit-il, des armes tissues à la façon de petites plumes, qui n'empêchaient pas le mouvement de leur corps, et qui pourtant

1. L'Arioste, *Roland furieux*, XII, XXX, 1-6.
2. Cicéron, *Tusculanes*, II, XVI, 37.

étaient si fortes que nos dards rejaillissaient quand ils venaient à les heurter (ce sont les écailles, dont nos ancêtres avoient fort accoutumé de se servir) ». Et dans un autre passage : « Ils avaient, dit-il, leurs chevaux forts et roides, couverts d'un gros cuir, et eux, ils étaient armés de pied en cap de grosses lames de fer, arrangées avec un tel art qu'à l'endroit des jointures des membres elles prêtaient au mouvement. On eût dit que c'étaient des hommes de fer, car ils avaient des accoutrements de tête si proprement installés, et qui représentaient au naturel la forme et les parties du visage, qu'il n'y avait moyen de les assener que par des petits trous ronds qui correspondaient à leurs yeux, pour leur donner un peu de lumière, et par des fentes qui étaient à l'endroit des naseaux, par où ils prenaient assez malaisément leur haleine » :

Les membres, du dedans, animent ces lames émues,
Horreur ! on croirait voir se mouvoir des statues
De fer, et respirer des guerriers de métal !
De même les chevaux : leur front ferré menace,
Ils meuvent à l'abri des coups leurs pieds sous la cuirasse

Flexibilis inductis animatur lamina membris :
Horribilis uisu, credas simulacra moueri
Ferrea, cognatoque uiros spirare metallo !
Par uestitus equis : ferrata fronte minantur,
Ferratosque mouent securi uulneris armos. [1]

Voilà une description qui ressemble fort à l'équipage d'un homme d'armes français enveloppé dans ses bardes !

Plutarque dit que Démétrios fit faire pour lui, et pour Alcinos, le premier homme de guerre qui se trouvait près de lui, à chacun un harnois complet d'un poids de cent vingt livres, là où les harnois ordinaires n'en pesaient que soixante.

Des livres

[Chapitre X]

Je ne fais point de doute qu'il ne m'advienne souvent de parler de choses qui sont mieux traitées chez les maîtres du métier, et plus véritablement. C'est ici seulement l'essai de mes facultés naturelles, et

1. Claudien, *Contre Rufin*, II, 358-362.

nullement des acquises. Et qui me surprendra en flagrant délit d'ignorance, il ne fera rien contre moi, car à grand-peine répondrais-je à autrui de mes discours, moi qui ne m'en réponds point à moi-même, ni n'en suis satisfait. Qui sera en recherche de science, qu'il la pêche où elle se loge : il n'est rien dont je fasse moins profession. Ce sont ici mes fantaisies, par lesquelles je ne tâche point à donner à connaître les choses, mais moi : elles me seront d'aventure connues un jour, ou l'ont autrefois été, selon que la fortune m'a pu porter sur les lieux où elles étaient éclaircies. Mais il ne m'en souvient plus. Et si je suis un homme qui a quelque lecture, je suis un homme qui ne retient rien. Ainsi je ne garantis aucune certitude, si ce n'est de faire connaître jusqu'à quel point monte, pour cette heure, la connaissance que j'en ai. Qu'on ne porte pas attention aux matières, mais à la façon que je leur donne.

Qu'on voie dans ce que j'emprunte si j'ai su choisir de quoi rehausser ou secourir proprement l'invention, qui vient toujours de moi. Car je fais dire aux autres, non pas à ma tête, mais à ma suite, ce que je ne puis si bien dire, par faiblesse de mon langage, ou par faiblesse de mon sens. Je ne compte pas mes emprunts, je les pèse. Et si je les eusse voulu faire valoir par nombre, je m'en fusse chargé deux fois autant. Ils sont tous, ou fort peu s'en faut, de noms si fameux et si anciens qu'ils me semblent se nommer assez sans moi. Dans les raisons, les comparaisons, les arguments, si j'en transplante quelques-uns dans mon terrain et les confonds aux miens, c'est à dessein que j'en cache l'auteur pour tenir en bride la témérité de ces sentences hâtives que l'on lance contre toute sorte d'écrits, notamment les jeunes écrits d'hommes encore vivants, et rédigés en langue vulgaire. Celle-ci permet à tout le monde d'en parler, et elle semble convaincre leur conception et leur dessein d'être vulgaires de même. Je veux qu'ils donnent une nasarde à Plutarque sur mon nez, et qu'ils s'échaudent à injurier Sénèque en moi. Il faut cacher ma faiblesse sous ces grandes autorités. J'aimerais quelqu'un qui me sache déplumer, j'entends avec un jugement clair, et par la seule distinction de la force et de la beauté des propos. Car moi, qui, faute de mémoire, demeure court à tous les coups pour les trier par leur source, je sais très bien connaître, à mesurer ma portée, que mon terroir n'est aucunement capable de certaines fleurs trop riches que j'y trouve semées, et que tous les fruits de mon cru ne les sauraient payer.

De ceci je suis tenu de répondre si je m'empêche moi-même, s'il y a de la vanité et des défauts dans mes discours que je ne sente point, ou que je ne sois pas capable de sentir en me les représentant. Car il échappe souvent des fautes à nos yeux, mais la maladie du jugement consiste à ne les pouvoir apercevoir lorsqu'un autre nous les découvre.

La science et la vérité peuvent loger chez nous sans le jugement, et le jugement s'y peut aussi trouver sans elles : et même la reconnaissance de l'ignorance est l'un des plus beaux et plus sûrs témoignages de jugement que je trouve. Je n'ai point d'autre sergent-chef pour mettre mes pièces en rang que la fortune. À mesure que mes rêveries se présentent, je les entasse : tantôt elles se pressent en foule, tantôt elles se traînent à la file. Je veux qu'on voie mon pas naturel et ordinaire aussi détraqué qu'il est. Je me laisse aller comme je me trouve. Aussi ne sont ce point ici des matières qu'il ne soit pas permis d'ignorer, et dont on ne puisse parler à l'occasion et à la légère.

Je souhaiterais avoir une plus parfaite intelligence des choses, mais je ne la veux pas acheter aussi cher qu'elle coûte. Mon dessein est de passer doucement, et non laborieusement ce qui me reste de vie. Il n'est rien pour quoi je me veuille rompre la tête, non pas même pour la science, de si grand prix qu'elle soit. Je ne cherche dans les livres qu'à m'y donner du plaisir par un honnête amusement, ou si j'étudie, je n'y cherche que la science qui traite de la connaissance de moi-même, et qui m'instruise à bien mourir et à bien vivre :

> Voilà le but où mon cheval doit courir en suant
> *Has meus ad metas sudet oportet equus.* [1]

Les difficultés, si j'en rencontre en lisant, je n'en ronge pas mes ongles : je les laisse là, après leur avoir fait une charge ou deux.

Si je m'y plantais, je m'y perdrais, moi et mon temps, car j'ai un esprit primesautier : ce que je ne vois pas dès la première charge, je le vois moins encore en m'y obstinant. Je ne fais rien sans gaieté, et la continuité et la concentration trop ferme éblouissent mon jugement, l'attristent, et le lassent. Ma vue s'y confond et s'y dissipe. Il faut que je la retire et que je l'y remette par à-coups, tout comme pour juger du brillant d'une écarlate, on nous demande de passer les yeux par-dessus en la parcourant sous divers angles de vue, à soudaines reprises et réitérées. Si ce livre me fâche, j'en prends un autre, et ne m'y adonne qu'aux heures où l'ennui de ne rien faire commence à me saisir. Je ne me prends guère aux nouveaux parce que les anciens me semblent plus pleins et plus roides, ni aux Grecs, parce que mon jugement ne peut se satisfaire d'une compréhension enfantine et digne d'un apprenti.

Entre les livres simplement plaisants, je trouve parmi les modernes, le *Décaméron* de Boccace, Rabelais, et les *Baisers* de Jean Second, s'il les faut mettre sous ce titre, dignes qu'on s'y amuse. Quant

---

1. Properce, IV, I, 70.

aux *Amadis*, et toutes ces sortes d'écrits, ils n'ont pas eu le crédit d'arrêter seulement mon enfance. Je dirai encore ceci, ou hardiment, ou témérairement, que cette vieille âme pesante ne se laisse plus chatouiller non seulement à l'Arioste, mais encore au bon Ovide : sa facilité, et ses inventions, qui m'ont ravi autrefois, peinent à me distraire à cette heure.

Je dis librement mon avis de toutes choses, de vrai même sur celles qui d'aventure dépassent mes talents, et que je ne tiens nullement pour être de mon ressort. Ce que j'en opine, c'est aussi pour déclarer la mesure de ma vue, non la mesure des choses. Quand je me trouve dégoûté de l'*Axioche* [1] qu'on dit être de Platon, comme d'un ouvrage sans force, eu égard à un tel auteur, mon jugement ne s'en croit pas. Il n'est pas si outrecuidant que d'aller s'opposer à l'autorité de tant d'autres fameux jugements anciens qu'il tient de ses régents et de ses maîtres, et avec lesquels il est plutôt content de faillir : il s'en prend à soi, et se reproche ou de s'arrêter à l'écorce, ne pouvant pénétrer jusqu'au fonds, ou de regarder la chose sous quelque faux lustre. Il se contente de se garantir seulement du trouble et du dérèglement. Quant à sa faiblesse, il la reconnaît et l'avoue volontiers. Il pense donner une juste interprétation des apparences que son entendement lui présente, mais elles sont faibles et imparfaites. La plupart des fables d'Ésope ont plusieurs sens et plusieurs intelligences. Ceux qui les allégorisent en choisissent quelque aspect qui cadre bien à la fable, mais, pour la plupart des lecteurs, il n'y a que le premier visage et le plus superficiel ; il y en a d'autres plus vifs, plus essentiels et plus intimes dans lesquels ils n'ont su pénétrer. Et c'est bien comme cela que je fais.

Mais, pour poursuivre ma route, il m'a toujours semblé que dans la poésie, Virgile, Lucrèce, Catulle, et Horace, tiennent de bien loin le premier rang, et de manière insigne Virgile dans ses *Géorgiques,* que j'estime le plus accompli de tous les ouvrages de poésie : en comparaison, on peut reconnaître aisément qu'il y a des endroits de l'*Énéide* auxquels l'auteur eût donné encore quelque tour de peigne s'il en eût eu le loisir. Et le cinquième livre de l'*Énéide* me semble le plus parfait. J'aime aussi Lucain, et je le pratique volontiers, non tant pour son style que pour sa valeur propre, et pour la vérité de ses opinions et de ses jugements. Quant au bon Térence, la délicatesse et les grâces mêmes de la langue latine, je le trouve admirable à représenter au vif les mouvements de l'âme et la condition de nos mœurs : à toute heure

1. Dialogue apocryphe attribué à Platon. Henri Estienne en avait publié une traduction en 1578.

nos actions me rejettent à lui. Je ne le puis lire si souvent que je n'y trouve quelque beauté et quelque grâce nouvelle. Ceux des temps voisins à Virgile se plaignaient de ce que certains lui comparaient Lucrèce. Je suis d'avis que c'est, à la vérité, une comparaison inégale, mais j'ai fort à faire à me raffermir dans cette opinion quand je me trouve charmé par quelque beau lieu parmi ceux de Lucrèce. S'ils se piquaient de cette comparaison, que diraient-ils de la bêtise et de la stupidité barbare de ceux qui lui comparent à cette heure l'Arioste, et qu'en dirait l'Arioste lui-même ?

O seclum insipiens et infacetum [1]
Ô siècle sans goût et sans esprit !

J'estime que les anciens avoient encore plus à se plaindre de ceux qui égalaient Plaute à Térence (celui-ci sent bien mieux son gentilhomme) que de ceux qui comparaient Lucrèce à Virgile. Dans ce goût et cette préférence pour Térence, il compte beaucoup que le père de l'éloquence romaine [2] l'ait si souvent à la bouche, et lui seul de son genre, ainsi que la sentence que le premier juge des poètes romains [3] rend au sujet de son compagnon [4]. Je me suis souvent pris à rêver sur cette façon qu'ont ceux de notre temps qui se mêlent de faire des comédies (ainsi que les Italiens, qui y sont assez heureux) d'employer trois ou quatre arguments aux pièces de Térence ou de Plaute pour en faire une des leurs ; ils entassent en une seule comédie cinq ou six contes de Boccace : ce qui les fait ainsi se charger de matière, c'est la défiance qu'ils ont de se pouvoir soutenir par leurs propres grâces ; il faut qu'ils trouvent un corps où s'appuyer, et, n'ayant pas assez du leur pour nous arrêter, ils veulent que le conte au moins nous amuse. Il en va de mon auteur tout au contraire : les perfections et les beautés de sa façon de dire nous font perdre l'appétit pour son sujet. Son élégance et sa grâce nous retiennent partout. Il est partout si plaisant,

Fluide, et tout semblable à l'onde la plus pure
Liquidus puroque simillimus amni, [5]

et nous remplit tant l'âme de ses grâces que nous en oublions celles de sa fable.

1. Catulle, XLIII, 8.
2. Cicéron.
3. Horace (dans son *Art poétique*).
4. Ce « compagnon » de Térence, est Plaute, également auteur de comédies.
5. Horace, *Épîtres*, II, II, 120.

Cette même considération me tire plus avant. Je vois que les bons poètes de l'antiquité ont évité l'affectation et la recherche, non seulement celles des hyperboles fantasques des Espagnols et des pétrarquistes, mais celles aussi des pointes [1], plus douces et plus retenues, qui sont l'ornement de tous les ouvrages poétiques des siècles suivants. Pourtant il n'y a bon juge qui les trouve à dire chez ces Anciens, et qui, sans comparaison, n'admire pas l'égale polissure et cette perpétuelle douceur et cette beauté fleurie des *Épigrammes* de Catulle bien plus que tous les aiguillons dont Martial aiguise la queue des siennes. C'est cette même raison que je disais tantôt que Martial invoque pour lui : il n'eut pas à se forcer : la matière lui tenait lieu d'esprit *minus illi ingenio laborandum fuit, in cuius locum materia successerat.* [2] Ces premiers-là, sans s'émouvoir et sans se piquer, se font assez sentir : ils ont de quoi rire partout, il ne faut pas qu'ils se chatouillent ; ceux-ci ont besoin de secours étranger : à mesure qu'ils ont moins d'esprit, il leur faut plus de corps ; ils montent à cheval parce qu'ils ne sont pas assez forts sur leurs jambes. Tout ainsi qu'en nos bals, ces hommes de vile condition qui en tiennent école, faute de pouvoir imiter le port et la décence de notre noblesse, cherchent à se faire valoir par des sauts périlleux, et d'autres mouvements étranges de bateleurs. Et les dames ont meilleur marché de leur contenance dans les danses où il y a des figures et des mouvements divers du corps que dans certaines autres danses de parade où elles n'ont simplement qu'à marcher d'un pas naturel, et à montrer un port naturel et leur grâce ordinaire. Et de même aussi j'ai vu les meilleurs badins, vêtus à leur façon de tous les jours, et avec leur contenance ordinaire, nous donner tout le plaisir qui se peut tirer de leur art tandis que les apprentis, qui ne sont pas aussi savants, avaient besoin de s'enfariner le visage, de se travestir, de se contrefaire à force de contorsions et de grimaces sauvages pour nous apprêter à rire. Cette mienne conception se reconnaît mieux qu'en tout autre lieu dans la comparaison de l'*Énéide* et du *Roland Furieux*. La première, on la voit aller à tire d'aile, d'un vol haut et ferme, suivant toujours sa pointe ; le second, voleter et sautiller de conte en conte, comme de branche en branche, ne se fiant à ses ailes que pour une bien courte traverse, et reprendre pied à chaque bout de champ de peur que l'haleine et la force ne lui faillent,

Et les essors qu'il prend sont de courte envolée
Excursusque breues tentat. [3]

1. Traits d'esprit fondés sur des figures de style vives et paradoxales : les *concetti*.
2. Martial, VIII, préface.
3. Virgile, *Géorgiques*, IV, 194.

Voilà donc quant à cette sorte de sujets les auteurs qui me plaisent le plus.

Quant à mon autre lecture, qui mêle un peu plus de fruit au plaisir, par où j'apprends à ranger mes opinions et mes mœurs, les livres qui m'y servent, c'est Plutarque, depuis qu'il est français, et Sénèque. Ils ont tous deux ce notable agrément pour mon humeur que la science que j'y cherche y est traitée à pièces décousues, qui ne demandent pas l'obligation d'un long travail, ce dont je suis incapable. Ainsi sont les *Opuscules* de Plutarque et les *Épîtres* de Sénèque, qui sont la plus belle partie de leurs écrits, et la plus profitable. Il ne me faut pas grand effort pour m'y mettre, et je les quitte quand il me plaît. Car ces pages n'ont point de suite et de dépendance des unes aux autres. Ces auteurs se rencontrent dans la plupart des opinions utiles et vraies, comme aussi leur fortune les fit naître environ le même siècle, tous deux précepteurs de deux empereurs romains, tous deux venus d'un pays étranger, tous deux riches et puissants. Leur enseignement est de la crème de la philosophie, et il est présenté d'une façon simple et pertinente. Plutarque est plus uniforme et plus constant, Sénèque plus ondoyant et divers. Celui-ci s'efforce, se roidit et se tend pour armer la vertu contre la faiblesse, contre la crainte, et les appétits du vice ; l'autre semble n'estimer pas tant leur force et dédaigner devoir à cause d'eux hâter son pas et se mettre sur sa garde. Plutarque a les opinions platoniciennes, douces, et accommodables à la société civile ; l'autre les a stoïques et épicuriennes, plus éloignées de l'usage pour la vie publique, mais selon moi plus commodes dans la vie privée, et plus fermes. Il paraît, chez Sénèque, qu'il prête un peu à la tyrannie des empereurs de son temps, car je tiens pour certain que c'est par un jugement forcé qu'il condamne la cause de ces généreux meurtriers de César ; Plutarque est libre partout. Sénèque est plein de pointes et de saillies, Plutarque, plein de choses. Celui-là vous échauffe plus, et vous émeut, celui-ci vous contente davantage et vous paye mieux : il nous guide, l'autre nous pousse.

Quant à Cicéron, les ouvrages, qui chez lui peuvent servir à mon dessein, ce sont ceux qui traitent de la philosophie, spécialement morale. Mais à confesser hardiment la vérité – car une fois qu'on a franchi les barrières de l'impudence, il n'y a plus de bride – sa façon d'écrire me semble ennuyeuse, et toute autre façon de la même sorte. Car ses préambules, ses définitions, ses partitions, ses étymologies, consomment la plupart de son ouvrage. Ce qu'il y a de vigueur et de moelle est étouffé par ces longueurs d'apprêts. Si j'ai employé une heure à le lire, ce qui est beaucoup pour moi, et que je tâche à me rappeler ce que j'en ai tiré de suc et de substance, la plupart du temps je n'y trouve que du vent, car il n'en est pas encore venu aux arguments qui servent à son propos, ni aux raisons qui touchent proprement le nœud que je cherche. Pour moi, qui ne demande qu'à devenir plus sage, et non plus savant ou plus éloquent, ces mises en ordre logiciennes et tout aristotéliques ne sont pas à propos. Je veux qu'on commence par le dernier point : j'entends assez ce que c'est que mort et volupté, qu'on ne s'amuse pas à me les anatomiser ! Je cherche d'emblée des raisons bonnes et fermes qui m'instruisent à en soutenir l'effort. Ni les subtilités grammairiennes, ni l'ingénieux agencement des paroles et des arguments n'y servent : je veux des discours qui donnent la première charge dans le plus fort du doute : les siens languissent autour du pot. Ils sont bons pour l'école, pour le barreau, et pour le sermon, où nous avons tout loisir de sommeiller, et nous sommes encore un quart d'heure après assez à temps pour en retrouver le fil ! Il faut parler ainsi aux juges qu'on veut gagner à tort ou à raison, aux enfants, et au vulgaire, à qui il faut tout dire, et voir ce qui portera. Je ne veux pas qu'on s'emploie à me rendre attentif et qu'on me crie cinquante fois « Ore, oyez ! », à la mode de nos hérauts. Les Romains disaient dans leur religion : « *Hoc age !* » [1], ce que nous disons à notre messe : « *Sursum corda !* » : ce sont autant de paroles perdues pour moi. J'arrive du logis prêt à passer à table : il ne me faut point d'allèchement ni de sauce ; je mange bien la viande toute crue ! Et au lieu de m'aiguiser l'appétit par ces préparations et ces avant-jeux on me le lasse et me l'affadit.

La licence du temps m'excusera-t-elle de cette sacrilège audace d'estimer traînants aussi les dialogues de Platon même, qui étouffent par trop sa matière ? Et de regretter le temps que perd à ces longues interlocutions vaines et préparatoires un homme qui avait tant de meilleures choses à dire ! Mon ignorance m'excusera mieux sur ce que je ne vois rien dans la beauté de son langage.

Je recherche en général les livres qui utilisent les sciences, non point ceux qui les établissent.

Les deux premiers, et Pline, et leurs semblables, ils n'ont point de *Hoc age* : ils veulent avoir affaire à des gens qui s'en soient avertis eux-mêmes, ou s'ils en ont, c'est un *Hoc age* substantiel et qui a son corps à part.

De Cicéron, je vois aussi volontiers les *Lettres à Atticus*, non seulement parce qu'elles contiennent une très ample instruction sur l'histoire et les affaires de son temps, mais beaucoup plus pour y découvrir

1. « *Hoc age* » : « attention ! », et « *sursum corda*, « haut les cœurs ! » (à la messe, au commencement de la préface).

ses humeurs privées. Car j'ai une singulière curiosité, comme je l'ai dit ailleurs, de connaître l'âme et les jugements naïfs de mes auteurs. Il faut bien juger leur talent, mais non eux ni leurs mœurs d'après cette mise en scène de leurs écrits qu'ils étalent sur le théâtre du monde. J'ai mille fois regretté que nous ayons perdu le livre que Brutus avait écrit sur la vertu, car il est beau d'apprendre la théorie de ceux qui savent bien la pratique. Mais d'autant que le prêche est autre chose que le prêcheur, j'aime bien autant voir Brutus chez Plutarque que chez lui-même. Je choisirais plutôt de savoir au vrai les devis qu'il tenait sous sa tente à quelqu'un de ses amis personnels à la veille d'une bataille que les propos qu'il tint le lendemain à son armée, et ce qu'il faisait dans son cabinet et dans sa chambre que ce qu'il faisait au milieu de la place et au sénat.

Quant à Cicéron, je suis de l'avis général que, hors la science, il n'y avait pas beaucoup d'excellence en son âme : il était bon citoyen, d'une nature débonnaire, comme le sont volontiers les hommes gras et rieurs, ce qu'il était, mais en fait de mollesse et de vanité ambitieuse, il en avait sans mentir beaucoup. Et je ne sais aussi comment l'excuser d'avoir estimé que sa poésie fût digne d'être publiée. Ce n'est pas une grande imperfection que de mal faire des vers, mais c'en est une de n'avoir pas senti combien ils étaient indignes de la gloire de son nom. Quant à son éloquence, elle est tout à fait hors de comparaison : je crois que jamais homme ne l'égalera. Cicéron le jeune n'a ressemblé à son père que de nom. Alors qu'il commandait en Asie, il se trouva un jour à sa table plusieurs étrangers, et, entre autres, Cæstius, assis au bas bout, comme on se fourre souvent dans les tables ouvertes des grands. Cicéron s'informa de qui il était auprès de l'un de ses gens, qui lui dit son nom. Mais comme quelqu'un qui avait ses pensées ailleurs et qui oubliait ce qu'on lui répondait, il le lui redemanda encore par la suite deux ou trois fois. Le serviteur, pour n'être plus en peine de lui redire si souvent la même chose, et pour le lui faire connaître par quelque circonstance, lui dit : « C'est ce Cæstius de qui on vous a dit qu'il ne fait pas grand cas de l'éloquence de votre père au prix de la sienne. » Cicéron, s'étant soudain piqué de cela, commanda qu'on empoignât ce pauvre Cæstius et il le fit très bien fouetter en sa présence : voilà un hôte mal courtois. Entre ceux-là mêmes qui ont estimé que, toutes choses comptées, cette sienne éloquence était incomparable, il y en a eu qui n'ont pas laissé d'y remarquer des fautes, comme ce grand Brutus, son ami, qui disait que c'était une éloquence « cassée et sans reins », *fractam et elumbem*. Les orateurs voisins de son siècle reprenaient aussi chez lui ce soin appliqué de mettre certaines longues cadences au bout de ses périodes, et notaient ces mots, il semble que *esse uideatur*, qu'il y emploie si souvent. Pour moi, j'aime mieux une cadence qui tombe plus court, de rythme ïambique. Il mêle pourtant parfois bien rudement ses nombres [1], mais rarement. J'en ai remarqué ce passage à l'oreille : *Ego uero me minus diu senem esse mallem quam esse senem antequam essem* pour moi, de vrai j'aimerais mieux être vieux moins longtemps que d'être vieux avant de l'être. [2]

Les historiens sont ma droite balle [3], car ils sont plaisants et aisés, et, avec cela, l'homme en général dont je cherche la connaissance y paraît plus vif et plus entier qu'en nul autre lieu, ainsi que la variété et la vérité de ses caractères intérieurs, en gros et en détail, et la diversité des moyens de ses accointances ou des accidents qui le menacent. Maintenant, ce sont ceux qui écrivent les vies, parce qu'ils s'amusent plus aux desseins qu'aux événements, plus à ce qui part du dedans qu'à ce qui arrive au-dehors, qui me sont les plus propres. Voilà pourquoi, de toutes les façons, c'est mon homme que Plutarque. Je suis bien marri que nous n'ayons pas une douzaine de Laërce, ou qu'il ne soit pas plus étendu ou plus entendu, car je suis aussi curieux de connaître les fortunes et la vie de ces grands précepteurs du monde que de connaître la diversité de leurs doctrines et de leurs idées.

Dans ce genre d'étude qu'est l'histoire, il faut feuilleter sans distinction toutes sortes d'auteurs et vieux et nouveaux, et étrangers et français, pour y apprendre les choses dont ils traitent diversement. Mais César me semble singulièrement mériter qu'on l'étudie, non pour la connaissance de l'histoire seulement, mais pour lui-même, tant il a de perfection et de supériorité sur tous les autres, quoi que Salluste soit du nombre. En vérité, je lis cet auteur avec un peu plus de révérence et de respect qu'on ne lit les humains ouvrages. Je considère tantôt ce qu'il fut lui-même par ses actions et sa prodigieuse grandeur, tantôt la pureté et l'inimitable poli de son langage, qui a surpassé non seulement tous les historiens, comme le dit Cicéron, mais d'aventure Cicéron lui-même. Et il est d'une telle sincérité dans ses jugements quand il parle de ses ennemis que, n'étaient les fausses couleurs dont il veut couvrir sa mauvaise cause et l'ordure de sa pestilentielle ambition, je pense que le seul point qu'on y puisse trouver à redire est qu'il a été trop parcimonieux pour parler de soi, car il ne peut avoir exécuté tant de grandes choses qu'il n'y soit allé du sien beaucoup plus qu'il n'y en met.

1. Nombres oratoires : rythmes étudiés de la phrase.
2. Cicéron, *De senectute*, X, 32.
3. La « droite balle » est celle que l'on reprend en coup droit, celle donc qui convient le mieux et tombe le mieux en main.

J'aime les historiens, ou fort simples, ou excellents. Les simples, qui n'ont point de quoi y mêler quelque chose du leur, et qui n'y apportent que le soin et la diligence de ramasser tout ce qui vient à leur connaissance et d'enregistrer de bonne foi toutes choses sans choix et sans tri, nous laissent le jugement entier pour la connaissance de la vérité. Tel est entre autres, par exemple, le bon Froissard, qui a marché dans son entreprise avec une si franche naïveté que, lorsqu'il a fait une faute, il ne craint aucunement de la reconnaître et de la corriger à l'endroit où il en a été averti, et qui nous représente tous les divers bruits qui couraient et les différents rapports qu'on lui faisait. C'est la matière de l'histoire nue et brute : chacun peut en faire son profit autant qu'il a d'entendement. Les historiens excellents ont le talent de choisir ce qui est digne d'être su. Ils peuvent trier entre deux rapports celui qui est le plus vraisemblable. De la condition des princes et de leurs humeurs, ils déduisent leurs desseins, et ils leur attribuent les paroles convenables. Ils ont raison de prendre l'autorité de régler notre créance sur la leur, mais assurément cela n'appartient à guère de gens. Les historiens qui sont entre ces deux sortes, ce qui est la plus commune espèce, ceux-là nous gâtent tout. Ils veulent nous mâcher les morceaux. Ils se donnent tout loisir de juger, et par conséquent d'incliner l'histoire à leur fantaisie, car, dès que le jugement pend d'un côté, on ne peut se garder de contourner et de tordre la narration selon ce biais. Ils entreprennent de choisir les choses dignes d'être sues, et nous cachent souvent telle parole, telle action privée, qui nous instruiraient mieux. Ils omettent pour incroyables les choses qu'ils n'entendent pas, et peut-être encore telle chose pour ne la savoir dire en bon latin ou en bon français. Qu'ils étalent hardiment leur éloquence et leur discours, qu'ils jugent à leur guise, mais qu'ils nous laissent aussi de quoi juger après eux. Que par leurs raccourcis et par leur choix ils n'altèrent ni n'arrangent rien qui appartienne au corps de la matière, mais qu'ils nous la rapportent pure et entière dans toutes ses dimensions.

Le plus souvent on choisit pour cette charge, et notamment en ces siècles-ci, des personnes du vulgaire sur cette seule considération qu'ils sachent bien parler, comme si chez des historiens nous cherchions à apprendre la grammaire ! Et eux ont bien raison aussi, puisqu'ils n'ont été gagés que pour cela, et qu'ils n'ont mis en vente que le babil, de ne se soucier principalement que de cette partie. Ainsi, à force beaux mots ils nous vont pâtissant un beau pâté des bruits qu'ils ramassent dans les carrefours des villes. Les seules bonnes histoires sont celles qui ont été écrites par ceux-là mêmes qui commandaient aux affaires, ou qui participaient à les conduire, ou au moins qui ont eu la fortune d'en conduire d'autres de même sorte. Telles sont quasi toutes les histoires grecques et romaines. Car plusieurs témoins oculaires ayant écrit sur le même sujet, puisqu'en ce temps-là la grandeur et le savoir se rencontraient communément, s'il y a une erreur, elle doit être merveilleusement légère, et sur un accident fort douteux. Que peut-on espérer d'un médecin traitant de la guerre, ou d'un écolier traitant des desseins des princes ? Si nous voulons souligner la religion que les Romains avaient en cela, il n'en faut que cet exemple : Asinius Pollion trouvait dans les récits mêmes de César quelque méprise dans laquelle il était tombé, faute de n'avoir pu jeter les yeux sur tous les endroits de son armée, et pour en avoir cru des particuliers qui lui rapportaient souvent des choses non assez vérifiées, ou bien pour n'avoir été assez précisément averti par ses lieutenants des opérations qu'ils avaient conduites en son absence. On peut voir par là si cette recherche de la vérité est délicate, au point qu'on ne se puisse pas sur une bataille se fier à ce qu'en sait celui qui y a commandé, ni aux soldats sur ce qui s'est passé près d'eux, sauf si, à la façon d'une information judiciaire, on confronte les témoins, et reçoit les faits sur la preuve des minutes de chaque accident. Vraiment la connaissance que nous avons de nos affaires est bien plus lâche. Mais ceci a été suffisamment traité par Bodin, et selon ma conception.

Pour remédier un peu à la trahison de ma mémoire et à son défaut, si extrême qu'il m'est advenu plus d'une fois de reprendre en main des livres que je croyais récents et inconnus de moi alors que je les avais lus soigneusement quelques années auparavant et barbouillés de mes notes, j'ai pris l'habitude depuis quelque temps d'ajouter au bout de chaque livre (pour ceux, j'entends, dont je ne me veux servir qu'une fois) le temps auquel j'ai achevé de le lire, et le jugement que j'en ai retiré en gros, afin que cela me représente au moins l'air et idée générale que j'avais conçus de l'auteur en le lisant. Je veux ici transcrire certaines de ces annotations.

Voici ce que je mis il y a environ dix ans dans mon Guicciardini [1], car quelque langue que parlent mes livres, je leur parle dans la mienne : « C'est un historiographe diligent, et duquel, à mon avis, aussi exactement que de nul autre, on peut apprendre la vérité des affaires de son temps. Aussi, pour la plupart, en a-t-il été acteur lui-même, et à un rang honorable. Il n'y a aucune apparence que par haine, faveur, ou vanité il ait déguisé les choses, ce dont font foi les libres jugements qu'il fait sur les grands, et notamment sur ceux par lesquels il avait été avancé et employé aux charges, comme le pape

1. Guicciardini (en français « Guichardin »), 1483-1540 : *L'Istoria d'Italia.*

Clément septième. Quant à la partie dont il semble se vouloir prévaloir le plus, qui sont ses digressions et ses discours, il y en a qui sont bons et riches de beaux traits, mais il s'y est trop complu. Car pour ne vouloir rien laisser à dire, du fait qu'il avait un sujet si plein et si ample, et à peu près infini, il en devient prolixe, et sent un peu le caquet de l'école. J'ai aussi remarqué ceci que parmi tant d'âmes et d'effets qu'il juge, parmi tant de mobiles et de desseins, il n'en rapporte jamais un seul à la vertu, au scrupule, et à la conscience, comme si ces parties-là étaient tout à fait éteintes dans le monde, et de toutes les actions, pour belles en apparence qu'elles soient d'elles-mêmes, il en rejette la cause à quelque raison maligne, ou à quelque profit. Il est impossible d'imaginer que, parmi ce nombre d'actions infini dont il juge, il n'y en ait eu quelqu'une qui ait été produite par la voie de la raison. Nulle corruption ne peut avoir saisi les hommes si universellement que quelqu'un n'échappe à la contagion. Cela me fait craindre qu'il entre là un peu des défauts de son jugement, et il peut être arrivé qu'il ait estimé d'autrui selon soi. »

Dans mon Philippe de Commynes [1], il y a ceci : « Vous en trouverez le langage doux et agréable, d'une naïve simplicité, la narration pure, et dans laquelle la bonne foi de l'auteur éclate à l'évidence, exempte de vanité quand il parle de soi, et d'affection et d'envie quand il parle d'autrui. Ses discours et ses exhortations sont accompagnés de bon zèle et de vérité plus que d'aucune exquise habileté. Et tout partout de l'autorité et de la gravité, représentant son homme de bon sang, et appelé aux grandes affaires. »

Sur les *Mémoires* de messieurs du Bellay [2] : « C'est toujours un plaisir de voir les affaires écrites par ceux qui ont essayé comme il faut les conduire. Mais on ne peut nier qu'il ne se découvre à l'évidence chez ces deux seigneurs-ci un grand déchet de la franchise et de la liberté d'écrire qu'on voit briller chez les anciens de leur sorte, comme chez le sire de Joinville, familier de saint Louis, chez Éginhard, chancelier de Charlemagne, et, de plus fraîche mémoire, chez Philippe de Commynes. C'est ici un plaidoyer pour le roi François et contre l'empereur Charles Quint plutôt qu'une histoire. Je ne veux pas croire qu'ils aient rien changé quant au gros des faits, mais de contourner à notre avantage le jugement des événements souvent contre raison, et

---

1. Philippe de Commynes (1447-1511), historien et diplomate, est auteur de *Mémoires*.

2. Martin Du Bellay, et son frère Guillaume, seigneur de Langeay. Leurs *Mémoires* racontent les guerres d'Italie entre François Ier et Charles Quint de 1515 à 1545.

d'omettre tout ce qu'il y a de chatouilleux dans la vie de leur maître, ils en font métier, témoin les disgrâces de messieurs de Montmorency et de Brion, qui y sont oubliées, voire le seul nom de Madame d'Étampes [1] qui ne s'y trouve point. On peut couvrir les actions secrètes, mais taire ce que tout le monde sait et les choses qui ont produit des effets publics, et d'une telle conséquence, c'est une faute inexcusable. Somme toute, pour avoir l'entière connaissance du roi François et des choses advenues de son temps, qu'on s'adresse ailleurs, si l'on m'en croit ! Ce dont on peut faire ici profit, c'est du récit particulier des batailles et des faits de guerre où ces gentilshommes se sont trouvés, de quelques paroles et actions privées de certains princes de leur temps, et des pratiques et négociations conduites par le seigneur de Langeay, où il y a tout plein de choses dignes d'être sues, et des réflexions non vulgaires. »

De la cruauté

[Chapitre XI]

Il me semble que la vertu est quelque chose d'autre et de plus noble que les inclinations à la bonté qui naissent en nous. Les âmes réglées d'elles-mêmes et bien nées, elles suivent le même train et représentent dans leurs actions le même visage que les vertueuses. Mais la vertu laisse entendre je ne sais quoi de plus grand et de plus actif que de se laisser par une heureuse nature doucement et paisiblement conduire à la suite de la raison. Celui qui par une douceur et une facilité naturelles mépriserait les offenses reçues, ferait une chose très belle et digne de louange, mais celui qui, piqué et outré jusqu'au vif d'une offense, s'armerait des armes de la raison contre ce furieux appétit de vengeance, et après un grand conflit, s'en rendrait enfin maître, ferait sans doute beaucoup plus. Celui-là agirait bien, et celui-ci vertueusement ; une action se pourrait appeler bonté, l'autre vertu. Car il semble que le nom de la vertu présuppose de la difficulté et de l'opposition, et

1. Pendant les guerres que François Ier mena en Italie, le duc de Montmorency s'était distingué à Ravenne et à Marignan ; Chabot, seigneur de Brion, ami d'enfance de François Ier, avait été capturé à Pavie avec le roi. Rivale de Diane de Poitiers, la maîtresse du dauphin, Madame d'Étampes était la maîtresse du roi ; c'est en prenant son parti que Montmorency se perdit. On conçoit mal en effet que ces noms soient passés sous silence dans les mémoires des frères Du Bellay.

qu'elle ne peut s'exercer sans partie adverse. C'est d'aventure pourquoi nous disons que Dieu est bon, fort, et libéral, et juste, mais nous ne le disons pas vertueux : ses opérations sont toutes spontanées et sans effort.

Parmi les philosophes, non seulement stoïciens, mais même encore épicuriens – ce renchérissement, je l'emprunte à l'opinion commune, qui est fausse (malgré la subtile répartie d'Arcésilas à celui qui lui reprochait que beaucoup de gens passaient de son école à celle d'Épicure, et jamais l'inverse : « Je crois bien ! Des coqs on fait assez souvent des chapons, mais des chapons on ne fait jamais des coqs ! »), car, à la vérité, pour ce qui est de la fermeté et de la rigueur des opinions et des préceptes, la secte épicurienne ne le cède en rien à la stoïcienne ; et un stoïcien de meilleure foi que ces contradicteurs qui, pour combattre Épicure et se donner beau jeu, lui font dire ce à quoi il ne pensa jamais, en gauchissant ses paroles et en tirant de sa façon de parler par une analyse grammaticale un autre sens et une autre opinion que celle qu'ils savent qu'il avait dans l'âme et dans ses mœurs, dit même qu'il a cessé d'être épicurien pour cette raison, entre autres, qu'il trouve leur route trop hautaine et trop inaccessible, car ces gens qu'on appelle amis des plaisirs sont en réalité amoureux de l'honneur et de la justice, et ils aiment et pratiquent toutes les vertus *et ii qui* φιλήδονοι *uocantur, sunt* φιλόκαλοι *et* φιλοδίκαιοι, *omnesque uirtutes et colunt et retinent.* [1] Parmi les philosophes stoïciens et épicuriens, dis-je, il y en a plusieurs qui ont jugé que ce n'était pas assez d'avoir l'âme en bonne assiette, bien réglée et bien disposée à la vertu, que ce n'était pas assez d'avoir nos résolutions et nos discours au-dessus de tous les efforts de la fortune, mais qu'il fallait encore rechercher les occasions d'en venir à l'épreuve. Ils veulent aller chercher de la douleur, de l'indigence, et du mépris pour pouvoir les combattre, et pour tenir leur âme en haleine : la lutte ajoute beaucoup à la vertu *multum sibi adiicit uirtus lacessita.* [2] C'est l'une des raisons pour lesquelles Épaminondas, qui était encore d'une troisième secte, refuse des richesses que la fortune lui met en main par une voie très légitime, pour avoir, dit-il, à s'escrimer contre la pauvreté, extrémité dans laquelle il se maintint toujours. Socrate s'essayait, ce me semble, encore plus rudement en conservant pour s'exercer la perversité de sa femme, ce qui est une épreuve à meuler du fer à l'émeri ! Metellus, ayant seul de tous les sénateurs romains entrepris par l'effort de sa vertu d'affronter la violence de Saturninus, tribun de la plèbe à Rome, qui voulait à force vive faire passer une loi injuste en

1. Cicéron, *Épîtres familières*, XV, XIX.
2. Sénèque, *Lettres à Lucilius*, XIII, 3.

faveur du peuple, et ayant encouru par là les peines capitales que Saturninus avait instituées contre les opposants, entretenait ceux qui, dans cette extrémité, le conduisaient sur la place avec des propos comme ceux-ci : que c'était chose trop facile et trop lâche que de mal faire ; et que de faire bien s'il n'y avait point de danger, c'était chose vulgaire ; mais que de faire bien s'il y avait du danger, c'était là proprement le devoir d'un homme de vertu. Ces paroles de Metellus nous représentent bien clairement ce que je voulais vérifier, savoir que la vertu refuse d'avoir la facilité pour compagne, et que cette voie aisée, douce, et penchante par où se conduisent les pas réglés par une bonne inclination naturelle n'est pas celle de la vraie vertu. Elle demande un chemin âpre et épineux ; elle veut avoir ou des difficultés étrangères à combattre, comme celle de Metellus, par le moyen desquelles la fortune se plaît à lui rompre la roideur de sa course, ou des difficultés intérieures que lui apportent les appétits désordonnés et les imperfections propres à notre condition.

Je suis arrivé jusqu'ici bien à mon aise. Mais au bout de ce discours, il me vient à l'esprit que l'âme de Socrate, qui est la plus parfaite qui soit venue à ma connaissance, serait à ce compte-là une âme de peu de recommandation ! Car je ne puis concevoir chez ce personnage aucun élan de concupiscence vicieuse. Au train où va sa vertu, je ne puis imaginer chez lui aucune difficulté ni aucune contrainte. Je connais sa raison. Elle est si puissante et si maîtresse chez lui qu'elle n'eût jamais donné à un appétit vicieux le moyen seulement de naître. À une vertu si élevée que la sienne, je ne puis rien opposer. Il me semble la voir marcher d'un pas victorieux et triomphant, en pompe et à son aise, sans empêchement ni entrave. Si la vertu ne peut éclater que dans un combat des appétits contraires, dirons-nous donc qu'elle ne se puisse passer de l'assistance du vice, et qu'elle lui doive d'être par lui mise en crédit et en honneur ? Que deviendrait aussi cette brave et généreuse volupté épicurienne qui fait état de nourrir mollement dans son giron et d'y faire folâtrer la vertu en lui donnant pour jouets la honte, les fièvres, la pauvreté, la mort, et les tourments ? Si je présuppose que la vertu parfaite se reconnaît à combattre et supporter patiemment la douleur, à soutenir les efforts de la goutte sans s'ébranler de son assiette, si je lui donne pour objet nécessaire l'âpreté et la difficulté, que deviendra donc la vertu qui se sera haussée jusqu'au point non seulement de mépriser la douleur, mais de s'en réjouir et de se sentir chatouiller par les accès d'une forte colique, comme est celle que les épicuriens ont établie, et dont plusieurs d'entre eux nous ont laissé par leurs actions des preuves très certaines ? Comme bien d'autres l'ont fait, que je trouve avoir dépassé effectivement les règles mêmes de leur discipline, témoin Caton d'Utique : quand je le vois mourir et se déchirer les entrailles, je ne puis me contenter de croire simplement qu'il eût alors son âme totalement exempte de trouble et d'effroi, je ne puis croire qu'il se maintint seulement dans cette démarche que les règles de la secte stoïcienne lui ordonnaient, rassise, sans émotion, et impassible ; il y avait, ce me semble, dans la vertu de cet homme trop de gaillardise et de verdeur pour en rester là. Je crois sans aucun doute qu'il ressentit du plaisir et de la volupté dans une si noble action, et qu'il y prit plaisir plus qu'en aucune autre de celles de sa vie : *sic abiit e uita ut causam moriendi nactum se esse gauderet* [1] il quitta la vie, heureux d'avoir trouvé une raison de mourir. Je le crois si profondément que j'en viens à me demander s'il eût voulu que l'occasion d'un si bel exploit lui fût ôtée. Et, si la bonté qui lui faisait embrasser l'intérêt public plus que le sien ne me tenait pas en bride, je tomberais aisément dans cette opinion qu'il savait bon gré à la fortune d'avoir mis sa vertu à si belle épreuve, et d'avoir favorisé ce brigand de César à fouler aux pieds l'ancienne liberté de sa patrie ! Il me semble lire dans cette action, je ne sais quelle réjouissance de son âme, et une bouffée de plaisir extraordinaire et d'une volupté virile lorsqu'elle considérait la noblesse et la hauteur de son entreprise,

Plus farouche une fois résolue à mourir
Deliberata morte ferocior, [2]

non pas aiguisée par quelque espérance de gloire, comme les jugements populaires et efféminés de certains en ont jugé, car cette considération est trop basse pour toucher un cœur aussi généreux, aussi hautain et aussi roide, mais pour la beauté de la chose même en soi, laquelle il voyait bien plus clairement, et dans sa perfection, lui qui en maniait les ressorts, que nous ne le pouvons faire. La philosophie m'a fait le plaisir de juger qu'une si belle action eût été indécemment logée en toute autre vie qu'en celle de Caton, et qu'à la sienne seule il appartenait de finir ainsi. Aussi ordonna-t-il avec raison et à son fils et aux sénateurs qui l'accompagnaient de pourvoir autrement à leur fait : *Catoni, cum incredibilem natura tribuisset grauitatem eamque ipse perpetua constantia roborauisset semperque in proposito consilio permansisset, moriendum potius quam tyranni uultus aspiciendus erat* [3] Caton, que la nature avait doué d'une incroyable force d'âme, qu'il avait encore fortifiée par une perpétuelle constance, et qui s'était toujours tenu au dessein qu'il s'était proposé, devait mourir plutôt que de voir le visage d'un tyran. Toute mort doit être pareille à sa vie. Nous ne

1. Cicéron, *Tusculanes*, I, XXX, 74.
2. Horace, *Odes*, I, XXXVII, 29.
3. Cicéron, *De officiis*, I, XXXI, 112.

devenons pas autres par le fait de mourir. J'interprète toujours la mort par la vie. Et si on m'en raconte quelqu'une qui soit forte en apparence mais attachée à une vie faible, je tiens qu'elle est produite par une cause faible et assortie à sa vie. L'aisance donc de cette mort, et cette facilité qu'il avait acquise par la force de son âme, dirons-nous qu'elle doive rabattre quelque chose de l'éclat de sa vertu ? Et qui de ceux qui ont la cervelle tant soit peu teinte de la vraie philosophie peut se contenter d'imaginer Socrate seulement affranchi de la crainte et de la passion dans l'accident de sa prison, de ses fers, et de sa condamnation ? Et qui ne reconnaît en lui non seulement de la fermeté et de la constance – c'était son assiette ordinaire que celle-là ! – mais encore je ne sais quel contentement nouveau, et une allégresse enjouée dans ses propos et dans ses façons dernières ? À ce tressaillement de plaisir qu'il sent à gratter sa jambe après que les fers en eurent été ôtés, n'accuse-t-il pas une douceur et une joie pareilles dans son âme pour la voir désincarcérée des désagréments passés et à même d'entrer en connaissance des choses à venir ? Caton me pardonnera, s'il lui plaît : sa mort est plus tragique et plus tendue, mais celle-ci est encore, je ne sais comment, plus belle. Aristippe à ceux qui la déploraient : « Puissent les dieux, fit-il, m'en envoyer une comme celle-là ! » On voit dans les âmes de ces deux personnages, et de leurs imitateurs – car de semblables, je doute fort qu'il y en ait eu – une si parfaite accoutumance à la vertu qu'elle est passée dans leur nature. Ce n'est plus une vertu pénible, ni des prescriptions de la raison telles qu'il faille pour les maintenir que leur âme se roidisse, c'est l'essence même de leur âme, c'est son train naturel et ordinaire. Ils l'ont rendue telle par un long exercice des préceptes de la philosophie qui ont en eux rencontré une belle et riche nature. Les passions vicieuses qui naissent en nous ne trouvent plus par où pénétrer en eux. La force et la roideur de leur âme étouffent et éteignent les concupiscences aussitôt qu'elles commencent à s'ébranler.

Or, qu'empêcher par une haute et divine résolution la naissance des tentations, et s'être formé à la vertu de manière que les semences mêmes des vices en soient déracinées ne soit pas plus beau que d'empêcher leur progrès de vive force et, après qu'on s'est laissé surprendre par les émotions premières des passions, de s'armer et se bander pour arrêter leur course et les vaincre, et que ce second effet lui-même ne soit pas encore plus beau que d'être simplement pourvu d'une nature facile et débonnaire et d'elle-même dégoûtée de la débauche et du vice, voilà, je pense, qui ne fait point de doute. Car cette tierce et dernière façon, il semble bien qu'elle rende un homme innocent, mais non pas vertueux ; exempt de mal faire, mais non pas assez apte à faire le bien. Ajoutons que cette condition est si voisine de l'imperfection et de la faiblesse que je ne sais pas bien comment en démêler les confins et les distinguer. Les noms mêmes de *bonté* et d'*innocence* sont pour cette raison des noms quelque peu péjoratifs. Je vois que plusieurs vertus comme la chasteté, la sobriété, et la tempérance peuvent nous échoir par simple défaillance de notre corps. La fermeté face aux dangers – s'il faut l'appeler fermeté – le mépris de la mort, la patience aux infortunes peuvent venir et se trouvent souvent chez les hommes faute de bien juger de tels accidents et de les concevoir tels qu'ils sont. La faute d'appréhension et la bêtise contrefont ainsi parfois les actes vertueux. Ainsi est-il arrivé, je l'ai vu souvent, qu'on a loué des hommes de ce pour quoi ils méritaient du blâme.

Un seigneur italien tenait une fois ce propos en ma présence, au désavantage de sa nation : la subtilité des Italiens, disait-il, et la vivacité de leurs conceptions étaient si grandes qu'ils prévoyaient de si loin les dangers et les accidents qui leur pouvaient survenir qu'il ne fallait pas trouver étrange qu'on les vît souvent à la guerre pourvoir à leur sûreté avant même que d'avoir reconnu le péril. Nous et les Espagnols, qui n'étions pas si fins, nous allions plus outre, et il nous fallait faire voir à l'œil et toucher de la main le danger avant que de nous en effrayer, et qu'alors aussi nous n'avions plus de tenue. Mais les Allemands et les Suisses, plus grossiers et plus lourds, n'avaient pas le sens de s'aviser de la situation ; à peine l'avaient-ils lors même qu'ils étaient accablés sous les coups ! Ce n'était d'aventure que pour rire, pourtant il est bien vrai que, dans le métier de la guerre, les apprentis se jettent bien souvent dans les hasards avec une légèreté bien différente de ce qu'ils ne font après y avoir été échaudés :

Sachant tout ce que peut une fraîche gloire aux armées,
Et le si doux honneur des premières mêlées

Haud ignarus quantum noua gloria in armis
Et prædulce decus primo certamine possit. [1]

Voilà pourquoi, quand on juge d'une action particulière, il faut considérer plusieurs circonstances, et l'homme tout entier qui l'a produite, avant de la baptiser.

Pour dire un mot de moi-même, j'ai vu quelquefois mes amis appeler chez moi prudence ce qui n'était que fortune, et prendre pour un trait de courage et de patience ce qui était le fait du jugement et de la pensée, et je les ai vus m'attribuer un titre pour l'autre, tantôt à mon

1. Virgile, *Énéide*, XI, 154-155.

avantage, tantôt à mon détriment. Au demeurant, il s'en faut tant que je sois arrivé à ce premier et plus parfait degré d'excellence où la vertu devient une habitude que du second même je n'en ai guère d'expérience. Je ne me suis pas mis en grand effort pour brider les désirs dont je me suis trouvé pressé. Ma vertu, ou mon innocence pour mieux dire, c'est une vertu accidentelle et fortuite. Si je fusse né avec un tempérament plus déréglé, je crains qu'il en fût allé piteusement de moi, car je n'ai guère fait l'essai de la fermeté dans mon âme pour soutenir des passions si elles eussent été tant soit peu véhémentes. Je ne sais point nourrir des querelles et du débat chez moi. Ainsi, je ne puis nullement me dire merci du fait que je me trouve exempt de plusieurs vices :

Si mon tempérament, d'ailleurs bon, n'offre que des vices
Moyens et peu nombreux, comme on trouve sur un beau corps
Quelques boutons épars

Si uitiis mediocribus et mea paucis
Medosa est natura, alioqui recta, uelut si
Egregio inspersos reprehendas corpore nævos, [1]

je le dois plus à ma fortune qu'à ma raison. Elle m'a fait naître d'une race fameuse en prud'homie, et d'un très bon père. Je ne sais s'il a écoulé en moi une partie de ses humeurs, ou bien si les exemples domestiques et la bonne institution de mon enfance y ont insensiblement aidé, ou si je suis autrement ainsi né :

La Balance me suit des yeux, ou bien le Scorpion,
Qui, redoutable, culminait à l'heure où je naquis,
Ou le Capricorne, tyran des mers de l'Hespérie

Seu Libra, seu me Scorpius aspicit
Formidolosus, pars uiolentior
Natalis horæ, seu tyrannus
Hesperiæ Capricornus undæ, [2]

mais toujours est-il que la plupart des vices, je les ai de moi-même en horreur. La réponse d'Antisthène à celui qui lui demandait le meilleur apprentissage, « désapprendre le mal », semble s'arrêter à cette idée. Je les ai, dis-je, en horreur par un sentiment si naturel et si mien que ce même instinct et cette même empreinte que j'ai apportés de la nourrice, je les ai conservés sans qu'aucune cause ne me les ait su faire altérer, de vrai, non pas même mes raisonnements personnels qui, pour s'être débandés dans certaines occasions de la route com-

1. Horace, *Satires*, I, VI, 65.
2. Horace, *Odes*, II, XVII, 17-20.

mune, me donneraient aisément licence pour des actions que cette inclination naturelle me fait haïr.

Je vais dire une chose monstrueuse, mais je la dirai pourtant. Je trouve par là, en plusieurs choses, plus de fermeté et de rigueur dans mes mœurs que dans ma pensée, et ma concupiscence moins débauchée que ma raison.

Aristippe établit des opinions si hardies en faveur de la volupté et des richesses qu'il mit en rumeur toute la philosophie à son encontre. Mais, quant à ses mœurs, Denys le tyran lui ayant présenté trois jolies garces afin qu'il en fît le choix, il répondit qu'il les choisissait toutes trois, et qu'il en avait mal pris à Pâris d'en préférer une à ses compagnes. Mais les ayant conduites à son logis, il les renvoya sans en tâter. Son valet se trouvant surchargé en chemin de l'argent qu'il portait derrière lui, il lui ordonna qu'il en versât et jetât là ce qui lui pesait.

Quant à Épicure, dont les dogmes sont irréligieux et voluptueux, il se comporta dans sa vie très dévotieusement et très courageusement. Il écrit à un sien ami qu'il ne vit que de pain bis et d'eau ; il le prie de lui envoyer un peu de fromage pour quand il voudra faire quelque somptueux repas ! Serait-il vrai que pour être tout à fait bon il nous faille l'être en vertu d'une propriété occulte, naturelle et universelle, sans loi, sans raison, et sans exemple ?

Les débordements dans lesquels je me suis trouvé engagé ne sont pas, Dieu merci, des pires. Je les ai bien condamnés chez moi selon ce qu'ils valent, car mon jugement ne s'est pas trouvé infecté par eux. Au rebours, je les accuse plus rigoureusement chez moi que chez un autre. Mais c'est tout, car au demeurant j'y apporte trop peu de résistance, et je me laisse trop aisément pencher vers l'autre plateau de la balance, sauf pour les régler et les préserver du mélange avec d'autres vices, qui s'entretiennent et s'entre-enchaînent pour la plupart les uns aux autres si l'on n'y prend garde. Les miens, je les ai retranchés et contraints de façon qu'ils fussent les plus isolés et les plus simples que j'ai pu,

Et je ne chéris pas mon vice
Outre mesure

Nec ultra
Errorem foueo. [1]

Car, quant à l'opinion des stoïciens qui disent que le sage, quand il œuvre, œuvre par toutes les vertus ensemble quoiqu'il y en ait une qui soit plus apparente selon la nature de l'action, (et à cela pourrait

1. Juvénal, VIII, 164-165.

quelque peu leur servir une comparaison avec le corps humain, car l'action de la colère ne peut s'exercer sans que toutes les humeurs ne nous y aident, quoique la colère prédomine), si de là ils veulent tirer la conséquence pareille que quand le *fautier* faut, il faut par tous les vices ensemble, je ne les en crois pas ainsi simplement, ou je ne les entends pas, car je sens, par effet, le contraire. Ce sont là des subtilités pointues, sans substance, auxquelles la philosophie s'arrête parfois. Je suis quelques vices, mais j'en fuis d'autres autant que le saurait faire un saint. Les péripatéticiens désavouent aussi cette connexité et cette couture indissoluble, et Aristote tient qu'un homme prudent et juste peut aussi être intempérant et incontinent. Socrate avouait à ceux qui reconnaissaient dans sa physionomie quelque inclination au vice que c'était à la vérité sa propension naturelle, mais qu'il l'avait corrigée par discipline. Et les familiers du philosophe Stilpon disaient qu'étant né sujet au vin et aux femmes, il s'était à force d'application rendu très abstinent de l'un et de l'autre. Ce que j'ai de bien, je l'ai, au rebours, par le sort de ma naissance, je ne le tiens ni d'une loi ni d'un précepte ou de quelque autre apprentissage. L'innocence qui est en moi est une innocence niaise : peu de vigueur, et point d'art. Entre autres vices, je hais cruellement la cruauté, à la fois par nature et par jugement, comme l'extrême de tous les vices. Mais c'est jusqu'à une telle mollesse que je ne vois pas égorger un poulet sans déplaisir, et je supporte mal d'entendre gémir un lièvre sous les dents de mes chiens, quoique ce soit un plaisir violent que la chasse.

Ceux qui ont à combattre la volupté, pour montrer qu'elle est toute vicieuse et déraisonnable, usent volontiers de cet argument que lorsqu'elle est dans son plus grand effort elle nous domine de telle façon que la raison n'y peut plus avoir accès, et ils allèguent l'expérience que nous en ressentons dans le commerce des femmes,

Quand, tout le corps sentant monter sa joie épanouie,
Vénus est au bord de semer le féminin sillon

Cum iam præsagit gaudia corpus,
Atque in eo est Venus ut muliebria conserat arua, [1]

où il leur semble que le plaisir nous transporte si fortement hors de nous que notre discours ne saurait alors faire son office, tout perclus et ravi dans la volupté. Je sais qu'il en peut aller autrement, et qu'on arrivera parfois, si l'on veut, à rejeter l'âme, dans ce même instant, vers d'autres pensées. Mais il la faut tendre et roidir en se tenant aux aguets. Je sais qu'on peut gourmander l'effort de ce plaisir, et je m'y

1. Lucrèce, IV, 1106-1107.

connais bien, et je n'ai point trouvé que Vénus fût une déesse aussi impérieuse que plusieurs et plus réformés que moi l'attestent. Je ne prends pas pour un miracle, comme le fait la reine de Navarre dans l'un des contes de son *Heptaméron* (qui est un gentil livre pour son étoffe), ni pour une chose d'une extrême difficulté de passer des nuits entières en toute commodité et en toute liberté avec une maîtresse depuis longtemps désirée en maintenant la foi qu'on lui aura engagée de se contenter de baisers et de simples attouchements. Je crois que l'exemple du plaisir de la chasse y serait plus propre : comme il y a moins de plaisir, il y a plus de ravissement et de surprise par où notre raison étonnée perd ce loisir de se préparer à la rencontre lorsqu'après une longue quête la bête vient en sursaut à se présenter dans un lieu où, d'aventure, nous l'espérions le moins. Cette secousse et l'ardeur de ces huées nous frappent si bien qu'il serait malaisé à ceux qui aiment cette sorte de petite chasse d'attirer leur pensée ailleurs à cet instant. Et les poètes peignent Diane victorieuse du brandon et des flèches de Cupidon :

Qui donc n'oublierait pas, parmi de tels plaisirs,
Les peines de l'amour qu'infligent les cruelles
Quis non malarum quas amor curas habet
Hæc inter obliuiscitur ? [1]

Pour revenir à mon propos, je compatis fort tendrement aux afflictions d'autrui et je pleurerais aisément de concert avec les autres si je savais pleurer pour quelque occasion que ce soit. Il n'est rien qui tente mes larmes hormis les larmes, non seulement vraies, mais feintes ou peintes, quelles qu'elles soient. Les morts je ne les plains guère, et je les envierais plutôt, mais je plains bien fort les mourants. Les sauvages ne m'offensent pas tant de rôtir et manger les corps des trépassés que ceux qui les tourmentent et persécutent vivants. Les exécutions mêmes de la justice, pour raisonnables qu'elles soient, je ne les puis voir d'une vue ferme. Quelqu'un pour témoigner de la clémence de Jules César déclare : « Il était doux dans ses vengeances. Alors qu'il avait forcé de se rendre à lui les pirates qui l'avaient auparavant fait prisonnier et mis à rançon, parce qu'il les avait menacés de les faire mettre en croix, il les y condamna, mais ce fut après les avoir fait étrangler. Philomon, son secrétaire, qui avait voulu l'empoisonner, il ne le punit pas plus durement que d'une mort simple. Sans dire qui est cet auteur latin qui ose alléguer pour preuve de clémence le fait de tuer seulement ceux dont on a été offensé, il est aisé de deviner qu'il est frappé par les

1. Horace, *Épodes,* II, 37-38.

exemples de cruauté vils et horribles que les tyrans romains mirent en usage.

Quant à moi, dans la justice même, tout ce qui est au-delà de la mort simple me semble pure cruauté, et notamment pour nous qui devrions avoir le souci d'expédier les âmes en bon état, ce qui ne se peut quand on les a secouées et désespérées par des tortures insupportables.

Ces jours derniers, un soldat prisonnier, qui avait aperçu depuis une tour où il se trouvait que le peuple s'assemblait sur la place et que des charpentiers y dressaient leurs ouvrages, crut que c'était pour lui. Résolu à se tuer, il ne trouva pour le secourir qu'un vieux clou de charrette rouillé que la fortune lui offrit. Il s'en donna pour commencer deux grands coups autour de la gorge, mais, voyant que ç'avait été sans effet, aussitôt après il s'en donna un troisième dans le ventre, où il laissa le clou fiché. Le premier de ses gardes qui entra dans la geôle où il était le trouva dans cet état, vivant encore, mais couché et tout affaibli par les coups qu'il s'était portés. Pour employer le temps avant qu'il défaillît, on se hâta de lui prononcer sa sentence. Quand il l'eut entendue et eut appris qu'il n'était condamné qu'à avoir la tête tranchée, il sembla reprendre un nouveau courage. Il accepta du vin qu'il avait refusé, et remercia ses juges de la douceur inespérée de leur condamnation. Il leur déclara qu'il avait pris le parti d'appeler la mort par crainte d'une mort plus âpre et plus insupportable, car, d'après les apprêts qu'il avait vu faire sur la place, il avait conçu l'idée qu'on le voulût tourmenter de quelque horrible supplice, et il sembla délivré de la mort pour l'avoir changée. Je conseillerais que ces exemples de rigueur par le moyen desquels on veut tenir le peuple dans son devoir s'exerçassent sur les cadavres des criminels. Car de les voir priver de sépulture, de les voir bouillir et mettre en quartiers, cela toucherait quasi autant le vulgaire que les peines qu'on fait souffrir aux vivants, quoique, par effet, ce soit peu ou rien, comme Dieu dit : « ils tuent le corps, et après ça ils n'ont plus rien qu'ils puissent faire *qui corpus occidunt et postea non habent quod faciant.* » [1] Et les poètes font singulièrement valoir l'horreur de cette peinture, même au-dessus de la mort :

Las ! je serai traîné sur la terre, restes d'un roi
Mi-rôti, dégouttant de sang, et les os mis à nu

Heu reliquias semiassi regis, denudatis ossibus,
Per terram sanie delibutas foede diuexarier. [2]

1. Saint Luc, XII, 4.
2. Cicéron, *Tusculanes*, I, XLIV, 106.

Je me trouvai un jour à Rome au moment où l'on exécutait Catena, un voleur notoire. On l'étrangla sans aucune émotion de l'assistance, mais quand on vint à le mettre en quartiers, le bourreau ne donnait point de coup que le peuple ne suivît d'une voix plaintive, et en s'exclamant, comme si chacun eût prêté son sentiment à cette charogne. Il faut exercer ces excès inhumains contre l'écorce, non contre le vif. Ainsi Artaxerxès, dans un cas quelque peu pareil, amollit l'âpreté des anciennes lois de la Perse en ordonnant que les seigneurs qui avaient failli dans leur état, au lieu qu'on les soulait [1] fouetter, fussent dépouillés, et leurs vêtements fouettés à leur place, et qu'au lieu qu'on leur soulait arracher les cheveux, on leur ôtât seulement leur haut chapeau. Les Égyptiens, si dévotieux, estimaient bien satisfaire à la justice divine en lui sacrifiant des pourceaux en effigie et figurés. Invention hardie que de vouloir payer en peinture et en ombre Dieu, être si réel ! Je vis dans une saison dans laquelle nous abondons en exemples incroyables de ce vice du fait de la licence de nos guerres civiles, et on ne voit rien dans les histoires de l'antiquité de plus extrême que ce que nous en essayons tous les jours. Mais cela ne m'y a nullement apprivoisé. À peine me pouvais-je persuader, avant que je l'eusse vu, qu'il se fût trouvé des âmes si farouches qui, pour le seul plaisir du meurtre, voulussent le commettre, hacher et détrancher les membres d'autrui, aiguiser leur esprit à inventer des tortures inusitées et des morts nouvelles, sans inimitié, sans profit, et pour cette seule fin de jouir du plaisant spectacle des gestes et des mouvements pitoyables, des gémissements, et des cris lamentables d'un homme mourant d'étouffement. Car voilà l'extrême point où la cruauté puisse atteindre qu'un homme tue un homme sans colère, sans crainte, seulement pour le spectacle *ut homo hominem, non iratus, non timens, tantum spectaturus occidat.* [2] Pour moi, je n'ai pas su voir seulement sans déplaisir poursuivre et tuer une bête innocente qui est sans défense, et de qui nous ne recevons aucune offense. Et comme il advient communément que le cerf, se sentant hors d'haleine et de force, quand il n'a plus d'autre remède, se rejette et se rend à nous qui le poursuivons en nous demandant merci par ses larmes,

> Plaintif, ensanglanté,
> Il semble un suppliant

---

1. *Souloir* (du latin *solere*) : « avoir l'habitude ». Ce verbe est encore employé par Chateaubriand : « (le bon peuple) regrettera toujours la tombe de quelques messieurs de Montmorency sur laquelle il soulait de se mettre à genoux » (*Génie du christianisme*). Depuis le XVIIe siècle, il n'est plus employé qu'à l'imparfait, comme ici.

2. Sénèque, *Lettres à Lucilius*, XC, 45.

Quæstuque cruentus
Atque imploranti similis, [1]

cela m'a toujours semblé un spectacle très déplaisant. Je ne prends guère de bête en vie à qui je ne redonne les champs. Pythagore les achetait aux pêcheurs et des oiseleurs, pour en faire autant :

C'est en tuant des bêtes des bois, je crois,
Que le fer teint de sang tiédit pour la première fois
Primoque a cæde ferarum
Incaluisse puto maculatum sanguine ferrum. [2]

Les naturels sanguinaires à l'endroit des bêtes témoignent d'une propension naturelle à la cruauté.

Après qu'on se fut apprivoisé à Rome aux spectacles des meurtres d'animaux, on en vint aux hommes et aux gladiateurs. Nature a elle-même, je le crains, attaché à l'homme quelque instinct d'inhumanité. Nul ne prend son ébat à voir des bêtes s'entre-jouer et se caresser ; mais nul ne manque de le prendre à les voir s'entre-déchirer et se démembrer. Et, afin qu'on ne se moque pas de cette sympathie que j'ai avec elles, la théologie même nous ordonne quelque faveur à leur endroit. Et considérant qu'un même maître nous a logés dans ce palais pour son service, et qu'elles sont, comme nous, de sa famille, Nature a raison de nous enjoindre quelque respect et quelque affection envers elles. Pythagore emprunta la métempsychose aux Égyptiens, mais depuis elle a été reçue par plusieurs nations, et notamment par nos druides :

Les âmes n'ont point de mort. Toujours, d'un premier séjour
Quand elles sont parties, c'est en de nouvelles demeures
Qu'elles vont vivre et habiter
Morte carent animæ, semperque priore relicta
Sede, nouis domibus uiuunt, habitantque receptæ. [3]

La religion de nos anciens Gaulois comportait que les âmes, étant éternelles, ne cessaient de se mouvoir et de changer de place d'un corps à un autre, mêlant en outre à cette fantaisie quelque considération de la justice divine. Car, selon les comportements de l'âme pendant qu'elle avait été chez Alexandre, on disait que Dieu lui donnait un autre corps à habiter plus ou moins pénible et en rapport avec sa condition :

---

1. Virgile, *Énéide*, VII, 501-502.
2. Ovide, *Métamorphoses*, XV, 106-107.
3. Ovide, *Métamorphoses*, XV, 158-159.

Il les soumet aux fers muets des animaux sauvages :
Le brutal, il le change en ours,
Le voleur en loup, en renard le rusé ;
Après bien des années, après maintes vêtures,
Il les purge d'abord dans les eaux du Léthé,
Puis les rend comme avant à l'humaine figure

Muta ferarum
Cogit uincla pati, truculentos ingerit ursis,
Prædonesque lupis, fallaces uulpibus addit,
Atque ubi per uarios annos, per mille figuras
Egit, lethæo purgatos flumine tandem
Rursus ad humanæ reuocat primordia formæ. [1]

Si elle avait été vaillante, ils la logeaient dans le corps d'un lion ; si voluptueuse, dans celui d'un pourceau ; si lâche, dans celui d'un cerf ou d'un lièvre ; si malicieuse, dans celui d'un renard ; ainsi du reste, jusqu'à ce que, purifiée par ce châtiment, elle reprenait le corps de quelque autre homme :

Moi-même, il m'en souvient, au temps de la guerre de Troie,
J'étais Euphorbe, oui, né du sang de Panthée

Ipse ego, nam memini, Troiani tempore belli
Panthoides Euphorbus eram. [2]

Quant à ce cousinage-là entre nous et les bêtes, je n'en fais pas grande recette, ni non plus de ce que plusieurs nations, et notamment des plus anciennes et des plus nobles, ont non seulement reçu des bêtes dans leur société et dans leur compagnie, mais leur ont donné un rang bien au-dessus d'eux, tantôt les estimant familières et favorites de leurs dieux, et leur vouant un respect et une révérence plus qu'humaine, tantôt ne reconnaissant d'autre dieu ni d'autre divinité qu'elles : bêtes divinisées par les barbares en raison du profit qu'ils en retiraient *belluæ a barbaris propter beneficium consecratæ,* [3]

Eux, vénèrent le crocodile,
Ceux-là tremblent devant Ibis repu de serpents,
Ci-luit le masque d'or du cercopithèque sacré,
Des places au complet adorent ici le poisson,
Là, le chien

crocodilon adorat
Pars hæc, illa pauet saturam serpentibus Ibin,
Effigies sacri hic nitet aurea Cercopitheci :

---

1. Claudien, *Contre Rufin*, II, 482-484.
2. Ovide, *Métamorphoses*, XV, 160-161.
3. Cicéron, *De natura deorum*, I, XXXVI, 101.

hic piscem fluminis, illic
Oppida tota canem uenerantur. [1]

Et de ces errements, l'interprétation même que Plutarque en donne, et qui est très bien tournée, leur est encore honorable. Car il dit que ce n'était point le chat, ou le bœuf, par exemple, que les Égyptiens adoraient, mais qu'ils adoraient chez ces bêtes-là quelque figure des facultés divines, chez celle-ci la patience et l'utilité, chez celle-là la vivacité, ou, comme nos voisins les Bourguignons avec toute l'Allemagne, l'impatience de se voir enfermés, par où ils représentaient la liberté qu'ils aimaient et adoraient au-delà de toute autre faculté divine, et ainsi pour les autres. Mais quand je rencontre parmi les opinions les plus modérées ces discours qui essayent de montrer la prochaine ressemblance de nous aux animaux, et combien ils ont de part à nos plus grands privilèges, et avec combien de vraisemblance on les égale à nous, certes j'en rabats beaucoup de notre présomption, et je me démets volontiers de cette royauté imaginaire qu'on nous donne sur les autres créatures !

Quand tout cela manquerait aux animaux, il y a pourtant un certain respect qui nous attache, et un devoir général d'humanité, non seulement aux bêtes qui ont vie et sentiment, mais même aux arbres et aux plantes. Nous devons la justice aux hommes, et la grâce et la bénignité aux autres créatures qui peuvent en ressentir les effets. Il y a quelque commerce entre elles et nous, et quelque obligation mutuelle. Je ne crains point d'avouer la tendresse de ma nature, si puérile que je ne puis pas bien refuser à mon chien la fête qu'il m'offre hors de saison, ou qu'il me demande. Les Turcs ont des aumônes et des hôpitaux pour les bêtes. Les Romains avaient un soin public de la nourriture des oies par la vigilance desquelles leur Capitole avait été sauvé. Les Athéniens ordonnèrent que les mules et les mulets qui avaient servi à construire le temple appelé Hécatompédon fussent libres, et qu'on les laissât paître partout sans empêchement. Les Agrigentins avaient pour usage commun d'enterrer sérieusement les bêtes qu'ils leur avaient été chères, comme les chevaux de rare valeur, les chiens et les oiseaux utiles, ou même qui avaient servi de passe-temps à leurs enfants. Et la magnificence qui leur était ordinaire dans toutes les autres choses paraissait aussi singulièrement dans la somptuosité et le nombre des monuments élevés à cette fin, qui ont duré bien en vue pendant plusieurs siècles par la suite. Les Égyptiens enterraient les loups, les ours, les crocodiles, les chiens, et les chats

1. Juvénal, XV, 2-4, 7 et 8.

dans des lieux sacrés. Ils embaumaient leurs corps, et portaient le deuil à leurs trépas. Cimon fit une sépulture honorable aux juments avec lesquelles il avait gagné par trois fois le prix de la course aux jeux Olympiques. Xanthippe l'ancien fit enterrer son chien sur un cap de la côte qui en a depuis gardé le nom. Et Plutarque faisait conscience, dit-il, de vendre et d'envoyer à la boucherie, pour un léger profit, un bœuf qui l'avait longtemps servi.

Apologie de Raimond de Sebonde

[Chapitre XII]

C'est à la vérité une très utile et grande partie que la science ; ceux qui la méprisent témoignent assez de leur bêtise. Mais je n'estime pas pourtant sa valeur jusqu'à cette mesure extrême que certains lui attribuent, comme le philosophe Hérillos qui logeait en elle le souverain bien et tenait qu'il fût en son pouvoir de nous rendre sages et contents, chose que je ne crois pas, non plus que ce que d'autres en ont dit, à savoir que la science soit la mère de toute vertu et que tout vice soit le produit de l'ignorance. Si cela est vrai, c'est sujet à une longue interprétation. Ma maison a été dès longtemps ouverte aux gens de savoir, et elle en est fort connue, car mon père qui l'a commandée cinquante ans et plus, échauffé par cette ardeur nouvelle avec laquelle le roi François premier embrassa les lettres et les mit en honneur, rechercha avec grand soin et à grands frais la fréquentation des savants. Il les recevait chez lui comme des personnes saintes et qui ont quelque inspiration particulière de la sagesse divine. Il recueillait leurs sentences et leurs discours comme des oracles, et avec d'autant plus de révérence et de religion qu'il avait moins loisir d'en juger car il n'avait aucune connaissance des lettres, non plus que ses prédécesseurs. Moi je les aime bien, mais je ne les adore pas. Entre autres, il y avait Pierre Bunel, un homme qui avait une grande réputation de savoir en son temps. S'étant arrêté quelques jours à Montaigne dans la compagnie de mon père avec d'autres hommes de sa sorte, il lui fit présent au déloger d'un livre qui s'intitule *Theologia naturalis, siue Liber creaturarum magistri Raimondi de Sebonde*. Et parce que les langues italienne et espagnole étaient familières à mon père, et que ce livre est bâti d'un espagnol baragouiné avec des terminaisons latines, il espérait qu'avec bien peu d'aide il en pourrait faire son profit. Pierre Bunel le lui recommanda comme un livre très utile et très approprié à la saison où il le lui donna : ce fut alors en effet que les nouvelletés de Luther commençaient d'entrer en crédit et d'ébranler en beaucoup d'endroits notre antique croyance. En quoi il avait un très bon avis, et il prévoyait fort bien, par le seul moyen du raisonnement, que ce commencement de maladie déclinerait aisément en un exécrable athéisme. Car, comme le vulgaire n'a pas la possibilité de juger des choses par elles-mêmes et qu'il se laisse conduire par la fortune et les apparences, une fois qu'on lui a permis la hardiesse de mépriser et de contrôler les opinions qu'il avait eues en extrême révérence, comme celles où il y va de son salut, et qu'on a mis certains articles de sa religion en doute et à la balance, bientôt après il rejette aisément dans la même incertitude toutes les autres pièces de sa croyance qui n'avaient pas chez lui plus d'autorité ni de fondement que celles qu'on lui a ébranlées, et il secoue alors comme un joug tyrannique toutes les impressions qu'il avait reçues par l'autorité des lois ou par révérence envers l'ancien usage, car

On foule avec ardeur ce qu'auparavant on craignait
Nam cupide conculcatur nimis ante metutum, [1]

et il entreprend dès lors de ne recevoir rien à quoi il n'ait interposé son décret et accordé un consentement personnel. Or quelque temps avant sa mort, mon père ayant par hasard retrouvé ce livre sous un tas d'autres papiers abandonnés, il me demanda de le lui mettre en français. Il fait bon traduire les auteurs comme celui-là où il n'y a guère que la matière à représenter : mais pour ceux qui ont donné beaucoup à la grâce et à l'élégance du langage, il est dangereux de s'y entreprendre, surtout pour les traduire dans un idiome plus faible. C'était une occupation bien étrange et nouvelle pour moi, mais comme je me trouvais pour lors de loisir, et que je ne pouvais rien refuser de ce que me demandait le meilleur père qui fut onques, j'en vins à bout comme je pus. Il prit un singulier plaisir à ce travail et ordonna qu'on le fît imprimer, ce qui fut exécuté après sa mort.

Je trouvai belles les idées de cet auteur, la composition de son ouvrage bien suivie, et son dessein plein de piété. Parce que beaucoup de gens s'amusent à le lire, et notamment les dames, à qui nous devons le plus de service, je me suis trouvé souvent à même de les secourir pour disculper leur livre de deux principales objections qu'on lui fait. Son but est hardi et courageux, car il entreprend, contre les athéistes,

1. Lucrèce, V, 1140.

d'établir et de vérifier tous les articles de la religion chrétienne par le seul moyen des raisons humaines et naturelles. En quoi, à dire la vérité, je le trouve si ferme et si heureux que je ne pense point qu'il soit possible de mieux faire en cette matière-là, et je crois que nul ne l'a égalé. Cet ouvrage me semblant trop riche et trop beau pour un auteur dont le nom soit si peu connu, et dont tout ce que nous savons est qu'il était espagnol et faisait profession de médecine à Toulouse il y a environ deux cents ans, je m'enquis autrefois auprès d'Adrien Turnèbe [h], qui savait toutes choses, de ce qu'il pouvait en être de ce livre. Il me répondit qu'il pensait que ce fût quelque quintessence tirée de saint Thomas d'Aquin, car de vrai cet esprit-là, plein d'une érudition infinie et d'une subtilité admirable, était seul capable de telles conceptions. Toujours est-il que, quels qu'en soient l'auteur et l'inventeur (et ce n'est pas raison d'ôter sans plus de raison ce titre à Sebonde), c'était un homme d'un très grand talent, et qui avait plusieurs belles qualités.

La première critique qu'on fait de son ouvrage, c'est que les chrétiens se font du tort quand ils veulent appuyer leur croyance par des raisons humaines alors qu'elle ne se conçoit que par la foi et par une inspiration particulière de la grâce divine. Dans cette objection il semble qu'il y ait quelque zèle pieux, et pour cette raison il nous faut avec d'autant plus de douceur et de respect essayer de satisfaire à ceux qui la mettent en avant. Ce serait mieux l'affaire d'un homme versé dans la théologie que de moi qui n'y sais rien. Toutefois je juge ainsi que, pour une chose si divine et si sublime et qui de si loin surpasse l'humaine intelligence, comme l'est cette vérité dont il a plu à la bonté de Dieu de nous éclairer, il est bien besoin que, par une faveur extraordinaire et privilégiée, il nous prête encore son secours pour la pouvoir concevoir et loger en nous, et je ne crois pas que les moyens purement humains en soient aucunement capables. Et s'ils l'étaient, tant d'âmes rares et excellentes et si abondamment pourvues de forces naturelles dans les siècles anciens n'eussent pas failli par leurs raisons d'arriver à cette connaissance. C'est la foi seule qui embrasse vivement et certainement les hauts mystères de notre religion. Mais ce n'est pas à dire que ce ne soit pas une très belle et très louable entreprise que d'accommoder encore au service de notre foi les outils naturels et humains que Dieu nous a donnés. Il ne faut pas douter que ce ne soit l'usage le plus honorable que nous leur saurions donner, et qu'il n'est pas d'occupation ni de dessein plus digne d'un chrétien que de viser par toutes ses études et toutes ses pensées à embellir, étendre et amplifier la vérité de sa croyance. Nous ne nous contentons point de servir Dieu par l'esprit et par l'âme ; nous lui devons encore et lui rendons une révérence corporelle : nous appliquons nos membres mêmes et nos mouvements et les choses externes à l'honorer. Il en faut faire de même, et accompagner notre foi de toute la raison qui est en nous, mais toujours avec cette réserve de n'estimer pas que ce soit de nous qu'elle dépende, ni que nos efforts et nos arguments puissent atteindre à une connaissance aussi surnaturelle et divine.

Si elle n'entre pas chez nous par une infusion extraordinaire, si elle y entre non seulement par des raisons, mais encore par des moyens humains, elle n'y est pas dans sa dignité ni dans sa splendeur. Et certes je crains pourtant que nous n'en jouissions que par cette voie. Si nous tenions à Dieu par l'entremise d'une foi vive, si nous tenions à Dieu par lui et non par nous, si nous avions un pied et un fondement divin, les occasions humaines n'auraient pas le pouvoir de nous ébranler comme elles l'ont : notre forteresse ne serait pas pour se rendre à une si faible batterie ; l'amour de la nouvelleté, la contrainte des princes, la bonne fortune d'un parti, le changement téméraire et fortuit de nos opinions n'auraient pas la force de secouer et d'altérer notre croyance ; nous ne la laisserions pas troubler à la merci d'un nouvel argument, et par la persuasion, non pas même de toute la rhétorique qui fut onques : nous soutiendrions ces flots d'une fermeté inflexible et immobile,

Comme un énorme écueil repousse les flots qui l'assaillent
Et dissipe les eaux qui rugissent autour
De toute sa masse

Illisos fluctus rupes ut uasta refundit,
Et uarias circum latrantes dissipat undas
Mole sua. [1]

Si ce rayon de la divinité nous touchait en quelque façon, il y paraîtrait partout : non seulement nos paroles, mais encore nos actions en porteraient la lumière et le lustre. Tout ce qui partirait de nous, on le verrait illuminé de cette noble clarté. Nous devrions avoir honte qu'entre les sectes humaines il ne fut jamais aucun partisan, quelque difficulté et quelque étrangeté que soutînt sa doctrine, qui n'y conformât un peu sa conduite et sa vie, et qu'un enseignement aussi divin et céleste ne marque les chrétiens que par la langue. Voulez-vous voir cela ? comparez nos mœurs à celles d'un Mahométan, à celles d'un païen, vous demeurez toujours au-dessous, alors que, eu égard à la supériorité de notre religion, nous devrions briller par notre excellence à une distance extrême et incomparable, au point qu'on devrait

1. Virgile, *Énéide*, VII, 587-589.

dire : « Sont-ils vraiment aussi justes, aussi charitables, aussi bons ? ils sont donc chrétiens. » Tous les autres traits extérieurs sont communs à toutes les religions : espérance, confiance, événements, cérémonies, pénitence, martyres. La marque particulière de notre vérité devrait être notre vertu, comme elle est aussi la marque la plus céleste et la plus difficile et la plus digne démonstration de la vérité. C'est pourquoi notre bon saint Louis eut raison, quand ce roi tartare qui s'était fait chrétien projetait de venir à Lyon baiser les pieds du pape et y reconnaître la sainteté qu'il espérait trouver dans nos mœurs, de l'en détourner instamment de peur qu'au contraire notre façon de vivre débordée ne le dégoûtât d'une si sainte croyance. Encore que depuis il en advint tout diversement à cet autre qui, étant allé à Rome dans le même dessein et y voyant la dissolution des prélats et du peuple de ce temps-là, s'affermit d'autant plus fortement dans notre religion en considérant combien elle devait avoir de force et de divinité pour maintenir sa dignité et sa splendeur parmi tant de corruption et entre des mains aussi vicieuses. Si nous avions une seule goutte de foi, nous remuerions les montagnes de leur place, dit la sainte parole : nos actions, qui seraient guidées et accompagnées par la divinité, ne seraient pas simplement humaines, elles auraient quelque chose de miraculeux, comme notre croyance : *breuis est institutio uitæ honestæ beatæque si credas*, tu auras bien vite instruit ta vie au bien et au bonheur si tu as la foi. [1]

Les uns font accroire au monde qu'ils croient ce qu'ils ne croient pas. Les autres, en plus grand nombre, se le font accroire à eux-mêmes, ne sachant pas pénétrer ce que c'est que croire. Nous trouvons étrange si, lors des guerres qui pressent à cette heure notre État, nous voyons les événements flotter et varier d'une manière commune et ordinaire : c'est que nous n'y apportons rien que du nôtre. La justice, qui est dans l'un des partis, elle n'y est que pour l'ornement et la couverture ; elle y est bien alléguée, mais elle n'y est ni reçue, ni logée, ni épousée : elle y est comme dans la bouche de l'avocat, non comme dans le cœur et l'affection du plaignant. Dieu doit son secours extraordinaire à la foi et à la religion, non pas à nos passions. Les hommes sont ici les conducteurs, et ils s'y servent de la religion : ce devrait être tout le contraire. Sentez si ce n'est pas de nos mains que nous menons la religion, en tirant d'elle comme d'une cire tant de figures contraires d'une règle si droite et si ferme. Quand cela s'est-il vu mieux qu'en France de nos jours ? Ceux qui l'ont prise à gauche, ceux qui l'ont prise à droite, ceux qui en disent noir, ceux qui en disent blanc

1. Quintilien, *Institution oratoire*, XII, XI, 12.

emploient si pareillement la religion à leurs violentes et ambitieuses entreprises, ils s'y conduisent selon une méthode si uniforme en débordement et en injustice qu'ils rendent douteuse et malaisée à croire la différence qu'ils prétendent qu'auraient leurs opinions sur une chose dont dépendent la conduite et la loi de notre vie. Pourrait-on jamais voir partir d'une même école et d'un même enseignement des mœurs plus unies et plus unes ? Voyez l'horrible impudence avec laquelle nous jouons à la pelote avec les raisons divines, et combien irréligieusement nous les avons et rejetées et reprises selon que la fortune nous a changés de place en ces orages publics. À cette question si solennelle, s'il est permis au sujet de se rebeller et de s'armer contre son prince pour la défense de la religion, qu'il vous souvienne en quelles bouches l'année passée la réponse affirmative était l'arc-boutant d'un parti, de quel autre parti la négative était l'arc-boutant, et oyez à présent de quel quartier viennent la voix et la leçon de l'une et de l'autre, et si les armes bruissent moins pour cette cause que pour celle-là ! Et nous brûlons les gens qui disent qu'il faut soumettre la vérité au joug de notre besoin, et combien la France fait pis que de le dire !

Confessons la vérité : qui trierait de l'armée, même légitime, ceux qui y marchent par le seul zèle d'une affection religieuse, et encore ceux qui regardent seulement la protection des lois de leur pays ou le service du prince, il n'en saurait bâtir une compagnie complète d'hommes d'armes. D'où vient qu'il s'en trouve si peu qui aient maintenu le même parti et la même allure dans nos mouvements publics, et que nous les voyons tantôt n'aller que le pas, tantôt y courir à bride abattue ? Et les mêmes hommes tantôt gâter nos affaires par leur violence et leur âpreté, tantôt par leur froideur, leur mollesse et leur pesanteur, si ce n'est qu'ils y sont poussés par des considérations particulières et occasionnelles, selon la diversité desquelles ils se meuvent ? Je vois évidemment que nous ne prêtons volontiers à la dévotion que les services qui flattent nos passions. Il n'est point d'hostilité aussi éminente que la chrétienne. Notre zèle fait merveilles quand il suit notre pente à la haine, la cruauté, l'ambition, l'avarice, la diffamation, la rébellion. À contre-poil, vers la bonté, la bienveillance, la modération, si, comme par miracle, quelque tempérament rare ne l'y porte, il n'y va ni du pied ni de l'aile. Notre religion est faite pour extirper les vices : elle les couvre, les nourrit, les incite.

Il ne faut point faire barbe de foin [1] à Dieu, comme on dit. Si nous croyions en lui, je ne dis pas par foi, mais par simple croyance, voire (et je le dis à notre grande confusion) si nous le croyions et connaissions comme une autre histoire, comme l'un de nos compagnons, nous l'aimerions au-dessus de toutes autres choses pour la bonté et la beauté infinies qui brillent en lui ; au moins viendrait-il au même rang dans notre affection que les richesses, les plaisirs, la gloire et nos amis. Le meilleur d'entre nous ne craint point de l'outrager comme il craint d'outrager son voisin, son parent, son maître. Est-il homme de si simple entendement qui, ayant d'un côté l'objet d'un de nos plaisirs vicieux, et de l'autre, avec le même degré de connaissance et de certitude, l'état d'une gloire immortelle, voulût troquer l'un pour l'autre ? Et pourtant nous y renonçons souvent par pur mépris, car quelle envie nous attire au blasphème, sinon d'aventure l'envie même de l'offense ?

Le philosophe Antisthène, comme on l'initiait aux mystères d'Orphée, et alors que le prêtre lui disait que ceux qui se vouaient à cette religion devaient recevoir après leur mort des biens éternels et parfaits : « Si tu le crois, pourquoi ne meurs-tu donc toi-même ? » lui fit-il. Diogène, plus brusquement selon sa mode, et plus loin de notre propos, au prêtre qui le prêchait de même d'entrer dans son ordre pour parvenir aux biens de l'autre monde : « Voudrais-tu pas que je croie qu'Agésilas et Épaminondas, de si grands hommes, seront misérables, et que toi qui n'es qu'un veau et qui ne fais rien qui vaille tu seras bienheureux parce que tu es prêtre ? » Ces grandes promesses de la béatitude éternelle, si nous les recevions en leur accordant la même autorité qu'à un raisonnement philosophique, nous n'aurions pas la mort en aussi grande horreur que nous l'avons, car l'âme, se sachant immortelle :

De se dissoudre en la mort moins certes gémirait-elle,
Joyeuse d'aller sans robe ainsi qu'un serpent sans mue,
Ou comme le vieux cerf sans sa corne branchue

Non iam se moriens dissolui conquereretur,
Sed magis ire foras uestemque relinquere ut anguis
Gauderet, prælonga senex aut cornua ceruus, [2, i]

---

1. Le « fouarre », ou « feurre », c'est le *fourrage*, foin ou paille ; « barbe de foarre », est ici dit pour « gerbe de paille » ; « faire gerbe de foarre », c'était remettre des gerbes de paille au lieu de gerbes pleines en paiement de la dîme. En disant « faire barbe de paille », Montaigne semble avoir contaminé deux expressions proverbiales et voulu dire : « faire la barbe » au seigneur, *i.e.* se moquer de lui, en lui faisant remettre des gerbes « de foin » au lieu de gerbes pleines en paiement de la dîme.

2. Lucrèce, III, 613-615.

je veux « être dissous », dirions-nous, et être avec Jésus-Christ ! La force du discours de Platon sur l'immortalité de l'âme poussa bien certains de ses disciples à la mort pour jouir plus promptement des espérances qu'il leur donnait ! Tout cela, c'est un signe très évident que nous ne recevons notre religion qu'à notre façon et par nos mains, et non autrement que comme les autres religions se reçoivent. Nous nous sommes trouvés par rencontre dans le pays où elle était en usage ; nous avons égard ou à son ancienneté ou à l'autorité des hommes qui l'ont maintenue ; ou bien nous craignons les menaces qu'elle attache aux mécréants, ou bien nous ajoutons foi en ses promesses. Ces considérations-là doivent être employées au service de notre croyance, mais comme subsidiaires : ce sont des considérations humaines. Une autre région, d'autres témoins, de pareilles promesses et menaces nous pourraient imprimer par la même voie une croyance contraire. Nous sommes chrétiens au même titre que nous sommes ou périgourdins ou allemands.

Et quant à ce que dit Platon, qu'il est peu d'hommes si fermement athées qu'un danger pressant ne ramène à reconnaître la divine puissance, ce rôle-là ne touche point un vrai chrétien : c'est l'affaire des religions mortelles et humaines que d'être reçues par une humaine conduite. Quelle foi doit-ce être que la lâcheté et la faiblesse de cœur implantent et établissent en nous ? Plaisante foi, qui ne croit ce qu'elle croit que parce qu'elle n'a pas le courage de le mécroire ! Une passion vicieuse comme la couardise et l'effroi peut-elle produire en notre âme aucun mouvement raisonnable ? Les athées, dit Platon, établissent par la raison de leur jugement que ce que l'on raconte des enfers et des peines futures est feint, mais, l'occasion de l'expérimenter s'offrant lorsque la vieillesse ou les maladies les approchent de leur mort, la terreur que celle-ci leur inspire les remplit d'une nouvelle croyance par l'horreur de leur condition à venir. Et parce que de telles idées rendent les cœurs craintifs, il défend dans ses lois qu'on édicte de telles menaces, et qu'on persuade que de la part des dieux il puisse venir à l'homme aucun mal, sinon pour son plus grand bien, quand il lui en échoit, et pour le guérir. On raconte de Bion, qu'infecté de l'athéisme de Théodore, il s'était longtemps moqué des hommes religieux, mais, la mort le surprenant, qu'il en vint aux plus extrêmes superstitions, comme si les dieux s'ôtaient et se remettaient selon la situation où se trouvait Bion. Platon, et ces exemples, veulent conclure que nous sommes ramenés à la croyance en Dieu ou par raison ou par force. L'athéisme étant une proposition comme dénaturée et monstrueuse, difficile aussi, et malaisée à établir dans l'esprit humain, si insolent et déréglé qu'il puisse être, il s'est vu bien des hommes qui, par vanité et par fierté de concevoir des opinions non communes et réformatrices du monde, affectaient par contenance de le professer : ceux-là, s'ils sont assez fous, ne sont pas cependant assez forts pour l'avoir vraiment implantée dans leur conscience. C'est pourquoi ils ne laisseront pas de joindre leurs mains vers le ciel si vous leur appliquez un bon coup d'épée dans la poitrine, et quand la crainte ou la maladie aura abattu et appesanti cette licencieuse effervescence d'humeur volage, ils ne laisseront pas de se ressaisir et de se laisser bien discrètement prendre la main par les croyances et les exemples publics. Autre chose est un dogme sérieusement digéré, autre chose ces impressions superficielles, lesquelles nées de la débauche d'un esprit démanché, vont nageant dans l'imaginaire de façon téméraire et incertaine. Hommes bien misérables et écervelés qui tâchent d'être pires qu'ils ne peuvent ! L'erreur propre au paganisme, et l'ignorance de notre sainte vérité, laissa cette grande âme, mais grande d'humaine grandeur seulement, tomber encore dans cet autre préjugé voisin que les enfants et les vieillards se trouvent plus susceptibles de religion, comme si elle naissait et tirait son crédit de notre débilité !

Le nœud qui devrait attacher notre jugement et notre volonté, qui devrait étreindre notre âme et nous joindre à notre créateur, ce devrait être un nœud qui prenne ses replis et ses forces, non pas dans nos considérations, nos raisons et nos passions, mais dans une étreinte divine et surnaturelle, n'ayant qu'une forme, qu'un visage, et qu'un éclat, qui est l'autorité de Dieu et sa grâce. Or notre cœur et notre âme étant régie et commandée par la foi, c'est raison qu'elle tire au service de son dessein toutes nos autres pièces selon leur portée. Aussi n'est-il pas croyable que toute cette machine n'ait point quelques marques empreintes de la main de ce grand architecte, et qu'il n'y ait quelque image dans les choses du monde se rapportant quelque peu à l'ouvrier qui les a bâties et formées. Il a laissé dans ces hauts ouvrages le caractère de sa divinité, et il ne tient qu'à notre débilité que nous ne le puissions découvrir. C'est ce qu'il nous dit lui-même, que ses opérations invisibles, il nous les manifeste par les visibles. Sebonde s'est efforcé à cette digne étude, et nous montre comment il n'est nulle pièce du monde qui démente son créateur. Ce serait faire tort à la bonté divine si l'univers ne s'accordait point à notre croyance. Le ciel, la terre, les éléments, notre corps et notre âme, toutes choses y conspirent : il n'est que de trouver le moyen de s'en servir. Elles nous instruisent, si nous sommes capables d'entendre. Car ce monde est un temple très saint, dans lequel l'homme est introduit pour y contempler non des statues sculptées de main mortelle, mais celles que la divine pensée a faites perceptibles à nos sens, le soleil, les étoiles, les eaux et la terre, pour nous représenter les choses intelligibles. Les choses invisibles de Dieu, dit saint Paul, apparaissent par la création du monde, quand nous considérons sa sapience éternelle et sa divinité à travers ses œuvres,

Car Dieu lui-même n'envie au monde la vue des cieux :
Les faisant rouler sans trêve, il fait qu'on aperçoit
Son visage et son corps, il s'inculque lui-même et s'offre,
Pour se faire bien connaître et enseigner par les yeux
Quelle marche est la sienne, et qu'à ses lois fidèle on soit

Atque adeo faciem coeli non inuidet orbi
Ipse Deus, uultusque suos corpusque recludit
Semper uoluendo : seque ipsum inculcat et offert,
Ut bene cognosci possit, doceatque uidendo
Qualis eat, doceatque suas attendere leges. [1]

Or nos raisons et nos discours humains, c'est comme la matière lourde et stérile : la grâce de Dieu en est la forme, c'est elle qui lui donne la façon et le prix. De même que les actions vertueuses de Socrate et de Caton demeurent vaines et inutiles pour n'avoir eu leur fin et n'avoir regardé l'amour et l'obéissance du vrai créateur de toutes choses et pour avoir ignoré Dieu, de même en est-il de nos imaginations et de nos discours : ils ont quelque corps, mais d'une masse informe, sans façon et sans jour, si la foi et la grâce de Dieu n'y sont jointes. La foi venant à teindre et illuminer les arguments de Sebonde, elle les rend fermes et solides : ils sont capables de servir d'acheminement et de première guide à un apprenti pour le mettre sur la voie de cette connaissance : ils le façonnent en quelque façon et le rendent capable de la grâce de Dieu par le moyen de laquelle après se parachève et se parfait notre croyance. Je sais un homme d'autorité nourri aux lettres qui m'a confessé avoir été ramené des erreurs de la mécréance par l'entremise des arguments de Sebonde. Et quand on les dépouillera de cet ornement et du secours et de l'approbation de la foi, et qu'on les prendra pour fantaisies purement humaines afin d'en combattre ceux qui sont précipités aux épouvantables et horribles ténèbres de l'irréligion, ils se trouveront encore alors aussi solides et aussi fermes que nuls autres de même condition qu'on leur puisse opposer. De façon que nous serons en mesure de dire à nos adversaires : Si mieux avez, produisez-le, sinon, inclinez-vous

Si melius quid habes, accerse, uel imperium fer ! [2]

1. Manilius, IV, 907-911.
2. Horace, *Épîtres*, I, V, 6.

Qu'ils souffrent la force de nos preuves, ou qu'ils nous en fassent voir ailleurs, et sur quelque autre sujet, de mieux tissues et de mieux étoffées !

Je me suis sans y penser à demi déjà engagé dans la seconde objection à laquelle j'avais proposé de répondre pour Sebonde. D'aucuns [1] disent que ses arguments sont faibles et impropres à vérifier ce qu'il veut, et ils se font forts de les mettre bas aisément. Il faut secouer ceux-ci un peu plus rudement, car ils sont plus dangereux et plus malicieux que les premiers. On interprète volontiers les dits d'autrui à la faveur des opinions qu'on a préjugées en soi : pour un athéiste, tous les écrits tirent vers l'athéisme. Il infecte de son propre venin la matière innocente. Ceux-ci ont certain parti pris qui leur rend le goût fade aux raisons de Sebonde. Au demeurant il leur semble qu'on leur laisse beau jeu en leur donnant la liberté de combattre notre religion par les armes purement humaines, alors qu'ils n'oseraient l'attaquer dans sa majesté pleine d'autorité et de commandement. Le moyen que je prends pour rabattre cette frénésie, et qui me semble le plus propre, c'est de froisser et fouler aux pieds l'orgueil et l'humaine fierté, c'est de leur faire sentir l'inanité, la vanité, et le néant de l'homme, de leur arracher des poings les chétives armes de leur raison, de leur faire baisser la tête et mordre la terre sous l'autorité et la révérence de la majesté divine. C'est à elle seule qu'appartiennent la science et la sapience, c'est elle seule qui peut estimer de soi quelque chose, et à qui nous dérobons le compte que nous faisons de nous et le prix que nous nous donnons, car Dieu ne permet pas qu'un autre que lui s'enorgueillisse

θύ γὰρ ἐᾷ φρονεῖν ὁ Θεὸς μέγα ἄλλον ἢ ἑαυτόν.

Abattons cette outrecuidance, premier fondement de la tyrannie du malin esprit. Dieu résiste aux orgueilleux et aux humbles accorde sa grâce *Deus superbis resistit, humilibus autem dat gratiam.* [2] L'intelligence est en tous les dieux, dit Platon, et point ou peu chez les hommes.

Or c'est cependant beaucoup de consolation pour l'homme chrétien de voir que nos outils mortels et caduques soient si proprement assortis à notre foi sainte et divine que lorsqu'on les emploie à des sujets par nature mortels et caduques ils n'y sont pas appropriés plus uniment ni avec plus de force. Voyons donc si l'homme a bien en sa puissance d'autres raisons plus fortes que celles de Sebonde, voire s'il est en lui d'arriver à aucune certitude par argument et par raison-

1. Les rationalistes, deuxième catégorie d'objecteurs à Sebonde, après les athéistes.
2. Saint Pierre, Première épître, V, 5.

nements. Car Saint Augustin plaidant contre ces gens-ci a raison de leur reprocher d'être injustes en ce qu'ils tiennent pour fausses les parties de notre croyance que notre raison défaille à établir. Et, pour montrer qu'assez de choses peuvent être et avoir été dont notre discours ne saurait fonder la nature et les causes, il leur met en avant certaines expériences connues et indubitables auxquelles l'homme confesse ne rien voir. Et il fait cela, comme toutes les autres choses, avec une curieuse et ingénieuse recherche. Il faut faire plus, et leur apprendre que pour convaincre la faiblesse de leur raison il n'est pas besoin d'aller trier de rares exemples, et qu'elle est si manchote et si aveugle qu'il n'y a nulle si claire facilité qui lui soit assez claire, que l'aisé et le malaisé lui sont un, que tous les sujets également, et la nature en général désavouent sa juridiction et son entremise.

Que nous prêche la vérité quand elle nous prêche de fuir la philosophie intramondaine, quand elle nous inculque si souvent que notre sagesse n'est que folie devant Dieu, que de toutes les vanités la plus vaine c'est l'homme, que l'homme qui présume de son savoir ne sait pas même ce que c'est que savoir, et que l'homme qui n'est rien, s'il pense être quelque chose, se séduit lui-même et se trompe ? Ces sentences du Saint-Esprit expriment si clairement et si vivement ce que je veux soutenir qu'il ne me faudrait aucune autre preuve contre des gens qui se rendraient en toute soumission et toute obéissance à son autorité. Mais ceux-ci veulent être fouettés à leurs propres dépens, et ne veulent souffrir qu'on combatte leur raison que par elle-même. Considérons donc pour l'heure l'homme seul, sans secours étranger, armé seulement de ses armes, et dépourvu de la grâce et de la connaissance divine qui est tout son honneur, sa force, et le fondement de son être. Voyons combien il a de tenue en ce bel équipage ! Qu'il me fasse entendre par l'effort de son discours sur quels fondements il a bâti ces grands avantages qu'il pense avoir sur les autres créatures ! Qui lui a persuadé que ce branle admirable de la voûte céleste, que la lumière éternelle de ces flambeaux roulant si fièrement sur sa tête, que les mouvements épouvantables de cette mer infinie, soient établis et se continuent sur tant de siècles pour sa commodité et pour son seul service ? Est-il possible de rien imaginer de si ridicule que cette misérable et chétive créature, qui n'est pas seulement maîtresse de soi, exposée aux offenses de toutes choses, se dise maîtresse et impératrice de l'univers duquel il n'est pas en sa puissance de connaître la moindre partie, et tant s'en faut de la commander ? Et ce privilège qu'il s'attribue d'être le seul en ce grand bâtiment qui ait la capacité d'en reconnaître la beauté et les pièces, le seul qui puisse en rendre grâce à l'architecte, et tenir compte de la recette et des dépenses du monde, oui, qui donc lui a scellé ce privilège ? Qu'il nous montre les lettres de cette belle et grande charge ! Ont-elles été octroyées en faveur des sages seulement ? Elles ne touchent alors guère de gens ! Les fous et les méchants sont-ils dignes d'une faveur aussi extraordinaire, et de se voir ainsi préférés à tout le reste, alors qu'ils sont la pire pièce du monde ?

En croirons-nous celui-là : Qui nous dira pour qui a été créé le monde ? Pour les êtres, bien sûr, qui usent de raison. Ceux-là sont les dieux et les hommes, assurément les êtres les plus parfaits *Quorum igitur causa quis dixerit effectum esse mundum ? Eorum scilicet animantium, quæ ratione utuntur. Hi sunt dii et homines, quibus profecto nihil est melius.* [1] Nous n'aurons jamais assez bafoué l'impudence de cet accouplage ! Mais, pauvret, qu'a-t-il en soi qui soit digne d'un tel avantage ? À considérer cette vie incorruptible des corps célestes, leur beauté, leur grandeur, leur mouvement continu réglé selon une loi si précise :

Lorsque l'on contemple au ciel l'infinité du firmament,
Les astres qui cloutent l'éther de leur scintillement,
Que du soleil et de la lune il nous vient la pensée

Cum suspicimus magni coelestia mundi
Templa super, stellisque micantibus Æthera fixum,
Et uenit in mentem Lunæ Solisque uiarum, [2]

à considérer, dis-je, la domination et la puissance que ces corps-là ont, non seulement sur nos vies et sur les conditions de notre fortune, car aux astres il a suspendu nos actes et nos vies

Facta etenim et uitas hominum suspendit ab astris, [3]

mais sur nos inclinations mêmes, nos discours, nos volontés, qu'ils régissent, poussent et agitent à la merci de leurs influences, comme notre raison nous l'apprend et le trouve, elle qui

par longues observations
Découvre les secrètes lois des constellations,
Et le branle alterné dont s'émeuvent les mondes,
Et discerne à des signes certains
Les vicissitudes de nos destins

speculataque longe
Deprendit tacitis dominantia legibus astra,

1. Cicéron *De natura deorum*, II, LIII, 133.
2. Lucrèce, V, 1204-1206.
3. Manilius, III, 58.

Et totum alterna mundum ratione moueri,
Fatorumque uices certis discernere signis [1]

à voir encore que non un homme seul, non un roi, mais les monarchies, les empires, et tout ce bas monde se meut au branle des moindres mouvements célestes :

Combien des mouvements si petits font de différence,
Tant jusque sur les rois règne leur influence !
Quantaque quam parui faciant discrimina motus :
Tantum est hoc regnum quod regibus imperat ipsis, [2]

si notre vertu, si nos vices, si nos talents et notre science, et si ce même discours que nous faisons sur la force des astres, et cette comparaison d'eux à nous, si tout cela, dis-je, advient, comme en juge notre raison, par leur entremise et par leur faveur :

l'un, par amour rendu furieux,
Veut traverser le Pont et faire tomber Troie,
D'un autre le sort est de rapporter des lois,
Ici des parents tuent leurs fils et des enfants leurs pères,
En armes courent se blesser l'un sur l'autre des frères :
Cette guerre n'est nôtre : on les force à ces efforts,
À s'infliger leur châtiment, à déchirer leurs corps :
C'est toujours au destin de balancer le destin même
furit alter amore,
Et pontum tranare potest et uertere Troiam,
Alterius sors est scribendis legibus apta,
Ecce patrem nati perimunt, natosque parentes,
Mutuasque armati cœunt in uulnera fratres,
Non nostrum hoc bellum est, coguntur tanta mouere,
Inque suas ferri poenas, lacerandaque membra,
Hoc quoque fatale est sic ipsum expendere fatum, [3]

enfin si nous tenons d'une distribution du ciel cette part de raison que nous avons, comment nous pourra-t-elle égaler à lui ? Comment soumettre à notre science son essence et ses conditions ? Tout ce que nous voyons dans ces corps-là nous étonne : quel chantier, quels burins, quels leviers, quelles machines, quels ouvriers pour un tel ouvrage *quæ molitio, quæ ferramenta, qui uectes, quæ machinæ, qui ministri tanti operis fuerunt ?* [4] Pourquoi les privons-nous et d'âme, et de vie, et de discours ? Y avons-nous reconnu quelque stupidité immobile et insensible, nous qui n'avons

1. Manilius, I, 62-65.
2. Manilius, I, 58 et IV, 93.
3. Manilius, IV, 79-85 et 118.
4. Cicéron, *De natura deorum*, I, VIII, 19.

aucun commerce avec eux que d'obéissance ? Dirons-nous que nous n'avons vu en nulle autre créature que l'homme l'usage d'une âme raisonnable ? Eh quoi ! Avons-nous vu quelque chose de semblable au soleil ? Laisse-t-il d'être parce que nous n'avons rien vu de semblable ? Et ses mouvements cessent-ils parce qu'il n'en est point de pareils ? Si ce que nous n'avons pas vu n'est pas, notre science est merveilleusement raccourcie : qu'est-ce donc que tant d'étroitesse d'esprit *Quæ sunt tantæ animi angustiæ ?* [1] Sont-ce pas des songes de l'humaine vanité que de faire de la Lune une terre céleste ? D'y deviner des montagnes, des vallées, comme Anaxagore ? D'y planter des habitations et des demeures humaines, et d'y dresser des colonies pour notre commodité, comme le font Platon et Plutarque ? Et de notre terre d'en faire un astre éclairant et lumineux ? Entre autres infirmités des mortels, il est aussi cette nuit de l'esprit, non pas tant nécessité d'errer qu'amour de l'erreur *Inter cætera mortalitatis incommoda, et hoc est, caligo mentium : nec tantum necessitas errandi, sed errorum amor.* [2] Le corps corruptible alourdit l'âme, et le séjour terrestre déprime l'intelligence aux mille pensées *Corruptibile corpus aggrauat animam, et deprimit terrena inhabitatio sensum multa cogitantem* [3].

La présomption est notre maladie naturelle et originelle. La plus calamiteuse et fragile de toutes les créatures, c'est l'homme, et avec cela la plus orgueilleuse. Elle se sent et se voit logée ici parmi la bourbe et la fiente du monde, attachée et clouée à la pire, plus morte et croupie partie de l'univers, au dernier étage du logis, et le plus éloigné de la voûte céleste, avec les animaux de la pire condition des trois, et elle se va plantant par l'imagination au-dessus du cercle de la Lune, et ramenant le ciel sous ses pieds ! C'est par la vanité de cette même imagination que l'homme s'égale à Dieu, qu'il s'attribue les conditions divines, qu'il se trie soi-même et se sépare de la masse des autres créatures, qu'il taille leurs parts aux animaux ses confrères et ses compagnons, et qu'il leur distribue telle portion de facultés et de forces que bon lui semble. Comment connaît-il par l'effort de son intelligence les mouvements internes et secrets des animaux ? Par quelle comparaison d'eux à nous conclut-il à la bêtise qu'il leur attribue ? Quand je me joue à ma chatte, qui sait si elle passe son temps avec moi plus que je ne le fais elle ? Nous nous entretenons par des singeries réciproques. Si j'ai mon heure de commencer ou de refuser, elle a aussi la sienne. Platon, dans sa peinture de l'âge d'or sous Saturne, compte parmi les principaux avantages de l'homme d'alors la communication qu'il avait avec les bêtes : en s'enquérant et

1. Cicéron, *De natura deorum*, I, XXXI, 88.
2. Sénèque, *De ira*, II, 9-10.
3. Sagesse, IX, 15.

en s'instruisant à leur contact, il savait les vraies qualités, et les différences de chacune d'elles, par où il acquérait une intelligence et une prudence très parfaites, et en conduisait de bien loin plus heureusement sa vie que nous ne le saurions faire. Nous faut-il une meilleure preuve pour juger l'impudence humaine sur le fait des bêtes ? Ce grand auteur a opiné qu'en la plus grande part de la forme corporelle que nature leur a donnée, elle a regardé seulement l'usage des prophéties qu'on en tirait en son temps ! Ce défaut qui empêche la communication entre elles et nous, pourquoi n'est-il aussi bien à nous qu'à elles ? C'est à deviner à qui est la faute de ne nous entendre point, car nous ne les entendons non plus qu'elles nous. Par cette même raison elles nous peuvent estimer bêtes, comme nous les estimons. Ce n'est pas grande merveille si nous ne les entendons pas : de même n'entendons-nous pas les Basques et les Troglodytes ! Toutefois d'aucuns se sont vantés de les entendre, comme Apollonios de Thyane, Mélampos, Tirésias, Thalès et d'autres. Et qu'ainsi vont les choses, comme disent les cosmographes, qu'il y a des nations qui reçoivent un chien pour leur roi, il faut bien qu'ils donnent certaine interprétation à sa voix et à ses mouvements. Il nous faut remarquer la parité qu'il y a entre nous : nous avons quelque moyenne intelligence de leurs idées, de même les bêtes en ont une des nôtres, environ dans la même mesure. Elles nous flattent, nous menacent, et nous requièrent, et nous elles.

Au demeurant nous découvrons de façon bien évidente qu'entre elles il y a une pleine et entière communication, et qu'elles s'entre-entendent, non seulement celles de même espèce, mais aussi celles d'espèces différentes :

Nos troupeaux tout muets n'ont, comme les bêtes des bois,
Que leurs cris pour parler, et varient leur langage
Selon que joie ou peine ou peur nourrissent leur ramage

Et mutæ pecudes, et denique secla ferarum
Dissimiles suerunt uoces uariasque cluere
Cum metus aut dolor est, aut cum iam gaudia gliscunt ; [1]

En certain aboi du chien le cheval connaît qu'il y a de la colère : de tel autre ton de sa voix, il ne s'effraie point. Chez les bêtes mêmes qui n'ont pas de voix, par la société de bons services que nous voyons entre elles, nous concluons aisément à quelque autre moyen de communication : leurs mouvements discourent et dissertent

---

1. Lucrèce, V, 1059-1061.22 Lucrèce, V, 1030-1031.

À peu près de la façon dont un enfant peut sembler
Suppléer par le geste à son impuissance à parler

Non alia longe ratione atque ipsa uidetur
Protrahere ad gestum pueros infantia linguæ : [1]

pourquoi pas tout aussi bien que nos muets disputent, argumentent, et content des histoires au moyen de signes ? J'en ai vu de si souples et si bien formés à cela qu'à la vérité, il ne leur manquait rien pour savoir se faire entendre à la perfection. Les amoureux se courroucent, se réconcilient, se prient, se remercient, se donnent rendez-vous, et se disent enfin toutes choses avec leurs yeux :

Leur silence même a toujours
Et sa prière et son discours

E'l silentio ancor suole
Haver prieghi e parole. [2]

Quoi ! Même avec nos seules mains nous requérons, nous promettons, nous appelons, congédions, menaçons, prions, supplions, nous nions, refusons, interrogeons, admirons, dénombrons, nous nous confessons, nous nous repentons, nous craignons, nous vergognons, doutons, instruisons, commandons, incitons, nous encourageons, nous jurons, témoignons, accusons, condamnons, absolvons, injurions, méprisons, défions, nous nous dépitons, nous flattons, nous applaudissons, bénissons, humilions, moquons, nous nous réconcilions, nous recommandons, exaltons, festoyons, nous nous réjouissons, complaignons, attristons, déconfortons, désespérons, étonnons, écrions, taisons, et quoi non ? Avec une variété qui se multiplie à l'envi de la langue ! Avec la tête seule nous convions, nous renvoyons, avouons, désavouons, démentons, bien voulons, honorons, vénérons, dédaignons, nous demandons, éconduisons, égayons, lamentons, nous caressons, tançons, soumettons, bravons, exhortons, nous menaçons, assurons, nous nous enquérons. Quoi donc avec nos seuls sourcils ? Quoi donc de nos seules épaules ? Il n'est mouvement qui ne parle un langage intelligible sans école, et un langage public, ce qui fait, voyant la variété et l'usage distingué des autres, que celui-ci doit plutôt être jugé le propre de l'humaine nature ! Je laisse à part ce que la nécessité en apprend soudain à chacun de ceux qui en ont besoin, et les alphabets des doigts, et les grammaires de gestes, et les sciences qui ne s'exercent et ne s'expriment que par ceux-ci, et les nations que Pline dit n'avoir point d'autre langue ! Un ambassadeur de la ville

1. Lucrèce, V, 1030-1031
2. Le Tasse, *Aminta*.

d'Abdère, après avoir longuement parlé au roi Agis de Sparte, lui demanda : « – Eh bien, Sire, quelle réponse veux-tu que je rapporte à nos concitoyens ? – Que je t'ai laissé dire tout ce que tu as voulu, et tant que tu as voulu, sans jamais dire mot. » : voilà-t-il pas un silence tout langagier et bien intelligible ?

Au reste, quelle sorte de nos savoir-faire ne reconnaissons-nous pas dans les opérations des animaux ? Est-il société réglée avec plus d'ordre, diversifiée entre plus de charges et d'offices, et plus constamment maintenue que celle des mouches à miel ? Cette disposition d'actions et de fonctions si ordonnée, la pouvons-nous imaginer se conduire sans discours et sans prudence ?

Leur exemple et ces signes faisant foi,
Les abeilles par certains ont été considérées
Avoir part au divin et boire aux sources éthérées

His quidam signis atque hæc exempla sequuti,
Esse apibus partem divinæ mentis, et haustus
Æthereos dixere. [1]

Les hirondelles que nous voyons au retour du printemps fureter tous les coins de nos maisons, cherchent-elles sans jugement, et choisissent-elles sans discernement entre mille places celle qui leur est la plus commode à se loger ? Et dans la belle et admirable texture qu'ils bâtissent, les oiseaux peuvent-ils se servir plutôt d'une figure carrée que d'une ronde, d'un angle obtus plutôt que d'un angle droit sans en savoir les conditions et les effets ? Prennent-ils tantôt de l'eau, tantôt de l'argile sans juger que la dureté s'amollit en l'humectant ? Planchent-ils leur palais de mousse ou de duvet sans prévoir que les membres tendres de leurs petits y seront plus mollement blottis et plus à l'aise ? Se couvrent-ils du vent pluvieux, et plantent-ils leur niche à l'orient sans connaître les différents régimes de ces vents ni considérer que l'un leur est plus salutaire que l'autre ? Pourquoi l'araignée épaissit sa toile en un endroit et la relâche en un autre, se sert à cette heure de cette sorte de nœud, tantôt après de celle-là, si elle n'a ni réflexion, ni raisonnement, ni conséquence ? Nous reconnaissons assez dans la plupart de leurs ouvrages combien les animaux nous sont supérieurs et combien notre art est faible à les imiter. Nous voyons toutefois dans les nôtres, plus grossiers, les facultés que nous y employons, et que notre âme y met toutes ses forces : pourquoi n'en estimons-nous pas autant d'eux ? Pourquoi attribuons-nous à je ne sais quelle inclination innée et servile des ouvrages qui surpassent tout ce que nous pouvons

1. Virgile, *Géorgiques*, IV, 219-221.

par nature et par art ? En quoi, sans y penser, nous leur donnons un très grand avantage sur nous, qui est de mettre en fait que nature, par une douceur maternelle, les accompagne et les guide comme par la main dans toutes les actions et toutes les commodités de leur vie, tandis que nous, elle nous abandonne au hasard et à la fortune, et à devoir chercher par le détour de l'art les choses nécessaires à notre conservation, cependant qu'elle nous refuse avec cela les moyens de pouvoir arriver par quelque création et par quelque effort d'esprit que ce soit à l'habileté naturelle des bêtes, de manière que leur stupidité bestiale surpasse pour toutes les commodités de la vie tout ce que peut notre divine intelligence ! Vraiment, à ce compte-là, nous aurions bien raison de l'appeler une très injuste marâtre ! Mais il n'en est rien, notre société n'est pas si difforme et déréglée. Nature a embrassé universellement toutes ses créatures, et il n'en est aucune qu'elle n'ait bien pleinement fournie de tous les moyens nécessaires à la conservation de son être. Car ces plaintes communes que j'entends faire aux hommes – car la licence de leurs opinions tantôt les élève au-dessus des nues, et tantôt les ravale aux antipodes ! – que nous sommes le seul animal abandonné nu sur la terre nue, lié, garrotté, n'ayant de quoi s'armer et se couvrir que de la dépouille d'autrui, là où toutes les autres créatures, nature les a revêtues de coquilles, de gousses, d'écorce, de poil, de laine, de pointes, de cuir, de bourre, de plume, d'écailles, de toison, et de soies selon le besoin de leur être, les a armées de griffes, de dents, de cornes pour assaillir et se défendre, et les a instruites elles-mêmes à ce qui leur est propre : à nager, à courir, à voler, à chanter, là où l'homme ne sait ni cheminer, ni parler, ni manger, ni rien que pleurer sans apprentissage :

Et l'enfant ! Naufragé que sans pitié revomit l'onde,
Il gît là, nu sur la glèbe, incapable de parler,
Démuni de tout dès l'heure où sur les rives du monde
Du ventre maternel Nature le laisse couler !
Il vagit, il remplit les fonds de sa plainte affligée,
Mais juste : au malheur, dès l'aube, il sait sa vie engagée.
Les bêtes pourtant, les troupeaux, les fauves porte-vair,
Se passent de hochets et de douces nourrices
Qui de tendres *la-la* vont berçant leurs caprices ;
Eux, sans se changer de laine au gré des sautes de l'air
N'ont pour veiller leurs biens besoin ni de murs ni de fer,
Puisque la terre, toute à tous, les comble de largesses,
Et que nature en son génie à tous offre ses richesses !

Tum porro, puer ut sæuis proiectus ab undis
Nauita, nudus humi iacet infans, indigus omni
Vitali auxilio, cum primum in luminis oras
Nexibus ex aluo matris natura profudit,

Vagituque locum lugubri complet, ut æquum est
Cui tantum in uita restet transire malorum :
At uariæ crescunt pecudes, armenta, feræque,
Nec crepitacula eis opus est, nec cuiquam adhibenda est
Almæ nutricis blanda atque infracta loquela :
Nec uarias quærunt uestes pro tempore cæli :
Denique non armis opus est, non moenibus altis
Queis sua tutentur, quando omnibus omnia large
Tellus ipsa parit, naturaque dædala rerum. [1]

ces plaintes-là, oui, dis-je, sont fausses : il y a dans le gouvernement du monde une égalité plus grande et une proportion plus uniforme. Notre peau est aussi suffisamment que la leur pourvue de fermeté contre les injures du temps, témoin plusieurs nations qui n'ont encore jamais essayé d'user de vêtements. Nos anciens Gaulois n'étaient guère vêtus, les Irlandais nos voisins ne le sont pas plus, sous un ciel pourtant si froid. Mais nous en jugeons mieux par nous-mêmes, car tous les endroits de la personne qu'il nous plaît de découvrir au vent et à l'air se trouvent propres à le souffrir. S'il y a une partie en nous qui soit faible, et qui semble devoir craindre la froidure, ce devrait être l'estomac, où se fait la digestion : nos pères le portaient découvert, et nos dames, toutes tendres et délicates qu'elles sont, voilà qu'elles s'en vont bientôt entrouvertes jusqu'au nombril ! Les langes et les emmaillottements des enfants ne sont pas plus nécessaires, et les mères à Lacédémone élevaient les leurs en toute liberté de mouvements, sans les attacher ni plier [2]. Notre pleurer est commun à la plupart des autres animaux, et il n'en est guère qu'on ne voie se plaindre et gémir longtemps après leur naissance, parce que c'est une contenance bien assortie à la faiblesse dans laquelle ils se sentent. Quant à l'usage du manger, il est chez nous, comme chez eux, naturel et sans instruction :

De ce qu'il peut chacun est toujours conscient
Sentit enim uim quisque suam quam possit abuti. [3]

Qui doute qu'un enfant arrivé à la force de se nourrir ne sût point chercher sa nourriture ? La terre en produit et lui en offre assez pour sa nécessité sans autre culture ni artifice, et si elle ne le fait en toute

1. Lucrèce, V, 222-234.

2. En Périgord et en Gascogne on dit encore aujourd'hui, systématiquement, « plier » pour « envelopper » même s'il s'agit d'un tube au néon que vient de vous proposer le quincaillier !

3. Lucrèce, V, 1033.

saison, elle n'en fait pas plus pour les bêtes, témoin les provisions que nous voyons faire aux fourmis, et autres, pour les saisons stériles de l'année. Ces nations que nous venons de découvrir, si abondamment fournies de viande et de breuvage naturels, sans soin et sans façon, viennent de nous apprendre que le pain n'est pas notre seule nourriture, et que sans labourage notre mère nature nous avait munis à foison de tout ce qu'il nous fallait, et même, comme il est vraisemblable, plus pleinement et plus richement qu'elle ne le fait à présent que nous y avons mêlé notre artifice :

Et la terre aux mortels de son propre ressort
Donnait des blés vermeils et des vignes épanouies,
Des fruits gorgés de sucre et de grasses prairies,
Qui de nos jours ont peine à venir malgré notre apport :
Nous y crevons nos bœufs, et nos gens y mangent leurs vies...

Et tellus nitidas fruges uinetaque læta
Sponte sua primum mortalibus ipsa creauit,
Ipsa dedit dulces fœtus, et pabula læta,
Quæ nunc uix nostro grandescunt aucta labore,
Conterimúsque boues et uires agricolarum, [1]

car le débordement et le dérèglement de notre appétit devancent toutes les inventions que nous cherchons pour l'assouvir.

Quant aux armes, nous en avons plus de naturelles que la plupart des autres animaux, plus de divers mouvements de membres, et nous en tirons plus de service, naturellement, et sans leçon : ceux qui sont faits à combattre nus, on les voit se jeter dans des duels pareils aux nôtres. Si quelques bêtes nous surpassent dans cet avantage, nous en surpassons plusieurs autres. Et l'art de fortifier notre corps et de le couvrir par des moyens acquis, nous le devons à un instinct et à un précepte naturels. Qu'il en soit bien ainsi, on le voit chez l'éléphant qui aiguise et émoud les dents dont il se sert à la guerre (car il en a de particulières pour cet usage, lesquelles il épargne, et n'emploie jamais à ses autres besoins). Quand les taureaux vont au combat, ils répandent et rejettent la poussière autour d'eux, les sangliers affinent leurs défenses, et l'ichneumon [2], quand il doit venir aux prises avec le crocodile, barde son corps, l'enduit et le croûte tout à l'entour de limon bien serré et bien pétri, comme d'une cuirasse. Pourquoi ne dirions-nous pas que c'est tout aussi naturellement que nous, nous nous armons de bois et de fer ?

---

1. Lucrèce, II, 1157-1161.
2. Gros rongeur des rives du Nil que les Égyptiens vénéraient pour ce qu'il détruit les œufs de crocodiles.

Quant au parler, il est certain, que s'il n'est pas naturel, il n'est pas nécessaire. Toutefois je crois qu'un enfant qu'on aurait nourri en pleine solitude, éloigné de tout commerce (ce qui serait un essai malaisé à faire) aurait quelque espèce de parole pour exprimer ses conceptions, et il n'est pas croyable que Nature nous ait refusé ce moyen qu'elle a donné à plusieurs autres animaux, car notre parler est-il autre chose que cette faculté que nous leur voyons de se plaindre, de se réjouir, de s'entr'appeler au secours, de se convier à l'amour, comme ils le font en se servant de leur voix ? Comment ne parleraient-elles pas entre elles ? Elles parlent bien à nous, et nous à elles ! De combien de façons parlons-nous à nos chiens et nous répondent-ils ? Nous devisons avec eux avec un autre langage, d'autres appellations qu'avec les oiseaux, ou les pourceaux, les bœufs, ou les chevaux, et nous changeons d'idiome selon l'espèce :

Comme au long de leur brune sarabande,
Nous voyons s'accoler entre elles les fourmis,
Se demandant, se peut, leur route ou leur provende
Cosi per entro loro schiera bruna
S'ammusa l'una con l'altra formica,
Forse a spiar lor via, et lor fortuna. [1]

Il me semble que Lactance attribue aux bêtes, non le parler seulement, mais le rire encore. Et la différence de langage qui se voit entre nous selon la différence des contrées, elle se trouve aussi chez les animaux de même espèce. Aristote allègue à ce propos le chant des perdrix, divers selon la situation des lieux :

...et les volants variés,
Changent à l'infini selon l'heure leur voix...
Certains même font muer selon les couleurs du temps
Les accents rauques de leurs chants...
uariæque uolucres
Longe alias alio iaciunt in tempore uoces,
Et partim mutant cum tempestatibus una
Raucisonos cantus. [2]

Mais il reste à savoir quel langage parlerait cet enfant sauvage, et ce qui s'en dit par conjecture n'a pas beaucoup d'apparence. Si l'on m'allègue contre cette opinion que les sourds naturels ne parlent point, je réponds que ce n'est pas seulement pour n'avoir pu recevoir l'instruction de la parole par les oreilles, mais plutôt pour ce que le

1. Dante, *Purgatoire*, XXVI, 34-36.
2. Lucrèce, V, 1078, 1081, 1083-1084.

sens de l'ouïe dont ils sont privés se rapporte à celui du parler et que les deux se tiennent ensemble par une couture naturelle, de sorte que ce que nous parlons, il faut que nous le parlions premièrement à nous et que nous le fassions sonner au-dedans à nos oreilles avant que de l'adresser à celles des autres. J'ai dit tout cela pour maintenir cette ressemblance qu'il y a avec les choses humaines, et pour nous ramener et nous joindre au tout. Nous ne sommes ni au-dessus ni au-dessous du reste : tout ce qui est sous le ciel, dit le sage, suit une loi et une fortune pareilles :

Tous prisonniers du sort qui tout enserre en ses courroies
Indupedita suis fatalibus omnia uinclis ; [1]

il y a quelque différence, il y a des ordres et des degrés, mais c'est toujours sous le visage d'une même nature :

Chaque chose ainsi suit ses mœurs : Nature, entre chacune,
Par ses pactes arrêtés, maintient les distinctions
res quæque suo ritu procedit, et omnes
Foedere naturæ certo discrimina seruant. [2]

Il faut contraindre l'homme et le ranger dans les barrières de cet ordonnancement. Le misérable n'a garde d'enjamber de fait au-delà : il est entravé et engagé, il est assujetti à la même obligation que les autres créatures de son ordre, et il est d'une condition fort moyenne, sans aucune prérogative, ni aucune précellence vraie et essentielle. Celle qu'il se donne par opinion et par fantaisie n'a ni corps ni goût. Et s'il se trouve ainsi que lui seul de tous les animaux ait cette liberté de l'imagination et ce dérèglement de pensées qui lui représentent ce qui est, ce qui n'est pas, ce qu'il veut, et le faux et le vrai, c'est un avantage qui lui est bien cher vendu, et dont il a bien peu à se glorifier. Car de là naît la source principale des maux qui l'oppressent : péché, maladie, irrésolution, trouble, désespoir.

Je dis donc, pour revenir à mon propos, qu'il n'y a point d'apparence d'estimer que les bêtes fassent par inclination naturelle et forcée les mêmes choses que celles que nous faisons par choix et par industrie. De pareils effets nous devons conclure à de pareilles facultés, et de plus riches effets à des facultés plus riches, et nous devons confesser par conséquent que ce même raisonnement, que cette même voie que nous suivons pour œuvrer, les animaux la suivent aussi, sinon quelque autre meilleure. Pourquoi imaginons-nous chez eux cette contrainte innée, nous qui n'en éprouvons aucun semblable effet ? Ajoutons qu'il

1. Lucrèce, V, 876.
2. Lucrèce, V, 923-924.

est plus honorable d'être acheminé et obligé à agir selon des règles par le fait de sa condition naturelle et inévitable, et plus approchant de la divinité, que d'agir selon des règles par le fait d'une liberté téméraire et fortuite, et qu'il est plus sûr de laisser à Nature qu'à nous les rênes de notre conduite ! La vanité de notre présomption fait que nous aimons mieux devoir nos talents à nos forces qu'à sa libéralité, et que nous enrichissons les autres animaux des biens de la nature et les leur délaissons pour nous honorer et nous ennoblir des biens acquis : c'est par une humeur bien naïve, ce me semble, car je priserais bien autant des grâces toutes miennes et innées que celles que j'aurais été mendier et quémander à l'apprentissage. Il n'est pas en notre puissance d'acquérir une plus belle recommandation que d'être favorisé par Dieu et par Nature.

Ainsi du renard dont se servent les habitants de la Thrace quand ils veulent entreprendre de passer par-dessus la glace de quelque rivière gelée, et qu'ils lâchent devant eux à cet effet : quand nous le verrions au bord de l'eau approcher son oreille bien près de la glace pour sentir s'il entendra à longue ou voisine distance bruire l'eau qui court au-dessous, et selon qu'il trouve par là qu'il y a plus ou moins d'épaisseur à la glace, ou se reculer ou s'avancer, n'aurions-nous pas raison de juger qu'il lui passe par la tête les mêmes réflexions qui se feraient jour dans la nôtre, et que c'est là un raisonnement même et une déduction tirée du sens naturel : « ce qui bruit se remue ; ce qui se remue n'est pas gelé ; ce qui n'est pas gelé est liquide, et ce qui est liquide plie sous le faix » ? Car d'attribuer cela seulement à une vivacité du sens de l'ouïe, sans raisonnement et sans déduction, c'est une chimère, et ce ne peut entrer en notre esprit. De même nous faut-il juger de tant de sortes de ruses et d'inventions par lesquelles les bêtes se protègent des entreprises que nous faisons contre elles.

Et si nous voulons tirer quelque avantage de cela même qu'il est en notre pouvoir de les saisir, de nous en servir, et d'en user à notre volonté, ce n'est là que ce même avantage que nous prenons déjà les uns sur les autres. C'est sous ces mêmes conditions que nous avons nos esclaves. Et les « Climacides », n'étaient-ce pas des femmes en Syrie qui, couchées à quatre pattes, servaient de marchepied et d'échelle aux dames pour monter en voiture ? Et la plupart des personnes libres abandonnent leur vie et leur être à la puissance d'autrui pour de bien légers avantages. Les femmes et les concubines des Thraces plaident à qui sera choisie pour être tuée au tombeau de son mari. Les tyrans ont-ils jamais manqué de trouver assez d'hommes voués à leur dévotion, certains d'entre eux y rajoutant de surcroît l'obligation de les accompagner dans la mort comme dans la vie ? Des armées entières se sont ainsi obligées à leurs capitaines. Dans la rude école des gladiateurs, la formule du serment comportait ces promesses : « Nous jurons de nous laisser enchaîner, brûler, battre, et tuer par le glaive, et de souffrir tout ce que les gladiateurs réguliers souffrent de leur maître », qui engageaient très religieusement et leur corps et leur âme à son service :

Brûle si tu le veux ma tête à cette flamme
Mets le fer dans mes flancs, et lacère mon dos
Aux nœuds de ce fouet

Ure meum si uis flamma caput, et pete ferro
Corpus, et intorto uerbere terga seca. [1]

C'était une obligation véritable, et pourtant il s'en trouvait dix mille chaque année qui y entraient et s'y perdaient. Quand les Scythes enterraient leur roi, ils étranglaient sur son corps la plus favorite de ses concubines, son échanson, son valet d'écurie, son chambellan, son valet de chambre et son cuisinier. Et pour son anniversaire ils tuaient cinquante chevaux montés de cinquante pages qu'ils avaient empalés par l'épine du dos jusqu'au gosier, et qu'ils laissaient ainsi plantés en parade autour de la tombe. Les hommes qui nous servent le font à meilleur marché, et pour un traitement moins curieux et moins favorable que celui que nous faisons aux oiseaux, aux chevaux, et aux chiens. Quel souci ne nous faisons-nous pas pour leur agrément ? Il ne me semble point que les plus bas des serviteurs fassent volontiers pour leurs maîtres ce que les princes s'honorent de faire pour ces bêtes. Diogène voyant ses parents en peine de le racheter de sa servitude : « Ils sont fous, disait-il, c'est celui qui me traite et nourrit qui me sert ! » Ainsi ceux qui entretiennent les bêtes doivent se dire qu'ils les servent plutôt qu'ils ne sont servis par elles.

Et d'ailleurs elles ont cela de plus généreux que jamais par faute de cœur un lion ne s'asservit à un autre lion, ni un cheval à un autre cheval. De même que nous allons à la chasse des bêtes, de même les tigres et les lions vont à la chasse des hommes, et tous les animaux se livrent à un semblable exercice les uns sur les autres : les chiens sur les lièvres, les brochets sur les tanches, les hirondelles sur les cigales, les éperviers sur les merles et les alouettes :

La cigogne nourrit ses petits de vipères,
Ou de lézards trouvés en quelque coin des terres,
Et les nobles oiseaux serviteurs de Jupin
Vont chassant par les bois la chèvre ou le lapin

1. Tibulle, I, IX, 21-22.

serpente ciconia pullos
Nutrit, et inuenta per deuia rura lacerta,
Et leporem aut capream famulæ Jouis, et generosæ
In saltu uenantur aues. [1]

Nous partageons le fruit de notre chasse avec nos chiens et nos oiseaux, comme la peine et l'industrie. Et au-dessus d'Amphipolis, en Thrace, les chasseurs et les faucons sauvages partagent justement le butin par moitié. De même, le long des palus Mæotides, si le pécheur ne laisse aux loups, de bonne foi, une part égale à sa prise, ils vont sur-le-champ déchirer ses rets. Et tout de même que nous avons une chasse qui se conduit plus par subtilité que par force, comme celle que nous faisons avec nos collets, nos lignes et nos hameçons, il s'en voit aussi de pareilles parmi les bêtes. Aristote dit que la seiche projette de son col un boyau long comme une ligne, qu'elle étend au loin en le lâchant, puis qu'elle retire à soi quand elle veut : sitôt qu'elle aperçoit quelque petit poisson s'approcher, elle lui laisse mordre le bout de ce boyau en restant cachée dans le sable ou dans la vase, et petit à petit elle le retire jusqu'à ce que ce petit poisson soit si près d'elle que d'un saut elle puisse l'attraper.

Quant à la force, il n'est animal au monde en butte à autant d'offenses que l'homme. Il ne nous faut point une baleine, un éléphant, ou un crocodile, ni autres pareils animaux dont un seul est capable de tuer un grand nombre d'hommes : les poux sont suffisants pour faire vaquer la dictature de Sylla, le cœur et la vie d'un grand général triomphant ne sont pas plus que le déjeuner d'un petit ver !

Pourquoi disons-nous que, chez l'homme, c'est une « science » et une « connaissance » bâties par art et par raisons que de savoir discerner les choses utiles à sa vie et à la guérison de ses maladies de celles qui ne le sont pas et que de connaître les vertus de la rhubarbe et du polypode ? Et, quand nous voyons les chèvres de Candie, si elles ont reçu un coup de trait, aller entre un million d'herbes choisir le dictame pour leur guérison, et la tortue, quand elle a mangé de la vipère, chercher incontinent de l'origan pour se purger, le dragon fourbir et éclaircir ses yeux avec du fenouil, les cigognes se donner elles-mêmes des clystères avec de l'eau de mer, les éléphants arracher non seulement de leur corps et de ceux de leurs compagnons, mais aussi des corps de leurs maîtres (témoin celui du roi Porus qu'Alexandre défit) les javelots et les dards qu'on leur a jetés au combat, et les arracher si adroitement que nous ne le saurions faire avec aussi peu de douleur, pourquoi ne disons-nous pas de même que ce soit là

1. Juvénal, XIV, 74-75, 81-82.

« science » et « sagesse » ? Car d'alléguer, pour les rabaisser, que c'est seulement par l'instruction et le magistère de Nature qu'elles le savent, ce n'est pas leur ôter ce titre de science et de sagesse, c'est le leur attribuer pour une meilleure raison qu'à nous, du fait de l'honneur d'avoir une maîtresse d'école aussi sûre. Chrysippe, bien qu'il fût sur tous les autres points un juge aussi dédaigneux de la condition des animaux qu'aucun autre philosophe, quand il considère les mouvements du chien qui, se rencontrant en un carrefour à trois chemins, soit à la recherche de son maître qu'il a perdu, soit à la poursuite de quelque proie qui fuit devant lui, va essayant un chemin après l'autre, et qui, après s'être assuré des deux et n'y avoir trouvé la trace de ce qu'il cherche, s'élance dans le troisième sans marchander, il se voit contraint de confesser qu'en ce chien-là se fait un raisonnement pareil à celui-ci : « J'ai suivi mon maître à la trace jusqu'à ce carrefour, il faut nécessairement qu'il passe par l'un de ces trois chemins : ce n'est ni par celui-ci ni par celui-là, il faut donc infailliblement qu'il passe par cet autre », et que s'assurant sur ce raisonnement et sa conséquence, il ne se sert plus de ses sens pour le troisième chemin, ni ne le sonde plus, mais il s'y laisse emporter par la force de la raison. Ce trait purement dialecticien, et cet usage de propositions divisées et conjointes, et de la suffisante énumération des parties, ne vaut-il pas autant que le chien le sache par soi que par Trapezonce [1] ?

Pour autant les bêtes ne sont pas incapables d'être encore instruites à notre mode. Les merles, les corbeaux, les pies, les perroquets, nous leur apprenons à parler, et cette facilité que nous leur reconnaissons à nous prêter leur voix et leur haleine si souples et si maniables pour que nous la formions et l'astreignions à un certain nombre de lettres et de syllabes, témoigne qu'ils ont un discours au-dedans qui les rend ainsi dociles et désireux d'apprendre. Chacun est saoul, je crois, de voir tant de sortes de singeries que les bateleurs apprennent à leurs chiens, les danses, où ils ne manquent pas une seule cadence du son qu'ils entendent, plusieurs mouvements et sauts divers qu'ils leur font faire par le commandement de leur parole. Mais je remarque avec plus d'étonnement ce que font, chose assez commune toutefois, les chiens dont se servent les aveugles, tant aux champs qu'à la ville. J'ai bien regardé comme ils s'arrêtent à certaines portes d'où ils ont accoutumé de tirer l'aumône, comme ils évitent le choc des coches et des charret-

1. Georges de Trapezonc ou de Trébizonde est un humaniste grec qui enseigna à Venise au ve siècle. Il avait commenté la *Rhétorique* d'Aristote et composé un traité de logique. Pour Montaigne, c'est apparemment le type même du pédant futile et prétentieux.

tes, lors même que, en ce qui les regarde, ils ont assez de place pour leur propre passage ; j'en ai vu un le long d'un fossé de ville laisser un sentier plain et uni et en prendre un pire pour éloigner son maître du fossé. Comment pouvait-on avoir fait concevoir à ce chien que c'était sa charge de regarder seulement à la sûreté de son maître et de mépriser ses propres commodités pour le servir ? Et comment avait-il la connaissance que tel chemin qui lui était bien assez large ne le serait pas pour un aveugle ? Tout cela se peut-il comprendre sans le raisonnement ?

Il ne faut pas oublier ce que Plutarque dit avoir vu à Rome au sujet d'un chien, avec l'empereur Vespasien père au théâtre de Marcellus. Ce chien servait à un bateleur qui jouait une fiction à plusieurs scènes et à plusieurs personnages, et il y avait son rôle. Il fallait entre autres choses que pour un temps il contrefît le mort, pour avoir mangé d'une certaine drogue : après avoir avalé le pain qu'on feignait être cette drogue, il commença aussitôt à trembler et branler, comme s'il eût été étourdi ; finalement s'étendant et se roidissant, comme mort, il se laissa tirer et traîner d'un lieu à un autre, ainsi que le voulait le sujet du jeu, et puis, quand il connut qu'il était temps, il commença d'abord à se remuer tout doucement, comme s'il revenait d'un profond sommeil, puis, relevant la tête, il regarda çà et là d'une façon qui plongeait tous les assistants dans le plus grand étonnement.

On employait des bœufs dans les jardins royaux de Suse pour les arroser en tournant certaines grandes roues à puiser l'eau, auxquelles des baquets sont attachés, comme il s'en voit plusieurs en Languedoc. Ces bœufs avaient été dressés à tirer par jour jusqu'à cent tours chacun, et ils étaient si accoutumés à ce nombre qu'il était impossible par aucune force de leur en faire tirer un tour de plus : leur tâche faite, ils s'arrêtaient tout court. Nous, nous sommes à l'adolescence avant que nous sachions compter jusqu'à cent, et nous venons de découvrir des nations qui n'ont même aucune connaissance des nombres !

Il y a encore plus d'intelligence à instruire autrui qu'à être instruit. Pour l'heure, laissant à part ce que Démocrite pensait et tâchait à prouver, à savoir que la plupart des arts, ce sont les bêtes qui nous les ont appris, comme l'araignée à tisser et coudre, l'hirondelle à bâtir, le cygne et le rossignol la musique, et plusieurs animaux que nous avons imités l'art de la médecine, je rappellerai qu'Aristote soutient que les rossignols instruisent leurs petits à chanter, et qu'ils y emploient du temps et du soin, d'où il advient que ceux que nous élevons en cage, qui n'ont point eu le loisir d'aller à l'école sous leurs parents, perdent beaucoup de la grâce de leur chant. Nous pouvons juger par là que le chant reçoit de l'amélioration par la discipline et par l'étude, et parmi les oiseaux libres mêmes, il n'est pas uni et pareil : chacun en a pris selon sa capacité. Et dans l'émulation de leur apprentissage, ils rivalisent à l'envi dans une compétition si courageuse que parfois le vaincu demeure mort, l'haleine venant à lui défaillir plutôt que la voix. Les plus jeunes ruminent, pensifs, et se prennent à imiter certains couplets de chanson ; le disciple écoute la leçon de son précepteur, et en rend compte avec grand soin ; ils se taisent tantôt l'un, tantôt l'autre : on entend corriger les fautes, et l'on perçoit certains reproches du précepteur. J'ai vu, dit Arrius, autrefois un éléphant qui avait à chaque cuisse une cymbale pendue, et une autre attachée à sa trompe, au son desquelles tous les autres dansaient en rond, en s'élevant et s'inclinant à certaines cadences selon que l'instrument les guidait, et il y avait plaisir à ouïr cette harmonie. Dans les spectacles à Rome, on voyait ordinairement des éléphants dressés à se mouvoir au son de la voix et à danser des danses à plusieurs entrelacs, arrêts et diverses cadences très difficiles à apprendre. Il s'en est vu qui en privé se remémoraient leur leçon, et ils s'exerçaient à force de soin et d'étude pour n'être pas tancés et battus par leurs maîtres.

Mais voici autre histoire, pour laquelle nous avons Plutarque même pour répondant. Elle concerne une pie, et elle est extraordinaire. Cette pie était dans la boutique d'un barbier à Rome où elle faisait merveilles à contrefaire avec la voix tout ce qu'elle entendait. Un jour il advint que certaines trompettes s'attardèrent à sonner longtemps devant cette boutique : depuis ce moment, et tout le lendemain, voilà cette pie pensive, muette et mélancolique. Tout le monde s'en étonnait, et l'on pensait que le son des trompettes l'eût ainsi étourdie et étonnée, et qu'avec l'ouïe, sa voix se fût en même temps éteinte. Mais on trouva enfin que c'était une étude profonde et une retraite en soi-même, son esprit s'exerçant et préparant la voix à reproduire le son de ces trompettes, de sorte que les premiers sons qu'elle fit entendre, ce fut pour exprimer parfaitement les reprises de ces trompettes, leurs poses, et leurs muances, parce qu'elle avait par ce nouvel apprentissage quitté et pris à dédain tout ce qu'elle savait dire auparavant.

Je ne veux pas omettre d'alléguer aussi cet autre exemple d'un chien que ce même Plutarque dit avoir vu (car, quant à l'ordre, je sens bien que je le trouble, mais je n'en observe pas plus à ranger ces exemples que dans tout le reste de ma besogne !), alors que lui-même se trouvait à bord d'un navire. Ce chien était en peine de pouvoir attraper l'huile qui était au fond d'une cruche, où sa langue ne pouvait atteindre en raison de l'étroitesse de col qu'avait ce vase. Il alla quérir des cailloux et en remplit cette cruche jusqu'à ce qu'il eût fait hausser l'huile plus près du bord, où il put enfin l'atteindre. Cela, qu'est-ce, si ce n'est l'effet d'un esprit bien subtil ? On dit que les corbeaux de Barbarie font de même quand l'eau qu'ils veulent boire est trop basse.

Cette action est d'une certaine façon voisine de ce que racontait sur les éléphants un roi de ces nations-là, Juba. Il disait que quand, par la finesse de ceux qui les chassent, l'un d'entre eux se trouve pris dans certaines fosses profondes qu'on leur prépare, et qu'on recouvre de menues broussailles pour les tromper, ses compagnons y apportent en diligence force pierres et pièces de bois afin que cela l'aide à s'en mettre hors. Mais cet animal ressemble aux hommes par tant d'autres effets pour l'habileté que si je voulais suivre par le menu ce que l'expérience nous en a appris, on m'accorderait aisément ce que je soutiens ordinairement, à savoir qu'il se trouve plus de différences de tel homme à tel homme que de tel animal à tel homme. Le cornac d'un éléphant dans une maison privée de Syrie dérobait à tous les repas la moitié de la ration qu'on avait assignée à la bête. Un jour le maître voulut lui-même le panser. Il versa dans sa mangeoire la juste mesure d'orge qu'il lui avait prescrite pour sa nourriture : l'éléphant, qui voyait d'un mauvais œil ce cornac, en sépara et mit à part la moitié avec sa trompe, rendant par là manifeste le tort qu'on lui faisait. Un autre, dont le cornac mêlait à sa mangeaille des pierres pour en accroître la mesure, s'approcha du pot où il faisait cuire la pitance pour son dîner et le lui remplit de cendre. Cela, ce sont des effets particuliers, mais ce que tout le monde a vu et que tout le monde sait, c'est que dans toutes les armées que l'on amenait des pays du Levant, l'une des plus grandes forces résidait dans les éléphants, dont on tirait des effets sans comparaison plus grands que nous ne faisons à présent de notre artillerie qui tient à peu près leur place dans une bataille rangée (cela est facile à juger pour ceux qui connaissent l'histoire ancienne) :

Eux dont, oui, les aïeux avaient servi sous Hannibal,
Et sous nos généraux, et sous le roi Molosse,
Emportant sur leur dos des cohortes qui prenaient part
À la guerre, et des bataillons qui marchaient au combat

Siquidem Tirio seruire solebant
Annibali, et nostris ducibus, regique Molosso
Horum maiores, et dorso ferre cohortes,
Partem aliquam belli, et euntem in prælia turmam ! [1]

Il fallait bien qu'on se répondît à bon escient de la fidélité de ces bêtes et de leur raison pour leur abandonner ainsi la tête d'une

1. Juvénal, XII, 107-110.

bataille, là où le moindre arrêt qu'elles eussent pu faire, vu la taille et le poids de leur corps, et le moindre effroi qui leur eût fait retourner la tête sur leurs gens suffisaient à tout perdre. Et il s'est vu peu d'exemples où cela soit advenu, qu'ils se rejetassent sur leurs troupes, au lieu que nous-mêmes nous nous rejetons les uns sur les autres, et nous rompons. On leur donnait la charge non d'un mouvement simple, mais de plusieurs diverses parties au combat, comme les Espagnols le faisaient avec les chiens dans leur nouvelle conquête des Indes : ils leur payaient une solde, et leur faisaient part au butin. Et ces animaux faisaient voir autant d'adresse et de jugement à poursuivre et arrêter leur victoire, à charger ou à reculer, selon les occasions, à distinguer les amis des ennemis, qu'ils montraient d'ardeur et d'âpreté.

Nous admirons et pesons mieux les choses étrangères que les ordinaires, et sans cela je ne me fusse pas amusé à ce long registre, car, selon mon opinion, qui contrôlera de près ce que nous voyons ordinairement chez les animaux qui vivent parmi nous, il a de quoi y trouver des effets aussi admirables que ceux qu'on va recueillant dans les pays et les siècles étrangers. C'est une même nature qui roule son cours. Qui en aurait suffisamment jugé l'état présent en pourrait avec certitude conclure et tout l'avenir et tout le passé. J'ai vu autrefois parmi nous des hommes amenés par mer d'un lointain pays. Et ceux-là, parce que nous n'entendions aucunement leur langage, et que leur façon au demeurant et leur contenance, et leurs vêtements étaient tout à fait éloignés des nôtres, qui de nous ne les estimait et sauvages et bestiaux ? Qui n'attribuait à la stupidité et à la bêtise de les voir ainsi muets, ignorant la langue française, ignorant nos baisemains, et nos inclinations serpentées, notre port et notre maintien, sur lequel, sans faillir, la nature humaine doit prendre son patron ?

Tout ce qui nous semble étrange, nous le condamnons, et ce que nous n'entendons pas. Il en advient ainsi dans le jugement que nous portons sur les bêtes : elles ont plusieurs façons d'être qui se rapportent aux nôtres ; de celles-là par comparaison nous pouvons tirer quelque conjecture : mais de ce qu'elles ont de particulier, que savons-nous de ce qu'il en est ? Les chevaux, les chiens, les bœufs, les brebis, les oiseaux, et la plupart des animaux qui vivent avec nous reconnaissent notre voix et se laissent conduire par elle : ainsi faisait bien encore la murène de Crassus, qui venait à lui quand il l'appelait ; et le font aussi les anguilles, qui se trouvent dans la fontaine d'Aréthuse, et j'ai vu assez de réservoirs où les poissons accourent pour manger à certain cri de ceux qui les soignent :

> Ils ont leur nom, chaque nageur
> Répond au cri de son soigneur

Nomen habent, et ad magistri
Vocem quisque sui uenit citatus [1]

Nous pouvons juger de cela. Nous pouvons aussi dire que les éléphants ont quelque part à la religion, puisqu'après plusieurs ablutions et purifications on les voit hausser leur trompe comme des bras et, les yeux fixés vers le soleil levant, se planter longtemps en méditation et en contemplation à certaines heures du jour, de leur propre gré, sans dressage et sans instruction. Mais, pour ne voir aucune pareille apparence chez les autres animaux, nous ne pouvons pourtant établir qu'ils soient sans religion, et nous ne pouvons prendre en aucune part ce qui nous est caché. De même, nous voyons quelque chose dans cette scène que le philosophe Cléanthe remarqua parce qu'elle a trait à nos mœurs : il vit des fourmis, nous dit-il, partir de leur fourmilière, qui portaient le cadavre d'une fourmi morte vers une autre fourmilière. Depuis celle-ci, plusieurs autres fourmis vinrent à leurs devants, comme pour leur parler. Après avoir été ensemble quelque peu, celles-ci s'en retournèrent pour consulter et examiner avec leurs concitoyennes, et ainsi firent-elles deux ou trois voyages, vu la difficulté de la négociation. Enfin les dernières venues apportèrent aux premières un ver depuis leur tanière, comme pour la rançon de la morte. Les premières chargèrent ce ver sur leur dos et l'emportèrent chez elles, laissant aux autres le corps de la trépassée. Voilà l'interprétation que Cléanthe donna de ce spectacle, témoignant par là que les bêtes qui n'ont point de voix ne laissent pas d'avoir une pratique et une communication mutuelles, à laquelle c'est bien par notre incompétence que nous n'y avons part, et c'est pour cela que nous nous mêlons sottement d'opiner là-dessus.

Or les bêtes produisent encore d'autres effets qui surpassent de bien loin notre capacité, auxquels il s'en faut tant que nous puissions arriver par imitation que par imagination même nous ne les pouvons concevoir. Plusieurs tiennent qu'en cette grande et dernière bataille navale qu'Antoine perdit contre Auguste, sa galère amirale fut arrêtée au milieu de sa course par ce petit poisson que les Latins nomment *remora*, à cause de cette sienne propriété d'arrêter toute sorte de vaisseaux auxquels il s'attache. Et l'empereur Caligula voguant avec une grande flotte le long de la côte de la Roumélie, sa galère fut seule arrêtée tout court par ce même poisson, qu'il fit prendre attaché comme il était au bas de son vaisseau, tout dépité de ce qu'un si petit animal pût forcer et la mer et les vents, et la force de tous ses avirons,

1. Martial, IV, XXX, 6-7.

pour s'être seulement attaché à sa galère par le bec (car c'est un poisson à coquille) et il s'étonna encore non sans grande raison, de ce que lui étant apporté dans le bateau, il n'avait plus cette force qu'il avait au-dehors.

Un citoyen de Cyzique acquit jadis une réputation de bon mathématicien pour avoir bien observé les mœurs du hérisson. Il a sa tanière ouverte vers divers points et à divers vents, et prévoyant le vent à venir, il va boucher le trou du côté de ce vent-là. C'était en observant cela que ce citoyen rapportait à sa ville certaines prédictions du vent qui devait souffler. Le caméléon prend la couleur du lieu où il est assis, mais le poulpe se donne lui-même la couleur qu'il lui plaît selon les occasions, pour se cacher de ce qu'il craint, et attraper ce qu'il cherche : chez le caméléon, c'est un changement passif ; mais chez le poulpe, c'est un changement actif. Nous avons quelques changements de couleur, sous l'effet de la frayeur, de la colère, de la honte, et d'autres passions qui altèrent le teint de notre visage, mais c'est par l'effet de ce que nous subissons, comme chez le caméléon. Il est bien au pouvoir de la jaunisse de nous faire jaunir, mais ce n'est pas à la disposition de notre volonté. Or ces effets que nous reconnaissons plus grands que les nôtres chez les autres animaux témoignent chez eux de quelque faculté plus éminente qui nous est cachée, comme il est vraisemblable que le sont plusieurs autres de leurs mœurs et de leurs habiletés, dont pas la moindre apparence ne parvient jusqu'à nous.

De toutes les prédictions du temps passé, les plus anciennes et les plus certaines étaient celles que l'on tirait du vol des oiseaux. Nous n'avons rien de pareil ni d'aussi admirable. Cette régularité, cet ordre dans les battements de leur aile dont on déduit la suite des choses à venir, il faut bien qu'ils soient conduits par quelque excellent moyen à une si noble opération, car c'est prendre les choses à la lettre que d'aller attribuer ce grand effet à quelque disposition de la nature, sans qu'il soit besoin de l'intelligence, du consentement, et de la raison de l'être qui le produit, et c'est une opinion évidemment fausse. Qu'il en soit bien ainsi, en voici une preuve : la torpille a cette façon non seulement d'endormir les membres qui la touchent, mais au travers des mailles et de la seine, elle transmet une pesanteur endormie aux mains de ceux qui la remuent et manient, et même on dit en outre que si l'on verse de l'eau dessus, on sent cette sensation qui gagne contremont jusqu'à la main, et endort le toucher à travers l'eau. Cette force est merveilleuse, mais elle n'est pas inutile à la torpille : elle en a conscience et s'en sert de manière que, pour attraper la proie qu'elle quête, on la voit se tapir sous le limon afin que les autres poissons qui passent au-dessus, frappés et endormis par cette sienne froideur, tombent en sa puissance. Les grues, les hirondelles, et les autres oiseaux passagers qui changent de demeure selon les saisons de l'an, montrent assez la connaissance qu'ils ont de leur faculté divinatrice, et la mettent en usage. Les chasseurs nous assurent que pour choisir entre plusieurs petits chiens celui qu'on doit conserver comme le meilleur, il ne faut que mettre la mère à même de le choisir elle-même : ainsi, si on les emporte hors de leur gîte, le premier qu'elle y rapportera sera toujours le meilleur, ou bien si on fait semblant de cerner de toutes parts le gîte de feu, ce sera celui des petits au secours duquel elle courra d'abord. Par où il apparaît qu'elles ont une façon de pronostiquer que nous n'avons pas, ou qu'elles ont quelque vertu pour juger de leurs petits qui est autre et plus vive que la nôtre.

La manière qu'ont les bêtes de naître, d'engendrer, de se nourrir, d'agir, de se mouvoir, de vivre et de mourir étant si voisine de la nôtre, de tout cela que nous retranchons aux causes qui les font agir, et que nous ajoutons à notre condition au-dessus de la leur, rien ne peut en aucune façon partir du discours de notre raison. Pour régler notre santé, les médecins nous proposent l'exemple du vivre des bêtes, et leur façon, car ce mot est de tout temps dans la bouche du peuple :

Tenez chauds les pieds et la tête,
Au demeurant vivez en bête.

La génération est la principale des actions naturelles. Nous avons une certaine façon de disposer nos membres qui chez nous est plus propre à cela : toutefois les médecins nous ordonnent d'adopter l'assiette et la position des bêtes comme étant la plus efficace :

faire comme les animaux sauvages,
Et les bêtes à poils, permet mieux, maints vous le diront,
À la femme de concevoir, car tout obstacle elle ôte
À la semence ainsi, seins bas et fesse haute

more ferarum,
Quadrupedumque magis ritu, plerumque putantur
Concipere uxores, quia sic loca sumere possunt,
Pectoribus positis, sublatis semina lumbis, [1]

et ils rejettent comme nuisibles ces mouvements indiscrets et insolents que les femmes y ont mêlés de leur cru, les ramenant à l'exemple et à l'usage des bêtes de leur sexe, plus modeste et plus rassis :

1. Lucrèce, IV, 1274-1267.

Elle-même interdit et bloque la conception
Si, branlant la Vénus mâle, elle ondule de la fesse,
Et, seins au vent, l'invite à répandre à flots son ivresse,
Car c'est priver le soc de bonne pénétration,
Et semer à tous les vents hors du fertile sillon

Nam mulier prohibet se concipere atque repugnat,
Clunibus ipsa uiri uenerem si læta retractet,
Atque exossato ciet omni pectore fluctus.
Eicit enim sulci recta regione uiaque
Vomerem, atque locis auertit seminis ictum. [1]

Si c'est justice de rendre à chacun ce qui lui est dû, les bêtes qui servent, aiment et défendent leurs bienfaiteurs, et qui poursuivent et outragent les étrangers ou ceux qui les offensent, représentent en cela quelque air de notre justice, comme aussi en observant une égalité très équitable pour distribuer leurs biens à leurs petits. Quant à l'amitié, elles l'ont sans comparaison plus vive et plus constante que ne l'ont les hommes. Hyrcanus, le chien du roi Lysimaque, après la mort de son maître, demeura obstinément sur son lit sans vouloir boire ni manger, et le jour qu'on en brûla le corps, il prit sa course et se jeta dans le feu, où il fut brûlé. Comme fit aussi le chien d'un nommé Pyrrhus, car il ne bougea plus de dessus le lit de son maître depuis l'instant qu'il fut mort, et, quand on l'emporta, il se laissa enlever avec lui, et pour finir s'élança dans le bûcher où l'on brûlait le corps de son maître. Il y a certaines inclinations d'affection qui naissent quelquefois en nous sans le conseil de la raison ; elles viennent d'un élan obscur et fortuit que certains nomment sympathie : les bêtes en sont capables comme nous. Nous voyons les chevaux prendre certaines accointances les uns avec les autres, jusqu'à nous mettre en peine pour les faire vivre ou voyager séparément. On les voit appliquer leur affection à certain poil de leurs compagnons, comme à certain visage, et, quand ils le rencontrent, s'y joindre aussitôt avec fête et démonstration de bienveillance, et prendre quelque autre forme à contrecœur et en haine. Les animaux choisissent comme nous dans leurs amours et font quelque tri parmi leurs femelles. Ils ne sont pas exempts de nos jalousies et de rivalités extrêmes et irréconciliables.

Les désirs sont ou naturels et nécessaires, comme le boire et le manger, ou naturels et non nécessaires, comme l'accointance des femelles, ou bien ils ne sont ni naturels ni nécessaires : de cette dernière sorte sont quasi tous ceux des hommes : ils sont tous superflus et artificiels, car c'est merveille combien peu il faut à Nature pour

1. Lucrèce, IV, 1269-1273.

se contenter, combien peu elle nous a laissé à désirer : les apprêts de nos cuisines n'ont rien à voir avec ce qu'ordonnent ses lois ! Les stoïciens disent qu'un homme aurait de quoi se sustenter d'une olive par jour. La finesse de nos vins n'est pas de sa leçon, ni les surcroîts que nous ajoutons aux appétits amoureux, car Nature

Des chattes n'attend point qu'elles soient filles de consul
neque illa
Magno prognatum deposcit consule cunnum ! [1]

Ces désirs étrangers que l'ignorance du bien et une opinion fausse ont infus en nous sont en si grand nombre qu'ils chassent presque tous ceux qui sont naturels : ni plus ni moins que si dans une cité il y avait un si grand nombre d'étrangers qu'ils en missent hors les habitants naturels, ou éteignissent leur autorité et leur puissance ancienne en l'usurpant entièrement et en s'en saisissant. Les animaux sont beaucoup plus réglés que nous le sommes, et ils se contiennent avec plus de modération sous les limites que nature nous a prescrites, mais non pas si exactement qu'ils n'aient encore quelques affinités avec notre débauche. Et tout comme il s'est trouvé des désirs furieux qui ont poussé les hommes à l'amour des bêtes, elles se trouvent aussi parfois éprises d'amour pour nous, et reçoivent des affections monstrueuses d'une espèce à une autre. Témoin cet éléphant qui était le rival d'Aristophane le grammairien dans l'amour d'une jeune bouquetière de la ville d'Alexandrie : il ne lui cédait en rien dans les assiduités d'un poursuivant très passionné, car, se promenant par le marché où l'on vendait des fruits, il en prenait avec sa trompe et les lui portait ; il ne la perdait de vue que le moins qu'il lui était possible, et il lui mettait quelquefois la trompe dans le sein par-dessous son collet et lui tâtait les tétons. On récite aussi le conte d'un dragon amoureux d'une fille, et d'une oie éprise d'amour pour un enfant dans la ville d'Asope, et d'un bélier serviteur de la musicienne Glaucia. Et l'on voit tous les jours des magots furieusement épris d'amour pour des femmes. On voit aussi certains animaux s'adonner à l'amour des mâles de leur espèce. Oppien et d'autres rapportent quelques exemples pour montrer la révérence que les bêtes dans leurs mariages portent à la parenté, mais l'expérience nous fait bien souvent voir le contraire :

nulle honte jamais la génisse n'a eue
Que son père la monte ; un cheval sa fille prendra,
Le bouc cherche à couvrir les chevrettes qu'il engendra,
Et l'oiselle conçoit de la liqueur qui l'a conçue

1. Horace, *Satires*, I, II, 69-70.

nec habetur turpe iuuencæ
Ferre patrem tergo ; fit equo sua filia coniux,
Quasque creauit init pecudes caper, ipsaque cuius
Semine concepta est ex illo concipit ales. [1]

En fait de subtilité malicieuse, en est-il une plus expresse que celle du mulet du philosophe Thalès ? L'animal passait au travers d'une rivière avec une charge de sel, et, par fortune, il y broncha, si bien que les sacs qu'il portait en furent tous mouillés. S'étant aperçu que le sel ainsi fondu lui avait rendu sa charge plus légère, il ne manquait jamais, aussitôt qu'il rencontrait quelque ruisseau, de se plonger dedans avec sa charge, jusqu'à ce que son maître, découvrant sa malice, ordonna qu'on le chargeât de laine, mécompte qui lui fit cesser d'user plus longtemps de cette finesse. Il y a plusieurs bêtes qui représentent naïvement le visage de notre avarice, car on leur voit un soin extrême de dérober tout ce qu'elles peuvent et de le cacher soigneusement, quoiqu'elles n'en fassent point usage.

Quant à l'art de savoir ménager son bien, elles nous surpassent non seulement dans cette prévoyance d'amasser et d'épargner pour le temps à venir, mais elles ont encore beaucoup de parties de la science qui y est nécessaire. Les fourmis étendent hors de l'aire leurs grains et leurs semences pour les éventer, rafraîchir et sécher quand elles voient qu'ils commencent à moisir et à sentir le rance, de peur qu'ils ne se corrompent et pourrissent. Mais la prudente précaution dont elles usent pour ronger le grain de froment surpasse tout ce que peut imaginer la prudence humaine : parce que le froment ne demeure pas toujours sec ni sain, mais s'amollit, se dissout et se détrempe comme en lait dès qu'il prend le chemin de germer et de pousser, les fourmis, de peur qu'il ne devienne semence et ne perde sa nature et ce qui le rend propre à la garde pour leur nourriture, rongent le bout par lequel le germe a coutume de sortir.

Quant à la guerre, qui est la plus grande et pompeuse des actions humaines, je voudrais bien savoir si nous nous en voulons servir pour démontrer quelque supériorité, ou au rebours pour témoigner de notre infirmité et de notre imperfection : comme, de vrai, elle est la science de nous entre-défaire et de nous entre-tuer, de ruiner et perdre notre propre espèce, il semble qu'elle n'a pas beaucoup de quoi se faire désirer par les bêtes qui ne l'ont pas :

quand donc un lion plus guerrier
A-t-il un lion occis ? Oui, jamais dans quelle sylve
Sanglier mourut sous les dents d'un plus gros sanglier ?

1. Ovide, *Métamorphoses*, X, 325-328.

quando leoni
Fortior eripuit uitam leo ? Quo nemore unquam
Expirauit aper maioris dentibus apri ? [1]

Mais elles n'en sont pas universellement exemptes pourtant : témoin les furieuses rencontres des mouches à miel, et les entreprises des reines des deux armées contraires :

Chez deux reines parfois s'élève la discorde ;
Un grand trouble se fait : de loin s'annoncent les rancœurs
Qu'on voit tout aussitôt s'emparer de la horde,
Et le courroux guerrier dont frémissent les cœurs :
sæpe duobus
Regibus incessit magno discordia motu,
Continuoque animos uulgi et trepidantia bello
Corda licet longe præsciscere. [2]

Je ne vois jamais la divine description qui suit que je n'y lise peinte, me semble-t-il, l'ineptie et vanité des hommes. Car ces mouvements guerriers qui nous saisissent d'horreur et d'épouvante, cette tempête de sons et de cris,

L'éclat jusqu'au ciel monte, et des feux de l'airain
À l'entour scintille la terre, à ses pas ébranlée :
Elle gronde, et les monts, qui résonnent jusqu'au lointain,
Renvoient la clameur des combats à la voûte étoilée
Fulgur ubi ad cælum se tollit totaque circum
Aere renidescit tellus subterque uirum ui
Excitur pedibus sonitus clamoreque montes
Icti reiectant uoces ad sidera mundi, [3]

cette effroyable ordonnance de tant de milliers d'hommes armés, tant de fureur, d'ardeur et de courage, il est plaisant de considérer par de combien vaines causes elle est suscitée, et par de combien légères occasions éteinte :

L'amour de Pâris, nous dit-on, voilà la seule cause
Qu'aux Barbares la Grèce en un cruel combat s'oppose
Paridis propter narratur amorem
Græcia Barbariæ diro collisa duello: [4]

1. Juvénal, XV, 160-162.
2. Virgile, *Géorgiques*, IV, 67-70.
3. Lucrèce, II, 325-328.
4. Horace, *Épîtres*, I, II, 6-7.

toute l'Asie se perdit et se consuma en guerres pour le maquerellage de Pâris ! L'envie d'un seul homme, un dépit, un plaisir, une jalousie privée, causes qui ne devraient pas émouvoir deux harengères à s'égratigner, c'est l'âme et le mobile de tout ce grand trouble ! Voulons-nous en croire ceux-là mêmes qui en sont les principaux auteurs et moteurs ? Écoutons le plus grand empereur [1], le plus couvert de victoires et le plus puissant qui fut jamais, moquer et tourner en dérision avec beaucoup d'humour et d'esprit plusieurs batailles hasardées sur mer et sur terre, le sang et la vie de cinq cent mille hommes qui suivirent sa fortune, et les forces et les richesses des deux parties du monde épuisées pour le service de ses entreprises :

Antoine a foutu Glaphyra : sur-le-champ ma Fulvie
Me condamne à la même, et veut que je la foute itou !
Foutre Fulvie ? Et si le cul de Manius a envie ?
Non, rien n'en ferai, je crois, si je suis homme de goût !
– Ou tu me fous, ou c'est la guerre ! – Et si plus que ma vie
Compte pour moi ma queue ? – Alors, clairons, chargez partout !

Quod futuit Glaphyran Antonius, hanc mihi poenam
Fuluia constituit se quoque uti futuam !
Fuluiam ego ut futuam ? Quid si me Manius oret
Pædicem faciam ? – Non, puto, si sapiam !
« Aut futue, aut pugnemus », ait. – Quid si mihi uita
Carior est ipsa mentula ? – Signa canant ! [2]

(J'use de mon latin en toute liberté de conscience, avec le congé que vous m'en avez donné...) Or ce grand corps avec tant de visages et de mouvements qui semblent menacer le ciel et la terre,

Aussi nombreux que les flots que la mer roule en Lybie
Quand le cruel Orion plonge dans les eaux d'hiver,
Ou qu'on voit les blés drus sous le soleil nouveau brûler,
Soit aux plaines d'Hermus, soit par les champs blonds de Lycie ;
Au son des pavois la terre tremble sous les pas

Quam multi Lybico uoluuntur marmore fluctus
Sæuus ubi Orion hybernis conditur undis,
Vel cum sole nouo densæ torrentur aristæ,
Aut Hermi campo, aut Liciæ flauentibus aruis :
Scuta sonant pulsuque pedum tremit excita tellus..., [3]

oui, ce monstre furieux avec tant de bras et tant de têtes, c'est toujours

1. Dans l'épigramme qui suit, c'est l'empereur Auguste qui est censé parler.
2. Martial, XI, XXI, 3-8.
3. Virgile, *Énéide*, VII, 718-722.

l'homme, faible, calamiteux, et misérable. Ce n'est qu'une fourmilière émue et échauffée,

Noire armée avançant sur la plaine
It nigrum campis agmen, [1]

un souffle de vent contraire, le croassement d'un vol de corbeaux, le faux pas d'un cheval, le passage fortuit d'un aigle, un songe, une voix, un signe, une brume matinale suffisent à le renverser et à le mettre à terre ! Donnez-lui seulement d'un rayon de soleil sur le visage, le voilà fondu et évanoui ! Qu'on lui évente seulement un peu de poussière aux yeux, comme aux mouches à miel de notre poète, et voilà toutes nos enseignes, nos légions, et le grand Pompée même à leur tête, rompus et fracassés. Car ce fut lui, ce me semble, que Sertorius battit en Espagne avec ces belles armes, qui ont aussi servi à Eumène contre Antigone, à Suréna contre Crassus :

Ces courages ardents et ces si terribles combats
Jetez-leur un peu de poussière et ils se vont éteindre
Hi motus animorum, atque hæc certamina tanta
Pulueris exigui iactu compressa quiescent ! [2]

Qu'on lâche même quelques-unes de nos mouches après l'homme, elles auront et la force et le courage de le mettre en déroute : de fraîche mémoire, alors que les Portugais assiégeaient la ville de Tamly dans le territoire de Xiatine, ses habitants apportèrent sur la muraille quantité de ruches, dont ils sont riches, et avec du feu ils chassèrent les abeilles si vivement sur leurs ennemis que ceux-ci abandonnèrent leur entreprise faute de pouvoir soutenir leurs assauts et leurs piqûres. Ainsi la victoire leur demeura, comme la liberté de leur ville, grâce à ce nouveau secours, et avec une telle fortune qu'au retour du combat il ne se trouva pas une seule abeille à dire !

Les âmes des empereurs et des savetiers sont fondues au même moule. Considérant l'importance des actions des princes et leur poids, nous nous persuadons qu'elles soient produites par quelques causes aussi pesantes et importantes. Nous nous trompons : ils sont menés et ramenés dans leurs mouvements par les mêmes ressorts que nous le sommes dans les nôtres. La même raison qui nous fait nous quereller avec un voisin dresse une guerre entre les princes ; la même raison qui nous fait fouetter un laquais, tombant chez un roi, lui fait ruiner une

1. Virgile, *Énéide*, IV, 404.
2. Virgile, *Géorgiques*, IV, 86-87.

province. Ils veulent aussi légèrement que nous, mais ils peuvent plus : les mêmes appétits travaillent un ciron et un éléphant.

Quant à la fidélité, il n'est animal au monde aussi traître que l'homme ! Les historiens racontent combien certains chiens se sont vivement vengés de la mort de leurs maîtres. Le roi Pyrrhus ayant rencontré un chien qui gardait un homme mort, et ayant entendu qu'il y avait trois jours qu'il remplissait cet office, commanda qu'on enterrât ce corps, et emmena ce chien avec lui. Un jour qu'il assistait à la revue générale de son armée, ce chien, apercevant les meurtriers de son maître, leur courut sus avec force abois et grand courroux, et par ce premier indice il permit le châtiment de ce meurtre qui bientôt après fut exécuté par les voies de la justice. Autant en fit le chien du sage Hésiode qui avait convaincu les enfants de Ganistor de Naupacte du meurtre commis sur la personne de son maître. Un autre chien, préposé à la garde d'un temple à Athènes, avait aperçu un voleur sacrilège qui emportait les plus beaux joyaux ; il se mit à aboyer contre lui tant qu'il put, mais, comme les marguilliers ne s'étaient point éveillés pour autant, il se mit en devoir de le suivre. Le jour venu, il se tenait un peu plus éloigné du larron, sans le perdre jamais de vue. S'il lui offrait à manger, il n'en voulait pas, tandis qu'aux autres passants qu'il rencontrait sur son chemin, il leur faisait fête de la queue et prenait de leurs mains ce qu'ils lui donnaient à manger. Si son larron s'arrêtait pour dormir, il s'arrêtait avec lui au même endroit. La nouvelle de ce chien étant parvenue aux marguilliers de ce temple, ils se mirent à le suivre à la trace, demandant la couleur du poil de ce chien, et à la fin ils le trouvèrent dans la ville de Cromyon, et le larron aussi, qu'ils ramenèrent en la ville d'Athènes, où il fut puni. Les juges, en reconnaissance de ce bon service, ordonnèrent aux frais du trésor public certaine mesure de blé pour nourrir le chien, et aux prêtres d'en avoir soin. Plutarque témoigne de cette histoire comme d'une chose très avérée qui serait advenue dans son siècle.

Quant à la gratitude (car il me semble que nous avons bien besoin de mettre ce mot en crédit) ce seul exemple y suffira, qu'Appion raconte comme en ayant été lui-même spectateur. Un jour, dit-il, qu'on donnait à Rome au peuple le plaisir de voir combattre plusieurs bêtes exotiques, et principalement des lions d'une taille inhabituelle, il y en avait un entre autres qui, par son port furieux, par la force et la grosseur de ses membres, et par son rugissement dominateur et épouvantable, attirait à soi la vue de toute l'assistance. Parmi les autres esclaves qui furent présentés au peuple lors de ce combat de bêtes, il se trouva un certain Androclus, de Dacie, qui appartenait à un seigneur romain de rang consulaire. Ce lion en le voyant de loin s'arrêta d'abord tout court comme s'il était entré en admiration, et puis il s'approcha tout doucement d'une façon calme et paisible, comme pour entrer en reconnaissance avec lui. Cela fait, et s'étant assuré de ce qu'il cherchait, il commença à battre de la queue à la mode des chiens qui flattent leur maître, et à baiser et lécher les mains et les cuisses de ce pauvre misérable, tout transi d'effroi et hors de lui. Androclus reprit ses esprits grâce à la bienveillance de ce lion et rassura sa vue quand il le reconnut après l'avoir bien regardé. C'était un singulier plaisir de voir les caresses et les fêtes qu'ils s'entre-faisaient l'un à l'autre. Le peuple ayant, à cette vue, poussé des cris de joie, l'empereur fit appeler cet esclave pour entendre de lui la raison d'un si étrange événement. Il lui raconta une histoire nouvelle et admirable : « Mon maître, dit-il, étant proconsul en Afrique, je fus contraint par la cruauté et la rigueur avec laquelle il me traitait, car il me faisait battre journellement, de me dérober à lui et de m'enfuir. Et pour me cacher sûrement d'un personnage qui avait une si grande autorité dans la province, je trouvai mon plus court de gagner les solitudes et les contrées sablonneuses et inhabitables de ce pays-là, résolu, si le moyen de me nourrir venait à me manquer, de trouver quelque façon de me tuer moi-même. Le soleil était extrêmement âpre sur le midi, et les chaleurs insupportables ; je m'engageai dans une caverne cachée et inaccessible, et me jetai dedans. Bientôt après y survint ce lion, qui avait une patte sanglante et blessée, tout plaintif et gémissant des douleurs qu'il y souffrait. À son arrivée j'eus beaucoup de frayeur, mais lui, me découvrant tapi dans un coin de son logis, s'approcha tout doucement de moi, en me présentant sa patte blessée et me la montrant comme pour demander secours. Je lui ôtai alors une grande écharde qu'il y avait, et m'étant un peu apprivoisé à lui, pressant sa plaie, j'en fis sortir le pus qui s'y amassait, l'essuyai, et le nettoyai le plus proprement que je pus. Lui, se sentant allégé de son mal et soulagé de cette douleur, se prit à se reposer et à dormir, en gardant toujours sa patte entre mes mains. À compter de ce moment, lui et moi nous vécûmes ensemble dans cette caverne, trois ans entiers, des mêmes viandes, car des bêtes qu'il tuait dans sa chasse, il m'en apportait les meilleurs morceaux, que je faisais cuire au soleil faute de feu, et je m'en nourrissais. À la longue, m'étant ennuyé de cette vie bestiale et sauvage, comme ce lion était allé un jour à sa quête accoutumée, je partis de là, et à ma troisième journée je fus surpris par les soldats, qui d'Afrique me ramenèrent en cette ville à mon maître. Celui-ci, sur-le-champ, me condamna à mort, et à être livré aux bêtes. Or, à ce que je vois, ce lion lui aussi fut pris bientôt après : à cette heure il m'a voulu récompenser du bienfait et de la guérison qu'il avait reçus de moi. » Voilà l'histoire qu'Androclus raconta à l'empereur, laquelle il fit aussi entendre au peuple de bouche-à-oreille. Grâce à quoi, à la requête de tous, il fut mis en liberté et absous de cette condamnation, et par ordonnance du peuple il lui fut fait présent de ce lion. Et depuis, dit Appion, l'on ne cessait pas de voir Androclus conduire ce lion avec une petite laisse, se promener par les tavernes dans Rome, recevoir l'argent qu'on lui donnait, le lion se laisser couvrir des fleurs qu'on lui jetait, et chacun dire en les rencontrant : « Voilà le lion hôte de l'homme ; voilà l'homme médecin du lion. »

Nous pleurons souvent la perte des bêtes que nous aimons ; elles pleurent aussi la nôtre :

Puis vient Ethon, son destrier, dépouillé de ses armes :
Il s'avance en pleurant, face baignée à grosses larmes

Post, bellator equus, positis insignibus, 'thon :
It lacrymans, guttisque humectat grandibus ora. [1]

De même, certaines de nos nations ont les femmes en commun, chez d'autres c'est à chacun la sienne : cela ne se voit-il pas aussi parmi les bêtes ? Et n'y voit-on des mariages mieux respectés que les nôtres ?

Quant à l'alliance et à l'association qu'elles forment entre elles pour se liguer ensemble et s'entre-secourir, il se voit des bœufs, des pourceaux, et d'autres animaux, qui, au cri de celui que vous offensez, accourent tous en troupe à son aide et se rallient pour sa défense. Le poisson perroquet, quand il a avalé l'hameçon du pécheur, ses compagnons s'assemblent en foule autour de lui et rongent la ligne, et si d'aventure il y en a un qui soit entré dans la nasse, les autres lui baillent leur queue par dehors, et lui tant qu'il peut la serre à belles dents : ils le tirent ainsi au dehors et l'entraînent. Les barbeaux, quand l'un de leurs compagnons est engagé, mettent la ligne contre leur dos, dressant une épine qu'ils ont dentelée comme une scie, avec laquelle ils la scient et coupent. Quant aux services particuliers que nous nous nous rendons les uns aux autres pour les besoins de la vie, on en voit plusieurs exemples semblables parmi les bêtes. On prétend que la baleine ne se meut jamais sans avoir au-devant d'elle un petit poisson semblable au goujon de mer, qui s'appelle pour cela le pilote. La baleine le suit, se laissant mener et tourner aussi facilement que le timon fait virer le navire, et en récompense aussi, au lieu que toute autre chose, que ce soit bête ou vaisseau, qui entre dans l'horrible chaos de la bouche de ce monstre est incontinent perdu et englouti, ce

1. Virgile, *Énéide,* XI, 89-90.

petit poisson s'y retire en toute sûreté, et y dort. Pendant son sommeil, la baleine ne bouge pas, mais aussitôt qu'il sort elle se remet à le suivre sans cesse. Et si de fortune elle le perd de vue, elle va errant çà et là, et souvent se froisse contre les rochers, comme un vaisseau qui n'a point de gouvernail, ce que Plutarque atteste avoir vu dans l'île d'Anticyre. Il y a une pareille société entre le petit oiseau qu'on nomme roitelet et le crocodile : le roitelet sert de sentinelle à ce grand animal, et si l'ichneumon, son ennemi, s'approche pour le combattre, ce petit oiseau, de peur qu'il ne le surprenne endormi, l'éveille par son chant et à coup de bec, et l'avertit de son danger. Il vit des restes de ce monstre, qui le reçoit familièrement dans sa bouche ; il lui permet de becqueter dans ses mâchoires et entre ses dents et d'y recueillir les morceaux de chair qui y sont restés. Et s'il veut fermer la bouche, il l'avertit d'abord d'en sortir en la serrant peu à peu, sans l'étreindre ni le blesser. Le coquillage qu'on nomme nacre vit aussi ainsi avec le pinnothère, qui est un petit animal de l'espèce des crabes. Ce dernier lui sert d'huissier et de portier en se tenant assis à l'ouverture de cette coquille qu'il tient continuellement entrebâillée et ouverte jusqu'à ce qu'il y voie entrer quelque petit poisson propre à leur prise, car à cet instant il entre dans la nacre, et, lui pinçant la chair au vif, il la contraint à refermer sa coquille : tous deux alors mangent ensemble cette proie enfermée dans leur maison forte.

Dans la façon de vivre des thons, on remarque une singulière science de trois parties de la mathématique. Quant à l'astrologie, ils l'enseignent à l'homme, car ils s'arrêtent au lieu où le solstice d'hiver les surprend, et ils n'en bougent plus jusqu'à l'équinoxe suivant. Voilà pourquoi Aristote lui-même leur concède volontiers cette science. Quant à la géométrie et à l'arithmétique, ils forment toujours leur bande en une figure cubique, carrée en tous sens, et en dressent un corps de bataillon solide, clos, et environné tout à l'entour, à six faces toutes égales, puis nagent dans cette formation carrée, aussi large derrière que devant, de façon que, si l'on en voit et décompte un seul rang, on peut aisément dénombrer toute la troupe, puisque le nombre de la profondeur est égal à la largeur, et la largeur à la longueur.

Quant à la magnanimité, il est malaisé de lui donner un visage plus apparent que celui que montre l'attitude de ce grand chien qui fut envoyé des Indes au roi Alexandre : on lui présenta d'abord un cerf pour le combattre, et puis un sanglier, et puis un ours : il n'en fit aucun compte, et ne daigna se remuer de sa place. Mais quand il vit un lion, il se dressa aussitôt sur ses pieds, montrant manifestement qu'il déclarait que celui-là seul était digne d'entrer en lice avec lui. Touchant le repentir et la reconnaissance de ses fautes, on cite le cas d'un éléphant qui, ayant tué son cornac dans un accès de colère, en conçut un deuil si extrême qu'il ne voulut jamais plus manger depuis, et se laissa mourir. Quant à la clémence, on cite le cas d'un tigre, la bête la plus inhumaine de toutes : alors qu'on lui avait baillé un chevreau, il supporta la faim deux jours durant avant que de lui vouloir faire aucun mal, et, le troisième, il brisa la cage où il était enfermé pour aller chercher quelque autre pâture, refusant de s'en prendre au chevreau, son familier et son hôte.

Et quant aux droits de la familiarité et de l'harmonie qui s'établissent par la fréquentation mutuelle, il nous arrive ordinairement d'apprivoiser des chats, des chiens et des lièvres à vivre ensemble. Mais ce que l'expérience apprend sur les mœurs des alcyons à ceux qui voyagent par mer, et notamment en mer de Sicile, surpasse toute humaine imagination. De quelle espèce d'animaux Nature a jamais tant honoré les couches, la naissance, et l'enfantement ? Car les poètes disent bien que la seule île de Délos, auparavant flottante, fut immobilisée pour le service de l'accouchement de Latone. Mais Dieu a voulu que ce fût toute la mer qui fût arrêtée, affermie et aplanie, sans vagues, sans vents et sans pluie pendant que l'alcyonne fait ses petits, ce qui précisément se fait aux environs du solstice, le jour le plus court de l'an. Et c'est à ce privilège que nous devons d'avoir au fin cœur de l'hiver sept jours et sept nuits où nous pouvons naviguer sans danger. Leurs femelles n'acceptent point d'autre mâle que le leur propre. Elles l'assistent toute leur vie sans jamais l'abandonner. S'il vient à être infirme et cassé, elles le chargent sur leurs épaules, le portent partout, et le servent jusqu'à la mort. Mais aucune intelligence n'a encore pu comprendre cette merveilleuse opération grâce à laquelle l'alcyonne construit le nid pour ses petits, ni en deviner la matière. Plutarque, qui en a vu et manié plusieurs, pense qu'il serait fait avec les arêtes d'un certain poisson, qu'elle conjoint et lie ensemble, les entrelaçant les unes en long, les autres en travers, en y rajoutant des courbes et des arrondis, tant et si bien qu'à la fin elle en forme un vaisseau rond prêt à voguer. Puis quand elle a achevé de le construire, elle le porte dans le ressac du flot marin, là où la mer en le battant tout doucement lui enseigne à radouber ce qui n'est pas bien lié et à mieux renforcer les endroits où elle voit que sa construction se défait et se lâche sous les coups de mer. Et, au contraire, ce qui est bien joint, le battement de la mer vous l'étreint et vous le resserre de telle sorte que ce nid ne se peut ni rompre ni dissoudre ou endommager à coups de pierre ni de fer, si ce n'est avec toutes les peines du monde. Et ce qui est le plus à admirer, c'est la proportion et la figure de la concavité du dedans, car elle est agencée et proportionnée de manière telle qu'elle ne peut recevoir ni admettre autre chose que l'oiseau qui l'a bâtie : à toute autre chose en effet elle est impénétrable, close, et fermée, tellement bien qu'il n'y peut rien entrer, non pas l'eau de la mer seulement. Voilà une description bien claire de ce bâtiment, et empruntée à bonne source : toutefois il me semble qu'elle ne nous éclaircit pas encore suffisamment la difficulté de cette architecture. Or de quelle vanité nous peut-il venir que nous logions au-dessous de nous et interprétions dédaigneusement les productions que nous ne pouvons imiter ni comprendre ?

Pour pousser encore un peu plus loin cette égalité et cette correspondance entre nous et les bêtes, ce privilège dont notre âme se fait gloire, qui est de pouvoir ramener à sa nature tout ce qu'elle conçoit, de dépouiller de ses qualités mortelles et physiques tout ce qui vient à elle, de forcer les choses qu'elle estime dignes de son commerce à dévêtir et dépouiller leurs caractères corruptibles et à leur faire laisser à part, comme vêtements superflus et vils, l'épaisseur, la longueur, la profondeur, le poids, la couleur, l'odeur, le rugueux, le lisse, la dureté, la mollesse, et tous leurs accidents sensibles pour les accommoder à sa condition immortelle et spirituelle, de manière que cette Rome et que ce Paris que j'ai dans l'âme, que ce Paris que j'imagine, je l'imagine et je le comprends sans grandeur et sans lieu, sans pierre, sans plâtre, et sans bois, eh bien ! ce même privilège, dis-je, semble bien de toute évidence appartenir aussi aux bêtes, car un cheval accoutumé aux trompettes, aux arquebusades et aux combats que nous voyons étendu sur sa litière se trémousser et frémir en dormant, comme s'il était dans la mêlée, il est certain qu'il conçoit en son âme un son de tambourin sans bruit, et quelque armée sans armes et sans corps :

Couché sur sa litière, un ardent coursier parfois rêve :
On le voit suer, souffler, son flanc bat et se soulève,
Il se tend, il frémit comme s'il courait pour le prix

Quippe uidebis equos fortes, cum membra iacebunt,
In somnis sudare tamen, spirareque sæpe,
Et quasi de palma summas contendere uires... [1]

Ce lièvre qu'un lévrier imagine en songe, après lequel nous le voyons haleter en dormant, allonger la queue, secouer les jarrets, et représenter parfaitement les mouvements de sa course, c'est un lièvre sans poil et sans os :

Oui, nos chiens de chasse en dormant souvent lancent la patte,
En jappements joyeux soudain leur voix éclate,

1. Lucrèce, IV, 987-989.

Et, fronçant le museau, par à-coups ils reniflent l'air,
Comme si d'un gibier ils eussent pris la voie au flair.
Souvent, éveillés en sursaut, leur ardeur les entraîne,
À courre d'un cerf aux abois l'image pourtant vaine,
Jusqu'à ce que, détrompés, ils recouvrent enfin leur sens

Venantumque canes in molli sæpe quiete,
Jactant crura tamen subito, uocesque repente
Mittunt, et crebas reducunt naribus auras,
Ut uestigia si teneant inuenta ferarum :
Expergefactique secuntur inania sæpe
Ceruorum simulacra, fugæ quasi dedita cernant,
Donec discussis redeant erroribus ad se. [1]

Les chiens de garde, que nous voyons souvent gronder en songeant, et puis japper tout à fait, et s'éveiller en sursaut, comme s'ils apercevaient quelque étranger arriver, cet étranger que leur âme voit, c'est un homme immatériel et imperceptible, sans dimension, sans couleur et sans être :

Doux amis du foyer, sages et caressants,
Balayant de leurs yeux des sommes vains et voletants,
Souvent nos bichons familiers se dressent à la vue
De quelque silhouette étrange en leur rêve entrevue

Consueta domi catulorum blanda propago
Degere sæpe leuem ex oculis uolucremque soporem
Discutere, et corpus de terra corripere instant,
Proinde quasi ignotas facies atque ora tueantur ! [2]

Quant à la beauté du corps, avant d'aller plus outre, il me faudrait savoir si nous sommes d'accord sur sa description. Il est vraisemblable que nous ne savons guère ce que c'est, sur un plan général, que la beauté naturelle, puisqu'à l'humaine beauté, qui est la nôtre, nous donnons tant de formes diverses, alors que s'il y en avait quelque définition naturelle, nous la reconnaîtrions d'un commun accord, comme la chaleur du feu. Nous en fantasmons les formes selon notre désir :

Laid fût le teint d'un Belge à visage romain

Turpis Romano Belgicus ore color. [3]

Les Indes se représentent la beauté noire et basanée, avec des lèvres grosses et enflées, un nez plat et large, dont on charge de lourds anneaux d'or le cartilage entre les naseaux pour le faire pendre

1. Lucrèce, IV, 991-997.
2. Lucrèce, IV, 998-1000.
3. Properce, II, XVIII, 26.

jusqu'à la bouche, la basse lèvre si bien alourdie de gros anneaux enrichis de pierreries, qu'elle leur tombe sur le menton. Et leur grâce est de montrer leurs dents jusqu'au-dessous des racines. Au Pérou, les plus grandes oreilles sont les plus belles, et ils les allongent autant qu'ils peuvent par artifice. Un homme d'aujourd'hui dit avoir vu en telle faveur chez une nation d'Orient ce soin de les agrandir et de les charger de joyaux pesants, qu'à tous coups il passait son bras vêtu au travers d'un trou d'oreille ! Il est ailleurs des nations qui noircissent leurs dents avec grand soin et méprisent de les voir blanches. Ailleurs, ils les teignent de couleur rouge. Non seulement au pays basque les femmes se trouvent plus belles la tête rase, mais assez souvent ailleurs, et qui plus est, dans certaines contrées glaciales, comme le dit Pline. Les Mexicaines comptent au nombre des beautés la petitesse du front, et, alors qu'elles se font le poil par tout le reste du corps, elles le nourrissent au front, et le garnissent artificiellement. Et elles ont en si grande estime la longueur des tétons qu'elles affectent de pouvoir donner la mamelle à leurs enfants par-dessus l'épaule : ainsi nous peindrions-nous la laideur ! Les Italiens conçoivent la beauté grosse et bien en chair, les Espagnols sèche et mince, et parmi nous l'un la fait blanche, l'autre brune, l'un molle et délicate, l'autre forte et vigoureuse. Qui y veut du charme et de la douceur, qui de la fierté et de la majesté. Tout ainsi que la préférence en matière de beauté que Platon attribue à la figure sphérique, les épicuriens la donnent à la pyramidale plutôt, ou à la carrée, et ils ne peuvent avaler un Dieu en forme de boule !

Mais, quoi qu'il en soit, par rapport à ses lois communes, Nature ne nous a pas plus privilégiés sur ce point que pour le reste. Et si nous nous en jugeons bien, nous trouverons que s'il est quelques animaux moins favorisés que nous en cela, il y en a d'autres, et en grand nombre, qui le sont plus : Beaucoup d'animaux l'emportent sur nous en beauté *a multis animalibus decore uincimur*, [1] voire parmi nos compatriotes terrestres. Car, quant aux animaux marins, laissant leur figure, qui ne peut tomber en proportion tant elle est autre : pour la couleur, la netteté, le poli, la conformation, nous le leur cédons assez. Et non moins, en toutes qualités, aux aériens. Et cette prérogative que les poètes font valoir de notre stature droite, regardant vers le ciel, son origine :

Quand les autres vivants vont l'œil à terre et tête basse,
À l'homme il a donné des yeux haussés vers le sublime,
Voulant qu'il ait sa face au ciel et la lève aux étoiles

1. Sénèque, *Lettres à Lucilius*, CXXIV, 22.

Pronaque cum spectent animalia cætera terram,
Os homini sublime dedit, coelumque uidere
Jussit, et erectos ad sidera tollere uultus, [1]

elle est vraiment poétique, car il y a plusieurs bestioles qui ont la vue renversée tout à fait vers le ciel. Quant à l'encolure des chameaux et des autruches, je la trouve encore plus élevée et plus droite que la nôtre. Quels animaux, sans avoir la face vers le haut, sans l'avoir sur le devant, et sans regarder vis-à-vis comme nous, ne découvrent pas autant du ciel et de la terre dans leur posture naturelle que n'en fait l'homme ? Et quelles qualités de notre corporelle constitution que mentionnent Platon ou Cicéron ne peuvent servir à mille sortes de bêtes ? Celles qui nous ressemblent le plus, ce sont les plus laides, et les plus abjectes de toute la bande, car pour l'apparence extérieure et la forme du visage, ce sont les magots,

Comme un singe nous est voisin, la plus laide des bêtes
Simia quam similis, turpissima bestia, nobis !, [2]

pour le dedans et pour les parties vitales, c'est le pourceau. Assurément, quand j'imagine l'homme tout nu (oui même chez ce sexe qui semble avoir plus de part à la beauté), ses tares, sa sujétion naturelle et ses imperfections, je trouve que nous avons eu plus de raison que nul autre animal de nous couvrir ! Nous sommes excusables d'avoir emprunté à ceux que Nature avait plus que nous favorisés sur ce point pour nous parer de leurs beautés et nous cacher sous leur dépouille, de laine, de plumes, de poils, ou de soies.

Remarquons au demeurant que nous sommes le seul animal dont les défauts choquent nos propres compagnons, et les seuls qui avons à nous dérober aux regards de ceux de notre espèce pour nos actions naturelles. Vraiment, c'est aussi un point digne de considération que le fait que les maîtres du métier ordonnent pour remède à nos passions amoureuses une vue libre et entière du corps qur l'on désire, et que pour refroidir l'amitié il ne faille que voir librement ce qu'on aime :

Tel, en voyant à découvert les honteuses parties,
Sentit le désir choir au beau milieu de ses envies
Ille, quod obscoenas in aperto corpore partes
Viderat, in cursu qui fuit hæsit amor. [3]

1. Ovide, *Métamorphoses*, I, 84-86.
2. Cicéron, *De natura deorum*, I, XXXV, 97.
3. Ovide, *Les Remèdes à l'amour*, 429-430.

Et encore que cette recette puisse à l'aventure partir d'une humeur un peu délicate et refroidie, c'est un merveilleux signe de notre défaillance que l'usage et la connaissance nous dégoûtent les uns des autres ! Ce n'est pas tant une affaire de pudeur que d'art et de prudence qui rend nos dames si circonspectes à nous refuser l'entrée de leurs cabinets avant qu'elles ne soient peintes et parées pour la montre publique,

Nos Vénus se gardent aussi d'oublier la leçon,
Qui de leurs boudoirs veillent bien à cacher les coulisses
À ceux qu'elles veulent garder enchaînés à leurs lisses

Nec ueneres nostras hoc fallit, quo magis ipsæ
Omnia summopere hos uitæ post scenia celant,
Quos retinere uolunt adstrictoque esse in amore, [1]

alors que chez plusieurs animaux il n'est rien d'eux que nous n'aimions et qui ne plaise à nos sens, au point que de leurs excrétions mêmes et de leurs sécrétions nous tirons non seulement les condiments les plus raffinés pour nos tables mais aussi nos plus riches ornements et parfums. Ce discours ne concerne que notre allure ordinaire, mais il n'est pas si sacrilège d'y vouloir comprendre aussi ces beautés divines, surnaturelles et hors du commun qu'on voit parfois briller parmi nous comme des astres sous un voile corporel et terrestre.

Au demeurant, la part même des faveurs de Nature que, de notre propre aveu, nous reconnaissons aux animaux leur est bien avantageuse ! Nous nous attribuons des biens imaginaires et chimériques, des biens futurs et absents, dont l'humaine capacité ne peut d'elle-même s'assurer, ou ce sont des biens que nous nous attribuons à tort par la licence de notre jugement, comme la raison, la science et l'honneur, alors qu'à eux, nous leur reconnaissons en partage des biens substantiels, tangibles et palpables : la paix, le repos, la sécurité, l'innocence et la santé, oui, dis-je bien, la santé, le plus beau et le plus riche présent que Nature nous puisse faire ! De façon que la philosophie, fût-ce la stoïque, ose bien dire qu'Héraclite et Phérécide, s'ils eussent pu échanger leur sagesse contre la santé, et se délivrer par ce marché, l'un de l'hydropisie, l'autre de la gale qui le rongeait, ils eussent bien fait. Par où, en la comparant et contrebalançant avec la santé, ils donnent encore un plus grand prix à la sagesse qu'ils ne le font dans cette autre proposition, qui est aussi l'une des leurs : ils disent que si Circé eût présenté à Ulysse deux breuvages, l'un propre à

1. Lucrèce, IV, 1185-1187.

rendre un sage fou, l'autre un fou sage, qu'Ulysse eût dû accepter la potion qui rendait fou plutôt que de consentir que Circé eût changé sa figure humaine en celle d'une bête. Et ils ajoutent que la sagesse même lui eût parlé de cette manière : « Quitte-moi, laisse-moi là, plutôt que de me loger sous la figure et dans le corps d'un âne ! » Comment ? cette grande, cette divine sapience, les philosophes la délaissent donc pour notre enveloppe corporelle et terrestre ? Ce n'est donc plus par la raison, par le jugement, et par l'âme que nous excellons sur les bêtes, c'est par notre beauté, notre beau teint, et notre belle disposition de membres ! C'est donc là ce pour quoi il nous faut mettre notre intelligence, notre prudence, et tout le reste à l'abandon ! Maintenant, j'accepte cet aveu naïf et franc : assurément, ils ont reconnu que ces parties-là, dont nous faisons tant de fête, ce n'est qu'un vain fantôme. Quand bien même les bêtes auraient donc toute la vertu, toute la science, toute la sagesse et tous les dons des Stoïciens, elles resteraient toujours des bêtes, et elles ne seraient pas comparables à un homme, fût-il misérable, méchant et insensé. Car enfin tout ce qui n'est pas à notre image n'est rien qui vaille, et Dieu, pour avoir l'air de quelqu'un, il faut qu'il nous ressemble, comme nous le dirons tantôt. Par où il apparaît que ce n'est point par de vraies raisons, mais bien par une fierté folle et par opiniâtreté que nous nous préférons aux autres animaux et que nous nous mettons à part de leur nature et de leur compagnie.

Mais pour revenir à mon propos, nous avons pour notre part l'inconstance, l'irrésolution, l'incertitude, le deuil, la superstition, la sollicitude des choses à venir, même après notre vie, l'ambition, l'avarice, la jalousie, l'envie, les appétits déréglés, forcenés et indomptables, la guerre, le mensonge, la déloyauté, la médisance, et la curiosité. Certes nous avons étrangement surpayé ce beau discours dont nous nous glorifions et cette capacité de juger et de connaître, si du moins nous l'avons achetée au prix de ce nombre infini de passions avec lesquelles nous sommes constamment aux prises. À moins qu'il ne nous plaise de faire encore valoir, comme le fait bien Socrate, cette notable prérogative sur les bêtes qui est que, tandis que Nature leur a prescrit certaines saisons et certaines limites pour la volupté vénérienne, elle nous en a lâché la bride à toute heure et toutes occasions.

De même qu'aux malades, du vin, parce qu'il guérit rarement mais nuit très souvent, mieux vaut n'en pas donner du tout plutôt que, dans l'espoir d'une guérison douteuse, d'encourir un risque avéré, eh bien ! de même, je ne sais s'il n'eût pas été meilleur pour le genre humain de n'avoir pas reçu du tout cette vivacité, cette pointe de l'esprit, cette ingéniosité que nous nommons raison, puisqu'elle est maléfique à beaucoup et profite à peu seulement, plutôt que de nous en voir pourvus avec autant de munificence et de largesse *Ut uinum ægrotis, quia prodest raro, nocet sæpissime, melius est non adhibere omnino quam, spe dubiæ salutis, in apertam perniciem incurrere : sic, haud scio an melius fuerit humano generi motum istum celerem, cogitationis acumen, solertiam, quam rationem uocamus, quoniam pestifera sint multis, admodum paucis salutaria, non dari omnino quam tam munifice et tam large dari.* [1]

Quel fruit pouvons-nous estimer que Varron et Aristote aient retiré de cette intelligence qu'ils ont eue de tant de choses ? Les a-t-elle exemptés des incommodités humaines ? Ont-ils été déchargés des accidents qui oppressent un crocheteur ? Ont-ils tiré de la logique quelque consolation à la goutte ? Pour avoir su comme cette humeur se loge aux jointures, l'en ont-ils moins ressentie ? Se sont-ils mieux apprivoisés à la mort pour savoir que certaines nations s'en réjouissent, et au cocuage, pour savoir que les femmes sont à tous en telle région ? Au rebours, ayant tenu le premier rang dans l'ordre du savoir, l'un chez les Romains, l'autre chez les Grecs, et ce dans la saison où la science fleurissait le plus, nous n'avons pas pourtant appris qu'ils aient eu aucune supériorité particulière dans leur vie, et le Grec a même assez affaire à se laver de certaines taches qu'on remarque dans la sienne. A-t-on trouvé que la volupté et la santé soient plus savoureuses à celui qui sait l'astrologie, et la grammaire,

– Eh ! pour être illettré, bande-t-on avec moins de nerf
– *Illiterati num minus nerui rigent ?*, [2]

et la honte et la pauvreté sont-elles moins importunes ?

Oui, sans doute éviteras-tu maux et décrépitude,
Sans doute fuiras-tu les deuils et les soucis,
Et auras-tu plus longue vie et bien mieux fortunée
Scilicet et morbis et debilitate carebis,
Et luctum et curam effugies, et tempora uitæ
Longa tibi post hæc fato meliore dabuntur ! [3]

J'ai vu en mon temps cent artisans, cent laboureurs plus sages et plus heureux que des recteurs de l'université, et auxquels j'aimerais mieux ressembler. Le savoir, à mon avis, prend rang entre les choses nécessaires à la vie, comme la gloire, la noblesse, la dignité, ou tout au plus comme la richesse, et telles autres qualités qui y servent vraiment, mais de loin, et plus par imagination que par nature. Il ne nous faut guère non plus d'offices, de règles et de lois de vivre dans notre communauté, qu'il n'en faut aux grues et aux fourmis dans la leur. Et néanmoins nous voyons qu'elles s'y conduisent, sans érudition, de

1. Cicéron, *De natura deorum*, III, XXVII, 69.
2. Horace, *Épodes*, VIII, 17.
3. Juvénal, XIV, 156-158.

façon très ordonnée. Si l'homme était sage, il prendrait le vrai prix de chaque chose selon qu'elle serait la plus utile et propre à sa vie. Qui nous voudra décompter d'après nos actions et nos comportements, il en trouvera un plus grand nombre d'éminents parmi les ignorants qu'entre les savants, et ce, je l'affirme, en toute sorte de vertu. L'ancienne Rome me semble bien en avoir produit plus de grande valeur, tant dans la paix que dans la guerre, que cette Rome savante qui se ruina elle-même. Quand le reste serait tout pareil, au moins la prud'homie et l'innocence demeureraient du côté de l'ancienne, car elle va singulièrement bien avec la simplicité.

Mais je laisse là ce discours qui me tirerait plus loin que je ne voudrais le suivre. J'en dirai seulement encore cela, que c'est la seule humilité et soumission qui peut produire un homme de bien. Il ne faut pas laisser au jugement de chacun la connaissance de son devoir : il le lui faut prescrire, non pas le laisser choisir à sa fantaisie, autrement selon l'imbécillité et la variété infinie de nos raisons et de nos opinions, nous nous forgerions à la fin des devoirs qui nous mettraient à nous manger les uns les autres, comme dit Épicure. La première loi que Dieu donna jamais à l'homme, ce fut une loi de pure obéissance, ce fut un commandement nu et simple où l'homme n'eut rien à connaître et à discuter, parce que l'obéissance est l'office propre à une âme raisonnable qui reconnaît un bienfaiteur céleste supérieur. De l'obéissance et de la soumission naît toute autre vertu, comme de l'outrecuidance naît tout péché. Et au rebours, la première tentation qui vint à l'humaine nature de la part du diable, son premier poison, s'insinua en nous par les promesses qu'il nous fit de science et de connaissance : Vous serez comme des dieux, sachant le bien et le mal *Eritis sicut dii scientes bonum et malum.* [1] Et les Sirènes, pour tromper Ulysse chez Homère, et l'attirer dans leurs lacs dangereux et ruineux, lui offrent en don la science. La peste de l'homme c'est la prétention de savoir. Voilà pourquoi l'ignorance nous est tant recommandée par notre religion, comme un facteur propre à la croyance et à l'obéissance : Gardez-vous qu'on ne vous trompe en recourant à la philosophie et aux vaines séductions qu'elle tire de la leçon du monde *Cauete nequis uos decipiat per philosophiam et inanes seductiones secundum elementa mundi.* [2]

Sur ce point il y a un accord général entre tous les philosophes de toutes sectes, que le souverain bien consiste dans la tranquillité de l'âme et du corps : mais où la trouvons-nous ?

1. Genèse, III, 5.
2. Saint Paul, Épître aux Colossiens, II, 8.

Un sage ne le cède en somme qu'à Jupin :
Riche, libre, honoré, beau, roi des rois à la parfin,
Et surtout bien portant, sauf quand un rhume l'importune

Ad summum sapiens uno minor est Joue, dives,
Liber, honoratus, pulcher, rex denique regum :
Præcipue sanus, nisi cum pituita molesta est. [1]

Il semble à la vérité que Nature, pour la consolation de notre état misérable et chétif, ne nous ait donné en partage que la présomption. C'est ce que dit Épictète, que l'homme n'a rien de proprement à lui, sinon l'usage de ses opinions. Nous n'avons que du vent et de la fumée en partage. Les dieux ont la santé dans leur être même, dit la philosophie, et la maladie seulement en idée. L'homme, au rebours, possède ses biens en imagination, et les maux dans leur réalité. Nous avons eu raison de faire valoir les forces de notre imagination, car tous nos biens ne sont qu'en songe. Entendez les bravades de ce pauvre animal calamiteux : « Il n'est rien de si doux, dit Cicéron, que de nous appliquer aux lettres, à ces lettres, dis-je, par lesquelles l'infinité des choses, l'immensité de la nature, les cieux en ce monde même, et les terres, et les mers nous sont découverts ; ce sont elles qui nous ont appris la religion, la modération, la grandeur de courage, et qui ont arraché notre âme aux ténèbres pour lui faire voir toutes choses hautes, basses, premières, dernières, et moyennes. Ce sont elles qui nous fournissent de quoi vivre bien et heureusement, et qui nous guident pour passer notre âge sans déplaisir et sans souffrance. » Celui-ci ne semble-t-il pas parler de la condition d'un Dieu tout-vivant et tout-puissant, alors même que dans les faits mille petites femmes ont vécu au village une vie plus égale, plus douce, et plus constante que ne fut la sienne ?

...c'est un dieu, celui-là, un dieu, fier Memmius,
Qui le premier fonda sur des principes sérieux
Ces règles de vivre qu'on nomme aujourd'hui sapience,
Et dont l'art, parmi tant de nuit et de turbulence,
Plaça la vie en un havre aussi calme et radieux

Deus ille fuit Deus, inclute Memmi,
Qui princeps uitæ rationem inuenit eam, quæ
Nunc appellatur sapientia, quique per artem
Fluctibus e tantis uitam tantisque tenebris,
In tam tranquillo et tam clara luce locauit. [2]

---

1. Horace, *Épîtres*, I, I, 106-108.
2. Lucrèce, V, 8-12.

Voilà des paroles très magnifiques et très belles, mais un bien léger accident mit l'entendement de ce poète en un pire état que celui du moindre berger [1], nonobstant ce Dieu précepteur et cette divine sapience. De même impudence est cette promesse du livre de Démocrite : « Je m'en vais parler de toutes choses. » Et ce sot titre qu'Aristote nous prête, de « dieux mortels », et ce jugement de Chrysippe, que « Dion était aussi vertueux que Dieu » ! Et mon cher Sénèque reconnaît, dit-il, que Dieu lui a donné le vivre, mais qu'il tient de soi le bien vivre. Conformément à ce que dit cet autre, que de notre vertu c'est à bon droit que nous nous faisons gloire, ce qui ne serait le cas si nous la tenions de Dieu et non de nous-mêmes *in uirtute uere gloriamur, quod non contingeret si id donum a Deo non a nobis haberemus* [2]. Ceci est aussi de Sénèque, que « le sage a la même force d'âme que Dieu, mais au milieu de l'humaine faiblesse, par quoi il le surpasse. » Il n'est rien d'aussi ordinaire que de rencontrer des traits d'une pareille impudence. Il n'est aucun de nous qui s'offense autant de se voir apparier à Dieu que de se voir ravaler au rang des autres animaux, tant nous sommes plus jaloux de notre intérêt que de celui de notre créateur.

Mais il faut mettre aux pieds cette sotte vanité, et secouer vivement et hardiment les fondements ridicules sur lesquelles ces fausses opinions se bâtissent. Tant qu'il pensera avoir quelque moyen et quelque force par soi, jamais l'homme ne reconnaîtra ce qu'il doit à son maître. Il fera toujours de ses œufs des poules, comme on dit. Il faut le mettre en chemise.

Voyons quelque notable exemple de l'effet de sa philosophie.

Possidonius étant oppressé d'une maladie si douloureuse qu'elle lui faisait tordre les bras et grincer les dents, pensait bien faire la nique à la douleur pour s'écrier contre elle : « Tu as beau faire, je n'avouerai pourtant pas que tu sois un mal. » Il ressent les mêmes souffrances que mon laquais, mais il fait le fier parce qu'il maintient au moins sa langue sous les lois de sa secte : il ne fallait pas faire le fier en paroles et succomber dans les actes *re succumbere non oportebat uerbis gloriantem* [3] ! Archésilas étant malade de la goutte, Carnéade qui le vint visiter s'en retournait tout chagrin. Il le rappela, et lui montrant ses pieds puis sa poitrine : « Il n'est rien monté de là jusqu'ici », lui dit-il. Ce dernier a un peu meilleure grâce, car il sent qu'il a mal, et voudrait en être

1. Le poète en question est Lucrèce. On ignore tout de sa vie, même si selon une mention venimeuse et sectaire que saint Jérôme se permit d'ajouter à la *Chronique* d'Eusèbe de Césarée, Lucrèce, devenu fou, se serait suicidé en absorbant un philtre d'amour : on ne prête qu'aux riches.

2. Cicéron, *De natura deorum*, III, XXXVI, 87.

3. Cicéron, *Tusculanes*, II, XIII, 30.

dépêtré ; mais de ce mal pourtant son cœur n'est ni abattu ni affaibli. Possidonius se maintient dans sa roideur, plus verbale que réelle, je le crains. Quant à Denys d'Héraclée, affligé d'une cuisson véhémente des yeux, il fut contraint de quitter ces résolutions stoïques.

Mais quand bien même la science ferait en effet ce qu'ils disent, à savoir émousser et rabattre l'aigreur des infortunes qui nous poursuivent, que fait-elle d'autre que ce que fait beaucoup plus simplement l'ignorance, et plus évidemment ? Le philosophe Pyrrhon, courant en mer le hasard d'une grande tourmente, ne présentait à ceux qui étaient avec lui d'autre exemple à imiter que la sécurité d'un pourceau qui voyageait avec eux et regardait cette tempête sans effroi. La philosophie, au bout de ses préceptes, nous renvoie aux exemples d'un athlète et d'un muletier, gens chez qui l'on voit d'ordinaire beaucoup moins de ressentiment, de mort, de douleurs, et d'autres inconvénients, et plus de fermeté que la science n'en fournit jamais à quelqu'un qui n'y fût né et préparé de soi-même par une habitude naturelle. Quoi donc peut faire qu'on incise et taille les tendres membres d'un enfant et ceux d'un cheval plus aisément que les nôtres si ce n'est l'ignorance ? Combien en a rendu malades la seule force de l'imagination ? Nous en voyons tous les jours qui se font saigner, purger, et donner médecine pour guérir des maux qu'ils ne ressentent que dans leur idée. Lorsque les vrais maux nous font défaut, la science nous prête les siens : voici une couleur et un teint qui vous présagent quelque fluxion catarrheuse ; cette saison chaude vous menace d'un accès de fièvre ; cette coupure de la ligne de vie à votre main gauche vous avertit de quelque notable et prochaine indisposition. Et pour finir elle s'en prend tout rondement à la santé même : cette allégresse, cette jeune vigueur, ne va pas rester toujours dans son assiette, il faut lui dérober du sang et de la force de peur qu'elle ne se retourne contre vous-même ! La vie d'un homme asservi à de telles imaginations, comparez-la donc à celle d'un laboureur qui se laisse aller au gré de son appétit naturel, mesurant les choses à ses seules sensations présentes, sans science et sans pronostique, qui n'a du mal que lorsqu'il l'a, quand l'autre a souvent sa pierre dans l'esprit avant de l'avoir dans les reins. Comme s'il n'était point assez à temps de souffrir le mal lorsqu'il sera là, il l'anticipe en imagination et lui court au devant. Ce que je dis de la médecine peut servir d'exemple à toute science d'une façon générale. De là est venue cette ancienne opinion des philosophes qui situaient le souverain bien dans la reconnaissance de la faiblesse de notre jugement. Mon ignorance me prête autant d'occasion d'espérance que de crainte, et n'ayant d'autre règle pour ma santé que celle des exemples d'autrui et des événements que je vois ailleurs en pareille occasion, j'en trouve de toutes sortes, et m'arrête aux comparaisons qui me sont les plus favorables. Je reçois la santé à bras ouverts, libre, pleine, et entière, et j'aiguise mon appétit à en jouir, d'autant plus qu'elle m'est à présent moins ordinaire et plus rare : tant s'en faut que je trouble son repos et sa douceur par l'amertume d'une façon de vivre nouvelle et contrainte ! Les bêtes nous montrent assez combien l'agitation de notre esprit nous apporte de maladies. Ce qu'on nous dit de ceux du Brésil, qu'ils ne mouraient que de vieillesse, on l'attribue à la sérénité et à la tranquillité de leur air : je l'attribue plutôt à la tranquillité et à la sérénité de leur âme, déchargée de toute passion, pensée et occupation tendue ou déplaisante, vu que ces gens passaient leur vie dans une simplicité et une ignorance admirables, sans lettres, sans loi, sans roi, sans quelque religion que ce soit.

Et d'où vient, chose qu'on trouve par expérience, que les plus grossiers et les plus lourds soient aussi les plus fermes et plus désirables dans les exercices amoureux, et que l'amour d'un muletier se rende souvent plus acceptable que celui d'un galant homme, sinon que chez ce dernier l'agitation de l'âme trouble la force corporelle, la rompt, et la lasse ? Comme elle lasse aussi et trouble ordinairement l'âme elle-même. Quoi donc la dérange ? Quoi donc la jette plus coutumièrement dans la manie que sa promptitude, sa pointe, son agilité, et sa force propre enfin ? De quoi se fait la plus subtile folie sinon de la plus subtile sagesse ? De même que des grandes amitiés naissent de grandes inimitiés, et des santés vigoureuses des maladies mortelles, ainsi des rares et vives agitations de nos âmes naissent les plus éminentes folies, et les plus détraquées : il n'y a qu'un demi-tour de cheville pour passer de l'un à l'autre ! Aux actions des hommes insensés, nous voyons combien la folie s'accorde proprement avec les plus vigoureuses opérations de notre âme. Qui ne sait combien est imperceptible le voisinage entre la folie et les gaillardes élévations d'un esprit libre ou les effets d'une vertu suprême et extraordinaire ? Platon dit que les mélancoliques sont les plus propres à être instruits et les plus éminents : aussi n'en est-il point qui aient autant de propension à la folie. Un nombre infini d'esprits se trouvent ruinés par leur force et leur agilité propres. Quel saut vient de faire, de son propre ressort et par sa seule vivacité, l'un des plus judicieux, des plus géniaux et des mieux formés à l'air de l'antique et pure poésie qu'aucun autre poète italien depuis longtemps [1] ? N'a-t-il pas de quoi savoir gré à cette sienne allégresse meurtrière ? À cette clarté qui l'a aveuglé ? À cette

1. C'est du Tasse qu'il s'agit dans tout ce passage. Le poète avait été interné chez les fous à Ferrare.

raison si exacte et si tendue qui l'a laissé sans raison ? À la curieuse et laborieuse quête des sciences qui l'a conduit à la bêtise ? À cette rare aptitude aux exercices de l'âme qui l'a laissé sans exercice et sans âme ? J'eus plus de dépit encore que de compassion de le voir à Ferrare en si piteux état, se survivant à lui-même, méconnaissant et soi et ses ouvrages, qu'à son insu, et toutefois à sa vue, on a publiés sans corrections, et informes. Voulez-vous un homme sain, le voulez-vous réglé, et en ferme et sûre posture ? Affublez-le de ténèbres, d'oisiveté et de pesanteur ! Il faut nous abêtir pour nous assagir, et nous éblouir pour nous guider. Et si l'on me dit que la commodité d'avoir les sens froids et émoussés aux douleurs et aux maux tire après soi cette incommodité de nous rendre aussi par conséquent moins aiguisés et moins friands à jouir des biens et des plaisirs, la chose est vraie : mais la misère de notre condition comporte que nous n'avons pas tant à jouir qu'à fuir, et que l'extrême volupté ne nous touche pas autant qu'une légère douleur : nous ne sentons point l'entière santé autant que la moindre des maladies *segnius homines bona quam mala sentiunt :* [1]

nous époinçonne
Un léger coup à peine à fleur de peau porté,
Alors que nul ne se soucie en rien de sa santé :
Suffit à mon bonheur de n'être douloureux
Ni du flanc ni du pied : pour le reste, personne
À peine ne se sent ou sain ou vigoureux

pungit
In cute uix summa uiolatum plagula corpus
Quando ualere nihil quemquam mouet. Hoc iuuat unum
Quod me non torquet latus aut pes : cetera quisquam
Vix queat aut sanum sese aut sentire ualentem. [2]

Notre bien-être, ce n'est que la privation d'avoir mal. Voilà pourquoi la secte de philosophie qui a le plus fait valoir la volupté l'a cependant réduite à la seule absence de douleur. N'avoir point de mal, c'est avoir le plus de bien que l'homme puisse espérer. Comme disait Ennius :

Bien trop heureux déjà qui n'éprouve de maux
Nimium boni est cui nihil est mali ! [3]

car ce même chatouillement, ce même aiguisement, qui se rencontre en certains plaisirs et semble nous élever au-dessus de la simple santé

1. Tite-Live, XXX, XXI, 6.
2. La Boétie, *Poemata*, XX, 295-299.
3. Cité par Cicéron, *De finibus*, II, XIII, 41.

et de la seule absence de douleur, cette volupté active qui nous transporte et je ne sais comment nous brûle et nous mord, même celle-là, oui, ne vise pourtant qu'à l'absence de douleur comme à son but. L'appétit qui nous emporte à fréquenter les femmes ne cherche qu'à chasser le mal que nous fait souffrir le désir ardent et furieux ; il ne demande qu'à s'assouvir et à se mettre en repos une fois délivré de cette fièvre. Ainsi des autres. Je dis donc que si la simplicité nous achemine jusqu'à ce point de n'avoir point de mal, elle nous achemine à un état très heureux pour notre condition. Il ne la faut pourtant point imaginer si plombée qu'elle soit sans sentiment du tout. Car Crantor avait bien raison de combattre l'absence de douleur d'Épicure si on la faisait si profonde que l'abord même et la naissance des maux en fût à dire. Je ne loue point cette indolence qui n'est ni possible ni désirable. Je suis content de n'être pas malade, mais si je le suis, je veux savoir que je le suis, et si on me cautérise ou m'incise, je veux le ressentir. De vrai, qui déracinerait la connaissance du mal, il extirperait en même temps la connaissance de la volupté, et pour finir il réduirait l'homme à néant : Cette maxime de ne souffrir point s'achète au prix fort par l'ensauvagement de l'esprit, par l'abrutissement du corps *Istud nihil dolere, non sine magna mercede contingit immanitatis in animo, stuporis in corpore.* [1] Le mal est pour l'homme un bien à son tour. Ni la douleur ne lui est toujours à fuir, ni la volupté toujours à suivre.

C'est un très grand avantage en l'honneur de l'ignorance que la science même nous rejette entre ses bras quand elle se trouve impuissante à nous roidir contre le poids des maux : elle est contrainte de venir à cette composition, de nous lâcher la bride, de nous permettre de courir nous réfugier dans ce giron de l'ignorance et de nous mettre, sous sa sauvegarde, à l'abri des coups et des injures de la fortune. Car que veut-elle dire d'autre quand elle nous prêche de retirer notre pensée des maux qui nous tiennent, de l'entretenir des voluptés perdues, de nous servir, pour nous consoler des maux présents, de la souvenance des biens passés, et quand elle veut que nous rappelions à notre secours un contentement évanoui pour l'opposer à ce qui nous oppresse (l'allègement de nos douleurs, Épicure le place dans le refus de songer à ce qui nous accable, et dans le souvenir de nos plaisirs *leuationes ægritudinum in auocatione a cogitanda molestia, et reuocatione ad contemplandas uoluptates ponit*) [2], si ce n'est que là où la force lui manque, elle veut user de ruse, et donner un tour de souplesse et de jambe quand la vigueur du corps et des bras vient à lui faire défaut ? Car non seulement pour un philosophe, mais pour un homme simplement rassis, quand il sent en

1. Cicéron, *Tusculanes*, III, VI, 12.
2. Cicéron, *Tusculanes*, III, XV, 33.

effet l'altération cuisante d'une fièvre chaude, quelle monnaie est-ce là que de le payer de la souvenance de la douceur du vin grec ? Ce serait plutôt lui empirer son marché :

> Souvenir du bon temps redouble nos regrets
> *Che ricordarsi il ben doppia la noia.* [1]

De même nature est cet autre conseil que donne la philosophie de garder en mémoire seulement le bonheur passé et d'en effacer les déplaisirs que nous avons soufferts, comme si nous avions en notre pouvoir la science de l'oubli ! Conseil par lequel nous ne valons pas plus, encore un coup :

> Il est doux d'oublier les épreuves passées
> *Suauis est laborum præteritorum memoria.* [2]

Comment ? la philosophie qui me doit mettre les armes à la main pour combattre la fortune, elle qui me doit roidir le cœur pour fouler aux pieds toutes les adversités humaines, en viendrait-elle donc à cette lâcheté de vouloir que je détale comme un lapin par ces détours couards et ridicules ? Car la mémoire nous représente non pas ce que nous choisissons, mais ce qui lui plaît. Voire, il n'est rien qui imprime si vivement quelque chose en notre souvenance que le désir de l'oublier ! C'est une bonne manière de donner en garde et d'empreindre quelque chose en notre âme que de lui demander de l'oublier. Voici qui est faux : il est en nous et d'ensevelir nos malheurs dans un oubli quasi éternel, et de nous souvenir de nos bonheurs avec joie et plaisir *est situm in nobis ut et aduersa quasi perpetua obliuione obruamus, et secunda iucunde et suauiter meminerimus.* [3] Et voici qui est vrai : Il me souvient de ce que je ne voudrais, mais je ne puis oublier ce que je veux *memini etiam quæ nolo, obliuisci non possum quæ uolo.* [4] Et de qui donc est ce conseil ? De celui qui seul osa se proclamer sage *qui se unus sapientem profiteri sit ausus.* [5]

> Qui sur le genre humain a su régner par son esprit,
> Éclipsant les penseurs comme au levant pâlit l'étoile
> *Qui genus humanum ingenio superavit, et omnes*
> *Præstrinxit stellas, exortus uti ætherius sol* ! [6]

1. Lodovico Dolce, *La Giocasta*, V, p. 52.
2. Cicéron, *De finibus*, II, XXXII, 105.
3. Cicéron, *De finibus*, I, XVII, 57.
4. Cicéron, *De finibus*, II, XXXII, 104.
5. Il s'agit d'Épicure. Cicéron, *De finibus*, II, III, 7.
6. Lucrèce, III, 1043-1044.

Vider et démunir la mémoire, n'est-ce pas là le vrai et propre chemin vers l'ignorance ? *Iners malorum remedium ignorantia est* [1] : l'ignorance est un remède sans force à nos maux.

Nous voyons plusieurs pareils préceptes par lesquels on nous permet d'emprunter au commun des mortels des apparences frivoles quand la raison vive et forte n'y peut assez, pourvu qu'elles nous servent de contentement et de consolation. Où ils ne peuvent guérir la plaie, ils sont contents de l'endormir et de la plâtrer. Je crois qu'ils ne me nieront pas ceci que s'ils pouvaient ajouter de l'ordre et de la constance à un état de vie qui, par quelque faiblesse et maladie de jugement, se pût maintenir en plaisir et en tranquillité, ils l'accepteraient :

Je me veux mettre à boire et à semer des fleurs,
Dussé-je passer pour fol

potare et spargere flores
Incipiam, patiarque uel inconsultus haberi ! [2]

Il se trouverait plusieurs philosophes de l'avis de Lycas : celui-ci qui avait au demeurant des mœurs bien réglées, qui vivait doucement et paisiblement en famille, qui ne manquait à nulle obligation de ses devoirs envers les siens et les étrangers, qui se préservait très bien des choses nuisibles, s'était, par quelque aliénation du sens, imprimé dans la cervelle une rêverie : c'est qu'il pensait être perpétuellement au théâtre à y voir des passe-temps, des spectacles, et des plus belles comédies du monde. Une fois qu'il fut guéri par les médecins de cette humeur peccante [3], c'est à peine s'il ne les mît pas en procès pour le rétablir dans la douceur de ces imaginations :

Las ! vous m'avez tué, mes amis, non guéri,
En m'ôtant ce plaisir et m'arrachant de vive force
La douce illusion qui berçait mon esprit

Pol ! me occidistis amici,
Non seruastis, ait, cui sic extorta uoluptas,
Et demptus per uim mentis gratissimus error. [4]

Sa rêverie était pareille à celle de Thrasylaos, le fils de Pythodoros, qui se faisait accroire que tous les navires qui relâchaient au port du Pirée et qui y abordaient ne travaillaient que pour son service : il se réjouissait de la bonne fortune de leur navigation et il les accueillait

1. Sénèque, *Œdipe*, III, VII, 512.
2. Horace, *Épîtres*, I, V, 14-15.
3. Humeur qui « pèche », sécrétion viciée, cause supposée de maladies de l'âme.
4. Horace, *Épitres*, II, II, 138-140.

avec joie. Son frère Criton l'ayant fait remettre en son meilleur sens, il regrettait cette sorte de condition, dans laquelle il avait vécu en liesse, et déchargé de tout déplaisir. C'est ce que dit ce vers grec ancien, qu' « il est avantageux de n'être pas trop avisé » :

Ἐν τῷ φρονεῖν γὰρ μηδὲν ἥδιστος βίος, [1]

et l'Ecclésiaste : « à grande sagesse, grand déplaisir », ou : « qui acquiert de la science, il s'acquiert de la peine et du tourment. » Enfin cette issue même à laquelle la philosophie consent en général, oui, cette ultime recette qu'elle prescrit pour toute sorte de nécessités de mettre fin à la vie quand nous ne la pouvons plus supporter : Te plaît-elle ? Prépare-toi ! Te déplaît-elle ? Quitte-la par où tu voudras *Placet ? pare ! Non placet ? quacumque uis exi.* [2] ; Le mal t'époint ? Il t'affouille ? Si tu es sans armes, tends la gorge ; si tu es au contraire muni des armes de Vulcain, autrement dit de courage, alors reste droit *Pungit dolor ? uel fodiat sane ? Si nudus es, da jugulum, sin tectus armis Vulcaniis, id est fortitudine, resiste* [3], et ce beau mot encore des convives grecs qu'ils appliquent à ce cas : *aut bibat, aut abeat* [4] qu'il boive ou bien s'en aille, mot qui sonne mieux dans la langue d'un Gascon, qui change volontiers en *v* le *b*, qu'en celle de Cicéron :

Si bien vivre tu ne sais, cède ta place aux experts ;
Tu as bien fait le fol, assez mangé, bien fait bamboche :
Tu dois partir à présent, de peur que cet âge alors
Qui sait mieux se tenir que toi dans la débauche,
Ne se rie à te voir fin saoul et ne te boute hors

Viuere si recte nescis, decede peritis.
Lusisti satis, edisti satis, atque bibisti :
Tempus abire tibi est ne potum largius æquo
Rideat, et pulset lasciua decentius ætas, [5]

oui, tous ces beaux préceptes-là, dis-je, qu'est-ce donc d'autre que l'aveu de l'impuissance de la science, et un renvoi, non seulement à l'ignorance, pour y être à couvert, mais à la stupidité même, au non-sentir, et au non-être ?

Démocrite, en sa fin, suit ce que l'âge lui conseille :
Et, sentant son esprit choir et sa mémoire faiblir,
Il devance le trépas et lui va sa tête offrir

1. Sophocle, *Ajax*, 554.
2. Sénèque, *Lettres à Lucilius*, XCI, 15 ; LXX, 15.
3. Cicéron, *Tusculanes*, II, XIV, 33.
4. Cicéron, *Tusculanes*, V, XLI, 118.
5. Horace, *Épîtres*, II, II, 213-216.

Democritum postquam matura uetustas
Admonuit memores motus languescere mentis,
Sponte sua leto caput obuius obtulit ipse ! [1]

C'est encore ce que disait Antisthène, qu'il fallait faire provision ou de sens pour comprendre, ou de licol pour se pendre, et c'est aussi ce que Chrysippe alléguait sur ce propos du poète Tyrtée : « Avoir de la vertu, ou de mort s'approcher ». Et Cratès aussi disait que l'amour se guérissait par la faim, ou sinon par le temps, et, pour ceux à qui ces deux moyens ne plairaient, par la corde. Le fameux Sextius, dont Sénèque et Plutarque parlent avec une si grande estime, s'étant jeté, toutes choses laissées, dans l'étude de la philosophie, délibéra de se précipiter dans la mer en voyant que le progrès de ses études était trop tardif et trop long. Il courait à la mort faute de pouvoir atteindre à la science ! Voici les termes de leur loi sur ce sujet : « Si d'aventure il survient quelque grand inconvénient qui ne se puisse remédier, le port est prochain, et l'on peut se sauver à la nage hors du corps comme hors d'un esquif qui fait eau, car c'est la crainte de mourir, non pas le désir de vivre qui retient le fol attaché au corps. »

De même que par la simplicité la vie se rend plus plaisante, elle s'en rend aussi plus innocente et meilleure, comme je commençais tantôt à le dire. Les simples, dit saint Paul, et les ignorants, s'élèvent vers le ciel et s'en saisissent, et nous, avec tout notre savoir, nous plongeons aux abîmes infernaux. Je ne m'arrête ni à Valentian, ennemi déclaré de la science et des lettres, ni à Licinius, tous deux empereurs romains, qui les nommaient le venin et la peste de tout État, ni à Mahomet, qui (comme je l'ai entendu) interdit la science à ses hommes, mais l'exemple de ce grand Lycurgue et son autorité doivent avoir assurément un grand poids, ainsi que la révérence qu'on porte à cette divine constitution de Lacédémone, si grande, si admirable, et si longtemps florissante en vertu et en bonheur sans que les lettres n'y fussent aucunement enseignées ni pratiquées. Ceux qui reviennent de ce nouveau monde qui a été découvert du temps de nos pères par les Espagnols nous peuvent témoigner combien ces nations sans magistrat et sans loi vivent plus justement et de façon mieux réglée que les nôtres où il y a plus de juges et de lois qu'il n'y a d'autres hommes et qu'il n'y a de procès :

De citations, de requêtes,
D'exploits, de procurations, d'enquêtes
Ils ont mains et sacs remplis,

1. Lucrèce, III, 1039-1041.

Et de gloses aussi, de consultations, de plis,
Par quoi jamais ne sont les pauvres hères
Dans nos villes en sûreté ;
Et derrière, et devant, et de chaque côté,
Ce n'est que procureurs, avocats et notaires

Di cittatorie piene et di libelli,
D'esamine et di carte, di procure
Hanno le mani et il seno, et gran fastelli
Di chiose, di consigli et di letture,
Per cui le facultà de poverelli
Non sono mai ne le citta sicure,
Hanno dietro et dinanzi et d'ambi i lati,
Notai, procuratori et advocati. [1]

C'était ce que disait un sénateur romain des derniers siècles, que leurs prédécesseurs avaient l'haleine qui puait l'ail et l'estomac musqué de bonne conscience, tandis qu'au rebours ceux de son temps ne sentaient au dehors que le parfum, mais puaient au-dedans de toutes sortes de vices, c'est-à-dire, comme je le pense, qu'ils avaient beaucoup de savoir et de talents, mais grand-faute de prud'homie. L'incivilité, l'ignorance, la simplicité, la rudesse s'accompagnent volontiers de l'innocence ; la curiosité, la subtilité, le savoir traînent la malice à leur suite ; l'humilité, la crainte, l'obéissance, la débonnaireté (qui sont les pièces principales pour la conservation de la société humaine) demandent une âme vide, docile, et présumant peu de soi.

Les chrétiens en particulier savent combien la curiosité est un mal naturel et originel chez l'homme. Le soin de s'augmenter en sagesse et en science, ce fut la première ruine du genre humain : c'est la voie par où il s'est précipité dans la damnation éternelle. L'orgueil est sa perte et sa corruption. C'est l'orgueil qui jette l'homme à l'écart des voies communes, qui lui fait embrasser les nouvelletés, qui lui fait aimer mieux être le chef d'une troupe errante et égarée sur le chemin de la perdition, qui lui fait aimer mieux être régent et précepteur d'erreur et de mensonge, plutôt que d'être disciple à l'école de la vérité, en se laissant mener et conduire par la main d'autrui sur grand route de la droiture. C'est d'aventure ce que dit ce mot grec ancien, que « la superstition suit l'orgueil et lui obéit comme à son père » : *ἡ δεισιδαιμονία κατάπερ πατρὶ τῷ τυφῷ πείτεται.* [2]

Ô outrecuidance, combien tu nous empêches ! Après que Socrate fut averti que le dieu de la sagesse lui avait attribué le nom de sage, il en fut étonné, et, se recherchant et se secouant partout, il ne trouvait

1. L'Arioste, *Roland furieux*, XIV, LXXXIV.
2. Propos de Socrate.

en lui aucun fondement à cette divine sentence. Il connaissait des hommes justes, tempérants, vaillants, savants comme lui, et plus éloquents, et plus beaux, et plus utiles au pays. À la fin, il se résolut à penser qu'il n'était distingué des autres et qu'il n'était sage que parce qu'il ne se tenait pas pour tel, que son dieu devait estimer que ce fût une bêtise singulière à l'homme que la prétention à la science et à la sagesse, et que son meilleur enseignement était l'enseignement de l'ignorance, et la simplicité sa meilleure sagesse. La sainte Parole déclare misérables ceux d'entre nous qui s'estiment : « Bourbe et cendre, leur dit-elle, qu'as-tu pour te glorifier ? » et ailleurs : « Dieu a fait l'homme semblable à l'ombre : qui en voudra juger quand, par l'éloignement de la lumière, elle se sera évanouie ? » Ce n'est rien que de nous. Il s'en faut tant que nos forces conçoivent la hauteur divine que parmi tous les ouvrages de notre créateur, ceux qui portent le mieux sa marque, et sont le mieux siens sont ceux-là même que nous entendons le moins. C'est pour les chrétiens une occasion de croire que de rencontrer chose incroyable : elle est d'autant plus selon la raison qu'elle est contraire à l'humaine raison. Si elle était selon la raison, ce ne serait plus un miracle ; et si elle était selon quelque exemple, ce ne serait plus chose singulière. Mieux connaît-on Dieu quand on ignore *melius scitur Deus nesciendo,* [1] dit saint Augustin. Et Tacite : il est plus saint et plus révérencieux de croire aux actes des dieux que de les connaître-*sanctius est ac reuerentius de actis deorum credere quam scire.* [2] Et Platon estime qu'il y ait quelque vice d'impiété à trop curieusement s'enquérir et de dieu, et du monde, et des causes premières des choses : en vérité il est difficile de découvrir le père de notre univers, et quand on l'a découvert, il est impie de le révéler au vulgaire *atque illum quidem parentem huius uniuersitatis inuenire difficile, et, quum iam inueneris, indicare in uulgus, nefas,* [3] dit Cicéron. Nous disons bien « puissance », « vérité », « justice » : ce sont là des mots qui signifient quelque chose de grand : mais cette chose-là, nous ne la voyons aucunement, ni ne la concevons ; nous disons que « Dieu craint », que « Dieu se courrouce », que « Dieu aime »,

Souillant d'humaines raisons ces majestés immortelles
Immortalia mortali sermone notantes, [4]

ce sont là autant de sentiments et de passions qui ne peuvent loger en Dieu selon notre forme, pas plus que nous ne pouvons l'imaginer selon la sienne : c'est à Dieu seul de se connaître et d'interpréter ses

1. Saint Augustin, *De ordine*, II, XVI.
2. Tacite, Germanie, XXXIX.
3. Platon, *Timée* (trad. par Cicéron), II, 28c.
4. Lucrèce, V, 121.

ouvrages. Et il le fait en notre langue, improprement, pour se ravaler et descendre jusqu'à nous, qui sommes à terre couchés. La prudence, comment lui peut-elle convenir, qui est d'élire au mieux entre le bien et le mal, vu que nul mal ne le touche ? Que dire de la raison et de l'intelligence, dont nous nous servons pour arriver aux choses apparentes par les choses obscures, vu qu'il n'y a rien d'obscur pour Dieu ? La justice, qui distribue à chacun ce qui lui appartient, elle qui fut engendrée pour la société et la communauté des hommes, comment est-elle en Dieu ? La tempérance, comment, vu qu'elle est la modération des voluptés charnelles qui n'ont nulle place dans la divinité ? Et le courage de supporter la douleur, les labeurs, les dangers, lui appartiennent tout aussi peu, ces trois choses n'ayant nul accès auprès de lui. C'est pourquoi Aristote le tient pour également exempt et de vertu et de vice : Ni la clémence ni la colère ne le touchent, puisque tout ce qui serait tel en lui serait faiblesse *Neque gratia neque ira teneri potest, quod quæ talia essent, imbecilla essent omnia.* [1] La participation que nous avons à la connaissance de la vérité, quelle qu'elle soit, ce n'est point par nos propres forces que nous l'avons acquise. Dieu nous a assez appris cela par les témoins qu'il a choisis parmi le peuple, simples et ignorants, pour nous instruire de ses admirables secrets : notre foi, ce n'est pas notre acquêt, c'est un pur présent que nous devons à la libéralité d'autrui. Ce n'est pas par le raisonnement ou par notre entendement que nous avons reçu notre religion, c'est par voie d'autorité et par un commandement étranger. La faiblesse de notre jugement nous y aide plus que la force, et notre aveuglement plus que notre clairvoyance. C'est par l'entremise de notre ignorance plus que de notre science que nous sommes savants du divin savoir. Ce n'est pas merveille si nos moyens naturels et terrestres ne peuvent concevoir cette connaissance surnaturelle et céleste : de notre part, apportons-y seulement l'obéissance et la soumission, car, comme le dit l'Écriture : « Je détruirai la sapience des sages, et j'abattrai la prudence des prudents. Où est le sage ? Où est l'écrivain ? Où est le raisonneur de ce siècle ? Dieu n'a-t-il pas abêti la sapience de ce monde ? Car puisque le monde n'a point connu Dieu par sapience, il lui a plu de sauver les croyants par la naïveté de la Parole. » [2]

1. Cicéron, *De natura deorum*, I, XVII, 45.

2. « *Per stultitiam praedicationis* », écrit la Vulgate : toutes les traductions françaises de la Bible au XVIe siècle rendent cette expression par : « par la folie de la prédication », ce qui n'a guère de sens. Montaigne améliore en disant « par la vanité de la prédication », c'est-à-dire en fait « par la naïve simplicité de la Parole ».

Aussi me faut-il voir enfin s'il est en la puissance de l'homme de trouver ce qu'il cherche, et si cette quête qu'il y a menée depuis tant de siècles l'a enrichi de quelque nouvelle force, et de quelque vérité solide. Je crois qu'il me confessera, s'il parle en conscience, que tout l'acquêt qu'il a retiré d'une si longue poursuite, c'est d'avoir appris à reconnaître sa faiblesse. L'ignorance qui était naturellement en nous, nous l'avons par longue étude confirmée et avérée. Il est advenu aux gens véritablement savants ce qui advient aux épis de blé : ils vont s'élevant et se haussant, la tête droite et fière, tant qu'ils sont vides ; mais quand ils sont pleins et gros de grain, dans leur maturité, ils commencent à s'humilier et à baisser les cornes. Pareillement les hommes, ayant tout essayé, tout sondé, et n'ayant trouvé dans cet amas de science et cette provision de tant de choses diverses rien de solide et de ferme, et rien que vanité, ils ont renoncé à leur présomption et reconnu leur condition naturelle. C'est précisément ce que Velleius reproche à Cotta et à Cicéron, qu'ils ont appris de Philon qu'ils n'avaient rien appris. Phérécyde, l'un des sept sages, écrivant à Thalès alors qu'il expirait : « J'ai, dit-il, ordonné aux miens, après qu'ils m'auront enterré, de te porter mes écrits. S'ils contentent et toi et les autres sages, publie-les ; sinon, supprime-les. Ils ne contiennent nulle certitude qui me satisfasse moi-même. Aussi ne fais-je pas profession de savoir la vérité, ni d'y atteindre. J'ouvre les choses plus que je ne les découvre. » Le plus sage homme qui fut onques, quand on lui demanda ce qu'il savait, répondit qu'il savait qu'il ne savait rien. Il vérifiait ce qu'on dit, que la plus grande part de ce que nous savons est la moindre de celles que nous ignorons : c'est-à-dire que cela même que nous pensons savoir, c'est une partie, et bien petite, de notre ignorance.

Nous savons les choses en songe, dit Platon, et nous les ignorons en vérité. Presque tous les Anciens l'ont dit : nous ne pouvons rien connaître, rien saisir, rien savoir : étroits sont nos sens, faibles nos esprits, bref le décours de la vie *omnes paene ueteres nihil cognosci, nihil percipi, nihil sciri posse dixerunt : angustos sensus, imbecilles animos, breuia curricula uitæ.* [1] De Cicéron lui-même, qui devait au savoir tout ce qu'il valait, Valère Maxime dit que, sur sa vieillesse, il commença à moins estimer les lettres. Et que, dans le temps qu'il les cultivait, c'était sans s'obliger à aucun parti, mais en suivant ce qui lui semblait probable, tantôt dans une école, tantôt dans l'autre, s'en tenant toujours au doute prudent de l'Académie. Il faut parler, mais sans rien affirmer : je serai toujours en quête, doutant le plus souvent, et me défiant de moi-même *dicendum est, sed ita ut nihil affirmem : quæram omnia dubitans plerumque et mihi diffidens.* [2]

---

1. Cicéron, *Seconds Académiques*, I, XII, 44.
2. Cicéron, *De divinatione,* II, III, 8.

J'aurais trop beau jeu si je voulais considérer l'homme selon sa commune façon de faire et en gros, et je le pourrais faire pourtant selon sa règle propre, qui juge de la vérité non point par le poids des voix, mais par leur nombre. Laissons là le peuple

Qui ronfle tout éveillé,
Et qui vit comme mort quoiqu'ayant la vue et la vie

Qui uigilans stertit,
Mortua cui uita est prope iam uiuo atque uidenti, [1]

qui ne se sent point, qui ne se juge point, qui laisse la plupart de ses facultés naturelles oisives. Je veux prendre l'homme dans sa plus haute assiette. Considérons-le parmi ce petit nombre d'hommes éminents et triés, qui, ayant été doués d'une force naturelle à la fois belle et singulière, l'ont encore roidie et aiguisée par leur soin, par leur étude et par leur art, et l'ont montée au plus haut point de sagesse où elle puisse atteindre. Ils ont manié leur âme à tout sens et à tout biais, ils l'ont appuyée et étançonnée de tout le secours étranger qui lui a pu convenir, et ils l'ont enrichie et ornée de tout ce qu'ils ont pu emprunter pour sa commodité au-dedans comme au-dehors du monde : c'est en eux que culmine l'humaine nature. Ils ont réglé le monde par des constitutions et des lois. Ils l'ont instruit par les arts et par les sciences, et instruit encore par l'exemple de leurs mœurs admirables. Je ne veux prendre en compte que ces gens-là, leur témoignage, et leur expérience. Voyons jusqu'où ils sont allés et à quoi ils se sont tenus. Les maladies et les défauts que nous trouverons dans ce collège-là, le monde les pourra bien avouer pour siens sans hésitation.

Quiconque cherche quelque chose en vient à ce point de dire ou bien qu'il l'a trouvée, ou bien qu'elle ne peut se trouver, ou bien qu'il en est encore en quête. Toute la philosophie est départie entre ces trois genres. Son dessein est de chercher la vérité, la science et la certitude. Les Péripatéticiens, les Épicuriens, les Stoïciens, et d'autres, ont pensé l'avoir trouvée. Ceux-ci ont établi les sciences que nous avons, et ils les ont traitées comme des connaissances certaines. Clitomaque, Carnéade, et les Académiciens, ont désespéré de leur quête et jugé que la vérité ne se pouvait concevoir par nos moyens. La fin de ceux-ci, c'est la faiblesse et l'humaine ignorance. Ce parti a eu la plus grande suite et les sectateurs les plus nobles. Pyrrhon et les autres Sceptiques ou Épéchistes, dont plusieurs anciens ont soutenu que les dogmes fussent tirés d'Homère, des sept sages, d'Archiloque, et d'Euripide, auxquels ils rattachent Zénon, Démocrite, et Xénophane, disent qu'ils sont

1. Lucrèce, III, 1048 et 1046.

encore en recherche de la vérité : ceux-ci jugent que ceux-là qui pensent l'avoir trouvée se trompent infiniment, et qu'il y a encore une vanité trop hardie dans ce second degré qui assure que les forces humaines ne sont pas capables d'y atteindre. Car cela, d'établir la mesure de notre puissance, de connaître et de juger la difficulté des choses, c'est une grande et extrême science, dont ils doutent que l'homme soit capable

Qui croit qu'il ne sait rien, non plus ne sait, la chose est sûre,
Si l'on peut rien savoir, car d'ignorer tout il s'assure

Nil sciri quisquis putat, id quoque nescit,
An sciri possit, quo se nil scire fatetur ! [1]

L'ignorance qui se sait, qui se juge, et qui se condamne, ce n'est pas une entière ignorance : pour l'être, il faut qu'elle s'ignore soi-même. De façon que la profession des Pyrrhoniens est de balancer, de douter, et d'enquérir, de ne s'assurer de rien, de ne se porter garants de rien. Des trois actions de l'âme, concevoir, vouloir et juger, ils en admettent les deux premières : la dernière, ils la suspendent et la maintiennent ambivalente, sans inclination, ni approbation d'une part ou de l'autre, tant soit-elle légère. Zénon peignait par des gestes sa façon de voir cette partition des facultés de l'âme : la main étendue et ouverte, c'était vraisemblance ; la main à demi serrée, et les doigts un peu crochés, acquiescement ; le poing fermé, compréhension ; quand de la main gauche il venait encore à clore ce poing plus étroitement, c'était science. Maintenant, cette assiette de leur jugement, droite, et inflexible, recevant tous objets sans adhésion ni acquiescement, les achemine à leur ataraxie, qui est une condition de vie paisible, rassise, exempte des agitations que nous recevons par ce qu'impriment en nous l'opinion et de science que nous pensons avoir des choses, d'où naissent la crainte, l'avarice, l'envie, les désirs immodérés, l'ambition, l'orgueil, la superstition, l'amour de la nouvelleté, la rébellion, la désobéissance, l'opiniâtreté, et la plupart des maux corporels. Et même, ils s'exemptent par là de la jalousie qui règne dans leur discipline. Car ils débattent d'une bien molle façon. Ils ne craignent point le revers dans leur dispute. Quand ils disent que le pesant va contre-bas, ils seraient bien marris qu'on les en crût, et ils cherchent qu'on les contredise pour engendrer la dubitation et ce sursis à juger qui est leur fin. Ils ne mettent en avant leurs propositions que pour combattre celles qu'ils pensent que nous ayons en notre créance. Si vous prenez la leur, ils se prendront tout aussi volontiers à soutenir le contraire : tout leur est

1. Lucrèce, IV, 469-470.

un, ils n'y font aucun choix. Si vous établissez que la neige soit noire, ils argumentent au rebours qu'elle est blanche. Si vous dites qu'elle n'est ni l'un ni l'autre, c'est à eux à soutenir qu'elle est les deux à la fois. Si par un jugement déterminé vous soutenez que vous n'en savez rien, ils vous soutiendront que vous le savez. Oui, et si par un axiome affirmatif vous assurez que vous en doutez, ils vous iront débattre que vous n'en doutez pas, ou que vous ne pouvez juger et établir que vous en doutez. Et par cette extrémité de doute, qui se secoue soi-même, ils se séparent et se distinguent de plusieurs opinions, et de celles-là mêmes qui ont soutenu de plusieurs façons le doute et l'ignorance.

Pourquoi, disent-ils, tout comme il est permis chez les dogmatiques à l'un de dire vert, à l'autre jaune, ne leur serait-il pas, à eux, pareillement permis de douter ? Est-il chose qu'on vous puisse proposer pour l'avouer ou la refuser qu'il ne soit pas loisible de considérer comme ambiguë ? Et, là où les autres sont « emportés » ou par la coutume de leurs pays, ou par l'éducation reçue des parents, ou par accident, « comme par une tempête », sans jugement et sans choix, voire le plus souvent avant l'âge du discernement, à telle ou telle opinion, à la secte ou stoïque ou épicurienne, à laquelle ils se trouvent hypothéqués, asservis et « collés » comme à une prise dont ils ne peuvent démordre : *emportés* vers quelque doctrine *comme par une tempête*, ils s'y *collent* comme à un rocher *ad quamcumque disciplinam uelut tempestate delati, ad eam tanquam ad saxum adhærescunt* [1]. Pourquoi à ceux-ci ne serait-il pas semblablement accordé de conserver leur liberté et de considérer les choses sans obligation et sans servitude, eux qui sont d'autant plus libres et détachés par cela que leur faculté de juger est intacte *hoc liberiores et solutiores quod integra illis est iudicandi potestas* [2] ? N'est-ce pas quelque avantage de se trouver dégagé de la nécessité qui bride les autres ? Vaut-il pas mieux demeurer en suspens que de s'empêtrer en tant d'erreurs que l'humaine fantaisie a produites ? Vaut-il pas mieux suspendre sa persuasion que de se mêler à ces divisions séditieuses et querelleuses ? « – Qu'irais-je choisir ? – Ce qu'il vous plaira, pourvu que vous choisissiez ! » Voilà une sotte réponse, à laquelle il semble pourtant que tout le dogmatisme arrive, lui qui ne nous permet pas d'ignorer ce que nous ignorons ! Prenez le plus fameux parti, jamais il ne sera si sûr que, pour le défendre, il ne vous faille pas attaquer et combattre cent et cent partis contraires. Vaut-il pas mieux se tenir hors de cette mêlée ? Il vous est bien permis d'épouser comme votre honneur et votre vie la croyance d'Aristote sur l'éternité de l'âme, et de dédire et démentir

1. Cicéron, *Premiers Académiques*, II, III, 8.
2. Cicéron, *Premiers Académiques*, II, III, 8.

Platon là-dessus, et à eux il sera interdit d'en douter ? S'il est loisible à Panætius de soutenir son jugement autour des haruspices, des songes, des oracles, des vaticinations, toutes choses dont les Stoïciens ne doutent aucunement, pourquoi un sage n'oserait-il pas en toutes choses ce que celui-ci ose bien dans celles qu'il a apprises de ses maîtres, et qui furent établies du commun consentement de l'école dont il est sectateur et professe la doctrine ? Si c'est un enfant qui juge, il ne sait ce que c'est ; si c'est un savant, il est prévenu. Ils se sont réservés un merveilleux avantage au combat en s'étant déchargés du soin de se couvrir : peu leur importe qu'on les frappe, pourvu qu'ils frappent ; et ils font leurs besognes de tout : s'ils vainquent, c'est votre proposition qui cloche ; si vous, c'est la leur ; s'ils faillent, ils démontrent l'ignorance ; si vous faillez, c'est vous qui la démontrez ; s'ils prouvent que l'on ne peut rien savoir, tout va bien ; s'ils ne savent pas le prouver, c'est bon de même, puisque, quand sur un même sujet on trouve entre des raisons contraires des poids égaux, il est plus aisé de suspendre l'assertion en un sens comme en l'autre *ut quum in eadem re paria contrariis in partibus momenta inueniuntur, facilius ab utraque parte assertio sustineatur* [1]. Et ils se font fort de trouver bien plus facilement pourquoi une chose peut être fausse que pourquoi elle peut être vraie, et ce qui n'est pas que ce qui est, et ce qu'ils ne croient pas que ce qu'ils croient. Leurs façons de parler sont : « Je n'établis rien ! », « Ce n'est pas plus ainsi qu'ainsi, ou que ni l'un ni l'autre », « Je ne le comprends point », « Les apparences sont égales partout : il est pareillement loisible de parler et pour et contre », « Rien ne semble vrai qui ne puisse sembler faux ». Leur mot sacramentel, c'est « ἐπέχω », c'est-à-dire, « je suspends », « je ne bouge ». Voilà leurs refrains, avec d'autres de pareille teneur. Leur effet, c'est une pure, entière, et très parfaite surséance et suspension du jugement. Ils se servent de leur raison pour enquérir et pour débattre, mais non pas pour arrêter et choisir. Quiconque imaginera une perpétuelle confession d'ignorance, un jugement sans pente et sans inclination, dans quelque occasion que ce puisse être, il conçoit le pyrrhonisme. J'exprime cette idée aussi longuement que je le puis parce que plusieurs la trouvent difficile à concevoir, et les auteurs eux-mêmes la représentent un peu obscurément et diversement.

Quant aux actions de la vie, ils sont en cela de la commune façon. Ils se prêtent et s'accommodent aux inclinations naturelles, à l'impulsion et à la contrainte des passions, aux arrêts des lois et des coutumes, et à la tradition des arts libéraux : car Dieu n'a pas voulu que nous

1. Cicéron, *Seconds Académiques*, I, XII, 45.

connaissions ces choses, mais seulement que nous en usions *non enim nos Deus ista scire, sed tantummodo uti uoluit.* [1] Ils laissent guider par ces choses-là leurs actions communes, sans aucunement opiner ou juger. Ce qui fait que je ne puis pas bien assortir à ce discours ce qu'on dit de Pyrrhon : ils le peignent stupide et immobile, adoptant un train de vie farouche et insociable, attendant le heurt des charrettes, s'exposant aux précipices, refusant de s'accommoder aux lois. Cela, c'est renchérir sur son enseignement. Il n'a pas voulu se faire pierre ou souche : il a voulu se faire homme vivant, discourant, et raisonnant, jouissant de tous les plaisirs et de toutes les commodités naturelles, embesognant et se servant de toutes les parties de son corps et de son esprit, vivant une vie réglée et droite. Les privilèges fantasmatiques, imaginaires et faux que l'homme s'est arrogés, de régenter, d'ordonner, d'établir, il y a de bonne foi renoncé et les a quittés. Aussi n'est-il point de secte qui ne soit contrainte de permettre à son sage de s'en remettre à bien des choses qui ne sont ni comprises, ni constatées, ni vérifiées, si seulement il veut vivre. Quand il monte en mer, il poursuit ce dessein en ignorant s'il lui sera favorable : il s'en remet à l'idée que le vaisseau est bon, le pilote expérimenté, la saison commode, circonstances seulement probables pourtant, après lesquelles il est tenu d'aller et de se laisser mener par les vraisemblances, pourvu qu'elles ne soient pas expressément contredites. Il a un corps, il a une âme, les sens le poussent, l'esprit l'agite. Encore qu'il ne trouve point en lui cette marque propre et singulière qui lui permettrait de juger, et qu'il s'aperçoive bien qu'il ne doit pas engager son consentement, attendu qu'il peut y avoir quelque faux tout pareil à ce « vrai », il ne laisse de conduire les devoirs de sa vie pleinement et commodément. Combien y a-t-il d'arts qui font profession de consister en conjecture plus qu'en science ? Qui ne décident pas du vrai et du faux, et suivent seulement ce qu'il semble ? Il y a, disent-ils, et le vrai et le faux, et il y a en nous de quoi le chercher, mais non pas de quoi le valider à la pierre de touche. Bien mieux nous vaut de nous laisser conduire selon l'ordre du monde sans nous enquérir de ses raisons. Une âme garantie du préjugé a un merveilleux avancement vers la tranquillité. Gens qui jugent et contrôlent leurs juges ne s'y soumettent jamais dûment. Que ce soit par les lois de la religion, ou par les lois de l'État, combien les esprits simples et incurieux se trouvent plus dociles et plus aisés à mener que ces esprits surveillants et professeurs des causes divines et humaines ! Il n'est rien dans ce que l'homme a inventé où il y ait tant de vraisemblance et d'utilité. Cette doctrine de Pyrrhon présente

1. Cicéron, *De divinatione*, I, XVIII, 35.

l'homme nu et vide, reconnaissant sa faiblesse naturelle, propre à recevoir d'en haut quelque force étrangère, dégarni d'humaine science, et par cela d'autant plus apte à loger en soi la divine, anéantissant son jugement pour faire plus de place à la foi, ni mécréant ni établissant aucun dogme contre les lois et les observances communes, humble, obéissant, disciplinable, studieux, ennemi juré de l'hérésie, et s'exemptant par conséquent des vaines et irréligieuses opinions introduites par les fausses sectes. C'est une carte blanche préparée à prendre du doigt de Dieu telles formes qu'il lui plaira d'y graver. Plus nous nous en remettons et plus nous nous confions à Dieu, et plus nous renonçons à nous, mieux nous en valons. « Accepte, dit l'Ecclesiaste, en bonne part les choses avec le visage et le goût sous lesquels elles se présentent à toi, au jour le jour : le reste est hors de ta connaissance » ! Le Seigneur sait les pensées des hommes combien elles sont de vent *Dominus nouit cogitationes hominum, quoniam uanæ sunt.* [1]

Voilà comment, des trois sectes générales de la philosophie, les deux font expressément profession de dubitation et d'ignorance : et dans celle des dogmatiques, qui est la troisième, il est aisé de découvrir que la plupart n'ont pris le visage de l'assurance que pour se donner meilleure mine ! Ils n'ont pas tant pensé nous établir quelque certitude que nous montrer jusqu'où ils étaient allés dans cette chasse de la vérité, que les doctes imaginent bien plus qu'ils ne la conçoivent *quam docti fingunt magis quam norunt* ! [2]

Timée ayant à instruire Socrate de ce qu'il sait des dieux, du monde, et des hommes, propose d'en parler comme d'un homme à un homme, et que cela suffit si ses raisons sont aussi probables que les raisons d'un autre, car les raisons exactes ne sont pas à sa main, ni à la main d'aucun mortel. Ce que l'un de ses sectateurs a ainsi imité : Je m'expliquerai comme je pourrai, sans que pour autant ce que je dirai soit définitif et arrêté, comme les dits d'Apollon Pythien, mais en suivant des conjectures probables, vu que je ne suis qu'un petit bout d'homme *Ut potero, explicabo, nec tamen, ut Pythius Apollo, certa ut sint et fixa quæ dixero, sed, ut homunculus, probabilia coniectura sequens* [3], et cela à propos du mépris de la mort, sujet naturel et pour tous. Ailleurs il l'a traduit d'après le propos même de Platon : Si d'aventure, discutant de la nature des dieux et de l'origine du monde, nous arrivons à moins que ce qu'en conçoit notre esprit, cela n'aura rien d'étonnant. Il est juste en effet de se rappeler que moi qui parle, aussi bien que vous qui jugez, je suis homme, de sorte que, si les propos sont vraisemblables, vous n'ayez rien à demander de plus *si forte, de deorum natura ortuque mundi disserentes, minus id quod habemus in animo consequimur haud erit mirum. Aequum est enim meminisse,*

1. Psaumes, XCIV, 11.
2. Tite-Live, XXVI, XXII, 14.
3. Cicéron, *Tusculanes*, I, IX, 17.

et me qui disseram hominem esse, et uos qui iudicetis, ut, si probabilia dicentur, nihil ultra requiratis [1].

Aristote nous entasse ordinairement un grand nombre d'autres opinions et d'autres croyances à seule fin de leur comparer la sienne et de nous faire voir combien il est allé plus outre et combien il approche de plus près la vraisemblance, car la vérité ne se juge point sur l'autorité et le témoignage d'autrui. Et c'est bien pour cela qu'Épicure évita religieusement d'alléguer qui que ce fût dans ses écrits. Celui-ci est le prince des dogmatiques, et pourtant nous apprenons de lui que le fait de beaucoup savoir donne l'occasion de douter davantage. On le voit sciemment se couvrir souvent d'une obscurité si épaisse et si inextricable qu'on n'y peut rien discerner de son opinion. C'est en réalité un pyrrhonisme sous une forme affirmative.

Écoutez la protestation de Cicéron, qui nous explique la pensée d'autrui par la sienne : Ceux qui me demandent ce que je pense personnellement sur chaque sujet sont plus curieux qu'il ne faudrait. Ce principe en philosophie de tout réfuter et de ne clairement décider de rien, parti de Socrate, repris par Arcésilas, affermi par Carnéade, fleurit jusqu'en notre âge. Je suis de ceux qui pensent que certaines choses fausses ont été rajoutées à l'ensemble du vrai avec une si grande vraisemblance qu'on n'y voit nulle marque qui permette d'en juger avec certitude et de décider *Qui requirunt quid de quaque re ipsi sentiamus, curiosius id faciunt quam necesse est. Hæc in philosophia ratio contra omnia disserendi nullamque rem aperte iudicandi, profecta a Socrate, repetita ab Arcesila, confirmata a Carneade, usque ad nostram uiget ætatem. Hi sumus qui omnibus ueris falsa quædam adiuncta esse dicamus, tanta similitudine ut in iis nulla insit certe iudicandi et assentiendi nota.* [2]

Pourquoi, non seulement Aristote, mais la plupart des philosophes, ont-ils affecté la difficulté, si ce n'est pour faire valoir la vanité du sujet et amuser la curiosité de notre esprit en lui donnant de quoi se repaître à ronger cet os creux et décharné ? Clytomaque affirmait n'avoir jamais pu comprendre par les écrits de Carnéade de quelle opinion il était. C'est pourquoi Épicure, dans les siens, a évité la facilité, et pourquoi Héraclite en a été surnommé *σκοτεινός* « l'Obscur ». La difficulté est une monnaie que les savants emploient, comme les joueurs de passe-passe, pour ne découvrir point la vanité de leur art, et dont l'humaine bêtise se paye aisément :

Sa langue obscure éblouit surtout les têtes légères...
Car les béjaunes aiment bien, et tiennent à merveille,
Ce que sous un jeu de mots ils soupçonnent cachotté

1. Platon, *Timée*, 30d.
2. Cicéron, *De natura deorum*, I, V, 10-12.

Clarus ob obscuram linguam, magis inter inanes :
Omnia enim stolidi magis admirantur amantque,
Inuersis quæ sub uerbis latitantia cernunt. [1]

Cicéron reproche à certains de ses amis d'avoir coutume de consacrer à l'astrologie, au droit, à la dialectique, et à la géométrie plus de temps que n'en méritaient ces arts, et que cela les divertissait des devoirs de la vie, plus utiles et plus honorables. Les philosophes Cyrénaïques méprisaient également la physique et la dialectique. Zénon tout au commencement des livres de sa *République* déclarait inutiles tous les arts libéraux. Chrysippe disait que ce que Platon et Aristote avaient écrit de la Logique, ils l'avaient écrit par jeu et par exercice, car il ne pouvait croire qu'ils eussent parlé sérieusement d'une matière aussi vaine. Plutarque le dit de la Métaphysique, Épicure l'eût encore dit de la Rhétorique, de la Grammaire, de la Poésie, de la Mathématique, et hormis la Physique, de toutes les autres sciences, et Socrate de toutes, sauf de celle des mœurs et de la vie. De quoi que l'on s'enquît auprès de lui, il ramenait toujours en premier lieu l'enquérant à rendre compte des conditions de sa vie présente et passée, lesquelles il examinait et jugeait, estimant tout autre apprentissage subordonné à celui-là et surnuméraire. Je ferai assez peu de cas de cette littérature qui n'a jamais rendu plus vertueux ceux qui l'ont étudiée *Parum mihi placeant eæ litteræ quæ ad uirtutem doctoribus nihil profuerunt.* [2] La plupart des arts ont été ainsi méprisés par les hommes de savoir eux-mêmes. Mais ils n'ont pas pensé qu'il fût hors de propos d'exercer leur esprit aux choses mêmes où il n'y avait nulle solidité profitable. Au demeurant, les uns ont estimé Platon dogmatique ; d'autres, sceptique ; d'autres, qu'il était sur certains points l'un, et l'autre sur d'autres. Le chef de chœur de ses dialogues, Socrate, est toujours en train de questionner et d'animer la dispute, sans jamais l'arrêter, ni jamais satisfaire aux questions, et il dit n'avoir d'autre science que la science d'objecter. Homère, leur auteur à tous, a planté au même niveau les fondements de toutes les sectes de la philosophie pour montrer combien il était indifférent au chemin par où nous irions. De Platon naquirent dix sectes diverses, dit-on. Aussi, à mon sens, jamais enseignement n'alla d'un pas plus hésitant et moins affirmatif que le sien. Socrate disait que les sages-femmes en prenant ce métier de faire engendrer les autres quittent celui d'engendrer elles-mêmes. Que lui par le titre de sage homme que les dieux lui avaient conféré, il s'était aussi défait, en son amour d'homme et mentalement, de la faculté

1. Lucrèce, I, 639 et 641-642.
2. Salluste, *Guerre de Jugurtha*, LXXXV.

d'enfanter, se contentant d'aider et de favoriser de son secours ceux qui engendraient, d'ouvrir leur nature, de graisser leurs conduits, de faciliter l'issue de leur enfantement, de juger de son fruit, de le baptiser, nourrir, fortifier, emmailloter et circoncire, en exerçant son habileté et en la maniant aux risques et périls d'autrui. Il en est ainsi de la plupart des auteurs de ce tiers genre, comme les Anciens l'ont remarqué pour les écrits d'Anaxagore, Démocrite, Parménide, Xénophane, et autres : ils ont une forme d'écrire dubitative en substance comme en dessein, enquérant plutôt qu'instruisant, encore qu'ils entre-sèment leur style de formules dogmatiques. Mais cela ne se voit-il pas aussi bien chez Sénèque et chez Plutarque ? Combien parlent-ils tantôt avec un visage, tantôt avec un autre, pour ceux qui y regardent de près ! Et les réconciliateurs des jurisconsultes devaient commencer par les concilier chacun avec soi. Platon me semble avoir aimé sciemment cette forme de philosopher par dialogues pour loger plus décemment en diverses bouches la diversité et la variation de ses propres idées. Diversement traiter les matières, c'est les traiter d'aussi belle façon que de le faire uniformément, et mieux même, à savoir plus copieusement et plus utilement. Prenons exemple de nous. Les arrêts que rendent nos Cours représentent le point extrême du discours dogmatique et résolutif : il est vrai pourtant que, parmi ceux que nos Parlements présentent au peuple, les plus exemplaires, les plus propres à nourrir chez lui la révérence qu'il doit à cette dignité, principalement en raison de la compétence des personnes qui l'exercent, tirent leur beauté non tant de ce qu'ils concluent, chose qui va de soi dans des arrêts, et commune à tout juge, que de la discussion et du débat des diverses interprétations contradictoires qu'accepte le droit. Et, entre les philosophes, le plus large champ aux critiques des uns à l'encontre des autres leur est ouvert par les contradictions et les discordances dans lesquelles chacun d'eux se trouve empêtré, ou par dessein, afin de montrer la vacillation de l'esprit humain dans toute matière, ou forcé à son insu par ce qu'il y a de volatil et d'insaisissable en tout sujet.

Que signifie ce refrain : « en lieu glissant et labile, suspendons notre créance » ? C'est que, comme dit Euripide :

Les œuvres de Dieu, en diverses
Façons, nous donnent des traverses. [1]

1. Plutarque, *Œuvres morales*, 431a.

Rengaine semblable à celle qu'Empédocle semait souvent dans ses livres, comme agité d'une divine fureur, et forcé par la vérité : « Non, non, nous ne sentons rien ! Nous ne voyons rien ! Toutes choses nous sont occultes, il n'en est aucune dont nous puissions établir quelle elle est ! », ce qui rappelle ce mot de l'Écriture : les pensées des mortels sont timorées, incertaines leurs inventions et leurs prévisions *cogitationes mortalium timidæ, et incertæ adinuentiones nostræ et prouidentiæ.* [1] Il ne faut pas trouver étrange si des gens désespérés de la prise n'ont pas laissé d'avoir plaisir à la chasse, l'étude étant de soi une occupation plaisante, et si plaisante que, parmi les voluptés, les Stoïciens défendent aussi celle qui vient de l'exercice de l'esprit, qu'ils y veulent de la bride, et trouvent de l'intempérance à trop savoir. Démocrite ayant mangé à sa table des figues qui sentaient le miel, commença soudain à chercher en son esprit d'où leur venait cette douceur inusitée, et, pour s'en éclaircir, il s'allait lever de table pour voir l'assiette du lieu où ces figues avaient été cueillies : sa chambrière ayant entendu la cause de ce remuement, lui dit en riant qu'il ne se peinât plus pour cela, car c'était qu'elle les avait mises dans un vase où il y avait eu du miel. Il se dépita qu'elle lui eût ôté l'occasion de cette recherche et dérobé matière à sa curiosité : « Va, lui dit-il, tu m'as contrarié ! Je ne laisserai pas pourtant d'en chercher la cause, comme si elle était naturelle ». Et, probablement, il n'eût pas failli de trouver quelque raison vraie à un effet faux et supposé ! Cette histoire survenue à un grand et fameux philosophe nous montre bien clairement cette passion d'étudier qui nous amuse à la poursuite de choses dont nous désespérons de l'acquêt. Plutarque met en récit un pareil exemple de quelqu'un qui ne voulait pas être éclairci de ce dont il était en doute, pour ne perdre pas le plaisir de le chercher, comme l'autre, qui ne voulait pas que son médecin lui ôtât la soif due à la fièvre, pour ne perdre pas le plaisir de l'assouvir en buvant : Apprendre des choses inutiles, c'est toujours mieux que rien *Satius est superuacua discere quam nihil* ! [2]

Tout ainsi qu'en toute pâture il y a souvent le plaisir seul, et que tout ce que nous en prenons de plaisant n'est pas toujours nutritif ou sain, de même ce que notre esprit retire de la science ne laisse pas d'être voluptueux encore que ce ne soit ni nourrissant ni salutaire. Voici comme ils disent : « La considération de la nature est une pâture propre à nos esprits ; elle nous élève et nous enfle ; elle nous fait dédaigner les choses basses et terrestres par la comparaison des choses supérieures et célestes : la recherche même des choses occultes et

1. Sagesse, IX, 14.
2. Sénèque, *Lettres à Lucilius*, LXXXVIII, 45.

grandes est très plaisante, même à celui qui n'en acquiert que la révérence et la crainte d'en juger. » Ce sont là des mots de leur profession de foi. La vaine image de cette maladive curiosité se voit plus expressément encore dans cet autre exemple qu'ils ont si souvent à la bouche pour se faire honneur : Eudoxe souhaitait et priait les dieux qu'il pût une fois voir le soleil de près, comprendre sa forme, sa grandeur, et sa beauté, au risque d'en être aussitôt brûlé. Il veut, au prix de sa vie, acquérir une science dont l'usage et la possession lui soient en même temps ôtés, et, pour cette soudaine et volage connaissance, perdre toutes les autres connaissances qu'il a et qu'il peut acquérir par après !

Je ne me persuade pas aisément qu'Épicure, Platon, et Pythagore nous aient donné pour argent comptant leurs Atomes, leurs Idées, et leurs Nombres. Ils étaient trop sages pour établir leurs articles de foi sur des choses si incertaines et si discutables. Mais au milieu de cette obscurité et de cette ignorance du monde, chacun de ces grands personnages s'est travaillé à apporter une apparence de lumière, quelle qu'elle pût être, et ils ont promené leur âme à des inventions qui eussent au moins une plaisante et subtile apparence, pourvu que, toute fausse qu'elle fût, elle se pût soutenir contre les objections contraires : Ces fictions sont à la mesure de l'ingéniosité de chacun, et ne procèdent pas de la nécessité scientifique *Unicuique ista pro ingenio finguntur, non ex scientiæ ui.* [1] Un ancien à qui l'on reprochait de faire profession de philosophie, dont pourtant il ne tenait pas grand compte dans son jugement, répondit que cela, c'était vraiment philosopher. Ils ont voulu tout considérer, tout balancer, et ils ont trouvé cette occupation appropriée à la curiosité naturelle qui est en nous. Certaines choses, ils les ont écrites pour le besoin de la société publique, comme leurs convictions religieuses, et il a été raisonnable, pour cette considération, que les opinions communes, ils n'aient pas voulu les éplucher jusqu'au vif, aux fins de n'engendrer de trouble dans l'obéissance aux lois et aux coutumes de leur pays. Platon traite ce mystère avec un jeu assez découvert. Car, là où il écrit selon soi, il ne prescrit rien avec certitude. Quand il fait le législateur, il emprunte un style magistral et assertorique, et pourtant il y mêle hardiment les plus fantasmagoriques de ses inventions, aussi utiles à persuader au commun que ridicules à persuader à soi-même, sachant combien nous sommes propres à recevoir toutes sortes d'opinions, et, entre toutes, les plus effarantes et les plus hors normes ! Et pourtant dans ses *Lois*, il a grand soin qu'on ne chante en public que des poésies dont les cou-

1. Sénèque le Rhéteur, *Suasoriae*, IV, 3.

leurs fabuleuses tendent à quelque fin utile, vu qu'il est tellement facile d'imprimer toutes sortes de fantômes dans l'esprit humain que c'est injustice de ne le repaître pas de mensonges profitables plutôt que d'inutiles ou dommageables. Il dit tout rondement dans sa *République* que pour le profit des hommes il est souvent besoin de les duper ! Il est aisé de distinguer que certaines sectes ont plus cherché la vérité, d'autres l'utilité, par où celles-ci se sont acquis du crédit. C'est la misère de notre condition que souvent ce qui se présente à notre imagination pour le plus vrai ne s'y présente pas pour le plus utile à notre vie. Les sectes les plus hardies, l'épicurienne, la pyrrhonienne, la nouvelle Académie, encore sont-elles contraintes de se plier à la loi civile, au bout du compte.

Il y a d'autres sujets qu'ils ont blutés, qui de gauche, qui de droite, chacun se travaillant à y donner quelque visage, à tort ou à raison. Car n'ayant rien trouvé de si caché qu'ils n'en aient voulu parler, force leur est souvent de forger des conjectures faibles et folles : non qu'ils les prissent eux-mêmes pour fondement, ni pour établir quelque vérité, mais pour l'exercice de leur étude : ils semblent avoir voulu non tant dire ce qu'ils pensaient qu'exercer leur ingéniosité par la difficulté de la matière-*Non tam id sensisse quod dicerent quam exercere ingenia materiæ difficultate uidentur uoluisse.* [1]

Et si l'on ne le prenait ainsi, comment couvririons-nous une si grande inconstance, une si grande variété, et une aussi grande vanité des opinions que nous voyons avoir été produites par ces âmes excellentes et admirables ? Car, par exemple, qu'y a-t-il de plus vain que de vouloir deviner Dieu par nos analogies et nos conjectures, que de le vouloir régler, et lui, et le monde, selon notre capacité et selon nos lois ? Et de nous servir aux dépens de la divinité de ce petit échantillon de compétence qu'il lui a plu de départir à notre condition naturelle ? Et, parce que nous ne pouvons étendre notre vue jusqu'en son glorieux siège, de l'avoir ramené ici-bas au niveau de notre corruption et de nos misères ?

De toutes les opinions humaines et anciennes touchant la religion, celle-là me semble avoir eu le plus de vraisemblance et le plus d'excuse, qui reconnaissait Dieu comme une puissance incompréhensible, origine et conservatrice de toutes choses, de toute bonté, de toute perfection, recevant et prenant en bonne part l'honneur et la révérence que les humains lui rendaient sous quelque visage, sous quelque nom, et en quelque manière que ce fût :

---

1. Quintilien, *Institution oratoire*, II, XVII, 4.

Tout puissant Jupiter, père et mère des choses,
Et des rois, et des dieux

Jupiter omnipotens rerum regumque deumque
Progenitor genitrixque. [1]

Ce zèle, partout dans l'univers, a été vu d'un bon œil par le ciel. Toutes les sociétés ont fait fruit de leur dévotion : les hommes et les actions impies ont eu partout le sort qu'ils méritaient ; les histoires des païens reconnaissent dans les fables de leurs religions de la grandeur, de l'ordre, de la justice, et aussi des prodiges et des oracles employés à leur profit et pour leur instruction, Dieu dans sa miséricorde daignant peut-être fomenter par ces bienfaits temporels les tendres principes d'une connaissance, si brute soit-elle, que la raison naturelle leur donnait de lui au travers des fausses images de leurs songes.

Non seulement fausses, mais impies aussi et injurieuses sont celles que l'homme a forgées par son invention. Et de toutes les religions que saint Paul trouva en crédit à Athènes, celle qu'ils avaient dédiée à une divinité cachée et inconnue lui sembla la plus excusable. Pythagore représenta la vérité de plus près en jugeant que la connaissance de cette cause première et de cet être des êtres devait être laissée indéfinie, sans contours certains, sans lignes claires, et que ce n'était pas autre chose que l'extrême effort de notre imagination vers la perfection, chacun en enrichissant l'idée selon sa capacité. Mais, si Numa entreprit de conformer la dévotion de son peuple à ce projet, et voulut l'attacher à une religion purement mentale, sans objet défini, et sans mélange d'aucun élément matériel, il entreprit une chose qui n'était d'aucune utilité. L'esprit humain ne saurait se maintenir vaguant dans cet infini de pensées sans formes : il les lui faut compiler en une image certaine faite à son modèle. C'est ainsi que la majesté divine s'est pour nous, si l'on veut, laissé circonscrire dans des limites corporelles : ses sacrements surnaturels et célestes portent des marques de notre condition terrestre ; son adoration s'exprime par des offices et des paroles sensibles, car c'est l'homme qui croit et qui prie. Je laisse à part les autres arguments qui s'emploient à ce sujet. Mais on aurait peine à me faire accroire que la vue de nos crucifix, que la peinture de ce supplice pathétique, que ces ornements et ces mouvements cérémonieux de nos églises, que ces voix accommodées à la dévotion de notre pensée et cette émotion des sens n'échauffent pas l'âme des peuples d'une passion religieuse de très utile effet. Parmi les idées du divin auxquelles on a donné corps comme la nécessité l'a

1. Saint Augustin, *La Cité de Dieu*, VII, XI.

requis, au milieu de cette cécité universelle, je me fusse, ce me semble, plus volontiers attaché à ceux qui adoraient le soleil,

La lumiere commune,
L'œil du monde ; et si Dieu au chef porte des yeux,
Les rayons du Soleil sont ses yeux radieux,
Qui donnent vie à tous, nous maintiennent et gardent,
Et les faicts des humains en ce monde regardent,
Ce beau, ce grand soleil, qui nous faict les saisons,
Selon qu'il entre ou sort de ses douze maisons,
Qui remplit l'univers de ses vertus cognues,
Qui d'un traict de ses yeux nous dissipe les nuës,
L'esprit, l'âme du monde, ardant et flamboyant
En la course d'un jour tout le Ciel tournoyant,
Plein d'immense grandeur, rond, vagabond et ferme,
Lequel tient dessoubs lui tout le monde pour terme,
En repos sans repos, oysif, et sans sejour,
Fils aisné de nature, et le pere du jour. [1]

D'autant qu'outre cette sienne grandeur et beauté, c'est la pièce de notre machine ronde que nous découvrons la plus éloignée de nous, et si peu connue de ce fait qu'ils étaient pardonnables d'en entrer en admiration et révérence.

Thalès, qui le premier s'enquit d'une telle matière, estima que Dieu était un esprit qui faisait toutes choses à partir de l'eau ; Anaximandre, que les dieux mouraient et naissaient à diverses saisons, et qu'il y avait des mondes infinis en nombre ; Anaximène, que l'air était Dieu, qu'il était étendu et sans mesure, toujours se mouvant. Anaxagore le premier a soutenu que la forme et la manière de toutes choses étaient produites par la force et la raison d'un esprit infini. Alcméon a donné la divinité au soleil, à la lune, aux astres, et à l'âme. Pythagore a fait de Dieu un esprit répandu dans la substance de toutes choses, d'où nos âmes sont détachées ; Parménide, un cercle entourant le ciel et maintenant le monde par l'ardeur de la lumière. Empédocle disait que les quatre éléments dont toutes choses sont faites étaient des dieux ; Protagoras, qu'il n'avait rien pour dire s'ils sont ou non, ou quels ils sont ; Démocrite, tantôt que les signes stellaires et leurs révolutions sont des dieux, tantôt la matière qui produit ces configurations, et puis notre science et notre intelligence. Platon disperse sa croyance entre divers visages : il dit dans le *Timée* que le père du monde ne se

1. Ronsard, *Remonstrance au peuple de France*, 64-78.

peut nommer ; dans les *Lois*, qu'il ne faut point s'enquérir de son être ; et ailleurs, dans ces mêmes livres, il fait des dieux du monde, du ciel, des astres, de la terre, et de nos âmes, et il reçoit en outre comme dieux tous ceux qui ont été reçus sous l'ancienne institution dans chaque république. Xénophon rapporte une même confusion dans ce qu'enseignait Socrate : tantôt il lui fait établir qu'il ne faut pas s'enquérir de la forme de Dieu, puis que le soleil est Dieu, et l'âme Dieu ; qu'il n'y en a qu'un, puis qu'il y en a plusieurs. Speusippe, le neveu de Platon, divinise une certaine force qui gouverne les choses, et dit qu'elle est animale ; Aristote, tantôt que c'est l'esprit, tantôt le monde ; tantôt il donne un autre maître à ce monde, tantôt il fait dieu l'ardeur du ciel. Zénocrate en fait huit : cinq désignés parmi les planètes, le sixième composé de toutes les étoiles fixes qui forment comme ses membres, les septième et huitième, le soleil et la lune. Héraclite du Pont ne fait que vaguer entre ses divers avis, et pour finir prive Dieu de sentiment, et l'imagine se muant d'une forme à une autre, après quoi il dit que c'est le ciel et la terre. Théophraste se promène avec la même irrésolution entre toutes ses fantaisies, attribuant l'intendance du monde tantôt à l'entendement, tantôt au ciel, tantôt aux étoiles ; Straton affirme que c'est une nature ayant la force d'engendrer, d'augmenter et de diminuer, sans forme ni sentiment ; Zénon, la loi naturelle, qui ordonne le bien et prohibe le mal, laquelle loi est un animant, et il supprime les dieux accoutumés, Jupiter, Junon, Véta ; Diogène Apolloniate, que c'est l'air. [1] Xénophane fait Dieu rond, voyant, oyant, non respirant, n'ayant rien de commun avec l'humaine nature. Ariston estime la forme de Dieu incompréhensible, le prive de sens, et ignore s'il est animant ou autre chose ; pour Cléanthes, c'est tantôt la raison, tantôt le monde, tantôt l'âme de nature, tantôt la chaleur suprême qui entoure et enveloppe tout. Persée, un auditeur de Zénon, a soutenu qu'on avait surnommé Dieux ceux qui avaient apporté quelque notable utilité à la vie des hommes, ainsi que les choses profitables elles-mêmes. Chrysippe faisait un amas confus de toutes les précédentes sentences, et comptait entre mille formes de dieux qu'il fait, ceux des hommes aussi qui sont immortalisés. Diagoras et Théodore niaient tout sec qu'il y eût des dieux.

1. Les éditions du XVIe siècle portent « l'aage », ce qu'on pourrait à la rigueur interpréter comme « le temps », mais, dans son traité *De la Nature des dieux*, Cicéron dit bien : *Quid aer quo Diogenes Apolloniates utitur deo ?* « Et que dire de *l'air*, dont Diogène d'Apollonie fait un dieu ? », texte qui est la source certaine de Montaigne, comme de tout ce développement d'ailleurs, et notre auteur lui-même mentionnera à nouveau un peu plus loin « l'air de Diogène ». L'air était en effet le principe premier de toutes choses pour ce Diogène milésien.

Épicure fait les dieux luisants, transparents, et perméables, logés entre deux mondes comme entre deux forteresses, à couvert des coups, pourvus d'une humaine figure et de nos membres, lesquels membres leur sont pourtant de nul usage :

J'ai toujours cru qu'il fût des dieux, et je le dirai haut,
Mais de ce que les hommes font, je crois que peu leur chaut

Ego Deum genus esse semper duxi, et dicam cælitum,
Sed eos non curare opinor quid agat humanum genus. [1]

Fiez-vous donc à votre philosophie, allez vous vanter d'avoir trouvé la fève dans le gâteau quand vous voyez ce tintamarre de tant de cervelles philosophiques ! La confusion des usages de par le monde a gagné sur moi que les mœurs et les idées qui diffèrent des miennes ne me déplaisent pas tant qu'elles m'instruisent, ne m'enorgueillissent pas tant qu'elles m'humilient quand je les confronte. Et tout autre choix que celui qui vient de la main expresse de Dieu me semble un choix de peu de prérogative. Les régimes politiques de notre monde ne se contredisent pas moins sur ce sujet que les écoles philosophiques, par quoi nous pouvons apprendre que la fortune même n'est pas plus diverse et variable que notre raison, ni plus aveugle et inconséquente.

Les choses les plus ignorées sont les plus propres à être déifiées : c'est pourquoi de faire de nous des dieux, comme les Anciens, cela surpasse l'extrême faiblesse de raison. J'eusse encore plutôt suivi ceux qui adoraient le serpent, le chien et le bœuf, d'autant que leur nature et leur être nous sont moins connus ; et nous avons tout loisir d'imaginer ce qu'il nous plaît de ces bêtes-là, et de leur attribuer des facultés extraordinaires ! Mais d'avoir fait des dieux à l'image de notre condition, dont nous devons connaître l'imperfection, de leur avoir attribué le désir, la colère, les vengeances, les mariages, les générations, et les parentèles, l'amour et la jalousie, nos membres et nos os, nos fièvres et nos plaisirs, nos morts et nos sépultures, il faut que cela soit parti d'une merveilleuse ivresse de l'entendement humain,

Si loin de l'esprit divin pourtant ces choses sont-elles,
Et de si peu de prix pour se hausser au rang des dieux

Quæ procul usque adeo diuino ab numine distant,
Inque deum numero quæ sint indigna uideri... [2]

Leurs traits, leur âge, leur vêtement, leur parure nous sont connus ; leurs lignages, leurs unions, leurs alliances, tout est traduit à l'image de l'humaine faiblesse ; on ne leur épargne pas même les turbulences de l'âme : on parle de leurs désirs, de

1. Cicéron, *De divinatione*, II, L, 104.
2. Lucrèce, V, 122-123.

leurs rancœurs, de leurs courroux *Formæ, ætates, uestitus, ornatus noti sunt ; genera, coniugia, cognationes, omniaque traducta ad similitudinem imbecillitatis humanæ ; nam et perturbatis animis inducuntur : accipimus enim deorum cupiditates, ægritudines, iracundias* ! [1] tout comme c'est par quelque égarement que l'on a divinisé non seulement Foi, Vertu, Honneur, Concorde, Liberté, Victoire, Piété, mais aussi bien Volupté, Fraude, Mort, Envie, Vieillesse, Misère, Peur, Fièvre, Male-fortune, et autres plaies de notre vie frêle et caduque :

À quoi bon dans le temple introduire nos mœurs ?
Ô cœurs courbés à terre et vides du divin !
Quid iuuat hoc templis nostros inducere mores ?
O curuæ in terris animæ et caelestium inanes ! [2]

Les Égyptiens, avec une impudente prudence, défendaient sous peine de la hart à quiconque de dire que Sérapis et Isis, leurs dieux, eussent autrefois été hommes, et nul n'ignorait qu'ils ne l'eussent été. Et leur effigie qu'on figurait le doigt sur la bouche signifiait, dit Varron, cette injonction mystérieuse faite à leurs prêtres de devoir taire leur origine mortelle, comme s'ils eussent ainsi nécessairement anéanti toute la vénération qu'ils leur vouaient.

Puisque l'homme désirait tant de s'apparier à Dieu, il eût mieux fait, dit Cicéron, de ramener à soi les conditions divines et de les attirer ici-bas, que d'envoyer là-haut sa corruption et sa misère. Mais, à le bien prendre, l'homme a fait de maintes façons et l'un et l'autre, avec une même vacuité d'opinion.

Quand les Philosophes épluchent la hiérarchie de leurs dieux et qu'ils font les empressés à distinguer leurs alliances, leurs charges et leur puissance, je ne puis pas croire qu'ils parlent avec sérieux ; quand Platon nous déchiffre le verger de Pluton, et les agréments ou les peines corporelles qui nous attendent encore après la ruine et l'anéantissement de nos corps, et qu'il les accommode aux sentiments que nous avons dans cette vie,

Le rideau des monts les dérobe ; autour, un bois de myrtes
Les couvre, mais leurs maux les suivent dans la mort même
Secreti celant colles, et myrtea circum
Silua tegit, curæ non ipsa in morte relinquunt, [3]

quand Mahomet promet aux siens un paradis jonché de tapis, paré d'or et de pierreries, peuplé de vierges d'une suprême beauté, de vins,

1. Cicéron, *De natura deorum*, II, XXVIII, 70.
2. Perse, II, 62 et 61.
3. Virgile, *Énéide*, VI, 443-444.

et de mets rares, je vois bien que ce sont là des moqueurs qui se plient à notre bêtise pour nous emmieller et nous attirer par ces supputations et ces espérances assorties à notre mortel appétit. Ainsi certains des nôtres sont-ils tombés en pareille erreur, qui se promettaient après la résurrection une vie terrestre et temporelle, accompagnée de toutes sortes de plaisirs et d'agréments mondains. Croyons-nous que Platon, lui qui a eu des conceptions si célestes, et une si grande accointance avec la divinité que le surnom lui en est demeuré, ait estimé que l'homme, cette pauvre créature, eût rien en lui d'applicable à cette incompréhensible puissance ? Et qu'il ait cru que nos conceptions languissantes fussent capables, ni la force de notre entendement assez robuste, pour participer à la béatitude ou à la peine éternelle ? Il faudrait lui dire de la part de la raison humaine : si les plaisirs que tu nous promets dans l'autre vie sont de ceux que j'ai ressentis ici-bas, cela n'a rien de commun avec l'infinité ! Quand bien même tous mes cinq sens naturels seraient comblés de liesse, et cette âme saisie de tout le contentement qu'elle peut désirer et espérer, nous savons bien ce qu'elle peut. Et cela, ce ne serait rien encore : s'il y entre quelque chose du mien, il n'y entre rien de divin. Si cela n'est autre que ce qui peut appartenir à cette condition qui est présentement la nôtre, ce ne peut pas être pris en compte : tout contentement des mortels est mortel. L'occasion de revoir nos parents, nos enfants et nos amis, si elle nous peut bien toucher et nous chatouiller dans l'autre monde, et si nous tenons encore à un tel plaisir, nous sommes toujours dans les agréments terrestres et finis. Nous ne pouvons dignement concevoir la grandeur de ces hautes et divines promesses, si nous les pouvons en rien concevoir. Pour dignement les imaginer, il les faut imaginer inimaginables, indicibles et incompréhensibles, et donc parfaitement autres que celles de notre misérable expérience. L'œil ne saurait voir, dit saint Paul, et en cœur d'homme ne peut monter la félicité que Dieu prépare aux siens. Et si, pour nous en rendre capables, on réforme et rechange notre être (comme tu le dis, Platon, par tes purifications), ce doit être avec un changement si extrême et si universel que, selon la science physique, ce ne sera plus nous :

> C'est bien Hector qui combattait au sein de la mêlée,
> Hector n'est plus la dépouille au char d'Achille enchaînée
> *Hector erat tunc cum bello certabat, at ille*
> *Tractus ab Æmonio non erat Hector equo*, [1]

ce sera quelque autre chose qui recevra ces récompenses :

1. Ovide, *Les Tristes*, III, XI, 27-28.

Ce qui mute se dissout : il faut donc que cela meure !
Les parcelles de l'âme émigrent et quittent leurs rangs
Quod mutatur, dissoluitur, interit ergo :
Traiiciuntur enim partes atque ordine migrant. [1]

Car dans la métempsycose de Pythagore, ce changement d'habitation qu'il imaginait pour les âmes, pensons-nous que le lion dans lequel est l'âme de César épouse les passions qui touchaient César, ni que ce soit lui ? Si c'était encore lui, ceux-là auraient raison, qui combattant cette opinion contre Platon, lui reprochent que le fils pourrait alors se trouver à chevaucher sa mère revêtue d'un corps de mule, et semblables absurdités. Et pensons-nous que dans les mutations que connaissent les corps des animaux en d'autres de même espèce, les nouveaux venus ne soient pas autres que leurs prédécesseurs ? Des cendres d'un Phénix s'engendre, dit-on, un ver, et puis un autre Phénix : ce second Phénix, qui peut imaginer qu'il ne soit autre que le premier ? Les vers qui font notre soie, on les voit comme mourir et sécher, et de ce même corps se produire un papillon, et de là un autre ver, dont il serait ridicule de croire qu'il soit encore le premier. Ce qui a une fois cessé d'être n'est plus :

Le Temps recueillît-il notre matière, d'âge en âge,
Pour lui rendre après notre mort notre présent visage,
Dussions-nous même revoir la lumière du jour,
Rien ne pourrait encore ébranler l'âme en ce retour,
Puisque ce fût alors rompu le fil de la mémoire,
Nec si materiam nostram collegerit ætas
Post obitum, rursumque redegerit ut sita nunc est,
Atque iterum nobis fuerint data lumina uitæ,
Pertineat quidquam tamen ad nos id quodque factum,
Interrupta semel cum sit repetentia nostra. [2]

Et quand tu dis ailleurs, Platon, que ce sera la partie spirituelle de l'homme à qui il écherra de jouir des récompenses de l'autre vie, tu nous dis là quelque chose qui a aussi peu d'apparence :

Oui, tout comme, extrait de l'orbe et disjoint du corps entier,
À la vue d'aucun objet l'œil de soi seul ne s'enflamme
Scilicet auolsis radicibus ut nequit ullam
Dispicere ipse oculus rem seorsum corpore toto..., [3]

car, à ce compte, ce ne sera plus l'homme, ni nous par conséquent, à

1. Lucrèce, III, 756-757.
2. Lucrèce, III, 847-851.
3. Lucrèce, III, 563-564.

qui écherra cette jouissance, car nous sommes bâtis de deux pièces principales essentielles, dont la séparation est la mort et la ruine de tout notre être :

Car la vie entre deux a dû rompre sa trajectoire,
Et ces mouvements loin des sens çà et là sont allés

Inter enim iacta est uitai pausa uageque
Deerrarunt passim motus ab sensibus omnes. [1]

Nous ne disons pas que l'homme souffre quand les vers lui rongent les membres avec lesquels il vivait, et que la terre les consomme :

Pour nous, non, cela n'est rien, nous qui tout entiers tenons
Aux nœuds qu'ont noués le corps et l'âme en leurs unions

Et nihil hoc ad nos, qui coitu coniugioque
Corporis atque animæ consistimus uniter apti. [2]

Allons plus loin : sur quel fondement de leur justice les dieux peuvent-ils après sa mort reconnaître à l'homme ses actions bonnes et vertueuses et l'en récompenser, puisque ce sont eux-mêmes qui les ont acheminées et produites en lui ? Et pourquoi s'offensent-ils et se vengent-ils sur lui des actions vicieuses, puisqu'ils l'ont eux-mêmes conduit à cette condition fautive, et que, d'un seul clin d'œil, leur volonté peut l'empêcher de faillir ? Épicure n'opposerait-il pas cela à Platon avec grande apparence aux yeux de l'humaine raison, s'il ne se couvrait souvent par cette sentence « qu'il est impossible, en partant de la nature mortelle, d'établir quoi que ce soit de certain à propos de l'immortelle » ? Elle ne fait que se fourvoyer partout, mais spécialement quand elle se mêle des choses divines. Qui le sent plus évidemment que nous ? Car encore que nous lui ayons donné des principes certains et infaillibles, encore que nous éclairions ses pas par la sainte lampe de la vérité qu'il a plu à Dieu de nous communiquer, nous voyons pourtant chaque jour, pour peu qu'elle s'éloigne du sentier ordinaire, et qu'elle se détourne ou s'écarte de la voie tracée et battue par l'Église, comme elle se perd tout aussitôt, s'embarrasse et s'entrave, tournoyant et flottant dans cette mer vaste, trouble et ondoyante des opinions humaines, sans bride et sans but. Aussitôt qu'elle perd ce commun grand chemin, elle va se divisant et se dissipant entre mille routes diverses.

L'homme ne peut être que ce qu'il est, et il ne peut concevoir que selon sa portée. Pour des êtres qui ne sont que des hommes, dit Plutarque, entreprendre de parler et de discourir des dieux et des

1. Lucrèce, III, 860-861.
2. Lucrèce, III, 845-846.

demi-dieux, c'est une plus grande présomption que ce ne l'est pour un homme qui ignore la musique de vouloir juger de ceux qui chantent, ou pour un homme qui ne fut jamais au camp, de vouloir disputer des armes et de la guerre en présumant comprendre par quelque légère conjecture les effets d'un art qui est hors de sa connaissance. L'Antiquité pensa, je crois, faire quelque chose pour la grandeur divine en l'appariant à l'homme, en la revêtant de ses facultés, et en la gratifiant de ses belles humeurs et de ses plus honteux besoins, en lui offrant de nos viandes pour manger, de nos danses, de nos mômeries et de nos farces pour la réjouir, de nos vêtements pour se couvrir et de nos maisons pour se loger, en la caressant par l'odeur des encens et les sons de la musique, par les festons et les bouquets, et, pour l'accommoder à nos passions vicieuses, en flattant sa justice par une vengeance inhumaine qui la fait se réjouir de la ruine et de la dissipation des choses par elle créées et conservées (comme Tiberius Sempronius, qui fit brûler en sacrifice à Vulcain les riches dépouilles et les armes qu'il avait conquises sur les ennemis en Sardaigne, et Paul-Émile celles de Macédoine, à Mars et à Minerve ; et Alexandre, qui, arrivé à l'Océan indien, jeta dans la mer en faveur de Thétis plusieurs grands vases d'or), en remplissant en outre ses autels d'une boucherie non de bêtes innocentes seulement, mais d'hommes aussi, ainsi que plusieurs nations, et entre autres la nôtre, en avaient ordinairement la coutume. Et je crois qu'il n'en est aucune qui soit exempte d'en avoir fait l'essai :

Quatre des jeunes fils de Sulmon,
Et tout autant de ceux qu'Ufens pour sa part éleva,
Enée les saisit vifs et les immole aux dieux d'En-bas

Sulmone creatos
Quattuor hic iuuenes, totidem quos educat Ufens,
Viuentes rapit, inferias quos immolet umbris. [1]

Les Gètes se considèrent immortels, et mourir n'est pour eux que s'acheminer vers leur dieu Zamolxis. De cinq en cinq ans, ils dépêchent vers lui quelqu'un d'entre eux pour le requérir des choses nécessaires. Ce député est choisi au sort. Et, après qu'ils l'ont informé de sa charge de vive voix, la façon de le dépêcher est que, parmi ceux qui l'assistent, trois tiennent dressées autant de javelines, sur lesquelles les autres le lancent à force de bras. S'il vient à s'enferrer sur un point mortel et qu'il trépasse soudain, cela leur donne une preuve certaine de la faveur divine ; s'il en réchappe, ils l'estiment méchant et exé-

1. Virgile, *Énéide*, X, 517-519.

crable, et ils en députent encore un autre de même. Amestris, la mère de Xerxès, devenue vieille, fit ensevelir tout vifs en une fois quatorze jouvenceaux des meilleures maisons de Perse pour gratifier quelque dieu souterrain suivant la religion du pays. Encore aujourd'hui les idoles de Thémistitan sont cimentées avec le sang de petits enfants, et elles n'aiment d'autre sacrifice que celui de ces âmes puériles et pures : justice affamée du sang de l'innocence !

Tant la religion put dicter de meurtres atroces
Tantum religio potuit suadere malorum ! [1]

Les Carthaginois immolaient leurs propres enfants à Saturne, et qui n'en avait point en achetait, le père et la mère étant cependant tenus d'assister à cet office en gardant une contenance gaie et satisfaite. C'était une étrange fantaisie que de vouloir payer la bonté divine de notre affliction, comme les Lacédémoniens qui câlinaient leur Diane, en livrant au bourreau de jeunes garçons qu'ils faisaient fouetter en sa faveur, souvent jusqu'à la mort. C'était bien d'une humeur de sauvage que de vouloir gratifier l'architecte par la subversion de son bâtiment, de vouloir garantir la peine due aux coupables par la punition des non coupables, et que la pauvre Iphigénie, dans le port d'Aulis, par sa mort et son immolation, déchargeât, envers Dieu, l'armée des Grecs des offenses qu'ils avaient commises,

En périssant impurement, pure au jour de ses noces,
Déplorable victime, hélas, qu'un père immole aux dieux
Et casta inceste nubendi tempore in ipso
Hostia concideret mactatu moesta parentis, [2]

ou encore que ces deux belles et nobles âmes des deux Décius, le père et le fils, allassent, pour appeler la faveur des dieux sur les affaires romaines, se jeter à corps perdu à travers le plus épais des ennemis ! *Quæ fuit tanta deorum iniquitas, ut placari populo Romano non possent nisi tales uiri occidissent ?* [3] Les dieux furent-ils si injustes que le peuple romain ne pût les apaiser qu'en immolant des hommes d'un tel mérite ? Ajoutez que ce n'est pas au criminel de se faire fouetter à sa mesure et à son heure : c'est affaire au juge, qui ne met au compte du châtiment que la peine qu'il ordonne, et qui ne peut imputer à punition ce qui vient au gré de celui qui la souffre. La vengeance divine présuppose notre entier refus, tant pour sa justice que pour notre châtiment.

1. Lucrèce, I, 101.
2. Lucrèce, I, 98-99.
3. Cicéron, *De natura deorum*, III, VI, 15.

Et fut ridicule aussi l'humeur de Polycrate, tyran de Samos, qui, pour interrompre le cours de son continuel bonheur et le compenser, alla jeter en mer le joyau le plus cher et le plus précieux qu'il eût, estimant que par ce malheur fait exprès, il satisfaisait à la révolution et au revirement de la fortune. Et elle, pour se moquer de son ineptie, fit que ce même joyau revînt encore en ses mains après qu'on l'eut trouvé dans le ventre d'un poisson. Et puis à quoi peuvent bien servir les déchirements et les démembrements des Corybantes, des Ménades, et, de notre temps, des Mahométants qui s'ébalafrent le visage, l'estomac, les membres, pour complaire à leur prophète, vu que l'offense consiste dans la volonté, non dans la poitrine, aux yeux, aux génitoires, à la bedaine, aux épaules, ou au gosier ? Si grande est la folie furieuse de leur esprit tourneboulé et délogé de son assiette qu'ils vont s'imaginer que des dieux puissent être apaisés par des tortures dont pas même des hommes n'auraient la cruauté *Tantus est perturbatæ mentis et sedibus suis pulsæ furor ut sic dii placentur quemadmodum ne homines quidem sæuiunt.* [1] La texture naturelle de notre corps concerne, pour l'usage que nous en devons faire, non seulement nous-mêmes, mais aussi le service de Dieu et celui des autres hommes : il est injuste de l'affoler sciemment, comme il l'est de nous tuer pour quelque prétexte que ce soit. Il semble que ce soit une grande lâcheté et une grande trahison que de mâtiner et corrompre les fonctions du corps, stupides et serves, pour épargner à l'âme le souci de les conduire selon la raison. Où voit-on qu'ils craignent la colère des dieux, ceux qui s'achètent leur faveur à ce prix ? On en a châtré d'aucuns pour le bon plaisir des rois ; mais personne n'a porté la main sur soi, son seigneur lui ordonnât-il de n'être plus homme *Ubi iratos deos timent, qui sic propitios habere merentur. In regiæ libidinis uoluptatem castrati sunt quidam ; sed nemo sibi, ne uir esset iubente domino, manus intulit.* [2] Ainsi remplissaient-ils leur religion de plusieurs mauvais effets :

Mais la religion trop souvent eut ce privilège
De fomenter en son sein le meurtre et le sacrilège

sæpius olim
Religio peperit scelerosa atque impia facta. [3]

Or rien du nôtre ne peut s'apparier ou se rapporter en quelque façon que ce soit à la nature divine qui ne la tache et ne la marque d'autant d'imperfection. Cette beauté, cette puissance, et cette bonté infinies, comment peuvent-elles souffrir quelque correspondance et quelque similitude avec une chose aussi abjecte que ce que nous sommes sans en éprouver un dommage et une déchéance extrêmes de

1. Saint Augustin, *La Cité de Dieu*, VI, X.
2. Saint Augustin, *La Cité de Dieu*, VI, X.
3. Lucrèce, I, 82-83.

leur divine grandeur ? Ce qu'il y a d'infirme en Dieu passe la force des hommes ; ce qu'il y a de faiblesse d'esprit en Dieu passe la sagesse des hommes *Infirmum Dei fortius est hominibus : et stultum Dei sapientius est hominibus.* [1] Stilpon le philosophe interrogé si les dieux s'éjouissent de nos honneurs et de nos sacrifices : « Vous êtes indiscret, répondit-il : retirons-nous à part, si vous voulez parler de cela. » Toutefois nous lui prescrivons des bornes, nous tenons sa puissance assiégée par nos raisons (j'appelle raison nos rêveries et nos songes, avec la dispense de la philosophie, qui dit que le fol même et le méchant déraisonnent par raison, mais que c'est une raison d'un mode particulier), nous le voulons asservir aux apparences vaines et faibles de notre entendement, lui qui nous a fait et nous et notre connaissance. « – Parce que rien ne se fait de rien, Dieu n'aurait su bâtir le monde sans matière – Quoi ! Dieu nous a-t-il mis en main les clefs et les derniers ressorts de sa puissance ? S'est-il obligé à n'outrepasser pas les bornes de notre science ? Suppose le cas, ô homme, que tu aies pu remarquer ici quelques traces de ses effets : penses-tu qu'il y ait employé tout ce qu'il a pu, et qu'il ait mis toutes ses formes et toutes ses idées dans cet ouvrage ? Tu ne vois que l'ordre et le règlement de ce petit caveau où tu es logé, du moins si tu la vois : sa divinité a une juridiction infinie au-delà : cette pièce n'est rien au prix du tout :

non, tout cela n'est rien, joint aux cieux, aux terres, aux mers,
Au prix d'une somme quelconque en la Somme-Univers

omnia cum caelo terraque marique
Nil sunt ad summam summai totius omnem ! [2]

C'est une loi municipale que tu allègues : tu ne sais pas quelle est celle de l'univers ! Attache-toi à ce à quoi tu es sujet, mais non pas lui : il n'est pas ton confrère, ou ton concitoyen, ou ton compagnon ! S'il s'est un peu communiqué à toi, ce n'est pas pour se ravaler à ta petitesse, ni pour te donner le contrôle de son pouvoir. Le corps humain ne peut voler aux nues : voilà qui est pour toi ; le soleil poursuit sans repos sa course ordinaire, les bornes des mers et de la terre ne se peuvent confondre, l'eau est instable et sans fermeté, un mur sans fissure est impénétrable à un corps solide, l'homme ne peut conserver sa vie dans les flammes, il ne peut être et au ciel et sous la terre, et en mille lieux ensemble corporellement : c'est pour toi qu'il a fait ces règles, c'est toi qu'elles visent. Il a témoigné aux chrétiens qu'il les a toutes dépassées quand il lui a plu. De vrai, pourquoi, tout puissant comme il est, aurait-il restreint ses forces à certaine mesure ?

1. Saint Paul, Première épître aux Corinthiens, I, 25.
2. Lucrèce, VI, 678-679.

En faveur de qui aurait-il renoncé à son privilège ? Ta raison n'a en aucune autre chose plus de vraisemblance et de fondement que lorsqu'elle te persuade de la pluralité des mondes :

Lune et Soleil, Terre et Mer, et tout ce qu'on voit de tel,
Loin d'être exception, sont plutôt en nombre innombrable
Terramque et solem, lunam, mare, cætera quæ sunt,
Non esse unica, sed numero magis innumerali. [1]

Les plus fameux esprits du temps passé l'ont cru ; et certains des nôtres mêmes, forcés par l'apparence de la raison humaine. D'autant que dans ce bâtiment que nous voyons, il n'y a rien qui soit seul et un,

Joins que la Somme ne peut nul être unique tenir
Qui naisse unique, unique croisse, orphelin de semblables
Cum in summa res nulla sit una,
Unica quæ gignatur, et unica soláque crescat, [2]

et que toutes les espèces sont multipliées en quelque nombre. Par où il semble n'être pas vraisemblable que Dieu ait fait ce seul ouvrage sans nul compagnon, et que la matière de cette forme ait été tout épuisée en ce seul individu,

Ainsi donc, oui, cent fois oui, vraiment est-il nécessaire
D'admettre qu'il se trouve, ailleurs, mille amas de matière,
Tous frères de ce séjour qu'étreint notre éther jaloux
Quare etiam atque etiam tales fateare necesse est,
Esse alios alibi congressus materiai,
Qualis hic est auido complexu quem tenet æther !, [3]

notamment si c'est un être animé, comme ses mouvements le rendent si facile à croire que Platon l'assure, et que plusieurs des nôtres ou le confirment, ou ne l'osent infirmer, non plus que cette autre opinion des Anciens, que le ciel, les étoiles, et les autres membres du monde sont des créatures composées de corps et d'âme, mortelles, en considération de leur composition, mais immortelles par la détermination du créateur. Or s'il y a plusieurs mondes, comme Démocrite, Épicure et presque toute la philosophie l'ont pensé, que savons-nous si les principes et les règles de celui-ci touchent pareillement les autres ? Ils ont d'aventure un autre visage et un autre règlement. Épicure les imagine ou semblables, ou dissemblables. Nous voyonsen ce monde une différence et une variété infinies du seul fait de l'éloignement des lieux. Ni

1. Lucrèce, II, 1085-1086.
2. Lucrèce, II, 1077-1078.
3. Lucrèce, II, 1064-1066.

le blé ni le vin ne se voient, ni aucun de nos animaux, dans ce nouveau coin du monde que nos pères ont découvert : tout y est différent. Et au temps passé, voyez dans combien de parties du monde on n'avait connaissance ni de Bacchus, ni de Cérès. Qui en voudra croire Pline et Hérodote, il y a des espèces d'hommes en certains endroits qui ont fort peu de ressemblance avec la nôtre. Et il y a des formes métisses et ambiguës, entre l'humaine nature et la bestiale. Il y a des contrées où les hommes naissent sans tête, portant les yeux et la bouche dans la poitrine, où ils sont tous androgynes, où ils marchent à quatre pattes, où ils n'ont qu'un œil au front, et la tête plus semblable à celle d'un chien qu'à la nôtre, où ils sont moitié poissons par en-bas et vivent dans l'eau, où les femmes accouchent à cinq ans, et n'en vivent que huit, où ils ont la tête et la peau du front si dures que le fer n'y peut mordre et rebèque là-contre, où les hommes sont sans barbe ; des nations sans usage du feu, d'autres qui produisent un sperme de couleur noire. Que dire de ceux qui naturellement se changent en loups, en juments, et puis encore en hommes ? Et s'il est ainsi, comme dit Plutarque, qu'en quelque endroit des Indes, il y ait des hommes sans bouche, qui se nourrissent de la senteur de certaines odeurs, combien y a-t-il de nos descriptions qui sont fausses ? L'homme n'est en ce cas plus capable de rire, ni d'aventure capable de raison ni de vie en société : l'ordonnance et la cause de notre bâtiment interne seraient ainsi, pour la plupart, hors de propos.

Mais plus encore : combien y a-t-il de choses en notre connaissance qui combattent ces belles règles que nous avons taillées et prescrites à Nature ? Et nous entreprendrons d'y attacher Dieu même ? Combien de choses appelons-nous « miraculeuses », et « contre nature » ? Cela se fait pour chaque homme, et pour chaque nation, selon la mesure de son ignorance. Combien trouvons-nous de « propriétés occultes » et de « quintessences » ? Car, pour nous, aller selon Nature, ce n'est jamais qu'aller selon notre intelligence, pour autant qu'elle peut suivre, et pour autant que nous y voyons : ce qui est au-delà est « monstrueux » et « désordonné ». Or à ce compte, aux plus avisés et aux plus habiles tout sera donc « monstrueux », car à ceux-là, l'humaine raison a persuadé qu'elle n'avait ni pied ni fondement quelconque, non pas seulement pour assurer si la neige est blanche : Anaxagore la disait bien noire ! S'il y a quelque chose ou s'il n'y a nulle chose, s'il y a science ou ignorance, c'est ce que Métrodore de Chio niait que l'homme puisse dire. Ou si nous vivons, comme Euripide doute « si la vie que nous vivons est vie, ou si c'est ce que nous appelons mort qui soit vie »,

Τίς δ'οἶδεν εἰ ζῆν τοῦθ' ὃ κίκληται θανεῖν,
Τὸ ζῆν δὲ θνήσκειν ἔστι. [1]

Et non sans apparence ! Car pourquoi nous glorifier de ce titre « d'être » d'après cet instant que nous durons qui n'est qu'une escarbille dans le cours infini d'une nuit éternelle, et une interruption si brève de notre perpétuelle et naturelle condition, la mort occupant tout l'avant et tout l'après de ce moment, et une bonne partie encore de ce moment présent même ? D'autres jurent qu'il n'y a point de mouvement, que rien ne bouge, comme les sectateurs de Mélissos (car s'il n'y a que l'Un, ni ce mouvement sphérique ne lui peut servir, ni le mouvement d'un lieu à un autre, comme Platon le prouve), et ils assurent qu'il n'y a ni génération ni corruption dans la nature. Protagoras dit qu'il n'y a rien dans la nature d'autre que le doute, que de toutes choses on peut également disputer, et de cette question même de savoir si l'on peut également disputer de toutes choses ; Nausiphanès, que parmi les choses qui semblent être, rien n'est, non plus que n'est pas ; qu'il n'y a rien d'autre de certain que l'incertitude ; Parménide, que de tout ce qu'il semble, il n'est rien en général ; qu'il n'est que l'Un qui soit ; Zénon, que l'Un même n'est pas, et qu'il n'y a rien. Si Un était, il serait ou en un autre, ou en soi-même. S'il est en un autre, ce sont deux. S'il est en soi-même, ce sont deux encore : le comprenant, et le compris ! Selon ces dogmes, la nature des choses n'est qu'une ombre ou fausse ou vaine.

Il m'a toujours semblé que, pour un chrétien, cette façon de parler est pleine d'impudence et d'irrévérence : « Dieu ne peut mourir », « Dieu ne se peut dédire », « Dieu ne peut faire ceci, ou cela ». Je ne trouve pas bon d'enfermer ainsi la puissance divine sous les lois de notre discours. Et l'apparence qui s'offre à nous dans ces propositions, il la faudrait représenter sous un tour plus révérend et plus religieux.

Notre parler a ses faiblesses et ses défauts, comme tout le reste. La plupart des occasions des troubles du monde sont grammairiennes. Nos procès ne naissent que du débat sur l'interprétation des lois, et la plupart des guerres, de cette impuissance de n'avoir su clairement exprimer les conventions et les traités d'accord entre les princes. Combien de querelles, et combien importantes, a produit au monde le doute sur le sens de cette syllabe, *Hoc* [2] ? Prenons la phrase que la logique même nous présentera pour la plus claire. Si vous dites : « Il

1. Euripide, *Phrixus*.

2. Allusion à une querelle fameuse qui opposa catholiques et huguenots à propos de la transsubstantiation dans l'eucharistie : que signifie le « *hoc* » dans « *hoc est corpus meum* », « ceci est mon corps » ?

fait beau temps », et que vous dissiez la vérité, il fait donc beau temps. Voilà pas une forme de parler certaine ? Encore nous trompera-t-elle. Qu'il en soit bien ainsi, suivons l'exemple : si vous dites : « Je mens », et que vous dissiez vrai, vous mentez donc. L'art, la raison, la force de la conclusion de celle-ci sont pareilles à l'autre, toutefois nous voilà embourbés. Je vois les philosophes pyrrhoniens qui ne peuvent exprimer leur conception générale sous aucune manière de parler, car il leur faudrait un nouveau langage. Le nôtre est tout formé de propositions affirmatives, qui leur sont totalement ennemies, de façon que quand ils disent : « Je doute », on les tient aussitôt à la gorge pour leur faire avouer qu'ils assurent et savent cela au moins, qu'ils doutent. Ainsi ont-ils été contraints de se sauver dans cette comparaison tirée de la médecine, sans laquelle leur humeur serait inexplicable : quand ils prononcent « J'ignore » ou « Je doute », ils disent que cette proposition s'emporte elle-même avec le reste, ni plus ni moins que la rhubarbe qui chasse hors les mauvaises humeurs et s'emporte hors en même temps qu'elle-même ! Cette fantaisie se conçoit plus sûrement sous le mode interrogatif : « Que sais-je ? », comme je la porte à la devise d'une balance.

Voyez comment on se prévaut de cette sorte de parler pleine d'irrévérence : dans les disputes qui se font à présent dans notre religion, si vous pressez trop les adversaires, ils vous diront tout rondement qu'il n'est pas en la puissance de Dieu de faire que son corps soit en paradis et dans la terre, et en plusieurs lieux à la fois ; et ce moqueur ancien, comment il en fait son profit ! « Au moins, dit-il, n'est-ce point une légère consolation pour l'homme que de voir que Dieu ne peut pas toutes choses, car il ne peut se tuer quand il le voudrait, ce qui est la plus grande faveur que nous ayons dans notre condition ; il ne peut faire les mortels immortels, ni revivre les trépassés, ni que celui qui a vécu n'ait point vécu, ou que celui qui a eu des honneurs ne les ait point eus, n'ayant d'autre droit sur le passé que d'oubli. » Et, afin que cette société de l'homme avec Dieu, s'accouple encore par des exemples plaisants, que Dieu « ne peut faire que deux fois dix ne soient vingt ! » Voilà ce qu'il dit, et ce qu'un chrétien devrait éviter de laisser passer par sa bouche, alors que, au rebours, il semble que les hommes recherchent cette folle fierté de langage pour ramener Dieu à leur mesure :

Oui, demain Dieu le père,
Ou d'une noire nue ou d'un jour radieux,
Peut bien couvrir les cieux,
Il n'annulera pas ce qu'on a derrière,
Ni ne pourra détruire et nous rendre défait
Ce que l'heure en sa fuite une fois aura fait

Cras uel atra
Nube polum pater occupato,
Vel sole puro, non tamen irritum
Quodcumque retro est efficiet, neque
Diffinget infectumque reddet
Quod fugiens semel hora uexit. [1]

Quand nous disons que l'infinité des siècles tant passés qu'à venir n'est pour Dieu qu'un instant, que sa bonté, sa sagesse, sa puissance sont la même chose que son essence, notre parole le dit, mais notre intelligence ne l'appréhende point. Et toutefois notre outrecuidance veut faire passer la divinité par notre étamine, et de là s'engendrent toutes les rêveries et toutes les erreurs dont le monde se trouve saisi, ramenant et pesant à sa balance une chose si éloignée de son poids : C'est merveille de voir jusqu'où va l'arrogance du cœur de l'homme, dès qu'elle est encouragée par quelque minuscule succès *Mirum quo procedat improbitas cordis humani, paruulo aliquo inuitata successu.* [2]

Avec quelle insolence les stoïciens ne rabrouent-ils pas Épicure lorsqu'il soutient que l'être véritablement bon et heureux n'appartient qu'à Dieu, et que le sage n'en a qu'une ombre et une semblance ! Avec quelle témérité ont-ils assujetti Dieu à la destinée ! (Pour moi, j'aimerais assez que d'aucuns qu'on surnomme chrétiens ne le fassent pas encore) ; et Thalès, Platon, et Pythagore l'ont, eux, asservi à la nécessité. Cet orgueil de vouloir découvrir Dieu par nos yeux a fait qu'un grand personnage de notre religion a jadis attribué à la divinité une forme corporelle. Et c'est là ce qui fait qu'il nous advient tous les jours d'attribuer à Dieu les événements d'importance qui concernent de simples particuliers. Parce qu'ils nous pèsent, il nous semble qu'ils lui pèsent aussi, et qu'il y porte un regard plus entier et plus attentif qu'aux événements qui nous sont légers, ou d'une suite ordinaire : les dieux veillent aux grandes affaires, ils laissent les petites *magna dii curant, parua negligunt* [3] ; écoutez l'exemple que donne ici Cicéron, il vous éclaircira sur son raisonnement : même dans leurs royaumes les rois n'ont cure de tous les plus menus détails *nec in regnis quidem reges omnia minima curant* [4]. Comme si, pour ce roi-là, c'était une plus ou moins grande affaire que de remuer un empire ou la feuille d'un arbre, et comme si sa providence s'exerçait autrement quand elle oriente l'issue d'une bataille ou le saut d'une puce ! La main de son gouvernement se prête à toutes choses de la même façon, avec la même force et le même ordre :

1. Horace, *Odes*, III, XXIX, 43-48.
2. Pline l'Ancien, II, XXIII.
3. Cicéron, *De natura deorum*, II, LXVI, 167.
4. Cicéron, *De natura deorum*, III, XXXV, 86.

notre intérêt n'y apporte rien ; nos mouvements et nos mesures ne le touchent pas.

Dieu est grand ouvrier dans les grandes affaires sans pour cela l'être moins dans les petites *Deus ita artifex magnus in magnis ut minor non sit in paruis.* [1] Notre arrogance nous remet toujours en avant cette assimilation blasphématoire. Parce que nos occupations nous pèsent, Straton a gratifié les dieux d'une totale immunité de charges, comme sont leurs prêtres. Il fait produire et maintenir toutes choses à Nature, et c'est avec ses seuls poids et mouvements qu'il construit les parties du monde, déchargeant l'humaine nature de la crainte du jugement divin : Un être dans la béatitude et l'éternité ne s'occupe de rien ni de personne *Quod beatum æternumque sit, id nec habere negotii quicquam, nec exhibere alteri.* [2] Nature veut qu'en choses pareilles il y ait pareille proportion. Le nombre infini des mortels implique donc un même nombre d'immortels : le nombre infini des choses qui tuent et ruinent en présuppose autant qui conservent et profitent. De même que les âmes des dieux, sans langue, sans yeux, sans oreilles, sentent entre elles chacune ce que sent l'autre et jugent nos pensées, de même les âmes des hommes, quand elles sont libres et déprises du corps par le sommeil ou par quelque ravissement, devinent, pronostiquent et voient des choses qu'elles ne sauraient voir quand elles sont mêlées aux corps.

« Les hommes, dit Saint Paul, sont devenus fous en se donnant la présomption d'être sages, et ils ont changé la gloire incorruptible de Dieu en l'image de l'homme corruptible. » Voyez un peu cette farce des déifications dans l'Antiquité. Après la grande et superbe pompe de l'enterrement, au moment où le feu venait à prendre au haut de la pyramide et à saisir le lit du trépassé, ils laissaient en même temps échapper un aigle, qui, s'envolant à mont, signifiait que l'âme s'en allait en Paradis. Nous avons mille médailles, et notamment celle de cette honnête femme de Faustine, où cet aigle est représenté, emportant au ciel à la chèvre morte [3] ces âmes déifiées. C'est pitié que nous nous pipions à nos propres singeries et à nos propres inventions, Ils craignent ce qu'ils ont imaginé

Quod finxere timent, [4]

comme les enfants qui s'effraient de ce même visage qu'ils ont barbouillé et noirci à leur compagnon, Comme s'il y eût plus infortuné qu'un homme esclave de ses propres fictions *Quasi quicquam infelicius sit homine,*

1. Saint Augustin, *La Cité de Dieu*, XI, XXII.
2. Cicéron, *De natura deorum*, I, XVII, 45.
3. Sur son dos.
4. Lucain, I, 486.

cui sua figmenta dominantur ! [1] On est bien loin d'honorer celui qui nous a faits en honorant celui que nous avons fait. Auguste eut plus de temples que Jupiter, servis avec autant de religion et de foi en ses miracles. Les Thasiens, en récompense des bienfaits qu'ils avaient reçus d'Agésilas, lui vinrent dire qu'ils l'avaient canonisé : « Votre nation, leur dit-il, a-t-elle ce pouvoir de faire dieu qui bon lui semble ? Déifiez l'un d'entre vous, pour voir, et puis quand j'aurai vu comme il s'en sera trouvé, je vous dirai grand merci de votre offre. » L'homme est bien insensé : il ne saurait forger un ciron, et il forge des dieux par douzaines ! Écoutez Trismégiste louant notre suffisance : « Entre toutes les choses admirables, ce qui a surpassé toute admiration, c'est que l'homme ait pu découvrir la divine nature, et la parfaire. » Voici des arguments de l'école même de la philosophie,

À qui seule est donné de connaître les dieux
Et les pouvoirs qui règnent dans les cieux,
Ou de les ignorer seule

Nosse cui diuos et caeli numina soli,
Aut soli nescire datum. [2]

« Si Dieu est, il est animal, s'il est animal, il a des sens, et s'il a des sens, il est sujet à la corruption. S'il est sans corps, alors il est sans âme, et par conséquent sans action ; et s'il a un corps, il est périssable » : ne voilà-t-il pas là un beau triomphe ? « Nous sommes incapables d'avoir fait le monde : il y a donc quelque nature plus éminente qui y a mis la main. Ce serait une sotte arrogance de nous estimer la plus parfaite chose de cet univers. Il y a donc quelque chose de meilleur : cela, c'est Dieu. Quand vous voyez une riche et pompeuse demeure, encore que vous ne sachiez qui en est le maître, pourtant ne direz-vous pas qu'elle soit faite pour des rats. Et cette divine structure que nous voyons du palais céleste, n'avons-nous pas à croire que ce soit le logis de quelque maître plus grand que nous ne sommes ? Le plus haut est-il pas toujours le plus digne ? Et nous sommes placés au plus bas. Aucun être sans âme et sans raison ne peut produire un être animé capable de raison. Le monde nous produit : il a donc âme et raison. Chaque part de nous est moins que nous. Nous sommes part du monde. Le monde est donc fourni de sagesse et de raison, et plus abondamment que nous ne sommes. C'est une belle chose que d'avoir un grand gouvernement. Le gouvernement du monde appartient donc à quelque heureuse nature. Les astres ne nous font pas de tort : ils sont

1. Pline l'Ancien, II, VII.
2. Lucain. I, 452-453.

donc pleins de bonté. Nous avons besoin de nourriture, les dieux aussi, et ils se paissent des vapeurs qui montent d'ici-bas. Les biens mondains ne sont pas des biens pour Dieu : ce ne sont donc pas des biens pour nous. Offenser et être offensé témoignent également de l'imbécillité : c'est donc folie que de craindre Dieu. Dieu est bon par sa nature, l'homme par son industrie, ce qui vaut plus. La sagesse divine et l'humaine sagesse ne se distinguent en rien, sinon que celle-là est éternelle. Or la durée n'est en rien une accession à la sagesse : par quoi nous voilà compagnons. Nous avons la vie, la raison et la liberté, nous estimons la bonté, la charité et la justice : ces qualités sont donc en lui. » En somme, la construction et la déconstruction de Dieu, les conditions de la divinité, se forgent par l'homme par référence à lui-même. Quel patron et quel modèle ! Étirons, élevons, et grossissons les qualités humaines tant qu'il nous plaira. Enfle-toi, pauvre homme, et encore, et encore, et encore, tu n'y seras point

même en t'enflant à crever, dit-il
non si te ruperis, inquit. [1]

Assurément, ce n'est pas Dieu, qu'ils ne peuvent penser, mais eux-mêmes qu'ils pensent en s'imaginant le penser ; ce n'est pas lui, mais eux-mêmes, non pas à lui, mais à eux-mêmes qu'ils comparent *Profecto non Deum, quem cogitare non possunt, sed semet ipsos pro illo cogitantes ; non illum, sed seipsos, non illi, sed sibi comparant.* [2] Dans les choses naturelles les effets ne rapportent qu'à demi leurs causes. Que dire de cette cause-là ? Elle est au-dessus de l'ordre de la nature, sa condition est trop sublime, trop éloignée, et trop maîtresse pour souffrir que nos conclusions l'attachent et la garrottent. Ce n'est point par nous qu'on y arrive : cette route est trop basse. Nous ne sommes pas plus près du ciel sur le mont Cenis qu'au fond de la mer : vérifiez-le, pour voir, avec votre astrolabe ! Ils ramènent Dieu jusqu'au commerce charnel avec les femmes : par combien de fois ? Sur combien de générations ? Paulina, femme de Saturninus, une matrone de grande réputation à Rome, pensant coucher avec le dieu Sérapis, se retrouve entre les bras d'un sien amoureux par le maquerellage des prêtres de ce temple ! Varron, le plus subtil et le plus savant auteur latin, dans ses livres sur la théologie, écrit que le sacristain du temple d'Hercule, jetant au sort d'une main pour soi, de l'autre, pour Hercule, joua contre ce dieu un souper et une putain : s'il gagnait, ce serait aux dépens des offrandes ; s'il perdait, aux siens. Il perdit, paia son souper et sa putain. Son nom était Laurentine. Elle vit de nuit ce dieu entre ses bras, qui lui dit au surplus que, le

1. Horace, *Satires*, II, III, 318.
2. Saint Augustin, *La Cité de Dieu*, XII, XVII.

lendemain, le premier qu'elle rencontrerait lui payerait célestement son salaire. Ce fut Taruntius, un jeune homme riche, qui la mena chez lui, et, avec le temps, la laissa son héritière. Elle à son tour, espérant faire une chose agréable à ce dieu, laissa pour son héritier le peuple romain : ce pourquoi on lui attribua des honneurs divins.

Comme s'il ne suffisait pas que, par une double ascendance, Platon fût originellement descendu des dieux, et eût Neptune pour auteur commun de sa race, il était en outre tenu pour certain à Athènes qu'Ariston, ayant voulu jouir de la belle Périctyone, n'avait pu, et qu'il fut averti en songe par le dieu Apollon de la laisser vierge et immaculée jusqu'à ce qu'elle fût accouchée : c'étaient le père et la mère de Platon ! Combien y a-t-il dans les histoires de pareils cocuages, perpétrés par les dieux contre les pauvres humains ? Et de maris injurieusement décriés à l'occasion de leurs enfants ? Dans la religion de Mahomet, on trouve, du fait de la crédulité de ce peuple, nombre de Merlins, c'est-à-dire d'enfants sans père, nés divinement au ventre des pucelles par l'opération d'un Saint-Esprit, et du reste ils portent un nom qui le signifie dans leur langue.

Il nous faut noter que pour chaque chose il n'est rien de plus cher ni de plus estimable que son être propre (le lion, l'aigle, le dauphin ne prisent rien au-dessus de leur espèce), et que chacune rapporte les qualités de toutes les autres choses à ses propres qualités, lesquelles nous pouvons bien étendre ou raccourcir, mais c'est là tout, car notre imagination ne peut aller hors de ce rapport et de ce principe, elle ne peut rien deviner d'autre, et il est impossible qu'elle sorte de là et passe outre cela. D'où naissent ces syllogismes des Anciens : « De toutes les formes, la plus belle est celle de l'homme : Dieu donc est de cette forme. » ; « Nul ne peut être heureux sans vertu, ni la vertu être sans raison, et nulle raison loger ailleurs qu'en l'humaine figure : Dieu est donc revêtu de l'humaine figure » ! Ainsi sont tournés et prévenus nos esprits que l'homme, lorsqu'il songe à Dieu, c'est l'humaine figure qui s'offre à lui *ita est informatum, anticipatum mentibus nostris, ut homini, quum de deo cogitet, forma occurrat humana.* [1] Pourtant Xénophane disait plaisamment que si les animaux se forgent des dieux, comme il est vraisemblable qu'ils le fassent, ils les forgent certainement de même qu'eux, et se glorifient comme nous. Car pourquoi un oison ne dirait-il ainsi : « Toutes les pièces de l'univers me regardent : la terre me sert à marcher, le soleil à m'éclairer, les étoiles à me souffler leurs influences ; j'ai telle commodité des vents, telle des eaux ; il n'est rien que cette voûte regarde aussi favorablement que moi : je suis le mignon de nature ; n'est-ce pas

1. Cicéron, *De natura deorum*, I, XXVII, 76.

l'homme qui me traite, qui me loge, qui me sert ? C'est pour moi qu'il fait et semer et moudre : s'il me mange, l'homme le fait bien aussi de son compagnon ; et je fais bien, moi aussi, les vers qui le tuent et qui le mangent » ? Autant en dirait une grue, et plus magnifiquement encore pour la liberté de son vol et pour la possession de cette belle et haute région, tant Nature sait se faire elle-même câline entremetteuse et bonne maquerelle pour ses propres enfants *tam blanda conciliatrix et tam sui est lena ipsa natura !* [1]

Or donc, selon ce même train, c'est pour nous que sont les destinées, pour nous le monde, c'est pour nous qu'il fait jour, pour nous qu'il tonne. Et le créateur, et les créatures : tout est pour nous ! C'est le but, c'est le point où visent toutes choses dans l'univers ! Regardez le registre que la philosophie, depuis deux mille ans, et plus, a tenu des affaires célestes : les dieux n'ont agi, n'ont parlé que pour l'homme : elle ne leur attribue nul autre propos, nulle autre occupation. Les voilà en guerre contre nous :

Et, domptés par le bras herculéen,
Les fils de la Terre, d'où vint cette si périlleuse
Bataille qui fit trembler la demeure radieuse
De Saturne Ancien

domitosque Herculea manu
Telluris iuvenes, unde periculum
Fulgens contremuit domus
Saturni ueteris ; [2]

les voici partisans de nos troubles, pour nous rendre la pareille de ce que tant de fois nous sommes partisans des leurs :

De son trident Neptune a les murailles enfoncées
Jusqu'en leurs fondements, et ruiné de comble en fond
La ville : au premier rang se tient la cruelle Junon,
Qui tient les portes Scées

Neptunus muros magnoque emota tridenti
Fundamenta quatit, totamque a sedibus urbem
Eruit : hic Juno Scæas sæuissima portas
Prima tenet. [3]

Les citoyens de Caunos, par zèle pour la souveraineté de leurs dieux propres, prennent armes à dos le jour de leur dévotion, et vont courant toute leur banlieue en frappant l'air par-ci par-là, avec leurs glaives, pourchassant ainsi à outrance les dieux étrangers et les ban-

1. Cicéron, *De natura deorum*, I, XXVII, 77.
2. Horace, *Odes*, II, XII, 6-9.
3. Virgile, *Énéide*, 610-613.

nissant de leur territoire. Leurs puissances sont distribuées selon notre besoin : qui guérit les chevaux, qui les hommes, qui la peste, qui la teigne, qui la toux, qui telle sorte de gale, qui telle autre, tant la superstition peut introduire de dieux jusque dans les plus petites choses *adeo minimis etiam rebus praua religio inserit deos* [1] ; qui fait naître les raisins, qui les aulx ; qui a la charge de la paillardise, qui de la marchandise : à chaque race d'artisans son dieu ; qui a sa province et son crédit en Orient, qui au Ponant :

Là étaient ses armes,
Là était son char

hic illius arma...
Hic currus fuit, [2]

Ô toi, saint Apollon, qui tiens l'exact nombril du monde
O sancte Apollo, qui umbilicium certum terrarum obtines ! [3],

Les Cécropides adorent Pallas,
La Crète de Minos, Diane,
Hypsipile, Vulcain,
Sparte et la pélopide Mycènes, Junon ;
Le Ménale prie Pan couronné de ses pins,
Mars est révéré chez les Latins
Pallada Cecropidæ, Minoïa Creta Dianam,
Vulcanum tellus Hipsipylæa colit.
Junonem Sparte, Pelopeiadesque Micenæ,
Pinigerum Fauni Mænalis ora caput.
Mars Latio uenerandus; [4]

et qui encore n'a qu'un bourg ou une famille en sa possession, qui loge seul, qui en compagnie, ou volontaire ou familiale :

Et du neveu le temple est joint à celui de l'aïeul
Junctaque sunt magno templa nepotis auo. [5]

Il en est de si chétifs et de condition si basse (car le nombre s'en monte jusqu'à trente-six mille) qu'il en faut bien entasser cinq ou six pour produire un épi de blé, et ils en prennent leurs noms divers. Trois pour une porte : le dieu de l'ais, celui du gond, celui du seuil. Quatre pour un enfant : protecteurs de son maillot, de son boire, de son

1. Tite-Live, XXVII,XXIII, 2.
2. Virgile, *Énéide*, I, 16-17.
3. Cicéron, *De divinatione,* II, LVI, 115.
4. Ovide, *Fastes*, III, 81-85.
5. Ovide, *Fastes*, I, 294.

manger, de son téter. Il en est d'aucuns qui sont certains, d'aucuns incertains et douteux, et d'aucuns qui n'entrent pas encore en Paradis

Puisque nous les jugeons indignes encore des cieux
Laissons-leur pour séjour les terres à eux dédiées
Quos, quoniam cœli nondum dignamur honore,
Quas dedimus certe terras habitare sinamus. [1]

Il est des dieux pour la physique, pour la poésie, pour le droit civil. D'aucuns tiennent le milieu entre la divine et l'humaine nature, médiateurs, entremetteurs entre nous et Dieu, adorés selon un certain rang d'adoration secondaire et diminué. Les dieux sont infinis en titres et en offices : les uns bons, les autres mauvais. Il en est qui sont vieux et cassés, et il en est de mortels. Car Chrysippe estimait que, dans l'ultime conflagration du monde, tous les dieux auraient à finir, sauf Jupiter. L'homme forge mille plaisantes sociétés entre Dieu et lui. N'est-il pas son compatriote ?

Crète, berceau de Jupiter
Jovis incunabula Creten... [2]

Voici, quand ils considèrent ce sujet, l'excuse que nous donnent Scaevola, grand pontife, et Varron, grand théologien, en leur temps : qu'il est besoin que le peuple ignore beaucoup de choses vraies, et en croie beaucoup de fausses, comme il cherche la vérité pour qu'elle l'affranchisse, il est à croire qu'il s'accommode de ce qui l'abuse *cum ueritatem qua liberetur inquirat, credatur ei expedire quod fallitur.* [3]

Les yeux humains ne peuvent apercevoir les choses que sous les formes dont ils ont connaissance. Et il ne nous souvient pas quelle chute prit le misérable Phaéton pour avoir voulu manier les rênes des chevaux de son père d'une main mortelle. Notre esprit retombe toujours dans le même abîme, il se dissipe et se froisse de même façon, par sa témérité. Si vous demandez à la philosophie de quelle matière est le soleil, que vous répondra-t-elle, sinon de fer et de pierre, ou de telle autre étoffe usuelle ? Demande-t-on à Zénon ce que c'est que la nature ? « Un feu, dit-il, un feu artiste, propre à engendrer, et procédant de façon réglée ». Archimède, maître de cette science qui s'attribue la préséance sur toutes les autres pour la vérité et la certitude : « Le soleil, dit-il, est un dieu de fer enflammé » ! Ne voilà-t-il pas une

1. Ovide, *Métamorphoses*, I, 194-195.
2. Ovide, *Métamorphoses*, VIII, 99.
3. Saint Augustin, *La Cité de Dieu*, IV, XXXI.

belle imagination produite par l'inévitable nécessité des démonstrations géométriques ? Non pourtant si inévitable et utile que Socrate n'ait estimé qu'il suffisait d'en savoir juste assez pour pouvoir arpenter la terre qu'on donnait et recevait, et que Polyen, qui avait été un fameux et illustre docteur en la matière, ne les ait prises en mépris, comme pleines de fausseté et d'une vanité évidente, après qu'il eut goûté les doux fruits des jardins duveteux [1] d'Épicure. Socrate, dans Xénophon, sur ce propos d'Anaxagore, estimé par l'antiquité, écouté plus que tous les autres sur les choses célestes et divines, dit qu'il se troubla du cerveau, comme le font tous hommes qui scrutent immodérément les connaissances qui ne sont pas de leur ressort. Quand il faisait du soleil une pierre ardente, il ne s'avisait pas qu'une pierre ne luit point au feu, et, qui pis est, qu'elle s'y consume ; quand il ne faisait qu'un du soleil et du feu, que le feu ne noircit pas ceux qu'il regarde, que nous regardons fixement le feu, que le feu tue les plantes et les herbes. C'est, à l'avis de Socrate, et au mien aussi, la plus sage façon de juger du ciel que de n'en juger point. Platon ayant à parler des démons dans le *Timée* : « c'est une entreprise, dit-il, qui dépasse notre portée : il en faut croire ces anciens qui se sont dits engendrés d'eux. Il est contre raison de refuser foi aux enfants des dieux, quoique leur dire ne soit pas établi par raisons nécessaires ni vraisemblables, puisqu'ils nous assurent parler de choses domestiques et familiales.

Voyons si nous avons quelque peu plus de clarté dans la connaissance des choses humaines et naturelles.

N'est-ce pas une ridicule entreprise, pour les choses auxquelles, de notre propre aveu, notre science ne peut atteindre, que de leur aller forger un autre corps et prêter une forme fausse de notre invention, comme on le voit pour le mouvement des planètes, auquel, parce que notre esprit ne peut atteindre ni imaginer sa procédure naturelle, nous prêtons de notre cru des ressorts matériels, lourds, et corporels :

---

1. « *Poltronesques* », dit Montaigne. Notre « *poltron* » dérive du latin *pullus* (« poussin », « petit poulet », petit d'animal en général), *via* la bas latin *puliter*, d'où vient l'italien *poltrone* (« paresseux », « indolent »), lui-même dérivé de *poltro* (« poulain nouveau-né ») : « s'apoltronir », autrement dit « faire le poltron », c'est proprement se recroqueviller dans sa plume comme un petit poussin frileux et apeuré, d'où ma proposition de rendre cet inénarrable « poltronesque » (qui vaut son pesant de plume d'oison !) par « duveteux » : les jardins d'Épicure sont bien un doux nid et un mol oreiller pour l'âme, en cela que la maternelle philosophie du Jardin nous met de façon bien câline à l'abri des maux et de la crainte de la mort tout en se montrant la meilleure ménagère possible de nos plaisirs corporels.

D'or était le timon,
D'or la jante des roues, et d'argent les rayons

temo aureus, aurea summæ
Curuatura rotæ, radiorum argenteus ordo. [1]

Vous diriez que nous avons eu des cochers, des charpentiers et des peintres qui sont allés dresser là-haut des engins aux mouvements divers, et arranger les rouages et les entrelacements des corps célestes bigarrés de couleurs autour du fuseau de la nécessité, comme le voit Platon :

Le monde est la demeure immense où se meuvent les choses,
Le ceignent cinq bandeaux qui bruissent haut d'éclats pâles ;
À travers eux, au haut de l'éther qui s'incline,
Un limbe à douze signes peints où clignent les étoiles
Accueille le char de la lune

Mundus domus est maxima rerum,
Quam quinque altitonæ fragmine zonæ
Cingunt, per quam limbus pictus bis sex signis,
Stellimicantibus, altus in obliquo æthere, lunæ
Bigas acceptat. [2]

Ce ne sont là que des songes et de fanatiques folies. Que ne plaît-il un jour à Nature de nous ouvrir son sein, et de nous faire voir au propre les moyens et la conduite de ses mouvements, et d'y préparer nos yeux ? Ô Dieu, quelles erreurs, quels mécomptes nous trouverions dans notre pauvre science ! Je suis bien trompé si elle tient une seule chose droitement en son juste point, et je partirai d'ici en n'ignorant nulle autre chose plus que mon ignorance. N'ai-je pas vu dans Platon ce mot divin que Nature n'est rien d'autre qu'une poésie énigmatique ? Comme peut-être qui dirait une peinture voilée et ténébreuse, entreluisant d'une infinie variété de faux jours pour exercer nos conjectures. Toutes ces choses se cachent, occultées et ensevelies sous d'épaisses ténèbres, en sorte que l'esprit de l'homme n'a pas de pointe assez aiguë pour pouvoir pénétrer dans le ciel, entrer dans la terre *Latent ista omnia crassis occultata et circumfusa tenebris : ut nulla acies humani ingenii tanta sit quæ penetrare in caelum, terram intrare possit.* [3]

Et certes la philosophie n'est qu'une poésie sophistiquée : d'où tirent ces auteurs anciens toutes leurs autorités, sinon des poètes ? Et les premiers furent poètes eux-mêmes, et la traitèrent en vers. Platon n'est qu'un poète décousu. Toutes les sciences surhumaines s'accoutrent du style poétique.

1. Ovide, *Métamorphoses*, II, 107-108.
2. Varron, *Ménippées*, 92-96.
3. Cicéron, *Premiers Académiques*, II, XXXIX, 122.

Tout ainsi que les femmes emploient des dents d'ivoire là où les leurs naturelles leur manquent, et au lieu de leur vrai teint, s'en forgent un avec quelque matière étrangère, comme elles se font des cuisses de drap et de feutre, un embonpoint avec du coton, et au vu et su de tout un chacun s'embellissent d'une beauté fausse et empruntée, ainsi fait la science (et notre droit même a, dit-on, des fictions légales sur lesquelles il fonde la vérité de sa justice) : elle nous donne en paiement et nous présente comme présupposées les choses qu'elle-même nous apprend être inventées : car ces « épicycles », ces « excentriques », ces « concentriques », dont l'astrologie s'aide à conduire le branle de ses étoiles, elle nous les donne pour le mieux qu'elle ait su inventer sur ce sujet, comme aussi sur le reste la philosophie nous présente non pas ce qui est, ou ce qu'elle croit, mais ce qu'elle forge comme ayant le plus de vraisemblance et de séduction. Platon raisonnant sur l'état de notre corps et celui des bêtes : « Que ce que nous avons dit soit vrai, nous l'assurerions si nous avions sur cela la confirmation d'un oracle. Nous assurons seulement que c'est le plus vraisemblable que nous ayons su dire. »

Ce n'est pas au ciel seulement qu'elle envoie ses cordages, ses engins et ses roues : considérons un peu ce qu'elle dit de nous-mêmes et de notre contexture corporelle. Il n'y a pas plus de « rétrogradations », de « trépidations », « d'accessions », de « reculs », de « ravisements » [1] dans les astres et dans les corps célestes qu'ils n'en ont forgé dans ce pauvre petit corps humain ! Vraiment ils ont eu par là raison de l'appeler le « petit monde », tant ils ont employé de pièces, et de visages pour le maçonner et bâtir. Pour accommoder les mouvements qu'ils voient dans l'homme, les diverses fonctions et facultés que nous ressentons en nous, en combien de parties n'ont-ils pas divisé notre âme ? En combien de sièges ne l'ont-ils pas logée ? À combien de rangs et d'étages ont-ils départi ce pauvre homme, outre ceux qui sont naturels et perceptibles ? Et à combien d'offices et d'actions ? Ils en font une chose publique imaginaire. C'est un sujet qu'ils tiennent et qu'ils manient : on leur laisse toute puissance de le découdre, ranger, rassembler, et étoffer, chacun à sa fantaisie ; et pourtant ils ne le possèdent pas encore. Non seulement en vérité, mais en songe même, ils ne le peuvent régler qu'il ne s'y trouve quelque cadence ou quelque son qui échappe à leur architecture, toute démesurée qu'elle est, et rapiécée de mille lopins faux et fantastiques. Et ce n'est pas raison de les excuser, car aux peintres, quand ils peignent le ciel, la terre, les

1. Tous ces termes sont ceux qu'employaient l'ancienne astronomie pour expliquer les cycles et les irrégularités apparentes des mouvements des astres.

mers, les monts, les îles lointaines, nous leur concédons qu'ils nous en rapportent seulement quelque esquisse légère et, comme il s'agit de choses que nous ignorons, nous nous contentons d'un crayonnage vague et feint. Mais quand ils tirent d'après nature ou nous-mêmes, ou quelque autre sujet qui nous est familier et connu, nous exigeons d'eux une parfaite et exacte représentation des contours et des couleurs, et nous les méprisons s'ils y faillent.

Je sais bon gré à la fille de Milet qui, voyant le philosophe Thalès s'absorber continuellement dans la contemplation de la voûte céleste, et tenir toujours les yeux levés contre-mont, lui mit sur son passage quelque chose pour le faire broncher, afin de l'avertir qu'il serait temps d'amuser sa pensée aux choses qui étaient dans les nues quand il aurait pourvu à celles qui étaient à ses pieds. Elle lui conseillait certes bien de regarder plutôt à soi qu'au ciel : car, comme dit Démocrite par la bouche de Cicéron : nul ne regarde ce qu'il a devant les pieds, on scrute les étendues du ciel *quod est ante pedes, nemo spectat : caeli scrutantur plagas.* [1] Mais notre condition comporte que la connaissance de ce que nous avons entre les mains est aussi éloignée de nous et aussi bien au-dessus des nues que celle des astres. Comme le dit Socrate dans Platon : à quiconque se mêle de la philosophie on peut faire le reproche que fait cette femme à Thalès de ne rien voir de ce qui est devant lui. Car tout philosophe ignore ce que fait son voisin : oui, et ce qu'il fait lui-même ! Et il ignore ce qu'ils sont tous deux, ou bêtes, ou hommes.

Ces gens-ci, qui trouvent les raisons de Sebonde trop faibles, qui n'ignorent rien, qui gouvernent le monde, qui savent tout,

Pour apaiser la mer, régler les saisons, quelles causes ?
Si les astres font sur ordre, ou d'eux-mêmes leur circuit ?
Quoi donc baisse la lune, et quoi donc la produit ?
Ce que veut, ce que peut le discord accordé des choses ?

Quæ mare compescant causæ, quid temperet annum,
Stellæ sponte sua, iussaeue uagentur et errent :
Quid premat obscurum Lunæ, quid proferat orbem,
Quid uelit et possit rerum concordia discors ; [2]

n'ont-ils pas quelquefois sondé parmi leurs livres les difficultés qui se présentent à connaître leur être propre ? Nous voyons bien que le doigt se meut, et que le pied se meut, que certaines parties s'ébranlent d'elles-mêmes sans notre congé, et que d'autres, nous les agitons sur notre ordre, que certaine appréhension engendre la rougeur, certaine

1. Cicéron, *De divinatione*, II, XIII, 30.
2. Horace. *Épîtres*, I, XII, 16-19.

autre la pâleur, que telle imagination agit sur la rate seulement, telle autre sur le cerveau, que l'une nous cause le rire, l'autre le pleurer, que telle autre transit et foudroie tous nos sens et arrête le mouvement de nos membres, qu'à tel objet l'estomac se soulève, qu'à tel autre, c'est quelque partie plus basse. Mais comment une impression de l'âme peut faire une telle trouée dans un sujet massif et solide, et la nature de la liaison et de la couture de ces admirables ressorts, jamais homme ne l'a su : tout cela reste d'incertaine raison et se cache sous la majesté de la nature *omnia incerta ratione, et in naturae maiestate abdita,* [1] dit Pline ; et Saint Augustin : comment l'âme est-elle unie aux corps, c'est grand merveille, et ce ne peut être compris : et pourtant c'est l'homme même que cela *modus quo corporibus adhaerent spiritus omnino mirus est, nec comprehendi ab homine potest : et hoc ipse homo est.* [2] Et ainsi ne met-on pas pourtant cette union en doute, car les opinions des hommes sont reçues à la suite des croyances anciennes par autorité et à crédit, comme si c'était religion et loi. On reçoit comme un jargon secret ce qui en est communément cru ; on reçoit cette vérité avec tout son bâtiment et tout son attelage d'arguments et de preuves comme un corps ferme et solide qu'on n'ébranle plus, qu'on ne juge plus. Au contraire, chacun, à qui mieux mieux, va plâtrant et confortant cette créance reçue de tout ce que peut sa raison, qui est un outil souple, contournant, et accommodable à toute figure. Ainsi le monde se remplit et se confit de fadaises et de mensonges.

Ce qui fait qu'on ne doute de guère de choses, c'est que les idées communément reçues, on ne les essaie jamais : on n'en sonde point le pied, où gisent le défaut et la faiblesse, on ne débat qu'à propos des branches. On ne demande pas si cela est vrai, mais si la chose a bien été ainsi ou ainsi entendue ; on ne demande pas si Galien a rien dit qui vaille, mais c'est ainsi ou autrement qu'il a dit. Vraiment, c'était bien raison que cette bride et cette contrainte de la liberté de nos jugements, et que cette tyrannie de nos croyances s'étendissent jusqu'aux écoles et aux arts ! Le dieu de la science scolastique, c'est Aristote : c'est péché que de débattre de ses ordonnances, comme ce l'était de celles de Lycurgue à Sparte ! Sa doctrine nous sert de loi magistrale, qui d'aventure est aussi fausse qu'une autre. Je ne sais pas pourquoi je n'accepterais pas aussi volontiers ou les idées de Platon, ou les atomes d'Épicure, ou le plein et le vide de Leucippe et Démocrite, ou l'eau de Thales, ou l'infinité de la nature d'Anaximandre, ou l'air de Diogène, ou les nombres et la symétrie de Pythagore, ou l'infini de Parménide, ou l'Un de Musée, ou l'eau et le feu d'Apollodore, ou les parties

1. Pline l'Ancien, II, XXXVII.
2. Saint Augustin, *La Cité de Dieu*, XXI, X.

similaires d'Anaxagore, ou la discorde et l'amitié d'Empédocle, ou le feu d'Héraclite, ou toute autre opinion prise dans cette confusion infinie d'avis et de sentences que produit cette belle raison humaine par sa certitude et sa clairvoyance en tout ce dont elle se mêle, que je ne le ferais de l'opinion d'Aristote sur ce sujet des principes des choses de la nature ! Lesquels principes il bâtit de trois pièces, matière, forme, et privation : eh ! Qu'y a-t-il de plus vain que de faire de l'inanité même la cause de la production des choses ? La privation, c'est une opération négative : quelle lubie a bien pu le mettre à en faire la cause et l'origine des choses qui sont ? C'est là toutefois une position que nul n'oserait ébranler, si ce n'est lors de simples exercices de logique. On ne débat rien sur ce point pour le mettre en doute, mais seulement pour défendre l'auteur de l'école contre les objections extérieures : son autorité, voilà le seul but, au-delà duquel il n'est pas permis de s'enquérir.

Il est bien aisé, sur le fondement de postulats admis, de bâtir ce qu'on veut ; car, selon la loi et la règle d'un tel commencement, tout le reste des pièces du bâtiment se conduit aisément sans se contredire. Par cette voie, nous trouvons notre raison bien fondée et nous discourons à perte de vue, car nos maîtres préoccupent et gagnent autant de place en notre créance qu'il leur en faut pour conclure après ce qu'ils veulent, à la mode des géomètres : avec leurs demandes admises d'avance, le consentement et l'approbation que nous leur prêtons leur donnent de quoi nous traîner à gauche et à droite et de nous faire pirouetter à leur gré. Quiconque est cru sur ses présuppositions, il est notre maître et notre Dieu : il prendra le plan de ses fondements si ample et si aisé que par eux il nous pourra faire monter, s'il veut, jusques aux nues. Dans cette pratique et ce commerce de science, nous avons pris pour argent comptant le mot de Pythagore que chaque expert doit être cru en son art. Le dialecticien s'en remet au grammairien pour la signification des mots ; le rhétoricien emprunte au dialecticien les lieux des arguments ; le poète, au musicien les mesures ; le géomètre, à l'arithméticien les proportions ; les métaphysiciens prennent pour fondement les conjectures de la physique. Car chaque science a ses principes présupposés par lesquels le jugement humain est bridé de toutes parts. Si vous venez à choquer cette barrière, en laquelle gît la principale erreur, ils ont aussitôt cette maxime à la bouche, qu'il ne faut pas débattre contre ceux qui nient les principes !

Or il ne peut y avoir de principes pour les hommes si la divinité ne les leur a pas révélés. Tout le reste, et le commencement, et le milieu et la fin, ce n'est que songe et fumée. À ceux qui combattent par présupposition, il faut leur présupposer, pris à l'envers, ce même axiome dont on débat. Car toute présupposition humaine, et toute énonciation, a autant d'autorité que l'autre, si la raison n'y fait pas de différence. Ainsi, il les faut toutes mettre à la balance : et pour commencer les générales, et celles qui nous tyrannisent. La persuasion de la certitude est un certain témoignage de folie, et d'incertitude extrême. Et il n'est point de plus folles gens, ni de moins philosophes, que les « philodoxes » [1] de Platon. Il faut savoir si le feu est chaud, si la neige est blanche, s'il existe quelque chose de dur ou de mou d'après notre connaissance.

Et quant à ces réponses dont il se fait des contes anciens, comme à celui qui mettait en doute la chaleur à qui on dit de se jeter dans le feu, ou à celui qui niait la froideur de la glace, qu'il s'en mît dans le sein, elles sont tout à fait indignes de la profession philosophique. S'ils nous eussent laissés dans notre état naturel, recevant les apparences étrangères selon qu'elles se présentent à nous par nos sens, et qu'ils nous eussent laissé aller après nos appétits simples et réglés par la condition de notre naissance, ils auraient raison de parler ainsi. Mais c'est d'eux que nous avons appris à nous rendre juges du monde ; c'est d'eux que nous tenons cette fantaisie que la raison humaine est contrôleuse générale de tout ce qui est au-dehors et au-dedans de la voûte céleste, qui embrasse tout, qui peut tout, par le moyen de laquelle tout se sait et se connaît. Cette réponse serait bonne parmi les cannibales qui jouissent du bonheur d'une longue vie tranquille et paisible sans les préceptes d'Aristote et sans la connaissance du nom de « physique ». Cette réponse vaudrait mieux d'aventure et aurait plus de fermeté que toutes celles qu'ils emprunteront de leur raison et de leur invention. De celle-ci seraient capables avec nous tous les animaux, et tout ce où le commandement est encore purement et simplement celui de la loi naturelle : mais eux ils y ont renoncé. Il ne faut pas qu'ils me disent : « il est vrai, car vous le voyez et le sentez ainsi », il faut qu'ils me disent si ce que je pense sentir, je le sens pour autant en effet ; et si je le sens, qu'ils me disent après pourquoi je le sens, et comment, et quoi ; qu'ils me disent le nom, l'origine, les tenants et les aboutissants de la chaleur, du froid ; les propriétés de ce qui agit et de ce qui pâtit, ou qu'ils renoncent sinon à leur profession, qui est de ne recevoir ni d'approuver rien que par la voie de la raison : c'est leur pierre de touche pour toutes sortes d'*essais*, mais assurément c'est une touche pleine de fausseté, d'erreur, de faiblesse, et de défaillance.

---

1. Platon (*République*, V) appelle ainsi les gens qui acceptent toutes les opinions reçues sans jamais en rechercher les fondements rationnels.

Par où la voulons-nous mieux éprouver que par elle-même ? S'il ne la faut croire quand elle parle de soi, à peine sera-t-elle propre à juger des choses qui lui sont étrangères : si elle connaît quelque chose, au moins sera-ce son être et son domicile. Elle est dans l'âme, et elle est une partie ou un effet de celle-ci. Car la raison véritable, la raison par essence, dont nous dérobons le nom à mauvaise enseigne, elle loge dans le sein de Dieu, c'est là son gîte et sa retraite, c'est de là qu'elle part quand il plaît à Dieu de nous en faire voir quelque raison, comme Pallas saillit de la tête de son père pour se manifester au monde.

Maintenant voyons ce que l'humaine raison nous a appris de soi et de l'âme, non point de l'âme en général, dont quasi toute la philosophie veut que les corps célestes et les premiers corps participent, ni de celle que Thalès attribuait aux choses mêmes qu'on tient pour inanimées, à cela convié par la considération de l'aimant, mais bien de celle-là qui nous appartient et que nous devons le mieux connaître :

De l'âme on ne sait la nature et ne connaît le sort,
Naît-elle avec la chair en s'y glissant à la naissance,
Périt-elle avec nous pour se dissiper dans la mort,
Rejoint-elle le sombre Orcus au fond noir de l'abîme,
Migre-t-elle en d'autres vivants par merveille divine

Ignoratur enim quæ sit natura animai,
Nata sit, an contra nascentibus insinuetur,
Et simul intereat nobiscum morte dirempta,
An tenebras Orci uisat uastasque lacunas,
An pecudes alias diuinitus insinuet se... ? [1]

À Cratès et Dicéarque, elle a appris qu'il n'y en avait point du tout mais que le corps s'ébranlait ainsi d'un mouvement naturel ; à Platon, qu'elle était une substance se mouvant de soi-même ; à Thalès, qu'elle était une nature sans repos, à Asclépiade, un exercice des sens ; à Hésiode et à Anaximandre, une chose composée de terre et d'eau, à Parménide, de terre et de feu, à Empédocle, de sang :

Cestui-là vomit une âme de sang

Sanguineam uomit ille animam ; [2]

à Possidonius, Cléanthe et Galien, qu'elle était une chaleur ou une complexion chaleureuse,

De flamme est leur vigueur, et le ciel est leur père

Igneus est ollis uigor, et coelestis origo ; [3]

1. Lucrèce, I, 112-116.
2. Virgile, *Énéide*, IX, 349.
3. Virgile, *Énéide*, VI, 730.

à Hippocrate, un esprit épandu dans le corps ; à Varron, un air reçu par la bouche, échauffé au poumon, attrempé au cœur, et répandu par tout le corps ; à Zénon, la quintessence des quatre éléments ; à Héraclite du Pont, la lumière ; à Xénocrate et aux Égyptiens, un nombre mobile ; aux Chaldéens, une vertu sans forme déterminée :

Du corps on croit qu'elle fût « disposition vitale »,
Quelque « harmonie », au dit des Grecs...
Habitum quendam uitalem corporis esse,
Harmoniam Græci quam dicunt. [1]

N'oublions pas Aristote : ce qui naturellement fait mouvoir le corps, qu'il nomme « entéléchie », chose d'une aussi froide invention que nulle autre, car il ne parle ni de l'essence, ni de l'origine, ni de la nature de l'âme, mais en remarque seulement l'effet. Lactance, Sénèque, et la meilleure part d'entre les dogmatiques, ont confessé que c'était une chose qu'ils n'entendaient pas. Et après tout ce dénombrement d'opinions de tous ces avis lequel est vrai, quelque dieu le saura *harum sententiarum quæ uera sit, deus aliquis uiderit,* [2] dit Cicéron. « Je connais par moi, dit Saint Bernard, combien Dieu est incompréhensible, puisque les pièces de mon être propre, je ne les puis comprendre. » Héraclite, qui tenait tout être pour empli d'âmes et de démons, maintenait pour cela qu'on ne pouvait aller si avant dans la connaissance de l'âme qu'on y pût arriver, si profonde était son essence.

Il n'y a pas moins de dissension ni de débat pour ce qui est de la loger. Hippocrate et Hiérophile la mettent dans le ventricule du cerveau ; Démocrite et Aristote, par tout le corps :

Comme on parle souvent de la « santé du corps »
Sans que pourtant elle ne soit du corps sain un organe !
Ut bona sæpe ualetudo cum dicitur esse
Corporis, et non est tamen hæc pars ulla ualentis. [3]

Épicure, dans l'estomac :

Là, bat la peur, là, l'effroi ; là, les joies en nous badinent
Hic exultat enim pauor ac metus, hæc loca circum
Lætitiæ mulcent. [4]

1. Lucrèce, III, 99-100.
2. Cicéron, *Tusculanes*, I, XI, 23.
3. Lucrèce, III, 102-103.
4. Lucrèce, III, 141-142.

les stoïciens, autour et dedans le cœur ; Érasistrate la met joignant la membrane de l'épicrane ; Empédocle, dans le sang ; comme aussi Moïse, ce qui fut la raison pour laquelle il défendit de manger le sang des bêtes, auquel leur âme est jointe ; Galien a pensé que chaque partie du corps eût son âme ; Straton l'a logée entre les deux sourcils : quel visage a l'âme, ou bien où est son logis, il ne faut pas même s'en enquérir *qua facie quidem sit animus, aut ubi habitet, ne quærendum quidem est,* [1] dit Cicéron. Je laisse volontiers à cet homme ses mots propres : irais-je à l'éloquence altérer son parler ? Joint qu'il y a peu d'acquêt à dérober la matière de ses inventions. Elles sont à la fois peu fréquentes, peu roides, et peu ignorées. Mais la raison pour laquelle Chrysippe argumente que l'âme soit autour du cœur, comme tous ceux de son école, n'est pas pour être oubliée : c'est par cela, dit-il, que, quand nous voulons assurer quelque chose, nous mettons la main sur l'estomac, et que, quand nous voulons prononcer *ἔγω* (qui signifie « moi »), nous baissons vers l'estomac la mâchoire d'en-bas ! Ce lieu ne se doit passer sans qu'on remarque l'inanité d'un si grand personnage : car, outre ce que ces considérations sont par elles-mêmes infiniment légères, la dernière ne prouve qu'aux seuls Grecs qu'ils aient l'âme à cet endroit-là ! Il n'est jugement humain si tendu qui ne sommeille parfois... Que craindrions-nous à dire ? Voilà les stoïciens, pères de l'humaine prudence, qui trouvent que l'âme d'un homme accablé sous une ruine traîne et ahane longtemps à sortir par cela qu'elle ne parvient à se démêler de la charge, comme une souris prise à la tapette ! D'aucuns tiennent que le monde fut fait pour donner un corps par punition aux esprits déchus, par leur faute, de la pureté dans laquelle ils avaient d'abord été créés, la première création n'ayant été qu'incorporelle, et que, selon qu'ils se sont plus ou moins éloignés de leur spiritualité, on les met dans des corps plus ou moins légers ou lourds. De là vient la variété de tant de matière créée. Mais l'esprit qui fut pour sa peine investi du corps du soleil devait alors avoir atteint un degré d'altération bien rare et bien singulier ! Les limites extrêmes de notre enquête aboutissent toutes à un éblouissement, ainsi que le dit Plutarque des histoires sur nos origines, qui s'effacent et se perdent un peu comme sur les cartes des géographes les orées des terres connues qu'ils occupent de marais, de forêts profondes, de déserts et de lieux inhabitables. Voilà pourquoi les rêvasseries les plus grossières et les plus puériles se trouvent davantage chez ceux qui traitent des choses les plus hautes, et plus profondément : c'est qu'ils s'abîment dans leur curiosité et leur présomption. La fin et le commencement de la science

1. Cicéron, *Tusculanes*, I, XXVIII, 67.

se rejoignent dans la même bêtise. Voyez donc Platon prendre amont son essor vers ses nuages poétiques, voyez chez lui ce jargon des dieux ! Mais à quoi songeait-il donc quand il définit l'homme « un animal à deux pieds et sans plume », fournissant ainsi à ceux qui avaient envie de se moquer de lui une plaisante occasion ? Car, ayant plumé un chapon vivant, ils s'amusaient à le nommer « l'homme de Platon ».

Et que dire des Épicuriens ? Avec quelle naïveté étaient-ils allés d'abord s'imaginer que leurs atomes, qu'ils disaient être des corps dotés de quelque pesanteur et d'un mouvement naturel contre-bas, eussent bâti le monde ! Jusqu'à ce qu'ils fussent avisés par leurs adversaires que, si l'on s'en tenait à ce schéma, il n'était pas possible que leurs atomes se joignissent et se prissent l'un à l'autre, puisque leur chute était droite et verticale, et n'engendrait ainsi partout que des lignes parallèles ! Par quoi force leur fut d'y ajouter depuis un mouvement de côté fortuit, et de fournir encore à leurs atomes des queues courbes et crochues, pour les rendre aptes à s'attacher et se coudre entre eux. Et même alors, ceux qui les poursuivent de cette autre considération ne les mettent-ils pas en peine ? Si les atomes ont par sort formé tant de sortes de figures, pourquoi ne se sont-ils jamais rencontrés à faire une maison ou un soulier ? Pourquoi de même ne croit-on qu'un nombre infini de lettres grecques déversées au milieu de la place parvinssent à composer un beau jour le texte de l'*Iliade* ? « Ce qui est capable de raison, dit Zénon, est meilleur que ce qui n'en est point capable ; or il n'est rien de meilleur que le monde : le monde est donc capable de raison. » Cotta, par cette même argumentation, fait le monde mathématicien, et il le fait musicien et organiste par cet autre raisonnement, qui est aussi de Zénon : « Le tout est plus que la partie ; or nous sommes capables de sagesse et nous sommes des parties du monde : le monde est donc sage. » Parmi les reproches que les philosophes se font les uns aux autres au sujet des dissensions entre leurs opinions et leurs sectes, il se voit un nombre infini de pareils exemples, non d'arguments faux seulement, mais ineptes même, qui ne se tiennent pas, et qui accusent leurs auteurs non point tant d'ignorance que d'imprudence. Qui fagoterait habilement un amas des âneries de l'humaine sapience, il dirait merveilles !

Volontiers j'en réunis comme un lot d'échantillons sur la montre, non moins utile à considérer que les leçons les plus mesurées. Jugeons par là ce que nous avons à estimer de l'homme, de son sens et de sa raison, puisque chez ces grands personnages, et qui ont porté si haut l'humaine suffisance, il s'y trouve des défauts si apparents et si grossiers. Moi, j'aime mieux croire qu'ils ont traité la science comme un jouet qu'à l'occasion on se passe de mains en mains, et qu'ils se sont amusés avec la raison comme avec un instrument vain et frivole, mettant en avant toutes sortes d'inventions et de fantaisies tantôt plus tendues, tantôt plus lâches. Ce même Platon qui définit l'homme comme une poule dit ailleurs, après Socrate, qu'il ne sait à la vérité ce que c'est que l'homme, et que c'est l'une des pièces du monde les plus difficiles à connaître. Par cette variété et cette instabilité d'opinions, ils nous mènent comme par la main, tacitement, à nous résoudre à les juger irrésolus. Ils font profession de ne présenter pas toujours leur avis à visage découvert et apparent : ils l'ont caché tantôt sous les ombrages fabuleux de la poésie, tantôt sous quelque autre masque. Car notre imperfection comporte encore cela que la viande crue n'est pas toujours propre à notre estomac ! Il la faut d'abord sécher, altérer et corrompre. Eux font de même : ils obscurcissent parfois la naïveté de leurs opinions et de leurs jugements et ils les falsifient pour s'accommoder à l'usage public. Ils ne veulent pas faire profession expresse d'ignorance, ni laisser voir l'infirmité de la raison humaine, de peur d'effrayer les enfants, mais ils nous la découvrent assez sous l'apparence d'une science trouble et inconstante. Je conseillais en Italie à quelqu'un qui était en peine de parler italien que, pourvu qu'il ne cherchât qu'à se faire entendre, sans y vouloir autrement exceller, qu'il employât seulement les premiers mots qui lui viendraient à la bouche, latins, français, espagnols, ou gascons, et qu'en y ajoutant la terminaison italienne, il ne manquerait jamais de rencontrer quelque idiome du pays, ou toscan, ou romain, ou vénitien, ou piémontais, ou napolitain, et de retomber sur quelqu'une de ces si nombreuses formes. Je dis de même de la philosophie : elle a tant de visages et de variété, et elle a tant dit, que tous nos songes et toutes nos rêveries s'y retrouvent. L'humaine fantaisie ne peut rien concevoir en bien ou en mal qui n'y soit : il n'est rien qui se puisse dire de si absurde qui n'ait été dit par quelqu'un des philosophes *nihil tam absurde dici potest, quod non dicatur ab aliquo philosophorum.* [1] Et j'en laisse plus librement aller mes caprices en public : d'autant que bien qu'ils soient nés chez moi, et sans patron, je sais qu'ils trouveront leur relation à quelque humeur d'un ancien, et quelqu'un n'aura faute de dire : « Voilà d'où il le prit. »

Mes mœurs sont naturelles ; je n'ai point appelé à les bâtir le secours d'aucune discipline. Mais toutes imbéciles qu'elles sont, quand l'envie m'a pris de les mettre en récit, et que pour les faire sortir en public un peu plus décemment je me suis mis en devoir de les accompagner, et de discours, et d'exemples, ç'a été merveille pour

1. Cicéron, *De divinatione*, II, LVIII, 119.

moi-même de les rencontrer par fortuite occasion conformes à tant d'exemples et de discours philosophiques. De quel régiment était ma vie, je ne l'ai appris qu'après qu'elle fut allée au bout de ses exploits et de ses emplois. Figure inédite : un philosophe imprémédité et fortuit !

Pour en revenir à notre âme, le fait que Platon a mis la raison au cerveau, l'ire au cœur, et la cupidité au foie, il est vraisemblable que ce fut surtout pour traduire la diversité des mouvements de l'âme plutôt qu'il n'ait réellement voulu la diviser et séparer comme on le fait d'un corps en plusieurs membres. Et la plus vraisemblable de leurs opinions, c'est d'abord que c'est toujours une âme qui par sa faculté propre ratiocine, se souvient, comprend, juge, désire, et exerce toutes ses autres opérations par divers instruments du corps, comme le nocher gouverne son navire selon l'expérience qu'il en a, tantôt tendant ou lâchant une corde, tantôt haussant l'antenne ou remuant l'aviron, en produisant par une seule puissance divers effets ; et c'est ensuite qu'elle se loge dans le cerveau, ce qui ressort du fait que les blessures et les accidents qui touchent cette partie altèrent aussitôt les facultés de l'âme : de là, il n'est pas sans pertinence de dire qu'elle s'écoule par tout le reste du corps :

Phébus ne quitte jamais sa route au milieu des cieux,
Par tout l'univers pourtant luit son éclat radieux

Medium non deserit unquam
Coeli Phoebus iter : radiis tamen omnia lustrat, [1]

car, comme depuis le ciel le soleil répand au dehors sa lumière et ses puissances et en remplit le monde,

De l'âme, l'autre part, dans le corps effuse, obéit,
Et l'esprit à son gré la remue et l'agit

Cætera pars animæ per totum dissita corpus
Paret, et ad numen mentis momenque mouetur. [2]

D'aucuns ont dit qu'il y avait une âme générale, comme un grand corps dont toutes les âmes particulières étaient extraites, et qu'elles y retournaient en se remêlant toujours à cette matière universelle :

Car un dieu va par la terre en tous lieux,
Par toutes les plaines des mers, jusqu'au plus haut des cieux :
À l'homme, aux bestiaux, troupeaux, et fauves de toute sorte,
Les principes subtils de la vie il apporte ;
Tout lui retourne ensuite et lui revient dissout,
Et la mort par ainsi n'a point de lieu du tout

1. Claudien, *Le Sixième Consulat d'Honorius*, V, 411-412.
2. Lucrèce, III, 143-144.

Deum namque ire per omnes
Terrasque tractúsque maris coelumque profundum :
Hinc pecudes, armenta, uiros, genus omne ferarum,
Quemque sibi tenues nascentem arcessere uitas,
Scilicet huc reddi deinde, ac rèsoluta referri
Omnia : nec morti esse locum... ; [1]

d'autres, qu'elles ne faisaient que s'y rejoindre et rattacher ; d'autres, qu'elles étaient produites à partir de la substance divine ; d'autres, par les anges, à partir du feu et de l'air. D'aucuns, de toute ancienneté ; d'aucuns, sur l'heure même du besoin. D'aucuns les font descendre du rond de la lune, et y retourner ; le commun des anciens, qu'elles sont engendrées de père en fils, d'une manière et par une production pareille à toutes les autres choses de la nature, argumentant cela par la ressemblance des enfants aux pères,

La vertu de ton père en toi fut instillée,
Les courageux sont fils de pères bons et courageux
Instillata patris uirtus tibi : [2]
Fortes creantur fortibus et bonis, [3]

et parce qu'on voit couler des pères aux enfants non seulement les marques du corps, mais encore une ressemblance d'humeurs, de complexions, et d'inclinations de l'âme.

Et d'où tient la race lion sa triste cruauté ?
Les renards, leur fourbe ? Et le cerf, son goût de la fuite,
De ses pères l'héritage, et cet effroi qui l'agite ?
Oui, d'où vient que tous ces traits-là sont dès la prime enfance
Engendrés dans le corps et les gènes de chaque engeance,
Sinon qu'une âme propre à chaque germe, à chaque sang,
Grandit avec le corps harmonieusement ?
Denique cur acrum uiolentia triste leonum
Seminium sequitur, dolus uulpibus, et fuga ceruis
A patribus datur, et patrius pauor incitat artus,
Si non certa suo quia semine seminioque,
Vis animi pariter crécit cum corpore toto ? [4]

Que là-dessus se fonde la justice divine qui punit chez les enfants la faute de leurs pères, parce que la contagion des vices paternels est en quelque sorte empreinte en l'âme des enfants, et que le dérèglement de leur volonté les touche.

---

1. Virgile, *Géorgiques*, IV, 221-226.
2. Traduction latine d'un vers d'Homère, *Odyssée*, II, 271.
3. Horace, *Odes*, IV, IV, 29.
4. Lucrèce, III, 741-743, et 746-747.

Davantage, que si les âmes venaient d'ailleurs que d'une suite naturelle, et qu'elles eussent été quelque autre chose hors du corps, elles auraient le souvenir de leur être premier, attendu les facultés naturelles qui lui sont propres, de discourir, de raisonner et de se souvenir :

Si dans le corps elle se glisse au jour de la naissance,
De sa jeunesse alors, que ne gardons-nous souvenir
Et du bel autrefois ne pouvons-nous rien retenir ?

Si in corpus nascentibus insinuatur,
Cur super ante actam ætatem meminisse nequimus,
Nec uestigia gestarum rerum ulla tenemus ? [1]

Car pour faire valoir la condition de nos âmes comme nous le voulons, il les faut présupposer toutes savantes lors même qu'elles sont dans leur simplicité et leur pureté naturelles. Par ainsi, elles eussent été telles, étant aussi bien exemptes de la prison corporelle avant d'y entrer qu'elles le seront, comme nous l'espérons, après qu'elles en seront sorties. Et de ce savoir, il faudrait qu'elles se ressouvinssent encore quand elles sont dans le corps, tout comme Platon disait que ce que nous apprenions n'était qu'un ressouvenir de ce que nous avions su, chose dont chacun peut par expérience soutenir qu'elle est fausse. En premier lieu parce qu'il ne nous ressouvient justement que de ce qu'on nous apprend, et que, si la mémoire faisait purement son office, elle nous suggérerait au moins quelque trait au-delà de ce qui lui vient de l'apprentissage. Secondement, ce qu'elle savait quand elle était dans sa pureté, c'était une vraie science, car alors par sa divine intelligence elle connaissait les choses telles qu'elles sont, alors qu'ici on lui inocule le mensonge et le vice si on l'en instruit. Elle ne peut donc employer sa réminiscence à cela, puisque cette image et cette conception n'ont jamais logé en elle. Quant à dire que la prison corporelle étouffe ses facultés naïves de manière qu'elles y sont toutes éteintes, cela, pour commencer, c'est contraire à cette autre croyance qui est de reconnaître ses forces si grandes, et les opérations que les hommes en ressentent dans cette vie si admirables, que l'on en a conclu à sa divinité et à son éternité passées tout comme à son immortalité à venir :

Car si l'empire de l'esprit à ce point se transforme
Que toute remembrance en notre for s'endorme,
Cela diffère assez peu, ce me semble, de la mort

1. Lucrèce, III, 671-673.

Nam si tantopere est animi mutata potestas,
Omnis ut actarum exciderit retinentia rerum,
Non ut opinor ea ab leto iam longius errat ! [1]

En outre, c'est ici, chez nous, et non ailleurs, que doivent être considérés les forces et les effets de l'âme : tout le reste de ses perfections lui est vain et inutile ; c'est de l'état présent que doit être payée et reconnue toute son immortalité, et c'est de la vie de l'homme qu'elle est comptable seulement : ce serait injuste de lui avoir retranché ses moyens et ses pouvoirs, de l'avoir désarmée, pour aller ensuite, au moment de sa captivité et de sa prison, tirer de sa faiblesse et maladie, au temps où elle aurait été forcée et contrainte, le jugement et une condamnation d'une durée infinie et perpétuelle ; et injuste aussi de s'arrêter à la considération d'un temps si court, qui est d'aventure d'une ou deux heures, ou, au pis aller, d'un siècle (qui n'ont pas plus de proportion à l'infinité qu'un instant) pour ordonner et statuer définitivement de tout son être à partir de ce seul moment d'intervalle. Ce serait une disproportion inique que de tirer d'une aussi courte vie une récompense éternelle en conséquence. Platon, pour se sauver de cet inconvénient, veut que les paiements futurs se limitent à la durée de cent ans, relativement à l'humaine durée : et assez des nôtres leur ont donné des bornes temporelles.

Ainsi jugeaient-ils que la génération de l'âme suivait la commune condition des choses humaines, de même aussi que sa vie, selon l'opinion d'Épicure et de Démocrite, qui a été la plus reçue, en raison des belles apparences que voici : qu'on la voyait naître à même que le corps en était capable ; qu'on voyait grandir ses forces comme celles du corps ; qu'on reconnaissait en elle la faiblesse de son enfance, et, avec le temps, sa vigueur et sa maturité, puis son déclin et sa vieillesse, et enfin sa décrépitude :

On sent qu'avec le corps l'âme naît, comme lui grandit,
Et du même pas s'envieillit

Gigni pariter cum corpore, et una
Crescere sentimus, pariterque senescere mentem. [2]

Ils l'apercevaient capable de diverses passions et agitée de plusieurs mouvements pénibles, d'où elle tombait en lassitude et en douleur ; capable d'altération et de changement, d'allégresse, d'assoupissement, et de langueur ; sujette à ses maladies et à ses atteintes, comme l'estomac ou le pied,

---

1. Lucrèce, III, 674-676.
2. Lucrèce, III, 445-446.

L'âme, tel un corps infecté, guérit, nous le voyons,
Et par médecine fléchit, ce que nous observons
Mentem sanari, corpus ut ægrum
Cernimus, et flecti medicina posse uidemus, [1]

éblouie et troublée par la force du vin ; jetée hors de son assiette par les vapeurs d'une fièvre chaude ; endormie par l'application de certains médicaments, et réveillée par d'autres :

Il faut donc bien que l'esprit soit aussi fait de matière,
Puisque des flèches et des coups le peuvent éprouver
Corpoream naturam animi esse necesse est,
Corporeis quoniam telis ictuque laborat. [2]

On lui voyait foudroyer et bouleverser toutes ses facultés par la seule morsure d'un chien malade, et qu'il n'y avait en elle nulle si grande fermeté de discours, nulle capacité, nulle vertu, nulle résolution philosophique, nulle tension de ses forces, qui la pussent exempter de la tyrannie de ces accidents : on vit la salive d'un chétif mâtin versée sur la main de Socrate secouer toute sa sagesse et anéantir toutes ses grandes idées si réglées, de manière qu'il ne restât aucune trace de sa connaissance première :

... la vigueur... de l'esprit
Se trouble quand entre eux divorcent, comme je l'ai dit,
Leurs flux désunis et disjoints par le même venin
uis animai
Conturbatur, et, ut docui, diuisa seorsum
Disiectatur eodem illo distracta ueneno, [3]

et l'on vit ce venin ne trouver pas plus de résistance en cette âme qu'en celle d'un enfant de quatre ans : venin capable de faire devenir toute la philosophie, si elle était incarnée, furieuse et insensée, si bien que Caton, qui tordait le cou à la mort même et à la fortune, ne put souffrir la vue d'un miroir ou de l'eau, accablé d'épouvante et d'effroi à l'idée qu'il pouvait tomber, par la contagion d'un chien enragé, dans la maladie que les médecins nomment hydrophobie.

...le mal ... fait sortir l'âme de ses gonds
Elle se trouble en écumant, comme, sur la mer plane,
Lorsque se lève le vent, soudain bout l'onde océane

1. Lucrèce, III, 520-511.
2. Lucrèce, III, 175-176.
3. Lucrèce, III, 499-501.

uis morbi distracta per artus
Turbat agens animam, spumantes æquore salso
Ventorum ut ualidis ferues
cunt uiribus undæ. [1]

Or, quant à ce point, pour la souffrance de tous les autres accidents, la philosophie a bien armé l'homme, ou de patience, ou si elle coûte trop à trouver, d'une défaite infaillible, en se dérobant tout à fait à la conscience : mais ce sont là des moyens qui servent à une âme qui est à soi, et dans ses forces, capable de raison et de délibération, non pas dans ce cas pitoyable où, chez un philosophe, une âme devient l'âme d'un fou, troublée, bouleversée, et éperdue. Ce que plusieurs occasions produisent, comme une agitation trop véhémente, que, par quelque forte passion, l'âme peut engendrer en soi-même, ou par une blessure en certain endroit de la personne, ou par une exhalaison de l'estomac, qui nous jette dans un éblouissement et dans un tournoiement de tête :

Souvent, sur le corps enfiévré, l'esprit perd tout empire,
Et battant la campagne, il divague et délire ;
L'oubli parfois plonge un malade en un sommeil sans fin
Qui reste la nuque flasque et la paupière amollie

morbis in corporis auius errat
Sæpe animus, dementit enim, deliraque fatur,
Interdumque graui lethargo fertur in altum
Aeternumque soporem oculis nutuque cadenti... [2]

Les philosophes n'ont, ce me semble, guère touché cette corde, non plus qu'une autre de pareille importance. Ils ont toujours ce dilemme à la bouche pour consoler notre mortelle condition : ou l'âme est mortelle, ou bien elle est immortelle ; si mortelle, elle sera sans peine ; si immortelle, elle ira en s'amendant. Ils ne touchent jamais l'autre branche : et quoi si elle va en s'empirant ? Et ils laissent aux poètes les menaces des peines futures. Mais par là ils se donnent beau jeu. Ce sont deux omissions qui s'offrent souvent à moi dans leurs discours. Je reviens à la première : cette âme perd l'usage du souverain bien stoïque, si constant et si ferme. Il faut que sur ce point notre belle sagesse se rende, et quitte les armes. Au demeurant, ils considéraient aussi, du fait de la vanité de l'humaine raison, que le mélange et l'association de deux pièces aussi diverses, comme sont le mortel et l'immortel, sont inimaginables :

---

1. Lucrèce, III, 492-495.
2. Lucrèce, III, 463-466.

Croire que si du mortel se mêle à de l'immortel
L'un pût sur l'autre agir en un ressenti mutuel,
C'est délirer ! Car est-il rien de plus contradictoire,
De plus disconvenant, de plus rédhibitoire,
Que croire que du mortel à de l'immortel commis
Pût en ce ramas braver les orages ennemis ?

Quippe etenim mortale æterno iungere, et una
Consentire putare, et fungi mutua posse,
Desipere est. Quid enim diuersius esse putandum est,
Aut magis inter se disiunctum discrepitansque,
Quam mortale quod est, immortali atque perenni
Junctum in concilio saeuas tolerare procellas ?, [1]

et puis, ils sentaient l'âme s'engager dans la mort comme le corps, et

avec lui s'essouffler des fatigues de l'âge
simul aeuo fessa fatiscit ; [2]

chose que, selon Zénon, l'image du sommeil nous montre assez. Car il estime que « c'est une défaillance et une chute de l'âme aussi bien que du corps » : *contrahi animum, et quasi labi putat atque decidere.* [3] Et le fait qu'on apercevait chez certains la force et la vigueur se maintenir à la fin de la vie, ils le rapportaient à la diversité des maladies, comme on voit les hommes en cette extrémité maintenir sans altération, qui un sens, qui un autre, qui l'ouïr, qui le fleurer ; et il ne se voit point d'affaiblissement si général qu'il n'y reste encore quelques parties intactes et vigoureuses :

Comme on peut bien sentir sa cheville dolente
Sans qu'aucune souffrance au chef ne nous tourmente
Non alio pacto quam si pes cum dolet ægri,
In nullo caput interea sit forte dolore. [4]

La vue de notre jugement se rapporte à la vérité comme l'œil du chat-huant à l'éclat du soleil, ainsi que dit Aristote : par où le saurions-nous mieux convaincre que par d'aussi grossiers aveuglements au milieu d'une si apparente lumière ?

Car l'opinion contraire, de l'immortalité de l'âme, que Cicéron dit avoir été pour la première fois introduite, au moins au témoignage des livres, par Phérécide de Syros du temps du roi Tullus (d'autres en attribuent l'invention à Thalès, et autres à d'autres), c'est la partie de

1. Lucrèce, III, 800-805.
2. Lucrèce, III, 458.
3. Cicéron, *De divinatione*, II, LVIII, 119.
4. Lucrèce, III, 110-111.

l'humaine science traitée avec plus de réserve et de doute. Les dogmatiques les plus fermes, sont contraints sur ce point principalement de se rejeter à l'abri des ombrages de l'Académie. Nul ne sait ce qu'Aristote a établi sur ce sujet, non plus que tous les anciens en général, qui le manient avec une vacillante croyance : *rem gratissimam promittentium magis quam probantium*, c'est chose fort gratifiante qu'ils promettent plus qu'ils ne prouvent. [1] Il s'est caché sous le nuage des paroles et des sens difficiles et non intelligibles, et il a laissé à ses sectateurs autant à débattre sur son jugement que sur la matière même. Deux choses leur rendaient cette opinion plausible : l'une, que sans l'immortalité des âmes, il n'y aurait plus de quoi asseoir les vaines espérances de la gloire, ce qui est une considération d'un merveilleux crédit dans le monde ; l'autre, que c'est une très utile impression, comme dit Platon, que les vices, quand ils se déroberont de la vue et à la connaissance de l'humaine justice, demeurent toujours en butte à la divine, qui les poursuivra, voire après la mort des coupables. Un soin extrême tient l'homme d'allonger son être ; il y a pourvu par toutes ses pièces : et pour la conservation du corps sont les sépultures ; pour la conservation du nom, la gloire. Il a employé toute son opinion à se rebâtir (ne supportant pas sa fortune) et à s'étançonner par ses inventions. L'âme, par son trouble et sa faiblesse, ne pouvant tenir sur son pied, va quêtant de toutes parts des consolations, des espérances et des fondements, et des circonstances étrangères, où elle s'attache et se plante. Et pour légers et fantastiques que son invention les lui forge, elle s'y repose plus sûrement qu'en elle-même, et plus volontiers.

Mais les plus aheurtés à cette si juste et claire persuasion de l'immortalité de nos esprits, c'est merveille comme ils se sont trouvés courts et impuissants à l'établir par leurs humaines forces : *somnia sunt non docentis, sed optantis*, disait un ancien, ce sont là les songes de quelqu'un qui n'explique rien mais exprime des vœux. [2] L'homme peut reconnaître par ce témoignage qu'il doit à la fortune et au hasard la vérité qu'il découvre lui seul, puisque lors même qu'elle lui est tombée en main, il n'a pas de quoi la saisir et la maintenir, et que sa raison n'a pas la force de s'en prévaloir. Toutes choses produites par notre propre discours et par notre suffisance, autant vraies que fausses, sont sujettes à incertitude et débat. C'est bien pour le châtiment de notre fierté et pour nous instruire de notre misère et de notre incapacité que Dieu produisit le trouble et la confusion de l'antique tour de Babel. Tout ce que nous entreprenons sans son assistance, tout ce que nous voyons sans la

1. Sénèque, *Lettres à Lucilius*, CII, 2.
2. Cicéron, *Premiers Académiques*, II, XXXVIII, 121.

lampe de sa grâce, ce n'est que vanité et folie : l'essence même de la vérité, qui est uniforme et constante, quand la fortune nous en donne la possession, nous la corrompons et nous l'abâtardissons par notre faiblesse. Quelque train que l'homme prenne par lui-même, Dieu permet qu'il arrive toujours à cette même confusion, dont il nous représente si vivement l'image par le juste châtiment grâce auquel il abattit l'outrecuidance de Nemrod et anéantit la vaine entreprise de bâtir sa pyramide : *perdam sapientiam sapientium, et prudentiam prudentium reprobabo* [1] : Je confondrai la sagesse des sages et je réprouverai la prud'homie des prudents. La diversité d'idiomes et de langues grâce à laquelle il troubla cet ouvrage, qu'est-ce d'autre que cette querelle et cette discordance perpétuelle et infinie d'opinions et de raisons qui accompagnent et embrouillent le vain bâtiment de l'humaine science ? Et l'embrouille utilement. Quoi donc nous retiendrait si nous avions seulement un grain de connaissance ? Voilà un saint qui vraiment m'a fait grand plaisir : *ipsa utilitatis occultatio, aut humilitatis exercitatio est, aut elationis attritio* [2] le fait même de cacher ce qui nous est utile sert ou à exercer notre humilité, ou à mortifier notre orgueil ! Jusqu'à quel point de présomption et d'insolence ne portons-nous pas notre aveuglement et notre bêtise ?

Mais pour reprendre mon propos : c'était vraiment bien raison que nous fussions redevables à Dieu seul, et au bénéfice de sa grâce, de la vérité d'une si noble croyance, puisque par sa seule libéralité nous recevons le fruit de l'immortalité, et que ce fruit consiste en la jouissance de la béatitude éternelle ! Confessons ingénument que Dieu seul nous l'a dit, et la foi, car ce n'est point là la leçon de Nature et de notre raison. Et qui resondera son être et ses forces, et dedans et dehors, sans ce privilège divin, qui verra l'homme sans le flatter, il n'y verra ni efficace ni faculté qui sente autre chose que la mort et la terre. Plus nous donnons, et devons, et rendons à Dieu, plus nous en agissons chrétiennement. Ce que ce philosophe stoïcien dit tenir du consentement fortuit de la voix populaire, ne valait-il pas mieux qu'il le tînt de Dieu ? Quand je traite de l'immortalité de l'âme, ce n'est pas un faible levier pour moi que l'accord de ceux qui, soit craignent les enfers, soit les révèrent. Je m'appuie sur cette conviction générale *cum de animorum æternitate disserimus, non leue momentum apud nos habet consensus hominum, aut timentium inferos, aut colentium. Utor hac publica persuasione.* [3]

Or la faiblesse des arguments humains sur ce sujet se connaît particulièrement par les circonstances fabuleuses qu'ils ont ajoutées à la suite de cette opinion pour trouver de quelle condition était cette

1. Saint Paul, Première Épître aux Corinthiens, I, 19.
2. Saint Augustin, *La Cité de Dieu*, XI, XXII.
3. Sénèque, *Lettres à Lucilius*, CXVII.

immortalité qui est la nôtre. Laissons les stoïciens qui nous la baillent aussi longue qu'aux corneilles : nos âmes, disent-ils, sont promises à durer longtemps ; toujours, pour ça non *usuram nobis largiuntur tanquam cornicibus : diu mansuros aiunt animos ; semper, negant* [1] : ils donnent aux âmes une vie au-delà de celle-ci, mais finie. L'idée la plus universelle et la plus reçue, et qui dure jusqu'à nous, ç'a été celle dont on fait Pythagore l'auteur, non qu'il en fût le premier inventeur, mais parce qu'elle reçut beaucoup de poids et de crédit par l'autorité de son approbation : c'est que les âmes, au partir de nous, ne faisaient que rouler d'un corps à un autre, d'un lion à un cheval, d'un cheval à un roi, se promenant ainsi sans cesse de maison en maison. Et lui, disait se souvenir d'avoir été 'thalidès, puis Euphorbe, ensuite Hermotime, et enfin d'être passé de Pyrrhus en Pythagore : il avait mémoire de soi sur deux cent six ans. Certains ajoutaient que ces mêmes âmes remontent au ciel parfois, puis en dévalent encore :

Ô père, doit-on penser que des âmes, jusqu'aux cieux
S'envolent d'ici-bas, et retrouvent des corps pesants ?
D'où vient ce besoin du jour, si cruel aux malheureux ?

O pater, anne aliquas ad caelum hinc ire putandum est
Sublimes animas, iterumque ad tarda reuerti
Corpora ? Quæ lucis miseris tam dira cupido ? [2]

Origène les fait aller et venir éternellement du bon au mauvais état. L'opinion que cite Varron est qu'au bout de quatre cent quarante ans de révolution elles se joignent à nouveau à leur premier corps ; Chrysippe, que cela doit advenir après un certain espace de temps inconnu et non limité. Platon, qui dit tenir de l'ancienne poésie cette croyance dans des vicissitudes infinies, auxquelles l'âme est préparée puisqu'elle n'a pas d'autres peines ni d'autres récompenses en l'autre monde que temporelles, tout comme en celui-ci elle n'a d'autre vie que temporelle, conclut qu'il se trouve en elle une singulière science des affaires du ciel, de l'enfer, et d'ici-bas, où elle a passé, repassé, et séjourné lors de plusieurs voyages qui sont matière à sa réminiscence. Ailleurs, voici le déroulement : qui bien a vécu, il se joint à nouveau à l'astre auquel il est assigné ; qui mal, il passe en femme ; et si même alors il ne se corrige point, il se rechange en une bête de condition assortie à ses mœurs vicieuses, et ne verra de fin à ses punitions qu'il ne soit revenu à sa naïve constitution, une fois qu'il se sera défait par la force de la raison des qualités grossières, stupides, et élémentaires qui étaient en lui.

1. Cicéron, *Tusculanes*, I, XXXI, 77.
2. Virgile, *Énéide*, VI, 719-721.

Mais je ne veux pas oublier l'objection que font les Épicuriens à cette transmigration d'un corps en un autre. Elle est plaisante : ils demandent quel ordre il y aurait si la foule des mourants venait à être plus grande que celle des naissants. Car les âmes délogées de leur gîte seraient à se marcher dessus à qui prendrait place la première dans ce nouvel étui. Et ils demandent aussi à quoi elles passeraient leur temps pendant qu'elles attendraient qu'un logis leur fût apprêté ; ou au rebours s'il naissait plus d'animaux qu'il n'en mourrait, ils disent que les corps seraient en mauvaise posture en attendant l'infusion de leur âme, et qu'il en adviendrait que certains d'entre eux mourraient avant que d'avoir été vivants :

Enfin, quand Vénus s'embesogne, ou lors des mises bas,
Quel ridicule d'aposter, autour de tels ébats,
Ces immortelles à l'affût d'enveloppes mortelles,
Et dans leur nombre sans nombre essayant à tire d'ailes,
Qui sera la première à pouvoir gagner un étui
Denique connubia ad ueneris, partusque ferarum,
Esse animas præsto deridiculum esse uidetur,
Et spectare immortales mortalia membra
Innumero numero, certareque praeproperanter
Inter se quæ prima potissimaque insinuetur ! [1]

D'autres ont arrêté l'âme dans le corps des trépassés pour lui faire animer les serpents, les vers, et autres bêtes qu'on dit s'engendrer de la corruption de nos membres, voire même de nos cendres. D'autres la divisent en une partie mortelle et une autre immortelle. D'autres la font corporelle, et néanmoins immortelle. D'aucuns la font immortelle, mais sans science ni connaissance. Il y en a aussi des nôtres mêmes qui ont estimé que les âmes des damnés devinssent des diables, tout comme Plutarque pense que deviennent des dieux celles qui sont sauvées. Car il est peu de choses que cet auteur-là établisse de façon aussi résolue qu'ici, alors que partout ailleurs il maintient une attitude dubitative et ambiguë. « Il faut estimer, dit-il, et croire fermement que les hommes vertueux selon la nature et selon la justice divine d'hommes deviennent saints, puis de saints demi-dieux, et qu'enfin de demi-dieux, après qu'ils sont parfaitement, comme dans les sacrifices de purgation, nettoyés et purifiés et qu'ils sont délivrés de toute sensibilité physique et de toute mortalité, ils deviennent, non point par quelque ordonnance civile, mais en vérité, et selon toute vraisemblance, dieux entiers et parfaits, recevant ainsi une fin très heureuse et très glorieuse. » Mais qui le voudra voir, lui qui est des plus retenus

1. Lucrèce, III, 776-780.

pourtant et des plus modérés de la bande, s'écarmoucher avec le plus de hardiesse et nous conter ses miracles sur ce propos, je le renvoie à son discours *de la Lune*, et *du Démon de Socrate*, là où, avec autant d'évidence que nulle part ailleurs, il peut s'avérer que les mystères de la philosophie ont beaucoup d'étrangetés communes avec celles de la poésie. Car l'entendement humain se perd à vouloir sonder et contrôler toutes choses jusqu'au bout, tout comme nous-mêmes, lassés et travaillés par la longue course de notre vie, nous retombons en enfance. Voilà les belles et certaines leçons que nous tirons de la science humaine sur le sujet de notre âme !

Il n'y a pas moins de témérité dans ce qu'elle nous apprend des parties corporelles. Choisissons-en un ou deux exemples, car autrement nous nous perdrions dans cette mer trouble et vaste des errements de la médecine. Sachons si on s'accorde au moins sur la nature de la substance grâce à laquelle les hommes se reproduisent les uns à partir des autres. Car quant à leur première production, ce n'est pas merveille si en chose si haute et si ancienne l'entendement humain se trouble et se dissipe. Archélaos le physicien, dont Socrate fut le disciple et le mignon selon Aristoxène, disait que les hommes aussi bien que les animaux avaient été faits d'un limon laiteux exprimé par la chaleur de la terre. Pythagore dit que notre semence est l'écume de notre meilleur sang ; Platon, l'écoulement de la moelle de l'épine du dos, ce qu'il argumente de ce que cet endroit se ressent le premier de la lassitude de la besogne ; Alcméon, une partie de la substance du cerveau, et qu'il en soit ainsi, dit-il, les yeux se troublent chez ceux qui se travaillent outre mesure à cet exercice ; Démocrite, une substance extraite de toute la masse corporelle ; Épicure, extraite de l'âme et du corps ; Aristote, une excrétion tirée de l'aliment du sang qui se répand le dernier dans nos membres ; d'autres, du sang cuit et digéré par la chaleur des génitoires, ce qu'ils jugent d'après le fait qu'aux extrêmes efforts on rend des gouttes de sang pur, en quoi il semble qu'il y ait plus d'apparence, si on peut tirer quelque apparence d'une confusion si infinie. Or pour mener à effet cette semence, combien en font-ils d'opinions contraires ! Aristote et Démocrite tiennent que les femmes n'ont point de sperme, et que ce n'est qu'une sueur qu'elles émettent sous l'effet de la chaleur du plaisir et du mouvement, qui ne sert de rien à la génération ; Galien au contraire, et ses disciples, que sans la rencontre des semences, la génération ne peut se faire. Voilà les médecins, les philosophes, les jurisconsultes, et les théologiens aux prises pêle-mêle avec nos femmes sur la question de savoir à quel terme les femmes portent leur fruit. Et moi, d'après ma propre expérience, je soutiens ceux d'entre eux qui sont pour la grossesse de onze mois. Le monde est bâti sur cette expérience, il n'est si simple petite femme qui ne puisse dire son avis sur tous ces débats, et pourtant nous n'en saurions tomber d'accord ! En voilà assez pour vérifier que l'homme n'est pas plus instruit de la connaissance de soi pour ce qui est de la partie corporelle que pour la spirituelle. Nous l'avons proposé lui-même à soi, et sa raison à sa raison, pour voir ce qu'elle nous en dirait. Il me semble avoir assez montré combien peu elle s'entend elle-même. Et qui ne s'entend soi-même, que peut-il donc entendre ? *Quasi uero mensuram ullius rei possit agere, qui sui nesciat* [1] comme si vraiment de rien sût prendre mesure qui ne sait prendre la sienne ! Oui vraiment Protagoras nous en comptait de belles en faisant de l'homme la mesure de toutes choses, lui qui ne sut jamais seulement la sienne. Et si ce n'est lui, sa dignité ne permettra pas qu'aucune autre créature ait cet avantage. Or du fait qu'il est si contradictoire en lui-même, et qu'un jugement ruine l'autre sans cesse, cette proposition si favorable n'était qu'une risée qui nous menait à conclure nécessairement au néant du compas et du compasseur. Quand Thalès estime que la connaissance de l'homme est très difficile à l'homme, il lui apprend que la connaissance de toute autre chose lui est impossible.

Vous pour qui j'ai pris la peine de faire un aussi long développement, contre ma coutume, vous ne refuirez point de soutenir votre Sebonde par la forme ordinaire de raisonnement dont vous êtes tous les jours instruits, et vous exercerez en cela votre esprit et votre étude. Car ce dernier tour d'écrime-ci, il ne le faut employer que comme un remède extrême. C'est là un coup désespéré, dans lequel il faut livrer vos armes pour faire perdre les siennes à votre adversaire, et un tour secret dont il ne faut se servir que rarement et avec réserve, car c'est grande témérité que de se perdre pour en perdre un autre. Il ne faut pas vouloir mourir pour se venger, comme fit Gobrias : alors qu'il se trouvait aux prises corps à corps avec un seigneur de Perse, et que Darius, survenu l'épée au poing, craignait de frapper de peur de toucher Gobrias, celui-ci lui cria d'y aller hardiment, quand bien même il devrait les transpercer tous les deux. J'ai vu condamner comme illégales des armes et des conditions de combat singulier désespérées, avec lesquelles celui qui les offrait se promettait à lui-même et à son compagnon une fin pour tous deux inévitable. Les Portugais firent prisonniers certains Turcs en mer des Indes. Ceux-ci, ne pouvant se résigner à leur captivité, se résolurent, et ils y parvinrent en frottant des clous de navire l'un contre l'autre et en faisant tomber une étincelle de feu dans les caques de poudre qu'il y avait à

1. Pline l'Ancien, II, I.

l'endroit où ils étaient gardés, d'embraser et de réduire en cendre eux, leurs maîtres et le vaisseau. Nous secouons ici les limites et les dernières clôtures de la science, qu'il est pernicieux de pousser jusqu'à ses dernières extrémités, tout comme la vertu. Tenez-vous à la route commune : il ne fait guère bon de se vouloir si subtil et si fin ! Qu'il vous souvienne de ce que dit le proverbe toscan : *chi troppo s'assottiglia, si scavezza* [1] qui trop se fait fin, il se rompt. Je vous conseille dans vos opinions et vos discours, autant que dans vos mœurs et en toute autre chose, la modération et la tempérance, et de fuir la nouvelleté et l'étrangeté. Toutes les voies extravagantes me fâchent. Vous qui d'un clin d'œil, par l'autorité que votre grandeur vous apporte, et plus encore par les avantages que vous donnent vos qualités plus personnelles, pouvez commander à qui il vous plaît, vous auriez dû confier cette charge à quelque lettré de profession : il vous eût bien autrement étayé et enrichi cette idée ! En voici toutefois assez pour ce que vous en avez à faire.

Épicure disait des lois que les pires nous étaient si nécessaires que sans elles les hommes s'entre-mangeraient les uns les autres. Et Platon vérifie que, sans lois, nous vivrions comme les bêtes. Notre esprit est un outil vagabond, dangereux, et téméraire : il est malaisé d'y joindre l'ordre et la mesure. De mon temps, ceux qui ont quelque rare éminence au-dessus des autres, et quelque vivacité hors de l'ordinaire, nous les voyons quasi tous sortir des bords et se répandre dans une licence d'opinions et de mœurs excessives : c'est miracle s'il s'en rencontre un qui soit rassis et sociable ! On a raison de donner à l'esprit humain les barrières les plus contraintes que l'on peut. Dans l'étude, comme pour le reste, il lui faut compter et régler ses marches ; il lui faut tailler avec réflexion les limites de sa chasse. On le bride et on le garrotte de religions, de lois, de coutumes, de science, de préceptes, de peines, et de récompenses mortelles et immortelles : encore voit-on que, par sa volatilité et sa débauche, il échappe à tous ces liens. C'est un corps inconsistant, qui n'a par où être saisi et assené, un corps divers et difforme, sur lequel on ne peut assurer ni nœud ni prise. Assurément, il est peu d'âmes assez réglées, assez fortes et assez bien nées auxquelles on puisse se fier pour leur propre conduite, et qui puissent, avec modération et sans témérité, voguer dans la liberté de leurs jugements au-delà des opinions communes. Il est plus expédient de les mettre en tutelle. C'est un glaive dangereux pour son possesseur même que l'esprit si l'on ne sait s'en armer avec ordre et discernement. Et il n'y a point de bête à qui il faille plus justement donner des

1. Pétrarque, *Canzoniere*, CV, 48.

œillères pour tenir sa vue sujette et contrainte à regarder devant ses pas, et la garder ainsi d'extravaguer ni çà ni là, hors des ornières que lui tracent l'usage et les lois. Par quoi il vous siéra mieux de vous resserrer dans le train de l'usage commun, quel qu'il soit, que de vous envoler dans cette licence effrénée. Mais si quelqu'un de ces nouveaux docteurs entreprend de faire l'ingénieux en votre présence aux dépens de son salut et du vôtre, pour vous défaire de cette dangereuse peste qui se répand tous les jours dans vos cours, ce préservatif contre l'extrême risque empêchera que la contagion de ce venin n'offense, ni vous, ni votre suite.

La liberté donc et la gaillardise de ces fameux esprits de l'Antiquité produisaient dans la philosophie et dans les divers humains savoirs plusieurs sectes d'opinions différentes, chacun entreprenant de juger et de choisir pour prendre parti. Mais à présent que les hommes vont tous du même train, qu'ils sont si bien attachés et dévoués à certaines opinions arrêtées et définies qu'ils sont obligés de défendre même ce qu'ils n'approuvent pas *qui certis quibusdam destinatisque sententiis addicti et consecrati sunt, ut etiam quæ non probant cogantur defendere,* [1] et que nous recevons l'enseignement des arts selon ce qu'en ordonne l'autorité civile, si bien que les écoles sont toutes sur le même patron et suivent le même programme d'enseignement, on ne regarde plus ce que pèsent et valent les monnaies, mais chacun les reçoit à son tour selon le prix que leur donnent l'approbation commune et le cours : on ne plaide plus de l'aloi, mais seulement de ce qui est usuellement reçu, et ainsi s'admettent pareillement toutes choses. On reçoit la médecine au même titre que la géométrie ; et aussi bien les tours de bateleurs que les enchantements, les ensorcellements que le commerce avec les esprits des trépassés, les pronostications que les horoscopes, et jusqu'à cette ridicule recherche de la pierre philosophale, tout se voit admis sans contredit ! Il n'est que de savoir que le lieu de Mars se situe au milieu du triangle de la main, celui de Vénus au pouce, celui de Mercure au petit doigt, et que lorsque la ligne de cœur coupe l'éminence de l'index, c'est signe de cruauté, que lorsqu'elle elle fait défaut sous le médius, et que la ligne de tête fait un angle avec la ligne de vie environ au même endroit, c'est signe d'une mort misérable, que si chez une femme la ligne de chance est ouverte et ne ferme point l'angle avec celle de vie, cela dénote qu'elle ne sera pas fort chaste. Je vous appelle vous-même à témoin pour me dire si avec cette science un homme ne peut pas passer avec réputation et faveur parmi toutes compagnies !

Théophraste disait que l'humaine connaissance, acheminée par les sens, pouvait juger des causes des choses jusqu'à une certaine mesure,

1. Cicéron, *Tusculanes*, II, II, 5.

mais qu'une fois qu'elle était arrivée aux causes extrêmes et premières, il fallait qu'elle s'arrêtât et qu'elle rebroussât à cause soit de sa faiblesse, soit de la difficulté des choses. C'est une opinion moyenne et douce que nos capacités nous peuvent conduire jusqu'à la connaissance de certaines choses, et qu'elles ont certaines limites à leur puissance outre lesquelles il est téméraire de les employer. Cette opinion est plausible, et introduite par des gens conciliants, mais il est malaisé de donner des bornes à notre esprit : il est curieux et avide, et il n'a point de raison de s'arrêter à mille pas plutôt qu'à cinquante. Ayant essayé par expérience que ce à quoi l'un avait échoué, l'autre y était arrivé que ce qui était inconnu à un siècle, le siècle suivant l'avait éclairci, et que les sciences et les arts ne se font pas au moule mais se forment et se modèlent peu à peu en les maniant et polissant à plusieurs fois comme les ours façonnent leurs petits en les léchant à loisir, je ne laisse pas de sonder et d'essayer ce que ma force ne peut découvrir, et en retâtant et pétrissant cette nouvelle matière, la remuant et l'échauffant, j'ouvre à celui qui me suit quelque facilité pour en jouir plus à son aise, et je la lui rends plus souple et plus maniable,

Comme la cire de l'Hymette
Amollie au soleil, sous notre pouce prend
Maints aspects différents,
Et d'être maniée à la main mieux se prête

ut hymettia sole
Cera remollescit, tractataque pollice multas
Vertitur in facies, ipsoque fit utilis usu. [1]

Autant en fera le second pour le troisième, ce qui est cause que la difficulté ne doit pas me désespérer, non plus que mon impuissance, car ce n'est que la mienne. L'homme est capable de toutes choses comme d'aucunes, et s'il avoue, comme dit Théophraste, ignorer les causes premières et les principes qu'il renonce hardiment à tout le reste de sa science : si le fondement lui fait défaut, tout son discours est par terre ; la discussion et la recherche n'ont pas d'autre but ni d'autre arrêt que les principes : si cette fin n'arrête son cours, il se jette dans une irrésolution infinie. Une chose ne peut être plus ou moins comprise qu'une autre, parce que pour toutes choses comprendre n'a qu'une seule définition *non potest aliud alio magis minusue comprehendi quoniam omnium rerum una est definitio comprehendendi.* [2]

1. Ovide, *Métamorphoses*, X, 284-286.
2. Cicéron, *Premiers Académiques*, II, XLI, 128.

Or il est vraisemblable que si l'âme savait quelque chose, elle se saurait d'abord elle-même ; et si elle savait quelque chose en dehors d'elle, ce serait son corps et son étui avant toute autre chose. Si on voit jusqu'aujourd'hui les dieux de la médecine débattre de notre anatomie,

Mulciber [1] était contre Troie, et pour Troie Apollon
Mulciber in Troiam, pro Troia stabat Apollo : [2]

quand espérons-nous qu'ils en soient d'accord ? Nous sommes plus proches de nous-mêmes que ne l'est de nous la blancheur de la neige ou la pesanteur de la pierre. Si l'homme ne se connaît, comment connaît-il ses fonctions et ses forces ? Ce n'est pas peut-être que quelque notion véritable ne loge chez nous, mais c'est par hasard. Et, parce que c'est par même voie, même façon et même procédé que les erreurs se reçoivent en notre âme, elle n'a pas de quoi les distinguer, ni de quoi choisir entre le vrai et le faux.

Ceux de l'Académie admettaient que le jugement pût prendre parti ; ils trouvaient trop cru de dire qu'il n'était pas plus vraisemblable que la neige fût blanche que noire, et que nous ne fussions pas plus assurés du mouvement d'une pierre qui part de notre main que de celui de la huitième sphère céleste. Et pour éviter cette difficulté et cette étrangeté qui ne peut à la vérité loger en notre imagination que malaisément quoiqu'ils établissent que nous n'étions aucunement capables de savoir, et que la vérité est engouffrée dans des abîmes profonds où la vue humaine ne peut pénétrer, ils avouaient pourtant que certaines choses fussent plus vraisemblables que d'autres, et ils admettaient pour leur part que le jugement eût cette faculté de pouvoir pencher en faveur d'une apparence plutôt que d'une autre. Ils lui permettaient cette propension, mais lui défendant toute conclusion.

L'avis des pyrrhoniens est plus hardi, et cependant plus vraisemblable. Car cette inclination qu'acceptent ceux de l'Académie, et cette propension à admettre une proposition plutôt qu'une autre qu'est-ce d'autre que la reconnaissance de quelque vérité plus évidente en celle-ci qu'en celle-là ? Si notre entendement avait la capacité de saisir la forme, les linéaments, le port, et le visage de la vérité, il la verrait aussi bien entière que demie, naissante et imparfaite. Cette apparence de vérisimilitude qui les fait prendre plutôt à gauche qu'à droite, augmentez-la ; cette once de vérisimilitude qui incline la balance,

1. Mulciber (le « Frappeur », le « Marteau »), est un nom que les Latins donnaient poétiquement à Vulcain, le dieu forgeron.

2. Ovide, *Les Tristes*, I, II, 5.

multipliez-la de cent, de mille onces : il en adviendra à la fin que la balance prendra parti tout à fait, et arrêtera un choix et une vérité entière. Mais comment se laissent-ils incliner vers une semblance de vérité s'ils ne connaissent pas le vrai ? Comment peuvent-ils connaître la semblance de ce dont ils ne connaissent pas l'essence ? Ou nous pouvons juger tout à fait, ou tout à fait nous ne le pouvons pas. Si nos facultés intellectuelles et sensibles sont sans fondement et sans pied, si elles ne font que flotter et voler au vent, c'est en vain que nous laissons notre jugement s'emporter vers quelque partie de leur opération quelque apparence qu'elle semble nous présenter. Et la plus sûre assiette de notre entendement, et la plus heureuse, ce serait celle où il se maintiendrait rassis, droit, inflexible, sans branle et sans agitation. *Inter uisa uera aut falsa, ad animi assensum nihil interest* [1] entre des apparences vraies ou fausses, rien ne permet à l'esprit d'opiner.

Que les choses ne logent pas chez nous dans leur forme et dans leur essence, et qu'elles n'y fassent point leur entrée par leur force et leur autorité propres, nous le voyons assez. Parce que s'il en était ainsi, nous les recevrions toujours de la même façon : le vin serait le même dans la bouche du malade que dans celle du bien portant ; celui qui a des crevasses aux doigts, ou qui les a gourds, trouverait au bois ou au fer qu'il manie la même dureté qu'un autre. Les objets étrangers se livrent donc à notre merci, ils logent chez nous comme il nous plaît. Or si de notre part nous recevions quelque chose sans altération, si les prises humaines étaient assez capables et assez fermes pour saisir la vérité par nos propres moyens, ces moyens étant communs à tous les hommes, cette vérité passerait de main en main de l'un à l'autre. Et au moins se trouverait-il une chose au monde, parmi tant qui s'y trouvent qui serait crue par les hommes avec un consentement universel. Mais le fait qu'il ne se voit aucune proposition qui ne soit débattue et controversée entre nous, ou qui ne le puisse être, montre bien que notre jugement naturel ne saisit pas bien clairement ce qu'il saisit, car mon jugement ne le peut faire accepter par le jugement de mon compagnon, ce qui est le signe que je l'ai saisi par quelque autre moyen que par une faculté naturelle qui serait en moi comme en tous les hommes.

Laissons à part cette infinie confusion d'opinions qui se voit entre les philosophes eux-mêmes, et ce débat perpétuel et universel dans la connaissance des choses. Car il est présupposé très véritablement que d'aucune chose les hommes, je dis les savants les mieux nés, les plus compétents, ne sont d'accord, non pas même que le ciel soit sur notre

1. Cicéron, *Premiers Académiques*, II, XXXVIII.

tête, car ceux qui doutent de tout doutent aussi de cela, et ceux qui nient que nous puissions comprendre quoi que ce soit disent que nous n'avons pas compris que le ciel soit sur notre tête, et ces deux opinions sont en nombre sans comparaison les plus fortes.

Outre cette diversité et cette division infinie, par le trouble que notre jugement nous donne à nous-mêmes et par l'incertitude que chacun ressent en soi, il est aisé à voir qu'il a son assiette bien mal assurée. Combien diversement jugeons-nous des choses ! Combien de fois changeons-nous nos fantaisies ! Ce que je tiens aujourd'hui, et ce que je crois, je le tiens et je le crois de toute ma croyance ; tous mes outils et tous mes ressorts empoignent cette opinion et m'en répondent sur tout ce qu'ils peuvent : je ne saurais embrasser aucune vérité ni conserver avec plus d'assurance que je fais celle-ci ; j'y suis tout entier ; j'y suis vraiment : mais ne m'est-il pas advenu, non pas une fois, mais cent, mais mille, et tous les jours, d'avoir embrassé quelque autre chose, avec ces mêmes instruments, dans ces mêmes conditions, que depuis j'ai jugée fausse ? Au moins faut-il devenir sage à ses propres dépens. Si je me suis trouvé souvent trahi par l'apparence, si ma pierre de touche se trouve ordinairement fausse, et ma balance inégale et sans justesse, quelle assurance en puis-je prendre cette fois plus que les autres ? N'est-il pas sot de me laisser tant de fois piper par un guide ? Toutefois que la fortune nous remue cinq cents fois de place qu'elle ne fasse que vider et remplir sans cesse notre croyance comme un vase d'opinions toujours autres, c'est toujours la présente et la dernière qui est la certaine et l'infaillible. Pour celle-ci, il faut abandonner les biens, l'honneur, la vie, et le salut, et tout,

Toute découverte aussitôt ravit tous les suffrages,
Et du goût d'autrefois détourne les usages

posterior res illa reperta,
Perdit, et immutat sensus ad pristina quæque. [1]

Quoi qu'on nous prêche, quoi que nous apprenions, il faudrait toujours se souvenir que c'est l'homme qui donne et l'homme qui reçoit ; c'est une main mortelle qui nous le présente, c'est une main mortelle qui l'accepte. Les choses qui nous viennent du ciel ont seules droit et autorité de persuasion, seules elles portent la marque de la vérité, et cette vérité aussi ne la voyons-nous pas de nos yeux, ni ne la recevons par nos moyens : cette sainte et grande image ne pourrait pas loger en un si chétif domicile si Dieu ne le préparait à cet usage, si Dieu ne le réformait et ne le fortifiait par sa grâce et sa faveur

1. Lucrèce, V, 1414-1415.

particulière et surnaturelle. Au moins notre condition fautive devrait nous faire nous comporter plus modérément et avec plus de retenue dans nos changements. Il nous devrait souvenir que quoi que nous reçussions dans notre entendement, nous recevons souvent des choses fausses, et que c'est par le moyen de ces mêmes outils qui se démentent et qui se trompent souvent.

Or ce n'est pas merveille s'ils se démentent, eux qui sont si aisés à incliner et à tordre sous l'effet de bien légers événements. Il est certain que notre appréhension, notre jugement et les facultés de notre âme en général souffrent selon les mouvements et les altérations du corps, lesquelles altérations sont continuelles. N'avons-nous pas l'esprit plus éveillé, la mémoire plus prompte, le raisonnement plus vif quand nous sommes en bonne santé que lorsque nous sommes malades ? La joie et la gaieté ne nous font-elles pas recevoir les sujets qui se présentent à notre âme sous un tout autre visage que le chagrin et la mélancolie ? Pensez-vous que les vers de Catulle ou de Sappho rient à un vieillard avaricieux et rechigné comme à un jeune homme vigoureux et ardent ? Un jour que Cléomène, le fils d'Anaxandridas, était malade, ses amis lui reprochaient d'avoir des humeurs et des idées nouvelles et inaccoutumées : « Je crois bien ! fit-il ; aussi bien ne suis-je pas celui que je suis étant bien portant : étant autre, autres aussi sont mes opinions et mes idées. » Dans la chicane, au palais, ce mot est en usage qui se dit des criminels qui rencontrent les juges en quelque bonne trempe, douce et débonnaire : *gaudeat de bona fortuna* qu'il se réjouisse de sa bonne fortune. Car il est certain que les jugements se rencontrent parfois plus enclins à la condamnation, plus épineux et âpres, tantôt plus faciles, plus aisés, et plus portés à l'excuse. Tel juge qui rapporte de chez lui la douleur de la goutte, la jalousie, ou le larcin de son valet, comme il a toute l'âme teinte et abreuvée de colère, il ne faut pas douter que son jugement ne s'en trouve altéré dans ce sens-là. Le vénérable sénat de l'Aréopage jugeait de nuit de peur que la vue des plaignants ne pût corrompre sa justice. L'air même et la sérénité du ciel suffisent à nous changer, comme dit ce vers grec que cite Cicéron,

La fertilité de l'esprit suit celle des lumières
Dont Jupiter lui-même a bien voulu baigner les terres

Tales sunt hominum mentes quali pater ipse
Juppiter, auctifera lustrauit lampade terras. [1]

Ce ne sont pas seulement les fièvres, les breuvages, et les grands accidents qui bouleversent notre jugement : les moindres choses du

1. Homère, *Odyssée*, XVIII, 136-137.

monde le tournevirent. Et ne faut pas douter, encore que nous ne le sentions pas que si la fièvre continue peut atterrer notre âme que la tierce n'y apporte quelque altération selon sa mesure et en proportion. Si l'apoplexie assoupit et éteint tout à fait la vue de notre intelligence, il ne faut pas douter qu'un rhume ne l'éblouisse. Et par conséquent à peine se peut-il rencontrer une seule heure dans la vie où notre jugement se trouve dans sa bonne assiette. Car notre corps est sujet à tant de mutations continuelles et contient tant de sortes de ressorts que j'en crois les médecins quand ils nous disent combien il est malaisé qu'il n'y en ait point toujours quelqu'un qui tire de travers.

Au demeurant, cette maladie ne se découvre pas très aisément si elle n'est pas tout à fait extrême et irrémédiable, parce que la raison va toujours torte, boiteuse, et déhanchée, et ce, avec le mensonge comme avec la vérité. Ainsi, il est malaisé de découvrir son mécompte et son dérèglement. J'appelle toujours raison cette apparence de logique que chacun forge en soi : cette raison, dont il peut y en avoir cent du même ordre qui s'opposent sur un même sujet, c'est un instrument de plomb et de cire, allongeable, ployable, et accommodable à tout biais et à toutes mesures : il ne reste que l'habileté de savoir le contourner. Quelque bon dessein qu'ait un juge, s'il ne s'écoute de près – ce à quoi peu de gens s'amusent –, l'inclination à l'amitié, à la parenté, à la beauté, et à la vengeance, et pas seulement des choses d'autant de poids, mais cet instinct fortuit qui nous fait favoriser une chose plus qu'une autre, et qui, sans le congé de la raison, nous porte à choisir entre deux sujets pareils, ou quelque ombre tout aussi vaine, peuvent insinuer insensiblement en son jugement la recommandation ou la défaveur pour une cause, et donner pente à la balance.

Moi qui m'épie de plus près, qui ai les yeux incessamment tendus sur moi, comme celui qui n'a pas fort affaire ailleurs,

Et qui comme d'une guigne me soucie
Du roi qui fait trembler le pôle Nord,
Ou de ce que craint le roi d'Arménie,

quis sub arcto
Rex gelidæ metuatur orae,
Quid Tyridatem terreat, unice
Securus, [1]

à peine oserais-je dire la vanité et la faiblesse que je trouve chez moi ! J'ai le pied si instable et si mal assis, je le trouve si aisé à crouler, et si prêt au branle, et ma vue si déréglée qu'à jeun je me sens autre

1. Horace, *Odes*, I, XXVI, 3-6.

qu'après le repas : si ma santé me rit, et la clarté d'un beau jour, me voilà honnête homme : si j'ai un cor qui me presse l'orteil, me voilà renfrogné, mal plaisant et inaccessible ! Un même pas de cheval me semble tantôt rude, tantôt aisé ; et le même chemin, à cette heure plus court, une autrefois plus long ; et une même forme, ores plus, ores moins agréable ; maintenant je suis à tout faire, maintenant à ne rien faire ; ce qui m'est plaisir à cette heure, me sera peine une autre fois. Il se fait mille agitations irréfléchies et occasionnelles chez moi. Ou l'humeur mélancolique me tient, ou la colérique ; et de son autorité privée, à cette heure le chagrin prédomine en moi, à cette heure l'allégresse. Quand je prends des livres, j'aurai aperçu dans tel passage des grâces éminentes, et qui auront frappé mon âme, mais qu'une autre fois j'y retombe, j'ai beau le tourner et virer, j'ai beau le plier et le manier, c'est une masse inconnue et informe pour moi. Dans mes écrits mêmes, je ne retrouve pas toujours l'air de ma première idée, je ne sais ce que j'ai voulu dire, et je m'échaude souvent à corriger et à y mettre un nouveau sens pour avoir perdu le premier qui valait mieux. Je ne fais qu'aller et venir : mon jugement ne tire pas toujours avant, il flotte, il vague,

comme le frêle esquif
Pris sur la vaste mer dans un vent furieux

uelut minuta magno
Deprensa nauis in mari uesaniente uento. [1]

Maintes fois (comme il m'advient de le faire volontiers) quand j'ai pris pour exercice et pour ébat de soutenir une opinion contraire à la mienne, mon esprit, en s'appliquant et se tournant de ce côté-là, m'y attache si bien que je ne trouve plus la raison de mon premier avis, et que je m'en départis. Je m'entraîne quasi où je penche, quel que soit le côté, et je m'emporte sous l'effet de mon propre poids.

Chacun à peu près en dirait autant de soi, s'il se regardait comme moi. Les prêcheurs savent que l'émotion qui leur vient en parlant les anime à la conviction, et qu'en colère nous nous adonnons plus à la défense de notre proposition, nous l'imprimons en nous, et nous l'embrassons avec plus de véhémence et d'approbation que nous ne le faisons quand nous avons le sens froid et reposé. Vous exposez simplement une cause à l'avocat : il vous y répond chancelant et douteux ; vous sentez qu'il lui est indifférent de se prendre à soutenir l'un ou l'autre parti : l'avez-vous bien payé pour y mordre et pour y mettre les formes, commence-t-il à s'y intéresser, y a-t-il échauffé sa volonté ? Sa

1. Catulle, XXV, 12-13.

raison et sa science s'y échauffent en même temps ! Voilà une apparente et indubitable vérité qui se présente à son entendement, il y découvre une toute nouvelle lumière, il le croit en toute conscience, et se le persuade ainsi. Je ne sais même si l'ardeur qui naît du dépit et de l'obstination face à la pression et à la violence du magistrat, et face au danger, ou l'intérêt de la réputation, n'a pas envoyé tel homme soutenir jusqu'au feu l'opinion pour laquelle, entre ses amis et en liberté, il n'eût pas voulu s'échauder le bout du doigt.

Les secousses et les ébranlements que notre âme reçoit par les passions corporelles peuvent beaucoup sur elle, mais plus encore les siennes propres, auxquelles elle est si fort prise qu'il est d'aventure soutenable qu'elle n'a aucune autre allure et mouvement que ceux que lui soufflent ses propres vents, et que sans leur agitation elle resterait sans action, comme un navire en pleine mer que les vents abandonnent de leur secours. Et qui maintiendrait cela, suivant le parti des péripatéticiens, ne nous ferait pas beaucoup de tort, puisqu'il est connu que la plupart des plus belles actions de l'âme procèdent de cette impulsion des passions et en ont besoin. La vaillance, disent-ils, ne se peut parfaire sans le secours de la colère : Ajax, toujours brave, ne fut cependant jamais plus brave que dans la fureur de son courroux *semper Aiax fortis, fortissimus tamen in furore.* [1]

Pas davantage ne court-on sus aux méchants et aux ennemis avec assez de vaillance si l'on n'est courroucé. Et on veut que l'avocat inspire de la colère aux juges pour en obtenir justice. Les désirs ont animé Thémistocle, animé Démosthène, ils ont poussé les philosophes aux travaux, aux veilles, et aux voyages lointains. Ils nous mènent à l'honneur, à la connaissance, à la santé, qui sont des fins utiles. Et cette lâcheté d'âme à souffrir l'ennui et la fâcherie sert à nourrir dans la conscience la pénitence et le repentir, comme à sentir les fléaux de Dieu pour notre châtiment, et les fléaux des peines civiles. La compassion sert d'aiguillon à la clémence ; la prudence de nous conserver et gouverner est éveillée par notre crainte, et combien de belles actions par l'ambition ? Combien par la présomption ? Aucune vertu éminente et gaillarde enfin ne va sans quelque agitation déréglée. Serait-ce pas l'une des raisons qui aurait poussé les épicuriens à décharger Dieu de tout soin et sollicitude de nos affaires, d'autant que les effets mêmes de sa bonté ne pouvaient, sans ébranler son repos, s'exercer envers nous par le moyen des passions, qui sont comme des piqûres et des sollicitations qui acheminent l'âme aux actions vertueuses ? Ou bien ont-ils pensé autrement et les ont-ils considérées comme des

1. Cicéron, *Tusculanes*, IV, XXIII, 52.

tempêtes qui débauchent honteusement l'âme de sa tranquillité ? Ainsi qu'on voit la mer calme quand aucun souffle, fût-ce le plus léger, n'émeut les flots, de même on voit l'âme paisible quand aucun trouble ne l'émeut *Ut maris tranquillitas intelligitur, nulla, ne minima quidem, aura fluctus commouente, sic animi quietus et placatus status cernitur quum perturbatio nulla est qua moueri queat.* [1]

Quelles différences de sens et de raison, quelle contrariété de pensées nous présente la diversité de nos passions ! Quelle assurance pouvons-nous donc prendre sur une chose si instable et si mobile, sujette par sa condition à la tyrannie du trouble, et qui ne va jamais que d'un pas contraint et emprunté ? Si notre jugement est à la main de la maladie même, et de la perturbation, si c'est de la folie et de la témérité qu'il est contraint de recevoir l'impression des choses, quelle sûreté pouvons-nous attendre de lui ? N'y a-t-il point de la hardiesse de la part de la philosophie à estimer, au sujet des hommes, qu'ils produisent leurs plus grands effets, et les plus approchants au divin, quand ils sont hors d'eux, et furieux et insensés ? Nous nous amendons par la privation de notre raison et par son assoupissement ! Les deux voies naturelles pour entrer au cabinet des dieux et y prévoir le cours des destinées sont la fureur et le sommeil ! Ceci est plaisant à considérer : par la dislocation que les passions font supporter à notre raison, nous devenons vertueux ; par son extirpation, qu'entraînent la fureur ou l'image de la mort, nous devenons prophètes et devins : jamais je ne l'en crus plus volontiers ! C'est un pur enthousiasme que la sainte vérité a insufflé à l'esprit philosophique qui lui arrache, contre ce qu'elle soutient, que l'état tranquille de notre âme, l'état rassis, l'état le plus sain que la philosophie lui puisse acquérir n'est pas son meilleur état : « Notre veille est plus endormie que le sommeil » ; « notre sagesse, moins sage que la folie » ; « nos songes valent mieux que nos raisonnements » ; « la pire place que nous puissions occuper, c'est en nous-mêmes ». Mais ne pense-t-elle pas que nous soyons assez avisés pour remarquer que cette voix, qui nous peint l'esprit si clairvoyant, si grand, si parfait quand il est détaché de l'homme, et si « terrestre, ignorant et ténébreux » pendant qu'il est dans l'homme, c'est une voix partie de l'esprit qui est dans cet homme « terrestre, ignorant et ténébreux », et pour cela même une voix peu fiable et peu digne d'être crue ?

Je n'ai point grande expérience de ces agitations véhémentes, étant d'une complexion molle et pesante, dont la plupart surprennent subitement notre âme sans lui donner loisir de se reconnaître. Mais cette passion qu'on dit être produite par l'oisiveté dans le cœur des jeunes hommes, quoiqu'elle s'achemine avec loisir et d'un pas mesuré, elle

1. Cicéron, *Tusculanes*, V, VI, 16.

représente avec évidence à ceux qui ont essayé de s'opposer à son effort la force de cette révolution et de cette altération que subit notre jugement. J'ai autrefois entrepris de me roidir pour la soutenir et combattre, car il s'en faut tant que je sois de ceux qui invitent les vices que je ne les suis pas seulement s'ils ne m'entraînent : je la sentais naître, croître, et s'augmenter en dépit de ma résistance, et enfin me saisir et posséder tout lucide et vivant, de façon que, comme dans une ivresse, l'image des choses commençait à me paraître autre que de coutume : je voyais à l'évidence les avantages du sujet que je désirais grossir et croître, s'agrandir et s'enfler par le vent de mon imagination ; je sentais les difficultés de mon entreprise s'abaisser et s'aplanir, ma raison et ma conscience, se tirer arrière. Mais, ce feu une fois évaporé, comme après la clarté d'un éclair, je sentais mon âme reprendre en un instant une autre sorte de vue, un autre état, et un autre jugement ; les difficultés du renoncement me semblaient grandes et invincibles, et les mêmes choses, d'un goût et d'un aspect bien différents de ceux sous lesquels l'ardeur du désir ne me les avait d'abord présentées : lequel des deux avec le plus de vérité ? Pyrrhon n'en sait rien. Nous ne sommes jamais sans maladie. Les fièvres ont leur chaud et leur froid : des effets d'une passion ardente, nous retombons aux effets d'une passion frileuse. Aussi loin que je m'étais jeté en avant, aussi loin je me relance en arrière,

Ainsi que l'océan, quand alternent ses flots,
Tantôt se rue à terre, inonde les rocs en fumant,
Lave tous les replis du sable, et tantôt, se retirant,
Emporte en son reflux les galets qu'il avait roulés,
Et découvre les bords qu'abandonnent ses eaux

Qualis ubi alterno procurrens gurgite pontus,
Nunc ruit ad terras scopulisque superiacit undam,
Spumeus, extremamque sinu perfundit arenam :
Nunc rapidus retro atque aestu reuoluta resorbens
Saxa fugit, littusque uado labente relinquit. [1]

Or de la connaissance de cette mienne volubilité, j'ai par accident engendré en moi une certaine constance d'opinions, et je n'ai guère modifié les miennes premières et naturelles. Car quelque vraisemblance qu'il y ait en une nouvelleté, je ne change pas aisément, de peur de perdre au change. Et puisque je ne suis pas capable de choisir, je prends le choix d'autrui, et je me tiens dans l'assiette où Dieu m'a mis. Autrement je ne me saurais garder de rouler sans cesse. Ainsi, par la grâce de Dieu, me suis-je conservé entier, sans agitation ni trouble de

1. Virgile, *Énéide*, XI, 624-628.

conscience, aux anciennes croyances de notre religion, au travers de tant de sectes et de divisions que notre siècle a produites. Les écrits des anciens, je dis les bons écrits, pleins et solides, m'éprouvent et me remuent quasi où ils veulent : celui que j'entends me semble toujours le plus ferme. Je trouve qu'ils ont raison chacun à son tour, quoiqu'ils se contredisent. Cette aisance qu'ont les bons esprits de rendre ce qu'ils veulent vraisemblable, et le fait qu'il n'est rien de si étrange à quoi ils n'entreprennent de donner assez de couleur pour tromper une simplicité pareille à la mienne, cela montre à l'évidence la faiblesse de leur preuve. Le ciel et les étoiles ont tourné trois mille ans, tout le monde l'avait ainsi cru, jusqu'à ce que Cléanthe de Samos, ou (selon Théophraste) Nicétas de Syracuse s'avisât de soutenir que c'était la terre qui se mouvait à travers le cercle oblique du zodiaque en tournant autour de son essieu. Et de notre temps Copernic a si bien fondé cette doctrine qu'il s'en sert de façon très méthodique pour en tirer toutes les prévisions astronomiques. Que prendrons-nous de là, sinon qu'il ne nous doit importer lequel ce soit des deux ? Et qui sait si une tierce opinion, d'ici à mille ans, ne renversera pas les deux précédentes ?[j]

L'âge en ses révolutions de tout change le prix ;
Ce que jadis l'on a prisé sombre dans le mépris,
Autre chose sort de l'ombre et de son néant déloge ;
Chaque jour plus prisé, le nouveau reçoit plus d'éloge,
Et d'un nouvel amour les mortels sont épris

Sic uoluenda ætas commutat tempora rerum,
Quod fuit in pretio fit nullo denique honore,
Porro aliud succedit, et e contemptibus exit,
Inque dies magis appetitur, floretque repertum
Laudibus, et miro est mortales inter honore. [1]

Ainsi quand il se présente à nous quelque doctrine nouvelle, nous avons grandement raison de nous en défier, et de considérer qu'avant qu'elle n'eût été produite, son contraire était en vogue : et comme elle a été renversée par celle-ci, il pourra naître à l'avenir une tierce invention qui choquera de même la seconde. Avant que les principes qu'Aristote a introduits fussent en crédit, d'autres principes contentaient la raison humaine, comme ceux-ci nous contentent à cette heure. Quelles lettres de créance ont donc ceux-ci ? Quel privilège particulier pour que le cours de notre invention s'arrête à eux, et qu'à eux appartienne pour tout le temps à venir la possession de notre créance ? Ils ne sont pas non plus exempts de se voir chassés que ne

1. Lucrèce, V, 1276-1280.

l'étaient leurs devanciers. Quand on me presse d'un nouvel argument, c'est à moi à estimer que ce à quoi je ne puis satisfaire, un autre y satisfera. Car de croire toutes les apparences dont nous ne pouvons nous défaire, c'est une grande naïveté. Il en adviendrait par là que tout le vulgaire, et nous sommes tous du vulgaire, aurait sa croyance aussi facile à tourner qu'une girouette : car son âme, qui est molle et sans résistance, serait forcée de recevoir sans cesse d'autres et d'autres impressions, la dernière effaçant toujours la trace de la précédente. Celui qui se trouve faible, il doit répondre, dans la pratique judiciaire, qu'il en parlera à son conseiller, ou s'en rapporter aux plus sages, dont il a reçu son apprentissage. Combien y a-t-il de temps que la médecine est au monde ? On dit qu'un nouveau venu qu'on nomme Paracelse change et renverse tout l'ordre des règles anciennes, et soutient que jusqu'à cette heure, elle n'a servi qu'à faire mourir les hommes. Je crois qu'il vérifiera aisément ce point. Mais de soumettre ma vie à l'épreuve de sa nouvelle expérience, je trouve que ce ne serait pas d'une grande sagesse.

Il ne faut pas croire chacun, dit le précepte, parce que chacun peut dire toutes choses. Un homme qui professe ces nouvelletés et ces réformes de la physique me disait, il n'y a pas longtemps, que tous les anciens s'étaient notoirement mépris sur la nature et les mouvements des vents, ce qu'il me ferait très évidemment toucher du doigt si je voulais l'entendre. Après que j'eus eu un peu de patience à ouïr ses arguments, qui avaient tout plein de vraisemblance : « Comment donc, lui fis-je, ceux qui naviguaient sous les lois de Théophraste, allaient-ils en occident quand ils faisaient cap au levant ? Allaient-ils à côté, ou à reculons ? – Ce n'est que par une heureuse fortune, me répondit-il, toujours est-il qu'ils se méprenaient. » Je lui répliquai alors que j'aimais mieux suivre les faits que la raison. Or ce sont deux choses qui se choquent souvent, et l'on m'a dit que dans la géométrie (qui pense avoir gagné le haut point de certitude parmi les sciences) il se trouve des démonstrations irréfutables qui renversent la vérité de l'expérience, comme Jacques Peletier me disait chez moi qu'il avait trouvé deux lignes s'acheminant l'une vers l'autre pour se joindre dont il démontrait toutefois qu'elle ne pourrait parvenir à se toucher jusqu'à l'infini [1]. Quant aux Pyrrhoniens, ils ne se servent de leurs arguments et de leur raison que pour ruiner la vraisemblance de l'expérience : et c'est merveille jusqu'où la souplesse de notre raison les a suivis dans ce dessein de combattre l'évidence des faits, car ils

1. Il s'agit de l'hyperbole qui tend vers son asymptote à l'infini sans jamais la joindre. Jacques Pelletier du Mans est un savant et un lettré de grand renom.

démontrent que nous ne nous mouvons pas, que nous ne parlons pas, qu'il n'y a point de pesant ou de chaud, avec la même force d'arguments que celle dont nous démontrons les choses les plus vraisemblables. Ptolémée, qui a été un grand homme, avait établi les bornes de notre monde. Tous les philosophes anciens ont pensé en connaître la mesure, sauf quelques îles écartées qui pouvaient échapper à leur connaissance : c'eût été pyrrhoniser, il y a mille ans, que de mettre en doute la science de la cosmographie et les opinions qui en étaient reçues par tout un chacun. C'était une hérésie que d'admettre qu'il pût y avoir des Antipodes : voilà que dans notre siècle une grandeur infinie de terre ferme, non pas une île, ou une contrée particulière, mais une partie égale à peu près en grandeur à celle que nous connaissions, vient d'être découverte. Les géographes de ce temps ne manquent pas d'assurer que désormais tout est trouvé et que tout est vu :

Car ce qu'on a sous la main plaît et semble prévaloir
Nam quod adest præsto, placet, et pollere uidetur. [1]

Reste à émonder ce point, si Ptolémée s'y est trompé autrefois en se fondant sur sa raison, de savoir si ce ne serait pas sottise de me fier maintenant à ce que ceux d'aujourd'hui en disent, et s'il n'est pas plus vraisemblable que ce grand corps que nous appelons le monde soit chose bien autre que nous ne le jugeons. Platon dit qu'il change de visage à tout sens, que le ciel, les étoiles et le soleil renversent parfois le mouvement que nous y voyons quand elles passent de l'orient à l'occident. Les prêtres d'Égypte dirent à Hérodote que depuis leur premier roi, il y avait de cela onze mille ans (et de tous leurs rois ils lui firent voir les effigies en statues tirées d'après le vif), le soleil avait changé quatre fois de route ; que la mer et la terre se changent alternativement l'une en l'autre ; que la naissance du monde est indéterminée. Aristote et Cicéron disent de même. Et l'un d'entre nous assure qu'il est de toute éternité mortel et renaissant, selon plusieurs vicissitudes, appelant à témoins Salomon et Isaïe, pour éviter ces objections que Dieu a été quelquefois créateur sans qu'il y eût de créature ; qu'il a été oisif ; qu'il s'est dédit de son oisiveté en mettant la main à cet ouvrage, et qu'il est par conséquent sujet au changement. Dans la plus fameuse des écoles grecques, le monde est tenu pour un dieu fait par un autre dieu plus grand, et on le dit composé d'un corps, et d'une âme qui loge en son centre et s'épand par la force des rythmes de la musique jusqu'à sa circonférence : divin, très heureux, très grand, très sage, et éternel. En lui sont d'autres

1. Lucrèce, V, 1412-1413.

dieux, la mer, la terre, les astres qui se tiennent entre eux au gré d'une danse divine harmonieuse et en perpétuelle agitation, tantôt se rencontrant, tantôt s'éloignant, se cachant, se montrant, changeant de rang, ici en avant, là en arrière. Héraclite posait que le monde était composé par le feu, et sur l'ordre des destinées, qu'il devait s'enflammer et se résoudre en feu un jour, et un jour encore renaître. Et des hommes Apulée dit qu'ils sont *sigillatim mortales, cunctim perpetui* [1] mortels comme individus, immortels en tant qu'espèce. Alexandre écrivit à sa mère la narration d'un prêtre égyptien, tirée de leurs archives, témoignant de l'ancienneté de cette nation infinie, et comprenant la naissance et les progrès des autres pays au vrai. Cicéron et Diodore disent de leur temps que les Chaldéens tenaient registre de quatre cent mille ans. Aristote, Pline, et autres que Zoroastre vivait six mille ans avant l'âge de Platon. Platon dit que ceux de la ville de Saïs ont des mémoires écrits datant de huit mille ans : et que la ville d'Athènes fut bâtie mille ans avant ladite ville de Saïs. Épicure, qu'en même temps que les choses sont ici comme nous les voyons, elles sont toutes pareilles et en même façon dans plusieurs autres mondes. Ce qu'il eût dit plus assurément, s'il eût vu les similitudes et les rapports de ce nouveau monde des Indes occidentales avec le nôtre, présent et passé, en de si étranges exemples [2].

En vérité, en considérant ce qui est venu à notre connaissance à propos de la façon dont sont gouvernés les hommes sur notre terre, je me suis souvent émerveillé de voir, à une très grande distance de lieux et de temps, un si grand nombre d'opinions populaires et primitives se rencontrer avec certaines mœurs et croyances qu'on voit chez les sauvages, et qui par aucun biais ne semblent en rapport avec notre façon de penser naturelle. C'est un grand ouvrier en miracles que l'esprit humain, mais cette relation a je ne sais quoi de plus hétéroclite encore : elle se trouve aussi dans les noms, et dans mille autres choses. Car on y trouva des nations où la circoncision était en usage, qui (que nous sachions) n'avaient jamais ouï nouvelles de nous, où il y avait des États et de grandes cités gouvernées par des femmes, sans les hommes, où nos jeûnes et notre carême étaient représentés avec en plus l'obligation de s'abstenir des femmes, où nos croix étaient de diverses façons en usage : ici on en honorait les sépultures, là, on les employait, et en particulier celle de saint André, à se défendre des visions nocturnes et

1. Apulée, *De deo Socratis*, IV, 127.

2. Ironie, mauvaise foi ou incompréhension ? Pour les besoins de sa cause, Montaigne se plaît à confondre la pluralité des mondes dans l'infini du cosmos avec ceux qui sont circonscrits à notre petite terre !

à les mettre sur les couches des enfants pour les protéger des enchantements ; ailleurs on en rencontra une en bois d'une grande hauteur adorée pour le dieu de la pluie, et celle-là bien fort avant dans la terre ferme ; on y trouva une image très expresse de nos confesseurs, l'usage des mitres, le célibat des prêtres, l'art de la divination par les entrailles des animaux sacrifiés, l'abstinence de toute sorte de chair et de poisson dans leur nourriture, la façon qu'avaient les prêtres d'user en officiant d'une langue particulière et non populaire. Et puis toutes les fables : que le premier dieu fut chassé par un second, son frère puîné ; que les hommes furent créés avec toutes les délices qu'on leur a depuis retranchées pour leur péché, en les chassant de leur territoire, et en empirant leur condition naturelle ; qu'autrefois ils ont été submergés par l'inondation des eaux célestes si bien qu'il ne s'en sauva que peu de familles qui se jetèrent dans les hauts creux des montagnes, qu'ils bouchèrent après avoir enfermé là-dedans plusieurs sortes d'animaux, en sorte que l'eau n'y entra point ; que quand ils sentirent la pluie cesser, ils mirent dehors des chiens, lesquels étant revenus propres et mouillés, ils jugèrent que l'eau n'avait guère encore baissé ; qu'ensuite après en avoir fait sortir d'autres, et les voyant revenir bourbeux, ils sortirent repeupler le monde qu'ils trouvèrent plein seulement de serpents. On rencontra en quelque endroit la croyance dans le jour du jugement, si bien qu'ils s'en prenaient avec une violence prodigieuse aux Espagnols qui répandaient les os des trépassés en fouillant les trésors des sépultures, disant que ces os dispersés ne pourraient facilement se rejoindre ; le trafic par le troc, et de nulle autre façon ; des foires et des marchés pour cet effet ; des nains et des personnes difformes pour l'ornement des tables des princes ; l'usage de la fauconnerie selon la nature de leurs oiseaux ; des impôts tyranniques ; une grande délicatesses dans l'art des jardins ; des danses, des sauts de bateleur, la musique des instruments ; les armoiries ; des jeux de paume ; des jeux de dés et de hasard, auquel ils s'échauffent souvent jusqu'à s'y jouer eux-mêmes, eux et leur liberté ; pas d'autre médecine que des sortilèges ; cette façon d'écrire par symboles ; la croyance en un seul premier homme père de tous les peuples ; l'adoration d'un dieu qui vécut autrefois homme en parfaite virginité, jeûne, et pénitence, prêchant la loi de nature et enseignant des cérémonies religieuses, et qui disparut du monde autrement que de mort naturelle ; la fable des géants ; l'usage de s'enivrer de leurs breuvages, et de boire d'autant ; des ornements religieux peints d'ossements et de têtes de morts ; les surplis, l'eau bénite, les aspersions ; les femmes et les serviteurs qui s'offrent à l'envi pour se brûler et s'enterrer avec le mari ou le maître trépassé ; la loi que les aînés héritent de tout le bien, et qu'il ne soit réservé nul autre lot au puîné que d'obéissance ; la coutume lors de la promotion à certaines charges de grand prestige que celui qui est promu prenne un nouveau nom, et quitte le sien ; celui de verser de la chaux sur le genou de l'enfant fraîchement né, en lui disant : « Tu es venu de la poudre, et tu retourneras à la poudre ; l'art des augures !

Ces vaines ombres de notre religion qui se voient en certains de ces exemples témoignent de leur dignité et de leur divinité. Non seulement elle s'est, d'une certaine façon, insinuée dans toutes les nations infidèles de l'Ancien Monde par quelque imitation, mais aussi chez ces barbares, comme par une commune inspiration surnaturelle, car on y trouva aussi la croyance au purgatoire, mais sous une forme nouvelle : ce que nous donnons au feu, ils le donnent au froid, et imaginent les âmes purifiées et punies par la rigueur d'une extrême froidure. Et cet exemple m'avertit d'une autre plaisante différence : car de même qu'il s'y trouva des peuples qui aimaient à défubler le bout de leur membre et qui en retranchaient la peau à la mahométane et à la juive, il s'y en trouva d'autres qui faisaient si grande conscience de le défubler qu'avec de petits cordons ils portaient leur peau bien soigneusement étirée et attachée au-dessus, de peur que ce bout ne vît l'air. Et de cette différence aussi : alors que nous honorons les rois et les fêtes en nous parant des meilleurs vêtements que nous ayons, dans certaines régions, pour montrer toute leur disparité et leur soumission à leur roi, les sujets se présentaient à lui dans leurs plus vils habillements, et, entrant au palais, ils passaient quelque vieille robe déchirée sur la leur bonne, de façon que tout le lustre et tout l'ornement fussent pour le maître. Mais poursuivons.

Si, comme toutes autres choses, Nature enserre aussi dans les termes de son progrès ordinaire les croyances, les jugements et les opinions des hommes, si elles ont leur révolution, leur saison, leur naissance, leur mort comme les choux, si le ciel les agite et les roule à sa guise, quelle est cette autorité magistrale et permanente que nous nous obstinons à leur attribuer ? Si par expérience nous touchons du doigt que la forme de notre être dépend de l'air, du climat, et du terroir où nous naissons (et non seulement le teint, la taille, le tempérament et les manières, mais encore les facultés de l'âme : Les climats ne contribuent pas seulement à la vigueur des corps mais aussi à celle des esprits *et plaga caeli non solum ad robur corporum, sed etiam animorum facit*, [1] dit Végèce) ; si nous voyons bien que la déesse qui fonda la ville d'Athènes choisit pour son site un pays dont l'air fût propre à rendre les hommes avisés,

1. Végèce, *Art militaire*, I, II.

(comme les prêtres d'Égypte l'apprirent à Solon : l'air d'Athènes est subtil, d'où vient que les Athéniens sont réputés plus fins ; celui de Thèbes épais, aussi les Thébains passent-ils pour lourds et vigoureux *Athenis tenue caelum, ex quo etiam acutiores putantur Attici ; crassum Thebis, itaque pingues Thebani, et ualentes)* [1], de sorte qu'ainsi que les fruits naissent divers, et les animaux, les hommes naissent aussi plus et moins belliqueux, justes, tempérants et dociles, ici sujets au vin, ailleurs au larcin ou à la paillardise, là enclins à la superstition, ailleurs à la mécréance, ici à la liberté, là à la servitude, capables d'une science ou d'un art, grossiers ou ingénieux, obéissants ou rebelles, bons ou mauvais selon l'exposition du lieu où ils sont établis, tant et si bien qu'ils prennent un nouveau tempérament si on les change de place, comme les arbres (ce qui fut la raison pour laquelle Cyrus ne voulut accorder aux Perses d'abandonner leur pays âpre et bossu pour se transporter en un autre doux et plat, disant que les terres grasses et molles rendent les hommes mous, et infertiles les esprits fertiles) ; si, dis-je, nous voyons enfin tantôt fleurir un art, une croyance, tantôt une autre sous l'effet de quelque influx céleste, tel siècle produire telles natures et incliner le genre humain à tel ou tel pli, et les esprits des hommes tantôt gaillards, tantôt maigres comme nos champs, alors en ce cas, oui, que deviennent toutes ces belles prérogatives dont nous persistons à vouloir nous flatter ? Puisqu'un homme sage peut se méprendre, et cent hommes, et plusieurs nations, voire même puisque l'humaine nature selon nous peut bien se méprendre en ceci ou cela pendant plusieurs siècles, quelle sûreté avons-nous qu'elle cesse parfois de se méprendre, et qu'en ce siècle elle ne soit pas en pleine méprise ?

Il me semble, entre autres témoignages de notre infirmité, que celui-ci mérite de n'être pas oublié, qui est que, dans son désir même, l'homme ne sache trouver ce qu'il lui faut, et que, non seulement dans la réalité, mais en imagination et dans nos souhaits, nous ne puissions être d'accord de ce dont nous avons besoin pour nous contenter. Laissons notre pensée tailler et coudre à son plaisir : elle ne pourra pas seulement désirer ce qui lui est propre, et se satisfaire :

quels désirs, quelles peurs la raison nous apprête ?
Qu'entreprend-on d'un si bon pied que point on ne regrette
Son effort, ou de voir ses souhaits accomplis ?

quid enim ratione timemus
Aut cupimus ? Quid tam dextro pede concipis ut te
Conatus non poeniteat, uotique peracti ? [2]

1. Cicéron, *De fato*, IV, 7.
2. Juvénal, X, 4-6.

C'est pourquoi Socrate ne demandait aux dieux que de lui donner ce qu'ils savaient lui être salutaire. Et la prière des Lacédémoniens, publique et privée, requérait simplement que des choses bonnes et belles leur fussent octroyées, remettant à la discrétion de la puissance suprême le tri et le choix de celles-ci :

Je souhaite un mariage, et qu'il s'avère fécond,
Mais Lui sait quels enfants et quelle épouse ce seront
Coniugium petimus partumque uxoris ; at illi
Notum qui pueri qualisque futura sit uxor. [1]

Et le chrétien supplie Dieu « que sa volonté soit faite » pour n'aller tomber dans l'infortune que les poètes prêtent au roi Midas. Il requit des dieux que tout ce qu'il toucherait se changeât en or : sa prière fut exaucée, son vin fut d'or, son pain, d'or, comme la plume de sa couche, et d'or sa chemise et son vêtement, de façon qu'il se trouva accablé sous la jouissance de son désir, et gratifié d'une insupportable faveur : il lui fallut déprier ses prières :

Etonné d'un mal si nouveau, opulent malheureux,
Il fuit ses biens et hait ce qu'il appelait de ses vœux
Attonitus nouitate mali, diuesque miserque,
Effugere optat opes, et quæ modo uouerat, odit. [2]

Parlons de moi-même. Dans ma jeunesse, je demandais à la fortune autant qu'autre chose l'ordre de Saint Michel, car c'était alors la plus haute marque d'honneur pour la noblesse française, et qu'elle était très rare. Elle me l'a accordé de façon plaisante. Au lieu de me monter et de me hausser de ma place pour y atteindre, elle m'a bien plus gracieusement traité : elle l'a ravalé et rabaissé jusqu'à mes épaules et au-dessous. Cléobis et Biton, Trophonius et Agamédès ayant requis, ceux-là leur déesse, ceux-ci leur dieu, d'une récompense digne de leur piété, ils reçurent la mort en présent, tant les opinions célestes sur ce qu'il nous faut diffèrent des nôtres.

Dieu pourrait nous octroyer les richesses, les honneurs, la vie et la santé même quelquefois à notre dommage, car tout ce qui nous est plaisant ne nous est pas toujours salutaire. Si au lieu de la guérison il nous envoie la mort ou l'empirement de nos maux (ta verge et ton bâton m'ont consolé *uirga tua et baculus tuus ipsa me consolata sunt* [3]), il le fait par les raisons de sa providence qui voit bien plus certainement ce qui nous

1. Juvénal, X, 352-353.
2. Ovide, *Métamorphoses*, XI, 127-128.
3. Psaumes, XXII, 5.

est dû que nous ne le pouvons faire, et nous le devons prendre en bonne part, comme partant d'une main très sage et très amie.

si tu veux mon conseil,
Laisse aux dieux à peser ce qu'il nous faut et convient :
L'homme leur est plus cher qu'il ne l'est à lui-même

si consilium uis,
Permittes ipsis expendere numinibus quid
Conueniat nobis, rebusque sit utile nostris :
Charior est illis homo quam sibi. [1]

Car de leur demander des honneurs et des charges, c'est leur demander de vous jeter dans une bataille, ou au jeu des dés, ou dans telle autre chose dont l'issue vous est inconnue, et le fruit douteux.

Il n'est point de combat si violent entre les philosophes, et si âpre que celui qui s'élève sur la question du souverain bien pour l'homme : duquel, par le calcul de Varron, naquirent deux cent quatre-vingts sectes : qui est en désaccord sur le souverain bien est en désaccord avec toute la philosophie *qui autem de summo bono dissentit, de tota philosophiæ ratione disputat.* [2]

Je crois voir trois conviés en proie à des différends :
Chacun veut à son goût des mets tout différents.
Que donner, que ne donner pas ? Ce qu'un autre réclame
Vous le lui refusez, et ce que vous faites servir
Aux deux premiers sera d'une aigreur à vomir

Tres mihi conuiuae prope dissentire uidentur,
Poscentes uario multum diuersa palato :
Quid dem ? Quid non dem ? Renuis tu quod iubet alter,
Quod petis, id sane est inuisum acidumque duobus. [3]

Nature devrait ainsi répondre à leurs contestations et à leurs débats.

Les uns disent que notre bonheur réside dans la vertu, d'autres, dans la volupté, d'autres, dans le consentement à Nature ; qui dans la connaissance, qui à n'avoir point de douleur, qui à ne point se laisser emporter par les apparences, et à cette opinion paraît ressembler cette autre, de l'antique Pythagore :

Ne s'étonner de rien, voilà l'unique et seul moyen,
Numacius, qui te peut rendre et conserver heureux

Nil admirari prope res est una, Numaci,
Solaque quae possit facere et seruare beatum, [4]

---

1. Juvénal, X, 346-348 et 350.
2. Cicéron, *De finibus*, V, V, 14.
3. Horace, *Épîtres*, II, II, 61-64.
4. Horace, *Épîtres*, I, VI, 1-2.

ce qui est l'objet final que poursuit la secte pyrrhonienne. Aristote attribue à la magnanimité la vertu de ne s'étonner de rien. Et Archésilas disait que les résistances et l'état droit et inflexible du jugement étaient les biens, mais que les consentements et les acceptations étaient les vices et les maux. Il est vrai qu'en ce qu'il établissait ce point par une affirmation certaine, il se départait du pyrrhonisme. Les Pyrrhoniens, quand ils disent que le souverain bien, c'est l'ataraxie, qui est l'immobilité du jugement, ils n'entendent pas l'assurer d'une façon affirmative, mais cette même oscillation de l'âme qui leur fait fuir les précipices et se mettre à s'abriter du serein leur propose telle opinion et leur en fait refuser une autre.

Combien je désirerais que de mon vivant, ou quelque autre, ou Juste Lipse, le plus savant homme qui nous reste, esprit très cultivé et judicieux, vraiment frère de mon cher Turnèbe, eût et la volonté, et la santé, et assez de repos pour ramasser en un registre, selon leurs divisions et leurs classes, sincèrement et avec soin, autant que nous y pouvons voir, les opinions de l'ancienne philosophie sur le sujet de notre être et de nos mœurs, leurs controverses, le crédit et la fortune des divers partis, comment leurs auteurs et leurs sectateurs ont appliqué leurs préceptes à leur vie dans des accidents mémorables et exemplaires ! Le bel ouvrage et utile que ce serait !

Au demeurant, si c'est de nous que nous tirons le règlement de nos mœurs, à quelle confusion nous rejetons-nous ? Car ce que notre raison nous y conseille de plus vraisemblable, c'est généralement à chacun d'obéir aux lois de son pays, comme c'est l'avis de Socrate, inspiré, dit-il, par un conseil divin. Et par là que veut-elle dire, sinon que notre devoir n'a d'autre règle que fortuite ? La vérité doit avoir un visage pareil et universel. La droiture et la justice, si l'homme en connaissait qui eussent un corps et une véritable existence, il ne l'attacherait pas à la condition des coutumes de telle contrée ou de telle autre : ce ne serait pas de l'imagination des Perses ou des Indes que la vertu recevrait sa forme. Il n'est rien qui soit sujet à une plus continuelle agitation que les lois. Depuis que je suis né, j'ai vu trois et quatre fois rechanger celles des Anglais nos voisins, non seulement en matière de politique, dont on veut bien admettre le manque de constance, mais à propos du plus important sujet qui puisse être, à savoir celui de la religion. De quoi j'ai honte et dépit, d'autant plus que c'est une nation à laquelle ceux de ma province ont eu autrefois une accointance si familière qu'il reste encore en ma maison certaines traces de notre ancien cousinage. Et chez nous ici, j'ai vu telle chose qui était pour nous passible de la peine capitale devenir légitime, et nous qui en tenons d'autres pour telles, nous sommes à même, vu l'incertitude des fortunes de la guerre, d'être un jour incriminés de lèse-majesté humaine et divine, si notre justice tombe à la merci de l'injustice, et prend, dans l'espace de peu d'années de possession, une orientation contraire.

Comment ce dieu antique aurait-il pu plus clairement accuser l'intelligence humaine d'ignorer l'être divin, et mieux faire savoir aux hommes que leur religion n'était qu'une pièce de leur invention propre à lier leur société, qu'en déclarant, comme il le fit, à ceux qui en recherchaient la leçon auprès de son trépied que le vrai culte pour chacun était celui qu'il trouvait observé par usage dans le pays qui était le sien ? Ô Dieu ! Quelle obligation n'avons-nous pas à la bienveillance de notre souverain créateur pour avoir déniaisé notre croyance de ces dévotions vagabondes et arbitraires, et l'avoir fondée sur la base éternelle de sa sainte parole !

Que nous dira donc la philosophie dans cette nécessité ? Que nous suivions les lois de notre pays ? C'est-à-dire cette mer flottante des opinions d'un peuple ou d'un prince qui me peindront la justice d'autant de couleurs et la reformeront en autant de visages qu'il y aura en eux de changements de passion ? Je ne puis pas avoir le jugement si flexible ! Quelle vertu est-ce donc que je voyais hier en crédit, qui demain ne le sera plus, et dont la traversée d'une rivière suffit à faire un crime ? Quelle vérité est-ce que ces montagnes bornent, et qui est mensonge pour le monde qui se tient au-delà ?

Mais ils sont plaisants quand, pour donner quelque certitude aux lois, ils disent qu'il y en a certaines fermes, perpétuelles et immuables, qu'ils nomment naturelles, et qui sont empreintes dans le genre humain par les caractères de leur propre essence, et de celles-là, qui en compte trois, qui quatre, qui plus, qui moins : signe que c'est une marque aussi douteuse que le reste. Or ils sont si « défortunés » – car comment puis-je nommer cela sinon « défortune », que, sur un nombre de lois aussi infini, il ne s'en rencontre pas seulement une à qui la fortune et la témérité du sort aient permis d'être universellement reçue par le consentement de toutes les nations ? Ils sont, dis-je, si misérables que de ces trois ou quatre lois choisies, il n'y en a pas une seule qui ne soit contredite et désavouée, non par une seule nation, mais par plusieurs. Or c'est la seule marque vraisemblable par laquelle ils puissent démontrer l'existence de certaines lois naturelles que l'universalité de l'approbation, car ce que Nature nous aurait véritablement ordonné, nous le suivrions sans nul doute d'un commun consentement, et non seulement toute nation, mais tout homme en particulier ressentirait la force et la violence que lui ferait celui qui le voudrait pousser au contraire de cette loi. Qu'ils m'en montrent, pour voir, une de cette nature ! Protagoras et Ariston ne donnaient pas d'autre essence à la justice des lois que l'autorité et l'opinion du législateur, et disaient que, cela mis à part, le bon et l'honnête perdaient leurs qualités et demeuraient les noms vains de choses indifférentes. Thrasymache dans Platon estime qu'il n'y a point d'autre droit que ce qui convient au supérieur. Il n'est chose en quoi le monde soit si divers qu'en coutumes et en lois. Telle chose est ici abominable, qui apporte recommandation ailleurs, comme à Lacédémone la subtilité de dérober. Les mariages entre les proches sont capitalement défendus entre nous, ils sont ailleurs en honneur,

Il est, dit-on, des nations
Où la mère s'unit au fils, et la fille à son père,
Où la piété s'accroît par ces doubles affections

gentes esse feruntur,
In quibus et nato genitrix et nata parenti
Jungitur, et pietas geminato crescit amore. [1]

L'infanticide, le parricide, la mise en commun des femmes, le commerce des produits du vol, la licence donnée à toutes sortes de voluptés : il n'est rien en somme de si extrême qui ne se trouve reçu par l'usage de quelque nation.

Il est à croire qu'il y a bien des lois naturelles, comme on le voit chez les autres créatures, mais chez nous elles sont perdues, car cette belle raison humaine se mêle partout de maîtriser et de commander, brouillant et confondant le visage des choses selon sa vanité et son inconstance, aussi n'avons-nous plus rien qui soit vraiment nôtre : ce que j'appelle nôtre n'est que le fruit de la civilisation *nihil itaque amplius nostrum est : quod nostrum dico, artis est.* [2] Les sujets ont divers jours et divers aspects : c'est de là que s'engendre principalement la diversité des opinions. Une nation regarde un sujet sous un visage, et s'arrête à celui-là, l'autre sous un autre.

Il n'est rien de si horrible à imaginer que de manger son père. Les peuples qui avaient anciennement cette coutume la prenaient pourtant pour un témoignage de piété et de bonne affection. Ils cherchaient par là à donner à leurs géniteurs la plus digne et la plus honorable sépulture, puisqu'ils logeaient en eux-mêmes et comme dans leurs moelles les corps de leurs pères et leurs reliques. Ils leur redonnaient vie en quelque sorte et les régénéraient puisqu'ils les transmutaient en leur chair vive en les digérant et en s'en nourrissant. Il est aisé de considérer quelle cruauté et quelle abomination c'eût été

1. Ovide, *Métamorphoses,* X, 331-333.
2. Cicéron, *De finibus*, V, XXI, 59-60.

faire à des hommes abreuvés et imbus de cette superstition que d'aller abandonner la dépouille de leurs pères à la corruption de la terre, et à la nourriture des bêtes et des vers !

Lycurgue, pour le larcin, tint à prendre en compte la vivacité, la diligence, la hardiesse, et l'adresse employées à subtiliser quelque chose à son voisin, et l'utilité qu'il en résulte pour l'État du fait que chacun veille ainsi d'autant mieux à la conservation de ce qui lui appartient, et il estima que cette double éducation, à assaillir et à se défendre, pouvait profiter la discipline militaire, qui était la principale science et vertu à quoi il voulait dresser cette nation, et que cela était plus à considérer que le désordre et l'injustice de se prévaloir de la chose d'autrui.

Denys le tyran offrit à Platon une robe à la mode de Perse, longue, damasquinée, et parfumée : Platon la refusa, disant qu'étant né homme, il ne se vêtirait pas volontiers d'une robe de femme. Mais Aristippe l'accepta, avec cette réponse que nul accoutrement ne pouvait corrompre un cœur pur. Ses amis le blâmaient d'avoir eu la lâcheté de prendre si peu à cœur que Denys lui eût craché au visage : « Les pécheurs, leur dit-il, souffrent bien d'être trempés par les eaux de la mer depuis la tête jusqu'aux pieds pour attraper un goujon » ; Diogène lavait ses choux, et le voyant passer : « Si tu savais vivre de choux, tu ne ferais pas la cour à un tyran ! » À quoi Aristippe : « Si tu savais vivre parmi les hommes, tu ne laverais pas des choux ! » Voilà comment la raison fournit des justifications à des effets opposés. C'est un pot à deux anses qu'on peut saisir à gauche et à dextre.

Ô sol hospitalier, ce que tu portes, c'est la guerre,
Pour la guerre sont armés ces chevaux impétueux,
C'est de la guerre encor que nous menacent ces bœufs ;
Ces mêmes animaux pourtant s'étaient appris naguère
À tirer des chars et porter comme frères le joug :
C'est un espoir de paix

Bellum, ô terra hospita, portas,
Bello armantur equi, bellum haec armenta minantur :
Sed tamen iidem olim curru succedere sueti
Quadrupedes, et frena iugo concordia ferre,
Spes est pacis. [1]

On pressait Solon de ne point verser à la mort de son fils des larmes impuissantes et inutiles : « Je les verse plus légitimement, dit-il, pour cela même qu'elles sont inutiles et impuissantes ». La femme de Socrate redoublait son deuil avec cette plainte : « Ô qu'injustement le

1. Virgile, *Énéide*, III, 539-543.

font mourir ces méchants juges ! – Aimerais-tu donc mieux que ce fût justement ? » lui répliqua-t-il.

Nous portons les oreilles percées, les Grecs tenaient cela pour une marque de servitude. Nous nous cachons pour jouir de nos femmes, les Indiens le font en public. Les Scythes immolaient les étrangers dans leurs temples, ailleurs les temples servent de refuge.

La fureur du peuple naît de ce que chaque pays
Hait les dieux de ses voisins, croyant que seuls soient des dieux
Ceux-là que lui-même révère

Inde furor uulgi quod numina uicinorum
Odit quisque locus, cum solos credat habendos
Esse deos quos ipse colit. [1]

J'ai ouï parler d'un juge qui, lorsqu'il rencontrait un âpre désaccord entre Bartolus et Baldus, et sur quelque matière de plusieurs controverses, mettait en marge de son livre « question bonne pour l'ami », c'est à dire que la vérité était si embrouillée et si débattue qu'en pareille cause il pourrait favoriser celle des parties que bon lui semblerait. Il ne tenait qu'à son défaut d'esprit et de compétence qu'il ne pût mettre partout « question bonne pour l'ami ». Les avocats et les juges de notre temps trouvent dans toutes les causes assez de biais pour les accommoder à ce que bon leur semble. Dans une science si infinie, qui dépend de l'autorité de tant d'opinions, et qui est si arbitraire, il ne peut se faire que n'en naisse une extrême confusion dans les jugements. Aussi n'est-il guère de procès si clair que les avis ne s'y trouvent opposés. Ce qu'une compagnie a jugé, l'autre le juge à l'inverse, et elle-même à l'inverse une autre fois. Ce dont nous voyons des exemples ordinaires par cette licence, qui entache étonnamment la cérémonieuse autorité et le rayonnement de notre justice, de ne jamais se satisfaire des arrêts rendus, et d'en appeler des premiers juges à des seconds pour décider d'une même cause. Quant à la liberté des opinions philosophiques touchant le vice et la vertu, c'est chose où il n'est besoin de s'étendre et où il se trouve plusieurs avis qui valent mieux tus que portés à la connaissance des faibles esprits. Arcésilas disait que concernant la paillardise, il ne fallait pas regarder de quel côté et par où on le fît : Pour les plaisirs charnels, si la nature les exige, il n'y faut considérer ni le sexe, ni l'endroit, ni le rang, mais la beauté, l'âge et la tournure, selon ce que pense Épicure *Et obscœnas uoluptates, si natura requirit, non genere, aut loco, aut ordine, sed forma, ætate, figura metiendas Epicurus putat.* [2] Quant aux stoïciens, ils pensent que des amours saintement réglées ne disconviennent pas au

1. Juvénal, XV, 36-38.
2. Cicéron, *Tusculanes*, V, XXXIII, 94.

sage *ne amores quidem sanctos a sapiente alienos esse arbitrantur.* [1] Voyons, disent-ils, jusqu'à quel âge peuvent être aimés les jeunes gens *quæramus ad quam usque ætatem iuuenes amandi sint.*[2] Ces deux derniers avis pris chez les stoïciens, et sur ce même propos, le reproche de Dicéarque à Platon lui-même, montrent combien la plus saine philosophie tolère des licences éloignées de l'usage commun, et excessives.

Les lois prennent leur autorité de la possession et de l'usage. Il est dangereux de les ramener à leur naissance : elles grossissent et s'ennoblissent en roulant, comme nos rivières. Suivez-les contremont jusqu'à leur source, ce n'est qu'un petit filet d'eau, à peine visible, qui s'enorgueillit ainsi, et se fortifie en vieillissant. Voyez les premières considérations qui ont anciennement donné le premier branle à ce fameux torrent de sentences, plein de dignité, d'horreur et de révérence : vous les trouverez si légères et si ténues que ces gens-ci, qui pèsent tout et tout ramènent à la raison et qui ne reçoivent rien par autorité et confiance, il n'est pas étonnant qu'ils aient des jugements souvent très éloignés des jugements de tout le monde. Ce sont gens qui prennent pour patron l'image première de Nature : il n'est pas merveilleux si dans la plupart de leurs opinions, ils s'écartent de la voie commune. Comme par exemple : peu d'entre eux eussent approuvé les contraintes de nos mariages : la plupart ont voulu que les femmes fussent partagées, et sans engagement. Ils refusaient nos cérémonies : Chrysippe disait qu'un philosophe fera une douzaine de culbutes en public, même sans pantalon, pour une douzaine d'olives. Il eût difficilement conseillé à Clisthène de refuser la belle Agariste sa fille à Hippoclidès pour lui avoir vu faire l'arbre fourchu [3] sur une table.

Métroclès un peu indiscrètement lâcha un pet alors qu'il disputait en présence de son école : et il se tenait chez lui caché de honte, jusqu'à ce que Cratès le fut visiter. Pour ajouter l'exemple de sa liberté à ses consolations et à ses raisons, il se mit à péter à l'envi avec lui, lui ôtant ainsi ce scrupule, et de plus, cela lui fit quitter la secte péripatéticienne, plus policée, qu'il avait jusqu'alors suivie, pour embrasser la secte stoïcienne, plus libre.

Ce que nous appelons « bienséance », qui est de n'oser faire à découvert ce qu'il nous est « bienséant » de faire à couvert, ils l'appelaient « sottise », et de faire le fin à taire et désavouer ce que la nature, la coutume, et notre désir publient et proclament de nos actions, ils estimaient que ce fût un vice. Il leur semblait que c'était affoler les

---

1. Cicéron, *De finibus*, III, XX, 68.
2. Sénèque, *Lettres à Lucilius*, CXXIII, 15.
3. Se tenir sur les mains, pieds en l'air, jambes écartés (et sans culotte !).

mystères de Vénus que de les sortir du secret sanctuaire de son temple pour les exposer à la vue du peuple, et que tirer ses jeux hors du rideau, c'était en causer la perte. C'est chose de poids que la honte : le recel, la dissimulation, la contrainte, entrent en ligne de compte dans notre estimation. Nos philosophes disent que, sous ce masque de la vertu, la volupté, très ingénieusement, faisait instance de n'être pas prostituée au milieu des carrefours, ni foulée aux pieds et des yeux par le commun, en trouvant à dire la décence et la commodité de ses cabinets accoutumés. De là vient que d'aucuns disent que d'ôter les bordels publics, c'est non seulement répandre partout la paillardise qui était assignée à ce lieu-là, mais encore aiguillonner à ce vice les vagabonds et les oisifs, par la malcommodité.

D'Aufidia l'amant, son mari tu étais ;
Or voilà que ton vieux rival pour sa femme l'étrenne :
Eh quoi ! femme d'un autre, elle te plaît,
Quand elle te déplaisait tienne ?
Ne peux-tu donc bander sans peur qu'on t'y surprenne ?

Moechus es Aufidiæ qui uir Coruine fuisti,
Riualis fuerat qui tuus ille uir est.
Cur aliena placet tibi quæ tua non placet uxor ?
Nunquid securus non potes arrigere ? [1]

Cette expérience se diversifie en mille exemples :

Dans tout Rome nul n'eût voulu toucher ta femme,
Quand la porte était libre, ô cher Cécilien ;
Apostes-tu tes sentinelles ?
Aussitôt les galants se pressent : tu es fin !

Nullus in urbe fuit tota qui tangere uellet
Uxorem gratis Cæciliane tuam,
Dum licuit : sed nunc positis custodibus, ingens
Turba fututorum est. Ingeniosus homo es ! [2]

On demanda à un philosophe qu'on surprit à même sa besogne, ce qu'il faisait ; il répondit tout froidement : « Je plante un homme », ne rougissant pas plus d'être surpris à cela que si on l'eût trouvé à planter des aulx.

C'est, comme je le pense, par une opinion bienveillante et respectueuse qu'un grand auteur de notre religion juge cet acte si nécessairement obligé à la discrétion et à la vergogne que dans la licence des embrassements des Cyniques il ne peut se persuader que la besogne

1. Martial, III, LXIX.
2. Martial, I, LXXIV.

sexuelles en vînt réellement à sa fin, mais qu'elle s'arrêtait à représenter seulement des mouvements lascifs, pour affirmer l'impudence dont leur école faisait profession, et que pour donner libre cours à ce que la pudeur avait contraint à ne faire que dans la retraite, il leur était encore après besoin de chercher l'ombre. Il n'avait pas vu assez loin dans leur débauche. Car Diogène, quand il s'adonnait en public à sa masturbation, souhaitait, face au peuple qui assistait à la chose, de pouvoir ainsi rassasier son ventre en le frottant. À ceux qui lui demandaient pourquoi il ne cherchait pas de lieu plus commode pour manger qu'en pleine rue : « C'est, répondait-il, que j'ai faim en pleine rue. » Les femmes philosophes qui se mêlaient à leur secte se mêlaient aussi à leur personne, en tout lieu, sans discrétion, et Hipparchia ne fut reçue dans la société de Cratès qu'à la condition de suivre en toutes choses les us et coutumes de sa règle. Ces philosophes-ci donnaient à la vertu un prix extrême, et ils refusaient même toutes disciplines autres que la morale : pourtant, en toutes actions, ils attribuaient la souveraine autorité à la décision de leur sage, fût-elle au-dessus des lois, et ils n'ordonnaient aux voluptés aucune autre bride que la modération et le respect de la liberté d'autrui.

Héraclite et Protagoras, du fait de ce que le vin semble amer au malade et agréable au bien portant, l'aviron tordu dans l'eau et droit à ceux qui le voient hors de là, et de pareilles apparences contraires qui se trouvent dans les objets, argumentèrent que tous objets avaient en eux les causes de ces apparences, et qu'il y avait dans le vin quelque amertume qui se rapportait au goût du malade, dans l'aviron, certaine qualité courbe en rapport avec celui qui le regarde dans l'eau, et ainsi de tout le reste. Ce qui revient à dire que tout est en toutes choses, et par conséquent rien en aucune, car il n'y a rien là où tout est.

Cette opinion me rappelait l'expérience que nous avons qu'il n'est aucun sens ni aucun aspect, ou droit, ou amer, ou doux, ou courbe que l'esprit humain ne puisse trouver dans les écrits qu'il entreprend de fouiller. Dans le propos le plus net, le plus pur, et le plus parfait qui puisse être, combien de fausseté et de mensonge a-t-on fait naître ? Quelle hérésie n'y a pas trouvé des fondements et des témoignages suffisants pour prendre essor et pour se maintenir ? C'est pour cela que les auteurs de pareilles erreurs ne se veulent jamais départir de cette preuve du témoignage de l'interprétation des mots. Un haut dignitaire, qui voulait me faire approuver par autorité cette quête de la pierre philosophale dans laquelle il est plongé tout entier, m'allégua dernièrement cinq ou six passages de la Bible, sur lesquels il disait s'être premièrement fondé pour la décharge de sa conscience, car il est de profession ecclésiastique. Et à la vérité l'invention n'en était pas seulement plaisante, mais encore bien proprement accommodée à la défense de cette belle science !

Par cette voie se gagne le crédit des fables divinatrices. Il n'est point de pronostiqueur, s'il a assez d'autorité pour qu'on daigne le feuilleter et rechercher avec soin tous les replis et toutes les lueurs de ses propos, à qui on ne fasse dire tout ce qu'on voudra, comme aux Sybilles. Il y a tant de moyens d'interprétation qu'il est malaisé que, de biais, ou de droit fil, un esprit ingénieux ne rencontre en tout sujet quelque air qui serve à son propos.

C'est pourquoi un style nébuleux et douteux se trouve en si fréquent et ancien usage. Pourvu que l'auteur puisse gagner d'attirer la postérité et de l'embesogner à le lire, ce que non seulement le talent peut lui valoir, mais, autant ou plus, la faveur fortuite de la matière, pour peu qu'au demeurant, soit par bêtise soit par finesse, il s'exprime d'une façon un peu obscure et ambiguë, peu lui importe : nombre d'esprits, en le blutant et en le secouant au tamis, en exprimeront quantité de formules, ou selon la sienne, ou voisines, ou contraires, qui toutes lui feront honneur. Il se verra enrichi des concours de ses disciples, comme les régents à la foire du Lendit [1].

C'est ce qui a fait valoir plusieurs choses de néant, qui a mis en crédit plusieurs écrits, et chargé de toute sorte de matière qu'on l'a voulu, une même chose recevant mille et mille, et autant qu'il nous plaît, d'images et de considérations diverses. Est-il possible qu'Homère ait voulu dire tout ce qu'on lui fait dire ? Et qu'il se soit prêté à tant de figures et si diverses que les théologiens, les législateurs, les capitaines, les philosophes, toute sorte de gens qui traitent des sciences, pour diversement et contrairement qu'ils en traitent, s'appuient sur lui, s'en rapportent à lui, maître général propre à tous offices, à tous ouvrages, et à tous artisans, conseiller général pour toutes entreprises ? Quiconque a eu besoin d'oracles et de prédictions en a trouvé chez lui pour son fait. Un personnage savant et de mes amis, c'est merveille quelles coïncidences, et combien admirables, il en fait naître en faveur de notre religion ! Et il ne se peut aisément départir de cette opinion que ce ne soit bien là le dessein d'Homère (pourtant, cet auteur lui est aussi familier qu'à homme de notre siècle), et ce qu'il trouve en faveur de la nôtre, plusieurs l'avaient anciennement trouvé en faveur des leurs.

Voyez comme on promène et agite Platon ! Chacun s'honorant de l'appliquer à soi, il le couche du côté qu'il le veut. On l'emmène et

---

1. Les étudiants versaient leurs honoraires aux professeurs lors de la foire du Lendit.

l'insère à toutes les nouvelles opinions que le monde reçoit, et on le prend dans un sens différent selon le différent cours des choses. On fait désavouer à son jugement des mœurs licites en son siècle, parce qu'elles sont illicites dans le nôtre. Tout cela, vivement et puissamment, autant qu'est puissant et vif l'esprit de l'interprète.

Sur ce même fondement qu'avait Héraclite, et cette sienne sentence que toutes choses avaient en elles les aspects qu'on y trouvait, Démocrite en tirait une conclusion tout opposée : c'est que les objets, disait-il, n'avaient absolument rien de ce que nous y trouvions, et de ce que le miel était doux à l'un et amer à l'autre, il argumentait qu'il n'était ni doux ni amer. Les Pyrrhoniens diraient qu'ils ne savent s'il est doux ou amer, ou ni l'un ni l'autre, ou tous les deux, car ceux-ci se portent toujours au point le plus haut de la dubitation.

Les Cyrénaïques tenaient que rien n'était perceptible du dehors, et que seul était perceptible ce qui nous touchait par le tact intérieur, comme la douleur et la volupté. Ils ne reconnaissaient ni ton, ni couleur, mais certaines impressions seulement qui nous en venaient, et soutenaient que l'homme n'avait d'autre moyen d'asseoir son jugement. Protagoras estimait qu'était vrai pour chacun ce qui semble tel à chacun. Les Épicuriens logent tout jugement dans les sens, qu'il s'agisse de la connaissance des choses ou de la volupté. Platon a voulu que le jugement de la vérité, et la vérité elle-même fussent abstraits des opinions et des sens, et n'appartinssent qu'à l'esprit et à la pensée.

Ce propos m'a porté sur la considération des sens, dans lesquels gisent le plus grand fondement et la meilleure preuve de notre ignorance. Tout ce qui se connaît, se connaît sans doute par la faculté du connaissant, car puisque le jugement vient de l'opération de celui qui juge, c'est raison que cette opération il l'accomplisse par ses moyens et par sa volonté, non par une contrainte extérieure, comme il adviendrait si nous connaissions les choses par la force et selon la loi de leur essence. Or toute connaissance s'achemine en nous par les sens, ils sont nos maîtres et la sûre voie de la conviction, qui mène au plus près du cœur de l'homme, et dans le sanctuaire de son esprit *uia qua munita fidei proxima fert humanum in pectus, templaque mentis.* [1] La science commence par eux et se résout en eux. Après tout, nous ne saurions pas plus qu'une pierre si nous ne savions qu'il y a son, odeur, lumière, saveur, mesure, poids, mollesse, dureté, âpreté, couleur, polissure, largeur, profondeur. Voilà le plan et les principes de tout le bâtiment de notre savoir. Et selon d'aucuns, la science n'est rien d'autre que sensation. Quiconque me peut pousser à contredire les sens, il me tient à la gorge, il ne saurait

1. Lucrèce, V, 102-103.

me faire reculer plus arrière. Les sens sont le commencement et la fin de l'humaine connaissance :

Tu découvriras que du vrai les sens ont, au départ,
Fondé la notion, et que leur preuve est infaillible.
De plus, que peut-on bien tenir pour plus crédible
Que les sens ?

Inuenies primis ab sensibus esse creatam
Notitiam ueri, neque sensus posse refelli.
Quid maiore fide porro quam sensus haberi
Debet ? [1]

Qu'on leur attribue le moins qu'on pourra, toujours faudra-t-il leur donner cela que c'est par leur voie et leur entremise que s'achemine toute notre instruction. Cicéron dit que Chrysippe ayant essayé de combattre la force des sens et leur vertu, se représenta à lui-même des arguments contraires et des objections si véhémentes qu'il n'y put satisfaire. Sur quoi Carnéade, qui soutenait le parti contraire, se vantait de se servir des armes mêmes et des arguments de Chrysippe pour le réfuter, et c'est pour cette raison qu'il s'écriait contre lui : « Ô misérable, ta force t'a perdu ! » Il n'est, selon nous, aucune absurdité plus extrême que de maintenir que le feu n'échauffe point, que la lumière n'éclaire point, qu'il n'y a point de pesanteur dans le fer, ni de fermeté, alors que ce sont des notions que nous apportent les sens, et qu'il n'est croyance ou connaissance chez l'homme qui puisse se comparer à celle-là pour ce qui est du degré de certitude.

La première considération que j'ai sur le sujet des sens, est que je mets en doute que l'homme soit pourvu de tous les sens que connaît Nature. Je vois plusieurs animaux qui vivent une vie entière et parfaite, les uns sans la vue, les autres sans l'ouïe : qui sait si à nous aussi il ne manque pas encore un, deux, trois, et plusieurs autres sens ? Car s'il en manque quelqu'un, notre raison n'en peut découvrir l'absence. C'est le privilège des sens que d'être l'extrême borne de notre connaissance. Il n'y a rien au-delà d'eux qui nous puisse servir à les découvrir et même un sens n'en peut découvrir un autre

Voit-on l'oreille houspiller l'œil ? l'oreille le toucher ?
En appellera-t-on du toucher à ce que l'on goûte ?
Ou veut-on que le nez ou l'œil chaque autre sens déboute ?

An poterunt oculos aures reprehendere, an aures
Tactus, an hunc porro tactum sapor arguet oris,
An confutabunt nares, oculiue reuincent ? [2]

---

1. Lucrèce, IV, 478-479 ; 482-483.
2. Lucrèce, IV, 486-488.

Ils font à eux tous la ligne extrême de notre faculté :

à chacun sont départis des pouvoirs
Séparés et chacun a ses fonctions propres
seorsum cuique potestas
Diuisa est, sua uis cuique est. [1]

Il est impossible de faire concevoir à un homme naturellement aveugle qu'il n'y voit pas, impossible de lui faire désirer la vue et regretter son défaut. Par quoi, nous ne devons prendre aucune assurance de ce que notre âme est contente et satisfaite de ceux que nous avons, vu qu'elle n'a pas de quoi sentir en cela sa maladie et son imperfection, si jamais elle s'y trouve. Il est impossible qu'on dise à cet aveugle, par raison, par argument, ni par analogie, quoi que ce soit qui puisse loger dans son imagination la moindre appréhension de la lumière, de la couleur, et de vue. Il n'y a rien plus arrière qui puisse pousser le sens en évidence. Les aveugles de naissance que nous voyons exprimer un désir de voir, ce n'est pas parce qu'ils comprennent ce qu'ils demandent : ils ont seulement appris de nous qu'ils ont à regretter quelque chose, qu'ils ont quelque chose à désirer qui est en nous, et cette chose, ils la nomment bien, avec ses effets et ses conséquences, mais ils ne savent pourtant pas que c'est, ni ne l'appréhendent ni de près ni de loin.

J'ai vu un gentilhomme de bonne maison, aveugle né, au moins aveugle depuis un âge si précoce qu'il ne sait que c'est que la vue. Il comprend si peu ce qui lui manque qu'il use et se sert comme nous des mots propres à la vue, et qu'il les applique d'une façon qui n'est qu'à lui et toute particulière. On lui présentait un enfant dont il était le parrain : l'ayant pris dans ses bras : « Mon Dieu, dit-il, le bel enfant ! Qu'il est beau à voir ! Comme il a le visage gai ! » Il dira comme l'un d'entre nous : « Cette salle jouit d'une belle vue ; il fait clair, il fait un beau soleil. » Il y a plus : car, parce que nous nous amusons à la chasse, à la paume, au tir au but, et qu'il en a ouï dire, il s'y affectionne et s'y embesogne, et il croit y avoir la même part que nous y avons. Il s'y pique et s'y plaît, et il ne les reçoit pourtant que par les oreilles ! On lui crie que voilà un lièvre quand on est en quelque belle esplanade où il puisse piquer, et puis on lui dit encore que voilà un lièvre de pris, et le voilà aussi fier de sa prise qu'il entend dire aux autres qu'ils le sont. La balle, il la prend à la main gauche, et la pousse avec sa raquette. De l'arquebuse, il en tire au jugé, et il se contente de ce que ses gens lui disent qu'il est ou trop haut ou à côté.

1. Lucrèce, IV, 489-490.

Sait-on bien si le genre humain ne fait pas une sottise pareille, faute de quelque sens, et que par ce défaut, la plupart du visage des choses nous soit caché ? Sait-on si les difficultés que nous trouvons dans plusieurs ouvrages de la nature ne viennent pas de là ? Et si plusieurs actions des animaux qui excèdent notre capacité ne sont pas produites par la faculté de quelque sens que nous aurions à dire ? Et si certains d'entre eux n'ont pas par ce moyen une vie plus pleine et plus entière que la nôtre ? Nous saisissons la pomme quasi par tous nos sens : nous y trouvons de la rougeur, du poli, de l'odeur et de la douceur : outre cela, elle peut avoir d'autres vertus, comme d'assécher ou d'être astringente, auxquelles nous n'avons point de sens qui se puisse rapporter. Les propriétés que nous appelons occultes en plusieurs choses, comme celle qu'a l'aimant d'attirer le fer, n'est-il pas vraisemblable qu'il y a dans la nature des facultés sensorielles propres à les juger et à les apercevoir, et que le défaut de ce genre de facultés nous apporte l'ignorance de la vraie essence de pareilles choses ? C'est d'aventure quelque sens particulier qui découvre aux coqs l'heure du matin et de minuit, et qui les pousse à chanter ; qui apprend aux poules, avant tout usage et expérience, à craindre un épervier, et non une oie, ni un paon, de plus grandes bêtes pourtant ; qui avertit les poulets de l'hostilité du chat envers eux, et à ne se défier pas du chien ; à s'armer contre le miaulement, voix quelque peu caressante, et non contre l'aboi, voix âpre et querelleuse ; aux frelons, aux fourmis, et aux rats, à choisir toujours le meilleur fromage et la meilleure poire, avant que d'en avoir tâté ; et qui achemine le cerf, l'éléphant et le serpent à la connaissance de certaine herbe propre à leur guérison. Il n'y a sens qui n'ait un vaste domaine et qui n'apporte par son moyen un nombre infini de connaissances. Si nous étions dépourvus de l'intelligence des sons, de l'harmonie, et de la voix, cela apporterait une confusion inimaginable à tout le reste de notre science. Car outre ce qui est attaché au propre effet de chaque sens, combien d'arguments, de conséquences, et de conclusions tirons-nous des autres choses par la comparaison d'un sens à l'autre ? Qu'un homme entendu imagine l'humaine nature produite originellement sans la vue, et qu'il réfléchisse et voie combien d'ignorance et de trouble lui apporterait un tel défaut, combien de ténèbres et d'aveuglement en notre âme : on verra par là combien nous importe, pour la connaissance de la vérité, la privation d'un autre tel sens, ou de deux, ou de trois, si elle est en nous. Nous avons formé une vérité par la consultation et le concours de nos cinq sens, mais d'aventure y fallait-il l'accord de huit, ou de dix sens, et leur contribution pour l'apercevoir certainement et dans son essence.

Les sectes qui combattent la science de l'homme, elles la combattent principalement par l'incertitude et faiblesse de nos sens. Car puisque toute connaissance vient en nous par leur entremise et leur moyen, s'ils défaillent dans le rapport qu'ils nous font, s'ils corrompent ou altèrent ce qu'ils nous charrient du dehors, si la lumière qui par eux coule en notre âme est obscurcie au passage, nous n'avons plus de quoi tenir. De cette extrême difficulté sont nées toutes ces opinions, que chaque objet a en soi tout ce que nous y trouvons ; qu'il n'a rien de ce que nous y pensons trouver, et celle des Épicuriens le juge, eux qui soutiennent que le soleil n'est pas plus grand que ce que nous le voyons [1] :

Sa figure en tout cas n'est là-haut plus large ni ronde
Que ce que paraît être aux yeux ce que nous la voyons
Quicquid id est, nihilo fertur maiore figura,
Quam nostris oculis quam cernimus esse uidetur, [2]

que les apparences qui représentent un corps grand à celui qui en est proche et plus petit à celui qui en est éloigné sont toutes deux vraies :

Là pourtant nous refusons que l'œil puisse en rien errer
Nec tamen hic oculis falli concedimus hilum, [3]

N'imputons donc à l'œil les erreurs de l'esprit
Proinde animi uitium hoc oculis adfingere noli, [4]

et, résolument, qu'il n'y a aucune tromperie de la part des sens, qu'il faut nous rendre à leur merci, et chercher ailleurs des raisons pour excuser la différence et la contradiction que nous y trouvons, voire inventer tout autre mensonge ou rêverie (ils en viennent jusque-là) plutôt que d'accuser les sens. Timagoras jurait qu'alors même qu'il pressait ou biaisait son œil, il n'avait jamais pour autant vu doubler la lumière de la chandelle, et que cette semblance venait de l'erreur de

1. Une fois de plus Montaigne se contente de reconduire l'interprétation et les railleries traditionnelles à ce sujet depuis l'antiquité. En fait, ni Épicure ni Lucrèce ne parlent ici de la *grandeur* en soi du soleil, mais seulement de sa *magnitude* (diamètre apparent d'un corps céleste rapporté à sa distance à nous) et leur proposition cesse alors d'être aussi absurde qu'il y paraît : l'œil reçoit bien toute la lumière émise par le soleil, et sa taille perçue ne nous trompe que si nous ne savons l'interpréter droitement : en cela comme ailleurs, c'est l'esprit qui nous déçoit, non les sens.

2. Lucrèce, V, 577-578.

3. Lucrèce, V, 379.

4. Lucrèce, V, 386.

l'opinion, non pas de l'instrument. De toutes les absurdités la plus absurde pour les épicuriens est de désavouer la force et l'effet des sens :

À tout moment ainsi leurs enseignements restent vrais.
Et si la raison se retrouve incapable jamais
D'expliquer pourquoi tel donjon, carré de près, nous semble
Rond de loin, mieux vaut encore, au défaut de la raison,
Rendre un compte erroné de ces deux aspects joints ensemble
Que, dans nos mains, de l'évidence échappant la leçon,
Trahir la foi première, et de fond en comble abattre
L'assise où pour la vie et le salut l'on peut combattre.
Outre que la raison tout entière ruinerait,
L'on mourrait aussitôt, si l'on n'osait plus nos sens croire,
Et nous garder de l'abîme ou de tout autre déboire
De ce genre qu'il nous faut fuir

Proinde quod in quoquest his uisum tempore, uerumst.
Et si non poterit ratio dissoluere causam,
Cur ea quæ fuerint iuxtim quadrata, procul sint
Visa rotunda, tamen præstat rationis egentem
Reddere mendose causas utriusque figuræ,
Quam manibus manifesta suis emittere quoquam,
Et uiolare fidem primam, et conuellere tota
Fundamenta quibus nixatur uita salusque.
Non modo enim ratio ruat omnis, uita quoque ipsa
Concidat extemplo, nisi credere sensibus ausis,
Præcipitesque locos uitare, et cætera quæ sint
In genere hoc fugienda. [1]

Ce conseil désespéré et si peu philosophique ne représente autre chose, sinon que l'humaine science ne peut se maintenir que par une raison déraisonnable, folle et forcenée, mais qu'encore vaut-il mieux que l'homme, pour se faire valoir, s'en serve, et de tout autre remède, tant fantastique soit-il, que d'avouer sa nécessaire bêtise, vérité si désavantageuse ! Il ne peut fuir que les sens ne soient les souverains maîtres de sa connaissance, mais ils sont incertains et falsifiables en toutes circonstances. C'est là où il faut se battre à outrance, et, si les forces justes nous font défaut, comme elles le font, y employer l'opiniâtreté, la témérité, l'impudence.

Au cas que ce que disent les Épicuriens soit vrai, à savoir que nous n'avons pas de science si les apparences des sens sont fausses, et s'il est également vrai, comme disent les Stoïciens, que les apparences des sens sont si fausses qu'elles ne nous peuvent conduire à aucune science, nous conclurons aux dépens de ces deux grandes sectes dogmatiques qu'il n'y a donc point de science.

1. Lucrèce, IV, 499-510.

Quant à l'erreur et incertitude de l'opération des sens, chacun peut s'en fournir autant d'exemples qu'il lui plaira, tant les fautes et les tromperies qu'ils nous font sont ordinaires. Dans la résonance d'un vallon, le son d'une trompette semble venir devant nous qui vient d'une lieue derrière.

Sur la mer au loin droit devant se dessinent des monts
Extantesque procul medio de gurgite montes
On croit qu'ils ne font qu'un alors qu'ils sont distincts
Iidem apparent longe diuersi licet.
Fuyant la poupe, on voit filer les coteaux et les champs
Tandis que nous doublons ce cap
Et fugere ad puppim colles campique uidentur
Quos agimus propter nauim.
Arrêtée au milieu de l'eau ma monture intrépide :
Semble par une force emportée à contre-courant,
Et contremont happée irrésistiblement
ubi in medio nobis equus acer obhæsit
Flumine, equi corpus transuersum ferre uidetur
Vis, et in aduersum flumen contrudere raptim. [1]

Quand on manie une balle d'arquebuse sous le second doigt, celui du milieu étant replié par-dessus, il faut extrêmement se contraindre pour avouer qu'il n'y en ait qu'une, tant le sens nous en représente deux. Car que les sens soient maintes fois maîtres de la raison et la contraignent à recevoir des impressions qu'elle sait et juge fausses, cela se voit à tous coups. Je laisse à part le sens du toucher : son action, plus immédiate, plus vive et plus concrète, renverse tant de fois par l'effet de la douleur qu'il inflige au corps toutes ces belles résolutions stoïques et contraint de crier « au ventre ! » tel qui dans son âme a pourtant établi avec la plus ferme résolution ce dogme que la colique, comme toute autre maladie et douleur, est une chose indifférente, qui n'a pas la force de rien rabattre du souverain bonheur et de la félicité dans laquelle le sage est logé grâce à sa vertu. Il n'est cœur si mou que le son de nos tambourins et de nos trompettes n'échauffe, ni si dur que la douceur de la musique n'éveille et ne chatouille ; ni âme si revêche qui ne se sente touchée de quelque révérence quand elle considère cette vastité sombre de nos églises, la diversité des ornements, et l'ordre de nos cérémonies, et qu'elle entend le son dévotieux de nos orgues et l'harmonie si posée et si religieuse de nos voix. Ceux-là mêmes qui y entrent avec mépris ressentent quelque frisson au cœur, et quelque hérissement du poil qui les met en défiance de leur opinion.

1. Lucrèce, IV, 397-399, 389-390, 420-423.

Quant à moi, je ne m'estime point assez fort pour ouïr sans m'émouvoir des vers d'Horace et de Catulle chantés d'une voix talentueuse par une belle et jeune bouche. Et Zénon avait raison de dire que la voix était la fleur de la beauté. On m'a voulu faire accroire qu'un homme, que nous autres Français nous connaissons tous, m'avait fait croire, en me récitant des vers, qu'il les avait faits, qu'ils n'étaient pas tels sur le papier qu'en l'air, et que mes yeux en jugeraient à l'inverse de mes oreilles, tant la déclamation a d'influence pour donner du prix et du tour aux ouvrages qui passent à sa merci. À ce sujet, Philoxène ne manqua pas d'à-propos. Ayant entendu quelqu'un chanter faux quelque sienne composition, il se prit à fouler aux pieds et à casser des briques qui lui appartenaient, en disant : « Je romps ce qui est à toi, comme tu corromps ce qui est à moi. »

Pourquoi donc ceux-là mêmes qui se sont donné la mort sur une résolution bien arrêtée détournaient-ils la face pour ne pas voir le coup qu'ils se faisaient donner ? Et ceux qui pour leur santé désirent et commandent qu'on les incise et cautérise, que ne peuvent-ils soutenir la vue des apprêts, des outils et de l'opération du chirurgien, attendu que la vue ne doit avoir aucune part à cette douleur ? Cela ne sont-ce pas des exemples propres à vérifier l'autorité que les sens ont sur la raison ? Nous avons beau savoir que les tresses que voilà sont empruntées à un page ou à un laquais, que son rouge vient d'Espagne, et ce blanc et cette nacre de la mer océane, encore faut-il que la vue nous force par cela à trouver le bel objet plus aimable et plus agréable contre toute raison, car en cela il n'y a rien qui soit du sien :

Sa parure nous ravit, et ses pierres ! L'or élide
Ses défauts, d'elle on ne voit plus que de moindres morceaux.
Le bel objet souvent disparaît sous tous ces rinceaux :
Le riche amour trompe nos yeux derrière cette égide

Auferimur cultu, gemmis, auroque teguntur
Crimina, pars minima est ipsa puella sui.
Sæpe ubi sit quod ames inter tam multa requiras :
Decipit hac oculos aegide, diues amor. [1]

Quelle force les poètes n'accordent-ils pas au pouvoir des sens quand ils peignent Narcisse éperdu d'amour pour son ombre :

S'émerveillant lui-même à ce qui le rend merveilleux,
Sans méfiance il se désire, et, louant, il se loue ;
Convoitant convoité, il brûle de ses propres feux

1. Ovide, *Les Remèdes à l'amour*, 343-346.

Cunctaque miratur quibus est mirabilis ipse,
Se cupit imprudens, et qui probat, ipse probatur ;
Dumque petit petitur, pariterque accendit et ardet, [1]

et que dire de l'entendement de Pygmalion si troublé par l'émotion de voir sa statue d'ivoire qu'il l'aime et lui fait la cour comme si elle fût vivante :

Il la baise et croit sentir ses baisers, la prend, la serre,
Ses doigts s'impriment, croit-il, sur ces bras qu'il a touchés,
Et il craint de voir pâlir les membres qu'il a pressés
Oscula dat reddique putat, sequiturque tenétque,
Et credit tactis digitos insidere membris,
Et metuit pressos ueniat ne liuor in artus ! [2]

Qu'on loge un philosophe dans une cage de menus filets de fer clairsemés qui soit suspendue au haut des tours de Notre-Dame de Paris : il verra par raison évidente qu'il est impossible qu'il en tombe, et pourtant il ne saurait se garder, s'il n'a accoutumé le métier des couvreurs, que la vue de cette hauteur extrême ne l'épouvante et ne le transisse. Car nous avons déjà bien assez affaire de nous rassurer dans les galeries qu'on a dans nos clochers, si elles sont façonnées à jour, encore qu'elles soient de pierre. Il y en a qui ne peuvent pas seulement en supporter la pensée. Qu'on jette une poutre entre ces deux tours d'une grosseur telle qu'il nous la faut pour nous promener dessus : il n'y a sagesse philosophique de si grande fermeté qui puisse nous donner le courage d'y marcher comme nous le ferions si elle était à terre. Souvent, dans nos montagnes de deçà [3], et pourtant je suis de ceux qui ne s'effraient que médiocrement de telles choses, j'ai essayé que je ne pouvais souffrir la vue de cette profondeur infinie sans hérissement du poil et sans tremblement des jarrets et des cuisses, encore qu'il s'en fallût bien de toute ma longueur que je ne fusse tout à fait au bord, et que je n'eusse su choir sauf à me porter délibérément au danger. J'y remarquai aussi, quelque hauteur qu'il y eût, que pourvu qu'en cette pente il se présentât un arbre ou une bosse de rocher pour soutenir un peu la vue et la diviser, cela nous soulage et nous donne assurance, comme si c'était là quelque chose dont à la chute nous pussions recevoir du secours, mais que les précipices

---

1. Ovide, *Métamorphoses*, III, 424-426.
2. Ovide, *Métamorphoses*, X, 256-258.
3. « *Nos* montagnes » : les Pyrénées, pour un Gascon ; « de *deçà* » : « de ce côté-ci », du côté français, et donc : « dans notre piémont pyrénéen » (parlant du versant espagnol Montaigne aurait dit « nos montagnes de *delà*).

abrupts et unis, nous ne les pouvons pas seulement regarder sans tournoiement de tête au point qu'on ne saurait regarder en bas sans que les yeux et l'esprit ne soient tous deux pris de vertige *ut despici sine uertigine simul oculorum animique non possit,* [1] ce qui est une évidente imposture de la vue. Ce fut pourquoi ce beau philosophe se creva les yeux [2] pour délivrer l'âme du divertissement qu'elle en recevait, et pouvoir philosopher plus librement. Mais à ce compte, il devait aussi se faire étouper les oreilles, que Théophraste dit être le plus dangereux instrument que nous ayons pour recevoir des impressions violentes propres à nous troubler et à nous changer, et c'est de tous ses autres sens enfin qu'il aurait dû se priver, c'est-à-dire de son être et de sa vie. Car ils ont tous cette puissance de commander notre jugement et notre âme : il arrive même parfois que les esprits soient très violemment troublés par une vision quelconque, parfois par la gravité des voix, par des chants, parfois même par un souci, une crainte *fit etiam sæpe specie quadam, sæpe uocum grauitate et cantibus, ut pellantur animi uehementius : sæpe etiam cura et timore.* [3] Les médecins assurent qu'il y a certains tempéraments qui sous l'effet de certains sons et de certains instruments s'agitent jusqu'à la fureur. J'en ai vu qui ne pouvaient ouïr ronger un os sous leur table sans perdre patience, et il n'est guère d'homme qui ne se trouble à ce bruit acide et crispant que font les limes en raclant le fer, comme à ouïr mâcher près de nous, ou ouïr parler quelqu'un qui ait le passage du gosier ou du nez empêché : plusieurs s'en émeuvent jusqu'à la colère et la haine. Ce fameux flûtiste, souffleur officiel de Gracchus, qui assouplissait, roidissait, et modulait la voix de son maître lorsqu'il haranguait à Rome, à quoi servait-il si le mouvement et la qualité du son n'avaient la force d'émouvoir et d'altérer le jugement des auditeurs ? Vraiment, il y a bien de quoi faire si grande fête de la fermeté de ce bel élément qui se laisse manier et changer par le branle et les accidents d'un si léger vent !

Cette même duperie que les sens apportent à notre entendement, ils la reçoivent à leur tour. Notre âme parfois s'en revanche de même, ils mentent, et se trompent à l'envi. Ce que nous voyons et oyons agités de colère, nous ne l'oyons pas tel qu'il est :

Voici paraître deux soleils et une double Thèbes
Et solem geminum, et duplices se ostendere Thebas. [4]

L'objet que nous aimons nous semble plus beau qu'il n'est,

---

1. Tite-Live, XLIV, VI, 8.
2. Démocrite.
3. Cicéron, *De divinatione*, I, XXXVI, 80.
4. Virgile, *Énéide*, IV, 470.

Ainsi que d'horreurs ne voit-on, vrais monstres de laideurs,
Charmer tous les regards et traîner après soi les cœurs

Multimodis igitur prauas turpesque uidemus
Esse in delitiis, summoque in honore uigere, [1]

et plus laid celui que nous avons à contrecœur. À un homme ennuyé et affligé, la clarté du jour semble obscurcie et ténébreuse. Nos sens sont non seulement altérés, mais souvent tout à fait hébétés par les passions de l'âme. Combien de choses voyons-nous que nous n'apercevons pas si nous avons notre esprit empêché ailleurs ?

Mais le monde visible aussi nous le fait bien savoir :
Quand notre regard est distrait, tout spectacle s'y passe
Comme en une perspective éloignée où tout s'efface

in rebus quoque apertis noscere possis,
Si non aduertas animum proinde esse quasi omni
Tempore semotum fuerint, longeque remotum. [2]

Il semble que l'âme attire au-dedans et amuse les puissances des sens. Ainsi et le dedans et le dehors de l'homme sont pleins de faiblesse et de mensonge.

Ceux qui ont comparé notre vie à un songe ont eu raison, d'aventure plus qu'ils ne pensaient. Quand nous songeons, notre âme vit, agit, exerce toutes ses facultés, ni plus ni moins que quand elle veille, mais pourtant plus mollement et plus obscurément ; non certes que la différence y soit comme de la nuit à une vive clarté, mais, oui, comme de la nuit à l'ombre : là elle dort, ici elle sommeille, plus ou moins. Ce sont toujours des ténèbres, et des ténèbres cimmériennes. Nous veillons dormant, et veillant dormons. Je ne vois pas si clair dans le sommeil : mais quant au veiller, je ne le trouve jamais assez pur et sans nuage. Encore le sommeil en sa profondeur endort-il parfois les songes ; mais notre veiller n'est jamais si éveillé qu'il purge et dissipe bien à point les rêveries, qui sont les songes des éveillés, et pires que les songes. Notre raison et notre âme recevant les images et les opinions qui lui naissent en dormant, et considérant les actions de nos songes avec la même approbation qu'elle donne à celles du jour, pourquoi ne mettons-nous pas en doute si notre penser, notre agir, ne seraient pas une autre façon de songer, et notre veille quelque espèce de sommeil ?

Si les sens sont nos premiers juges, ce ne sont pas les nôtres qu'il faut seuls appeler au conseil, car pour cette faculté les animaux ont autant ou plus de droit que nous. Il est certain que certains ont l'ouïe

1. Lucrèce, IV, 1155-1156.
2. Lucrèce, IV, 811-813.

plus aiguë que l'homme, d'autres la vue, d'autres le sentiment, d'autres le toucher ou le goût. Démocrite disait que les dieux et les bêtes avaient les facultés sensitives beaucoup plus parfaites que l'homme. Or entre les effets de leurs sens et les nôtres, la différence est extrême. Notre salive nettoie et assèche nos plaies, elle tue le serpent :

Nous différons tous sur ce point et si diversement
Que ce dont périt l'un puisse être ce dont l'autre vive.
Ainsi du serpent qui, touché par l'humaine salive,
Se dilacère en se mâchant lui-même à belle dent

Tantaque in his rebus distantia differitasque est,
Ut quod aliis cibus est, aliis fuat acre uenenum.
Sæpe etenim serpens, hominis contacta saliua,
Disperit, ac sese mandendo conficit ipsa. [1]

Quelle propriété attribuerons-nous à la salive, sera-ce selon nous, ou selon le serpent ? Par lequel des deux sens vérifierons-nous sa véritable essence que nous cherchons ? Pline dit qu'il y a aux Indes certains lièvres marins qui pour nous sont un poison, et nous pour eux, de manière que par le seul attouchement nous les tuons : quoi donc sera véritablement poison, ou l'homme, ou le poisson ? Que croirons-nous vrai, ou le poisson pour l'homme, ou l'homme pour poisson ? Telle qualité d'air infecte l'homme, sans nuire au bœuf, telle autre le bœuf, sans nuire à l'homme : laquelle des deux possédera en vérité et par nature la qualité pestilentielle ? Ceux qui ont la jaunisse voient toutes choses jaunâtres et plus pâles que nous :

Dans la jaunisse aussi, tout se teinte de chrome

Lurida præterea fiunt quæcunque tuentur
Arquati. [2]

Ceux qui ont cette maladie que les médecins nomment « hyposphragma », qui est un épanchement de sang sous la peau, voient toutes choses rouges et sanglantes. Ces humeurs qui changent ainsi les opérations de notre vue, savons-nous bien si elles ne prédominent pas chez les bêtes, et ne leur sont ordinaires ? Car nous en voyons les unes qui ont les yeux jaunes, comme nos malades de jaunisse, d'autres qui les ont sanglants de rougeur : à celles-là, il est vraisemblable que la couleur des objets paraît autre qu'à nous : quel jugement des deux sera le vrai ? Car il n'est pas dit que l'essence des choses se rapporte à l'homme seul. La dureté, la blancheur, la profondeur, et l'aigreur touchent le service et la science des animaux, non moins que la nôtre :

1. Lucrèce, IV, 636-639.
2. Lucrèce, IV, 332-333.

Nature leur en a donné l'usage comme à nous. Quand nous pressons l'œil, les corps que nous regardons, nous les apercevons plus longs et plus étendus ; plusieurs bêtes ont l'œil ainsi pressé : cette longueur est donc d'aventure la véritable forme de ce corps, et non pas celle que nos yeux lui donnent en leur assiette ordinaire. Si nous serrons l'œil par-dessous, les choses nous semblent doubles :

La flamme qui fleurit au haut des flambeaux se dédouble...
Doubles sont les traits et le corps de chacun de nos gens
Bina lucernarum florentia lumina flammis...
Et duplices hominum facies, et corpora bina. [1]

Si nous avons les oreilles empêchées de quelque chose, ou le passage de l'ouïe resserré, nous recevons le son autre que nous ne le faisons ordinairement : les animaux qui ont les oreilles velues, ou qui n'ont qu'un bien petit trou au lieu de l'oreille, ils n'entendent par conséquent pas ce que nous entendons, et reçoivent un son autre. Nous voyons aux fêtes et aux théâtres que si l'on interpose devant la lumière des flambeaux une vitre teinte en quelque couleur, tout ce qui est en ce lieu nous apparaît ou vert, ou jaune, ou violet :

Vois-tu pas ces grands vélums, dont le safran, l'écarlate,
L'azur, des théâtres parfois ombrageant les hauteurs,
Flottent tendus au haut des mâts sur lesquels ils faseyent ?
Sous ces voiles, les gradins, les bonnes gens qui s'asseyent,
La scène et le décor, la toge ondée des sénateurs,
Tout enfin se moire et s'empreint d'un efflux de couleurs
Et uolgo faciunt id lutea russaque uela,
Et ferrugina, cum magnis intenta theatris
Per malos uolgata trabisque trementia flutant ;
Namque ibi concessum caueai subter, et omnem
Scaenai speciem, patrum mattumque decorem
Inficiunt, coguntque suo fluitare colore. [2]

Il est vraisemblable que les yeux des animaux que nous voyons être de diverses couleurs leur représentent les apparences des corps conformément à leurs yeux.

Pour juger de l'opération des sens, il faudrait donc que nous en fussions premièrement d'accord avec les bêtes, secondement entre nous-mêmes. Ce que nous ne sommes aucunement, et nous entrons en débat à tous les coups sur le fait que l'un entend, voit, ou goûte

1. Lucrèce, IV, 450 et 452.
2. Lucrèce, IV, 75-80. Pour le vers 79, je rétablis la conjecture que j'ai proposée dans mon édition de Lucrèce, le texte vulgaire étant ici désespérément corrompu.

quelque chose autrement qu'un autre, et nous débattons autant que d'autre chose de la diversité des images que les sens nous rapportent. Autrement entend et voit, par la règle ordinaire de la nature, et autrement goûte, un enfant qu'un homme de trente ans, et celui-ci autrement qu'un sexagénaire. Les sens sont chez les uns plus obscurs et plus sombres, chez les autres plus ouverts et plus aigus. Nous recevons les choses bien autrement selon ce que nous sommes, et ce qu'il nous semble. Or notre sembler étant si incertain et si controversé, ce n'est plus merveille si on nous dit que nous pouvons avouer que la neige nous apparaît blanche, mais que pour ce qui est d'établir si elle est telle par essence, et à la vérité, cela nous ne saurions en répondre : et une fois ce commencement ébranlé, toute la science du monde s'en va nécessairement à vau-l'eau. Que dire du fait que nos sens mêmes s'entre-empêchent l'un l'autre ? Une peinture semble en relief à la vue, au toucher elle semble plate. Dirons-nous que le musc soit agréable ou non, lui qui réjouit notre sentir, et offense notre goût ? Il y a des herbes et des onguents propres à une partie du corps qui en blessent une autre : le miel est plaisant au goût, mal plaisant à la vue. Les bagues dont la gravure prend la forme de ces plumes qu'en termes d'héraldique on appelle « pennes sans fin », il n'y a œil qui puisse en discerner la largeur, et qui sût se défendre de cette illusion qu'elles n'aillent d'un côté en s'élargissant et de l'autre en s'appointant et s'étrécissant, même quand on les roule autour du doigt : toutefois, au toucher, elles vous semblent égales en largeur et partout pareilles.

Ces personnes qui, dans l'antiquité, pour aider leur volupté se servaient de miroirs propres à grossir et agrandir l'objet qu'ils représentent, afin que les corps qu'ils avaient à embesogner leur plussent davantage par ce grossissement oculaire, auquel des deux sens donnaient-ils donc la palme, ou à la vue qui leur représentait ces membres gros et grands à souhait, ou au toucher qui les leur présentait petits et dédaignables ?

Sont-ce nos sens qui prêtent à l'objet ses diverses propriétés, alors que les objets n'en auraient pourtant qu'une ? Comme nous le voyons pour le pain que nous mangeons : ce n'est toujours que du pain, mais notre utilisation le transforme en os, en sang, en chair, en poils, et en ongles :

Ainsi les aliments transmis de vaisseaux en vaisseaux
Se défont pour recomposer des agrégats nouveaux

Ut cibus in membra atque artus cum diditur omnes
Disperit, atque aliam naturam sufficit ex se. [1]

1. Lucrèce, III, 703-704.

L'eau que suce la racine d'un arbre, elle devient tronc, feuille et fruit ; et alors que l'air n'est qu'un, quand on le souffle dans une trompette, il se diversifie en mille sortes de sons : sont-ce, dis-je, nos sens qui de même façonnent ces objets avec diverses qualités, ou les possèdent-ils bien telles ? Et dans ce doute que pouvons-nous résoudre à propos de leur véritable essence ? Mais mieux, puisque les accidents des maladies, de la rêverie, ou du sommeil, nous font paraître les choses autres qu'elles ne paraissent aux bien portants, aux sages, et à ceux qui veillent, n'est-il pas vraisemblable que notre assiette normale, et nos humeurs naturelles, ont aussi de quoi prêter aux choses une forme d'être en rapport avec leur condition, qu'elles ont de quoi les accommoder à soi, tout comme le font les humeurs déréglées, et que notre santé est aussi capable de leur prêter son visage, non moins que la maladie ? Pourquoi le tempérant n'imprimerait-il pas aux objets quelque forme qui fût en rapport avec son état, non moins que l'intempérant, et pourquoi n'y empreindrait-il pas pareillement son caractère personnel ? Le dégoûté trouve son vin fade, le bien portant, savoureux, l'assoiffé, gouleyant. Or notre état accommodant les choses à soi, et les transformant selon soi, nous ne savons plus ce que sont les choses en vérité, car rien ne vient à nous que falsifié et altéré par nos sens. Quand le compas, l'équerre, et la règle sont gauches, toutes les proportions que l'on en tire, tous les bâtiments que l'on édifie selon leurs mesures, sont aussi nécessairement manchots et défaillants. L'incertitude de nos sens rend incertain tout ce qu'ils produisent :

Tout ainsi que quand sa règle est torte pour commencer,
Quand son équerre est fausse et de l'angle droit peut chasser,
Et que le niveau même à son tour d'un poil cloche,
Un maçon bâtit de guingois, que son mur prend du gauche,
Vrille, hoche du nez, dodine, s'affaisse, dissone,
Semble tout près de choir et ruine enfin en effet,
Tant il a mal pris sa mesure au premier trait de fait,
De même, le jugement se gauchit et déraisonne
S'il part d'un rapport des sens que l'esprit a contrefait

Denique ut in fabrica, si prauast regula prima,
Normaque si fallax rectis regionibus exit,
Et libella aliqua si ex parte claudicat hilum,
Omnia mendose fieri atque obstipa necessust,
Praua, cubantia, prona, supina, atque absona tecta,
Jam ruere ut quædam uideantur uelle, ruantque
Prodita iudiciis fallacibus omnia primis.
Sic igitur ratio tibi rerum praua necessest
Falsaque sit falsis quaecumque a sensibus ortast. [1]

1. Lucrèce, IV, 513-521.

Au demeurant qui sera propre à juger de ces différences ? Comme nous disons à propos des débats sur la religion qu'il nous faut un juge qui ne soit attaché ni à l'un ni à l'autre parti, exempt de choix et d'affection, ce qui ne se peut parmi les chrétiens, il en advient de même ici : car s'il est vieil, il ne peut juger de la façon de sentir de la vieillesse, étant lui-même partie en ce débat ; s'il est jeune, de même ; sain, de même ; de même, malade, dormant, et veillant : il nous faudrait quelqu'un qui fût exempt de toutes ces qualités, afin que, sans préjugé, il jugeât de ces propositions comme de choses qui lui fussent indifférentes : et à ce compte, il nous faudrait un juge qui ne fût pas !

Pour juger des apparences que nous recevons des sujets, il nous faudrait un instrument de contrôle ; pour vérifier cet instrument, il nous y faut de la démonstration ; pour vérifier la démonstration, un instrument : nous voilà au rouet. Puisque les sens ne peuvent arrêter notre dispute, étant pleins eux-mêmes d'incertitude, il faut que ce soit la raison, or aucune raison ne s'établira sans une autre raison, et nous voilà à reculons jusqu'à l'infini. Notre imagination ne s'applique pas aux choses étrangères, mais elle est conçue par l'entremise des sens, et les sens ne comprennent pas l'objet étranger, mais seulement les impressions qu'ils s'en forment eux-mêmes. Ainsi l'image et l'apparence ne sont pas propres à l'objet, mais seulement aux impressions que subissent et supportent les sens. Or cette impression, et l'objet, ce sont deux choses différentes. C'est pourquoi qui juge par les apparences, juge par chose autre que par l'objet. Et si l'on dit que les impressions des sens rapportent à l'âme la qualité des objets étrangers par analogie, comment l'âme et l'entendement peuvent-ils s'assurer de cette ressemblance, eux qui n'ont de soi nul commerce avec les objets étrangers ? Tout ainsi que celui qui ne connaît pas Socrate, en voyant son portrait, ne peut dire qu'il lui ressemble. Or qui voudrait toutefois juger par les apparences, si c'est par toutes, c'est impossible, car elles s'entre-empêchent par leurs contrariétés et leurs discrépances, comme nous le voyons à l'expérience. Sera-ce alors que certaines apparences choisies régleraient les autres ? Mais il faudra vérifier celle qu'on aura choisie par une autre choisie, la seconde par la tierce, et par ainsi ce ne sera jamais fait.

Finalement, il n'y a aucune constante existence, ni de notre être, ni de celui des objets. Et nous, et notre jugement, et toutes choses mortelles, allons coulant et roulant sans cesse. Ainsi il ne se peut rien établir de certain de l'un à l'autre, et le jugeant, et le jugé, étant en continuelle mutation et branle. Nous n'avons aucune communication à l'être, parce que toute humaine nature est toujours au milieu, entre le naître et le mourir, ne baillant d'elle-même qu'une apparence et qu'une ombre obscures, et une opinion incertaine et débile. Et si de fortune vous fixez votre pensée à vouloir prendre son être, ce sera ni plus ni moins que qui voudrait empoigner de l'eau, car tant plus il serrera et pressera ce qui de sa nature coule partout, tant plus il perdra ce qu'il voulait tenir et empoigner. Ainsi, vu que toutes choses sont sujettes à passer d'un changement en un autre, la raison qui y cherche une réelle subsistance, se trouve déçue, ne pouvant rien appréhender de subsistant et de permanent, parce que tout ou bien vient à être, et n'est pas encore tout à fait, ou bien commence à mourir avant que d'être né. Platon disait que les corps n'avaient jamais existence, oui bien naissance, estimant qu'Homère eût fait l'Océan père des dieux, et Thétis la mère pour nous montrer que toutes choses sont en fluxion, muance et variation perpétuelle. Opinion commune à tous les philosophes avant son temps, comme il dit, sauf le seul Parménide qui refusait le mouvement aux choses, de la force duquel il fait grand cas. Quant à Pythagore, il soutenait que toute matière est coulante et labile ; les stoïciens, qu'il n'y a point de temps présent, et que ce que nous appelons présent n'est que la jointure et l'assemblage du futur et du passé ; Héraclite, que jamais homme n'était deux fois entré en même rivière ; Épicharme, que celui qui a jadis emprunté de l'argent, ne le doit pas maintenant, et que celui qui a été convié hier au soir à venir dîner ce matin, vient aujourd'hui non convié, attendu que ce ne sont plus eux, et qu'ils sont devenus autres, ajoutant qu'aucune substance mortelle ne pouvait se trouver deux fois dans le même état, car, avec la soudaineté et la légèreté des changements, tantôt elle se dissipe, tantôt elle se rassemble, elle vient, et puis s'en va, de façon que ce qui commence à naître ne parvient jamais jusqu'à la perfection d'être. Pour la raison que ce naître ne s'achève jamais, et jamais ne s'arrête comme une chose arrivée au bout, mais que, depuis la semence, il ne cesse de se changer et de muer d'un à autre. Comme de la semence humaine il se fait premièrement dans le ventre de la mère un fruit sans forme, puis un enfant formé, puis, une fois hors du ventre, un enfant à la mamelle ; après il devient garçon, puis conséquemment un jouvenceau ; après un homme fait, puis un homme d'âge, et pour finir un vieillard décrépit. De manière que l'âge et la génération subséquente vont toujours défaisant et gâtant la précédente :

Tout change de nature au monde à mesure de l'âge ;
Un état nouveau doit remplacer sans cesse l'ancien ;
Rien ne reste semblable à soi, tout se métamorphose,
Tout évolue, et Nature à changer contraint chaque chose

Mutat enim mundi naturam totius ætas,
Ex alioque alius status excipere omnia debet,

Nec manet ulla sui similis res, omnia migrant,
Omnia commutat natura et uertere cogit. [1]

Et puis nous autres, sottement, nous craignons une espèce de mort, là où nous en avons déjà passé et en passons tant d'autres. Car non seulement, comme disait Héraclite, la mort du feu est génération de l'air, et la mort de l'air, génération de l'eau, mais encore plus manifestement le pouvons-nous voir en nous-mêmes. La fleur de l'âge se meurt et passe quand la vieillesse survient, et la jeunesse se termine à la fleur d'âge d'homme fait, l'enfance en la jeunesse, et le premier âge meurt en l'enfance, et le jour d'hier meurt en ce jour d'hui, et le jour d'hui mourra en celui de demain, et il n'y a rien qui demeure, ni qui soit toujours un. Car qu'il en soit bien ainsi, comment se fait-il, si nous demeurons toujours mêmes et uns, que nous jouissions maintenant d'une chose et maintenant d'une autre ? Comment se fait-il que nous aimions ou haïssions des choses contraires, comment, que nous les louions ou blâmions ? Comment se fait-il que nous ayons différentes affections, si nous ne parvenons à conserver le même sentiment à propos de la même pensée ? Car il n'est pas vraisemblable que sans mutation nous prenions d'autres passions, et ce qui souffre mutation ne demeure pas un et même, et s'il n'est pas un et même, aussi n'est-il donc pas, mais en même temps que l'être en soi dans son unité, change aussi l'être simplement dans ses qualités, puisqu'il devient toujours autre d'un autre. Et par conséquent se trompent et mentent les sens naturels, qui prennent ce qui apparaît pour ce qui est, faute de bien savoir ce que c'est qui est. Mais qu'est-ce donc qui est véritablement ? Ce qui est éternel, c'est-à-dire ce qui n'a jamais eu de naissance, ni n'aura jamais de fin, et à quoi le temps n'apporte jamais aucune mutation. Car c'est chose mobile que le temps, et qui apparaît comme en ombre, avec la matière coulante et fluente toujours, sans jamais demeurer stable ni permanente, à qui appartiennent ces mots « avant » et « après », et « a été » ou « sera ». Lesquels tout de prime abord montrent à l'évidence que ce n'est pas chose qui soit, car ce serait grande sottise et fausseté tout apparente que de dire que cela soit qui n'est pas encore en être, ou qui déjà a cessé d'être. Et quant à ces mots de « présent », d'« instant », de « maintenant » par lesquels il semble que principalement nous soutenons et fondons l'intelligence du temps, dès que la raison le découvre, elle le détruit tout sur-le-champ, car elle le fend incontinent et le partage en futur et en passé, comme le voulant voir nécessairement départi en deux. Autant en

1. Lucrèce, V, 828-831.

advient-il à la nature qui est mesurée comme au temps qui la mesure, car il n'y a non plus en elle rien qui demeure, ni qui soit subsistant, mais toutes choses y sont ou nées, ou naissantes, ou mourantes. Au moyen de quoi ce serait péché de dire de Dieu, qui est le seul qui est, qu'il « fut » ou qu'il « sera », car ces termes-là sont des déclins, des passages, ou des vicissitudes de ce qui ne peut ni durer ni demeurer dans l'être. Par quoi il faut conclure que Dieu seul est, non point selon aucune mesure du temps, mais selon une éternité immuable et immobile, non mesurée par le temps, ni sujette à aucune déclinaison, devant lequel rien n'est ni après ne sera ni plus nouveau ni plus récent ; mais un réellement étant qui par un seul maintenant emplit le toujours, et il n'y a rien qui véritablement soit que lui seul : sans qu'on puisse dire « il a été », ou « il sera », sans commencement et sans fin.

À cette conclusion si religieuse d'un païen, je veux joindre seulement ce mot d'un témoin de même condition pour la fin de ce long et ennuyeux discours qui sans fin me fournirait de matière. « Ô, dit-il, la vile et abjecte chose que l'homme, s'il ne s'élève au-dessus de l'humanité ! » Voilà un bon mot, oui, et un bien utile désir, mais pareillement absurde ! Car de faire la poignée plus grande que le poing, la brassée plus grande que le bras, et d'espérer enjamber plus que de l'étendue de nos jambes, cela est impossible et monstrueux, ni que l'homme se monte au-dessus de soi et de l'humanité, car il ne peut voir que de ses yeux, ni saisir que de ses prises. Il s'élèvera si Dieu lui prête extraordinairement la main. Il s'élèvera en abandonnant et en renonçant à ses propres moyens, et en se laissant hausser et soulever par les moyens purement célestes. C'est à notre foi chrétienne, non à sa vertu stoïque, de prétendre à cette divine et miraculeuse métamorphose.

De juger de la mort d'autrui

[Chapitre XIII]

Quand nous jugeons de l'assurance d'autrui au moment de la mort, qui est sans doute la plus remarquable action de la vie humaine, il faut prendre garde à cela qu'on croit malaisément en être arrivé à ce point. Peu de gens meurent convaincus que ce soit leur heure dernière, et il n'est point d'endroit où la duperie de l'espérance nous amuse plus. Elle ne cesse de corner aux oreilles : « D'autres ont bien été plus malades sans mourir ; l'affaire n'est pas si désespérée qu'on pense ; et, au pis-aller, Dieu a bien fait d'autres miracles. » Et cela provient de ce que nous faisons trop de cas de nous. Il semble que l'universalité des choses souffre en quelque sorte de notre anéantissement, et qu'elle compatisse à notre état, parce que, étant altérée, notre vue se représente les choses de même, et m'est avis que les choses lui faillent à mesure qu'elle leur faut, comme ceux qui voyagent en mer et pour qui les montagnes, les campagnes, les villes, le ciel, et la terre vont du même branle et du même train qu'eux :

Nous avons mis en mer, villes et champs s'éloignent
Prouehimur portu, terræque urbesque recedunt. [1]

Qui vit jamais vieillesse qui ne louât le temps passé et ne blâmât le présent, chargeant le monde et les mœurs des hommes de sa misère et de son chagrin ?

Cent fois déjà, hochant le nez, geint le vieux laboureur :
« À quoi bon se mettre en eau pour une terre aussi vaine ? »
Et, voyant combien aujourd'hui d'hier peut varier,
Au bonheur de son père il se prend à rêver
Jamque caput quassans grandis suspirat arator,
Et cum tempora temporibus præsentia confert
Præteritis, laudat fortunas sæpe parentis,
Et crepat antiquum genus ut pietate repletum. [2]

Nous entraînons tout avec nous, d'où il s'ensuit que nous estimons que notre mort soit une grande chose, et qui ne passe pas si aisément, ni sans consultation solennelle des astres, *tot circa unum caput tumultuantes deos* [3] tant de dieux s'agitant autour d'une seule tête. Et nous le pensons d'autant plus que plus nous nous prisons. Comment, tant de science se perdrait-elle avec tant de dommage sans que les destinées n'en aient un souci particulier ? Une âme si rare et si exemplaire ne coûte-t-elle non plus à tuer qu'une âme populaire et inutile ? Cette vie qui en protège tant d'autres, de qui tant d'autres vies dépendent, qui occupe tant de monde à son service, remplit tant de places, se déplace-t-elle comme celle qui tient par son simple nœud ? Nul de nous ne pense assez qu'il n'est qu'un. De là viennent ces mots de César à son pilote, plus enflés que la mer qui le menaçait :

Si, sur ordre du ciel, tu fuis la route d'Italie,
Regarde-moi ; ta peur n'a qu'une raison sage :

1. Virgile, *Énéide*, III, 72.
2. Lucrèce, II, 1164, 1166-1667 et 1670.
3. Sénèque le Rhéteur, *Controverses*, I, IV.

Tu ne connais ton passager ; fonce droit dans l'orage,
Je suis ton bouclier

Italiam si caelo autore recusas,
Me pete, sola tibi causa hæc est iusta timoris,
Vectorem non nosse tuum, perrumpe procellas
Tutela secure mei, [1]

Et ceux-ci :

César croit que les périls sont dignes à présent
De son destin. Les dieux, se dit-il, vont peinant
À me renverser : m'assaillir sur ce frêle navire
D'une aussi grosse mer n'a pu même y suffire

credit iam digna pericula Cæsar
Fatis esse suis, tantusque euertere, dixit,
Me superis labor est, parua quem puppe sedentem,
Tam magno petiere mari. [2]

Et cette rêverie partagée par tout le public que le soleil à son front tout au long d'un an porta le deuil de sa mort :

Le ciel aussi Rome plaignit qu'elle eût perdu César
Quand il couvrit son front radieux d'un nimbe de rouille

Ille etiam extincto miseratus Cæsare Romam,
Cum caput obscura nitidum ferrugine texit. [3]

Et mille autres semblables, à quoi le monde se laisse si aisément duper en croyant que nos intérêts altèrent le Ciel et que son infinité se soucie de nos menues actions : Il n'est point, du ciel à nous, une familiarité telle qu'à notre mort doive aussi mourir l'éclat des étoiles *Non tanta cælo societas nobiscum est, ut nostro fato mortalis sit ille quoque siderum fulgor*. [4]

Or, juger de la fermeté d'âme et de la constance chez celui qui ne croit pas être encore certainement à l'heure du danger, quoiqu'il y soit, ce n'est pas raison. Il ne suffit pas qu'il soit mort dans cette posture s'il ne l'avait pas prise justement à cet effet. Il advient à la plupart des hommes de roidir leur contenance et leurs paroles pour en acquérir la réputation dont ils espèrent encore jouir vivants. Chez tous ceux que j'ai vus mourir, c'est la fortune, et non leur dessein, qui a déterminé leurs contenances. Et parmi ceux-là mêmes qui se sont anciennement donné la mort, il y a bien à choisir si c'est une mort soudaine ou une mort qui ait du temps. Ce cruel empereur romain

1. Lucain, V, 579-581, 583-584.
2. Lucain, V, 653-656.
3. Virgile, *Géorgiques*, I, 466-467.
4. Pline l'Ancien, II, VI, 8.

disait de ses prisonniers qu'il voulait leur faire sentir la mort, et si quelqu'un se tuait en prison, il s'écriait : « Celui-là m'est échappé ! » Il voulait allonger la mort et la faire sentir par les tortures :

Nous le vîmes : nul coup fatal n'avait été reçu
Par ce corps, qui pourtant de plaies était recru ;
Horrible cruauté que d'épargner la mort
À celui qui mourait

Vidimus et toto quamuis in corpore cæso,
Nil animæ lethale datum, moremque nefandæ
Durum sæuitiæ, pereuntis parcere morti. [1]

De vrai, ce n'est pas une si grande affaire que de décider, tout bien portant et tout rassis, de se tuer ; il est bien aisé de faire le malin avant que d'en venir aux prises. Ainsi l'homme du monde le plus efféminé, Héliogabale, au milieu de ses plus lâches voluptés, avait bien le dessein de se faire mourir délicatement quand l'occasion l'y forcerait, et, afin que sa mort ne démentît point le reste de sa vie, il avait fait bâtir exprès une tour somptueuse, dont le bas et le devant étaient planchés d'ais enrichis d'or et de pierreries pour se précipiter. Il avait aussi fait faire des cordes d'or et de soie cramoisie pour s'étrangler, et battre une épée d'or pour s'enferrer, et il gardait du venin dans des vases d'émeraude et de topaze pour s'empoisonner selon que l'envie lui prendrait de choisir entre toutes ces façons de mourir,

Ardent et courageux d'un courage forcé

impiger et fortis uirtute coacta. [2]

Toutefois, pour ce qui est de celui-là, la mollesse de ses apprêts rend plus vraisemblable que le nez lui eût soudain saigné si on l'eût mis au pied du mur ! Mais de ceux-là mêmes qui, plus vigoureux, se sont résolus à l'exécution, il faut voir, dis-je, si ç'a été d'un coup qui ôtât le loisir d'en sentir l'effet. Car, en voyant s'écouler la vie peu à peu, quand le sentiment du corps se mêle à celui de l'âme, si un moyen s'était offert de se repentir, c'est à deviner si la constance et l'obstination dans une si dangereuse volonté se fussent bien trouvées chez eux.

Pendant les guerres civiles de César, Lucius Domitius, fait prisonnier dans les Abruzzes, s'empoisonna et s'en repentit après. Il est advenu de notre temps que tel, résolu à mourir, et, faute d'avoir donné assez avant lors de son premier essai, car la démangeaison de la chair

1. Lucain, II, 178-180.
2. Lucain, IV, 798.

lui retenait le bras, se reblessa bien fort par deux ou trois fois après mais ne put jamais gagner sur lui d'enfoncer le coup. Pendant qu'on faisait le procès de Plantius Sylvanus, Urgulania, sa mère-grand, lui envoya un poignard avec lequel, n'ayant pu venir à bout de se tuer, il se fit couper les veines par ses gens. Albucilla, du temps de Tibère, qui, pour se tuer, s'était frappée trop mollement, donna encore à ses adversaires le moyen de l'emprisonner et de la faire mourir à leur mode. Autant en fit le capitaine Démosthène après sa déroute en Sicile. Et Caius Fimbria s'étant frappé trop faiblement, obtint de son valet qu'il l'achevât. Au rebours, Ostorius, alors qu'il ne pouvait se servir de son bras, dédaigna d'employer celui de son serviteur à autre chose qu'à tenir le poignard droit et ferme, et, prenant son élan, il porta lui-même sa gorge à l'encontre, et la transperça. C'est une viande à la vérité qu'il faut engloutir sans mâcher si l'on n'a pas le gosier ferré à glace, et pourtant l'empereur Adrien fit justement marquer et circonscrire sur son téton l'endroit mortel où eût à viser celui à qui il confia le soin de le tuer. Voilà pourquoi César, quand on lui demandait quelle mort il trouvait la plus souhaitable, répondit : « La moins préméditée, et la plus courte. » Si César a osé le dire, ce n'est plus de ma part une lâcheté que de le croire ! Une mort courte, dit Pline, est la souveraine chance de la vie d'un homme. Cela les fâche de la dévisager. Nul ne se peut dire résolu à la mort qui craint d'en discuter la valeur, qui ne peut la soutenir les yeux ouverts. Ceux qu'on voit aux supplices courir à leur fin et hâter et presser l'exécution, ils ne le font pas par résolution : ils veulent s'ôter le temps de la considérer. D'être morts ne les fâche pas, mais bien de mourir :

Je ne veux pas mourir, mais d'être mort bien peu me chaut
Emori nolo, sed me esse mortuum, nihili æstimo. [1]

C'est un degré de fermeté auquel j'ai expérimenté que je pourrais arriver, comme ceux qui se jettent dans les dangers ou dans la mer : les yeux fermés ! Il n'y a rien, selon moi, de plus illustre dans la vie de Socrate que d'avoir eu trente jours entiers à ruminer le décret de sa mort, de l'avoir digérée tout ce temps-là, avec une espérance très assurée, sans émoi, sans altération, et avec un train d'actions et de paroles plutôt ravalé et indifférent que tendu et relevé par le poids d'une telle méditation.

Le fameux Pomponius Atticus, à qui écrit Cicéron, étant malade, fit appeler Agrippa, son gendre, et deux ou trois autres de ses amis. Il avait vérifié par expérience, leur dit-il, qu'il ne gagnait rien à vouloir se

1. Cicéron, *Tusculanes*, I, VIII, 15.

guérir ; et, comme tout ce qu'il faisait pour allonger sa vie allongeait aussi et augmentait sa douleur, il s'était résolu à mettre fin à l'une et à l'autre. Il les priait de trouver bonne sa résolution, et, au pis-aller, de ne perdre point leur peine à l'en détourner. Or, ayant choisi de se tuer par abstinence, voilà sa maladie guérie par accident : ce remède qu'il avait employé pour se tuer le remet en santé. Les médecins et ses amis voulurent fêter un si heureux événement et s'en réjouir avec lui. Ils se trouvèrent bien trompés, car il ne leur fut pas possible pour autant de lui faire changer d'avis. Il disait que comme de toute manière il lui fallait un jour franchir ce pas, et que, puisqu'il en était si avant, il voulait s'enlever la peine de recommencer une autre fois. Celui-ci, qui a pu reconnaître la mort tout à loisir, non seulement il ne se décourage pas au moment de la rencontre, mais il s'y acharne, car, ayant obtenu satisfaction sur le point pour lequel il avait entamé le combat, il se pique par bravade d'en voir la fin. C'est bien loin au-delà de ne craindre point la mort que de la vouloir tâter et savourer !

L'histoire du philosophe Cléanthe est fort semblable. Les gencives lui avaient enflé et pourri. Les médecins lui conseillèrent le recours à une abstinence complète. Après qu'il a jeûné pendant deux jours, il se sent tellement mieux qu'ils lui annoncent sa guérison et lui permettent de retourner à son train de vie accoutumé. Lui, au rebours, goûtant déjà quelque douceur à cette défaillance, décide de ne pas reculer et de franchir ce pas dans lequel il s'était déjà fort engagé.

Tullius Marcellinus, un jeune Romain, voulant anticiper l'heure de sa destinée pour se défaire d'une maladie qui le gourmandait plus qu'il ne voulait le souffrir quoique les médecins lui en promissent une guérison certaine, sinon très soudaine, appela ses amis pour en délibérer. Les uns, dit Sénèque, lui donnaient le conseil que par lâcheté ils eussent pris pour eux-mêmes ; les autres, par flatterie, celui qu'ils pensaient devoir lui être plus agréable. Mais un stoïcien lui dit ainsi : « Ne te travaille pas, Marcellinus, comme si tu délibérais d'une chose d'importance. Ce n'est pas grand-chose que de vivre : tes valets et les bêtes vivent ; mais c'est une grande chose de mourir honnêtement, sagement, et avec constance, Songe combien il y a que tu fais la même chose : manger, boire, dormir ; boire, dormir, et manger. Nos roues sans cesse tournent dans ce cercle. Non seulement les accidents fâcheux et difficilement supportables, mais la satiété même de vivre donne envie de mourir. » Marcellinus n'avait pas besoin d'un homme qui le conseillât, mais d'un homme qui le secourût. Les serviteurs craignaient de s'en mêler. Mais ce philosophe leur fit entendre que les domestiques sont soupçonnés dès lors seulement qu'on doute si la mort du maître a été volontaire, et que, de toute façon, ce serait donner un aussi mauvais exemple de l'empêcher que de le tuer, parce que

> Sauver un homme malgré lui, c'est comme le tuer
> *Inuitum qui seruat, idem facit occidenti.* [1]

Après quoi, il fit comprendre à Marcellinus que, de même que sur nos tables le dessert est servi aux conviés une fois nos repas faits, il ne serait pas mal séant qu'une fois sa vie finie on fît aussi distribuer quelque chose à ceux qui en ont été les serviteurs. Or Marcellinus avait un cœur franc et libéral. Il fit départir quelque argent à ses serviteurs, et les consola. Au reste, il n'y fallut ni fer ni sang. Son dessein était de s'en aller de cette vie, non de s'en enfuir ; non d'échapper à la mort, mais de l'essayer. Et pour se donner tout le loisir de l'examiner, ayant renoncé à toute nourriture, le troisième jour, après s'être fait arroser d'eau tiède, il défaillit peu à peu, et non sans quelque volupté, à ce qu'il disait. De vrai, ceux qui ont eu de ces défaillances de cœur qui prennent par faiblesse disent n'en éprouver aucune douleur, mais plutôt quelque plaisir, comme dans un passage au sommeil et au repos.

Voilà des morts étudiées et digérées.

Mais afin que le seul Caton pût fournir à tout exemple de vertu, il semble que son bon destin lui fit avoir mal à la main avec laquelle il se porta le coup, pour qu'il eût tout loisir d'affronter la mort et de se colleter à elle en renforçant son courage dans le danger au lieu de l'amollir. Et si c'eût été à moi de le représenter dans son assiette la plus superbe, je l'eusse peint tout ensanglanté et déchirant ses entrailles plutôt que l'épée au poing comme le firent les statuaires de son temps. Car ce second meurtre fut bien plus furieux que le premier.

Comme notre esprit s'empêche soi-même

[Chapitre XIV]

C'est une plaisante imagination de concevoir un esprit qui balance exactement entre deux pareilles envies. Car il est indubitable qu'il ne prendra jamais parti, d'autant que l'application et le choix portent

1. Horace, *Art poétique*, 467.

inégalité de prix. Et qui nous logerait entre la bouteille et le jambon avec un égal appétit de boire et de manger, il n'y aurait sans doute d'autre remède que de mourir de soif et de faim. Pour pourvoir à cet inconvénient, les stoïciens, quand on leur demande d'où vient en notre âme l'élection de deux choses indifférentes – et qui fait que parmi un grand nombre d'écus nous en prenions l'un plutôt que l'autre alors qu'il n'y a aucune raison qui nous incline à la préférence – répondent que ce mouvement de l'âme est extraordinaire et déréglé, du fait qu'il nous vient par une impulsion étrangère, accidentelle, et fortuite. L'on pourrait plutôt dire, ce me semble, qu'aucune chose ne se présente à nous où il n'y ait quelque différence, pour légère qu'elle soit, et que, ou à la vue, ou au toucher, il y a toujours quelque choix qui nous tente et nous attire, quoique ce soit imperceptiblement. Pareillement, qui présupposera une ficelle également forte partout, il est impossible de toute impossibilité qu'elle rompe, car par où voulez-vous que la rupture commence ? Quant à rompre partout à la fois, ce n'est pas dans la nature. Qui joindrait encore à ceci les propositions des géomètres qui concluent par la certitude de leurs démonstrations à un contenu plus grand que le contenant, à un centre aussi grand que sa circonférence, et qui trouvent deux lignes s'approchant sans cesse l'une de l'autre sans jamais pouvoir se joindre, et la pierre philosophale, et quadrature du cercle, où la raison et l'effet sont si opposés, il en tirerait d'aventure quelque argument pour secourir ce mot hardi de Pline : seule certitude : rien de certain, et rien plus misérable et plus orgueilleux que l'homme *solum certum nihil esse certi, et homine nihil miserius aut superbius.* [1]

Que notre désir s'accroît par la malaisance

[Chapitre XV]

Il n'y a point de raison qui n'en ait une contraire, dit le plus sage parti des philosophes. Je remâchais tantôt ce beau mot qu'un ancien allègue en faveur du mépris de la vie : nul bien ne nous peut apporter de plaisir, si ce n'est celui à la perte duquel nous sommes préparés : *in æquo est dolor amissæ rei et timor amittendæ* [2] c'est chose égale que la douleur de la perte et la peur de perdre. Voulant affirmer par là que la jouissance de la vie ne peut nous être vraiment plaisante si nous

1. Pline l'Ancien, II, VII, 25.
2. Sénèque, *Lettres à Lucilius*, XCVIII, 6.

sommes dans la crainte de la perdre. Il se pourrait toutefois dire au rebours que nous serrons et embrassons ce bien d'autant plus étroitement et avec d'autant plus d'affection que nous le voyons nous être moins sûr et que nous craignons qu'il ne nous soit ôté. Car il se sent évidemment, comme le feu s'attise en présence d'air froid, que notre volonté s'aiguise aussi quand elle est contrecarrée :

Si Danaé n'eût été recluse en sa tour d'airain,
Danaé n'eût été jamais enceinte de Jupin

Si numquam Danaen habuisset ahenea turris,
Non esset Danae de Joue facta parens, [1]

et qu'il n'est rien qui soit naturellement si contraire à notre goût que la satiété qui vient de l'aisance, ni rien qui l'aiguise tant que la rareté et la difficulté. En toutes choses le plaisir croît en raison même du péril censé nous en éloigner *Omnium rerum uoluptas ipso quo debet fugare periculo crescit,* [2]

Galla, dis non : l'amour meurt si les joies n'ont leurs tourments

Galla nega, satiatur amor nisi gaudia torquent. [3]

Pour tenir l'amour en haleine, Lycurgue ordonna que les mariés de Lacédémone ne se pourraient pratiquer qu'à la dérobée, et que ce serait pareille honte de les rencontrer couchés ensemble qu'avec d'autres. La difficulté des rendez-vous, le danger des surprises, la honte du lendemain,

et la langueur, et le silence,
Les soupirs que le cœur de ses tréfonds élance

et languor, et silentium,
Et latere petitus imo spiritus, [4]

c'est ce qui donne son piquant à la sauce. Combien de jeux très lascivement plaisants naissent de l'honnête et vergogneuse manière de parler des œuvres de l'amour ? La volupté même cherche à s'irriter par la douleur. Elle est bien plus sucrée quand elle cuit et quand elle écorche ! La courtisane Flora disait n'avoir jamais couché avec Pompée qu'elle ne lui eût fait porter les marques de ses morsures :

Ils étreignent le bel objet jusques à la douleur,
Mordant à la meurtrir la douce lèvre en fleur

1. Ovide, *Amores*, II, XIX, 27.
2. Sénèque, *De beneficiis*, VII, IX, 3.
3. Martial, IV, XXXVIII, I.
4. Horace, *Épodes*, XI, 9-10.

Offerte à leurs baisers. Car leur jouissance est malsaine,
Quelque aiguillon secret les pousse à poindre l'être aimé,
Qui de cette fureur a fait en eux lever la graine

Quod petiere, premunt arcte, faciuntque dolorem
Corporis, et dentes inlidunt sæpe labellis :
Et stimuli subsunt qui instigant lædere idipsum
Quodcunque est, rabies unde illæ germina surgunt. [1]

Il en va ainsi partout : la difficulté donne leur prix aux choses.

Ceux de la Marche d'Ancône font plus volontiers leurs vœux à Saint-Jacques-de-Compostelle, et ceux de Galice à Notre-Dame-de-Lorette à Ancône. On fait à Liège grande fête des bains de Lucques, et en Toscane de ceux de Spa. L'on ne voit guère de Romains dans l'école d'escrime de Rome, qui est pleine de Français. Le grand Caton, aussi bien que nous, se trouva dégoûté de sa femme tant qu'elle fut sienne et la désira quand elle fut à un autre.

J'ai chassé au haras un vieux cheval dont, dès qu'il sentait des juments, on ne pouvait plus venir à bout. La facilité l'a incontinent dégoûté des siennes, mais envers les étrangères et à la première qui passe le long de son pâturage il revient à ses importuns hennissements et à ses chaleurs furieuses comme auparavant. Notre appétit méprise et outrepasse ce qui lui est en main pour courir après ce qu'il n'a pas :

Survolant ce qu'il a, tel veut prendre ce qui le fuit

Transuolat in medio posita et fugientia captat. [2]

Nous défendre quelque chose, c'est nous en donner envie :

si tu n'entreprends point de surveiller ta belle,
De se donner à moi bientôt cessera-t-elle

nisi tu seruare puellam
Incipis, incipiet desinere esse mea. [3]

Nous l'abandonner tout à fait, c'est nous en engendrer mépris. Le manque et l'abondance retombent en même inconvénient :

Toi, tu te plains d'avoir, et moi d'avoir défaut

Tibi quod superest, mihi quod defit, dolet : [4]

Le désir et la jouissance nous mettent pareillement en peine. La rigueur des maîtresses est ennuyeuse, mais l'aisance et la facilité l'est,

1. Lucrèce, IV, 1079-1080 ; 1082-1083.
2. Horace, *Satires*, I, II, 108.
3. Ovide, *Amores*, II, XIX, 47-48.
4. Térence, *Phormion*, I, 163.

à vrai dire, encore plus, d'autant que le mécontentement et la colère naissent de l'estime en laquelle nous tenons la chose désirée, aiguisent l'amour et le réchauffent, quand la satiété engendre le dégoût : c'est une passion émoussée, hébétée, lasse, et endormie.

Femme qui longtemps veut régner doit dédaigner l'amant
Si qua uolet regnare diu, contemnat amantem, [1]
amants, faites les dédaigneux,
Et hui vous viendra telle qui hier disait non
contemnite amantes,
Sic hodie ueniet si qua negauit heri. [2]

Pourquoi Poppée inventa-t-elle de masquer les beautés de son visage sinon pour leur donner plus de prix aux yeux de ses amants ? Pourquoi a-t-on voilé jusqu'au-dessous des talons ces beautés que chacun désire montrer, que chacun désire voir ? Pourquoi couvrent-elles de tant d'empêchements, empilés les uns sur les autres, les parties où logent principalement notre désir et le leur ? Et à quoi servent ces gros bastions dont les nôtres viennent d'armer leurs flancs [3] sinon à leurrer notre appétit et à nous attirer à elles en nous éloignant ?

Vers les saules elle fuit mais veut d'abord qu'on la voie
Et fugit ad salices et se cupit ante uideri. [4]
Parfois sa chemise fermée amenait du retard
Interdum tunica duxit operta moram. [5]

À quoi servent l'art de cette pudeur virginale, cette froideur étudiée, cette contenance sévère, cette profession d'ignorance des choses qu'elles savent mieux que nous qui les en instruisons, sinon à accroître en nous le désir de vaincre, de dominer, et à exciter notre appétit à fouler aux pieds toute cette cérémonie et tous ces obstacles ? Car il y a non seulement du plaisir, mais de la gloire encore à affoler et à débaucher cette molle douceur et cette pudeur enfantine, et à ranger à la merci de notre ardeur une gravité froide et magistrale. Il est glorieux, dit-on, de triompher de la modestie, de la chasteté et de la tempérance, et qui déconseille aux dames ces qualités-là, il les trahit, non moins que lui-même. Il faut croire que le cœur leur frémit d'effroi, que le son de nos mots blesse la pureté de leurs oreilles, qu'elles nous

1. Ovide, *Amores*, II, XIX, 33.
2. Properce, II, XIV, 19-20.
3. Ces « bastions », ce sont les vertugadins, qui étaient des paniers d'osier servant à maintenir les jupes largement évasées.
4. Virgile, *Les Bucoliques*, III, 65.
5. Properce, II, XV, 6.

en haïssent, et qu'elles cèdent à notre importunité par une force forcée. La beauté, toute puissante qu'elle est, n'a pas de quoi se faire savourer sans cette entremise. Voyez en Italie, où il y a le plus de beauté à vendre, et de la plus fine, comment il faut qu'elle cherche d'autres moyens étrangers et d'autres artifices pour se rendre agréable, et pourtant à la vérité, quoiqu'elle fasse, du fait qu'elle est vénale et publique, elle demeure faible et languissante. Tout ainsi que même dans la vertu, entre deux actes pareils, nous tenons néanmoins pour le plus beau et le plus digne celui dans lequel il y a le plus d'empêchement et de hasard proposé.

C'est un effet de la Providence divine que de permettre que sa sainte Église soit agitée, comme nous la voyons, par tant de troubles et d'orages, pour éveiller par ce contraste les âmes pieuses, et les ravoir de l'oisiveté et du sommeil où les avait plongées une si longue tranquillité. Si nous contrebalançons la perte que nous avons faite par le nombre de ceux qui se sont dévoyés et le gain qui nous vient pour nous être remis en haleine et avoir ressuscité notre zèle et nos forces à l'occasion de ce combat, je ne sais si l'utilité ne dépasse point le dommage.

Nous avons cru serrer plus fermement le nœud de nos mariages du fait que nous ayons ôté tout moyen de les dissoudre, mais le nœud de la volonté et de l'affection s'est d'autant dépris et relâché que celui de la contrainte s'est étréci. Et au rebours, ce qui tint les mariages à Rome si longtemps en honneur et en sûreté, ce fut la liberté de les rompre si l'on voulait. Ils gardaient d'autant mieux leurs femmes qu'ils les pouvaient perdre, et, alors qu'ils avaient pleine licence de divorcer, il se passa cinq cents ans et plus avant que nul ne s'en servît.

Le permis est ennuyeux, l'interdit pique plus fort
Quod licet ingratum est, quod non licet acrius urit. [1]

À ce propos se pourrait joindre l'opinion d'un ancien qui nous dit que les supplices aiguisent les vices plutôt qu'ils ne les amortissent, qu'ils n'engendrent point le soin de bien faire – c'est là l'œuvre de la raison et de la discipline –, mais seulement le souci de n'être pas surpris en train de commettre le mal.

Les vices excisés serpentent plus au loin
Latius excisæ pestis contagia serpunt. [2]

---

1. Ovide, *Amores*, II, XIX, 3.
2. Rutilius Namatianus, *Itinerarium*, I, 397.

Je ne sais pas si cette opinion est vraie, mais je sais ceci par expérience que jamais aucun État ne se trouva réformé par là. L'ordre et le règlement des mœurs dépendent de quelque autre moyen.

Les historiens grecs font mention des Argippéens voisins de la Scythie qui vivaient sans verge et sans bâton pour cogner : non seulement nul n'essayait d'aller les attaquer, mais quiconque avait pu se sauver chez eux, il s'y trouvait en sûreté en raison de leur vertu et de la sainteté de leur façon de vivre, et nul n'avait assez d'audace pour aller l'y toucher. On recourait à eux pour mettre au point les différends qui naissaient entre les hommes d'ailleurs. Il y a même une nation où la clôture des jardins et des champs qu'on veut préserver se fait avec un fil de coton et se trouve bien plus sûre et plus ferme que nos fossés et nos haies.

Furem signata sollicitant. Aperta effractarius prœterit [1] ce qui est sous clef attire le voleur. Le force-serrure dédaigne les portes ouvertes. D'aventure, l'aisance à y entrer sert, entre autres moyens, à couvrir ma maison de la violence de nos guerres civiles. La défense attire l'entreprise, et la défiance, l'offense. J'ai affaibli le dessein des soldats en ôtant à leur exploit le risque et toute matière à gloire militaire, ce qui leur sert habituellement de titre et d'excuse. Ce qui est fait courageusement est toujours fait honorablement en un temps où la justice est morte. Je fais que la conquête de ma maison soit de leur part lâche et traîtresse. Elle n'est close à personne qui y heurte. Il n'y a pour toute précaution qu'un portier, selon l'usage et le cérémonial d'autrefois, qui ne sert pas tant à défendre ma porte qu'à l'offrir plus décemment et plus gracieusement. Je n'ai ni garde ni sentinelle, sinon celles que les astres font pour moi.

Un gentilhomme a tort de montrer qu'il est en défense s'il ne l'est pas bien à point. Qui est ouvert d'un côté l'est partout. Nos pères ne pensèrent pas à bâtir des places frontières. Les moyens d'assaillir, j'entends sans batterie de canons et sans armée, et de surprendre nos maisons croissent tous les jours au-dessus des moyens de se garder. Les esprits s'aiguisent généralement de ce côté-là. L'offensive intéresse tout un chacun, la défense seulement les riches. Ma maison était forte pour le temps où elle fut bâtie. Je n'y ai rien ajouté de ce côté-là, et je craindrais que sa force ne se retournât contre moi-même. Sans compter qu'un temps paisible requerra qu'on les défortifie. Le risque est grand de ne les pouvoir regagner. Et il est difficile de les rendre sûres.

Car, quand il s'agit de guerres intestines, votre valet peut être du parti que vous craignez. Quand la religion sert de prétexte, on ne peut

1. Sénèque, *Lettres à Lucilius*, LXVIII, 4.

plus se fier aux parentés mêmes, qui se couvrent d'une apparence de justice. Les finances publiques n'entretiendront pas nos garnisons domestiques. Elles s'y épuiseraient. Nous n'avons pas de quoi le faire sans nous ruiner, ou plus incommodément et injurieusement encore, sans ruiner le peuple. L'état de ma perte ne serait guère pire. Au demeurant, subissez-vous une perte ? Vos amis mêmes, plus qu'à vous plaindre, s'amusent à accuser votre manque de vigilance, votre imprévoyance, et votre ignorance des devoirs de votre profession ou votre nonchalance à les remplir. Le fait que tant de maisons gardées se soient perdues, quand celle-ci dure, me fait soupçonner qu'elles se sont perdues parce qu'elles étaient gardées. Cela donne à l'assaillant à la fois l'envie et le motif. Toute garde porte le visage de la guerre. Tel pourra bien, si Dieu veut, se jeter chez moi, mais toujours est-il que je ne l'y appellerai pas. C'est là ma retraite pour me reposer des guerres. J'essaye de soustraire ce coin à la tempête publique, comme je le fais d'un autre coin dans mon âme. Notre guerre a beau changer de formes, se multiplier et se diversifier en nouveaux partis, pour moi, je ne bouge pas. Entre tant de maisons armées, moi seul, que je sache, de ma condition, ai confié au ciel seul de protéger la mienne, et je n'en ai jamais ôté ni vaisselle d'argent, ni archive, ni tapisserie. Je ne veux ni me craindre ni me sauver à demi. Si une pleine reconnaissance acquiert la faveur divine, elle me durera jusqu'au bout, sinon, j'ai toujours assez duré pour rendre ma durée remarquable et digne d'être enregistrée. Combien de temps ? Voilà bientôt trente ans !

De la gloire

[Chapitre XVI]

Il y a le nom et la chose. Le nom, c'est une parole qui marque et signifie la chose ; le nom, ce n'est pas une partie de la chose, ni de la substance : c'est une pièce étrangère jointe à la chose, et hors d'elle. Dieu, qui est en soi toute plénitude et le comble de toute perfection, ne peut s'augmenter et s'accroître au-dedans, mais son nom se peut augmenter et accroître par la bénédiction et la louange que nous donnons à ses ouvrages extérieurs. Cette louange, puisque nous ne la pouvons incorporer en lui, parce qu'il ne peut y avoir addition de bien en lui, nous l'attribuons à son nom qui est la pièce hors de lui la plus voisine. Voilà comment c'est à Dieu seul à qui la gloire et l'honneur appartiennent, et rien n'est si éloigné de la raison que de nous en mettre en quête pour nous, car comme nous sommes indigents et nécessiteux au-dedans, que notre essence est imparfaite, et que nous avons continuellement besoin d'amélioration, c'est là ce à quoi nous nous devons travailler. Nous sommes tout creux et vides. Ce n'est pas de vent et de voix que nous avons à nous remplir : il nous faut de la substance plus solide pour nous réparer. Un homme affamé serait bien simple de chercher à se pourvoir d'un beau vêtement plutôt que d'un bon repas : il faut courir au plus pressé. Comme le disent nos prières ordinaires : *Gloria in excelsis Deo, et in terra pax hominibus* [1] gloire à Dieu au plus haut des cieux, et paix aux hommes sur la terre. Nous sommes en disette de beauté, de santé, de sagesse, de vertu, et d'autres pareilles qualités essentielles. Les ornements extérieurs se chercheront après que nous aurons pourvu aux choses nécessaires. La théologie traite amplement et plus pertinemment de ce sujet, mais je n'y suis guère versé.

Chrysippe et Diogène ont été les premiers auteurs et les plus fermes à se prononcer pour le mépris de la gloire. Et, entre toutes les voluptés, ils disaient qu'il n'y en avait point de plus dangereuse ni qui fût plus à fuir que celle qui nous vient de l'approbation d'autrui. De vrai, l'expérience nous en fait sentir plusieurs trahisons bien dommageables. Il n'est chose qui empoisonne autant les princes que la flatterie, ni rien par où les méchants gagnent plus aisément crédit autour d'eux, ni maquerellage si propre et si ordinaire à corrompre la chasteté des femmes que de les repaître et de les entretenir de leurs louanges. Le premier enchantement que les Sirènes emploient à piper Ulysse est de cette nature :

Deçà vers nous, deçà, ô très louable Ulysse,
Et le plus grand honneur dont la Grèce fleurisse.

Ces philosophes-là disaient que toute la gloire du monde ne méritait pas qu'un homme d'entendement étendît seulement le doigt pour l'acquérir : Une gloire, si grande soit-elle, que sera-ce si ce n'est que gloire *gloria quantalibet quid erit, si gloria tantum est ?* [2] Je veux dire pour elle seule, car elle tire souvent à sa suite plusieurs avantages pour lesquels elle peut se rendre désirable : elle nous acquiert de la bienveillance, elle nous rend moins exposés aux injures et aux offenses d'autrui, et autres choses semblables.

C'était aussi l'un des principaux dogmes d'Épicure, car ce précepte de sa secte, « *Cache ta vie* », qui défend aux hommes de s'empêcher des charges et des affaires publiques, présuppose aussi nécessairement

1. Saint Luc, II, 14.
2. Juvénal, VII, 81.

qu'on méprise la gloire, qui est une approbation que le monde fait des actions que nous mettons en évidence. Celui qui nous ordonne de nous cacher et de n'avoir soin que de nous, et qui ne veut pas que nous soyons connus d'autrui, il veut encore moins que nous en soyons honorés et glorifiés. Aussi conseille-t-il à Idoménée de ne régler en rien ses actions par l'opinion ou la réputation commune, si ce n'est pour éviter les autres désagréments accidentels que le mépris des hommes lui pourrait apporter. Ces discours-là sont infiniment vrais, à mon avis, et raisonnables. Mais nous sommes, je ne sais comment, doubles en nous-mêmes, ce qui fait que ce que nous croyons, nous ne le croyons pas, et que nous ne nous pouvons défaire de ce que nous condamnons. Voyons les dernières paroles d'Épicure qu'il a dites en mourant. Elles sont grandes et dignes d'un tel philosophe, mais pourtant elles ont quelque marque du souci de sa réputation, et de cette humeur qu'il avait décriée par ses préceptes. Voici une lettre qu'il dicta un peu avant son dernier soupir :

> Épicure à Hermaque, salut.
> Cependant que je passais cet heureux jour, celui-là même qui est le dernier de ma vie, j'écrivais ceci, accompagné toutefois d'une telle douleur à la vessie et aux intestins qu'il ne peut rien être ajouté à sa grandeur. Mais elle était compensée par le plaisir qu'apportait à mon âme la souvenance de mes inventions et de mes discours. Maintenant toi, comme le requièrent la philosophie et l'affection que tu as eue dès ton enfance pour moi, embrasse la protection des enfants de Métrodore.

Voilà sa lettre. Et ce qui me fait interpréter que ce plaisir qu'il dit ressentir dans son âme du fait de ses inventions regarde en quelque façon la réputation qu'il en espérait acquérir après sa mort, c'est l'ordonnance de son testament, par lequel il veut qu'Aminomachos et Timocratès, ses héritiers, fournissent pour la célébration de son anniversaire, tous les mois de janvier, les frais que Hermachos ordonnerait, et aussi pour la dépense qui se ferait le vingtième jour de chaque lune pour le traitement des philosophes ses familiers, qui s'assembleraient en l'honneur de sa mémoire et de celle de Métrodore.

Carnéade a été le chef de l'opinion contraire, et il a maintenu que la gloire était pour elle-même désirable, tout ainsi que nous embrassons nos descendants pour eux-mêmes sans que nous n'en ayons aucune connaissance ni jouissance. Cette opinion n'a pas failli d'être plus communément suivie, comme le sont volontiers celles qui s'accommodent le plus à nos inclinations. Aristote lui donne le premier rang parmi les biens extérieurs : « Évite, comme deux extrêmes vicieux, l'immodération tant à la rechercher qu'à la fuir. » Je crois que si nous avions les livres que Cicéron avait écrits sur ce sujet, ils nous en conteraient de belles, car cet homme-là fut si forcené par cette passion que, s'il eût osé, il fût, je crois, volontiers tombé dans l'excès où d'autres tombèrent en estimant que la vertu même n'était désirable que pour l'honneur qui venait toujours à sa suite :

Vertu cachée diffère mie
D'une mollesse enfouie

Paulum sepultæ distat inertiæ
Celata uirtus, [1]

ce qui est une opinion si fausse que je suis dépité qu'elle ait jamais pu entrer dans l'entendement d'un homme qui eût cet honneur de porter le nom de philosophe. Si cela était vrai, il ne faudrait être vertueux qu'en public, et les opérations de l'âme, où est le vrai siège de la vertu, nous n'aurions que faire de les tenir en règle et en ordre, sinon autant qu'elles devraient venir à la connaissance d'autrui !

Ne s'agit-il donc que de faillir finement et subtilement ? Si tu sais, dit Carnéade, qu'un serpent se cache en ce lieu où sans y penser va s'asseoir celui de la mort duquel tu espères tirer profit, tu agis méchamment si tu ne l'en avertis, et d'autant plus que ton action ne doit être connue que de toi. Si nous ne prenons de nous-mêmes la loi de bien faire, si l'impunité nous tient lieu de justice, à combien de sortes de méchancetés avons-nous tous les jours à nous abandonner ? Ce que S. Peduceus fit, de rendre fidèlement ce que C. Plotius avait confié à sa seule connaissance concernant ses richesses, et ce que j'en ai fait souvent de même, je ne le trouve pas tant louable que je trouverais exécrable que nous y eussions failli. Et je trouve bon et utile à rappeler de nos jours l'exemple de P. Sextilius Rufus que Cicéron accuse d'avoir contre sa conscience recueilli un héritage qui non seulement n'allait pas contre les lois, mais lui était dévolu en vertu des lois mêmes. Quant à M. Crassus, et Q. Hortensius, qui, en raison de leur autorité et de leur pouvoir, avaient été, en échange d'une part de la succession, appelés par un étranger à une succession établie par un faux testament, afin que par ce moyen il pût en garantir sa part, ils se contentèrent de ne pas participer à la falsification, mais ne refusèrent pas d'en tirer quelque fruit, assez couverts, pensaient-ils, s'ils se tenaient à l'abri des accusations, des témoins et des lois : Qu'ils se souviennent qu'ils ont Dieu pour témoin, c'est-à-dire, à mon sens, leur propre conscience *meminerint deum se habere testem, id est, ut ego arbitror, mentem suam.* [2]

1. Horace, *Odes*, IV, IX, 29.
2. Cicéron, *De officiis*, III, X, 44.

La vertu est chose bien vaine et frivole si elle tire sa recommandation de la gloire ! C'est bien en vain que nous entreprendrions de lui faire tenir son rang à part et que nous la disjoindrions de la fortune, car qu'est-il de plus fortuit que la réputation ? Assurément la fortune est souveraine en toutes choses : elle illustre les unes, et laisse les autres dans l'ombre, selon son bon plaisir bien plus que selon la vérité *Profecto fortuna in omni re dominatur : ea res cunctas ex libidine magis quam ex uero celebrat obscuratque.* [1] De faire que les actions soient connues et vues, c'est le pur ouvrage de la fortune. C'est le sort qui nous applique la gloire, selon sa témérité. Je l'ai vue fort souvent marcher avant le mérite, et souvent outrepasser le mérite d'une longue mesure ! Celui qui le premier s'avisa de la ressemblance de l'ombre à la gloire fit mieux qu'il ne voulait : ce sont deux choses éminemment vaines. Cette ombre précède aussi parfois son corps, et quelquefois l'excède de beaucoup en longueur !

Ceux qui apprennent à la noblesse à ne chercher dans la vaillance que l'honneur, *quasi non sit honestum quod nobilitatum non sit* [2] comme s'il n'y avait point d'honneur dans ce qui ne s'est pas fait connaître, que gagnent-ils par là si ce n'est de les instruire à ne se hasarder jamais si on ne les voit pas, et à prendre bien garde s'il y a des témoins qui puissent conter nouvelles de leur valeur, alors qu'il se présente mille occasions de bien faire sans qu'on puisse être remarqué pour cela ? Combien de belles actions particulières s'ensevelissent dans la foule d'une bataille ? Quiconque s'amuse à contrôler autrui pendant une telle mêlée, il n'y est guère embesogné, et c'est à sa charge qu'il produit le témoignage qu'il donne sur les comportements de ses compagnons. La véritable et sage grandeur d'âme juge que l'honneur qui suit le plus sa nature réside dans les actes, non dans la gloire *uera et sapiens animi magnitudo, honestum illud quod maxime naturam sequitur, in factis positum, non in gloria, iudicat.* [3] Toute la gloire que je prétends tirer de ma vie, c'est de l'avoir vécue tranquille. Tranquille non point selon Métrodore, ou Arcésilas, ou Aristippe, mais selon moi. Puisque la philosophie n'a su trouver aucune voie pour la tranquillité qui fût bonne aux yeux de tous, que chacun la cherche en son particulier.

À quoi d'autre César et Alexandre doivent-ils la grandeur infinie de leur renommée sinon à la fortune ? Combien d'hommes a-t-elle éteints au commencement de leur progrès, dont nous n'avons aucune connaissance, et qui pourtant y apportaient le même courage que le leur si le malheur de leur sort ne les eût arrêtés tout court à la naissance même de leurs entreprises ? Au travers de tant de dangers, et

1. Salluste, *Conjuration de Catilina*, VIII.
2. Cicéron, *De officis*, I, IV, 14.
3. Cicéron, *De officis,* III, X, 44.

si extrêmes, il ne me souvient point d'avoir lu que César ait été jamais blessé : mille sont morts de moindres périls que le moindre de ceux qu'il franchit. D'infinies belles actions se doivent perdre sans témoignage avant qu'il en survienne une de profitable. On n'est pas toujours sur le haut d'une brèche, ou à la tête d'une armée, à la vue de son général, comme sur une scène. On est surpris entre la haie et le fossé ; il faut tenter fortune contre un poulailler ; il faut dénicher quatre chétifs arquebusiers d'une grange ; il faut seul s'écarter de la troupe et entreprendre seul selon la nécessité qui se présente. Et si l'on y prend garde, on trouvera, à mon avis, qu'il advient par expérience que les occasions les moins éclatantes sont les plus dangereuses, et que, lors des guerres qui se sont passées de notre temps, il s'est perdu plus de gens de bien dans des occasions légères et peu importantes et dans la contestation de quelque bicoque que dans des lieux dignes et honorables.

Qui tient sa mort pour mal employée si ce n'est dans une occasion signalée, au lieu d'illustrer sa mort, il obscurcit souvent sa vie, laissant échapper pendant ce temps plusieurs justes occasions de se hasarder. Et toutes les occasions justes sont bien assez illustres si sa conscience le trompette suffisamment à chacun : *gloria nostra est testimonium conscientiæ nostræ* [1] : notre conscience, voilà le témoin de notre gloire. Qui n'est homme de bien que parce qu'on le saura, et parce qu'on l'en estimera mieux après qu'on l'aura su, qui ne veut bien faire qu'à condition que sa vertu vienne à la connaissance des hommes, celui-là n'est pas une personne dont on puisse tirer beaucoup de service :

Il fit, tout cet hiver, que je crois, maintes choses
Bien dignes assurément qu'on en dise le conte,
Mais la chose à ce jour resta si bien forclose
Que je n'y suis pour rien si rien ne vous en conte,
Car l'âme de Roland, à l'exploit grandiose
Bien plus qu'à raconter toujours se montra prompte,
Et de ses faits jamais nuls ne furent contés,
Sinon quand il avait des témoins apostés

Credo ch'el resto di quel verno, cose
Facesse degne di tener ne conto,
Ma fur fin'a quel tempo si nascose,
Che non è colpa mia s'hor'non le conto,
Perche Orlando a far'opre virtuose
Piu ch'a narrar le poi sempre era pronto,
Ne mai fu alcun' de li suoi fatti espresso,
Senon quando hebbe i testimonii appresso. [2]

---

1. Cicéron, *Tusculanes*, I, XLV, 109.
2. L'Arioste, *Roland furieux*, XI, LXXXI.

Il faut aller à la guerre pour son devoir, et en attendre cette récompense qui ne peut faillir à toutes belles actions, pour occultes qu'elles soient, non pas même aux vertueuses pensées, qui est le contentement qu'une conscience bien réglée reçoit en soi quand elle agit bien. Il faut être vaillant pour soi-même, et pour l'avantage que c'est d'avoir son courage logé dans une assiette ferme et assurée contre les assauts de la fortune :

La vertu ne sait point la honte d'échouer,
L'éclat de ses honneurs, rien ne peut l'éclipser,
Et ce n'est pas le vent des avis du vulgaire
Qui lui fait déposer ou prendre les faisceaux

Virtus repulsæ nescia sordidæ,
Intaminatis fulget honoribus :
Nec sumit aut ponit secures
Arbitrio popularis auræ. [1]

Ce n'est pas pour la montre que notre âme doit jouer son rôle, c'est chez nous au-dedans, où nuls yeux ne donnent que les nôtres : là elle nous couvre de la crainte de la mort, des douleurs et de la honte même ; là, elle nous affermit contre la perte de nos enfants, de nos amis, et de nos fortunes, et quand l'opportunité s'y présente, elle nous conduit aussi aux hasards de la guerre, non point pour quelque salaire, mais pour l'éclat de l'honneur même *non emolumento aliquo, sed ipsius honestatis decore.* [2] Ce profit est bien plus grand, et bien plus digne d'être souhaité et espéré que l'honneur et la gloire qui n'est autre chose qu'un jugement favorable qu'on fait de nous.

Il faut trier parmi toute une nation une douzaine d'hommes pour juger d'un arpent de terre, et le jugement de nos inclinations et de nos actions, la plus difficile matière, et la plus importante qui soit, nous la remettons à la voix du peuple et de la tourbe, mère d'ignorance, d'injustice, et d'inconstance ! Est-ce raison de faire dépendre la vie d'un sage du jugement des fous ? Est-il rien de plus sot que d'aller croire que ceux que tu méprises individuellement vaillent quelque chose pris collectivement *an quidquam stultius quam quos singulos contemnas, eos aliquid putare esse uniuersos ?* [3] Quiconque vise à leur plaire, il n'en a jamais fini : c'est une cible qui n'a ni forme ni prise : rien d'aussi difficile à estimer que ce que pense la multitude *nil tam inæstimabile est quam animi multitudinis.*[4] Démétrios disait plaisamment de la voix du peuple qu'il ne tenait pas plus compte de

1. Horace, *Odes*, III, II, 17.
2. Cicéron, *De finibus*, I, X, 36.
3. Cicéron, *Tusculanes*, V, XXXVI, 104.
4. Tite-Live, XXXI, XXXIV, 3.

celle qui lui sortait par en haut que de celle qui lui sortait par en bas. Celui-là dit encore plus : pour moi, voilà mon avis : même quand ce n'est pas honteux, ce ne peut pas ne pas être honteux quand la multitude l'applaudit *ego hoc iudico, si quando turpe non sit, tamen non esse non turpe quum id a multitudine laudetur.* [1] Nul art, nulle souplesse d'esprit ne pourrait conduire nos pas à la suite d'un guide si dévoyé et si déréglé. Dans cette confusion venteuse de bruits de rapports et d'opinions vulgaires qui nous poussent, il ne se peut établir aucune route qui vaille. Ne nous proposons point une fin si flottante et si volage. Allons constamment après la raison. Que l'approbation publique nous suive par là, si elle veut, et comme elle dépend toute de la fortune, il ne nous est pas loisible de l'attendre par une autre voie plutôt que par celle-là. Quand je ne suivrais le droit chemin pour sa droiture, je le suivrais pour avoir trouvé par expérience qu'au bout du compte c'est communément le plus heureux et le plus utile : la providence a fait ce présent aux hommes que les actions honnêtes leur fussent aussi les plus profitables *dedit hoc prouidentia hominibus munus ut honesta magis iuuarent.* [2] Un marin, chez les anciens, disait ainsi à Neptune, dans une grande tempête : « Ô dieu, tu me sauveras si tu veux, si tu veux tu me perdras, mais pourtant je tiendrai toujours droit mon timon. » De mon temps, j'ai vu mille hommes souples, hypocrites, ambigus, et dont nul ne doutait qu'ils ne fussent des mondains plus prévoyants que moi, se perdre où je me suis sauvé :

La ruse, j'en ai ri, pouvait même échouer
Risi successu posse carere dolos ! [3]

Paul-Émile, quand il partait pour sa glorieuse expédition de Macédoine, avertit le peuple à Rome de contenir avant tout sa langue au sujet de ses actions pendant son absence. Que la licence des jugements est un grand obstacle aux grandes affaires ! D'autant que chacun n'a pas la fermeté de Fabius à l'encontre de la voix populaire, hostile et injurieuse, lui qui aima mieux laisser démembrer son autorité par les vaines lubies des hommes que de remplir moins bien sa charge avec une réputation favorable et l'assentiment du peuple. Il y a je ne sais quelle douceur naturelle à se sentir louer, mais nous lui prêtons trop, et de beaucoup :

Je n'ai pas peur d'être loué, car je ne suis de bois,
Mais que du bien le but, et le bout, soient tes « *Bien !* »,
Et tes « *Bravo !* », je le refuse, pour moi

1. Cicéron, *De finibus*, II, XV, 49.
2. Quintilien, *Institution oratoire*, I, XII, 18.
3. Ovide, *Héroïdes*, I, 18.

Laudari haud metuam, neque enim mihi cornea fibra est,
Sed recti finemque extremumque esse recuso
Euge ! tuum et belle ! [1]

Je ne me soucie pas tant de quel je suis pour autrui que de quel je suis en moi-même. Je veux être riche par moi, non par emprunt. Les étrangers ne voient que les événements et les apparences extérieures. Chacun peut faire bonne mine par le dehors tout en étant plein au-dedans de fièvre et d'effroi. Ils ne voient pas mon cœur, ils ne voient que mes contenances. On a raison de décrier l'hypocrisie qui se trouve dans la guerre, car qu'est-il de plus aisé à un homme pratique que de prendre à gauche dans les dangers et de contrefaire le malin en ayant le cœur plein de mollesse ? Il y a tant de moyens d'éviter les occasions de se hasarder en particulier que nous aurons trompé mille fois le monde avant que de nous engager dans un dangereux pas, et lors même, nous y trouvant empêtrés, nous saurons bien, pour ce coup, couvrir notre jeu d'un bon visage et d'une parole assurée quoique l'âme nous tremble au-dedans. Et qui aurait l'usage de cet anneau de Platon qui rendait invisible celui qui le portait au doigt si on le tournait vers le plat de la main, assez de gens se cacheraient souvent là où il se faut montrer le plus, et se repentiraient d'être placés dans un lieu si honorable où la nécessité leur fait prendre un air assuré :

Qui donc craint la calomnie et se plaît au faux honneur,
Sinon le malhonnête et le menteur
Falsus honor iuuat, et mendax infamia terret
Quem nisi mendosum et mendacem ? [2]

Voilà comment tous ces jugements qui se font sur les apparences extérieures sont extraordinairement incertains et douteux, et il n'est aucun témoin si assuré que chacun l'est pour lui-même.

Dans ces occasions-là, combien avons-nous de simples valets pour compagnons de notre gloire ? Celui qui se tient ferme dans une tranchée découverte, que fait-il en cela que ne fassent devant lui cinquante pauvres pionniers qui lui ouvrent le pas et le couvrent de leurs corps pour cinq sous de paye par jour ?

Quoi que puisse bien Rome en son trouble porter aux cieux,
N'en mets pas plus ! Ne pousse point le pointeau vicieux
De cette balance, et ne cherche hors de toi-même

1. Perse, I, 47-49.
2. Horace, *Épîtres*, I, XVI, 39-40.

non quicquid turbida Roma
Eleuet, accedas, examenque improbum in illa
Castiges trutina, nec te quæsiueris extra. [1]

Nous appelons agrandir notre nom, l'étendre et le semer dans plusieurs bouches. Nous voulons qu'il y soit reçu en bonne part, et que cette sienne croissance lui vienne à profit. C'est là ce qu'il peut y avoir de plus excusable dans ce dessein. Mais l'excès de cette maladie va jusque-là que plusieurs cherchent de faire parler d'eux de quelque façon que ce soit. Trogue Pompée dit de Hérotrate, et Tite-Live de Manlius Capitolinus qu'ils étaient plus désireux d'une grande que d'une bonne réputation. Ce travers est ordinaire. Nous nous soucions plus qu'on parle de nous que de la façon dont on en parle, et ce nous est assez que notre nom coure par la bouche des hommes, en quelque condition qu'il y coure. Il semble que d'être connu, ce soit en quelque sorte avoir sa vie et sa durée sous la garde d'autrui. Moi, je tiens que je ne suis que chez moi, et pour ce qui est de cette autre mienne vie qui loge dans la connaissance de mes amis, à la considérer toute nue, et simplement en soi, je sais bien que je n'en ressens ni fruit ni jouissance que par la vanité d'une opinion imaginaire. Et quand je serai mort, je m'en ressentirai encore beaucoup moins, et pourtant je perdrai tout net l'usage des vraies utilités qui accidentellement la suivent parfois, je n'aurai plus de prise par où saisir la réputation, ni par où elle puisse me toucher ni arriver à moi. Car pour ce qui est de m'attendre que mon nom la reçoive, premièrement je n'ai point de nom qui soit assez à moi : des deux que j'ai, l'un est commun à toute ma race, voire encore à d'autres. Il y a une famille à Paris et à Montpellier qui se dénomme Montaigne, une autre en Bretagne ; et en Saintonge, on trouve des de la Montaigne. Le remuement d'une seule syllabe mêlera les fils de nos fuseaux, de façon que j'aurai part à leur gloire, et eux d'aventure à ma honte ! Et pourtant les miens se sont autrefois nommés Eyquem, nom qui appartient encore à une maison connue en Angleterre. Quant à mon autre nom, il est à quiconque aura envie de le prendre. Ainsi j'honorerai peut-être un crocheteur à ma place. Et puis, quand j'aurais une marque particulière pour moi, que peut-elle marquer quand je n'y suis plus ? Peut-elle désigner et favoriser le néant ?

La tombe ne pèse pas moins sur mes os maintenant.
La postérité me loue, et sur mes Mânes pourtant,
Sur mon tombeau, sur mes cendres heureuses,
Ne voit-on pas pousser les violettes ?

---

1. Perse, I, 57.

nunc leuior cippus non imprimit ossa.
Laudat posteritas, nunc non e manibus illis,
Nunc non e tumulo fortunataque fauilla
Nascuntur uiolæ ? [1]

Mais de ceci, j'en ai parlé ailleurs.

Au demeurant, dans toute une bataille où dix mille hommes sont estropiés ou tués, il n'en est pas quinze dont on parle. Il faut que ce soit quelque grandeur bien éminente, ou quelque conséquence d'importance que la fortune y ait jointe qui fasse valoir une action privée, non celle d'un arquebusier seulement, mais d'un capitaine, car de tuer un homme, ou deux, ou dix, de s'offrir courageusement à la mort, c'est à la vérité quelque chose pour chacun de nous, car il y va de notre vie. Mais pour le monde, ce sont des choses si ordinaires, il s'en voit tant tous les jours, et il en faut tant de pareilles pour produire un effet notable que nous n'en pouvons attendre aucune particulière recommandation :

accident que plusieurs ont connu, trivial,
Pris au milieu du tas de la fortune
casus multis hic cognitus, ac iam
Tritus, et e medio fortunæ ductus aceruo. [2]

Sur tant de milliers de vaillants hommes qui depuis quinze cents ans sont morts en France les armes en la main, il n'y en a pas cent qui soient venus à notre connaissance. La mémoire non des chefs seulement, mais des batailles et des victoires est ensevelie. Les fortunes de plus de la moitié du monde, faute de registre, ne bougent pas de leur place, et s'évanouissent sans durée. Si j'avais en ma possession les événements inconnus, je penserais très facilement en supplanter les connus en toute espèce d'exemples. Et que dire du fait qu'entre les Romains mêmes et les Grecs, au milieu de tant d'écrivains et de témoins, et avec tant de rares et nobles exploits, il en soit venu si peu jusqu'à nous ?

À peine un léger vent de leur gloire nous vient
Ad nos uix tenuis famæ perlabitur aura. [3]

Ce sera beaucoup si d'ici à cent ans on se souvient en gros que de notre temps il y a eu des guerres civiles en France ! Les Lacédémoniens sacrifiaient aux Muses au moment d'entrer en bataille afin que

1. Perse, I, 37-40.
2. Juvénal, XIII, 9-10.
3. Virgile, *Énéide*, VII, 646.

leurs gestes fussent bien et dignement écrits. Ils estimaient que ce fût une faveur divine et non commune que les belles actions trouvassent des témoins qui leur sussent donner vie et mémoire. Pensons-nous qu'à chaque arquebusade qui nous touche et qu'à chaque hasard que nous courons il y ait soudain un greffier qui l'enrôle ? Et cent greffiers outre cela le pourront écrire, dont les commentaires ne dureront que trois jours et ne viendront à la vue de personne. Nous n'avons pas la millième partie des écrits de l'antiquité. C'est la fortune qui leur donne une vie ou plus courte ou plus longue selon sa faveur. Et ce que nous en avons, il nous est loisible de douter si ce n'est pas le pire, puisque nous n'avons pas vu le reste. On ne fait pas des histoires avec des choses de si peu, il faut avoir été chef à conquérir un empire ou un royaume, il faut avoir gagné cinquante-deux batailles assignées, toujours plus faible en nombre, comme César. Dix mille bons compagnons et plusieurs grands capitaines moururent à sa suite vaillamment et courageusement, dont les noms n'ont duré qu'autant que leurs femmes et leurs enfants vécurent,

eux qu'un renom obscur ensevelit
quos fama obscura recondit. [1]

De ceux-là mêmes que nous voyons se conduire avec courage, trois mois, ou trois ans après qu'ils y sont restés, on ne parle pas plus que s'ils n'eussent jamais existé. Quiconque considérera avec juste mesure et proportion de quelles gens et de quels faits la gloire se conserve dans la mémoire des livres, il trouvera qu'il y a dans notre siècle fort peu d'actions et fort peu de personnes qui puissent prétendre y avoir quelque droit. Combien avons-nous vu d'hommes vertueux survivre à leur propre réputation, qui ont vu et ont dû souffrir que de leur vivant s'éteignent un honneur et une gloire très justement acquis dans leurs jeunes années ? Et c'est pour trois ans de cette vie chimérique et imaginaire que nous irions perdre notre vie vraie et essentielle, et nous engager à une mort perpétuelle ? Les sages se proposent une plus belle et plus juste fin pour une si importante entreprise : Du bien faire, le salaire est d'avoir fait *recte facti fecisse merces est*, [2] le fruit du devoir est le devoir même *officii fructus ipsum officium est.* [3]

Il serait d'aventure excusable à un peintre ou autre artisan, ou encore à un rhétoricien ou à un grammairien de se travailler pour acquérir un nom par ses ouvrages, mais les actions de la vertu, elles

1. Virgile, *Énéide*, V, 302.
2. Sénèque, *Lettres à Lucilius*, LXXXI, 19.
3. Cicéron, *De finibus*, II, XXII, 72.

sont trop nobles par elles-mêmes pour rechercher un autre loyer que celui de leur propre valeur, et notamment pour la chercher dans la vanité des jugements humains. Si toutefois cette fausse opinion sert au public à contenir les hommes dans leur devoir, si le peuple en est éveillé à la vertu, si les princes sont touchés de voir le monde bénir la mémoire de Trajan et abominer celle de Néron, si cela les émeut de voir le nom de ce grand pendard autrefois si effroyable et si redouté, aujourd'hui maudit et si librement outragé par le premier écolier qui l'entreprend, qu'elle croisse hardiment et qu'on la nourrisse parmi nous le plus qu'on pourra ! Et Platon qui emploie toutes choses à rendre ses concitoyens vertueux leur conseille aussi de ne mépriser point la bonne estime des peuples. Il dit que par quelque divine inspiration il advient que les méchants mêmes savent souvent, tant en parole qu'en pensée, distinguer les bons des mauvais avec justesse. Ce personnage et son pédagogue sont merveilleux, et hardis ouvriers à faire joindre les opérations et les révélations divines partout où fait défaut l'humaine force. Et c'est pour cette raison peut-être que Timon pour l'injurier l'appelait le grand forgeur de miracles. Comme les poètes tragiques s'en remettent à un dieu quand ils ne savent comment dénouer leur intrigue *ut tragici poetæ confugiunt ad deum, cum explicare argumenti exitum non possunt.* [1]

Puisque les hommes par leur insuffisance ne se peuvent assez payer d'une bonne monnaie, qu'on y emploie encore la fausse ! Ce moyen a été pratiqué par tous les législateurs, et il n'est point de cité où il n'y ait quelque mélange ou de vanité cérémonieuse ou d'opinion mensongère qui serve de bride pour tenir le peuple dans son devoir. C'est pour cela que la plupart ont leurs origines et leurs commencements fabuleux et enrichis de mystères surnaturels. C'est cela qui a donné crédit aux religions bâtardes et les a fait chérir aux gens d'entendement, et c'est pour cela que Numa et Sertorius, pour rendre leurs hommes de meilleure créance, les repaissaient de cette sottise, l'un que la nymphe Égérie, l'autre que sa biche blanche, lui apportait de la part des dieux tous les conseils qu'il prenait. Et l'autorité que Numa donna à ses lois en se parant du patronage de cette déesse, Zoroastre, le législateur des Bactriens et des Perses, la donna aux siennes sous le nom du dieu Oromasis ; Trismégiste, législateur des Égyptiens, se servit de Mercure ; Zamolxis chez les Scythes, de Vesta ; Charondas chez les Chalcides, de Saturne ; Minos chez les Crétois, de Jupiter ; Lycurgue chez les Lacédémoniens, d'Apollon ; Dracon et Solon parmi les Athéniens, de Minerve. Et toute constitution politique a un

1. Cicéron, *De natura deorum*, I, XX, 53.

dieu à sa tête, faussement les autres, véritablement celle que Moïse donna au peuple de Judée sorti d'Égypte. La religion des Bédouins, comme dit le sire de Joinville, comportait, entre autres choses, que l'âme de celui d'entre eux qui mourait pour son prince s'en allait dans un autre corps plus heureux, plus beau et plus fort que le premier, au moyen de quoi ils hasardaient leur vie beaucoup plus volontiers :

Chez ces guerriers, on pouvait reconnaître,
Un cœur prompt à guerroyer, une âme prête à mourir,
Épargnant mollement une vie faite pour renaître
In ferrum mens prona uiris, animæque capaces
Mortis, et ignauum est rediturœ parcere uitæ. [1]

Voilà une croyance très salutaire, toute vaine qu'elle soit. Chaque nation a plusieurs exemples chez elle de cette sorte, mais ce sujet mériterait un discours à part.

Pour dire encore un mot sur mon premier propos, je ne conseille pas non plus aux dames d'appeler honneur leur devoir, comme on dit toujours, on appelle honneur cela seul qui est glorieux aux yeux du peuple *ut enim consuetudo loquitur, id solum dicitur honestum quod est populari fama gloriosum*[2] ; leur devoir, c'est le marc du raisin, leur honneur n'en est que la peau. Je ne leur conseille pas plus de nous donner cette excuse en payement de leur refus, car je présuppose que leurs intentions, leur désir, et leur volonté, qui sont des parties où l'honneur n'a que voir, d'autant qu'il n'en paraît rien au-dehors, soient encore plus réglés que leurs actes :

Celle qui ne le fait pas, car ce n'est permis,
En fait, elle le fait
Quæ quia non liceat non facit, illa facit ! [3]

L'offense, et envers Dieu, et envers la conscience, serait aussi grande à le désirer qu'à le faire. Et puisque ce sont des actions par elles-mêmes cachées et occultes, il serait bien aisé qu'elles en dérobassent quelqu'une à la connaissance d'autrui, d'où l'honneur dépend, si elles n'avaient pas d'autre respect de leur devoir et de l'affection qu'elles portent à la chasteté pour elle-même. Toute personne d'honneur choisit de perdre son honneur plutôt que de perdre sa conscience.

1. Lucain, I, 461-462.
2. Cicéron, *De finibus*, II, XV, 48.
3. Ovide, *Amores*, III, IV, 4.

De la présomption

[Chapitre XVII]

Il y a une autre sorte de gloire, qui consiste en une trop bonne opinion que nous concevons de notre propre valeur. C'est une affection inconsidérée par laquelle nous nous chérissons, et qui nous représente à nous-mêmes autres que nous ne sommes, tout comme la passion amoureuse prête des beautés et des grâces à l'objet qu'elle embrasse et fait que ceux qui en sont épris, du fait d'un jugement trouble et altéré, trouvent ce qu'ils aiment autre et plus parfait qu'il n'est.

Je ne veux pas que de peur de faillir de ce côté-là un homme se méconnaisse pour autant ni qu'il pense être moins que ce qu'il est. Le jugement doit tout partout maintenir ses droits. C'est raison qu'il voie sur ce sujet comme ailleurs ce que la vérité lui présente : si c'est César, qu'il se trouve hardiment le plus grand capitaine du monde ! Nous ne sommes que cérémonie : la cérémonie nous emporte, et nous laissons la substance des choses ; nous nous tenons aux branches et nous abandonnons le tronc et le corps. Nous avons appris aux dames à rougir quand elles entendent seulement nommer ce que pourtant elles ne craignent aucunement de faire. Nous n'osons appeler nos membres par leurs noms alors que nous ne craignons pas de les employer à toute sorte de débauche. La cérémonie nous défend d'exprimer par des paroles les choses licites et naturelles, et nous l'en croyons ; la raison nous défend de n'en faire point d'illicites et de mauvaises, et personne ne l'en croit ! Je me trouve ici empêtré dans les lois de la cérémonie, car elle ne permet ni qu'on parle bien de soi ni qu'on en parle mal. Nous la laisserons là pour ce coup-ci.

Ceux à qui la fortune – qu'on la doive appeler bonne ou mauvaise – a fait passer leur vie en quelque éminent degré, ils peuvent par leurs actions publiques témoigner quels ils sont. Mais ceux qu'elle n'a employés qu'en foule, et de qui personne ne parlera si eux-mêmes n'en parlent, ils sont excusables s'ils prennent la hardiesse de parler d'eux-mêmes envers ceux qui ont intérêt à les connaître, à l'exemple de Lucilius :

Qu'il fût heureux ou malheureux, il commettait jadis
À ses vers ses secrets, comme à de fidèles amis,

Sans rien aller chercher ailleurs. Ainsi toute la vie
Du vieil homme s'y lit comme en tablette où l'on confie
Ses vœux

Ille uelut fidis arcana sodalibus olim
Credebat libris, neque si male cesserat usquam
Decurrens alio neque si bene, quo fit ut omnis
Votiua pateat ueluti descripta tabella
Vita senis. [1]

Celui-là confiait à son papier ses actions et ses pensées, il s'y peignait tel qu'il se sentait être, et ni Rutilius ni Scaurus pour en avoir fait de même n'en ont été moins crus ni moins estimés *nec id Rutilio et Scauro citra fidem aut obtrectationi fuit.* [2] Il me souvient donc que dès ma plus tendre enfance, on remarquait chez moi je ne sais quel port de corps, et des gestes témoignant de quelque vaine et sotte fierté. J'en veux dire premièrement ceci qu'il n'est pas inconvenant d'avoir des conditions et des propensions si propres et si incorporées en nous que nous n'ayons pas moyen de les sentir et de les reconnaître. Et de telles inclinations naturelles, le corps en retient volontiers quelque pli à notre insu et sans notre consentement. C'était une afféterie consciente de sa beauté qui faisait un peu pencher la tête d'Alexandre sur un côté, et qui rendait le parler d'Alcibiade mol et grasseyant. Jules César se grattait la tête d'un doigt, ce qui est la contenance d'un homme rempli de pensées pénibles, et Cicéron, ce me semble, avait accoutumé de se frotter le nez, ce qui signifie un naturel moqueur. De tels mouvements peuvent arriver en nous sans que nous nous en apercevions. Il y en a d'autres artificiels dont je ne parle point, comme les salutations et les révérences, par où l'on acquiert, le plus souvent à tort, l'honneur de passer pour humble et courtois : on peut être humble par gloire. Je suis assez prodigue de mes bonnetades – notamment en été – et je n'en reçois jamais sans les retourner, de quelque qualité d'homme qu'elles viennent, s'il n'est pas à mes gages. Je désirerais de certains princes que je connais qu'ils en fussent plus parcimonieux et plus justes dispensateurs, car ainsi indiscrètement répandues, elles ne portent plus de coup. Si elles sont sans égard, elles sont sans effet. Entre les contenances déréglées, n'oublions pas la morgue de l'empereur Constance qui en public tenait toujours la tête droite, sans la tourner ou la fléchir ni çà ni là, non pas seulement pour regarder ceux qui le saluaient à côté, et qui restait le corps planté immobile, sans se laisser aller au branle de son coche, sans oser ni

1. Horace, *Satires*, II, I, 30-34.
2. Tacite, *La Vie de C. Julius Agricola*, I, 3.

cracher, ni se moucher, ni s'essuyer le visage devant les gens. Je ne sais si ces gestes qu'on remarquait en moi étaient de cette première condition, et si à la vérité j'avais quelque occulte propension à ce vice, comme il peut bien être, et je ne puis pas répondre des branles de mon corps. Mais quant aux branles de l'âme, je veux ici confesser ce que j'en pense.

Il y a deux parties dans cette gloire, à savoir, s'estimer trop, et n'estimer pas assez autrui.

Quant à l'une, il me semble que, pour commencer, les considérations qui suivent doivent être mises en compte. Je me sens pressé d'une erreur d'âme qui me déplaît à la fois comme inique et plus encore comme importune. J'essaye de la corriger, mais l'arracher je ne puis. C'est que je diminue le juste prix de ce que je possède, et hausse d'autant le prix des choses qu'elles me sont étrangères, absentes, et non miennes. Cette humeur s'étend bien loin. De même que la prérogative de l'autorité fait que les maris regardent leurs propres femmes avec un dédain pervers, et plusieurs pères leurs enfants, ainsi fais-je, et, entre deux pareils ouvrages, je pèserai toujours contre le mien. Non pas tant parce que la jalousie de mon avancement et de mon amendement trouble mon jugement et m'empêche de me satisfaire, que parce que, d'elle-même, la possession engendre le mépris de ce qu'on détient et régente. Les formes de gouvernement, les mœurs lointaines me séduisent, et les langues. Et je m'aperçois que le latin me dupe à la faveur de sa dignité au-delà de ce qui lui appartient, comme il en impose aux enfants et au vulgaire. L'économie, la maison, le cheval de mon voisin, à valeur égale, valent mieux que les miens, parce qu'ils ne sont pas les miens. D'autant que je suis très ignorant de mes propres affaires. J'admire l'assurance et la promesse que chacun a de soi, là où il n'est quasi rien que je sache savoir, ni que j'ose me répondre pouvoir faire. Je ne dispose pas d'un état dressé à l'avance de mes moyens et je n'en suis instruit qu'après l'effet, doutant autant de ma force que d'une force extérieure. D'où il arrive que, si je réussis louablement dans une besogne, je l'attribue plus à ma fortune qu'à mon industrie, d'autant que je fais tout au hasard et avec appréhension. Pareillement, j'ai en général ceci que, de toutes les opinions que l'ancienneté a eues de l'homme en gros, celles que j'embrasse plus volontiers, et auxquelles je m'attache le plus, ce sont celles qui nous méprisent, avilissent, et anéantissent le plus. La philosophie ne me semble jamais avoir si beau jeu que quand elle combat notre présomption et notre vanité, quand elle reconnaît de bonne foi son irrésolution, sa faiblesse, et son ignorance. Il me semble que la mère nourrice des plus fausses opinions, tant générales que particulières, c'est la trop bonne opinion que l'homme a de soi. Ces gens qui se perchent à califourchon sur l'épicycle de Mercure [1], qui voient si avant dans le ciel, ils m'arrachent les dents, car dans l'étude que je fais, dont le sujet, c'est l'homme, trouvant une si extrême variété de jugements, un si profond labyrinthe de difficultés les unes sur les autres, tant de diversité et d'incertitude dans l'école même de la sapience, vous pouvez bien penser – puisque ces gens-là n'ont pu résoudre comment se connaître eux-mêmes et leur propre condition, qui est continuellement présente à leurs yeux, qui est en eux, puisqu'ils ne savent pas même comment branle ce qu'eux-mêmes font branler, ni comment nous peindre et déchiffrer les ressorts qu'ils tiennent et manient eux-mêmes –, vous pouvez bien penser, dis-je, comment j'irais les croire à propos de la cause du flux et reflux de la rivière du Nil ! La curiosité de connaître les choses a été donnée aux hommes pour fléau, dit la sainte Écriture.

Mais pour en venir à mon cas particulier, il est bien difficile, ce me semble, qu'aucun autre s'estime moins, voire qu'aucun autre m'estime moins que ce que je m'estime. Je me tiens pour homme de la commune sorte, sauf que je me tiens coupable des défauts les plus bas et les plus communs, mais sans les nier, ni les excuser. Et je ne me prise que de cela seul que je sais mon prix. S'il y a de la gloire, elle est infuse en moi superficiellement par traîtrise de ma nature, et elle n'a point de corps qui comparaisse à la vue de mon jugement. J'en suis arrosé, mais non pas teint. Car à la vérité, quant aux effets de l'esprit, en quelque façon que ce soit, il n'est jamais parti de moi rien qui m'ait pu contenter, et l'approbation d'autrui ne me paye pas. J'ai le jugement tendre et difficile, et notamment à mon endroit. Je me sens flotter et fléchir de faiblesse. Je n'ai rien du mien pour satisfaire mon jugement. J'ai la vue assez claire et réglée, mais à l'ouvrage elle se trouble, comme je l'expérimente avec le plus d'évidence avec la poésie. Je l'aime infiniment. Je m'y connais assez pour juger des ouvrages d'autrui, mais je fais à la vérité l'enfant quand j'y veux mettre la main : je ne m'y puis souffrir. On peut faire le sot partout ailleurs, mais non en la poésie :

la médiocrité n'est tolérée en poésie
Des dieux, ni des mortels, ni des étals de librairie

mediocribus esse poetis
Non dii, non homines, non concessere columnæ. [2]

---

1. Petit cercle que l'ancienne astronomie supposait rouler le long de la circonférence d'un cercle plus grand afin d'expliquer par la composition de ces deux révolutions conjuguées les irrégularités apparentes qu'on observait dans le mouvement des planètes.

2. Horace, *Art poétique*, 372.

Plût à Dieu que cette sentence se trouvât au front des boutiques de tous nos imprimeurs, pour en défendre l'entrée à tant de versificateurs,

Mais rien plus sûr de soi que le méchant poète
uerum
Nil securius est malo poeta ! [1]

Que n'avons-nous des peuples de cette trempe ? Denys l'Ancien n'avait rien de lui-même qu'il prisât autant que sa poésie. À la saison des jeux Olympiques, avec des chars qui surpassaient tous les autres en magnificence, il envoya aussi des poètes et des musiciens pour présenter ses vers, avec des tentes et des pavillons dorés et royalement tapissés. Quand on vint à mettre ses vers en avant, la faveur et l'excellence de la prononciation attirèrent au début l'attention du peuple. Mais quand par après il vint à soupeser l'ineptie de l'ouvrage, il entra d'abord en mépris, puis, continuant d'aigrir son jugement, il éclata bientôt en fureur et courut abattre et déchirer par dépit tous ces pavillons. Et du fait que ces chars ne firent non plus rien qui vaille dans la course, et que le navire qui ramenait ses gens manqua la Sicile et fut par la tempête poussé et fracassé contre la côte de Tarente, il tint pour certain que tout cela venait de l'ire des dieux irrités comme lui contre ce mauvais poème. Et les marins eux-mêmes réchappés du naufrage allaient secondant l'opinion de ce peuple, à laquelle l'oracle qui prédit sa mort sembla souscrire aussi d'une certaine façon. Il portait que Denys « serait près de sa fin quand il aurait vaincu ceux qui vaudraient mieux que lui. » Ce qu'il interpréta comme désignant les Carthaginois, qui le surpassaient en puissance. Aussi quand il avait affaire à eux amoindrissait-il souvent la victoire et la tempérait, pour n'encourir pas le malheur de cette prédiction. Mais il l'entendait mal, car le dieu marquait le temps de l'avantage qu'il remporta à Athènes, par faveur et par injustice, sur des poètes tragiques meilleurs que lui pour avoir fait jouer dans un concours sa propre tragédie, intitulée *Les Lénéennes*. Après cette victoire, il trépassa soudain, en partie pour la joie excessive qu'il en conçut.

Ce que je trouve excusable chez moi, n'est pas tel de soi, et vraiment, mais c'est par comparaison avec d'autres choses pires auxquelles je vois qu'on donne crédit. Je suis envieux du bonheur de ceux qui savent se réjouir et se gratifier de leur besogne, car c'est un moyen aisé de se donner du plaisir, puisqu'on le tire de soi-même, surtout s'il y a un peu de fermeté dans leur persévérance. Je connais un poète à qui

1. Martial, XII, LXIII, 13.

les forts comme les faibles, en public et en chambre, et le ciel et la terre crient qu'il ne s'y entend guère. Il n'en rabat rien pour autant de la mesure à laquelle il s'est taillé. Toujours il recommence, toujours il repèse ses choix, et toujours il persiste, d'autant plus obstiné dans son avis qu'il ne tient qu'à lui seul de le maintenir. Mes ouvrages, il s'en faut tant qu'ils me rient qu'autant de fois je les retâte, autant de fois je m'en dépite :

J'ai honte de mes vers car je vois à la relecture
Maintes fautes que moi, l'auteur, je voue à la rature
Cum relego, scripsisse pudet quia plurima cerno,
Me quoque qui feci, iudice, digna lini. [1]

J'ai toujours une idée en l'âme qui me présente une meilleure forme que celle que j'ai mise en besogne, mais je ne la puis saisir ni l'exploiter. Et cette idée même n'est que du moyen étage. J'en déduis que les productions de ces riches et grandes âmes du temps passé sont bien loin au-delà de l'extrême étendue de mon imagination et de mon souhait. Leurs écrits non seulement me satisfont et me comblent, mais ils m'ébranlent et me transissent d'admiration. Je juge leur beauté, je la vois, sinon jusqu'au bout, du moins si avant qu'il m'est impossible d'y aspirer. Quoi que j'entreprenne, je dois un sacrifice aux Grâces, comme le dit Plutarque de quelqu'un, pour gagner leur faveur,

car, oui, tout ce qui plaît,
Tout ce qui des mortels sait caresser les sens,
C'est bien à la douceur des Grâces qu'on le doit
si quid enim placet,
Si quid dulce hominum sensibus influit,
Debentur lepidis omnia gratiis. [2]

Elles m'abandonnent partout. Tout est grossier chez moi. Cela manque de poli et de beauté. Je ne sais pas faire valoir les choses pour plus que ce qu'elles valent. Ma façon de dire ne seconde en rien la matière. Voilà pourquoi il m'en faut une qui soit forte, qui offre beaucoup de prise, et qui brille par elle-même. Quand je m'empare de sujets populaires et plus gais, c'est pour suivre ma pente, moi qui n'aime point une sagesse cérémonieuse et triste, comme fait le monde, et pour m'égayer, non pour égayer mon style qui les veut plutôt graves et sévères, du moins si je dois nommer *style* un parler informe et sans règle, un jargon populaire, et un procédé sans définition, sans parti-

---

1. Ovide, *Pontiques*, I, V, 15-16.
2. Pindare, *Olympiques*, XIV.

tion, sans conclusion, trouble, à la façon de celui d'Amafanius et de Rabirius. Je ne sais ni plaire, ni réjouir, ni chatouiller. Le meilleur conte du monde se sèche entre mes mains et se ternit. Je ne sais parler que de ce que je connais bien. Et je suis tout à fait dénué de cette facilité que je vois chez plusieurs de mes compagnons, d'entretenir les premiers venus, et de tenir en haleine toute une troupe, ou d'amuser sans se lasser l'oreille d'un prince avec toute sorte de propos, la matière ne leur manquant jamais du fait de cette grâce qu'ils ont de savoir employer le premier sujet venu, et de l'accommoder à l'humeur et à la portée de ceux à qui ils ont affaire. Les princes n'aiment guère les discours fermes, ni moi à faire des contes. Les raisons premières et les plus aisées qui sont communément les mieux comprises, je ne sais pas les employer : mauvais orateur populaire ! En toute matière je dis volontiers les choses les plus complètes que j'en sais. Cicéron estime que dans les traités de philosophie la partie la plus difficile soit l'exorde. S'il est ainsi, c'est sagement que je m'en tiens à la conclusion.

Il faut pourtant savoir tendre la corde à toute sorte de tons, et le plus aigu est celui qui intervient le moins souvent dans le jeu. Il y a pour le moins autant de perfection à relever une chose vide qu'à en soutenir une grave. Tantôt il faut manier superficiellement les choses, tantôt les approfondir. Je sais bien que la plupart des hommes se cantonnent à ce bas étage faute de pouvoir concevoir les choses autrement que par leur première écorce. Mais je sais aussi que les plus grands maîtres, et Xénophon et Platon, on les voit souvent se relâcher à cette façon de dire et de traiter les choses basses et populaires en la soutenant des grâces qui ne leur manquent jamais.

Au demeurant mon langage n'a rien de facile et fluide. Il est âpre, ayant ses dispositions libres et déréglées. Mais il me plaît ainsi, sinon selon mon jugement, du moins selon mon inclination. Mais je sens bien que parfois je m'y laisse trop aller, et qu'à force de vouloir éviter l'art et l'affection, j'y retombe d'une autre part :

en voulant être bref,
Je tombe dans l'obscur

breuis esse laboro,
Obscurus fio. [1]

Platon dit que le long ou le court sont des propriétés qui n'ôtent ni ne donnent de prix au discours.

Quand bien même j'entreprendrais de suivre cet autre style égal, uni et ordonné, je n'y saurais parvenir. Et, encore que les coupes et les

1. Horace, *Art poétique*, 25-26.

cadences de Salluste reviennent mieux à mon humeur, il reste que je trouve César à la fois plus noble et moins aisé à imiter. Et si mon inclination me porte plus à imiter le style de Sénèque, je ne laisse pas d'estimer davantage celui de Plutarque. Comme pour me taire, pour parler aussi je suis tout simplement ma forme naturelle. D'où vient d'aventure que je suis meilleur pour parler que pour écrire. Le mouvement et l'action animent les paroles, notamment chez ceux qui se remuent vivement, comme je fais, et qui s'échauffent. Le port, le visage, la voix, la robe, la position, peuvent donner quelque prix aux choses qui d'elles-mêmes n'en ont guère, comme le babil. Messala se plaint dans Tacite de quelques accoutrements étroits de son temps, et de la façon des bancs où les orateurs avaient à parler qui affaiblissait leur éloquence.

Mon langage français est altéré, et dans la prononciation et ailleurs, par la barbarie de mon terroir. Je ne vis jamais homme des contrées de par ici qui ne fît entendre bien à l'évidence son origine, et qui ne blessât point les oreilles qui sont purement françaises. Ce n'est pas pourtant que je sois fort connaisseur de mon périgourdin, car je n'en ai pas plus d'usage que de l'allemand, et il ne m'en chaut guère. C'est un langage, comme sont autour de moi, de part et d'autre, le poitevin, le saintongeais, l'angoumoisin, le limousin, ou l'auvergnat : mou, traînant, diarrhéique. Il y a bien au-dessus de nous, vers les montagnes, un gascon que je trouve singulièrement beau, sec, bref, expressif, et qui à la vérité est un parler mâle et militaire, plus qu'aucun autre que j'entende, aussi nerveux, puissant et pertinent que le français est gracieux, féminin, et abondant. Quant au latin qui m'a été donné pour langue maternelle, j'ai perdu par désaccoutumance la promptitude que j'avais à m'en pouvoir servir pour parler, oui même pour écrire, ce qui me faisait autrefois traiter de Maître-Jean. Voilà combien peu je vaux de ce côté-là.

La beauté est une partie qui se recommande fortement dans le commerce des hommes. C'est le premier moyen de conciliation des uns aux autres, et il n'est point d'homme si barbare et si rechigné qui ne se sente point frappé par sa douceur. Le corps a une grande part dans notre être, il y tient un rang important. Ainsi sa structure et sa composition méritent bien une juste considération. Ceux qui veulent dissocier les deux parties principales de notre être et les séquestrer l'une de l'autre, ils ont tort. Au rebours, il faut les raccoupler et les rejoindre. Il faut ordonner à l'âme, non pas de se retirer dans ses quartiers, de s'entretenir à part, de mépriser et d'abandonner le corps (aussi bien ne saurait-elle le faire que par quelque simagrée contrefaite) mais de se rallier à lui, de l'embrasser, de le chérir, de l'assister, de le contrôler, conseiller, redresser, et ramener quand il se fourvoie, de l'épouser en somme, et de lui servir de mari, de façon que leurs effets ne paraissent pas divers et contraires mais concordants et uniformes. Les chrétiens sont tout particulièrement instruits de cette liaison, car ils savent que la justice divine embrasse cette association et cette jointure du corps et de l'âme jusqu'à rendre le corps capable des récompenses éternelles, et que Dieu regarde agir l'homme en son tout et veut qu'il reçoive entier son châtiment ou son loyer, selon ses mérites.

La secte péripatéticienne, de toutes la plus sociable, attribue à la sagesse ce seul soin de fournir et de procurer en commun leur bien à ces deux parties associées. Elle montre que les autres sectes, pour ne s'être pas assez attachées à la considération de cette union, ont pris parti, celle-ci pour le corps, cette autre pour l'âme, dans une pareille erreur, et qu'elles se sont écartées de leur sujet qui est l'homme, et de leur guide qu'ils avouent en général être Nature.

La première distinction qui ait paru entre les hommes, et la première considération qui donna la prééminence aux uns sur les autres, il est vraisemblable que ce fut l'avantage de la beauté :

ils départirent à chacun les champs
Selon le visage, la force, et le fond des courages,
Car la force comptait beaucoup, et beaucoup les visages

agros diuisere atque dedere
Pro facie cuiusque et uiribus ingenioque :
Nam facies multum ualuit, uiresque uigebant. [1]

Or je suis d'une taille un peu au-dessous de la moyenne. Ce défaut de taille n'a pas seulement de la laideur, il présente aussi de l'incommodité, pour ceux surtout qui exercent des commandements et des charges, car l'autorité que donnent une belle prestance et la majesté du corps leur fait défaut. C. Marius ne recevait pas volontiers des soldats qui n'eussent pas six pieds de haut. Pour ce gentilhomme qu'il dresse, le *Courtisan* [2] a bien raison de vouloir une taille commune plutôt que toute autre, et de refuser pour lui toute étrangeté qui le fasse montrer du doigt. Mais, s'il s'écarte de ce juste milieu, choisir qu'il soit plutôt en deçà qu'au-delà, je ne le ferais pas pour un homme appelé à porter les armes. Les hommes petits, dit Aristote, peuvent bien être jolis, mais non pas beaux, et la grande âme se reconnaît dans la grandeur, comme la beauté dans un corps grand et de belle stature.

1. Lucrèce, V, 1110-1112.
2. *Il Corteggiano*, ouvrage fameux de Baldassare Castiglione.

Les Éthiopiens et les Indiens, dit-il, quand ils élisaient leurs rois et leurs magistrats, avaient égard à la beauté et à la taille élevée des personnes. Ils avaient raison, car voir marcher à la tête d'une troupe un chef de belle et forte taille inspire du respect à ceux qui le suivent, et à l'ennemi de l'effroi :

> Et, parmi les premiers, on voit marcher Turnus,
> Les armes à la main, les dépassant tous d'une tête
>
> *Ipse inter primos præstanti corpore Turnus*
> *Vertitur, arma tenens, et toto uertice supra est.* [1]

Notre grand roi divin et céleste, dont toutes les particularités doivent être remarquées avec soin, religion et révérence, n'a pas refusé les avantages corporels, lui le plus beau de tous les fils des hommes *speciosus forma præ filiis hominum.* [2] Et Platon, avec la tempérance et la force d'âme, désire la beauté pour les gardiens de sa république. C'est un grand dépit qu'on s'adresse à vous parmi vos gens pour vous demander « Où est Monsieur ? », et que vous n'ayez que le reste de la bonnetade qu'on fait à votre barbier ou à votre secrétaire, comme il advint au pauvre Philopoemen arrivé le premier de sa troupe dans un logis où on l'attendait. Son hôtesse, qui ne le connaissait pas, et qui lui voyait une assez piètre mine, le pria d'aller aider un peu à ses femmes à puiser de l'eau, ou à attiser le feu, « pour le service de Philopoemen ». Les gentilshommes de sa suite étant arrivés et l'ayant surpris embesogné à cette belle occupation (car il n'avait pas failli d'obéir au commandement qu'on lui avait fait) lui demandèrent ce qu'il faisait là : « Je paie, leur répondit-il, la peine de ma laideur. » Les autres beautés sont pour les femmes. La beauté de la taille est la seule beauté des hommes. Là où est la petitesse, ni la largeur et la rondeur du front, ni la blancheur et la douceur des yeux, ni la forme moyenne du nez, ni la petitesse de l'oreille et de la bouche, ni le bel ordre et la blancheur des dents, ni l'épaisseur bien unie d'une barbe brune écorce de châtaigne, ni le poil relevé, ni la juste proportion de la tête, ni la fraîcheur du teint, ni l'air du visage agréable, ni un corps sans odeurs, ni la juste proportion des membres, ne peuvent faire un bel homme. J'ai au demeurant la taille forte et ramassée, le visage, non pas gras, mais plein ; la complexion entre le jovial et le mélancolique, moyennement sanguine et chaude,

1. Virgile, *Énéide*, VII, 783-784.
2. Psaumes, XLV, 3.

D'où mes jambes et mon torse hérissés de poils velus
Unde rigent setis mihi crura, et pectora uillis, [1]

la santé, forte et allègre, jusque bien avant dans mon âge, rarement troublée par les maladies. J'étais tel. Car je ne me considère pas à cette heure que je suis engagé dans les avenues de la vieillesse, ayant depuis beau temps franchi les quarante ans.

L'âge, brin à brin, émoud les forces et la vigueur
De l'homme fait et le laisse aller à son déclin
minutatim uires et robur adultum
Frangit, et in partem peiorem liquitur ætas. [2]

Ce que je serai dorénavant, ce ne sera plus qu'un demi-être, ce ne sera plus moi. Je m'échappe tous les jours, et me dérobe à moi :

Brin à brin, les années passent et nous dépouillent
Singula de nobis anni prædantur euntes. [3]

D'adresse et de disposition, je n'en ai point eu, et pourtant je suis le fils d'un père agile et d'une vivacité qui lui dura jusqu'à son extrême vieillesse. Il ne trouva guère d'homme de sa condition qui s'égalât à lui dans tout exercice du corps, comme je n'en ai trouvé guère aucun qui ne me surmontât, sauf à la course, en quoi je faisais partie des moyens. Pour la musique, ni pour la voix que j'y ai très impropre, ni pour les instruments, on ne m'en a jamais rien pu apprendre. À la danse, à la paume, à la lutte, je n'ai pu acquérir qu'une capacité bien légère et commune ; pour la nage, l'escrime, la voltige, le saut, aucune du tout. Les mains, je les ai si gourdes que je ne sais pas écrire seulement pour moi, de façon que ce que j'ai barbouillé, j'aime mieux le refaire que de me donner la peine de le démêler, et ne lis guère mieux. Je sens que je pèse à mes auditeurs. Autrement, je suis bon clerc. Je ne sais pas clore adroitement une lettre, ni ne sus jamais tailler une plume, ni trancher à table correctement, ni équiper un cheval de son harnais, ni porter au poing un oiseau et le lâcher, ni parler aux chiens, aux oiseaux, ou aux chevaux. Mes dispositions corporelles sont en somme très bien accordées à celles de l'âme : il n'y a rien de vif ; il y a seulement une vigueur pleine et ferme. Je dure bien à la peine, mais j'y dure si je m'y porte moi-même, et autant que mon désir m'y conduit,

1. Martial, II, XXXVI, 5.
2. Lucrèce, II, 1131-1132.
3. Horace, *Épîtres*, II, II, 55.

L'application trompant en douceur le rude effort
Molliter austerum studio fallente laborem. [1]

Autrement, si je n'y suis alléché par quelque plaisir, et si j'ai un autre guide que ma pure et libre volonté, je n'y vaux rien, Car j'en suis là que, sauf la santé et la vie, il n'est rien pourquoi je veuille me ronger les ongles, et que je veuille acheter au prix du tourment de mon esprit et de la contrainte :

À ce prix, je ne voudrais de tout le sable du Tage
Aux flots noirs, avec tout l'or qu'il roule jusqu'au rivage
tanti mihi non sit opaci
Omnis arena Tagi quodque in mare uoluitur aurum ! [2]

Extrêmement oisif, extrêmement libre, tant par nature que par métier, je prêterais aussi volontiers mon sang que mon soin. J'ai une âme libre et tout à soi, accoutumée à se conduire à sa mode. N'ayant eu jusqu'à cette heure ni commandant ni maître forcé, j'ai marché aussi avant et du pas qu'il m'a plu. Cela m'a amolli et rendu inutile au service d'autrui, et ne m'a fait bon qu'à moi. Et pour moi, il n'a été besoin de forcer ce naturel pesant, paresseux et fainéant, Car, m'étant trouvé dès ma naissance dans un degré de fortune suffisant pour me donner l'occasion de m'y arrêter, (occasion que mille autres pourtant de ma connaissance eussent plutôt prise pour tremplin, afin de passer leur vie à acquérir, à s'agiter et à s'inquiéter), je n'ai rien cherché, et je n'ai aussi rien pris :

Les grands vents ni l'Aquilon ne gonflent point mes huniers,
Mais l'Auster n'est pas non plus contraire au cours de mon âge :
La force, l'esprit, l'aspect, le rang, les biens, le courage
Me font bon dernier des premiers et premier des derniers
Non agimur tumidis uentis Aquilone secundo,
Non tamen aduersis ætatem ducimus austris :
Viribus, ingenio, specie, uirtute, loco, re,
Extremi primorum, extremis usque priores. [3]

Je n'ai eu besoin que du talent de savoir me contenter, ce qui est toutefois un règlement de l'âme, à le bien prendre, également difficile en toute sorte de condition, et par l'usage nous voyons qu'on le trouve plus facilement encore dans la disette que dans l'abondance, d'autant, peut-être, que selon le cours de nos autres passions, la faim des

1. Horace, *Satires*, II, II, 12.
2. Juvénal, III, 54-55.
3. Horace, *Épîtres*, II, II, 201-204.

richesses est plus aiguisée par leur usage que par leur besoin, et la vertu de la modération plus rare que celle de la patience. Et je n'ai eu besoin que de jouir doucement des biens que Dieu par sa libéralité m'avait mis entre les mains. Je n'ai goûté à aucune sorte de travail ennuyeux. Je n'ai eu guère à manier que mes affaires, ou, si j'en ai eu, ç'a été dans des conditions qui me permettaient de les manier à mon heure et à ma façon, commis par des gens qui s'en fiaient à moi, qui ne me pressaient pas, et qui me connaissaient. Car les experts tirent encore quelque service d'un cheval rétif et poussif.

Mon enfance même a été conduite d'une façon molle et libre, et lors même exempte de sujétion rigoureuse. Tout cela m'a donné une complexion délicate et incapable de souffrir le souci, jusqu'à ce point que j'aime qu'on me cache mes pertes et les désordres qui me touchent. Au chapitre de mes dépenses, je loge ce que ma nonchalance me coûte à nourrir et à entretenir :

oui, c'est là ce surplus de recette
Que le maître ne voit, qui profite aux larrons

hæc nempe supersunt,
Quæ dominum fallunt quæ prosint furibus. [1]

J'aime à ne savoir pas le compte de ce que j'ai, pour sentir moins exactement ma perte. Je prie ceux qui vivent avec moi, quand l'affection leur manque, et les bons comportements, de me piper et payer de bonnes apparences. Faute d'avoir assez de fermeté pour souffrir l'importunité des accidents contraires auxquels nous sommes sujets, et pour ne pouvoir me tenir tendu à régler et à ordonner les affaires, je nourris autant que je puis en moi cette résolution, m'abandonnant complètement à la fortune, de prendre toutes choses au pis, et ce pis-là, de me résoudre à le supporter doucement et patiemment. C'est à cela seul que je travaille, et le but auquel j'achemine tous mes discours.

Dans un danger, je ne songe pas tant comment j'en réchapperai que combien peu il importe que j'en réchappe. Quand j'y resterais, que serait-ce ? Ne pouvant régler les événements, je me règle moi-même, et je me plie à eux s'ils ne plient à moi. Je n'ai guère d'art pour savoir détourner la fortune et lui échapper ou la forcer, ni pour dresser et conduire par prudence les choses à mon point. J'ai encore moins de tolérance pour supporter le soin âpre et pénible qu'il faut à cela. Et la plus pénible position pour moi, c'est être suspendu aux choses qui pressent, et agité entre la crainte et l'espérance. Délibérer, même sur

1. Horace, *Épîtres*, I, VI, 45.

les sujets les plus légers, m'importune. Et je sens mon esprit plus empêché quand il souffre le branle et les secousses diverses du doute et de la consultation que lorsqu'il se rassoit et se résout à quelque parti que ce soit dès que la chance en est offerte. Peu de passions m'ont troublé le sommeil, mais des délibérations, la moindre me le trouble. De même que des chemins j'évite souvent les côtés penchants et glissants pour me jeter dans le battu le plus boueux et le plus enfoncé d'où je ne puisse aller plus bas et que j'y cherche ma sûreté, de même aussi j'aime les malheurs bien francs qui ne me travaillent et ne tracassent plus avec l'incertitude de leur rhabillage et qui du premier saut me poussent droit dans la souffrance :

> Les malheurs incertains nous tourmentent le plus
> *dubia plus torquent mala.* [1]

Quand les choses surviennent, je me comporte virilement ; dans la conduite, puérilement. L'horreur de la chute me donne plus de fièvre que le coup. Le jeu n'en vaut pas la chandelle. L'avare a plus mauvais compte avec sa passion que le pauvre, et le jaloux que le cocu. Et il y a moins de mal souvent à perdre sa vigne qu'à la plaider ! La plus basse marche, c'est la plus ferme. C'est le siège de la constance. Vous n'y avez besoin que de vous. Elle se fonde là, et s'appuie toute sur soi. Cet exemple d'un gentilhomme que plusieurs ont connu n'a-t-il pas quelque air philosophique ? Il se maria sur le tard, ayant passé en joyeux drille sa jeunesse, grand diseur, grand railleur. Se souvenant combien les histoires de cocuage lui avaient donné de quoi parler et se moquer des autres, pour se mettre à couvert il épousa une femme qu'il prit au lieu où chacun en trouve pour son argent et il établit avec elle ses conventions : « Bonjour putain ! – Bonjour cocu ! », et il n'est chose de quoi plus souvent et plus ouvertement il entretint chez lui les visiteurs que de ce sien dessein : par là, il bridait les caquets sous cape des moqueurs, et émoussait la pointe de ce reproche.

Quant à l'ambition qui est voisine de la présomption, ou sa fille plutôt, il eût fallu pour que je monte en grade que la fortune me fût venue quérir par le poing, car de me mettre en peine pour une espérance incertaine et de me soumettre à toutes les difficultés qui accompagnent ceux qui cherchent à se pousser en crédit sur le commencement de leur progrès, je ne l'eusse su faire,

1. Sénèque, *Agamemnon*, III, I, 420.

Je n'achète d'espoir à ce prix
spem pretio non emo. [1]

Je m'attache à ce que je vois et que je tiens, et je ne m'éloigne guère du port :

Qu'une rame rase les flots, et l'autre le rivage
Alter remus aquas, alter tibi radat arenas. [2]

Et puis on arrive peu à ces avancements sans commencer par hasarder son bien, et je suis d'avis que si ce qu'on a suffi à maintenir la condition dans laquelle on est né et dressé, c'est folie d'en lâcher la prise pour une augmentation incertaine. Celui à qui la fortune refuse de quoi prendre pied et s'établir dans une existence tranquille et reposée, il est pardonnable s'il jette au hasard ce qu'il a, puisqu'ainsi comme ainsi la nécessité l'envoie à la quête :

Dans l'infortune il faut foncer la tête basse
Capienda rebus in malis præceps uia est. [3]

Et j'excuse plutôt un cadet de jeter sa part légitime de l'héritage au vent que celui qui a l'honneur de la maison en charge et qu'on ne peut point voir nécessiteux que par sa faute. J'ai bien trouvé le chemin le plus court et le plus aisé avec le conseil de mes bons amis du temps passé en me défaisant de ce désir et en me tenant coi :

Pour vivre doucement, sans la poussière de la palme
Cui sit conditio dulcis, sine puluere palmæ, [4]

en jugeant aussi bien sainement de mes forces qu'elles n'étaient pas capables de grandes choses, et en me souvenant de ce mot de feu le chancelier Olivier que les Français semblent des guenons qui vont grimpant à un arbre de branche en branche et ne cessent d'aller qu'elles ne soient arrivées à la plus haute branche pour y montrer le cul quand elles y sont :

C'est honteux de charger un poids qui dépasse tes forces
Pour plier bientôt sous le faix et tourner les talons
Turpe est quod nequeas capiti committere pondus,
Et pressum inflexo mox dare terga genu ! [5]

1. Térence, *Adelphes*, II, III, 11.
2. Properce, III, III, 23.
3. Sénèque, *Agamemnon*, II, I, 154.
4. Horace, *Épîtres*, I, I, 51.
5. Properce, III, IX, 5.

Les qualités mêmes qui chez moi ne sont pas sujettes à reproches, je les trouvais inutiles en ce siècle. La facilité de mes mœurs, on l'eût nommée lâcheté et faiblesse ; ma loyauté et ma conscience eussent été jugées vainement scrupuleuses et superstitieuses ; ma franchise et ma liberté, importunes, inconsidérées et téméraires. Le malheur sert à quelque chose. Il fait bon naître en un siècle très dépravé car, par comparaison avec autrui, on vous estime vertueux à bon marché. Qui de nos jours n'est que parricide et sacrilège, il est homme de bien et d'honneur :

Aujourd'hui, si l'ami ne nie pas ton dépôt,
S'il te rend au complet ta ferraille vert-de-grisée,
Merveilleuse est sa foi, digne des tables de Gubbio, [1]
Et qu'il faut célébrer d'une agnelle immolée

Nunc si depositum non inficiatur amicus,
Si redat ueterem cum tota aerugine follem,
Prodigiosa fides, et Thuscis digna libellis,
Quæque coronata lustrari debeat agna. [2]

Et il n'y eut jamais d'époque ni d'endroit où les princes eussent lieu de donner une récompense plus certaine et plus grande à la bonté et à la justice. Le premier qui s'avisera de se pousser en faveur et en crédit par cette voie-là, je suis bien déçu s'il ne devance à bon compte ses compagnons. La force, la violence, peuvent quelque chose, mais non pas toujours tout. Les marchands, les juges de village, les artisans, nous les voyons aller de pair avec la noblesse pour la vaillance et la science militaire. Ils livrent des combats honorables tant en ligne qu'en duel ; ils battent, ils défendent des villes dans nos guerres présentes. Un prince étouffe sa gloire au milieu de cette multitude. Qu'il brille donc plutôt d'humanité, de vérité, de loyauté, de tempérance, et surtout de justice, marques aujourd'hui rares, inconnues, et exilées ! C'est la seule bonne volonté des peuples qui peut le seconder dans ses affaires, et aucunes autres qualités ne peuvent attirer leur bon vouloir aussi bien que celles-là, car ce sont elles qui leur sont les plus utiles : *nihil est tam populare quam bonitas* [3] rien d'aussi populaire que la bonté.

---

1. Pour les besoins de la rime... Le texte de Juvénal porte « digne des tablettes étrusques ». Les « tables eugubines », ou tables de Gubbio (Italie centrale) en sont un exemple. Rédigées en ombrien, dialecte italique dérivé de l'étrusque, ces tables de bronze détaillent des rites et des fastes religieux. Elles sont écrites, comme l'étrusque, de droite à gauche. Toutes les « tables étrusques » sont ainsi des registres de noms, de rites, de dates, et de hauts faits gravés dans le bronze. Elles représentaient aux yeux des Romains la plus ancienne mémoire de l'Italie et la conservation pérenne de l'immémorial.
2. Juvénal, XIII, 60-63.
3. Cicéron, *Pro Ligario*, XII, 37.

Selon cette comparaison avec autrui dans les siècles dépravés dont je parlais plus haut, je me fusse trouvé grand et rare, tout comme je me trouve pygmée et ordinaire à la proportion de certains siècles passés dans lesquels il était commun, si d'autres plus fortes qualités n'y concouraient, de voir un homme modéré dans ses vengeances, lent à s'émouvoir des offenses, religieux dans le respect de sa parole, qui ne fût ni double, ni souple, et qui n'accommodât point sa foi à la volonté d'autrui et aux occasions. Plutôt laisserais-je rompre le col aux affaires que de tordre ma foi [1] pour leur service ! Car, quant à cette nouvelle vertu de feintise et de dissimulation qui est à cette heure si fort en crédit, je la hais capitalement, et parmi tous les vices, je n'en trouve aucun qui témoigne d'autant de lâcheté et de bassesse de cœur. C'est une humeur couarde et servile que d'aller se déguiser et cacher sous un masque, et de n'oser se faire voir tel qu'on est. Par là, nos hommes se dressent à la perfidie. Comme on leur apprend à produire des paroles fausses, ils ne font pas conscience d'y manquer. Un cœur généreux ne doit point démentir ses pensées. Il veut qu'on le voie jusqu'au-dedans : tout y est bon, ou du moins tout y est humain. Aristote estime que c'est un devoir pour le magnanime de haïr et d'aimer à découvert, de juger et de parler en toute franchise, et de ne faire aucun cas de l'approbation ou de la réprobation d'autrui au prix de la vérité. Apollonius disait qu'il appartenait aux serfs de mentir, et aux hommes libres de dire la vérité. Elle est la partie première et fondamentale de la vertu. Il la faut aimer pour elle-même. Celui qui dit vrai parce qu'il y est par ailleurs obligé, parce que cela lui sert, et qui ne craint point de dire un mensonge quand cela n'importe à personne, il n'est pas suffisamment véridique. Mon âme par nature fuit la menterie, et en hait même la pensée. J'ai une vergogne intérieure et un remords piquant quand parfois un mensonge m'échappe, comme parfois il m'en échappe quand les occasions me surprennent et me troublent à l'improviste. Il ne faut pas toujours tout dire, car ce serait sottise. Mais ce qu'on dit, il faut que ce soit tel qu'on le pense, autrement, c'est de la perversité. Je ne sais quel avantage ils attendent de se feindre et contrefaire sans cesse, si ce n'est de n'en être pas crus lors même qu'ils disent la vérité. Cela peut tromper son monde une fois ou deux, mais de faire profession de se tenir couvert, et se vanter, comme l'ont fait certains de nos princes, de jeter leur chemise au feu si elle avait part à leurs vraies intentions (ce qui est un mot de Metellus Macedonicus, dans l'antiquité), et prétendre que qui ne sait feindre ne sait pas régner, c'est avertir ceux qui ont à traiter avec eux qu'ils ne

1. « Ma foi », c'est ici aussi bien ma parole que mon *credo* catholique.

disent que piperie et mensonge. Une fois qu'on a perdu la réputation d'homme honnête, plus on est astucieux et adroit, plus on devient odieux et suspect *Quo quis uersutior et callidior est, hoc inuisior et suspectior, detracta opinione probitatis.* [1] Il faudrait être bien naïf pour se laisser leurrer ou par la mine ou par les paroles de quelqu'un qui fait état d'être toujours autre au-dehors qu'il n'est au-dedans, comme le faisait Tibère. Et je ne sais quelle part de pareilles gens peuvent avoir au commerce des hommes, puisqu'ils ne profèrent jamais rien qui soit reçu pour argent comptant. Qui est déloyal envers la vérité l'est aussi envers le mensonge !

Ceux qui de notre temps, quand ils établissaient les devoirs d'un prince, ont considéré seulement le bien de ses affaires, et ont préféré son seul intérêt au souci de sa foi et de sa conscience, diraient quelque chose de poids s'ils parlaient à un prince dont la fortune aurait amené les affaires en un point tel qu'il les pût rétablir à jamais par un seul manquement à sa parole et une seule violation. Mais il n'en va pas ainsi. On rechute souvent en pareille affaire : on fait plus d'une paix, plus d'un traité dans sa vie. Le gain qui les invite à leur première déloyauté – et quasi toujours il s'en présente, comme pour toutes les autres méchancetés : les sacrilèges, les meurtres, les rebellions, les trahisons, s'entreprennent toujours pour quelque espèce de fruit –, ce premier gain, dis-je, apporte d'infinis dommages à sa suite en rejetant ce prince hors de tout commerce et de tout moyen de négociation pour avoir donné l'exemple de cette première infidélité. Soliman de la race des Ottomans, race peu soigneuse de l'observance des promesses et des pactes, lorsque du temps de mon enfance il fit descendre son armée à Otrante, ayant su que Mercurin de Gratinare et les habitants de Castro étaient détenus prisonniers après qu'ils eurent rendu la place, contrairement à ce qui avait été avec eux stipulé par ses gens, ordonna qu'on les relâchât, et dit qu'ayant en main d'autres grandes entreprises dans cette contrée-là, cette déloyauté quoiqu'elle eût présentement l'apparence de l'utilité, lui vaudrait pour l'avenir un décri et une défiance d'un infini préjudice.

Or pour ma part j'aime mieux être importun et indiscret que flatteur et dissimulé. J'avoue qu'il se peut mêler quelque pointe de fierté et d'opiniâtreté à se tenir ainsi entier et ouvert comme je le suis sans considération d'autrui. Et il me semble que je deviens un peu plus libre quand il faudrait l'être moins, et que je m'échauffe d'autant plus que s'oppose à moi un devoir de respect. Il se peut aussi que je me laisse aller selon ma nature, faute d'art. En présentant devant les grands cette même licence de langage et de contenance que j'apporte

1. Cicéron, *De officiis*, II, IX, 34.

de ma maison, je sens combien elle penche vers l'inconvenance et l'incivilité. Mais outre que je suis ainsi fait, je n'ai pas l'esprit assez souple pour esquiver une demande soudaine et pour y échapper par quelque détour, ni pour déguiser une vérité, ni assez de mémoire pour la retenir ainsi déguisée, ni certes assez d'assurance pour la soutenir, et je ne fais donc le brave que par faiblesse. C'est pourquoi je m'abandonne à la naïveté et à toujours dire ce que je pense, et par nature, et par dessein, laissant à la fortune à en conduire l'événement. Aristippe disait que le principal fruit qu'il eût tiré de la philosophie était qu'il parlait à chacun librement et ouvertement !

C'est un outil d'une merveilleuse utilité que la mémoire, et sans lequel le jugement remplit son office avec bien de la peine. Elle me manque tout à fait. Ce qu'on me veut proposer, il faut que ce soit par morceaux, car répondre à un propos où il y aurait plusieurs points différents, ce n'est pas en mon pouvoir. Je ne saurais recevoir une charge sans avoir mes tablettes. Et quand j'ai un propos de conséquence à tenir, s'il est de longue haleine, j'en suis réduit à cette vile et misérable nécessité d'apprendre par cœur, mot à mot, ce que j'ai à dire, autrement je n'aurais ni allure ni assurance si je devais craindre que ma mémoire vînt à me jouer un mauvais tour. Mais ce moyen ne m'est pas moins difficile. Pour apprendre trois vers, il me faut trois heures ! Et puis, dans un travail personnel, la liberté et l'autorité qu'on a de modifier l'ordre ou de changer un mot, en variant sans cesse la matière la rend plus malaisée à arrêter dans la mémoire de son auteur. Or plus je m'en défie, plus elle se trouble. Elle me sert mieux à l'improviste. Il faut que je la sollicite nonchalamment, car si je la presse, elle se sidère, et dès qu'elle a commencé à chanceler, plus je la sonde, plus elle s'empêtre et s'embarrasse. Elle me sert à son heure, non pas à la mienne.

Ce que je ressens pour la mémoire, je le ressens en plusieurs autres endroits. Je fuis le commandement, l'obligation, et la contrainte. Ce que je fais aisément et naturellement, si je m'ordonne de le faire par un ordre exprès et prescrit, je ne sais plus le faire. Dans mon corps même, les membres, qui ont quelque liberté et quelque juridiction plus particulière sur eux-mêmes, me refusent parfois leur obéissance quand je les destine et assigne à un service obligatoire en un certain lieu et à une certaine heure. Cet ordre donné d'avance, contraint et tyrannique, les rebute. Ils se croupissent d'effroi ou de dépit et se transissent. Autrefois, me trouvant dans un lieu où c'est d'une discourtoisie barbaresque de ne répondre pas à ceux qui vous convient à boire, quoiqu'on m'y traitât avec toute liberté, j'essayai de faire le bon compagnon en faveur des dames qui étaient de la partie, selon l'usage du pays. Mais il y eut du plaisir ! Car cette menace et cette préparation d'avoir à me forcer outre ma coutume et mon naturel m'étoupa le gosier de telle manière que je ne pus avaler une seule goutte et fus privé de boire pour le besoin même de mon repas. Je me trouvai rassasié et désaltéré par tout ce breuvage que mon imagination avait imaginé à l'avance. Cet effet est plus apparent chez ceux qui ont l'imagination plus véhémente et plus puissante, mais il est pourtant naturel, et il n'est personne qui ne s'en ressente un peu. On offrait à un excellent archer condamné à mort de lui sauver la vie s'il voulait faire voir quelque notable preuve de son art. Il refusa de s'y essayer, craignant que la trop grande tension de sa volonté lui fît fourvoyer la main et qu'au lieu de sauver sa vie il perdît encore la réputation qu'il avait acquise au tir à l'arc. Un homme qui pense ailleurs ne manquera pas, à un pouce près, de refaire toujours le même nombre et la même mesure de pas dans l'endroit où il se promène, mais s'il s'y présente avec l'intention de les mesurer et de les compter, il trouvera que ce qu'il faisait naturellement et par hasard, il ne le fera pas aussi exactement par dessein.

Ma librairie, qui est des belles parmi les librairies de village, est située à un coin de ma maison. S'il me tombe en fantaisie chose que j'y veuille aller chercher ou écrire, de peur qu'elle ne m'échappe en traversant seulement ma cour, il faut que je la donne en garde à quelqu'un d'autre. Si en parlant je m'enhardis à me détourner tant soit peu de mon fil, je ne manque jamais de le perdre, ce qui fait que dans mes discours je me montre contraint, sec, et resserré. Les gens qui me servent, il faut que je les appelle par le nom de leurs charges ou de leur pays, car il m'est très malaisé de retenir les noms. Certes, je pourrais dire qu'il a trois syllabes, que le son en est rude, qu'il commence ou se termine par telle lettre. Et si je durais à vivre assez longtemps, je ne doute pas que j'oublierais mon propre nom, comme d'autres l'ont fait. Messala Corvinus resta deux ans sans avoir aucune trace de mémoire. Ce qu'on dit aussi de Georges de Trébizonde. Et dans mon intérêt, je rumine souvent quelle vie c'était que la leur, et si sans cette faculté, il me restera assez pour me soutenir avec quelque aisance. En y regardant de près, je crains que ce défaut de mémoire, s'il est complet, ne perde toutes les fonctions de l'âme :

Je suis tout plein de trous, de-ci de-là je fuis
Plenus rimarum sum, hac atque illac perfluo. [1]

31. Térence, *Eunuque*, I, 105.

Il m'est arrivé plus d'une fois d'oublier le mot que j'avais trois heures auparavant donné ou reçu d'un autre, et d'oublier même où j'avais caché ma bourse. Je m'aide à perdre ce que je range avec un soin particulier, quoi qu'en dise Cicéron : La seule mémoire est assurément le contenant par excellence non seulement de la philosophie, mais aussi de tout ce qui sert à la vie et de tous les arts *memoria certe non modo philosophiam, sed omnis uitæ usum, omnesque artes, una maxime continet.* [1] C'est le réceptacle et l'étui de la science que la mémoire. L'ayant si défaillante, je n'ai pas fort à me plaindre si je ne sais guère. Je sais en général le nom des arts, et ce dont ils traitent, mais rien au-delà. Je feuillette les livres, je ne les étudie pas. Ce qui m'en reste, c'est chose que je ne reconnais plus être d'autrui. C'est là seulement ce dont mon jugement a fait son profit, les discours et les idées dont il s'est imbu. L'auteur, le lieu, les mots, et les autres circonstances, je les oublie aussitôt. Et je suis si excellent à oublier que mes écrits mêmes et mes propres compositions, je ne les oublie pas moins que le reste. À tous les coups on me cite à moi-même sans que je m'en aperçoive. Qui voudrait savoir d'où sont tirés les vers et les exemples que j'ai ici entassés me mettrait en peine de le lui dire, et pourtant je ne les ai mendiés qu'à des portes connues et fameuses, car je ne me contentais pas qu'ils fussent riches s'ils ne venaient encore de mains riches et honorables : l'autorité y concourt avec la raison. Ce n'est pas grande merveille si mon livre suit la fortune des autres livres, et si ma mémoire se dépossède de ce que j'écris comme de ce que je lis, et de ce que je donne comme de ce que je reçois.

Outre ce défaut de mémoire, j'en ai d'autres qui aident beaucoup à mon ignorance. J'ai l'esprit tardif et sans acuité. Le moindre nuage lui arrête sa pointe, de sorte que, par exemple, je ne lui proposai jamais énigme si aisée qu'il sût expliquer. Il n'est si vaine subtilité qui ne m'empêche. Dans les jeux où l'esprit a sa part, les échecs, les cartes, les dames, et autres, je n'en comprends que les traits les plus grossiers. La compréhension, je l'ai lente et embrouillée, mais ce qu'elle tient une fois, elle le tient bien, et l'embrasse bien complètement, étroitement et profondément, pour le temps qu'elle le tient. J'ai la vue longue, saine et entière, mais qui se lasse aisément au travail, et se brouille. Pour cette raison, je ne puis avoir long commerce avec les livres que par le service d'autrui. Pline le Jeune apprendra à ceux qui ne l'ont pas expérimenté combien ce retardement est important pour ceux qui s'adonnent à cette occupation.

Il n'est point d'âme si chétive et si bestiale dans laquelle on ne voie luire quelque faculté particulière ; il n'y en a point de si ensevelie qui

1. Cicéron, *Premiers Académiques*, II, VII, 22.

ne fasse une saillie par quelque bout. Et comment il se peut faire qu'une âme aveugle et endormie à toutes les autres choses se trouve vive, claire, et excellente pour produire certaine action particulière, c'est chose dont il faut s'enquérir auprès des maîtres ! Mais les belles âmes, ce sont les âmes universelles, ouvertes, et prêtes à tout, sinon instruites, du moins capables de l'être. Je dis cela pour accuser la mienne, car soit par faiblesse soit par nonchalance (et de négliger ce qui est à nos pieds, ce que nous avons entre les mains, ce qui regarde de plus près l'usage de la vie, c'est chose bien éloignée de ma doctrine), il n'en est point une qui soit si inapte et ignorante que la mienne pour plusieurs choses courantes et qu'on ne peut ignorer sans honte. Il faut que j'en conte quelques exemples. Je suis né et j'ai été nourri aux champs et au milieu des labours. J'ai des affaires et ma maison en main depuis que ceux qui me devançaient dans la possession des biens dont je jouis m'ont laissé leur place. Or je ne sais compter ni aux jetons ni par écrit. La plupart de nos monnaies, je ne les connais pas. Je ne sais pas la différence d'un grain à l'autre, ni dans la terre, ni au grenier, si elle n'est par très apparente, ni à peine celle entre les choux et les laitues de mon jardin. Je n'entends pas seulement les noms des premiers outils de la maison, ni les principes les plus grossiers de l'agriculture, et que les enfants savent. Je suis moins compétent encore dans les arts mécaniques, dans le négoce, et dans la connaissance des marchandises, ou dans la diversité et la nature des fruits, des vins, des aliments, pas plus que je ne sais dresser un oiseau, ni soigner un cheval ou un chien. Et puisqu'il me faut boire ma honte tout entière, il n'y a pas un mois qu'on me surprit ignorant que le levain servait à faire du pain et ce que c'était que faire cuver du vin. On conjectura anciennement à Athènes une aptitude à la mathématique chez celui à qui on voyait ingénieusement agencer et fagoter une charge de broussailles. Vraiment, on tirerait de moi une conclusion bien contraire, car qu'on me donne toute une batterie de cuisine, et me voilà condamné à la faim !

Par ces traits de ma confession on en peut imaginer d'autres à mes dépens. Mais quel que je me fasse connaître, pourvu que je me fasse connaître tel que je suis, j'atteins mon but. Ainsi donc je ne m'excuse pas d'oser mettre par écrit des propos aussi bas et frivoles que ceux-ci. La bassesse du sujet m'y contraint. Qu'on accuse si l'on veut mon projet, mais mon progrès, non. Toujours est-il que, sans qu'autrui m'en avertisse, je vois assez le peu que tout ceci vaut et pèse, et la folie de mon dessein. C'est prou que mon jugement n'y perde pas ses fers, lui dont ce sont ici les *essais* :

Aie donc autant de nez qu'il est permis, aie même un nez
Qu'Atlas, si on l'en eût prié, n'eût point voulu porter,
Et te gausserais-tu même de Latinus,
Contre mes petits vers tu ne peux dire plus
Que je n'en aie dit moi : pourquoi dent sur dent te scier ?
Bonne chère il te faut pour te rassasier :
Ne perds donc pas ton temps, réserve ton venin
Aux satisfaits de soi : mes riens, je le sais, ne sont rien

Nasutus sis usque licet, sis denique nasus,
Quantum noluerit ferre rogatus Atlas :
Et possis ipsum tu deridere Latinum,
Non potes in nugas dicere plura meas,
Ipse ego quam dixi, quid dentem dente iuuabit
Rodere ? carne opus est, si satur esse uelis.
Ne perdas operam qui se mirantur, in illos
Virus habe, nos hæc nouimus esse nihil. [1]

Je ne suis pas obligé à ne dire point de sottises, pourvu que je ne me trompe pas à les reconnaître. Et de fauter en le sachant, cela m'est si ordinaire que je ne faute guère d'une autre façon : je ne faute guère fortuitement. C'est peu de chose d'imputer mes sottises à la légèreté de mes humeurs, puisque je ne puis pas m'empêcher de lui imputer ordinairement mes mauvaises actions. Je vis un jour à Bar-le-Duc qu'on présentait au roi François second, pour honorer la mémoire de René, roi de Sicile, un portrait qu'il avait lui-même fait de lui. Pourquoi n'est-il loisible de même à tout un chacun de se peindre avec sa plume comme il s'était peint avec son crayon ?

Je ne veux donc pas oublier encore cette cicatrice, bien mal propre à produire en public. C'est l'irrésolution, défaut très incommode pour traiter des affaires du monde. Je ne sais pas prendre parti dans les entreprises incertaines :

Mon cœur ni oui ni non ne me dit franchement

Ne si, ne no, nel cor mi suona intero. [2]

Je sais bien soutenir une opinion, mais non pas la choisir. Parce que dans les choses humaines, de quelque bord qu'on penche, il se présente force apparences qui nous y confirment – le philosophe Chrysippe disait qu'il ne voulait apprendre de Zénon et Cléanthe, ses maîtres, que les principes simplement, car quant aux preuves et raisons, il s'en fournirait assez de lui-même –, de quelque côté, donc, dis-je, que je me tourne, je me fournis toujours assez de raisons et de

1. Martial, XIII, II, 1-8.
2. Pétrarque, *Chansonnier*, CLXVIII.

vraisemblance pour m'y maintenir. Ainsi je garde en moi le doute et la liberté de choisir jusqu'à ce que l'occasion me presse. Et alors, pour confesser la vérité, je jette le plus souvent la plume au vent, comme on dit, et je m'abandonne à la merci de la fortune. Une inclination, une circonstance même bien légères m'emportent :

Quand l'esprit doute, un souffle le fait pencher gauche ou droite
Dum in dubio est animus, paulo momento huc atque illuc impellitur. [1]

L'incertitude de mon jugement est si également balancée dans la plupart des situations que je m'en remettrais volontiers à la décision du sort et des dés. Je remarque aussi les exemples que l'histoire sainte elle-même, qui tient grandement compte de l'humaine faiblesse, nous a laissés de cet usage de remettre à la fortune et au hasard la détermination des choix dans les choses douteuses : *sors cecidit super Matthiam* [2] le sort tomba sur Mathias. La raison humaine est un glaive double et dangereux. Et même dans la main de Socrate, son plus intime et plus familier ami, voyez combien de bouts on trouve à ce bâton ! Ainsi, je ne suis propre qu'à suivre et je me laisse aisément emporter par la foule. Je ne me fie pas assez à mes forces pour entreprendre de commander ou de guider. Je suis bien aise de trouver mes pas tracés par les autres. S'il faut courir le hasard d'un choix incertain, j'aime mieux que ce soit sous quelqu'un qui s'assure plus de ses opinions et les épouse plus que je ne fais les miennes, auxquelles je trouve le fondement et le pied glissant. Et cependant je ne suis pas trop enclin pour autant à en changer, d'autant que j'aperçois dans les opinions contraires une pareille faiblesse. *Ipsa consuetudo assentiendi periculosa esse uidetur, et lubrica* [3] l'habitude même de donner son assentiment semble périlleuse et glissante.

Dans les affaires politiques notamment, il y a un beau champ qui s'ouvre à l'oscillation et à la contestation,

Un peson juste ainsi, chargé de poids égaux,
Pas plus ne penche d'un côté qu'il ne lève de l'autre
Justa pari premitur ueluti cum pondere libra,
Prona nec hac plus parte sedet, nec surgit ab illa. [4]

Les raisons de Machiavel, par exemple, étaient assez solides sur le sujet ; il a pourtant été très aisé de les combattre, et ceux qui l'ont fait

1. Térence, *Andrienne*, I, V, 266.
2. Actes des Apôtres, I, 26.
3. Cicéron, *Premiers Académiques*, II, XXI, 68.
4. Tibulle, IV, I, 40.

n'ont pas laissé moins de facilité à combattre les leurs. En pareille matière, à tel argument on trouverait toujours de quoi fournir des réponses « dupliques », « répliques », « tripliques », « quadrupliques » [1], et tout ce tissu de débats sans fin que notre chicane a rallongé tant qu'elle a pu en faveur des procès. En effet

Quoique touchés, nous rendons à l'ennemi coup pour coup
Cædimur, et totidem plagis consumimus hostem, [2]

les raisons n'ayant guère ici d'autre fondement que l'expérience, et la diversité des événements humains nous présentant d'infinis exemples pour toutes sortes de formes. Un savant personnage de notre temps dit que, dans nos almanachs, où l'on dit chaud pour dire froid et humide pour sec, il suppose toujours le contraire de ce qu'ils prédisent, et il assure que, s'il devait parier sur ce qu'il adviendra de l'un ou l'autre, il ne se soucierait pas du parti qu'il prendrait, sauf pour les choses où il ne peut entrer la moindre incertitude, comme de promettre à Noël des chaleurs extrêmes, et à la Saint-Jean des rigueurs hivernales. J'en pense de même de ces discours politiques : dans quelque rôle qu'on vous mette, vous avez aussi beau jeu que votre compagnon, pourvu que vous n'en veniez pas à choquer les principes les plus élémentaires et les plus évidents. Et c'est pourquoi, selon mon penchant, dans les affaires publiques, il n'est aucun train de gouvernement, si mauvais soit-il, qui, pourvu qu'il ait de l'âge et de la continuité, ne vaille pas mieux que le changement et le bouleversement. Nos mœurs sont extrêmement corrompues ; elles penchent avec une prodigieuse pente vers l'empirement de nos lois et de nos usages ; il y en a même plusieurs de barbares et monstrueuses : toutefois, à cause de la difficulté de nous mettre en un meilleur état et du danger de cet ébranlement, si je pouvais planter une cheville à notre roue et l'arrêter en ce point, je le ferais de bon cœur :

Mes exemples ne sont jamais si noirs et si honteux
Qu'il n'en reste à trouver d'autres pires encore
nunquam adeo foedis adeoque pudendis
Utimur exemplis, ut non peiora supersint. [3]

---

1. Montaigne parle et raille en magistrat. Ces termes barbares appartiennent au jargon de la procédure et du droit romain : la « réplique » répond à un premier argument, la « duplique » répond à la réplique, la « triplique » à la duplique, etc. grâce à quoi la chicane entretient les litiges dans un débat sans fin.
2. Horace, *Épîtres*, II, II, 97.
3. Juvénal, VIII, 183-184.

Le pis que je trouve dans notre état présent, c'est l'instabilité, et que nos lois, non plus que nos vêtements, ne puissent prendre aucune forme arrêtée. Il est bien aisé d'accuser d'imperfection un régime politique car toutes les choses mortelles en sont remplies ; il est bien aisé de faire naître chez un peuple le mépris de ses anciennes observances : jamais homme n'entreprit cela qui n'en vînt à bout ; mais y rétablir un meilleur état à la place de celui qu'on a ruiné, plusieurs à faire cela se sont morfondus de ceux qui l'avoient entrepris ! Je m'en remets peu à ma prudence personnelle pour ma conduite : je me laisse volontiers conduire selon l'ordre public du monde. Heureux le peuple qui fait ce qu'on lui commande mieux que ceux qui commandent, sans se tourmenter pour les causes, et qui se laisse mollement rouler en suivant le roulement céleste ! L'obéissance n'est jamais pure ni tranquille chez celui qui raisonne et qui plaide.

Somme toute, pour en revenir à moi, le seul point par où je m'estime être quelque chose, c'est ce dont jamais homme n'a pensé avoir défaut. Ce qui me distingue est vulgaire, commun, et populaire, car qui a jamais cru manquer de bon sens ? Ce serait une proposition qui impliquerait en soi de la contradiction. C'est une maladie qui n'est jamais où elle se voit. Elle est tenace et forte, assurément, mais pourtant le premier rayon de la vue du patient la perce et la dissipe, comme le regard du soleil le fait d'un brouillard opaque. S'accuser, ce serait s'excuser en ce sujet-là, et se condamner, ce serait s'absoudre. Il ne fut jamais crocheteur ni petit bout de femme qui ne pensât avoir assez de sens pour ses besoins. Nous reconnaissons aisément chez les autres l'avantage du courage, de la force corporelle, de l'expérience, de l'adresse, de la beauté, mais l'avantage du jugement, nous ne le cédons à personne. Et les raisons qui chez autrui partent du simple bon sens naturel, il nous semble qu'il nous aurait suffi de regarder de ce côté-là pour que nous les ayons nous-mêmes trouvées. La science, le style, et telles autres qualités que nous voyons dans les ouvrages des autres, nous jugeons bien aisément si elles surpassent les nôtres ; mais les simples productions de l'entendement, chacun pense qu'il était en lui d'en être père tout pareillement, et il en aperçoit malaisément le poids et la difficulté, si ce n'est, et avec peine, dans une extrême et incomparable distance. Et qui verrait bien clairement la hauteur du jugement d'un autre, il y arriverait et y porterait le sien. Ainsi, c'est ici une sorte d'exercice dont on doit espérer fort peu de recommandation et de louange, et une manière d'écrire de peu de renom.

Et puis, pour qui écrivez-vous ? Pour les savants, à qui il appartient de juger des livres ? Ils ne savent pas d'autre prix que celui de la science, et ils ne reconnaissent pas d'autre procédé dans nos esprits que celui de l'érudition. Si vous avez pris l'un des Scipion pour l'autre, que vous reste-t-il à dire qui vaille ? Qui ignore Aristote, selon eux, s'ignore en même temps lui-même. Quant aux âmes grossières et populaires, elles ne voient pas la grâce d'un discours délié. Or ces deux espèces occupent le monde. La troisième, qui vous revient en partage, celle des âmes réglées et fortes par elles-mêmes, est si rare que justement elle n'a ni nom ni rang parmi nous. C'est donc à demi temps perdu que d'aspirer et de s'efforcer à lui plaire.

On dit communément que le plus juste partage que nature nous ait fait de ses grâces, c'est celui du bon sens, car il n'en est aucun qui ne se contente de ce qu'elle lui en a distribué. N'est-ce pas raison ? Qui verrait au-delà, il verrait au-delà de sa vue. Je pense avoir les opinions bonnes et saines, mais qui n'en croit autant des siennes ? L'une des meilleures preuves que j'en aie, c'est le peu d'estime que je fais de moi, car si mes opinions n'eussent été bien assurées, elles se fussent aisément laissé duper par l'affection singulière que je me porte, du fait que je la ramène quasi toute à moi, et que je ne l'épands guère hors de là. Tout ce que les autres en distribuent à une infinie multitude d'amis et de connaissances, pour leur gloire, pour leur grandeur, je le rapporte tout au repos de mon esprit et à moi. Ce qui m'en échappe en direction d'autres sujets, ce n'est pas proprement sur ordre de ma raison,

car je suis savant à vivre et ne valoir que par moi
mihi nempe ualere et uiuere doctus. [1]

Or mes opinions, je les trouve infiniment hardies et constantes à condamner mon insuffisance. De vrai, c'est aussi un sujet sur lequel j'exerce mon jugement autant que sur nul autre. Le monde regarde toujours vis-à-vis ; moi, je replie ma vue au-dedans, je la plante, je l'amuse là. Chacun regarde devant soi ; moi, je regarde en moi. Je n'ai affaire qu'à moi. Je me considère sans cesse, je me contrôle, je me goûte. Les autres vont toujours ailleurs : s'ils y pensent bien, ils vont toujours plus avant,

nul ne tâche à descendre en soi-même
nemo in sese tentat descendere, [2]

moi, je me roule en moi-même.

Cette capacité de trier le vrai, quelle qu'elle soit en moi, et cette humeur libre de n'assujettir pas aisément ma créance, je la dois

1. Lucrèce, V, 961.
2. Perse, IV, 23.

principalement à moi-même, car les plus fermes idées que j'aie, et les plus générales, sont celles qui, pour ainsi dire, naquirent avec moi. Elles sont naturelles, et toutes miennes. Je les produisis crues et simples, par une production hardie et forte, mais un peu trouble et imparfaite. Par la suite, je les ai établies et confortées par l'autorité d'autrui, et par les sains exemples des anciens, auxquels je me suis trouvé en conformité de jugement. Ceux-là m'en ont assuré la prise et m'en ont rendu la jouissance et la possession plus claires.

La réputation de vivacité et de promptitude d'esprit que chacun recherche, je prétends l'atteindre par la façon dont je me règle. Le renom qu'on attend d'une action éclatante et signalée, ou de quelque compétence particulière, je prétends l'acquérir par le bon ordre, la cohérence et la tranquillité de mes opinions et de mes mœurs : S'il est chose qui soit honorable en tout point, rien ne l'est plus assurément que la cohérence de l'ensemble d'une vie, et ce jusque dans chacun de ses actes particuliers. On ne peut la maintenir si, pour imiter la nature d'autrui, on en vient à oublier la sienne *Omnino si quidquam est decorum, nihil est profecto magis quam aequabilitas uniuersæ uitæ, tum singularum actionum, quam conseruare non possis, si aliorum naturam imitans, omittas tuam.* [1]

Voilà donc jusqu'où je me sens coupable de cette première partie que je disais qu'il y avait dans le vice de la présomption. Pour la seconde, qui consiste à n'estimer point assez autrui, je ne sais si je m'en puis si bien excuser, car quoi qu'il m'en coûte, je décide de dire ce qui en est.

Soit que d'aventure le commerce continuel que j'ai avec les humeurs anciennes et que l'idée de ces riches âmes du temps passé me dégoûte aussi bien d'autrui que de moi-même, soit qu'à la vérité nous vivions en un siècle qui ne produit que des choses bien médiocres, toujours est-il que je ne connais rien qui soit digne d'une grande admiration. Il est vrai que je ne connais guère d'hommes avec la privauté qu'il faut pour en pouvoir juger, et ceux auxquels ma condition me mêle le plus ordinairement sont pour la plupart des gens qui ont peu de soin de la culture de l'âme, et auxquels on ne propose pour toute béatitude que l'honneur, et pour toute perfection que la vaillance. Ce que je vois de beau chez autrui, je le loue et je l'estime très volontiers. Voire je renchéris souvent sur ce que j'en pense, et je me permets de mentir jusque-là, mais pas plus. Car je ne sais point inventer un sujet faux. Je témoigne volontiers de mes amis par ce que j'y trouve de louable, et d'un pied de valeur, j'en fais souvent un pied et demi. Mais de leur prêter des qualités qu'ils n'ont pas, je ne le puis, non plus que je ne peux les défendre ouvertement des imperfections qu'ils ont.

---

1. Cicéron, *De officiis*, I, XXXI, 111.

Même à mes ennemis je rends nettement ce que je dois de témoignage d'honneur. Mon affection se change, mon jugement non. Je ne confonds point ma querelle avec d'autres circonstances qui n'en font pas partie. Et je suis si jaloux de la liberté de mon jugement que je ne peux m'en défaire que malaisément sous l'effet de quelque passion que ce soit. Je me fais plus d'injustice en mentant que je n'en fais à celui à propos duquel je mens. On remarque cette louable et généreuse coutume de la nation perse que de leurs ennemis mortels et à qui ils faisaient la guerre à outrance, ils parlaient honorablement et équitablement autant que le demandait le mérite de leur valeur.

Je connais bien des hommes qui ont diverses belles qualités : qui l'esprit, qui le cœur, qui l'adresse, qui la conscience, qui le langage, qui une science, qui une autre, mais de grand homme en général, et qui ait tant de belles pièces ensemble, ou bien qui en possède une à un tel degré d'excellence qu'on le doive admirer ou comparer à ceux du temps passé que nous honorons, ma fortune ne m'en a fait voir aucun. Et le plus grand et le mieux né que j'aie connu au vif, je veux dire pour les parties naturelles de l'âme, c'était Étienne de la Boétie. C'était vraiment une âme pleine, et qui montrait un beau visage à tout point de vue, une âme à la vieille marque, et qui eût produit de grands effets si sa fortune l'eût voulu, car il avait beaucoup ajouté à ce riche naturel par la science et l'étude. Mais je ne sais comment il arrive, et pourtant il arrive sans aucun doute, qu'il se trouve autant de vanité et de faiblesse d'entendement chez ceux qui se targuent d'avoir plus de science, qui se mêlent du métier des lettres et de charges qui dépendent des livres que chez aucune autre sorte de gens. Est-ce parce que l'on requiert et attend plus d'eux, et qu'on ne peut excuser chez eux les fautes communes ? Ou bien est-ce que la présomption de savoir leur donne plus de hardiesse à se produire et à se découvrir trop avant, par où ils se perdent et se trahissent ? De même qu'un artisan témoigne bien mieux de sa bêtise avec une riche matière s'il l'accommode et traite sottement contre les règles de son art qu'avec une matière vile entre les mains, et de même que l'on s'indigne plus de voir un défaut dans une statue d'or que dans celle qui est de plâtre, de même font ces gens-là lorsqu'ils font étalage de choses qui d'elles-mêmes, et en leur lieu, seraient bonnes, pour la bonne raison qu'ils s'en servent sans discrétion, préférant faire honneur à leur mémoire plutôt qu'à leur entendement, et à Cicéron, Galien, Ulpian, et saint Jérôme, dussent-ils s'en ridiculiser eux-mêmes.

Je retombe souvent sur ce sujet de l'ineptie de notre éducation. Elle a eu pour fin de nous faire, non pas bons et sages, mais savants, et elle y est arrivée. Elle ne nous a pas appris à suivre et à embrasser la vertu et la prudence, mais elle nous en a imprimé la *dérivation* et l'*étymologie*. Nous savons décliner *vertu*, à défaut de savoir l'aimer. Si nous ne savons, par effet et par expérience, ce que c'est que *prudence*, nous le savons du moins par la grammaire et par cœur. De nos voisins, nous contentons-nous de connaître la race, les parentèles et les alliances ? Non, nous voulons les avoir pour amis, et nous désirons établir avec eux quelque commerce et quelque entente ! Notre éducation nous a appris les *définitions*, les *divisions*, les *parties* de la vertu, comme des noms et des branches d'une généalogie, sans autrement se soucier d'instituer entre elle et nous la moindre pratique familière ni la moindre accointance personnelle. Elle a choisi pour notre apprentissage, non les livres qui ont les opinions les plus saines et les plus vraies, mais ceux qui parlent le meilleur grec et le meilleur latin, et parmi ses beaux mots, elle a fait couler dans nos esprits les plus vaines humeurs de l'antiquité ! Une bonne éducation, elle change le jugement et les mœurs, comme il advint à Polémon, ce jeune Grec débauché qui, étant allé ouïr par hasard une leçon de Xénocrate, ne remarqua pas seulement l'éloquence et la compétence du lecteur, il n'en rapporta pas seulement à la maison la connaissance de quelque belle matière, mais il en retira un fruit plus apparent et plus solide, qui fut le changement et l'amendement soudain de sa première vie. Qui a jamais senti un pareil effet de notre éducation ?

Ne feras-tu, comme autrefois le nouveau Polémon,
Devras-tu pas quitter les insignes de ta folie,
Rubans, coussins, bandeaux, tout comme après boire, dit-on,
De son cou celui-là doucement ôta sa ténie,
Quand sous un maître à jeun enfin il se reprit

faciasne quod olim
Mutatus Polemon, ponas insignia morbi,
Fasciolas, cubital, focalia, potus ut ille
Dicitur ex collo furtim carpsisse coronas,
Postquam est impransi correptus uoce magistri ? [1]

La moins dédaignable condition de gens me semble être celle qui par simplicité tient le dernier rang et nous offre le commerce le plus réglé. Les mœurs et les propos des paysans, je les trouve communément plus conformes aux prescriptions de la vraie philosophie que ne le sont ceux de nos philosophes : *plus sapit uulgus quia tantum quantum opus est sapit* [2] le menu peuple est plus sage parce qu'il n'est sage que de ce qu'il faut.

1. Horace, *Satires*, II, III, 253-257.
2. Lactance, III, V.

Les hommes les plus notables que j'aie jugés par les apparences extérieures (car pour les juger à ma mode, il les faudrait éclairer de plus près), ç'ont été, pour le fait de la guerre, et pour le talent militaire, le duc de Guise qui mourut à Orléans, et feu le maréchal Strozzi. Pour les gens de talent et de vertu non commune, Olivier, et l'Hôpital, chanceliers de France. Il me semble aussi que la poésie a eu sa vogue dans notre siècle. Nous avons en abondance de bons artisans de ce métier-là : Daurat, Bèze, Buchanan, L'Hôpital, Mondoré, Turnèbe. Quant aux auteurs en français, je pense qu'ils l'ont élevée au plus haut degré où elle sera jamais, et dans les genres où Ronsard et Du Bellay excellent, je ne les trouve guère éloignés de la perfection antique. Adrien Turnèbe savait plus, et savait mieux ce qu'il savait qu'homme qui fût en son siècle, et loin au-delà.

Les vies du duc d'Albe, mort dernièrement, et de notre connétable de Montmorency, ont été des vies nobles, et qui ont eu plusieurs rares ressemblances de fortune. Mais la beauté, et la gloire de la mort de ce dernier, à la vue de Paris et de son Roi, pour leur service contre ses plus proches, à la tête d'une armée victorieuse sous son commandement, et par un coup de main, en une si extrême vieillesse, me semblent mériter qu'on la loge parmi les remarquables événements de mon temps. Comme aussi, la constante bonté, la douceur de mœurs, et la scrupuleuse affabilité de monsieur de la Noue, au milieu de l'injustice des factions armées où toujours il s'est nourri (vraie école de trahison, d'inhumanité, et de brigandage), grand homme de guerre, et très expérimenté.

J'ai pris plaisir à publier en plusieurs lieux l'espérance que j'ai de Marie de Gournay le Jars, ma fille d'alliance, et certes aimée de moi beaucoup plus que paternellement, et enveloppée d'affection dans ma retraite et ma solitude comme si elle fût l'une des meilleures parties de mon propre être. Je ne regarde plus qu'elle au monde. Si l'adolescence peut donner présage, cette âme sera quelque jour capable des plus belles choses, et entre autres de la perfection de cette très sainte amitié où nous ne lisons point que son sexe ait pu monter encore. La pureté et la fermeté de ses mœurs y sont déjà battantes, son affection vers moi plus que surabondante, et telle en somme qu'il n'y a rien à souhaiter sinon que l'appréhension qu'elle a de ma fin, du fait qu'elle m'a rencontré quand j'avais cinquante et cinq ans, la travaillât moins cruellement. Le jugement qu'elle fit de mes premiers *Essais*, bien qu'elle fût femme, et de ce siècle, et si jeune, et seule dans sa contrée, et la véhémence fameuse dont elle m'aima et me désira longtemps sur la seule estime qu'elle en prit de moi, avant de m'avoir vu, c'est un accident de très digne considération.

Les autres vertus n'ont guère ou point été de mise en notre âge, mais la vaillance est devenue commune au cours nos guerres civiles, et dans ce domaine, il se trouve parmi nous des âmes fermes, jusqu'à la perfection, et en grand nombre, au point que le tri en est impossible à faire. Voilà tout ce que j'ai connu jusqu'à cette heure en fait de grandeur extraordinaire et non commune.

Du démentir [1]

[Chapitre XVIII]

Mais en fait, me dira-t-on, ce dessein de se servir de soi pour sujet à écrire serait excusable chez des hommes rares et fameux, qui par leur réputation auraient donné quelque désir de leur connaissance. Il est certain, je l'avoue ! Et je sais bien aussi que pour voir un homme fait à la façon de tous, à peine un artisan lève-t-il les yeux de sa besogne, alors que pour voir arriver dans une ville un personnage grand et signalé on déserte les ouvroirs et les boutiques. Il messied à tout autre de se faire connaître, sauf à celui qui a de quoi se faire imiter, et duquel la vie et les opinions peuvent servir de modèle. César et Xénophon ont eu de quoi fonder et affermir leur narration sur la grandeur de leurs hauts faits comme sur une base juste et solide. Ainsi sont à souhaiter les papiers journaux du grand Alexandre, ou les commentaires qu'Auguste, Caton, Sylla, Brutus et d'autres avaient laissés de leurs exploits. De telles gens, on aime et on étudie les figures, en cuivre même, et en pierre.

La remontrance qui suit est très vraie, mais elle ne me touche que bien peu :

Pour nul je ne lis, sauf pour les amis, si l'on m'en prie,
Ni devant n'importe qui, non plus que n'importe où : maints
Lisent au forum leurs écrits, et d'autres dans les bains

Non recito cuiquam, nisi amicis, idque rogatus.
Non ubiuis, coramue quibuslibet. In medio qui
Scripta foro recitent sunt multi, quique lauantes, [2]

---

1. « Démentir quelqu'un » signifiait dans l'ancienne France jeter à la figure de quelqu'un « qu'il en avait menti ». C'était une offense, qui demandait réparation par le duel.

2. Horace, *Satires*, I, IV, 73-75.

car je ne dresse pas ici une statue à planter au carrefour d'une ville, ou dans une église, ou sur la place publique :

Je ne veux point gonfler ma page, non,
De petits riens en bulles de savon :
On parle en tête à tête

Non equidem hoc studeo bullatis ut mihi nugis
Pagina turgescat :
Secreti loquimur ; [1]

tout cela, c'est pour le coin d'une librairie, et pour en amuser un voisin, un parent, un ami qui aura plaisir à me retrouver et me fréquenter à nouveau sous cette image. Les autres ont pris à cœur de parler d'eux pour y avoir trouvé un sujet digne et riche ; moi au rebours, pour l'avoir trouvé si stérile et si maigre qu'il n'y peut échoir le moindre soupçon d'ostentation ! Je juge volontiers des actions d'autrui : des miennes, je donne peu à juger, à cause de leur nullité. Je ne trouve pas tant de bien en moi que je ne puisse le dire sans rougir.

Quel plaisir me serait-ce d'ouïr ainsi quelqu'un qui me raconterait les mœurs, le visage, la contenance, les plus communes paroles, et les fortunes de mes ancêtres ! Combien j'y serais attentif ! Vraiment, cela partirait d'une mauvaise nature de tenir en mépris les portraits mêmes de nos amis et de nos prédécesseurs, la forme de leurs vêtements et celle de leurs armes. J'en conserve l'écriture, le sceau, et une épée particulière ; et je n'ai point chassé de mon cabinet les longues cannes que mon père avait ordinairement à la main. Le manteau du père, son anneau, sont d'autant plus chers à ses enfants qu'ils avaient plus d'amour pour lui *Paterna uestis et annulus tanto carior est posteris quanto erga parentes maior affectus.* [2] Si toutefois ma postérité est d'un autre avis, j'aurai bien de quoi prendre ma revanche, car ils ne sauraient faire moins de compte de moi que je n'en ferai d'eux en ce temps-là. Tout le commerce que j'ai en ceci avec le public, c'est que je lui emprunte les presses dont il se sert pour publier, plus rapides et plus aisées. En retour, j'empêcherai peut-être que quelque coin de beurre ne fonde au marché :

Les thons auront du papier, les olives des cornets

Ne toga cordyllis, ne penula desit oliuis, [3]

D'amples manteaux souvent je fournirai les maquereaux

Et laxas scombris sæpe dabo tunicas. [4]

1. Perse, V, 19-21.
2. Saint Augustin, *La Cité de Dieu*, I, XIII.
3. Martial, XIII, I, I.
4. Catulle, XCIV, 8.

Et quand personne ne me lira, ai-je perdu mon temps de m'être entretenu pendant tant d'heures oisives à des pensées si utiles et si agréables ? Comme je moulais sur moi cette figure, pour l'extraire, il m'a fallu si souvent me peigner et m'arranger que le patron s'en est affermi et en quelque sorte formé lui-même. Me peignant pour autrui, je me suis peint en moi de couleurs plus nettes que n'étaient les miennes premières. Je n'ai pas plus fait mon livre que mon livre ne m'a fait. Livre consubstantiel à son auteur, membre de ma vie, qui ne s'occupe que de moi, non de choses et de fins tierces et étrangères comme tous les autres livres. Ai-je perdu mon temps d'avoir rendu compte de moi si continuellement, si soigneusement ? Car ceux qui se repassent en pensée seulement, et oralement, une heure en passant, ne s'examinent pas si principalement, ni ne se pénètrent comme celui qui en fait son étude, son ouvrage, et son métier, qui s'engage à un registre de longue durée, avec toute sa foi, avec toute sa force. Ainsi les plus délicieux plaisirs se consomment intérieurement. Ils fuient à laisser trace de soi, et ils fuient la vue, non seulement du peuple, mais d'un autre.

Combien de fois cette besogne m'a diverti de pensées ennuyeuses ! Et toutes les frivoles doivent être comptées pour ennuyeuses. Nature nous a dotés d'une large faculté de nous entretenir à part nous, et elle nous y appelle souvent pour nous apprendre que nous nous devons en partie à la société, mais à nous aussi pour la meilleure partie. Aux fins de ranger ma fantaisie à rêver même avec un peu d'ordre et de projet, et pour la garder de se perdre et d'extravaguer au vent, il n'est que de donner corps, en les mettant en registre, à tant de menues pensées qui se présentent à elle. Je prête attention à mes rêveries parce que j'ai à les coucher sur mon registre. Combien de fois, étant marri de quelque action que la civilité et la raison me défendaient de blâmer à découvert, m'en suis-je ici dégorgé, non sans l'idée d'en instruire le public ! Et ainsi ces verges poétiques,

Zon sur l'œil, zon sur le groin,
Zon sur le dos du sagoin, [1]

s'impriment encore mieux sur le papier qu'en la chair vive ! Et que dire enfin si je prête un peu plus attentivement l'oreille aux livres depuis que je m'observe si j'en pourrai friponner quelque chose de quoi émailler ou étayer le mien ?

1. Vers d'une épître du valet fictif de Marot, dans laquelle Sagon, ennemi du poète, est traité de « sagoin » (un singe).

Je n'ai aucunement étudié pour faire un livre, mais aucunement [1] j'ai étudié parce que je l'avais fait, si c'est aucunement étudier que d'effleurer et pincer par la tête ou par les pieds tantôt un auteur, tantôt un autre, nullement pour former mes opinions, mais pour les assister, elles qui sont formées depuis beau temps, et les seconder et servir.

Mais dans une saison si gâtée qui croirons-nous parlant de soi, vu qu'il en est peu ou point que nous puissions croire parlant d'autrui, où il y a pourtant moins d'intérêt à mentir ? Le premier trait de la corruption des mœurs, c'est le bannissement de la vérité, car, comme le disait Pindare, être véridique est le commencement d'une grande vertu et c'est le premier article que Platon demande au gouverneur de sa république. Notre vérité de maintenant, ce n'est pas ce qui est, mais ce qui se persuade à autrui, tout comme nous appelons monnaie, non seulement celle qui est loyale, mais aussi la fausse dès lors qu'elle a cours. Notre nation est depuis longtemps accusée de ce vice. Car Salvien de Marseille, qui vivait du temps de l'empereur Valentinien, dit que pour les Français mentir et se parjurer n'est pas un vice mais une façon de parler. Qui voudrait renchérir sur ce témoignage pourrait dire que ce leur est à présent vertu : on s'y forme, on s'y façonne, comme à un exercice honorable, car la dissimulation est des plus notables qualités de ce siècle.

Ainsi j'ai souvent considéré d'où pouvait naître cette coutume que nous observons si religieusement de nous sentir offensés plus aigrement que par aucun autre reproche de celui d'en avoir menti, alors que ce vice nous est si ordinaire, et que ce soit l'extrême injure qu'on nous puisse faire en parole que de nous reprocher d'être un menteur. Sur ce point, je trouve qu'il est naturel de se défendre le plus des défauts dont nous sommes le plus entachés. Il semble qu'en nous ressentant de l'accusation, et en nous en émouvant, nous nous déchargeons aucunement de la faute : si nous l'avons en effet, au moins nous la condamnons en apparence. Serait-ce pas aussi que ce reproche semble envelopper la couardise et la lâcheté de cœur ? En est-il de plus expresse en effet que se dédire de sa parole ? Que dis-je, que de se dédire de cela même qu'on sait ?

C'est un vice bien vil que le mentir, et qu'un ancien peint sous des couleurs bien honteuses quand il dit que c'est témoigner d'un mépris de Dieu en même temps que d'une crainte des hommes. Il n'est pas

1. Montaigne joue sur les deux valeurs dont est susceptible l'adverbe *aucunement* : sous l'incidence de la négation (« je *n*'ai aucunement ») il signifie « pas du tout », « nullement » ; hors d'un contexte négatif, ce même adverbe signifie « en quelque façon », « d'une certaine façon ». Je conserve le jeu sur le mot.

possible d'en représenter plus richement l'horreur, la vilenie, et le dérèglement. Car que peut-on imaginer de plus vil que d'être couard à l'endroit des hommes et brave à l'endroit de Dieu ? Notre intelligence se conduisant par la seule voie de la parole, celui qui la fausse trahit la société tout entière. C'est le seul outil par le moyen duquel se communiquent nos volontés et nos pensées, c'est le truchement de notre âme. S'il nous fait défaut, nous ne nous tenons plus, nous ne nous entreconnaissons plus. S'il nous trompe, il rompt tout notre commerce et dissout toutes les liaisons de notre organisation politique.

Certaines nations des Indes nouvelles – on n'a que faire d'en remarquer les noms : ils ne sont plus ; car cette conquête, par un exemple prodigieux et inouï, a étendu sa désolation jusqu'à abolir entièrement les noms et l'ancienne connaissance des lieux ! – offraient à leurs dieux du sang humain, mais non autre que tiré de leur langue et de leurs oreilles, en expiation du péché de mensonge, tant ouï que prononcé.

Tel bon compagnon de la Grèce antique disait que les enfants s'amusent avec les osselets, les hommes avec les mots.

Quant aux divers usages de nos démentirs, sur les lois de notre honneur sur ce point, et sur les changements qu'elles ont reçus, je remets à une autre fois d'en dire ce que j'en sais. J'apprendrai cependant, si je puis, en quel temps prit commencement cette coutume de peser et mesurer si exactement les paroles et d'y attacher notre honneur, car il est aisé de juger qu'elle n'existait pas dans l'antiquité parmi les Romains et les Grecs. Et il m'a semblé souvent nouveau et étrange de les voir se démentir et s'injurier sans entrer pour autant en querelle. Les lois de leur devoir prenaient quelque autre voie que les nôtres. À sa barbe, on appelle César tantôt voleur, tantôt ivrogne. Nous voyons la liberté des invectives qu'ils s'adressent les uns aux autres, je dis bien les plus grands chefs de guerre de l'une et de l'autre nation, dans lesquelles les paroles se revanchent seulement par les paroles, et ne tirent pas autrement à conséquence.

De la liberté de conscience [k]

[Chapitre XIX]

Il est ordinaire de voir les bonnes intentions, si elles sont conduites sans modération, pousser les hommes à des effets très pervers. En ce débat qui vaut à la France d'être à présent bouleversée par des guerres civiles, le meilleur et le plus sain parti est sans doute celui qui maintient à la fois la religion et l'ancien régime politique du pays. Toutefois, entre les gens de bien qui le suivent – car je ne parle point de ceux qui s'en servent de prétexte ou pour exercer leurs vengeances particulières, ou pour fournir à leur avarice, ou pour suivre la faveur des princes, mais de ceux qui le font par vrai zèle envers leur religion et par sainte affection, et pour maintenir la paix et l'état de leur patrie –, entre ceux-ci, dis-je donc, on en voit plusieurs que la passion pousse hors les bornes de la raison et à qui elle fait parfois prendre des décisions injustes, violentes, et de plus téméraires.

Il est certain que dans les premiers temps que notre religion commença d'acquérir de l'autorité grâce aux lois, le zèle en arma plusieurs contre toute sorte de livres païens, ce qui a fait que les gens de lettres souffrent aujourd'hui une perte prodigieuse. J'estime que ce désordre a été plus nuisible aux lettres que tous les feux des barbares. Cornelius Tacitus en est un bon témoin, car, quoique l'empereur Tacitus, son parent, eût par des ordonnances expresses peuplé de ses livres toutes les bibliothèques du monde, pas un seul exemplaire entier n'a pu toutefois échapper à la recherche zélée de ceux qui désiraient les abolir pour cinq ou six vaines propositions contraires à notre foi. Ils ont aussi eu ceci, de prêter aisément des louanges fausses à tous les empereurs qui étaient favorables à nous les chrétiens, et de condamner universellement toutes les actions de ceux qui étaient nos adversaires, comme il est aisé de le voir avec l'empereur Julien, surnommé l'Apostat.

C'était à la vérité un très grand homme, et d'un rare mérite, car il avait vivement teint son âme des discours de la philosophie, sur lesquels il déclarait régler toutes ses actions. Et de vrai il n'est aucune sorte de vertu dont il n'ait laissé de très notables exemples. En matière de chasteté, dont le cours de sa vie donne un bien clair témoignage, on lit sur lui un trait pareil à celui d'Alexandre et de Scipion, que de plusieurs très belles captives, il n'en voulut pas seulement voir une, alors même qu'il était dans la fleur de son âge, puisqu'il fut tué par les Parthes à l'âge de trente un an seulement. Quant à la justice, il prenait lui-même la peine d'ouïr les deux parties, et, encore que par curiosité il s'informât auprès de ceux qui se présentaient à lui de quelle religion ils étaient, l'inimitié qu'il portait à la nôtre ne faisait toutefois aucun contrepoids dans la balance. Il fit lui-même plusieurs bonnes lois, et retrancha une grande partie des subsides et des impositions que levaient ses prédécesseurs.

Nous avons deux bons historiens témoins oculaires de ses actions. Le premier d'entre eux, Ammien Marcellin, reprend aigrement en divers lieux de son histoire l'ordonnance par laquelle il interdit d'école et défendit d'enseigner à tous les rhétoriciens et grammairiens chrétiens. Il ajoute qu'il souhaiterait que cette action de Julien fût ensevelie sous le silence. Il est vraisemblable que, si cet empereur eût entrepris quelque chose de plus rude contre nous, il ne l'eût pas voulu l'oublier, car cet historien était bien disposé envers notre parti. Julien était dur contre nous à la vérité, mais non pourtant cruellement ennemi. Car nos gens mêmes racontent de lui cette histoire que, se promenant un jour autour de la ville de Chalcédoine, Maris, l'évêque du lieu, osa bien l'appeler méchant traître au Christ, et qu'il n'en fit rien de plus que lui répondre : « Va, misérable, pleure la perte de tes yeux. » À quoi l'évêque répliqua : « Je rends grâce à Jésus-Christ de m'avoir ôté la vue, pour ne voir ainsi ton visage impudent. » En adoptant cette attitude, l'empereur cherchait, disent-ils, à atteindre l'impassibilité philosophique. Quoi qu'il en soit, ce fait-là ne peut pas bien s'accorder avec les cruautés qu'on prétend qu'il aurait exercées contre nous. Il était, dit Eutrope, mon autre témoin, ennemi de la chrétienté, mais sans toucher au sang.

Et pour en revenir à sa justice, il n'est rien chez lui qu'on puisse blâmer sinon les rigueurs dont il usa au commencement de son empire contre ceux qui avaient suivi le parti de Constance, son prédécesseur. Quant à sa sobriété, il vivait toujours à la façon d'un soldat, et se nourrissait en pleine paix comme quelqu'un qui se préparait et s'accoutumait à l'austérité de la guerre. La vigilance était telle en lui qu'il partageait la nuit en trois ou quatre parties, dont la moindre était celle qu'il donnait au sommeil. Le reste, il l'employait à visiter lui-même en personne, l'état de son armée et ses gardes, ou à étudier. Car, parmi d'autres rares qualités qu'il avait, il excellait dans toute sorte de littérature. On dit d'Alexandre le Grand qu'étant couché, de peur que le sommeil ne le débauchât de ses pensées et de ses études, il faisait placer un bassin tout près son lit et tenait l'une de ses mains au-dehors, avec une boulette de cuivre, afin que, si le sommeil le surprenait et relâchait la prise de ses doigts, cette boulette, par le bruit de sa chute dans le bassin, le réveillât. Julien, lui, avait l'âme si tendue vers ce qu'il voulait et si peu alourdie par la digestion du fait de sa singulière abstinence, qu'il se passait bien de cet artifice. Quant à la compétence militaire, il fut admirable dans tous les domaines où doit exceller un grand capitaine. Aussi passa-t-il quasi toute sa vie à se livrer à la guerre, et, pour la plupart, avec nous, en France, contre les Allemands et les Francs. Nous n'avons guère mémoire d'homme qui ait vu plus de périls ni qui ait plus souvent exposé sa personne. Sa mort a quelque chose de pareil à celle d'Épaminondas, car il fut frappé par un trait qu'il essaya d'arracher, et il l'eût fait si, le trait étant tranchant, il ne se fût coupé et affaibli la main. Il demandait incessamment qu'on le ramenât en cet état même au cœur de la mêlée pour encourager ses soldats. Ceux-ci durent pourtant disputer sans lui cette bataille. Ils combattirent très courageusement, jusqu'à l'heure où la nuit sépara les armées. Julien devait à la philosophie le singulier mépris dans lequel il tenait sa vie et les choses humaines. Il croyait fermement en l'éternité des âmes.

En matière de religion, Julien était vicieux partout. On l'a surnommé l'Apostat parce qu'il aurait abandonné la nôtre. Il me semble toutefois plus vraisemblable de penser qu'il ne l'avait jamais eue à cœur, mais que, pour se conformer aux lois, il s'était feint jusqu'à ce qu'il tînt l'empire en sa main. Il se montra si superstitieux en la sienne que ceux-là mêmes qui de son temps en étaient s'en moquaient. Et, disait-on, s'il eût remporté la victoire contre les Parthes, il eût fait tarir au monde la race des bœufs pour satisfaire à ses sacrifices. Il était de plus embabouiné de la science divinatrice, et il donnait autorité à toute sorte de présages. En mourant, il dit entre autres choses qu'il savait bon gré aux dieux, et qu'il les remerciait de ce qu'ils n'avaient pas voulu le tuer par surprise, puisqu'ils l'avaient dès longtemps averti du lieu et de l'heure de sa fin, ni par une mort molle ou lâche, ce qui convient mieux aux personnes oisives et délicates, ni par une mort languissante, longue et douloureuse, et pour l'avoir trouvé digne de mourir de cette noble façon, sur le front de ses victoires, et dans la fleur de sa gloire. Il avait eu une vision pareille à celle de Marcus Brutus [1], qui le menaça en Gaule une première fois, puis se représenta à lui en Perse, au moment de sa mort.

Les mots qu'on lui prête quand il se sentit frappé : « Tu as vaincu, Nazaréen ! », ou, comme d'autres : « Contente-toi, Nazaréen ! » auraient difficilement pu être oubliés par mes deux témoins s'ils les avaient crus, eux qui, alors qu'ils étaient présents dans l'armée, ont pu remarquer jusqu'aux moindres mouvements et jusqu'aux moindres paroles de sa fin, et qui n'ont pas noté non plus certains autres miracles qu'on y attache.

Et pour en revenir au propos de mon thème : depuis longtemps, dit Ammien Marcellin, Julien couvait le paganisme en son cœur mais, parce que toute son armée était composée de chrétiens, il n'osait le laisser voir. Enfin, quand il se vit assez fort pour oser publier sa volonté, il fit rouvrir les temples des dieux et il s'essaya par tous moyens à remettre l'idolâtrie en honneur. Pour parvenir à son effet, ayant trouvé à Constantinople le peuple décousu, avec les prélats de

1. L'assassin de César.

l'Église chrétienne divisés, il les fit venir à lui au palais, et les admonesta instamment d'assoupir ces dissensions civiles, leur demandant que chacun, sans embarras et sans crainte, servît désormais sa religion. Ce qu'il sollicitait avec beaucoup de soin dans l'espoir que cette permission augmenterait les factions et les intrigues de la dissension, et empêcherait ainsi le peuple de se réunir et de se fortifier contre lui par sa concorde et l'unanimité de ses sentiments : devant la cruauté de certains chrétiens il avait vu qu'il n'y a point de bête au monde qui fût tant à craindre pour l'homme que l'homme.

Ce sont là ses mots à peu près. Ils valent qu'on y remarque que l'empereur Julien se sert pour attiser le trouble des dissensions civiles de cette même recette de la liberté de conscience que nos rois viennent d'employer pour l'éteindre. On peut certes dire d'un côté que lâcher la bride aux partis pour leur permettre d'entretenir leur opinion, c'est répandre et semer la division, et prêter quasi la main pour l'augmenter, puisqu'il n'y a plus aucune barrière ni aucune coercition des lois qui bride et empêche sa course. Mais d'un autre côté, on pourrait dire aussi que lâcher la bride aux partis en leur permettant d'entretenir leur opinion, c'est les amollir et les relâcher par la facilité et l'aisance, et que c'est donc en émousser l'aiguillon, car celui-ci s'aiguise par la rareté, la nouvelleté et la difficulté. Et pourtant je préfère croire, pour l'honneur de la dévotion de nos rois, que, n'ayant pu ce qu'ils voulaient, ils ont fait semblant de vouloir ce qu'ils ne pouvaient.

Nous ne goûtons rien de pur

[Chapitre XX]

La faiblesse de notre condition fait que les choses ne puissent pas tomber en notre usage dans leur simplicité et leur pureté naturelles. Les éléments dont nous jouissons sont altérés, et les métaux tout pareillement ; l'or même, il faut le gâter par quelque autre matière pour l'accommoder à notre service. Ni la simple vertu dont Ariston, Pyrrhon, et encore les Stoïciens faisaient la fin de la vie, n'a pu y servir sans composition, ni la volupté des Cyrénaïques et d'Aristippe. Des plaisirs et des biens que nous avons, il n'en est aucun qui soit exempt de quelque mélange de mal et de désagrément :

> Du fond du puits des plaisirs, je ne sais quelle amertume
> Monte, qui prend à la gorge, et des fleurs mêmes s'exhume.

medio de fonte leporum
Surgit amari aliquid quod in ipsis floribus angat. [1]

Notre extrême volupté a quelque air de gémissement et de plainte. Diriez-vous pas qu'elle se meurt d'angoisse ? Voire quand nous nous la peignons dans son excellence, nous la fardons d'épithètes et de qualités maladives et douloureuses : langueur, mollesse, faiblesse, défaillance, *morbidezza* : grand témoignage de leur consanguinité et de leur consubstantialité. La profonde joie a plus de sévérité que de gaieté ; l'extrême et plein contentement, plus de calme que d'enjoué. *Ipsa felicitas se nisi temperat* premit [2] le bonheur même accable s'il ne se tempère. L'aise nous mâche. C'est ce que dit un vers grec ancien de même sens : « Les dieux nous vendent tous les biens qu'ils nous donnent », c'est-à-dire qu'ils ne nous en donnent aucun pur et parfait et que nous n'achetions au prix de quelque mal. Le travail et le plaisir, très dissemblables de nature, s'associent pourtant par je ne sais quelle jointure naturelle. Socrate dit dans le *Phédon* que quelque dieu essaya de fondre dans la masse et d'allier la douleur et la volupté, mais que, ne pouvant s'en sortir, il s'avisa de les accoupler au moins par la queue. Métrodore disait que dans la tristesse il y a quelque alliage de plaisir. Je ne sais s'il voulait dire autre chose, mais moi, j'imagine bien qu'il y a du dessein, du consentement, et de la complaisance à se nourrir dans la mélancolie, je veux dire qu'outre l'ambition qui s'y peut encore mêler, il y a quelque ombre de friandise et de délicatesse qui nous rit et qui nous flatte au giron même de la mélancolie. Y a-t-il pas certains caractères qui en font leur aliment ?

Nos pleurs aussi ont quelque volupté
est quædam flere uoluptas. [3]

Et un certain Attale dit chez Sénèque que la mémoire de nos amis perdus nous est agréable comme l'amertume d'un vin trop vieux :

Petit, chargé des vieux falernes,
Verse-moi donc des coupes plus amères
Minister ueteris puer falerni
Ingere mi calices amariores, [4]

et comme aussi des pommes doucement aigres.

1. Lucrèce, IV, 1133-1134.
2. Sénèque, *Lettres à Lucilius*, LXXIX, 18.
3. Ovide, *Les Tristes*, IV, III, 37.
4. Catulle, XXVIII, 1-2.

Nature nous découvre cette confusion. Les peintres tiennent que les mouvements et les plis du visage qui servent aux pleurs servent aussi au rire. De vrai, avant que l'un ou l'autre soit achevé d'exprimer, regardez à la façon dont le peintre conduit sa besogne : vous êtes en doute vers lequel c'est qu'on va ! Le rire extrême est lui aussi mêlé de larmes. *Nullum sine auctoramento malum est* [1] point de mal qui n'ait son salaire. Quand j'imagine l'homme assiégé de voluptés désirables, mettons le cas que tous ses membres fussent saisis pour toujours d'un plaisir pareil à celui de la génération en son point le plus excessif, je le sens fondre sous la charge de son aise, et je le vois tout à fait incapable de supporter une volupté si pure, si constante et si universelle. De vrai, il fuit quand il y est, et il se hâte naturellement d'en échapper, comme d'un mauvais pas où il ne peut s'affermir, où il craint d'enfoncer dans les fondrières.

Quand je me confesse à moi scrupuleusement, je trouve que la meilleure bonté que j'aie a quelque teinte mauvaise. Et je crains que Platon dans sa plus pure vertu, moi qui ai pour elle et les vertus de même caractère une estime aussi sincère et loyale que tout autre, s'il y eût écouté de près – et il y écoutait de près – eût perçu là quelque ton faux de mixtion humaine, mais difficilement audible et sensible seulement à lui. L'homme en tout et partout n'est que rapiècement et bigarrure.

Les lois mêmes de la justice ne peuvent subsister sans quelque mélange d'injustice. Platon va jusqu'à dire que ceux-là entreprennent de couper la tête de l'hydre, qui prétendent ôter des lois toutes les incommodités et tous les inconvénients. *Omne magnum exemplum habet aliquid ex iniquo quod contra singulos utilitate publica rependitur* [2], dit Tacite, tout grand exemple comporte quelque chose d'inique, que compense l'intérêt général au détriment des individus.

Il est pareillement vrai que pour l'usage de la vie et pour le service du commerce public, il peut y avoir de l'excès dans la pureté et la perspicacité de nos esprits. Cette clarté pénétrante a trop de subtilité et de curiosité. Il faut les appesantir et les émousser pour les rendre plus obéissants à l'exemple et à la pratique ; et les épaissir et obscurcir pour les proportionner à notre vie ténébreuse et terrestre. C'est pourquoi les esprits communs et les moins tendus se trouvent plus propres et plus heureux à conduire des affaires. Les opinions élevées et exquises de la philosophie se trouvent inaptes à l'exercice. Cette vivacité pointue de l'âme, et cette volubilité souple et inquiète troublent nos

1. Sénèque, *Lettres à Lucilius*, LXIX, 4.
2. Tacite, *Annales*, XIV, XLIV.

négociations. Il faut manier les entreprises humaines plus grossièrement et plus superficiellement, et en laisser une bonne et grande part aux droits de la fortune. Il n'est pas besoin d'éclairer les affaires si profondément et si subtilement. On s'y perd à considérer tant d'éclats contraires et de formes diverses, *uolutantibus res inter se pugnantes, obtorpuerant animi* [1] à force de rouler des pensées contraires, leurs esprits s'étaient paralysés. C'est ce que les anciens racontent au sujet de Simonide. Sur la demande que lui avait faite le roi Hiéron, et pour satisfaire à laquelle il avait eu plusieurs jours de réflexion, son imagination lui présentait diverses considérations aiguës et subtiles. Il se prit alors à douter laquelle était la plus vraisemblable, et finit par désespérer tout à fait de la vérité. Qui recherche et embrasse toutes les circonstances et toutes les conséquences d'une affaire, il entrave son choix. Une intelligence moyenne conduit également et suffit à exécuter des affaires de grand et de petit poids. Regardez que les meilleurs ménagers [2] sont ceux qui savent le moins nous dire comme ils le sont, et que ces suffisants conteurs n'y font le plus souvent rien qui vaille. Je sais un grand diseur, et très excellent peintre de toute sorte de ménage, qui a laissé bien piteusement couler entre ses mains cent mille livres de rente. J'en sais un autre qui se vante de mieux délibérer qu'homme de son conseil, et il n'est point au monde un plus bel étal d'âme et de talent : toutefois, dans les faits, ses serviteurs trouvent qu'il est tout autre, j'entends sans prendre en compte ce qui provient de la malchance.

Contre la fainéantise

[Chapitre XXI]

L'empereur Vespasien, malade de la maladie dont il mourut, ne laissait pas de vouloir entendre l'état de l'Empire, et dans son lit même, il réglait sans cesse plusieurs affaires de conséquence. Son médecin lui en ayant fait le reproche comme d'une chose nuisible à sa santé : « Il faut, disait-il, qu'un empereur meure debout. » Voilà un beau mot, à mon gré, et digne d'un grand prince. L'empereur Adrien s'en servit par la suite à ce même propos, et on devrait souvent le rappeler aux rois pour leur faire sentir que cette grande charge qu'on

1. Tite-Live, XXXII, XX.
2. Gestionnaire d'une maison, administrateur, intendant.

leur donne du commandement de tant d'hommes n'est pas une charge oisive, et qu'il n'est rien qui puisse si justement dégoûter un sujet de se mettre en peine et en hasard pour le service de son prince que de le voir pendant ce temps apoltronni lui-même à des occupations lâches et vaines, et d'avoir soin de sa conservation en le voyant si peu intéressé par la nôtre.

Quand quelqu'un voudra soutenir qu'il vaut mieux que le prince conduise ses guerres par d'autres que par soi, la fortune lui fournira assez d'exemples de ceux à qui leurs lieutenants ont achevé de grandes entreprises, et de ceux encore desquels la présence à l'armée eût été plus nuisible qu'utile. Mais nul prince valeureux et courageux ne pourra souffrir qu'on l'entretienne de si honteuses leçons. Sous couleur de conserver sa tête comme la statue d'un saint pour l'heureuse fortune de son état, ils le dégradent de sa fonction qui est toute dans l'action militaire, et l'en déclarent incapable. J'en sais un qui aimerait bien mieux être battu que de dormir, pendant qu'on se battrait pour lui, et qui ne vit jamais sans jalousie ses gens mêmes faire quelque chose de grand en son absence. Et le sultan Selym premier disait avec raison, ce me semble, que les victoires qui se gagnent sans le maître ne sont pas complètes. Bien plus heureusement eût-il dit que ce maître devrait rougir de honte de prétendre avoir part à la gloire alors qu'il n'y aurait embesogné que sa voix et sa pensée, ni même cela en fait, vu qu'en pareille besogne les avis et les commandements qui apportent de l'honneur sont ceux-là seulement qui se donnent sur le champ de bataille et au cœur de l'affaire. Nul pilote n'exerce son métier depuis la terre ferme. Les princes de la race ottomane, la première race du monde en fortune guerrière, ont chaudement embrassé cette opinion. Et Bajazet II avec son fils, qui s'en départirent, pour s'amuser aux sciences et à d'autres occupations casanières, donnèrent aussi de bien grands soufflets à leur empire. Celui qui règne à présent, Amurat III, à leur exemple, commence de s'en trouver de même assez bien ! Fût-ce pas le roi d'Angleterre Edouard III qui eut ce mot à propos de notre roi Charles V : « Il n'y eut onques roi qui moins s'armât, et pourtant il n'y eut onques roi qui me donnât tant à faire » ? Il avait raison de le trouver étrange, comme un effet du sort plus que de la raison. Et qu'ils cherchent donc une autre approbation que la mienne ceux qui veulent mettre les rois de Castille et de Portugal au nombre des conquérants guerriers et magnanimes pour le fait que, à douze cents lieues de leur oisive demeure, et avec l'armée de leurs commis, ils se sont rendus maîtres des Indes des deux bords, dont il reste encore à savoir s'ils auraient seulement le courage d'aller prendre possession en personne.

L'empereur Julien allait encore plus loin en disant qu'un philosophe et un honnête homme ne devaient pas seulement respirer, c'est-à-dire qu'ils devaient ne donner aux nécessités corporelles que ce qu'on ne peut leur refuser et tenir toujours l'âme et le corps embesognés à des choses belles, grandes et vertueuses. Il avait honte si en public on le voyait cracher ou suer (ce qu'on dit aussi de la jeunesse lacédémonienne, et Xénophon de la persane) parce qu'il estimait que l'exercice, le travail continuel, et la sobriété devaient avoir cuit et asséché toutes ces superfluités. Ce que dit Sénèque ne s'accordera pas mal à cet endroit, savoir que les anciens Romains maintenaient leur jeunesse debout : « Ils n'apprenaient rien, dit-il, à leurs enfants qu'ils dussent apprendre assis. »

C'est même une généreuse envie que de vouloir mourir utilement et virilement, mais l'effet n'en gît pas tant dans notre bonne résolution que dans notre bonne fortune. Mille ont proposé de vaincre ou de mourir en combattant qui ont failli à l'un et à l'autre, car les blessures, les prisons qui s'étaient mises en travers de leur dessein leur prêtaient une vie forcée. Il y a des maladies qui terrassent jusqu'à nos désirs et à notre connaissance. Fortune ne devait pas seconder la vanité des légions romaines qui s'obligèrent par serment à vaincre ou mourir : Marcus Fabius, je reviendrai vainqueur de l'armée ! Si j'y manque, je me dévoue au courroux du Père Jupiter et de Mars Gradivus, et des autres dieux *Victor, Marce Fabi, reuertar ex acie ! Si fallo, Jovem patrem Gradiuumque Martem aliosque iratos inuoco Deos.* [1] Les Portugais disent qu'en certain endroit de leur conquête des Indes ils rencontrèrent des soldats qui s'étaient condamnés avec d'horribles exécrations à n'entrer en aucune composition que de se faire tuer ou demeurer victorieux, et pour marque de ce vœu ils portaient la tête et la barbe rases. Nous avons beau nous hasarder et nous obstiner, il semble que les coups fuient ceux qui s'y présentent trop allègrement, et que souvent ils ne tombent point sur qui s'offre à eux trop volontiers et corrompt leur fin. On en a vu certains qui, faute de pouvoir perdre la vie sous les coups de l'ennemi, après avoir tout essayé, ont été contraints, pour satisfaire à leur résolution d'en rapporter l'honneur ou de n'en rapporter pas la vie, de se donner eux-mêmes la mort au plus chaud du combat. Il en est maints exemples, mais en voici un entre autres. Philistus, chef de l'armée de mer de Denys le Jeune contre les Syracusains, leur offrit la bataille qui fut âprement contestée, les forces étant égales. Dans ce combat, il eut du meilleur au commencement, par sa prouesse. Mais les Syracusains se rangeant autour de sa galère pour l'investir, après qu'il eut accompli

1. Tite-Live, II, XLV, 14.

de grands faits d'armes de sa personne pour se dégager, n'espérant plus de ressource, il s'ôta de sa main la vie qu'il avait si libéralement abandonnée, et de façon si frustrante, aux mains ennemies. Le roi de Fès, Moulay Abd el Malik, qui, contre Sébastien, le roi du Portugal, vient de gagner cette journée rendue fameuse par la mort de trois rois et par la transmission de cette grande couronne, à celle de Castille, se trouva grièvement malade dès le moment où les Portugais pénétrèrent dans ses États les armes à la main, et il alla toujours depuis en empirant vers la mort qu'il sentait venir. Jamais homme ne se servit de soi plus vigoureusement et plus bravement. Il se trouva trop faible pour soutenir le cérémonial pompeux de l'entrée de son camp qui est, selon leur mode, pleine de magnificence et chargée de tout plein d'action, et il abandonna cet honneur à son frère. Mais ce fut aussi la seule part de ses fonctions de capitaine qu'il délégua. Toutes les autres, qui étaient nécessaires et utiles, il les remplit très glorieusement et très exactement. Il garda son corps couché mais son entendement et son courage debout et fermes jusqu'à son dernier soupir, et même un peu au-delà d'une certaine façon. Il aurait pu harceler ses ennemis, qui s'étaient inconsidérément avancés sur ses terres, et il lui pesa terriblement que, faute d'un peu de vie, et pour n'avoir qui substituer à la conduite de cette guerre et aux affaires d'un État troublé, il eût à chercher une victoire sanglante et hasardeuse alors qu'il en avait une autre pure et nette entre les mains. Toutefois il ménagea merveilleusement la durée de sa maladie pour faire se consumer son ennemi et l'attirer loin de sa flotte et des places maritimes qu'il avait sur la côte d'Afrique, jusqu'au dernier jour de sa vie. Ce jour-là, il l'employa et le réserva à dessein à cette grande journée. Il déploya ses lignes en cercle, assiégeant de toutes parts l'armée des Portugais. Ce cercle, qui venait à se courber et resserrer, les empêcha non seulement pendant l'engagement (qui fut très âpre du fait de la valeur de ce jeune roi assaillant) vu qu'ils avaient à faire face de tous les côtés, mais aussi les empêcha de fuir après leur déroute. Et, trouvant toutes les issues saisies et closes, ils furent contraints de se rejeter sur eux-mêmes, *coacervanturque non solum cæde, sed etiam fuga,* [1] s'entassant non seulement sous l'effet du carnage mais aussi par leur fuite, et de s'amonceler les uns sur les autres, fournissant aux vainqueurs une victoire très meurtrière, et très entière. Mourant, il se fit porter et traîner où le besoin l'appelait, et, se coulant le long des files, il exhortait ses capitaines et ses soldats les uns après les autres. Mais alors qu'un coin de ses lignes se laissait enfoncer, on ne put le retenir de monter à cheval, l'épée au poing. Tandis que lui

1. Tite-Live, XXIV, XXXIX, 5.

s'efforçait d'aller se jeter dans la mêlée, ses gens tâchaient de l'arrêter, qui par la bride, qui par sa robe et par ses étriers. Cet effort acheva d'abattre le peu de vie qui lui restait. On le recoucha. Mais lui soudain se ressuscita comme en sursaut de cette pâmoison, alors que toute autre faculté lui défaillait, pour avertir qu'on tût sa mort, ce qui était le plus nécessaire commandement qu'il eût lors à faire, afin de n'engendrer pas quelque désespoir chez les siens par cette nouvelle. Il expira ainsi en ayant le doigt posé sur sa bouche close, ce qui d'ordinaire signifie de faire silence. Qui vécut onques si longtemps et si avant dans la mort ? Qui mourut onques si debout ?

L'extrême degré dans le traitement courageux de la mort, et le plus naturel, c'est de la voir, non seulement sans en être frappé, mais sans souci, en continuant librement le train de la vie, jusqu'à ce qu'on soit enfin en elle, comme le fit Caton d'Utique qui s'amusait à étudier et à dormir alors qu'il en avait une violente et sanglante, toute présente dans son cœur, et qu'il la tenait en sa main.

Des postes

[Chapitre XXII]

Je n'ai pas été des plus faibles dans cet exercice de courir la poste à cheval qui convient aux gens de ma taille, ferme et courte, mais j'en quitte le métier : il nous éprouve trop, pour qu'on y dure longtemps.

Je lisais à cette heure que le roi Cyrus, pour recevoir plus facilement des nouvelles de tous les côtés de son empire qui était d'une fort grande étendue, fit mesurer combien un cheval pouvait faire de chemin en un jour tout d'une traite, et à cette distance il établit des hommes qui avaient charge de tenir des chevaux prêts pour en fournir ceux qui viendraient vers lui. Et d'aucuns disent que cette vitesse de déplacement revient à celle du vol des grues.

César dit que Lucius Vibulus Rufus, ayant hâte de porter un avertissement à Pompée, s'achemina vers lui jour et nuit, changeant de chevaux sous lui pour faire diligence. Et lui-même, à ce que dit Suétone, faisait cent mille par jour sur un coche de louage, Mais c'était un furieux courrier, car où les rivières lui barraient le chemin, il les franchissait à nage, et il ne se détourna jamais pour aller chercher un pont ou un gué. Tiberius Nero, allant voir son frère Drusus, malade en Allemagne, fit deux cents mille en vingt-quatre heures avec trois coches.

Au cours de la guerre des Romains contre le roi Antiochus, T. Sempronius Gracchus, dit Tite-Live, *per dispositos equos prope incredibili celeritate ab Amphissa tertio die Pellam peruenit* [1] sur des chevaux de poste, à une vitesse presque incroyable, parvint d'Amphissa à Pella en trois jours, et il appert, à voir les lieux, que c'étaient des postes installés à demeure, et non fraîchement établis pour cette course.

L'invention de Cecinna pour renvoyer des nouvelles à ceux de sa maison avait bien plus de promptitude. Il emporta avec lui des hirondelles, et il les relâchait vers leurs nids quand il voulait renvoyer de ses nouvelles, en les teignant de marques de couleur propres à signifier ce qu'il voulait selon ce qu'il avait concerté avec les siens. Au théâtre à Rome, les pères de famille avaient des pigeons dans leur sein, auxquels ils attachaient des lettres quand ils voulaient mander quelque chose à leurs gens au logis, et ces oiseaux étaient dressés à en rapporter réponse. D. Brutus en usa quand il était assiégé à Mutine, et d'autres ailleurs.

Au Pérou, les messagers couraient sur des hommes qui les chargeaient sur les épaules à l'aide de portoires, avec une telle agilité que tout en courant, les premiers porteurs repassaient leur charge aux seconds, sans s'arrêter d'un pas.

J'apprends que les Valaques, courriers du Sultan, font une diligence extrême parce qu'ils ont le droit de faire lâcher sa monture au premier passant qu'ils trouvent sur leur route en lui donnant leur cheval recru. Pour se garder de la fatigue, ils se sanglent au milieu du corps bien étroitement avec une large bande de tissu comme le font beaucoup d'autres. Je n'ai trouvé nul soulagement à cet usage.

Des mauvais moyens employés à bonne fin

[Chapitre XXIII]

Il existe des relations et des correspondances merveilleuses dans l'organisation universelle des ouvrages de Nature qui montre bien qu'elle n'est ni fortuite ni conduite par divers maîtres. Les maladies et conditions de nos corps se voient aussi dans les États et leurs polices. Les royaumes, les républiques naissent, fleurissent et fanent de vieillesse, comme nous. Nous sommes sujets à des réplétions d'humeurs inutiles

1. Tite-Live, XXXVII, VII, 11.

et nuisibles, soit d'humeurs bénéfiques (car même cela les médecins le craignent : comme il n'y a rien de stable chez nous, ils disent que la perfection d'une santé trop allègre et vigoureuse doit être écimée et rabattue par l'art, de peur que notre nature, faute de pouvoir se rasseoir en nulle place assurée, et n'ayant plus où monter pour s'améliorer, ne se recule en arrière en désordre et trop subitement ; et c'est pourquoi ils prescrivent aux athlètes des purgations et des saignées afin de leur soutirer cette surabondance de santé), soit réplétion d'humeurs pernicieuses, ce qui est la cause ordinaire des maladies.

On voit souvent des États malades d'une semblable réplétion, et a l'on a accoutumé d'user de diverses sortes de purges. Tantôt on donne congé à une grande multitude de familles pour en décharger le pays, qui vont chercher ailleurs où s'accommoder aux dépens d'autrui. De cette façon nos anciens Francs, partis du fond de l'Allemagne, vinrent se saisir de la Gaule et en déloger les premiers habitants. Ainsi se forma cette marée d'hommes infinie qui s'écoula en Italie sous Brennus et d'autres ; ainsi les Goths et les Vandales, comme aussi les peuples qui possèdent à présent la Grèce, abandonnèrent leur pays de naissance pour aller ailleurs se loger plus au large, et à peine est-il deux ou trois coins au monde qui n'aient pas senti l'effet d'un tel remue-ménage. Les Romains bâtissaient leurs colonies par ce moyen, car, quand ils sentaient leur ville grossir outre mesure, ils la déchargeaient du peuple le moins nécessaire et l'envoyaient habiter et cultiver les terres par eux conquises. Parfois aussi ils ont sciemment nourri des guerres avec certains de leurs ennemis non seulement pour tenir leurs hommes en haleine, de peur que l'oisiveté, mère de corruption, ne leur apportât quelque pire inconvénient :

Et nous souffrons les maux d'une si longue paix,
Plus dur que les combats, le luxe nous plie sous le faix

Et patimur longæ pacis mala, sæuior armis
Luxuria incumbit, [1]

mais aussi pour servir de saignée à leur république, pour éventer un peu la chaleur trop véhémente de leur jeunesse, et pour écourter et éclaircir le branchage de cette tige trop abondante en gaillardise. C'est à cet effet qu'ils se sont autrefois servis de la guerre contre les Carthaginois.

Au traité de Brétigny, le roi d'Angleterre, Édouard III, dans cette paix générale qu'il fit avec notre roi, ne voulut point comprendre le différend du duché de Bretagne afin qu'il eût où se décharger de ses

1. Juvénal, VI, 291-293.

hommes de guerre, et que cette foule d'Anglais dont il s'était servi aux affaires de deçà ne se rejetât en Angleterre. Ce fut l'une des raisons pourquoi notre roi Philippe consentit d'envoyer son fils Jean guerroyer outremer, afin qu'il emmène avec lui un grand nombre de cette jeunesse bouillante qui se trouvait parmi ses gens d'armes.

Il y en a plusieurs qui de notre temps discourent de pareille façon, souhaitant que cette émotion chaleureuse qui est parmi nous pût se dériver vers quelque guerre voisine, de peur que ces humeurs peccantes qui pour cette heure dominent notre corps, si on ne les écoule ailleurs, maintiennent notre fièvre toujours en force, et apportent à la fin notre ruine entière. Et de vrai, une guerre étrangère est un mal bien plus doux qu'une guerre civile, mais je ne crois pas que Dieu favoriserait une si injuste entreprise d'offenser et de quereller autrui pour notre commodité :

Ô Némésis [1], par rien puissé-je n'être si tenté
Que je le veuille ravir à ses hoirs contre leur gré

Nil mihi tam ualde placeat, Rhamnusia uirgo,
Quod temere inuitis suscipiatur heris ! [2]

Toutefois la faiblesse de notre condition nous pousse souvent à cette nécessité de nous servir de mauvais moyens en vue d'une bonne fin. Lycurgue, le législateur le plus vertueux et le plus parfait qui fut onques, pour instruire son peuple à la tempérance, inventa cette très injuste façon d'enivrer de force les ilotes, qui étaient leurs serfs, afin qu'en les voyant ainsi perdus et ensevelis dans le vin les Spartiates prissent en horreur le débordement de ce vice.

Ceux-là avaient encore plus de tort qui permettaient anciennement que les criminels, à quelque sorte de mort qu'ils fussent condamnés, fussent déchirés tous vifs par les médecins, pour y voir au naturel nos parties intérieures et en établir plus de certitude dans leur art, car, s'il se faut dévoyer, on est plus excusable de le faire pour la santé de l'âme que pour celle du corps, comme les Romains dressaient le peuple à la vaillance et au mépris des dangers et de la mort par ces spectacles furieux de gladiateurs et d'escrimeurs à outrance qui se combattaient, se détaillaient et s'entre-tuaient sous leurs yeux :

---

1. « Ô Vierge de Rhamnonte » dit le vers de Catulle : cette périphrase désigne Némésis (« *Jalousie* »), force et divinité qui poussait les hommes à se venger à force vive des préjudices subis ; Rhamnonte est le bourg de l'Attique où Némésis était révérée.
2. Catulle, LXVIII, 77-78.

Que peut d'autre viser l'art impie de ces jeux déments,
Ces jeunes gens tués, ce plaisir qui se paît de sang
Quid uesani aliud sibi uult ars impia ludi,
Quid mortes iuuenum, quid sanguine pasta uoluptas ? [1]

Et cet usage dura jusqu'à l'empereur Théodose :

Seigneur, elle attendait ton temps : saisis-toi de cette gloire,
Et joins ce reste encore à la paternelle mémoire :
Qu'à Rome nul ne soit plus châtié pour le plaisir,
Que l'infâme sablon des seules bêtes soit content
Qu'aucun meurtre n'y soit joué sous les fers teints de sang
Arripe dilatam tua dux in tempora famam,
Quodque patris superest successor laudis habeto,
Nullus in urbe cadat, cuius sit poena uoluptas,
Jam solis contenta feris infamis arena,
Nulla cruentatis homicidia ludat in armis ! [2]

C'était à la vérité un exemple merveilleux, et de très grand fruit pour l'institution du peuple, que de voir tous les jours sous ses yeux cent, deux cents, voire mille couples d'hommes armés les uns contre les autres se hacher en pièces avec une si extrême fermeté de courage qu'on ne leur vît jamais lâcher une parole de faiblesse ou de commisération, jamais tourner le dos, ni faire seulement un mouvement lâche pour esquiver le coup de leur adversaire, mais tendre au contraire le col à son épée et s'offrir aux coups. Il est advenu à plusieurs d'entre eux, blessés à mort de force plaies, d'envoyer demander au peuple s'il était content de leur devoir avant de se coucher pour rendre l'esprit sur la place. Il ne fallait pas seulement qu'ils combattissent et mourussent avec constance, mais encore avec allégresse, de sorte qu'on les huait et maudissait si on les voyait s'évertuer à esquiver la mort. Les filles mêmes les incitaient :

à chaque coup, elle bondit de sa place,
Quand sur la gorge le vainqueur met son fer menaçant,
Elle s'écrie « quel bonheur ! », et dans le cœur du gisant,
Le pouce vers le bas, la timide enjoint de frapper
consurgit ad ictus,
Et quoties uictor ferrum iugulo inserit, illa
Delitias ait esse suas, pectusque iacentis
Virgo modesta iubet conuerso pollice rumpi. [3]

1. Prudence, *Contre Symmaque*, I, 382-284.
2. Prudence, *Contre Symmaque*, II, 1122-1123, 1126, 1128-1129.
3. Prudence, *Contre Symmaque*, II, 1096-1099.

Les premiers Romains employaient à cet exemple les criminels, mais par la suite on y employa des serfs innocents, et des hommes libres même, qui se vendaient pour cet effet, jusqu'à des sénateurs et des chevaliers romains, et encore des femmes :

Ore, ils vendent leur mort et leurs obsèques dans l'arène :
Alors que la guerre dort, chacun se forge une haine
Nunc caput in mortem uendun et funus arenæ,
Atque hostem sibi quisque parat cum bella quiescunt. [1]

Dans ces frémissements et ces jeux inédits,
Ce sexe malhabile et qu'au glaive on n'a point instruit
Tâche de faire siens, sans pudeur, les combats des hommes
Hos inter fremitus nouosque lusus,
Stat sexus rudis insciusque ferri,
Et pugnas capit improbus uiriles, [2]

chose que je trouverais fort étrange et incroyable si nous n'étions accoutumés à voir tous les jours dans nos guerres plusieurs milliers d'hommes étrangers engager leur sang et leur vie pour de l'argent dans des querelles où ils n'ont aucun intérêt.

De la grandeur romaine

[Chapitre XXIV]

Je ne veux dire qu'un mot de cet argument infini pour montrer la simplicité de ceux qui à cette grandeur-là veulent comparer les chétives grandeurs de notre temps. Au septième livre des *Épîtres familières* de Cicéron (et que les grammairiens en ôtent, s'ils veulent, ce surnom de « familières », car à la vérité il n'y est pas fort à propos, et ceux qui au lieu de « familières » y ont substitué *ad familiares* peuvent tirer quelque argument pour eux de ce que dit Suétone dans sa *Vie de César* qu'il y avait un volume de lettres de lui « à ses familiers », *ad familiares*), il y en a une qui s'adresse à César, qui se trouvait alors en Gaule, dans laquelle Cicéron redit ces mots qui étaient sur la fin d'une autre lettre que César lui avait écrite : « Quant à Marcus Furius que tu m'as recommandé, je le ferai roi de Gaule, et si tu veux que j'avance quelque autre de tes amis, envoie-le-moi. » Il n'était pas nouveau pour

1. Manilius, IV, 225-226.
2. Stace, *Sylves*, I, IV, 51.

un simple citoyen romain, comme César l'était alors, de disposer des royaumes, car il ôta bien le sien au roi Dejotarus, pour le donner à un gentilhomme de Pergame nommé Mithridate ! Et ceux qui écrivent sa vie enregistrent plusieurs royaumes vendus par lui. Suétone dit du roi Ptolémée, qui fut bien près de lui vendre le sien, que César lui soutira d'un seul coup trois millions six cent mille écus :

La Galatie faisait tant, tant le Pont, tant la Lydie
Tot Galatæ, tot Pontus eat, tot Lydia nummis. [1]

Marc Antoine disait que la grandeur du peuple romain ne se montrait pas tant par ce qu'il prenait que par ce qu'il donnait. Pourtant, environ un siècle avant Antoine, il en avait ôté un entre autres, avec une autorité si merveilleuse qu'en toute son histoire je ne sache preuve qui porte plus haut le nom de son crédit. Antiochus possédait toute l'Égypte et s'apprêtait à conquérir Chypre et d'autres restes de cet empire. Alors qu'il progressait dans ses victoires, C. Popilius vint à lui de la part du sénat et, dès l'abord, refusa de lui toucher la main qu'il n'eût d'abord lu la lettre qu'il lui apportait. Après que le roi l'eut lue et dit qu'il en délibérerait, Popilius circonscrit la place où il était avec sa baguette en lui disant : « Rends-moi une réponse que je puisse rapporter au sénat avant que tu ne partes de ce cercle. » Antiochus, frappé par la rudesse d'un commandement si pressant, après y avoir un peu songé : « Je ferai, dit-il, ce que le sénat me commande. » Alors Popilius le salua comme ami du peuple romain. Avoir renoncé à une si grande monarchie, et au cours d'une prospérité si fortunée simplement pour trois traits imprimés dans le sable ! Il eut vraiment raison, comme il le fit, d'envoyer dire ensuite au sénat par ses ambassadeurs qu'il avait reçu leur ordre avec le même respect que s'il fût venu des dieux immortels.

Tous les royaumes qu'Auguste gagna par droit de guerre, il les rendit à ceux qui les avaient perdus, ou en fit présent à des étrangers. Et sur ce propos Tacite, parlant du roi d'Angleterre Cogidunus, nous fait sentir cette infinie puissance par un merveilleux trait : « Les Romains, dit-il, avaient de toute ancienneté accoutumé de laisser les rois qu'ils avaient vaincus dans la possession de leurs royaumes, sous leur autorité, afin qu'ils eussent les rois eux-mêmes pour outils de la servitude *ut haberent instrumenta seruitutis et reges.* » [2] Il est vraisemblable que Soliman, à qui nous avons vu faire libéralité du royaume de Hongrie, et d'autres États, regardait plus à cette considération qu'à celle qu'il avait accou-

1. Claudien, *Contre Eutrope*, I, 203.
2. Tacite, *La Vie de C. Julius Agricola*, XIV, 2.

tumé d'alléguer, qu'il était rassasié et accablé de tant de monarchies et de domination que sa vertu, ou celle de ses ancêtres, lui avaient acquises.

De ne contrefaire le malade

[Chapitre XXV]

Il y a une épigramme dans Martial qui est des meilleures, car il y en a chez lui de toutes sortes, où il raconte plaisamment l'histoire de Cælius qui pour éviter de faire la cour à quelques grands à Rome, de se trouver à leur lever, de les accompagner et de les suivre, fit mine d'avoir la goutte, et qui, pour rendre son excuse plus vraisemblable, se faisait oindre les jambes, les tenait enveloppées, et contrefaisait entièrement le port et la contenance d'un homme goutteux. À la fin la fortune lui fit ce plaisir de l'en rendre tout à fait malade :

L'art de feindre la maladie a de l'effet sans doute :
Caelius a cessé de feindre sa goutte

Tantum cura potest et ars doloris,
Desiit fingere Cælius podagram. [1]

J'ai vu dans un certain passage d'Appien, ce me semble, une pareille histoire, d'un qui voulant échapper aux proscriptions des triumvirs de Rome, pour se dérober à la connaissance de ceux qui le poursuivaient, se tenant caché et travesti, y ajouta encore cette invention de contrefaire le borgne. Quand il vint à recouvrer un peu plus de liberté et qu'il voulut défaire l'emplâtre qu'il avait longtemps porté sur son œil, il trouva que sa vue s'était effectivement perdue sous ce masque. Il est possible que l'action de la vue se fût hébétée pour avoir été si longtemps sans exercice, et que la capacité de voir se fût toute rejetée en l'autre œil, car nous sentons évidemment que l'œil que nous tenons couvert renvoie à son compagnon quelque partie de son effet, de sorte que celui qui reste s'en grossit et s'en enfle. Comme aussi l'oisiveté avec la chaleur des liaisons et des médicaments avaient bien pu attirer quelque humeur podagrique au goutteux de Martial.

Lisant chez Froissart le vœu d'une troupe de jeunes gentilshommes anglais de porter l'œil gauche bandé jusqu'à ce qu'ils eussent passé en

1. Martial, VII, XXXIX, 8-9.

France, et accompli quelque fait d'armes sur nous, je me suis souvent chatouillé de cette pensée qu'il leur eût pris, comme à ces autres, et qu'ils se fussent trouvés tous éborgnés au revoir des maîtresses pour lesquelles ils avaient fait l'entreprise.

Les mères ont bien raison de tancer leurs enfants quand ils contrefont les borgnes, les boiteux et les bigleux, et tels autres défauts de la personne, car outre que le corps ainsi tendre en peut recevoir un mauvais pli, il semble, je ne sais comment, que la fortune se joue à nous prendre au mot, et j'ai ouï raconter plusieurs exemples de gens devenus malades après avoir décidé de feindre de l'être.

De tout temps j'ai appris à avoir à la main tant à cheval qu'à pied une baguette ou un bâton, jusqu'à y chercher de l'élégance, et à m'y appuyer avec une contenance affectée. Plusieurs m'ont averti que la fortune tournerait un jour cette coquetterie en nécessité. Je me rassure en pensant que je serais bien le premier goutteux de ma lignée.

Mais allongeons ce chapitre et le bigarrons d'une autre pièce, à propos de la cécité. Pline dit d'un homme qui, songeant être aveugle en dormant, se trouva tel le lendemain, sans avoir eu aucune maladie auparavant. La force de l'imagination peut bien aider à cela, comme je l'ai dit ailleurs, et il semble que Pline soit de cet avis, mais il est plus vraisemblable que les mouvements que le corps ressentait au-dedans, et dans lesquels les médecins trouveront, s'ils veulent, la cause qui lui ôtait la vue, furent l'occasion du songe.

Ajoutons encore une histoire voisine de ce propos que Sénèque raconte dans l'une de ses lettres : « Tu sais, dit-il dans une lettre à Lucilius, que Harpaste, ma folle de femme, est demeurée chez moi à titre de charge successorale, car, par goût personnel, je suis ennemi de ces monstres, et si j'ai envie de rire d'un fol, il ne me le faut chercher guère loin : je ris de moi-même. Cette folle a subitement perdu la vue. Je te raconte là une chose étrange mais véritable : elle ne sent point qu'elle soit aveugle, et presse incessamment son gouverneur de l'emmener parce qu'elle dit que ma maison est obscure. Ce dont nous rions chez elle, je te prie de croire qu'il en advient autant à chacun de nous : nul ne connaît qu'il est avare, nul envieux. Encore les aveugles demandent un guide ; nous, nous nous fourvoyons de nous-mêmes. « Je ne suis pas ambitieux, disons-nous, mais à Rome on ne peut vivre autrement » ; « je ne suis pas dépensier, mais la ville requiert une grande dépense » ; « ce n'est pas ma faute, si je suis colère, si je n'ai encore établi aucun train de vie assuré, c'est la faute de la jeunesse. » Ne cherchons pas hors de nous notre mal, il est chez nous, il est planté dans nos entrailles. Et le fait même que nous ne sentions pas que nous sommes malades nous rend la guérison plus malaisée. Si nous ne commençons de bonne heure à nous soigner, quand aurons-nous pourvu à tant de plaies et à tant de maux ? Pourtant nous avons une très douce médecine avec la philosophie, car des autres, on n'en sent le plaisir qu'après la guérison, alors que celle-ci plaît et guérit à la fois. »

Voilà ce que dit Sénèque qui m'a emporté hors de mon propos, mais il y a du profit au change.

Des pouces

[Chapitre XXVI]

Tacite raconte que parmi certains rois barbares, pour nouer fermement un engagement, leur manière était de joindre étroitement leurs mains droites l'une à l'autre, et de s'entrelacer les pouces. Quand, à force de les presser, le sang en était monté au bout, ils les blessaient avec quelque légère pointe, et puis se les entre-suçaient. Les médecins disent que les pouces sont les maîtres doigts de la main, et que leur étymologie latine vient de *pollere*. [1] Les Grecs l'appellent ἀντίχειϱ, comme qui dirait une autre main. Et il semble que parfois les Latins les prennent aussi en ce sens de main entière :

> Elle se dresse bien sans que l'excite une voix douce
> Ni que, voluptueux, la caresse le pouce
> *Sed nec uocibus excitata blandis,*
> *Molli pollice nec rogata surgit.* [2]

C'était à Rome un signe de faveur que de comprimer et baisser les pouces :

> Tes amis loueront ton jeu des deux pouces
> *Fautor utroque tuum laudabit pollice ludu,* [3]

et de défaveur de les hausser et tourner au-dehors :

> Dès que le peuple a son pouce baissé,
> Ils tuent n'importe qui pour lui plaire
> *conuerso pollice uulgi*
> *Quemlibet occidunt populariter.* [4]

1. Le verbe *pollere* signifie : exceller sur les autres.
2. Martial, XII, XCVIII, 8-9.
3. Horace, *Épîtres*, I, XVIII, 66.
4. Juvénal, III, 36-37.

Les Romains dispensaient de la guerre ceux qui étaient blessés au pouce, comme s'ils n'avaient plus la prise des armes assez ferme. Auguste confisqua ses biens à un chevalier romain qui avait par malice coupé les pouces à deux de ses jeunes enfants pour les excuser d'aller aux armées, et avant lui le sénat, du temps des guerres italiques, avait condamné Caius Vatienus à la prison perpétuelle, et lui avait confisqué tous ses biens, pour s'être délibérément coupé le pouce de la main gauche afin de s'exempter de cette expédition.

Quelqu'un, dont il ne me souvient point, après avoir remporté une bataille navale, fit couper les pouces à ses ennemis vaincus pour leur ôter le moyen de combattre et de tirer la rame. Les Athéniens les firent couper aux Éginètes pour leur ôter la supériorité en l'art maritime. À Lacédémone, le maître châtiait les enfants en leur mordant le pouce.

Couardise mère de la cruauté

[Chapitre XXVII]

J'ai souvent ouï dire que la couardise est mère de la cruauté et pourtant j'ai par expérience aperçu que cette aigreur et cette âpreté d'un cœur cruel et inhumain s'accompagnent coutumièrement d'une mollesse bien féminine. J'en ai vu des plus cruels qui étaient sujets à pleurer aisément et pour des causes frivoles. Alexandre, le tyran de Phères, ne pouvait souffrir d'ouïr jouer au théâtre des tragédies de peur que ses concitoyens ne le vissent gémir aux malheurs d'Hécube et d'Andromaque, lui qui sans pitié faisait cruellement assassiner tant de gens tous les jours. Serait-ce une faiblesse d'âme qui les rendît ainsi ployables à toutes les extrémités ? La vaillance (dont c'est l'effet de s'exercer seulement contre la résistance,

Il n'y jouit, sinon d'un bouvillon qui lui tient tête
Nec nisi bellantis gaudet ceruice iuuenci,)[1]

s'arrête à voir l'ennemi à sa merci. Mais la pusillanimité, pour dire qu'elle est aussi de la fête, faute d'avoir pu se mêler à ce premier rôle, prend pour sa part le second du massacre et du sang. Les meurtres des victoires s'exercent ordinairement par le peuple et par les officiers du bagage, et ce qui fait voir tant de cruautés inouïes dans les guerres

1. Claudien, *Supplication à Hadrien*, 30.

populaires, c'est que cette canaille de vulgaire s'aguerrit et se militarise à s'ensanglanter jusqu'aux coudes et à déchiqueter un corps à ses pieds, ne connaissant point d'autre vaillance :

Le loup et les ours vils vont s'acharnant sur les mourants,
Ainsi que tous les animaux d'une moindre noblesse

Et lupus et turpes instant morientibus ursi,
Et quæcunque minor nobilitate fera est, [1]

comme les chiens couards qui déchirent à la maison et mordent les peaux des bêtes sauvages qu'ils n'ont osé attaquer aux champs. Qu'est-ce qui, de notre temps, rend nos querelles totalement mortelles ? Et d'où vient que, là où nos pères avaient quelque degré dans leurs vengeances, nous commençons à cette heure par le dernier, et qu'il n'est question dès l'abord que de tuer ? Qu'est-ce, si ce n'est couardise ? Chacun sent bien qu'il y a plus de bravoure et de dédain à battre son ennemi qu'à l'achever, et à lui faire baisser les cornes que de le faire mourir. Et que de plus l'appétit de vengeance s'en assouvit et contente mieux, car se venger ne vise qu'à se faire ressentir. Voilà pourquoi nous n'attaquons pas une bête ou une pierre quand elle nous blesse parce qu'elles sont incapables de sentir notre revanche. Or tuer un homme c'est le mettre à l'abri de notre atteinte.

Et de même que Bias criait à un méchant homme : « Je sais bien que tôt ou tard tu en seras puni, mais je crains hélas que je ne le voie pas », ou bien plaignait les Orchoméniens de ce que la pénitence que Lyciscos tira de la trahison commise contre eux survînt dans un temps où il ne restait plus personne de ceux qui avaient été intéressés à l'affaire et qu'aurait dû toucher le plaisir de cette pénitence, de même est à plaindre la vengeance quand celui envers lequel elle s'emploie perd le moyen de la souffrir, car, de même que le vengeur veut y voir pour en tirer du plaisir, il faut aussi que celui sur lequel il se venge y voie de même pour en recevoir du déplaisir et de la repentance.

« Il s'en repentira », disons-nous. Eh ! pour lui avoir donné d'une pistolade dans la tête estimons-nous qu'il s'en repente ? Au rebours, si nous y prenons garde, nous trouverons qu'il nous fait la grimace en tombant : non seulement il ne nous en sait pas mauvais gré, mais il est bien loin de s'en repentir ! Et nous lui prêtons le plus favorable de tous les devoirs de la vie en le faisant mourir promptement et insensiblement. Nous sommes à détaler comme des lapins, à trotter et à fuir les officiers de justice qui nous poursuivent, et lui, il est en repos. Tuer est bon pour éviter l'offense à venir, non pas pour venger celle qui est

1. Ovide, *Les Tristes*, III, v. 35-36.

faite. C'est plus une action de crainte que de bravoure, de précaution que de courage, de défense que d'attaque. Il est apparent que nous quittons par là à la fois la vraie fin de la vengeance et le soin de notre réputation : nous craignons, s'il demeure en vie, qu'il ne nous livre à nouveau pareille charge ! Ce n'est pas contre lui c'est pour toi que tu te défais de lui.

Au royaume de Narsingue, dans les Indes orientales, cet expédient nous demeurerait inutile. Là, non seulement les gens de guerre mais aussi les artisans démêlent leurs querelles à coups d'épée. Le roi ne refuse point le camp clos à qui veut se battre, et il assiste au combat quand ce sont des personnes de qualité, étrennant le vainqueur d'une chaîne en or. Mais, pour la conquérir, le premier à qui il en prend envie peut en venir aux armes avec celui qui la porte, et, pour s'être défait d'un combat, il en a plusieurs sur les bras.

Si, par la bravoure, nous pensions être toujours maîtres de notre ennemi et le gourmander à notre guise, nous serions bien marris qu'il nous échappât comme il le fait en mourant ! Nous voulons vaincre avec sûreté bien plus qu'avec honneur. Et dans notre querelle nous cherchons plus la fin que la gloire. Asinius Pollion, ce qui pour un honnête homme est moins excusable, laissa voir une erreur pareille : ayant écrit des invectives contre Plancus, il attendait que celui-ci fût mort pour les publier. C'était bien là faire la nique à un aveugle, chanter pouilles à un sourd, et offenser un homme sans sentiment plutôt que d'encourir le péril de son ressentiment ! Aussi disait-on contre lui qu'il n'appartenait qu'aux lutins de lutter contre les morts. Celui qui attend de voir trépasser l'auteur dont il veut combattre les écrits, que dit-il, sinon qu'il est faible et chercheur de noise ? On disait à Aristote que quelqu'un avait médit de lui : « Qu'il fasse plus, dit-il, qu'il me fouette, pourvu que je n'y sois pas. »

Nos pères se contentaient de revancher une injure par un démenti, un démenti par un coup, et ainsi par ordre. Ils étaient assez valeureux pour ne craindre pas leur adversaire vivant et outragé. Nous, nous tremblons de frayeur tant que nous le voyons sur pieds ! Et pour preuve qu'il en est bien ainsi, notre belle pratique d'aujourd'hui ne veut-elle pas que l'on poursuive à mort aussi bien celui que nous avons offensé que celui qui nous a offensés ?

C'est aussi une espèce de lâcheté qui a introduit dans nos combats singuliers cet usage de nous faire accompagner de seconds et de tiers et de quarts. C'était anciennement des *duels*, ce sont à cette heure des rencontres et des batailles ! La solitude faisait peur aux premiers qui l'inventèrent, *quum in se cuique minimum fiduciæ esset* [1] chacun ayant fort peu confiance en soi, car naturellement quelque compagnie que ce soit apporte réconfort et soulagement dans le danger. On se servait anciennement de personnes tierces dans les duels pour veiller qu'il ne s'y fît de désordre ou de déloyauté, et pour témoigner de la fortune du combat. Mais depuis qu'on a pris ce train que les témoins s'engagent eux-mêmes, quiconque y est convié ne peut honnêtement s'y tenir comme simple spectateur, de peur qu'on n'impute son attitude à un manque ou d'affection ou de courage.

Outre l'injustice d'une telle action et la vilenie d'engager à la protection de notre honneur une autre valeur et une autre force que la nôtre, je trouve du désavantage pour un homme de bien et qui a pleinement confiance en soi d'aller mêler sa fortune à celle d'un second. Chacun court assez de danger pour soi sans en courir encore pour un autre, et a assez à faire à s'assurer sur son propre courage pour défendre sa vie sans remettre un bien si précieux en des mains tierces. Car si l'on n'a pas expressément marchandé le contraire entre les quatre, c'est une affaire où chacun a partie liée avec les trois autres. Si votre second est à terre, vous en avez légitimement deux sur les bras ! Quant à dire que c'est une supercherie, c'en est vraiment une, comme de charger, bien armé, un homme qui n'a plus qu'un tronçon d'épée, ou, tout indemne, un homme qui est déjà fort blessé. Mais si ce sont des avantages que vous ayez gagnés en combattant, vous pouvez vous en servir sans reproche. La disparité et l'inégalité ne se pèsent et ne se considèrent que d'après l'état dans lequel se commence la mêlée, pour le reste, prenez-vous-en à la fortune ! Et quand bien même, vos deux compagnons s'étant laissés tuer, vous en auriez à vous seul trois sur vous, on ne vous ferait pas plus de tort que je n'en ferais à la guerre, si, ayant le même avantage, je donnais un coup d'épée à un ennemi que je verrais s'acharner sur l'un des nôtres. Là où l'on se bat troupe contre troupe (comme quand notre duc d'Orléans défia le roi d'Angleterre Henry à cent contre cent, ou à trois cents contre autant, comme dans le combat des Argiens contre les Lacédémoniens, ou à trois contre trois, comme les Horaces contre les Curiaces), la nature de l'alliance implique que la multitude de chaque côté n'est considérée que pour un homme seul. Partout où il y a compagnie, le péril est confus et mêlé.

J'ai une raison de famille à tenir ce discours. Car mon frère, le sieur de Mattecoulom, fut convié à Rome à seconder un gentilhomme qu'il ne connaissait guère, lequel était défendeur et appelé par un autre.

1. Tite-Live, XXXIX, XXVIII, 4.

Dans ce combat, il se trouva par fortune qu'il eut face à lui quelqu'un qui lui était plus voisin et plus connu (combien je voudrais qu'on me rendît raison de ces lois de l'honneur qui vont si souvent choquant et troublant celles de la raison !). Après s'être défait de son homme, voyant les deux maîtres de la querelle encore sur pieds et entiers, il alla soulager son compagnon. Que pouvait-il faire de moins ? Devait-il se tenir coi et regarder tuer, si le sort l'eût ainsi voulu, celui pour la défense duquel il était venu là ? Ce qu'il avait fait jusqu'alors ne servait en rien à la besogne : la querelle restait indécise. La courtoisie que vous pouvez et que certes vous devez faire à notre ennemi quand vous l'avez réduit à quia et à quelque grand désavantage je ne vois pas comment vous la pourriez faire quand il y va de l'intérêt d'autrui, là où vous n'êtes que suivant, et où la dispute n'est pas la vôtre. Mon frère ne pouvait être ni juste ni courtois au péril de celui auquel il s'était prêté. Aussi fut-il délivré des prisons d'Italie sur une bien soudaine et solennelle recommandation de notre roi.

Nation immodérée ! Nous ne nous contentons pas de faire savoir au monde nos vices et nos folies par réputation, nous allons par les nations étrangères pour les leur faire voir en présence. Mettez trois Français dans les déserts de Lybie, ils ne seront pas un mois ensemble sans se harceler et s'égratigner. Vous diriez que cette pérégrination est une affaire montée pour donner aux étrangers le plaisir de nos tragédies, et le plus souvent à des gens qui se réjouissent de nos maux et qui s'en moquent.

Nous allons en Italie apprendre l'art de l'escrime, et nous l'exerçons aux dépens de nos vies avant que de le savoir. Pourtant, suivant l'ordre de la discipline, il faudrait mettre la théorie avant la pratique. Nous trahissons notre apprentissage :

> De ces jeunes guerriers, malheureuses prémisses,
> Et des combats futurs sévères rudiments
>
> *Primitiæ iuuenum miseræ bellique futuri*
> *Dura rudimenta* ! [1]

Je sais bien que c'est un art utile quand on a fini de l'apprendre (au duel des deux princes cousins germains en Espagne, le plus vieux, dit Tite Live, surmonta facilement par l'adresse des armes et par la ruse les forces étourdies du plus jeune), et, comme je l'ai appris par expérience, c'est un art dont la connaissance a enflé le cœur à certains outre leur mesure naturelle. Mais ce n'est pas proprement du courage, puisque cet art tire son appui de l'adresse et qu'il prend son fonde-

1. Virgile, *Énéide*, XI, 156-157.

ment ailleurs que dans le cœur même. L'honneur des combats consiste à rivaliser de courage, non de science ! Et c'est pour cela j'ai vu quelqu'un de mes amis, renommé pour être grand maître dans cet exercice, choisir dans ses querelles des armes propres à lui ôter cet avantage, et qui dépendaient entièrement de la fortune et de l'assurance, afin qu'on n'attribuât pas sa victoire à son escrime plutôt qu'à sa valeur. Dans mon enfance, la noblesse fuyait la réputation de bon escrimeur comme injurieuse, et elle se cachait pour l'apprendre, jugeant que ce fût un métier d'astuce et qui dérogeait au courage véritable et naturel,

De rompre, d'esquiver ou de parer, non point
Ils ne veulent ici : l'adresse n'y a part.
Ore droit, ore biais, leur coup n'est jamais feint ;
Leur ire et leur fureur leur font oublier l'art.
Ainsi l'épée, oyez ! À l'épée heurte-t-elle
À mi-fer, horreur ! Ne rompant jamais d'une semelle,
Ils ont le pied toujours ferme, et toujours vive est leur main :
De taille ni d'estoc ils ne frappent en vain

Non schivar, non parar, non ritirarsi
Voglion costor, ne qui destrezza ha parte.
Non danno i colpi finti hor pieni, hor scarsi ;
Toglie l'ira e il furor l'uso de l'arte.
Odi le spade horribilmente urtarsi
A mezzo il ferro ! Il pie d'orma non parte,
Sempre è il pie fermo, è la man sempre in moto,
Ne scende taglio in van ne punta a voto. [1]

Le tir à la cible, les tournois, les combats de palissades, images des combats guerriers, voilà ce qu'était l'exercice de nos pères. Cet autre exercice est d'autant moins noble qu'il ne regarde qu'une fin privée : il nous apprend à nous entre-ruiner contre les lois et la justice, et de toute façon il produit toujours des effets dommageables. Il est bien plus digne et mieux séant de s'exercer dans des choses qui affermissent et non qui offensent notre État, et qui regardent la sûreté publique et la gloire commune. Publius Rutilius Consus fut le premier qui instruisit le soldat à manier ses armes avec adresse et science, et qui voulut conjoindre l'art au courage. Mais loin que ce fût pour en user dans des querelles privées, c'était pour les guerres et les querelles du peuple romain : escrime populaire et civique. Et, outre l'exemple de César qui, à la bataille de Pharsale, ordonna aux siens de tirer principalement au visage des hommes d'armes de Pompée, mille autres chefs de guerre se sont ainsi avisés d'inventer de nouvelles formes d'armes, de

1. Le Tasse, *La Jérusalem délivrée*, XII, LC, 1-8.

nouvelles façons de frapper et de se couvrir, selon le besoin de l'affaire présente. Mais, tout ainsi que Philopoemen condamna la lutte – dans laquelle il excellait – parce que les préparatifs qu'on employait à cet exercice étaient différents de ceux qui relèvent de la discipline militaire à laquelle seule il estimait que des gens d'honneur dussent s'amuser, il me semble aussi que cette adresse à laquelle on façonne ses membres, et que ces esquives et ces mouvements auxquels on dresse la jeunesse dans cette nouvelle école sont non seulement inutiles mais plutôt contraires et dommageables à la pratique du combat militaire.

Aussi nos gens y emploient communément des armes particulières et spécialement destinées à cet usage. Et j'ai vu qu'on ne trouvait guère bon qu'un gentilhomme défié à l'épée et au poignard se présentât équipé en homme d'armes, ni qu'un autre offrît d'y aller avec sa cape au lieu du poignard. Il est digne de considération que Lachès dans Platon, parlant d'un apprentissage du maniement des armes semblable au nôtre, dit n'avoir jamais vu sortir de cette école aucun grand homme de guerre, et en particulier aucun des maîtres qui y enseignent. Quant à nos escrimeurs, notre expérience en dit bien autant. Du reste au moins pouvons-nous soutenir que ce sont des compétences sans aucune relation ni correspondance. Dans l'institution des enfants de sa République, Platon interdit aussi l'art de se battre aux poings qu'avaient introduits Amycos et Épeios, et celui de la lutte, amené par Anteios et Cercyon, parce qu'ils ont un autre but que de rendre la jeunesse apte au service de la guerre et n'y contribuent point.

Mais je m'en vais un peu bien à gauche de mon thème. L'empereur Maurice étant averti par des songes et plusieurs présages qu'un soldat nommé Phocas, pour lors inconnu, devait le tuer, demandait à son gendre Philippe qui était ce Phocas, sa nature, ses manières et ses mœurs, et comme, entre autres choses, Philippe lui dit qu'il était lâche et craintif, l'empereur en conclut incontinent qu'il était donc meurtrier et cruel. Quoi donc rend les tyrans si sanguinaires ? C'est le soin de leur sûreté, et le fait que leur lâche cœur ne leur fournit pas d'autres moyens de s'assurer qu'en exterminant ceux qui peuvent les offenser, jusqu'aux femmes, de peur d'une égratignure :

Il frappe tout puisqu'il craint tout
Cuncta ferit dum cuncta timet. [1]

Les premières cruautés s'exercent pour elles-mêmes, de là s'engendre la crainte d'une juste revanche qui produit après une enfilade de

1. Claudien, *Contre Eutrope*, I, 182.

nouvelles cruautés pour les étouffer les unes par les autres. Philippe, le roi de Macédoine, celui qui eut tant de fuseaux à démêler avec le peuple romain, agité par l'horreur des meurtres commis sur son ordre, et faute d'avoir d'autres solutions contre tant de familles qu'en divers temps il avait offensées, prit le parti de se saisir de tous les enfants de ceux qu'il avait fait tuer pour les perdre l'un après l'autre de jour en jour et ainsi établir son repos.

Les belles matières siéent bien en quelque place qu'on les sème. Moi qui ai plus de soin du poids et de l'utilité des discours que de leur ordre et de leur suite, je ne dois pas craindre de loger ici un peu à l'écart une très belle histoire. Quand elles sont si riches de leur propre beauté et qu'elles peuvent très bien se soutenir seules, je me contente du bout d'un poil pour les joindre à mon propos ! Parmi d'autres que Philippe avait condamnés, il s'était trouvé un certain Hérodicos, prince des Thessaliens. Après lui, il avait encore par la suite fait mourir ses deux gendres, qui laissaient chacun un fils bien petit. Théoxéna et Archo étaient les deux veuves. Théoxena ne put se faire à l'idée de se remarier bien qu'elle fût fort recherchée. Archo épousa Poris un homme du premier rang parmi les citoyens d'Énos, et elle en eut nombre d'enfants qu'elle laissa tous en bas âge. Théoxéna, aiguillonnée par une charité maternelle envers ses neveux, épousa Poris pour les avoir sous sa conduite et sous sa protection. Voici venir la proclamation de l'édit du roi. Cette courageuse mère, qui se défiait et de la cruauté de Philippe et de la licence de ses satellites envers cette belle et tendre jeunesse, osa dire qu'elle les tuerait de ses mains plutôt que de les rendre. Poris, effrayé de cette protestation, lui promet de les dérober et de les emmener à Athènes pour les remettre à la garde de quelques-uns de ses hôtes fidèles. Ils prennent l'occasion d'une fête annuelle qui se célébrait à Énos en l'honneur d'Énée et s'y en vont. Après qu'ils eurent assisté le jour aux cérémonies et au banquet public, la nuit ils se glissent dans un vaisseau armé d'avance afin de gagner le large. Le vent leur fut contraire, et, se trouvant le lendemain à la vue de la terre d'où ils avaient démarré, ils furent poursuivis par les gardes des ports. Au moment qu'ils furent rejoints, alors que Poris s'employait à hâter les marins pour la fuite, Théoxéna, forcenée d'amour et de vengeance, se rejeta vers sa première résolution. Elle fait apprêter des armes et du poison, et les présentant à leur vue : « Or sus, mes enfants, la mort est désormais le seul moyen de nous défendre et de garder notre liberté, et ce sera là matière pour les dieux à exercer leur sainte justice : ces épées tirées au clair, ces coupes pleines vous en ouvrent l'entrée, courage ! Et toi, mon fils, qui es plus grand, empoigne ce fer pour mourir de la mort la plus forte ! » Ayant d'un côté cette vigoureuse conseillère, les ennemis à leur gorge de l'autre, ils coururent de furie chacun à ce qui lui fut le plus à main, et ils furent jetés à demi morts dans la mer. Théoxéna, fière d'avoir si glorieusement pourvu à la sûreté de tous ses enfants, accolant chaleureusement son mari : « Suivons ces garçons, mon ami, et jouissons avec eux de la même sépulture ». Et se tenant ainsi embrassés, ils se précipitèrent, de sorte que le vaisseau fut ramené à terre vide de ses maîtres.

Pour faire à la fois les deux, et tuer et faire sentir leur colère, les tyrans ont employé toute leur habileté à trouver moyen d'allonger la mort. Ils veulent que leurs ennemis s'en aillent, mais non pas si vite qu'ils n'aient loisir de savourer leur vengeance. Là-dessus ils sont en grande peine, car si les tourments sont violents ils sont courts, s'ils sont longs ils ne sont pas assez douloureux à leur gré : les voilà à dispenser leur ingéniosité ! Nous en voyons mille exemples dans l'antiquité, et je ne sais si sans y penser nous ne retenons pas quelque trace de cette barbarie.

Tout ce qui est au-delà de la mort simple me semble pure cruauté. Notre justice ne peut espérer que celui que la crainte de mourir et d'être décapité ou pendu ne dissuadera pas de faillir en soit empêché par l'imagination d'un feu lent, ou des tenailles, ou de la roue. Et je ne sais pas si, pendant ce temps, nous ne jetons pas ces suppliciés au désespoir, car dans quel état peut bien être l'âme d'un homme qui attend la mort vingt-quatre heures brisé sur une roue ou, à la vieille façon, cloué à une croix ? Flavius Josèphe raconte que pendant les guerres des Romains en Judée, alors qu'il passait là où l'on avait crucifié quelques Juifs trois jours plus tôt, il reconnut trois de ses amis et obtint de les ôter de là, deux moururent, dit-il, l'autre vécut encore par la suite.

Chalcondylos, un homme digne de foi, dans les mémoires qu'il a laissés sur les faits advenus de son temps et près de lui, raconte comme exemple de supplice extrême celui que l'empereur Mahomet II pratiquait souvent et qui consistait à faire trancher les hommes en deux parts par le milieu du corps à l'endroit du diaphragme, et d'un seul coup de cimeterre, d'où il arrivait qu'ils mourussent comme de deux morts à la fois, et l'on voyait, dit-il, l'une et l'autre part pleine de vie se démener longtemps après, pressée de tourments. Je n'estime pas qu'il y eût grande souffrance dans ce mouvement. Les supplices les plus hideux à voir ne sont pas toujours les plus durs à subir. Et je trouve plus atroce ce que d'autres historiens racontent qu'il fit contre des seigneurs épirotes qu'il fit écorcher par le menu selon un procédé si perversement ordonné que leur vie dura quinze jours sous cette angoisse.

Et aussi ces deux autres : Crésus, ayant fait prendre un gentilhomme, favori de son frère Pantaléon, le mena dans la boutique d'un foulon où il le fit gratter et carder à coups de cardes et de peignes propres à ce métier jusqu'à ce qu'il en mourût. George Sechel, chef de ces paysans de Pologne qui, sous le prétexte de la croisade, firent tant de maux, défait dans la bataille et pris par le voïvode de Transylvanie, fut trois jours attaché nu sur un chevalet, exposé à toutes les sortes de tourments que chacun pouvait inventer contre lui, temps pendant lequel on fit jeûner plusieurs autres prisonniers. Enfin, alors qu'il vivait, sous ses yeux, on abreuva de son sang Lucat, son cher frère, pour le salut duquel seul il priait, appelant sur lui toute la haine qu'inspiraient leurs méfaits. Puis on fit paître vingt de ses capitaines les plus aimés, qui déchiraient sa chair à belles dents et en engloutissaient les morceaux. Lui expiré, le reste du corps et les parties du dedans furent mis à bouillir et on les fit manger à d'autres de sa suite.

Toutes choses ont leur saison

[Chapitre XXVIII]

Ceux qui comparent Caton le Censeur au jeune Caton meurtrier de soi-même comparent deux belles natures, et de formes voisines. Le premier exploita la sienne sous plus de visages et il surpasse l'autre dans les exploits militaires et par l'utilité de ses emplois publics. Mais la vertu du jeune, outre que c'est blasphémer que de lui en comparer aucune autre pour la vigueur, fut bien plus pure. Car qui exempterait d'envie et d'ambition celle du Censeur qui avait osé s'attaquer à l'honneur de Scipion qui, pour la bonté et dans toutes les vertus éminentes, fut de bien loin plus grand que lui, et que tout autre homme de son siècle ?

Le fait qu'entre autres choses on raconte à son propos qu'en son extrême vieillesse il se mit à apprendre le grec avec un ardent appétit comme pour assouvir une longue soif ne me semble pas lui être fort honorable. C'est proprement ce que nous appelons retomber en enfance. Toutes choses ont leur saison, les bonnes comme les autres. Je puis bien dire ma patenôtre hors de propos, comme il arriva à T. Quintius Flaminius qu'on traduisit en justice parce que, alors qu'il était général d'armée, on l'avait vu à l'écart à l'heure du conflit s'amusant à prier Dieu dans une bataille qu'il gagna :

Le sage, même au bien, sait poser des limites
Imponit finem sapiens et rebus honestis. [1]

Eudémonidas voyant Xénocrate, fort vieux, s'empresser aux leçons de son école : « Quand celui-ci saura donc, dit-il, s'il apprend encore ? » Et Philopoemen à ceux qui louaient hautement le roi Ptolémée de ce qu'il endurcissait sa personne tous les jours à l'exercice des armes : « Ce n'est pas chose louable, dit-il, pour un roi de son âge de s'y exercer : il devait désormais réellement les employer. » Le jeune doit faire ses apprêts, le vieux en jouir, disent les sages. Et le plus grand vice qu'ils remarquent en nous, c'est que nos désirs rajeunissent sans cesse. Nous recommençons toujours à vivre. Notre étude et notre envie devraient quelquefois sentir la vieillesse. Nous avons un pied dans la fosse, et nos appétits et nos ambitions ne font que naître :

Tu fais tailler du marbre à la saison
De la mort, et tandis que tu négliges
Ton tombeau, tu construis ta maison
Tu secanda marmora
Locas sub ipsum funus et sepulcri
Immemor struis domos ! [2]

Le plus long de mes desseins n'a pas un an d'étendue, je ne pense désormais qu'à finir, je me défais de toutes nouvelles espérances et de toutes entreprises, je prends mon dernier congé de tous les lieux que je laisse, et je me dépossède tous les jours de ce que j'ai : depuis longtemps je ne perds ni ne gagne. Il me reste plus de viatique que de voyage. *Olim iam nec perit quicquam mihi nec acquiritur. Plus superest uiatici quam uiæ.* [3]

J'ai vécu. J'ai fini le cours que me donna Fortune
Vixi, et quem dederat cursum fortuna peregi. [4]

C'est enfin tout le soulagement que je trouve en ma vieillesse qu'elle amortit en moi plusieurs désirs et plusieurs soucis dont la vie est inquiétée : le soin du cours du monde, le soin des richesses, de la grandeur, de la science, de la santé, de moi. Celui-ci apprend à parler lorsqu'il lui faut apprendre à se taire pour jamais. On peut continuer

1. Juvénal, VI, 444.
2. Horace, *Odes*, II, XVIII, 17-19.
3. Sénèque, *Lettres à Lucilius*, LXXVII, 3.
4. Virgile, *Énéide*, IV, 653.

en tout temps l'étude, non pas l'écolage. La sotte chose qu'un vieillard abécédaire !

> À de diverses gens, diverses choses plaisent,
> Tout à tout âge ne convient
> *Diuersos diuersa iuuant, non omnibus annis*
> *Omnia conueniunt.* [1]

S'il faut étudier, étudions une étude assortie à notre condition, afin que nous puissions répondre comme celui à qui on demandait à quoi pouvait bien lui servir d'étudier dans sa décrépitude : « à m'en aller meilleur et plus à mon aise », répondit-il. Telle fut l'étude du jeune Caton quand, alors qu'il sentait sa fin prochaine, il découvrit le discours de Platon sur l'éternité de l'âme [2]. Non point, comme il le faut croire, qu'il ne fût dès longtemps pourvu de toute sorte de munition pour un tel voyage : d'assurance, de ferme volonté, et d'instruction il en avait plus que Platon n'en a dans ses écrits. Sa science et son courage étaient à cet égard au-dessus de la philosophie. Il prit cette occupation non pour le service de sa mort, mais, comme un homme qui n'interrompit pas seulement son sommeil face à l'importance d'une telle délibération, il continua aussi, sans choix et sans changement, ses études avec les autres actions accoutumées de sa vie. La nuit où il vint à être refusé à la préture, il la passa à jouer, celle où il devait mourir, il la passa à lire. La perte ou de la vie ou de sa charge, tout lui fut indifférent.

De la vertu [3]

[Chapitre XXIX]

Je trouve par expérience qu'il y a une grande différence entre les poussées et les saillies de l'âme et une habitude résolue et constante, et je vois bien qu'il n'est rien que nous ne puissions – voire jusqu'à surpasser la divinité même, dit quelqu'un –, parce que de se rendre impassible par soi, et jusqu'à pouvoir joindre à l'infirmité de l'homme une résolution et une assurance de Dieu, c'est plus que d'être tel de

1. Maximianus, I, 104.
2. Le *Phédon*.
3. Au sens du latin *uirtus* : « courage ».

par sa condition originelle. Mais c'est par secousse. Et dans les vies de ces héros du temps passé, il y a quelquefois des traits miraculeux et qui semblent surpasser de bien loin nos forces naturelles, mais ce sont là des traits, à la vérité, et il est dur à croire qu'avec des manières ainsi élevées on puisse teindre et abreuver l'âme de façon qu'elles lui deviennent ordinaires et comme naturelles. Il nous arrive à nous-mêmes, qui ne sommes qu'avortons d'hommes, d'élancer parfois notre âme éveillée par les discours ou les exemples d'autrui bien loin au-delà de son ordinaire. Mais c'est une espèce de passion qui la pousse, qui l'agite, et qui la ravit en quelque sorte hors de soi, car, une fois ce tourbillon franchi, nous voyons que, sans y penser, elle se débande et se relâche d'elle-même, sinon jusqu'à la dernière touche, au moins jusqu'à n'être plus celle-là, de sorte qu'alors à toute occasion, pour un oiseau perdu, ou pour un verre cassé, nous nous laissons émouvoir à peu près comme un homme du vulgaire.

Sauf pour l'ordre, la modération, et la constance, j'estime que toutes choses sont faisables par un homme très manchot et en gros très défaillant. Pour cette raison les sages disent que, pour juger bien à point d'un homme, il faut principalement contrôler ses actions communes et le surprendre dans ses façons de tous les jours.

Pyrrhon, qui sur l'ignorance a fondé une si plaisante science, essaya comme tous les autres vrais philosophes de faire répondre sa vie à sa doctrine. Et, parce qu'il maintenait que la faiblesse du jugement humain était extrême au point de ne pouvoir prendre un parti ou une inclination, et qu'il le voulait suspendre perpétuellement en balance, en regardant et accueillant toutes choses comme indifférentes, on raconte qu'il se tenait toujours dans la même attitude et avec le même visage : s'il avait commencé un propos, il ne laissait pas de l'achever quand bien même celui à qui il parlait s'en était allé ; s'il allait, il n'interrompait pas son chemin quelque embarras qui survînt, ses amis le préservant des précipices, du heurt des charrettes, et des autres accidents. Car de craindre ou d'éviter quelque chose, c'eût été choquer ses propositions qui ôtaient aux sens mêmes toute élection et toute certitude. Quelquefois il souffrit d'être incisé et cautérisé avec une telle constance qu'on ne lui en vit pas seulement ciller les yeux.

C'est quelque chose de ramener l'âme à ces imaginations, c'est plus d'y joindre les effets, toutefois ce n'est pas impossible ; mais de les joindre avec une persévérance et une constance telles que d'en établir son train ordinaire, dans ces entreprises si éloignées de l'usage commun, il est quasi incroyable assurément qu'on le puisse. Voilà pourquoi quand on le trouvait quelquefois chez lui en train de se disputer très âprement avec sa sœur, et comme on lui reprochait de faillir en cela à son indifférence : « Quoi ! dit-il, faut-il encore que ce petit bout de femme serve de témoignage pour mes règles ? » Une autre fois qu'on le vit se défendre d'un chien : « Il est, dit-il, très difficile de dépouiller entièrement l'homme, et il se faut mettre en devoir et s'efforcer de combattre les choses premièrement par les effets, mais au pis-aller par la raison et par les discours. »

Il y a environ sept ou huit ans, à deux lieues d'ici, un villageois, qui est encore vivant, avait depuis longtemps la tête rompue par la jalousie de sa femme. Un jour qu'il revenait de la besogne, comme elle l'accueillait avec ses criailleries accoutumées, il entra dans une telle furie que, sur-le-champ, avec la serpe qu'il tenait encore en ses mains, il se moissonna tout net les parties qui la mettaient en fièvre, et les lui jeta au nez. L'on dit aussi qu'un jeune gentilhomme des nôtres, amoureux et gaillard, qui par sa persévérance avait enfin amolli le cœur d'une belle maîtresse, désespéré de ce que, au moment de la charge, il s'était trouvé mol lui-même et défaillant, et que

d'un homme chose indigne,
Son pénis n'avait pu dresser qu'une tête sénile

non uiriliter
Iners senile penis extulerat caput, [1]

il s'en priva soudain, revenu au logis, et l'envoya, cruelle et sanglante victime, pour expier son offense. Si c'eût été délibérément et par religion, comme les prêtres de Cybèle, que ne dirions-nous d'une si sublime entreprise ?

Il y a peu de jours, à Bergerac, à cinq lieues de ma maison vers l'amont de la rivière de Dordogne, une femme qui, le soir d'avant, avait été tourmentée et battue par son mari, chagrin et fâcheux de nature, délibéra d'échapper à sa rudesse au prix de sa vie, et, s'étant à son lever entretenue avec ses voisines comme de coutume, elle leur laissa couler quelque mot de recommandation à propos de ses affaires, prit une sienne sœur par la main, la mena avec elle sur le pont et, après avoir pris congé d'elle comme par manière de jeu, sans montrer d'autre changement ou d'autre altération, elle se précipita du haut au bas dans la rivière, où elle se perdit. Ce qu'il y a de plus dans ce cas, c'est que ce conseil mûrit une nuit entière dans sa tête.

C'est bien autre chose des femmes Indiennes, car leur coutume étant que les maris aient plusieurs femmes et que la plus chère d'entre elles se tue après son mari, chacune par le dessein de toute sa vie, vise à gagner ce point et cet avantage sur ses compagnes, et les bons offices

1. Tibulle, *Diuersorum poetarum in Priapum lusus*, LXXXII, 4.

qu'elles rendent à leur mari ne regardent pas d'autre récompense que celle d'être préférées à la compagnie de sa mort :

Dès que l'ultime torche est jetée sur le lit funèbre,
Les épouses sont là, en foule, et les cheveux défaits :
C'est le combat de la mort, pour savoir laquelle, vive,
Suivra l'époux ; c'est honteux de n'avoir droit de mourir :
Les victorieuses au feu présentent leurs poitrines,
Pressant sur leurs époux leurs bouches consumées

ubi mortifero iacta est fax ultima lecto,
Uxorum fusis stat pia turba comis :
Et certamen habent leti quæ uiua sequatur
Coniugium ; pudor est non licuisse mori :
Ardent uictrices et flammæ pectora præbent,
Imponuntque suis ora perusta uiris. [1]

Un homme écrit avoir vu cette coutume encore en faveur de nos jours dans ces nations d'Orient : non seulement, dit-il, les femmes s'enterrent après leurs maris, mais aussi les esclaves dont il a eu jouissance. Les choses se font de la manière suivante. Une fois le trépassé, la veuve peut si elle veut (mais peu le veulent) demander deux ou trois mois de délai pour disposer de ses affaires. Le jour venu, elle monte à cheval, parée comme à noces, et, avec une mine gaie, elle va, dit-elle, dormir avec son époux, en tenant dans la main gauche un miroir, une flèche dans l'autre. S'étant ainsi promenée en pompe, accompagnée de ses amis et de ses parents et d'un grand peuple en fête, elle est bientôt rendue au lieu public destiné à ces spectacles. C'est une grande place au milieu de laquelle il y a une fosse pleine de bois, et, juste à côté, un lieu élevé de quatre ou cinq marches, sur lequel elle est conduite et servie d'un magnifique repas. Après quoi, elle se met à danser et chanter, puis ordonne, quand bon lui semble, qu'on allume le feu. Cela fait, elle descend et, prenant par la main le plus proche des parents de son mari, ils vont ensemble à la rivière voisine où elle se dépouille toute nue et distribue ses joyaux et ses vêtements à ses amis et elle se va plongeant dans l'eau comme pour y laver ses péchés. Sortant de là, elle s'enveloppe d'un linge jaune de quatorze brasses de long et, donnant derechef la main à ce parent de son mari, ils s'en revont sur la motte d'où elle s'adresse au peuple et recommande ses enfants si elle en a. Entre la fosse et la motte, on tire souvent un rideau pour leur ôter la vue de cette fournaise ardente, ce que certaines défendent pour témoigner de plus de courage. Dès qu'elle a fini de parler, une femme lui présente un vase plein d'huile

1. Properce, III, XIII, 17-22.

pour s'oindre la tête et tout le corps, qu'elle jette dans le feu quand elle en a fini, et dans l'instant elle s'y lance elle-même. Sur l'heure, le peuple déverse sur elle quantité de bûches pour l'empêcher de languir, et toute leur joie se change en deuil et en tristesse. Si ce sont des personnes de moindre étoffe, le corps du mort est porté au lieu où on le veut enterrer et là mis sur son séant, la veuve à genoux devant lui l'embrassant étroitement, et elle se tient ainsi pendant qu'on bâtit un mur autour d'eux. Quand il arrive à la hauteur des épaules de la femme, quelqu'un des siens lui prend la tête par-derrière et lui tord le cou. Dès qu'elle a rendu l'esprit, le mur est soudain monté et clos, où ils demeurent ensevelis.

En ce même pays, il y avait quelque chose de pareil chez leurs gymnosophistes, car sans que ce fût l'effet de la contrainte d'autrui, ni de l'impétuosité d'une humeur soudaine, mais selon l'expresse stipulation de leur règle, à mesure qu'ils avaient atteint un certain âge ou qu'ils se voyaient menacés par quelque maladie, leur façon était de se faire dresser un bûcher et au-dessus un lit bien paré. Après avoir festoyé joyeusement leurs amis et leurs connaissances, ils allaient se planter dans ce lit avec tant de résolution que, le feu y étant mis, jamais on ne les vit mouvoir ni pieds ni mains. Ainsi mourut l'un d'eux, Calanus, en présence de toute l'armée d'Alexandre le Grand. Et chez eux on n'estimait ni saint ni bienheureux celui qui ne s'était pas ainsi tué, envoyant son âme purgée et purifiée par le feu après avoir consumé tout ce qu'il y avait en lui de mortel et terrestre. Cette constante préméditation de toute la vie, c'est ce qui fait le miracle.

Parmi nos autres disputes, celle du *Fatum* s'y est mêlée, et pour attacher les choses à venir, et même notre volonté, à une nécessite inévitable et déterminée, on est encore sur cet argument du temps passé : « Puisque Dieu prévoit que toutes choses doivent ainsi advenir, comme il le fait sans aucun doute, il faut donc qu'elles adviennent ainsi. » À quoi nos maîtres répondent que « voir que quelque chose advient comme nous le faisons, et Dieu de même (car, tout lui étant présent, il voit plutôt qu'il ne prévoit), ce n'est pas la forcer d'advenir ». De vrai, nous voyons parce que les choses adviennent, et les choses n'adviennent pas parce que nous voyons. L'événement produit la connaissance, non la connaissance l'événement. Ce que nous voyons advenir advient, mais il pouvait en advenir autrement, et Dieu, dans le registre des causes des événements qu'il a dans sa prescience, il y a aussi celles qu'on appelle fortuites ainsi que les volontaires qui dépendent de la liberté qu'il a donnée à notre arbitre, et il sait que nous faillirons parce que nous aurons voulu faillir.

Or j'ai vu assez de gens encourager leurs troupes avec cette nécessité « fatale », car si notre heure est attachée à un certain point du temps, ni les arquebusades ennemies, ni notre hardiesse, ni notre fuite et notre couardise ne la peuvent avancer ou reculer. Cela est beau à dire, mais cherchez qui l'effectuera ! Et s'il est vrai qu'une forte et vive croyance entraîne après soi les actions de même, assurément cette foi dont nous nous remplissons tant la bouche est merveilleusement légère en nos siècles, à moins que le mépris qu'elle a des œuvres lui fasse dédaigner leur compagnie.

Toujours est-il qu'à ce même propos le sire de Joinville, témoin crédible autant que tout autre, nous raconte à propos des Bédouins, nation mêlée aux Sarrasins auxquels le roi saint Louis eut affaire en terre sainte, qu'ils croyaient si fermement dans leur religion que les jours d'un chacun étaient de toute éternité déterminés et comptés selon un arrêt prescrit et inévitable qu'ils allaient à la guerre nus, sauf un glaive à la turque, et le corps seulement couvert d'un linge blanc. Et comme plus extrême malédiction, quand ils se courrouçaient contre les leurs, ils avaient toujours à la bouche : « Maudit sois-tu comme qui s'arme de peur de la mort ! » Voilà bien la preuve d'une créance et d'une foi tout autre que la nôtre.

Et de ce rang est aussi celle que donnèrent ces deux religieux de Florence du temps de nos pères. Étant dans quelque controverse sur un point de science, ils s'accordèrent d'entrer tous deux dans le feu en présence de tout le peuple et sur la place publique pour la vérification chacun de son parti, et déjà les apprêts en étaient faits et la chose justement sur le point d'être exécutée quand elle fut interrompue par un accident imprévu.

Un jeune seigneur turc avait accompli en personne un fait d'armes signalé à la vue des deux armées d'Amurath et de Jean Huniade prêtes à se donner. À Amurath lui demandant qui, en sa si grande jeunesse et son inexpérience (car c'était la première guerre qu'il eût vue) avait bien pu le remplir d'une aussi généreuse vigueur de courage, ce jeune seigneur répondit qu'il avait eu un lièvre pour souverain précepteur de vaillance : « Un jour, étant à la chasse, dit-il, je découvris un lièvre au gîte, et, encore que j'eusse deux excellents lévriers à mes côtés, il me sembla pourtant que pour ne le manquer point mieux valait encore y employer mon arc, car il me faisait fort beau jeu. Je commençai à décocher mes flèches, et jusqu'à quarante qu'il y en avait dans ma trousse, non seulement sans l'atteindre, mais sans même l'éveiller. Après tout cela, je découplai mes lévriers et les lançai à ses trousses, qui rien n'y purent non plus. J'appris par là qu'il avait été protégé par sa destinée, et que ni les traits ni les glaives ne portent sans le congé de notre fatalité, laquelle il n'est en nous de reculer ni d'avancer. » Ce conte doit servir à nous faire voir en passant combien notre raison est flexible à toute sorte d'images.

Un personnage grand par les ans, le nom, la dignité et la doctrine, se vantait à moi d'avoir été porté à une certaine mutation très importante de sa foi par une incitation étrangère aussi bizarre, et du reste si peu concluante que je la trouvai plus forte à prouver le contraire. Lui l'appelait miracle, et moi aussi, mais en un sens différent.

Leurs historiens disent que la croyance qui est populairement semée parmi les Turcs en la fatale et imployable prédétermination de leurs jours aide apparemment à les assurer dans les dangers. Et je connais un grand prince qui en fait heureusement son profit, soit qu'il la croie, soit qu'il la prenne pour excuse pour se hasarder extraordinairement, pourvu que fortune ne se lasse pas trop tôt de lui faire épaule.

Il n'est point arrivé de notre temps un plus admirable effet de résolution que celui de ces deux qui conspirèrent la mort du prince d'Orange. C'est merveille comme on put échauffer le second qui l'exécuta pour une entreprise dans laquelle les choses avaient si mal tourné pour son compagnon qui y avait mis tout ce qu'il pouvait, et c'est merveille de le voir, sur cette trace, et avec les mêmes armes, aller entreprendre un seigneur armé d'une si fraîche leçon de défiance, puissant par les amis de sa suite et par sa force corporelle, dans sa salle, parmi ses gardes, dans une ville toute à sa dévotion ! Certes il y employa une main bien déterminée et un courage ému par une vigoureuse passion. Un poignard est plus sûr pour assener, mais parce qu'il a besoin de plus de mouvement et de vigueur de bras qu'un pistolet, son coup est plus sujet à être dévié ou troublé. Que celui-là ne courût à une mort certaine, je n'en doute guère, car les espérances dont on eût su l'amuser ne pouvaient loger dans un entendement rassis, et la conduite de son exploit montre qu'il n'en avait pas faute, non plus que de courage. Les motifs d'une si puissante persuasion peuvent être divers car notre imagination fait de soi et de nous ce qu'il lui plaît.

L'exécution qui fut faite près d'Orléans n'eut rien de pareil. Il y eut là plus de hasard que de vigueur : le coup n'était pas mortel si la fortune ne l'eût rendu tel, et l'entreprise de tirer à cheval et de loin, et sur quelqu'un qui se mouvait au train de son cheval, fut l'entreprise d'un homme qui aimait mieux faillir à son effet que faillir à se sauver. Ce qui suivit après le montra. Car il se transit et s'enivra de la pensée d'une action si glorieuse, si bien qu'il perdit entièrement son bon sens tant pour conduire sa fuite que pour conduire sa langue dans ses réponses. Que lui fallait-il, sinon recourir à ses amis en traversant une rivière ? C'est un moyen dans lequel je me suis jeté dans de moindres dangers et que j'estime de peu de hasard, quelque largeur qu'ait le passage, pourvu que notre cheval trouve l'entrée facile et que vous prévoyiez au-delà un bord aisé selon le cours de l'eau. L'autre, quand on lui prononça son horrible sentence : « J'y étais préparé, dit-il, je vous étonnerai par ma capacité à souffrir le supplice. »

Les Assassins, nation qui dépend de la Phénicie, sont réputés entre les Mahométans pour être d'une dévotion et d'une pureté de mœurs souveraines. Ils tiennent que le plus court chemin pour gagner le paradis, c'est de tuer quelqu'un d'une religion contraire. Voilà pourquoi on les a vus souvent entreprendre à un ou deux en pourpoint contre des ennemis puissants au prix d'une mort certaine, et sans aucun souci de leur propre danger. Ainsi fut *assassiné* (ce mot est tiré de leur nom) notre Comte Raimond de Tripoli au milieu de sa ville, pendant nos entreprises de la guerre sainte. Et pareillement Conrad, Marquis de Montferrat, alors qu'on conduisait les meurtriers au supplice tout enflés et fiers d'un si beau chef-d'œuvre.

D'un enfant monstrueux

[Chapitre XXX]

Ce conte s'en ira tout simple, car je laisse aux médecins d'en discourir. Je vis avant-hier un enfant que deux hommes et une nourrice, qui se disaient en être le père, l'oncle et la tante, conduisaient pour tirer quelque sou en le montrant à cause de son étrangeté. Il était dans tout le reste d'une forme commune et se soutenait sur ses pieds, marchait et gazouillait environ comme les autres de même âge. Il n'avait encore voulu prendre d'autre nourriture que celle du tétin de sa nourrice, et ce qu'on essaya en ma présence de lui mettre dans la bouche, il le mâchait un peu et le rendait sans avaler. Ses cris semblaient bien avoir quelque chose de particulier. Il était âgé de quatorze mois justement. Au-dessous de ses tétins, il était pris et collé à un autre enfant sans tête et qui avait le conduit du dos étoupé, le reste entier, car il avait bien l'un bras plus court, mais il lui avait été rompu par accident à leur naissance, ils étaient joints face à face et comme si un plus petit enfant en voulait accoler un plus grandet. La jointure et l'espace par où ils se tenaient n'étaient que de quatre doigts ou environ, de sorte que si vous retroussiez cet enfant imparfait, vous voyiez au-dessous le nombril de l'autre, ainsi la couture se faisait entre les tétins et son nombril. Le nombril de l'imparfait ne se pouvait voir mais bien tout le reste de son ventre. Voilà comme ce qui n'était pas attaché comme bras, fessier, cuisses et jambes de cet imparfait demeuraient pendants et branlants sur l'autre, et lui pouvait aller sa longueur jusqu'à mi-jambe. La nourrice nous ajoutait qu'il urinait par tous les deux endroits, aussi étaient les membres de cet autre nourris et vivants et en même point que les siens, sauf qu'ils étaient plus petits et menus.

Ce double corps et ces membres divers se rapportant à une seule tête pourraient bien fournir au roi le présage favorable de maintenir sous l'union de ses lois ces parts et ces pièces diverses de notre État. Mais de peur que l'événement ne le démente, il vaut mieux le laisser passer devant, car il n'est que de deviner dans les choses faites : De même, quand les événements sont survenus, quelque interprétation les rapporte à une conjecture *ut quum facta sunt tum ad coniecturam aliqua interpretatione reuocantur,* [1] comme on dit d'Épiménide qu'il devinait à reculons.

Je viens de voir un pâtre en Médoc de trente ans ou environ qui ne montre aucun signe des parties génitales. Il a trois trous par où il rend son eau sans discontinuer. Il est barbu, éprouve du désir, et recherche l'attouchement des femmes.

Ce que nous appelons monstres n'en sont pas pour Dieu qui voit dans l'immensité de son ouvrage l'infinité des formes qu'il y a comprises. Et il est à croire que cette figure qui nous étonne se rapporte et tient à quelque autre figure de même genre inconnue de l'homme. De sa toute sagesse il ne part rien que de bon, de commun et de réglé, mais nous n'en voyons pas l'assortiment et la relation : de ce qu'on voit fréquemment, l'on ne s'étonne point, même si l'on en ignore les causes ; s'il arrive chose qu'on n'a jamais vue auparavant, on croit au prodige *quod crebro uidet non miratur etiam si cur fiat nescit. Quod ante non uidit id si euenerit ostentum esse censet.* [2] Nous appelons contre nature ce qui advient contre la coutume. Rien n'est que selon elle, quel qu'il soit. Que cette raison universelle et naturelle chasse de nous l'erreur et l'étonnement que la nouvelleté nous apporte.

De la colère

[Chapitre XXXI]

Plutarque est admirable partout, mais principalement là où il juge des actions humaines. On peut voir les belles choses qu'il dit dans la comparaison de Lycurgue et de Numa sur le propos de la grande

1. Cicéron, *De divinatione,* II, XXXI, 66.
2. Cicéron, *De divinatione,* II, XXII, 49.

bêtise que nous avons d'abandonner les enfants au gouvernement et à la charge de leurs pères. La plupart de nos États, comme dit Aristote, laissent à chacun, à la manière des Cyclopes, le soin de diriger leurs femmes et leurs enfants selon leur fantaisie folle et inconsidérée. Et quasi les seuls gouvernements de Lacédémone et de Crète ont confié aux lois l'éducation de l'enfance. Qui ne voit que dans un État tout dépend de son éducation et de la façon dont on la nourrit ? Et cependant sans aucun discernement on la laisse à la merci des parents, si fous et si méchants qu'ils soient.

Entre autres choses, combien de fois m'a-t-il pris envie, passant par nos rues, de monter une petite comédie pour venger des garçonnets que je voyais écorcher, assommer et meurtrir par quelque père ou mère furieux et forcenés de colère ! Vous leur voyez sortir le feu et la rage des yeux,

Le foie brûlant de rage, ils sont à force vive
Emportés, tels des rocs arrachés d'en haut, qui, les monts
Croulant sur eux, vont s'ébouler dans la pente déclive

rabie iecur incendente feruntur
Præcipites ut saxa iugis abrupta quibus mons
Subtrahitur cliuoque latus pendente recedit, [1]

(et selon Hippocrate les plus dangereuses maladies sont celles qui défigurent le visage !), ils crient avec une voix tranchante et éclatante, souvent contre des choses qui ne font que sortir de nourrice ! Et puis les voilà estropiés, élourdis de coups, et notre justice qui n'en tient pas compte ! Comme si ces éboîtements et ces élochements [2] ne concernaient pas des membres de notre chose publique :

Merci d'avoir fait don d'un fils au peuple, à la patrie,
Si c'est pour la patrie, et pour qu'il soit utile aux champs,
Utile aux travaux de la guerre et à ceux de la paix

Gratum est quod patriæ ciuem populoque dedisti,
Si facis ut patriæ sit idoneus utilis agris,
Utilis et bellorum et pacis rebus agendis. [3]

---

1. Juvénal, VI, 648-650.

2. *Estropiés, eslourdis, esboitements, eslochements* : ces mots font figure en commençant tous quatre par le même préfixe, de même sens et de même son (ce sont des « homéoarctons »). On ne les peut donc changer. Surtout qu'ils sont savoureux : « *élourdi* » ou « *étoulourdi* », est un mot des parlers d'oc (« abruti », « hébété ») ; « *éboîter* » est comme déboîter ; « *élocher* » (de *loche*, qui vient de *locus*, lieu) veut dire disloquer un condyle, décoapter une articulation. Beaux rebouteux que ces pères en colère, qui « déboîtent » leurs gamins ! Truculence du discours, bien propre au versant cruel qu'il prend parfois à plaisir, surtout dans la passion, comme ici.

3. Juvénal, XIV, 70-72.

Il n'est point de passion qui ébranle autant la netteté du jugement que la colère. Personne n'hésiterait à punir de mort un juge qui par colère aurait condamné son criminel : pourquoi est-il permis alors aux pères et aux régents de fouetter les enfants et de les châtier sous le coup de la colère ? Ce n'est plus correction, c'est vengeance. Le châtiment tient lieu de médecine aux enfants : souffririons-nous un médecin qui fût animé et courroucé contre son patient ?

Nous-mêmes, pour bien faire, nous ne devrions jamais porter la main sur nos serviteurs tandis que la colère nous dure. Pendant que le pouls nous bat et que nous sentons de l'émotion, remettons la partie. Les choses nous sembleront autres à la vérité quand nous serons rapaisés et refroidis. C'est la passion qui commande alors, c'est la passion qui parle : ce n'est pas nous. Au travers d'elle les fautes nous apparaissent plus grandes comme les corps au travers d'un brouillard. Celui qui a faim use de viande, mais celui qui veut user de châtiment n'en doit avoir faim ni soif.

Et puis les châtiments qu'on inflige avec pondération et discernement sont bien mieux reçus, et avec plus de fruit, par celui qui les subit. Autrement, il ne pense pas avoir été justement condamné par un homme agité d'ire et de furie, et il allègue pour sa justification les mouvements extraordinaires de son maître, le feu de son visage, les menaces inusitées, son agitation et sa précipitation étourdies :

Sa bouche s'enfle de colère, un sang noir teint ses veines,
Ses yeux ardent plus méchamment que ceux de la Gorgone

Ora tument ira, nigrescunt sanguine uenæ,
Lumina Gorgoneo sæuius igne micant. [1]

Suétone raconte que, quand Caïus Rabirius fut condamné par César, ce qui, pour lui faire gagner sa cause, lui servit le plus vis-à-vis du peuple, auquel il en appela, ce furent l'animosité et l'âpreté que César avait mises dans ce procès.

Dire est autre chose que faire. Il faut considérer le prêche à part et le prêcheur à part. Ceux-là se sont donné beau jeu de notre temps qui ont essayé d'attaquer la vérité de notre Église par les vices de ses ministres [2] : elle tire ses témoignages d'ailleurs. C'est une sotte façon d'argumenter et qui rejetterait toutes choses dans la confusion. Un homme de bonnes mœurs peut avoir des opinions fausses, et un méchant peut prêcher la vérité, voire celui qui ne la croit pas. C'est sans doute une belle harmonie quand le faire et le dire vont ensemble,

1. Ovide, *L'Art d'aimer*, III, 503-504.
2. Ce qu'ont fait les protestants.

et je ne veux pas nier que le dire, lorsque les actions suivent, n'ait pas plus d'autorité et plus d'efficace, comme disait Eudamidas en écoutant un philosophe discourir de la guerre : « Ces propos sont beaux, mais celui qui les dit n'en est pas croyable, car il n'a pas les oreilles accoutumées au son de la trompette. » Cléomène aussi entendant un rhéteur haranguer sur la vaillance s'en prit fort à rire, et comme l'autre s'en scandalisait, il lui dit : « J'en ferais de même si c'était une hirondelle qui en parlât, mais si c'était un aigle je l'écouterais volontiers. » J'aperçois, ce me semble, dans les écrits des anciens que celui qui dit ce qu'il pense l'assène bien plus vivement que celui qui se contrefait. Écoutez Cicéron parler de l'amour de la liberté, écoutez Brutus en parler : les écrits mêmes vous sonnent que celui-ci était homme à l'acheter au prix de la vie. Que Cicéron, père de l'éloquence, traite du mépris de la mort, que Sénèque en traite aussi : celui-là traîne en languissant et vous sentez qu'il veut vous convaincre de choses dont il n'est pas convaincu : il ne vous donne point de cœur, car lui-même n'en a point ; l'autre vous anime et vous enflamme. Je ne vois jamais un auteur, parmi ceux-là surtout qui traitent de la vertu et de l'action, que je ne recherche attentivement quel homme il a été. C'est la raison pour laquelle les éphores [1] à Sparte en voyant un homme dissolu proposer au peuple un avis utile lui commandèrent de se taire et prièrent un homme de bien de s'en attribuer l'invention et de le proposer.

Les écrits de Plutarque, à les savourer bien, nous le découvrent assez, et je pense le connaître jusque dans l'âme. Je voudrais pourtant que nous eussions quelques mémoires sur sa vie. Je m'écarte de mon propos, mais c'est à cause du bon gré que je sais à Aulu-Gelle de nous avoir laissé par écrit un petit récit sur ses mœurs qui revient à mon sujet de la colère. Le voici. Un de ses esclaves, méchant homme et vicieux, mais qui avait les oreilles quelque peu abreuvées de leçons de la philosophie, pour quelque faute qu'il avait commise, avait été dévêtu sur l'ordre de Plutarque, et, pendant qu'on le fouettait, il grommelait au commencement que c'était sans raison et qu'il n'avait rien fait. Mais à la fin il se mit à crier et à injurier copieusement son maître pour de bon en lui reprochant qu'il n'était pas philosophe comme il s'en vantait, qu'il lui avait souvent ouï dire qu'il était laid de se courroucer, voire qu'il en avait fait un livre, et que, noyé tout entier dans la colère, il le fît à présent battre aussi cruellement, il démentait entièrement ses écrits. À cela Plutarque, tout froidement et tout

1. Éphores : ce sont les cinq magistrats, élus par le peuple, qui forment le gouvernement de Sparte.

rassis : « Comment, rustre ! À quoi juges-tu, lui dit-il, que je sois à cette heure courroucé ? Mon visage, ma voix, ma couleur, ma parole te donnent-elles quelque témoignage que je sois ému ? Je ne pense avoir ni les yeux farouches, ni le visage troublé, ni des cris effroyables ! Rougis-je ? Écumé-je ? M'échappe-t-il de dire des choses dont j'aie à me repentir ? Tressauté-je ? Frémis-je de courroux ? Car, pour tout te dire, ce sont là les vrais signes de la colère. » Puis, se retournant vers celui qui fouettait : « Continuez toujours votre besogne, lui dit-il, pendant que lui et moi nous dissertons. » Voilà son conte.

Architos, un citoyen de Tarente, au retour d'une guerre où il avait été capitaine général, trouva sa maison en mauvais ménage et ses terres en friche du fait du mauvais gouvernement de son régisseur, et l'ayant fait appeler : « Va ! lui dit-il, si je n'étais en colère je t'étrillerais bien. » Platon de même qui s'était échauffé contre l'un de ses esclaves chargea Speusippe de le châtier, s'excusant d'y mettre la main lui-même sur ce qu'il était courroucé. Charillos, un homme de Lacédémone, à un ilote qui lui montrait trop d'insolence et d'audace : « Par les dieux, dit-il, si je n'étais courroucé, je te ferais mourir sur l'heure ! »

C'est une passion qui se complaît en elle-même et qui se flatte. Combien de fois quand nous nous sommes émus sous l'empire d'une fausse raison, si l'on vient à nous présenter quelque bonne défense ou quelque bonne excuse, nous dépitons-nous contre la vérité même et contre l'innocence ? J'ai retenu à ce propos un merveilleux exemple de l'antiquité. Pison, personnage partout ailleurs de notable vertu, s'étant ému contre un de ses soldats de ce que, revenu seul du fourrage, il ne lui savait expliquer où il avait laissé l'un de ses compagnons, tint pour avéré qu'il l'avait tué, et le condamna à mort sur-le-champ. Alors que l'homme était au gibet, voici qu'arrive ce compagnon égaré. Toute l'armée en fit grande fête, et, après force caresses et accolades des deux compagnons, le bourreau mène l'un et l'autre devant Pison. Toute l'assistance s'attendait bien que ce lui fût à lui-même un grand plaisir. Mais ce fut tout au rebours. Par honte et par dépit, son ardeur, qui était encore dans son effort, se redoubla, et, avec une subtilité que sa passion lui fournit soudain, parce qu'il en avait trouvé un d'innocent, il en fit trois coupables et les fit dépêcher tous les trois, le premier soldat parce qu'il y avait un arrêt contre lui, le second, qui s'était égaré, parce qu'il était cause de la mort de son compagnon, et le bourreau pour n'avoir obéi au commandement qu'on lui avait fait.

Ceux qui ont à affaire à des femmes têtues peuvent avoir essayé à quelle rage on les jette quand on oppose à leur agitation le silence et la froideur et qu'on dédaigne de nourrir leur courroux. L'orateur Celius était merveilleusement colère de nature. À quelqu'un qui soupait en sa compagnie, homme d'un commerce mol et doux, et qui, pour ne l'émouvoir, prenait le parti d'approuver tout ce qu'il disait et d'y consentir, comme il ne pouvait souffrir que sa bile passe ainsi sans aliment : « Nie-moi quelque chose, de par les dieux, dit-il, afin que nous soyons deux ! » Elles de même ne se courroucent qu'afin qu'on se contre-courrouce, à l'imitation des lois de l'amour. Phocion à un homme qui lui troublait son propos en l'injuriant âprement n'y fit autre chose que de se taire et de lui donner tout loisir d'épuiser sa colère. Cela fait, sans aucune mention de ce trouble, il recommença son propos à l'endroit où il l'avait laissé. Il n'est réplique si piquante que ne l'est un pareil mépris.

De l'homme de France le plus colère (c'est toujours une imperfection, mais plus excusable chez un militaire, car dans cet exercice il y a des occasions qui assurément ne s'en peuvent passer) je dis souvent que c'est l'homme que je connaisse qui souffre le plus à brider sa colère. Elle l'agite avec une telle violence et une telle fureur,

ainsi quand la flamme à grand bruit
Monte du fagot sous les flancs du chaudron empli d'onde
Que le feu fait bouillir, le liquide au-dedans,
Tout fumant de fureur, déborde en écumant,
L'eau ne se contient plus, une vapeur noire aux airs monte

magno ueluti cum flamma sonore
Virgea suggeritur costis undantis aheni,
Exultantque æstu latices, furit intus aquai
Fumidus atque alte spumis exuberat amnis,
Nec iam se capit unda, uolat uapor ater ad auras, [1]

qu'il faut qu'il se contraigne cruellement pour la modérer. Et pour moi je ne sache de passion pour laquelle je pusse faire un tel effort afin de la couvrir et soutenir. Je ne voudrais mettre la sagesse à si haut prix. Je ne regarde pas tant ce qu'il fait que combien il lui en coûte de ne faire pis.

Un autre se vantait à moi du règlement et de la douceur de ses mœurs, laquelle est à la vérité singulière. Je lui disais que c'était bien là quelque chose en effet, notamment chez ceux qui comme lui sont hommes d'une éminente qualité et sur qui chacun a les yeux, que de se présenter au monde toujours bien tempérés, mais que le principal était de pourvoir au-dedans et à soi-même, et que ce n'était pas à mon gré bien ménager ses affaires que de se ronger intérieurement, ce que

1. Virgile, *Énéide*, VII, 462-466.

je craignais qu'il ne fît pour maintenir ce masque et cette apparence réglée au dehors.

On incorpore la colère en la cachant, comme le dit ce mot de Diogène à Démosthène qui, de peur d'être aperçu dans une taverne, se reculait au-dedans : « Tant plus tu te recules arrière, tant plus tu y entres ! » Je conseille qu'on donne plutôt une buffe à la joue de son valet un peu hors de saison que de mettre à la gêne ses humeurs pour montrer cette sage contenance. Et j'aimerais mieux laisser voir mes passions que de les couver à mes dépens. Elles s'alanguissent en s'éventant et en s'exprimant. Il vaut mieux que leur pointe agisse au-dehors que de la replier contre nous : les vices sont tous plus légers à découvert, et d'autant plus pernicieux qu'ils se cachent sous un faux air de santé *omnia uitia in aperto leuiora sunt, et tunc perniciosissima cum simulata sanitate subsidunt.* [1]

J'avertis ceux à qui il est loisible de se pouvoir courroucer dans ma famille premièrement qu'ils ménagent leur colère et ne l'épandent pas à tout prix, car cela en empêche l'effet et le poids. La criaillerie téméraire et ordinaire passe en usage et fait que chacun la méprise : celle que vous employez contre un serviteur pour son larcin ne se ressent point parce que c'est celle-là même qu'il vous a vu employer cent fois contre lui pour avoir mal rincé un verre ou mal assis une escabelle. Secondement, qu'ils ne se courroucent point en l'air et regardent que leur réprimande arrive à celui dont ils se plaignent, car ordinairement ils crient avant qu'il ne soit en leur présence et sont encore à crier un siècle après qu'il est parti.

L'égarement fougueux contre lui se retourne
Et secum petulans amentia certat : [2]

ils s'en prennent à leur ombre et enflent cette tempête en un lieu où personne n'en est ni châtié ni atteint, sauf tel qui n'en peut mais du tintamarre de leur voix. J'accuse pareillement dans leurs querelles ceux qui bravent et se mutinent sans partie adverse. Il faut garder ces rodomontades pour là où elles portent, et n'imiter pas celui-ci :

Comme avant de combattre un taureau va pousser
D'horribles mugissements, prend aux cornes sa colère,
S'acharne sur un tronc, veut les vents de coups harasser,
Et s'apprête au combat en levant la poussière
Mugitus ueluti cum prima in proelia taurus
Terrificos ciet atque irasci in cornua tentat,

1. Sénèque, *Lettres à Lucilius*, LVI, 10.
2. Claudien, *Contre Eutrope*, I, 237.

Arboris obnixus trunco uentosque lacessit
Ictibus et sparsa ad pugnam proludit arena. [1]

Quand je me courrouce, c'est le plus vivement, mais aussi le plus brièvement et le plus en privé que je puis. Je me perds bien en vitesse et en violence, mais non pas en trouble, au point d'aller jeter à l'abandon et sans choix toute sorte de paroles injurieuses et de ne plus veiller à placer pertinemment mes pointes là où j'estime qu'elles blessent le plus, car je n'y emploie d'ordinaire que la langue. Mes valets en ont meilleur marché dans les grandes occasions que dans les petites. Les petites me surprennent, et le malheur veut que dès que vous êtes dans le précipice, il n'importe qui vous ait donné le branle, vous allez toujours jusqu'au fond. La chute se presse, se meut et se hâte d'elle-même. Dans les grandes occasions, ce qui me paye c'est qu'elles sont si justes que chacun s'attend d'en voir naître une raisonnable colère : je me fais gloire alors de tromper leur attente. Je me bande et me prépare contre celles-ci. Elles me tournent la cervelle, et menacent de m'emporter bien loin si je les suivais. Aisément je me garde d'y entrer, et je suis assez fort, si je l'attends, pour repousser l'impulsion de cette passion, quelque violente cause qu'elle ait. Mais quand une fois qu'elle s'est emparée de moi et m'a saisi, elle m'emporte, quelque vaine cause qu'elle ait. Je marchande ainsi avec ceux qui peuvent contester avec moi : « Quand vous me sentirez ému le premier, laissez-moi aller droit ou de travers ; j'en ferai de même à mon tour. » La tempête ne s'engendre que de la concurrence des colères qui se produisent volontiers l'une de l'autre et ne naissent pas en un seul point. Donnons à chacune sa course, et nous voilà toujours en paix. Utile ordonnance, mais d'exécution difficile. Parfois il m'advient aussi de jouer le courroucé pour le règlement de ma maison sans aucune vraie émotion. À mesure que l'âge aigrit mes humeurs, je tâche à m'y opposer, et, si je puis, je ferai en sorte d'être dorénavant d'autant moins chagrin et difficile que j'aurai plus d'excuse et d'inclination à l'être, quoiqu'auparavant j'aie été de ceux qui le sont le moins.

Encore un mot pour clore ce passage. Aristote dit que la colère sert parfois d'armes à la vertu et à la vaillance. Cela est vraisemblable. Toutefois ceux qui y contredisent répondent plaisamment que c'est une arme d'un usage nouveau, car nous remuons les autres armes quand celle-ci nous remue ; notre main ne la guide pas : c'est elle qui guide notre main ; elle nous tient, nous ne la tenons pas.

1. Virgile, *Énéide*, XII, 103-106.

Défense de Sénèque et de Plutarque

[Chapitre XXXII]

La familiarité que j'ai avec ces personnages-là et l'assistance qu'ils apportent à ma vieillesse et à mon livre, maçonné purement de leurs dépouilles, m'oblige à épouser leur honneur.

Quant à Sénèque, parmi un trillion de petits livrets que ceux de la religion prétendue réformée font courir pour défendre leur cause, qui partent parfois d'une main bonne, et dont il est grand dommage qu'elle ne s'emploie à meilleur sujet, j'en ai vu un autrefois qui, pour allonger et mieux remplir la similitude qu'il veut trouver entre le gouvernement de notre pauvre feu roi Charles IX et celui de Néron, met sur un même pied feu Monsieur le cardinal de Lorraine [1] et Sénèque, les fortunes qu'ils ont eues tous deux d'être les premiers dans le gouvernement de leurs princes, et avec ça leurs mœurs, leurs manières et leurs comportements. En quoi, à mon avis, il fait bien de l'honneur audit seigneur cardinal ! Car, encore que je sois de ceux qui estiment beaucoup son esprit, son éloquence, son zèle envers sa religion et pour le service de son roi, et la bonne fortune qu'il eut de naître en un siècle où il fût si nouveau, si rare, et en même temps si nécessaire au bien public d'avoir un ecclésiastique d'une telle noblesse et d'un tel rang, compétent et égal à sa charge, pour autant, à confesser la vérité, je n'estime pas que sa capacité soit, à beaucoup près, égale à celle de Sénèque, ni sa vertu aussi nette et entière ni aussi ferme que la sienne.

Or, pour parvenir à son but, le livre dont je parle fait une description de Sénèque très injuste en allant puiser ses reproches dans Dion Cassius, l'historien, dont je ne crois aucunement le témoignage. Car tout au contraire, outre que cet auteur varie, puisqu'après avoir appelé Sénèque très sage ici et plus loin ennemi mortel des vices de Néron, il le peint ailleurs avaricieux, usurier, ambitieux, lâche, voluptueux et contrefaisant le philosophe sous de fausses apparences, sa vertu apparaît dans ses écrits si vive et vigoureuse, et la défense y est si évidente

1. Charles de Guise, cardinal de Lorraine (1524-1574), chef du parti catholique ; parvenu au pouvoir à l'avènement de François II, il fut l'un des fauteurs des massacres de la Saint-Barthélemy, d'où la rage qu'eurent les protestants de le comparer à Néron, exemple de l'empereur tyrannique et sanguinaire.

contre certaines de ces imputations, comme la richesse et la dépense excessive, que je n'en veux croire aucun témoignage contraire. Et de plus il est bien plus raisonnable de croire sur de telles choses les historiens romains que les Grecs et les étrangers. Or Tacite et les autres parlent très honorablement de la vie et de la mort de Sénèque, et ils nous le peignent comme un personnage très éminent et très vertueux en toutes choses. Et je ne veux pas alléguer d'autre reproche contre le jugement de Dion que celui-ci, qui est imparable : c'est que son sentiment est si malade quand il s'agit des affaires romaines qu'il ose soutenir la cause de Jules César contre Pompée et d'Antoine contre Cicéron !

Venons-en à Plutarque. Jean Bodin [1] est un bon auteur de notre temps, et pourvu de beaucoup plus de jugement que la tourbe des écrivailleurs de son siècle. Il mérite qu'on l'examine et qu'on le considère. Je le trouve un peu hardi dans ce passage de sa *Méthode de l'histoire* où il accuse Plutarque non seulement d'ignorance, sur quoi je l'eusse laissé dire car cela n'est pas de mon gibier, mais aussi d'écrire souvent des choses *incroyables* et entièrement *fabuleuses* – ce sont ses mots. S'il eût dit simplement « les choses autrement qu'elles ne sont », ce n'était pas un grand reproche, car ce que nous n'avons pas vu, nous le prenons des mains d'autrui et à crédit, et je vois qu'il raconte parfois sciemment la même histoire de diverse façon, comme le jugement fait par Hannibal sur les trois meilleurs capitaines qui eussent jamais été : il est présenté autrement dans la vie de Flaminius, autrement dans celle de Pyrrhus. Mais l'accuser d'avoir pris pour argent comptant des choses « incroyables » et impossibles, c'est accuser l'auteur le plus judicieux du monde de manquer de jugement. Et voici l'exemple de Bodin : « *Comme, par exemple, quand Plutarque nous raconte qu'un enfant de Lacédémone se laissa, ce dit-on, déchirer tout le ventre par un renardeau qu'il avait dérobé et qu'il tenait caché sous sa robe jusqu'à mourir plutôt que de découvrir son larcin.* » En premier lieu, je trouve son exemple mal choisi, parce qu'il est bien malaisé de borner les efforts des facultés de l'âme alors qu'il nous est plus loisible de délimiter et de reconnaître les forces du corps. Et pour cette raison, si c'eût été à moi à faire, j'eusse plutôt choisi un exemple de cette seconde sorte, et il y en a qui sont des moins croyables, comme, entre autres, ce que Plutarque raconte de Pyrrhus, que, tout blessé qu'il

1. Jean Bodin, célèbre humaniste, magistrat, philosophe et économiste (1529-1596). Outre sa *République*, l'un de ses principaux ouvrages est son *Methodus ad facilem historiarum cognitionem*, que Montaigne traduit ici par *Méthode de l'histoire*.

était, il donna un si grand coup d'épée à un de ses ennemis armé de toutes pièces qu'il le fendit si bien du haut de la tête jusqu'au bas que le corps se partit en deux parts ! Dans l'exemple de Bodin, je ne trouve pas grand miracle, ni ne reçois l'excuse dont il couvre Plutarque pour avoir ajouté le mot « *ce dit-on* » afin de nous avertir et de tenir en bride notre croyance. Car, hormis pour les choses reçues par autorité et par révérence d'ancienneté ou de religion, Plutarque n'eût jamais voulu ni recevoir lui-même ni nous proposer à croire des choses en soi « incroyables ». Et, que ce fameux « *ce dit-on* », il ne l'emploie pas dans ce lieu à cet effet, il est aisé de le voir par le fait que lui-même nous raconte ailleurs, sur ce même sujet de l'endurance des enfants lacédémoniens, des exemples advenus de son temps dont il est bien plus malaisé de se convaincre, comme celui dont Cicéron a aussi témoigné avant lui, pour avoir été, à ce qu'il dit, sur les lieux, à savoir que, jusqu'à leur époque [1], il se trouvait des enfants qui, dans cette épreuve d'endurance à laquelle on les essayait devant l'autel de Diane, souffraient d'y être fouettés jusqu'à ce que le sang leur coulât partout non seulement sans s'écrier mais encore sans gémir, et certains jusqu'à y laisser volontairement la vie. Et il y a aussi ce que Plutarque raconte, avec cent autres témoins, qu'au sacrifice un charbon ardent s'étant glissé dans la manche d'un enfant lacédémonien alors qu'il encensait, il se laissa brûler tout le bras jusqu'à ce que l'odeur de chair cuite parvînt aux assistants. Il n'y avait rien, selon leur coutume, où il en allât plus de leur réputation ni dont ils eussent à souffrir plus de blâme et de honte que d'être surpris à voler. Je suis si imbu de la grandeur de ces hommes-là que non seulement il ne me semble pas, comme à Bodin, que le récit de Plutarque soit « incroyable », mais qu'encore je ne le trouve pas même rare et étrange. L'histoire de Sparte est pleine de mille exemples plus âpres et plus rares : elle est à ce compte toute miracle ! Ammien Marcellin raconte, sur ce propos du larcin, que, de son temps, il ne s'était encore pu trouver aucune sorte de torture qui pût forcer les Égyptiens surpris dans ce méfait, fort répandu chez eux, à dire seulement leur nom.

Un paysan espagnol qu'on soumettait à la géhenne pour connaître les complices de l'homicide du préteur Lucius Pison criait au milieu des tourments à ses amis de ne pas bouger et de rester auprès de lui en toute sûreté, et qu'il n'était pas au pouvoir de la douleur de lui arracher un mot de confession. Et l'on n'en tira pas autre chose le premier jour. Le lendemain, alors qu'on le ramenait pour recommen-

1. Environ le milieu du premier siècle avant Jésus-Christ : Plutarque est né l'année de la mort de Cicéron, en 45 avant J.-C.

cer son tourment, s'ébranlant vigoureusement entre les mains de ses gardes, il alla briser sa tête contre une paroi et s'y tua.

L'affranchie Épicharis [1] avait saoulé et lassé la cruauté des gardes de Néron et soutenu tout un jour leur feu, leurs coups, leurs engins, sans un mot qui pût révéler sa conjuration. Rapportée à la géhenne le lendemain, tous les membres brisés, elle passa un lacet de sa robe dans l'un des bras de sa chaise avec un nœud coulant et, y fourrant sa tête, elle s'étrangla sous le poids de son corps. En ayant ainsi le courage de mourir et de se dérober à ses premiers tourments, ne semble-t-elle pas avoir délibérément exposé sa vie à l'épreuve d'endurance de la veille à la seule fin de se moquer de ce tyran et d'en encourager d'autres à tenter contre lui une semblable entreprise ?

Et si l'on va s'enquérir auprès de nos argoulets [2] des expériences qu'ils ont eues lors de nos guerres civiles, on trouvera des preuves de patience, d'obstination et d'opiniâtreté parmi nos misérables siècles et dans cette tourbe molle et plus encore efféminée que l'égyptienne qui sont dignes d'être comparés à ceux que nous venons de raconter de la vertu spartiate. Je sais qu'il s'est trouvé de simples paysans qui se sont laissé griller la plante des pieds, écraser le bout des doigts avec le chien d'une pistole, pousser les yeux en sang hors de la tête à force d'avoir le front serré par une corde avant que d'avoir seulement voulu se soumettre à rançon. J'en ai vu un, laissé pour mort tout nu dans un fossé, qui avait le cou tout meurtri et enflé par un licou qui y pendait encore avec lequel on l'avait tirassé toute la nuit à la queue d'un cheval, le corps percé en cent lieux à coups de dague qu'on lui avait donnés non pas pour le tuer mais pour le faire souffrir et l'effrayer. Il avait enduré tout cela, jusqu'à y avoir perdu la parole et le sentiment, bien résolu, à ce qu'il me dit, à mourir plutôt de mille morts (comme, de vrai, vu sa souffrance, il en avait bien subi une toute entière) avant que de rien promettre, et c'était pourtant l'un des plus riches laboureurs de toute la contrée. Combien en a-t-on vu se laisser patiemment brûler et rôtir pour des opinions empruntées à autrui, ignorées et inconnues ?

J'ai connu cent et cent femmes (car ils disent que les têtes de Gascogne ont quelque prérogative en cela) que vous eussiez plutôt fait mordre dans le fer chaud que de les faire démordre d'une opinion qu'elles eussent conçue sous le coup de la colère. Elles s'exaspèrent à l'encontre des coups et de la contrainte. Et celui qui forgea le conte de la femme qui, pour quelque correction faite de menaces et de bastonnades, ne cessait

---

1. Épicharis, une affranchie d'origine grecque, avait pris part à la conjuration de Pison contre Néron, en 65 après J.-C.

2. Archets à cheval.

pas de traiter son mari de pouilleux, et qui, précipitée dans l'eau, levait encore les mains en s'étouffant et faisait au-dessus de sa tête le geste de tuer des poux, forgea un conte dont en vérité tous les jours on voit l'image expresse dans l'opiniâtreté des femmes. Et l'opiniâtreté est sœur de la constance, au moins par la vigueur et par la fermeté.

Il ne faut pas juger de ce qui est possible et de ce qui ne l'est pas selon ce qui est à notre sens croyable et incroyable, comme je l'ai dit ailleurs. Et c'est une grande faute, et dans laquelle toutefois la plupart des hommes tombent – ce que je ne dis pas pour Bodin ! – de faire difficulté de croire au sujet d'autrui ce qu'eux-mêmes ne sauraient ou ne voudraient faire. Il semble à chacun que la maîtresse forme de l'humaine nature soit en lui : il faut régler tous les autres selon elle ! Les allures qui ne se rapportent pas aux siennes ne peuvent qu'être feintes et fausses. Lui propose-t-on quelque chose des actions ou des facultés d'un autre ? La première chose qu'il appelle à la consultation de son jugement, c'est son propre exemple : selon ce qu'il en va chez lui, selon cela va l'ordre du monde ! O l'ânerie dangereuse, et insupportable ! Moi, je considère certains hommes fort loin au-dessus de moi, notamment parmi les anciens, et encore que je reconnaisse clairement mon impuissance à les suivre à mille pas, je ne laisse pas de les suivre à vue, et de juger les ressorts qui les haussent ainsi, dont j'aperçois un peu en moi les semences, comme je le fais aussi de l'extrême bassesse des esprits, dont je ne m'étonne point et que je ne mécrois pas non plus. Je vois bien le tour que ces âmes-là se donnent pour se hausser. J'admire leur grandeur. Leurs élancements, que je trouve très beaux, je les embrasse. Et si mes forces n'y vont, au moins mon jugement s'y applique très volontiers.

L'autre exemple qu'il allègue de ces choses « incroyables » et entièrement « fabuleuses » dites par Plutarque, c'est qu'Agésilas fut mis à l'amende par les éphores [1] pour avoir sur lui seul attiré le cœur et la faveur de ses concitoyens. Je ne sais quelle marque de fausseté il y trouve, mais toujours est-il que Plutarque parle là de choses qui lui devaient être beaucoup mieux connues qu'à nous, et il n'était pas nouveau en Grèce de voir des hommes punis et exilés pour cela seul qu'ils agréaient trop à leurs concitoyens, témoin l'ostracisme et le pétalisme [2].

1. Les « gardiens » (de la constitution), *i.e.* les cinq magistrats annuels qui formaient, en quelque sorte, le « conseil constitutionnel » de Sparte, et contrebalançaient le pouvoir des deux rois. Agésilas II (444-360) fut l'un des rois de Sparte.

2. Procédure de bannissement équivalant à celle de l'ostracisme à Athènes : à Syracuse, on votait en écrivant le nom du banni sur des feuilles d'arbre (*petala*), ; à Athènes, sur des coquilles d'huître (*ostraka*).

Il y a encore dans ce même passage une autre accusation qui m'agace pour Plutarque, où Bodin dit qu'il a bien comparé de bonne foi les Romains aux Romains et les Grecs entre eux, mais non point les Romains aux Grecs, témoin, dit-il, Démosthène et Cicéron, Caton et Aristide, Sylla et Lysandre, Marcellus et Pélopidas, Pompée et Agésilas, estimant qu'il a favorisé les Grecs en leur ayant donné des compagnons d'une aussi grande disparité. C'est précisément attaquer ce que Plutarque a de plus excellent et de plus louable. Car dans ses comparaisons (ce qui est la partie plus admirable de ses œuvres et dans laquelle, à mon avis, il s'est d'autant plu), la fidélité et la sincérité de ses jugements égalent leur profondeur et leur poids. C'est un philosophe qui nous apprend la vertu. Voyons si nous le pourrons défendre de ce reproche de prévarication et de fausseté.

Ce que je puis penser qui a donné occasion à ce jugement, c'est ce grand et éclatant lustre des noms romains que nous avons dans la tête. Il ne nous semble point que Démosthène puisse égaler la gloire d'un consul, proconsul et questeur de cette grande république. Mais, si l'on veut bien considérer la vérité de la chose et les hommes en eux-mêmes – ce que Plutarque avait bien plus en vue que leur fortune –, et mettre en balance leurs mœurs, leurs naturels, leur talent, eh bien, au rebours de Bodin, je pense que Cicéron et Caton l'Ancien en doivent de reste à leurs compagnons. Si j'avais eu à suivre le dessein même de Bodin, j'eusse plutôt choisi l'exemple du jeune Caton comparé à Phocion, car dans cette paire il se trouverait une disparité plus vraisemblable à l'avantage du Romain. Quant à Marcellus, Sylla, et Pompée, je vois bien que leurs exploits de guerre sont plus enflés, plus glorieux et plus pompeux que ceux des Grecs que Plutarque leur apparie, mais les actions les plus belles et les plus vertueuses, non plus dans la guerre qu'ailleurs, ne sont pas toujours les plus fameuses. Je vois souvent des noms de capitaines étouffés sous la splendeur d'autres noms de moins de mérite, témoin Labienus, Ventidius, Telesinus, et plusieurs autres. Et, à le prendre ainsi, si j'avais à me plaindre pour les Grecs, ne pourrais-je pas dire que Camille est beaucoup moins comparable à Thémistocle, les Gracques à Agis et Cléomène, Numa à Lycurgue ? Mais c'est folie de vouloir juger sur un seul trait de choses qui ont tant de visages.

Quand Plutarque les compare, il ne les égale pas pour autant. Qui plus précisément et plus consciencieusement aurait pu souligner leurs différences ? Vient-il à confronter les victoires, les faits d'armes, la puissance des armées conduites par Pompée et ses triomphes avec ceux d'Agésilas ? « Je ne crois pas, dit-il, que Xénophon lui-même s'il était vivant, encore qu'on lui ait accordé d'écrire tout ce qu'il a voulu à l'avantage d'Agésilas, osât le mettre en comparaison. » Parle-il de référer Lysandre à Sylla ? « Il n'y a point, dit-il, de comparaison ni dans le nombre de victoires, ni dans le hasard de batailles, car Lysandre ne gagna seulement que deux batailles navales », etc.

Cela, ce n'est rien dérober aux Romains. Pour les avoir simplement mis en présence des Grecs, il ne peut avoir été injuste envers eux, quelque disparité qu'il puisse y avoir. Et Plutarque ne les contrebalance pas sur l'ensemble des points : il n'y a aucune préférence générale. Il apparie les éléments et les circonstances, l'un après l'autre, et les juge séparément. Par quoi si on le voulait convaincre de faveur, il fallait en éplucher quelque jugement particulier, ou dire en général qu'il aurait failli en assortissant tel Grec à tel Romain parce qu'il y en aurait d'autres qui se fussent mieux répondu pour les apparier et qui se ressemblaient mieux.

L'histoire de Spurina

[Chapitre XXXIII]

La philosophie ne pense pas avoir mal employé ses moyens quand elle a rendu à la raison la souveraine maîtrise de notre âme et l'autorité de tenir en bride nos appétits. Parmi ces désirs, ceux qui jugent qu'il n'y en a point de plus violents que ceux que l'amour engendre ont cela pour leur opinion que ceux-là tiennent au corps et à l'âme et que tout l'homme en est possédé, au point que la santé même en dépend et que la médecine est parfois contrainte de leur servir de maquerelle.

Mais, en sens contraire, on pourrait aussi dire que le mélange du corps y apporte du rabais et de l'affaiblissement, car de tels désirs sont sujets à satiété, et capables de remèdes matériels. Plusieurs, qui voulaient délivrer leurs âmes des alarmes continuelles que leur donnait cet appétit, se sont servis d'incision et de mutilations des parties émues et altérées. D'autres en ont tout à fait rabattu la force et l'ardeur par une fréquente application de matières froides, comme de la neige ou du vinaigre. Les haires de nos aïeux étaient à cet usage : c'est une matière tissue de poil de cheval, dont certains d'entre eux faisaient des chemises, et d'autres des ceintures pour géhenner leurs reins. Il n'y a pas longtemps, un prince me disait que du temps sa jeunesse, un jour de fête solennelle, à la cour du roi François premier, où tout le monde était paré, il lui prit envie de se vêtir de la haire de monsieur son père, qui est encore chez lui, mais que, quelque dévotion qu'il eût, il ne sut avoir la patience d'attendre la nuit pour s'en dépouiller, et qu'il en fut longtemps malade. Il ajoutait qu'il ne pensait pas qu'il y eût chaleur de jeunesse si âpre que l'usage de cette recette ne pût amortir. Toutefois il n'a d'aventure pas essayé les plus cuisantes, car l'expérience nous fait voir qu'une telle émotion se maintient bien souvent sous des habits rudes et marmiteux et que les haires ne font pas toujours de pauvres hères de ceux qui les portent ! Xénocrate y procéda, lui, plus rigoureusement. En effet, pour essayer sa continence, ses disciples lui avaient fourré dans son lit Laïs, cette belle et fameuse courtisane, toute nue, ne conservant que les armes de sa beauté, ses folâtres appas et ses philtres. Quand il sentit qu'en dépit de ses discours et de ses règles le corps revêche commençait à se mutiner, il se fit brûler les membres qui avaient prêté l'oreille à cette rébellion. Au contraire, les passions qui se renferment tout entières dans l'âme, comme l'ambition, l'avarice et d'autres, donnent bien plus à faire à la raison, car elle n'y peut être secourue que par ses propres moyens, et ces appétits-là ne sont pas non plus capables de satiété, et même ils s'aiguisent et augmentent par la jouissance.

Le seul exemple de Jules César peut suffire à nous montrer la disparité de ces appétits, car jamais homme ne fut plus adonné aux plaisirs amoureux. Le soin méticuleux qu'il avait de sa personne en est un témoignage. Il allait jusqu'à se servir pour cela des moyens les plus lascifs qui fussent alors en usage, comme de se faire épiler tout le corps et farder de parfums d'une extrême rareté, et de soi il était beau personnage, blanc, de belle et allègre taille, le visage plein, les yeux bruns et vifs, s'il en faut croire Suétone, car les statues qu'on voit de lui à Rome ne répondent pas bien partout à cette peinture. Outre ses femmes, dont il changea quatre fois, et sans compter les amours de son enfance avec le roi de Bithynie Nicomède, il eut le pucelage de cette tant renommée reine d'Égypte, Cléopâtre, témoin le petit Césarion qui en naquit. Il fit aussi l'amour à Eunoé, reine de Mauritanie, et, à Rome, à Posthumia, femme de Servius Sulpitius, à Lollia, de Gabinius, à Tertulla, de Crassus, et à Mutia même, femme du grand Pompée. Ce qui fut la raison, disent les historiens romains, pour laquelle son mari la répudia, ce que Plutarque confesse avoir ignoré. Et les Curions, père et fils, reprochèrent par la suite à Pompée quand il épousa la fille de César qu'il se faisait le gendre d'un homme qui l'avait fait cocu et que lui-même avait accoutumé d'appeler « Égisthe ». Il entretint, outre tout ce nombre, Servilia, sœur de Caton et mère de Marcus Brutus, dont chacun pense que procéda la grande affection qu'il portait à Brutus, parce qu'il était né en un temps où il y avait quelque apparence qu'il fût issu de lui. Ainsi j'ai raison, ce me semble, de le prendre pour un homme extrêmement adonné à cette débauche, et de complexion très amoureuse. Mais l'autre passion de l'ambition, dont il était aussi infiniment blessé, venant à combattre celle-là, elle lui fit incontinent perdre la place.

Me ressouvenant sur ce propos de Mahomet II, celui qui subjugua Constantinople et amena l'extermination finale du nom grec, je ne sache point où ces deux passions se trouvent plus également balancées : ruffian, [1] et soldat, pareillement infatigable. Mais quand dans sa vie elles se présentent en concurrence l'une de l'autre, l'ardeur querelleuse gourmande toujours l'amoureuse ardeur. Et celle-ci, encore que ce fût hors de sa naturelle saison, ne regagna pleinement l'autorité souveraine que quand il se trouva dans la grande vieillesse, incapable de soutenir plus longtemps le faix des guerres.

Ce qu'on raconte, pour donner un exemple contraire, de Ladislas, roi de Naples, est remarquable. Bon capitaine, courageux, et ambitieux, il se proposait pour fin principale de son ambition l'exécution de sa volupté et la jouissance de quelque rare beauté. Sa mort fut de même. Ayant réduit par un siège bien poursuivi la ville de Florence si à l'étroit que les habitants en étaient à négocier au sujet de sa victoire, il la leur abandonna pourvu qu'ils lui livrassent une fille de leur ville dont il avait ouï parler, d'une beauté éminente. Force fut de la lui accorder, et de garantir la ruine publique par une injustice particulière. Elle était fille d'un médecin fameux en son temps, lequel, se trouvant engagé en si vilaine nécessité, se résolut à une haute entreprise. Comme chacun parait sa fille et l'atournait d'ornements et de joyaux qui la pussent rendre agréable à ce nouvel amant, il lui donna lui aussi un mouchoir exquis en senteur et en ouvrage, dont elle eût à se servir lors de leurs premières approches, accessoire que les femmes n'oublient guère dans ces occasions-là. Ce mouchoir, empoisonné grâce aux moyens de son art, venant à se frotter à ces chairs émues et à ces pores ouverts, instilla son venin si promptement qu'ayant soudain changé leur sueur de chaude en froide, ils expirèrent entre les bras l'un de l'autre. Je m'en revais à César.

Ses plaisirs ne lui firent jamais dérober une seule minute ni se détourner d'un pas des occasions qui se présentaient pour l'élévation de sa puissance. Cette passion régenta en lui si souverainement toutes les autres et posséda son âme avec une autorité si pleine qu'elle l'emporta où elle voulut. Certes j'en suis dépit quand je considère au

1. « Ruffian » : « maquereau » et/ou « débauché ».

demeurant la grandeur de ce personnage et les merveilleuses qualités qu'il avait en lui : tant de compétence en toute sorte de savoir qu'il n'y a quasi science en quoi il n'ait écrit ; et il était un tel orateur que plusieurs ont préféré son éloquence à celle de Cicéron. Lui-même, à mon avis, n'estimait lui devoir guère dans ce domaine, et ses deux *Anticatons* furent principalement écrits pour contrebalancer le bien dire que Cicéron avait employé en son *Caton*.

Au demeurant, fut-il jamais âme si vigilante, si active, et si patiente au labeur que la sienne ? Et sans doute, encore était-elle embellie de plusieurs rares semences de vertu, je veux dire vives, naturelles, et non contrefaites. Il était singulièrement sobre, et si peu délicat dans son manger qu'Oppius raconte qu'un jour où on lui avait présenté à table dans quelque sauce de l'huile médecinée au lieu d'huile simple, il en mangea largement, pour ne faire honte à son hôte. Une autre fois, il fit fouetter son boulanger pour lui avoir servi d'autre pain que celui du commun. Caton même avait accoutumé de dire de lui que c'était le premier homme sobre qui se fût acheminé à la ruine de son pays. Et quant à ce que ce même Caton l'appela un jour ivrogne, cela advint de cette façon. Étant tous deux au sénat, alors qu'on y débattait de la question de la conjuration de Catilina, dont César était soupçonné, on vint de dehors lui apporter une lettre cachetée. Caton, soupçonnant que ce fût là quelque chose dont les conjurés l'avertissaient, le somma de le lui donner, ce que César fut contraint de faire pour éviter un plus grand soupçon. C'était par chance une lettre amoureuse que Servilia, la sœur de Caton, lui écrivait. Caton l'ayant lue, la lui rejeta, en lui disant, « Tiens, ivrogne ! ». Cela, dis-je, fut plutôt un mot de dédain et de colère qu'un reproche exprès de ce vice, comme souvent nous injurions ceux qui nous fâchent avec les premières injures qui nous viennent à la bouche quoiqu'elles ne soient nullement dues à ceux à qui nous les attachons. De plus, ce vice que Caton lui reproche est merveilleusement voisin de celui dans lequel il venait de surprendre César, car Vénus et Bacchus se conviennent volontiers, à ce que dit le proverbe. Mais chez moi Vénus est bien plus allègre accompagnée de la sobriété.

Les exemples de sa douceur, et de sa clémence envers ceux qui l'avaient offensé sont infinis, je veux dire outre ceux qu'il donna pendant le temps que la guerre civile était encore en son cours, exemples dont il fait lui-même assez sentir par ses écrits qu'il se servait pour amadouer ses ennemis et leur faire moins craindre sa future domination et sa victoire. Mais il faut dire pourtant que, si ces exemples-là ne sont pas suffisants pour nous témoigner de sa douceur naturelle, ils nous montrent au moins une confiance et une grandeur de courage étonnantes chez ce personnage. Il lui est advenu souvent de renvoyer des armées tout entières à son ennemi après les avoir vaincues, sans daigner seulement les obliger par serment, sinon de le favoriser, au moins de se contenir sans lui faire la guerre. Il a fait prisonnier trois et quatre fois tels capitaines de Pompée, et autant de fois les a remis en liberté. Pompée déclarait ses ennemis, tous ceux qui ne l'accompagnaient à la guerre, et lui fit proclamer qu'il tenait pour amis tous ceux qui ne bougeaient pas et qui ne s'armaient pas effectivement contre lui. À ceux de ses capitaines qui se dérobaient de lui pour aller prendre un autre état, il renvoyait encore les armes, les chevaux et les équipages. Les villes qu'il avait prises par force, il leur laissait la liberté de suivre le parti qu'il leur plairait, et ne leur donnait d'autre garnison que la mémoire de sa douceur et de sa clémence. Le jour de sa grande bataille de Pharsale, il défendit qu'on ne mît la main sur les citoyens Romains, sinon à toute extrémité.

Voilà des traits bien hasardeux, selon mon jugement, et ce n'est pas merveille si dans les guerres civiles que nous ressentons, ceux qui combattent comme lui l'état ancien de leur pays n'en imitent pas l'exemple. Ce sont des moyens extraordinaires, et qu'il n'appartenait qu'à la fortune de César et à son admirable prévoyance de conduire heureusement. Quand je considère la grandeur incomparable de cette âme, j'excuse la victoire de n'avoir pu se dépêtrer de lui, même en cette cause très injuste et très inique.

Pour revenir à sa clémence, nous en avons plusieurs exemples naïfs au temps de sa domination, alors que, toutes choses étant réduites en sa main, il n'avait plus à se feindre. Caius Memmius avait écrit contre lui des oraisons très poignantes, auxquelles il avait bien aigrement répondu, pourtant il ne laissa pas bientôt après d'aider à le faire consul. Caius Calvus qui avait fait plusieurs épigrammes injurieuses contre lui, ayant employé de ses amis pour le réconcilier, César se convia lui-même à lui écrire le premier. Et notre bon Catulle qui l'avait peigné si rudement sous le nom de Mamurra s'en étant venu excuser à lui, il le fit ce jour même souper à sa table. Ayant été averti d'aucuns qui parlaient mal de lui, il n'en fit autre chose que déclarer en une sienne harangue publique qu'il en était averti. Il craignait encore moins ses ennemis qu'il ne les haïssait. Certaines conjurations et assemblées qu'on faisait contre sa vie lui ayant été découvertes, il se contenta de publier par édit qu'elles lui étaient connues, sans autrement en poursuivre les auteurs. Quant au respect qu'il avait envers ses amis : Caius Oppius voyageant avec lui et se trouvant mal, il lui laissa le seul logis qu'il y avait, et coucha toute la nuit à la dure et à la belle étoile. Quant à sa justice : il fit mourir un sien serviteur, qu'il aimait singulièrement, pour avoir couché avec la femme d'un chevalier romain, quoique personne ne s'en plaignît. Jamais homme n'apporta ni plus de modération dans sa victoire ni plus de résolution dans la fortune contraire.

Mais toutes ces belles inclinations furent altérées et étouffées par cette furieuse passion ambitieuse à laquelle il se laissa si fort emporter qu'on peut aisément maintenir qu'elle tenait le timon et le gouvernail de toutes ses actions. D'un homme libéral, elle fit un voleur public pour qu'il pût fournir à cette profusion et à ces largesses, et elle lui fit dire ce mot vil et très injuste que si les hommes les plus méchants et les plus perdus au monde lui avaient été fidèles au service de son élévation, il les chérirait et les avancerait grâce à son pouvoir aussi bien que les plus gens de bien. L'ambition l'enivra d'une vanité si extrême qu'il osait se vanter en présence de ses concitoyens d'avoir fait de cette grande république romaine un nom sans forme et sans corps, et ordonner que ses réponses dussent désormais servir de lois, et recevoir assis le corps du sénat venant vers lui, et souffrir qu'on l'adorât et qu'on lui rendît en sa présence des honneurs divins ! Somme toute, ce seul vice, à mon avis, perdit en lui le plus beau et le plus riche naturel qui fut onques, et a rendu sa mémoire abominable à tous les gens de bien, pour avoir voulu chercher sa gloire dans la ruine de son pays et dans la subversion de la chose publique la plus puissante et la plus florissante que le monde verra jamais.

On pourrait bien au contraire trouver plusieurs exemples de grands personnages auxquels la volupté a fait oublier la conduite de leurs affaires, comme Marc Antoine, et d'autres, mais là où l'amour et l'ambition seraient en égale balance et viendraient à se choquer avec des forces pareilles, je ne fais aucun doute que cette dernière ne gagnât le prix de la maîtrise.

Maintenant, pour me remettre à mon sujet, c'est beaucoup de pouvoir brider nos appétits par le discours de la raison, ou de forcer nos membres par violence à se tenir en leur devoir. Mais de nous fouetter pour l'intérêt de nos voisins, de non seulement nous défaire de cette douce passion qui nous chatouille, et du plaisir que nous sentons de nous voir agréables à autrui et aimés et recherchés d'un chacun, et encore de prendre en haine et à contrecœur nos grâces qui en sont la cause, et de condamner notre beauté parce que quelque autre s'en échauffe, je n'en ai vu guère d'exemples : celui-ci en est un. Spurina, jeune homme de la Toscane,

Comme brille une gemme enchâssée dans l'or blond,
Orgueil d'un col ou d'un front, ou comme éclate l'ivoire
Marqueté dans le buis ou le térébinthe d'Orcos

Qualis gemma micat fuluum quæ diuidit aurum,
Aut collo decus aut capiti, uel quale per artem
Inclusum buxo aut Oricia teberintho
Lucet ebur, [1]

était doué d'une singulière beauté, et si excessive que les yeux les plus chastes ne pouvaient en souffrir l'éclat chastement. Il ne se contenta point de laisser sans secours tant de fièvre et de feu qu'il allait attisant partout. Il entra en furieux dépit contre lui-même et contre ces riches présents que Nature lui avait faits, comme si on se devait prendre à eux de la faute d'autrui, et il tailla et troubla à force de plaies qu'il se fit volontairement, et de cicatrices, les proportions et l'ordonnance parfaites que Nature avait si soigneusement observée en son visage.

Pour en dire mon avis, je m'étonne de telles actions plus que je ne les honore. Ces excès sont ennemis de mes règles. Le dessein en fut beau, et scrupuleux, mais, à mon avis, il manque un peu de prudence. Que dire si sa laideur servit par la suite à en pousser d'autres au péché de mépris et de haine ou d'envie, pour la gloire d'un si rare mérite, ou de calomnie, s'ils interprétaient cette humeur comme une ambition forcenée ? Y a-t-il quelque forme dont le vice ne tire, s'il veut, prétexte à s'exercer en quelque manière ? Il eût été plus juste, et aussi plus glorieux qu'il fît de ces dons de Dieu un sujet de vertu exemplaire, et de règlement.

Ceux qui se dérobent aux devoirs communs, et à ce nombre infini de règles épineuses, à tant d'aspects qui lient un homme d'exacte prud'homie dans la vie civile, font, à mon gré, une belle épargne, quelque pointe d'âpreté particulière qu'ils s'enjoignent. C'est en quelque façon mourir pour fuir la peine de bien vivre. Ils peuvent avoir d'autre prix, mais le prix de la difficulté, il ne m'a jamais semblé qu'ils l'eussent. Ni qu'en malaisance il n'y ait rien au-delà de se tenir droit au milieu des flots de la presse du monde, répondant et satisfaisant loyalement à toutes les parties de sa charge. Il est d'aventure plus facile de se passer nettement de tout le sexe que de se maintenir dûment en tout point en compagnie de sa femme. Et l'on a de quoi couler avec moins de soucis dans la pauvreté que dans l'abondance justement dispensée. L'usage, conduit selon la raison, a plus d'âpreté que n'en a l'abstinence. La modération est une vertu bien plus pénible que ne l'est la souffrance. Le bien vivre du jeune Scipion a mille façons, le bien vivre de Diogène n'en a qu'une. Celle-ci surpasse autant en innocence les vies ordinaires que les façons de vivre rares et accomplies la surpassent en utilité et en force.

1. Virgile, *Énéide*, X, 134-137.

Observation sur les moyens de faire la guerre de Jules César

[Chapitre XXXIV]

On raconte de plusieurs chefs de guerre qu'ils ont particulièrement admiré certains livres, comme Alexandre le Grand Homère, Scipion l'Africain Xénophon, Marcus Brutus Polybe, ou Charles Quint Philippe de Commynes. Et l'on dit de notre temps que Machiavel est encore ailleurs en honneur. Mais le feu maréchal Strozzi, qui avait pris César pour sa part, avait sans doute bien mieux choisi, car à la vérité celui-ci devrait être le bréviaire de tout homme de guerre, parce qu'il est le vrai et le souverain patron de l'art militaire. Et Dieu sait encore de quelle grâce et de quelle beauté il a rehaussé cette riche matière avec une façon de dire si pure, si délicate, et si parfaite qu'à mon goût il n'y a point d'écrits au monde qui puissent être comparables aux siens en ce domaine. Je veux ici enregistrer certains traits particuliers et rares sur le fait de ses guerres qui me sont demeurés en mémoire.

Son armée s'était quelque peu effrayée à cause du bruit qui courait sur l'importance des forces que le roi Juba menait contre lui. Au lieu de rabattre l'opinion que ses soldats en avaient prise et d'apetisser les moyens de son ennemi, il les fit assembler pour les rassurer et leur donner courage, mais il prit une voie toute contraire à celle dont nous avons l'habitude. Il leur dit en effet qu'ils ne se missent plus en peine de s'enquérir des forces que menait l'ennemi et qu'il avait eu à ce sujet des renseignements très sûrs. Il leur en fit alors un nombre qui dépassait de beaucoup à la fois la vérité et les bruits qui couraient dans son armée à ce propos, suivant ce que conseille Cyrus dans Xénophon. La tromperie en effet n'est pas de même conséquence selon qu'on trouve les ennemis plus faibles de fait qu'on ne l'avait d'abord craint ou qu'on les découvre en vérité très forts après les avoir d'abord crus faibles sur la foi de la rumeur.

Avant tout il accoutumait ses soldats à obéir simplement sans se mêler de contrôler ou de commenter les desseins de leur capitaine. Il ne les informait que sur le point de l'exécution, et, s'ils en avaient découvert quelque chose, il prenait plaisir à changer d'avis sur-le-champ pour les tromper. Et souvent, à cet effet, après avoir assigné un logis en quelque lieu, il passait outre et allongeait l'étape, notamment s'il faisait mauvais temps et qu'il plût.

Les Suisses, au commencement de ses guerres en Gaule, avaient envoyé vers lui des émissaires pour qu'il leur permît de passer au travers des terres des Romains. Il était bien résolu à les en empêcher par la force, mais il leur contrefit toutefois un bon visage et prit quelques jours de délai pour leur faire réponse afin de se servir de ce loisir pour assembler son armée. Ces pauvres gens ne savaient pas combien il était excellent ménager du temps, car il redit maintes fois que c'est la plus souveraine partie d'un capitaine que la science de prendre à point les occasions, avec la célérité, qui, dans ses faits d'armes, est à la vérité inouïe et incroyable.

S'il n'avait pas beaucoup de scrupule à prendre avantage sur son ennemi sous couleur d'un traité d'accord, il en avait aussi peu en cela que chez ses soldats il ne requérait d'autre vertu que la vaillance ni ne punissait guère d'autres vices que la mutinerie et la désobéissance. Souvent après ses victoires il leur lâchait la bride à toute licence, les dispensant pour quelque temps des règles de la discipline militaire. S'ajoutait à cela qu'il avait des soldats si bien formés que, tout parfumés et musqués, ils ne laissaient pas d'aller furieusement au combat. De vrai, il aimait qu'ils fussent richement armés, et il leur faisait porter des harnois gravés, dorés et argentés, afin que le soin de conserver leurs armes les rendît plus âpres à se défendre. Quand il s'adressait à eux, il les appelait du nom de *compagnons,* dont nous usons encore. Auguste, son successeur, réforma cet usage, estimant qu'il l'avait fait pour la nécessité de ses affaires et pour flatter le cœur de ceux qui ne le suivaient que volontairement :

> au passage du Rhin, César
> Était mon capitaine, il est ici mon compagnon :
> Le crime rend égaux les complices qu'il souille
>
> *Rheni mihi Caesar in undis*
> *Dux erat, hic socius : facinus quos inquinat æquat,* [1]

mais que cette façon était trop rabaissée pour la dignité d'un empereur et d'un général d'armée, et il remit en train de les appeler seulement *soldats.*

À cette courtoisie, César mêlait toutefois une grande sévérité pour les réprimer. La neuvième légion s'étant mutinée près de Plaisance, il la cassa ignominieusement quoique Pompée fût alors encore debout, et il ne la reçut en grâce qu'avec plusieurs supplications. Il les rapaisait plus par l'autorité et par l'audace que par la douceur.

1. Lucain, V, 289-290.

Là où il parle de son passage de la rivière du Rhin vers l'Allemagne, il dit qu'estimant indigne de l'honneur du peuple romain de passer son armée sur des navires, il fit dresser un pont afin de passer à pied ferme. Ce fut là qu'il fit bâtir ce pont admirable, dont il détaille particulièrement la fabrique, car il ne s'arrête aussi volontiers en nul endroit de ses faits que pour nous représenter la subtilité de ses inventions, présentées comme des ouvrages de main.

J'y ai aussi remarqué cela qu'il fait grand cas de ses exhortations aux soldats avant le combat, car, lorsqu'il veut montrer qu'il a été surpris ou pressé, il allègue toujours cela qu'il n'avait pas eu seulement le loisir de haranguer son armée. Avant cette grande bataille contre ceux de Tournai, César, dit-il, ayant ordonné du reste, courut soudainement où la fortune le porta pour exhorter ses gens, et, rencontrant la dixième légion, il n'eut que le temps de leur dire qu'ils se souvinssent de leur vaillance accoutumée, qu'ils ne se troublassent point, et soutinssent hardiment l'assaut des ennemis. Et parce que l'ennemi s'était déjà approché à un jet de trait, il donna le signal de la bataille, et, étant passé soudainement ailleurs pour en encourager d'autres, il les trouva déjà aux prises. Voilà ce qu'il en dit en ce passage-là. De vrai, son verbe lui a rendu en plusieurs occasions de bien notables services, et, de son temps même, son éloquence militaire était en telle estime que plusieurs dans son armée recueillaient ses harangues, et c'est par ce moyen qu'il en fut assemblé des volumes qui ont duré longtemps après lui. Son parler avait des grâces particulières, si bien que ses familiers, et entre autres Auguste, quand ils entendaient raconter ce qui en avait été recueilli, reconnaissait, jusqu'aux phrases et aux mots, ce qui n'était pas du sien.

La première fois qu'il sortit de Rome avec une charge publique, il arriva en huit jours à la rivière du Rhône en ayant dans son coche devant lui un secrétaire ou deux qui écrivaient sans cesse, et derrière lui celui qui portait son épée. Et certes, quand même on ne ferait qu'aller, à peine pourrait-on atteindre à cette promptitude avec laquelle, toujours victorieux, après qu'il eut quitté la Gaule, et alors qu'il poursuivait Pompée jusqu'à Brindes, il subjugua l'Italie en dix-huit jours ; revint de Brindes à Rome ; de Rome s'en alla jusqu'au fin fond de l'Espagne, où il traversa des difficultés extrêmes dans la guerre contre Afranius et Petreius et durant le long siège de Marseille ; de là s'en retourna en Macédoine ; battit l'armée romaine à Pharsale ; passa de là, poursuivant Pompée, en Égypte, qu'il subjugua ; d'Égypte vint en Syrie et au pays du Pont, où il combattit Pharnace, de là en Afrique, où il défit Scipion et Juba ; et rebroussa encore par l'Italie jusqu'en Espagne, où il défit les enfants de Pompée,

Plus vite qu'une foudre ou que tigresse ayant ses faons
Ocior et cæli flammis et tigride fœta, [1]

Et comme roule un roc tombant depuis la cime,
Arraché par la tempête, ou la pluie en tourbillon,
Ou miné par l'âge et les ans ; à lui seul, c'est un mont,
Que son immense élan précipite à l'abîme :
Il rebondit au sol, dans sa chute entraînant
Forêts, troupeaux et paysans
Ac ueluti montis saxum de uertice præceps
Cum ruit auulsum uento, seu turbidus imber
Proluit, aut annis soluit sublapsa uetustas,
Fertur in abruptum magno mons improbus actu
Exultatque solo, siluas, armenta, uirosque
Inuoluens secum. [2]

Parlant du siège d'Avaricum, il dit que c'était sa coutume de se tenir nuit et jour près des ouvriers qu'il avait en besogne. Dans toutes les entreprises de conséquence, il faisait toujours l'exploration lui-même, et il ne fit jamais passer son armée dans un endroit qu'il n'eût d'abord reconnu. Et si nous en croyons Suétone, quand il entreprit de passer en Angleterre, il était le premier à sonder le gué. Il avait coutume de dire qu'il aimait mieux la victoire qui se conduisait par conseil que par risque. Et dans la guerre contre Petreius et Afranius, la fortune lui présentant une bien apparente occasion d'avantage, il la refusa, dit-il, espérant venir à bout de ses ennemis avec un peu plus de délai, mais moins de hasard.

Il fit aussi là un merveilleux trait en ordonnant à toute son armée de passer la rivière à la nage sans aucune nécessité,

et le soldat qui courait à la bataille
Prit ce pas par lequel il eût craint de fuir, et bientôt,
Remettant le harnois, il en couvre son corps humide,
Et ranime en courant ses membres glacés par le flot
rapuitque ruens in proelia miles
Quod fugiens timuisset iter, mox uda receptis
Membra fouent armis, gelidosque a gurgite cursu
Restituunt artus. [3]

Je le trouve un peu plus retenu et réfléchi qu'Alexandre dans ses entreprises, car celui-ci semble rechercher et courir à forcer les dangers, comme un impétueux torrent qui choque et attaque sans discrétion et sans choix tout ce qu'il rencontre :

1. Lucain, V, 405.
2. Virgile, *Énéide*, XII, 684-689.
3. Lucain, IV, 151-154.

Ainsi, tel un taureau, roule l'Aufide,
Qui de Daunus en Apulie arrose les États,
Quand, dans sa crue, il menace, perfide,
Prés et champs de diluviens dégâts

Sic tauriformis uoluitur Aufidus,
Qui regna Dauni perfluit Appuli,
Dum saeuit horrendamque cultis
Diluuiem meditatur agris. [1]

Aussi était-il en besogne dans la fleur et la première chaleur de son âge, alors que César s'y prit quand il était déjà mûr et bien avancé. Outre cela qu'Alexandre était d'un tempérament plus sanguin, colère et ardent, et qu'il émouvait encore pourtant cette humeur par le vin, dont César était très abstinent. Mais quand les occasions de la nécessité se présentaient et quand la chose le requérait, il n'y eut jamais homme qui fît meilleur marché de sa personne.

Quant à moi, il me semble lire en plusieurs de ses exploits une certaine résolution de se perdre pour fuir la honte d'être vaincu. Dans cette grande bataille qu'il eut contre ceux de Tournai, il courut se présenter à la tête des ennemis, sans bouclier, comme il se trouva, quand il vit la pointe de son armée fléchir, ce qui lui est advenu plusieurs autres fois. Entendant dire que ses gens étaient assiégés, il passa déguisé au travers de l'armée ennemie pour les aller fortifier de sa présence. Ayant traversé jusqu'à Dirrachium avec de très petites forces, et voyant que le reste de son armée dont il avait laissé la conduite à Antoine tardait à le suivre, il entreprit de repasser la mer seul au milieu d'une très grande tempête et il se déroba pour aller reprendre le reste de ses troupes, alors que les ports de delà et toute la côte étaient aux mains de Pompée.

Et quant aux entreprises qu'il a faites à main armée, il y en a plusieurs qui surpassent en hasard tout calcul de la raison militaire, car avec de combien faibles moyens entreprit-il de subjuguer le royaume d'Égypte, et plus tard d'aller attaquer les forces de Scipion et de Juba, de dix parts plus importantes que les siennes ? Ces gens-là ont eu je ne sais quelle plus qu'humaine confiance en leur fortune, et il disait qu'il fallait exécuter les hautes entreprises, non pas les méditer.

Après la bataille de Pharsale, alors qu'il avait envoyé son armée devant en Asie et qu'il passait le détroit de l'Hellespont avec un seul vaisseau, il rencontra en mer Lucius Cassius avec dix gros navires de guerre. Il eut le courage non seulement de l'attendre, mais de tirer droit vers lui, et de le sommer de se rendre, et il en vint à bout ! Ayant

1. Horace, *Odes*, IV, XIV, 25-28.

entrepris ce furieux siège d'Alésia, où il y avait quatre-vingt mille hommes en défense, alors que toute la Gaule s'était levée pour lui courir sus et briser le siège, et qu'elle avait dressé une armée de cent neuf mille chevaux et de deux cent quarante mille hommes de pied, quelle hardiesse et quelle folle confiance fut-ce de ne vouloir abandonner son entreprise pour autant, et de se résoudre à affronter deux si grandes difficultés ensemble ? Lesquelles toutefois il soutint, et après avoir gagné cette grande bataille contre ceux de dehors, il rangea bientôt à sa merci ceux qu'il tenait enfermés. Il en advint autant à Lucullus, au siège de Tigranocerte contre le roi Tigrane, mais les conditions n'étaient pas comparables, vu la mollesse des ennemis à qui Lucullus avait affaire.

Je veux ici remarquer deux événements rares et extraordinaires à propos de ce siège d'Alésia. Le premier est que les Gaulois, qui s'assemblaient pour venir trouver là César, une fois fait le dénombrement de toutes leurs forces, résolurent en leur conseil de retrancher une bonne partie de cette grande multitude de peur qu'ils n'en tombassent en confusion. Cet exemple est nouveau, de craindre d'être trop. Mais à le bien prendre, il est vraisemblable que le corps d'une armée doit avoir une grandeur modérée et bornée à une taille définie, soit pour la difficulté de la nourrir, soit pour la difficulté de la conduire et de la tenir en ordre. Au moins serait-il bien aisé à vérifier par l'exemple que ces armées monstrueuses en nombre n'ont guère rien fait qui vaille.

Suivant ce que dit Cyrus dans Xénophon, ce n'est pas le nombre des hommes, mais le nombre des hommes vaillants qui fait l'avantage, le demeurant servant plus d'empêchement que de secours. Et Bajazet prit le principal fondement à sa résolution de livrer bataille à Tamerlan, contre l'avis de tous ses capitaines, sur ce que le nombre innombrable des hommes de son ennemi lui permettait d'escompter avec certitude une grande confusion. Scanderberg, bon juge et très expert, avait accoutumé de dire que dix ou douze mille combattants fidèles devaient suffire à un chef de guerre compétent pour garantir sa réputation en toute sorte de besoin militaire.

L'autre point qui semble être contraire, et à l'usage et à la raison de la guerre, c'est que Vercingétorix, qui avait été nommé chef et général de toutes les parties des Gaules révoltées, prit le parti d'aller s'enfermer dans Alésia. Car celui qui commande à tout un pays ne doit jamais s'engager, sauf dans le cas extrême où il en irait de sa dernière place forte, et où il n'y aurait plus rien à espérer que dans sa défense. Autrement, il doit se garder libre pour avoir moyen de pourvoir en général à toutes les parties de son gouvernement.

Pour revenir à César, il devint avec le temps un peu plus lent et réfléchi, comme en témoigne son familier Oppius. Il estimait qu'il ne devait pas hasarder à la légère l'honneur de tant de victoires, qu'une seule mauvaise fortune pourrait lui faire perdre. C'est ce que disent les Italiens quand ils veulent reprocher cette hardiesse téméraire qu'on voit chez les jeunes gens, en les nommant nécessiteux d'honneur *bisognosi d'honore,* et ils ajoutent que lorsqu'ils sont encore dans cette grande faim et disette de réputation, ils ont raison de le rechercher à quelque prix que ce soit, ce que ne doivent pas faire ceux qui en ont déjà acquis à suffisance. Il peut y avoir quelque juste modération dans ce désir de gloire et quelque satiété dans cet appétit, comme dans les autres : assez de gens le pratiquent ainsi.

Il était bien éloigné de cette religion des anciens Romains qui dans leurs guerres ne voulaient se prévaloir que d'un courage simple et naïf. Mais encore y apportait-il plus de conscience que nous ne le ferions à cette heure, et il n'approuvait pas toutes sortes de moyens pour acquérir la victoire. Dans la guerre contre Arioviste, tandis qu'il parlementait avec lui, il survint quelque remuement entre les deux armées, qui commença par la faute des gens de cheval d'Arioviste, Du fait de ce tumulte, César se trouva avoir un très grand avantage sur ses ennemis ; toutefois il ne voulut point s'en prévaloir, de peur qu'on lui pût reprocher d'avoir ici usé de mauvaise foi. Il avait accoutumé de porter au combat un accoutrement riche, et de couleur éclatante, pour se faire remarquer. Il tenait la bride très étroite à ses soldats, et il les tenait de plus court encore quand il était près des ennemis.

Quand les anciens Grecs voulaient accuser quelqu'un d'extrême insuffisance, ils disaient proverbialement qu'il « ne savait ni lire ni nager ». César avait cette même opinion que la science de nager était très utile à la guerre, et il en tira plusieurs avantages. S'il avait à faire diligence, c'est à la nage qu'il franchissait ordinairement les rivières qu'il rencontrait, car il aimait à voyager à pied, comme le grand Alexandre. En Égypte, forcé pour se sauver de s'embarquer dans un petit bateau, et alors que tant de gens s'y étaient lancés avec lui qu'il risquait d'aller par le fond, il aima mieux se jeter dans la mer, et c'est à la nage qu'il gagna sa flotte qui était plus de deux cents pas de là, tenant dans sa main gauche ses tablettes hors de l'eau, et traînant avec ses dents sa cotte d'armes afin que l'ennemi n'en pût jouir, et il était alors déjà bien avancé dans son âge.

Jamais chef de guerre n'eut tant de crédit auprès de ses soldats. Au commencement de ses guerres civiles, les centurions lui offrirent de soudoyer chacun sur sa bourse un homme d'armes, et les gens de pied, de le servir à leurs dépens. Ceux qui étaient les plus aisés entreprirent encore de défrayer les plus nécessiteux. Feu Monsieur l'Amiral de Châtillon [1] nous fit voir dernièrement un pareil cas au cours de nos guerres civiles, car les Français de son armée fournissaient de leurs bourses au payement des étrangers qui l'accompagnaient. Il ne se trouverait guère d'exemples d'une affection si ardente et si preste parmi ceux qui marchent dans le vieux train, sous l'ancienne police des lois [2]. La passion nous commande bien plus vivement que la raison. Il est pourtant advenu lors de la guerre contre Hannibal qu'à l'exemple de la libéralité du peuple romain dans la ville, les hommes d'armes et les capitaines refusèrent leur paye, et, au camp de Marcellus, on appelait mercenaires ceux qui la prenaient.

Ayant connu un échec près de Dyrrachium, ses soldats vinrent d'eux-mêmes s'offrir à être châtiés et punis, de façon qu'il eut plus à les consoler qu'à les tancer. Une seule de ses cohortes soutint quatre légions de Pompée pendant plus de quatre heures, jusqu'à ce qu'elle fût quasi toute défaite à coups de traits, et l'on trouva dans la tranchée cent trente mille flèches. Un soldat nommé Scæva, qui commandait à l'une des entrées, s'y maintint invincible en ayant un œil crevé, une épaule et une cuisse percées, et son écu faussé en deux cent trente lieux. Il est advenu à plusieurs de ses soldats pris prisonniers, d'accepter plutôt la mort que de vouloir promettre de prendre autre parti. Granius Petronius ayant été pris par Scipion en Afrique, Scipion, après avoir fait mourir ses compagnons, lui fit savoir qu'il lui laissait la vie, car il était homme de rang et questeur : Petronius répondit que les soldats de César avaient accoutumé de donner la vie aux autres, non de la recevoir, et il se tua tout soudain de sa propre main.

Il y a d'infinis exemples de leur fidélité. Il ne faut pas oublier le trait de ceux qui furent assiégés dans Salone, ville qui avait pris parti pour César contre Pompée, à cause d'un rare accident qui y survint. Marcus Octavius les tenait assiégés. Ceux de dedans étaient réduits à la plus extrême nécessité en toutes choses, de sorte que, pour suppléer au défaut qu'ils avaient d'hommes, la plupart d'entre eux étant morts ou blessés, ils avaient mis en liberté tous leurs esclaves, et pour servir leurs engins ils avaient été contraints de couper les cheveux de toutes les femmes afin d'en faire des cordes. En outre, ils souffraient une extraordinaire disette de vivres, et néanmoins ils restaient résolus à ne jamais se rendre. Après avoir laissé longtemps ce siège traîner en

1. Il s'agit de Gaspard II de Coligny, seigneur de Châtillon. Coligny fut, comme on sait, l'un des plus fameux chefs de l'armée huguenote.

2. Ceux du parti catholique, les traditionalistes.

longueur, à la suite de quoi Octave était devenu plus nonchalant et moins attentif à son entreprise, ils choisirent un jour sur le midi, et une fois qu'ils eurent rangé les femmes et les enfants sur leurs murailles pour faire bonne mine, ils sortirent avec une telle furie sur les assiégeants qu'après avoir enfoncé le premier, le second, et le tiers corps de garde, et le quatrième, et puis le reste, et après leur avoir fait complètement déserter leurs retranchements, ils les chassèrent jusque dans leurs navires, et Octave lui-même se sauva à Dyrrachium, où se trouvait Pompée. Je n'ai point mémoire pour cette heure d'avoir vu aucun autre exemple où les assiégés battent le gros des assiégeants et se rendent maîtres de la campagne, ni qu'une sortie ait eu pour conséquence dans une bataille une victoire nette et entière.

De trois bonnes femmes

[Chapitre XXXV]

Il n'en est pas à douzaines, comme chacun sait, et notamment dans les devoirs du mariage, car c'est une affaire pleine de tant d'épineuses circonstances qu'il est malaisé que la volonté d'une femme s'y maintienne entière longtemps. Les hommes, quoiqu'ils y soient dans une condition un peu meilleure, y ont trop à faire.

La pierre de touche d'un bon mariage, et sa vraie preuve, regarde le temps que dure cette société, si elle a été constamment douce, loyale, et commode. En notre siècle, les femmes, le plus souvent, pour étaler leurs bons offices et la force de leur affection pour leurs maris attendent de les avoir morts. Elles cherchent au moins alors à donner un témoignage de leur bonne disposition. Tardif témoignage, et bien hors de saison. Elles prouvent plutôt par là qu'elles ne les aiment que morts : la vie est pleine d'incendie ; le trépas, d'amour et de courtoisie ! De même que les pères cachent leur affection envers leurs enfants, elles de même cachent souvent la leur envers leur mari, pour conserver un honorable respect. Ce mystère n'est pas de mon goût. Elles ont beau s'écheveler et s'égratigner, moi, je m'en vais demander à l'oreille d'une femme de chambre ou d'un secrétaire : « Comment étaient-ils ? Comment ont-ils vécu ensemble ? » Je me souviens toujours de ce bon mot *iactantius mærent quæ minus dolent* [1] les sanglots les plus sonores partent de

1. Tacite, *Annales*, II, LXXVII, 3.

celles qui ont le moins de deuil. Leur air rechigné est odieux aux vivants et vain aux morts. Nous permettrons volontiers qu'on rie après, pourvu qu'on nous rie pendant la vie. N'y a-t-il pas de quoi ressusciter de dépit à voir que qui m'aura craché au nez pendant que j'étais me vienne frotter les pieds quand je ne suis plus ? S'il y a quelque honneur à pleurer les maris, il n'appartient qu'à celles qui leur ont ri ; celles qui ont pleuré durant la vie de leur époux, qu'elles rient donc après sa mort, au-dehors comme au-dedans ! Aussi, ne regardez pas à ces yeux moites et à cette voix piteuse : regardez plutôt ce port, ce teint, et le bel embonpoint de ces joues sous ces grands voiles : c'est par là qu'elle parle français ! Il en est peu dont la santé n'aille en s'amendant, qualité qui ne sait pas mentir. Cette contenance de cérémonie ne regarde pas tant derrière soi que devant : c'est acquêt plus que payement. Dans mon enfance, une honnête et très belle dame, qui vit encore, veuve d'un prince, avait je ne sais quoi de plus en sa parure qu'il n'est permis par les lois de notre veuvage. À ceux qui le lui reprochaient : « C'est, disait-elle que je ne pratique plus de nouvelles amitiés, et que je suis hors de volonté de me remarier. »

Pour ne disconvenir pas tout à fait à notre usage, j'ai ici choisi trois femmes qui ont aussi employé l'effort de leur bonté et de leur affection à entourer la mort de leurs maris. Ce sont pourtant des exemples un peu autres, mais si pressants qu'ils mettent hardiment la vie en jeu.

Non loin d'une demeure qu'il possédait en Italie, Pline le Jeune avait un voisin extraordinairement tourmenté par quelques ulcères qui lui étaient survenus aux parties honteuses. Sa femme, le voyant si longuement languir, le pria de permettre qu'elle vît à loisir et de près l'état de son mal : elle lui dirait plus franchement qu'aucun autre ce qu'il avait à en espérer. Après avoir obtenu cela de lui, et l'avoir soigneusement examiné, elle trouva qu'il était impossible qu'il en pût guérir, et que tout ce qu'il avait à attendre, c'était de traîner fort longtemps une vie douloureuse et languissante. Aussi comme remède le plus sûr et souverain lui conseilla-t-elle de se tuer. Et comme elle le trouvait un peu mol à une si rude entreprise : « Ne pense point, lui dit-elle, mon ami, que les douleurs que je te vois souffrir ne me touchent pas autant que toi, ni que pour m'en délivrer je ne veuille pas me servir moi-même de la médecine que je t'ordonne. Je veux t'accompagner dans la guérison comme je l'ai fait dans la maladie. Quitte cette crainte, et pense que nous n'aurons que plaisir en ce passage qui doit nous délivrer de tels tourments : nous nous en irons heureux ensemble. » Cela dit, et ayant réchauffé le courage de son mari, elle résolut qu'ils se précipiteraient dans la mer par une fenêtre de leur logis qui donnait par là. Et pour maintenir jusqu'à la fin cette loyale et vive affection dont elle l'avait entouré pendant sa vie, elle voulut encore qu'il mourût dans ses bras. Mais de peur qu'ils ne lui faillissent et que les étreintes de ses enlacements ne vinssent à se relâcher du fait de la chute et de la peur, elle se fit lier et attacher bien étroitement à lui par le milieu du corps, et c'est de cette façon qu'elle abandonna sa vie pour le repos de celle de son mari.

Celle-là était de basse naissance, et chez les gens de cette condition il n'est pas si nouveau de voir quelque trait d'une rare bonté :

chez ceux-là, la justice
En quittant la terre a laissé ses dernières empreintes

extrema per illos
Justitia excedens terris uestigia fecit. [1]

Les deux autres sont nobles et riches, rang où les exemples de vertu se logent rarement.

Arria, femme de Caecinna Pætus, personnage consulaire, était la mère d'une autre Arria, femme de Thraséas Pætus, celui dont la vertu fut tant renommée du temps de Néron, et par le moyen de ce gendre, mère-grand de Fannia, car la ressemblance des noms de ces hommes et femmes et de leurs fortunes, en a fait se mécompter plusieurs. Cette première Arria, quand son mari Caecinna Pætus eut été fait prisonnier par les gens de l'empereur Claude après la défaite de Scribonianus dont il avait suivi le parti, supplia ceux qui l'emmenaient prisonnier à Rome de l'accepter à bord de leur navire, où elle leur serait de beaucoup moins de dépense et d'incommodité que le nombre de personnes qu'il leur faudrait pour le service de son mari : elle pourvoirait seule à sa chambre, à sa cuisine, et à tous les autres offices. Ils l'en refusèrent, et elle s'étant jetée dans un bateau de pêcheur qu'elle loua sur-le-champ, elle le suivit en cet équipage depuis la Slavonie. Quand ils furent à Rome, un jour, en présence de l'empereur, Junia, la veuve de Scribonianus, s'étant approchée d'elle familièrement, en raison de leur commune fortune, elle la repoussa rudement avec ces mots : « Moi, dit-elle, que je te parle, que je t'écoute, toi, sur le sein de qui Scribonianus a été tué ! Et tu vis encore ? » Ces paroles, avec plusieurs autres signes, firent sentir à ses parents qu'elle était prête à se tuer elle-même, impatiente de partager le sort de son mari. Et comme Thraséas, son gendre, la suppliait sur ce propos de ne se vouloir perdre, et lui disait ainsi : « Quoi ! Si je courais pareille fortune que celle de Caecinna, voudriez-vous que ma femme, votre fille, en fît de même – Comment donc ? Si je le voudrais ? Répondit-elle : oui, oui, je

1. Virgile, *Géorgiques*, II, 473-474.

le voudrais, si elle avait vécu aussi longtemps et en aussi bon accord avec toi que je l'ai fait avec mon mari ! » Ces réponses augmentaient le soin qu'on avait d'elle et faisaient qu'on regardait de plus près à ses comportements. Un jour, après avoir dit à ceux qui la gardaient : « Vous avez beau faire, vous pouvez bien me faire plus mal mourir, mais me garder de mourir, vous ne le sauriez », et, s'élançant furieusement d'une chaise où elle était assise, elle s'alla de toute sa force choquer la tête contre la paroi voisine, duquel coup étant tombée de tout son long évanouie et fort blessée, après qu'on l'eut fait revenir à grand-peine : « Je vous disais bien, dit-elle, que si vous me refusiez quelque façon aisée de me tuer, j'en choisirais quelque autre, pour malaisée qu'elle fût. » La fin d'une si admirable vertu fut telle : son mari Pætus n'ayant pas de soi-même le cœur assez ferme pour se donner la mort à laquelle la cruauté de l'empereur l'acculait, un jour entre autres, après avoir d'abord employé les discours et les exhortations propres au conseil qu'elle lui donnait pour ce faire, elle prit le poignard que son mari portait, et le tenant au clair dans sa main, pour conclure son exhortation : « Fais ainsi, Pætus », lui dit-elle, et au même instant, elle s'en donna un coup mortel dans l'estomac, puis, l'arrachant de sa plaie, elle le lui présenta, finissant en même temps sa vie avec cette noble, généreuse et immortelle parole *Pæte, non dolet* : elle n'eut en effet loisir que de dire ces trois mots, d'une si belle teneur : « Tiens, Pætus, il ne m'a point fait mal. »

Quand la chaste Arria tendit à son cher Paetus
Le couteau qu'elle venait de tirer de ses entrailles :
« Crois-moi, dit-elle, le coup que je viens de me lancer
Ne me fait point douloir : celui dont tu vas te percer,
Paetus, lui me deut »

Casta suo gladium cum traderet Arria Pæto,
Quem de uisceribus traxerat ipsa suis :
« Si qua fides, uulnus quod feci non dolet, inquit,
Sed quod tu facies, id mihi, Pæte, dolet. » [1]

Ce mot est bien plus vif en son naturel, et d'un sens plus riche, car et la plaie et la mort de son mari, et les siennes, tant s'en faut qu'elles lui pesassent qu'elle en avait été la conseillère et la promotrice ; mais, ayant fait cette haute et courageuse entreprise dans le seul intérêt de son mari, elle ne regarde qu'à lui encore au dernier trait de sa vie, et à lui ôter la crainte de la suivre en mourant. Pætus se frappa sur-le-champ avec ce même glaive, honteux, à mon avis, d'avoir eu besoin d'une si chère et si précieuse leçon.

1. Martial, I, XIII, 1-4.

Pompeia Paulina, une jeune et très noble dame romaine, avait épousé Sénèque en son extrême vieillesse. Néron, son beau disciple, lui envoya ses gardes pour lui signifier l'arrêt de sa mort. La chose se faisait de la manière suivante : quand les empereurs romains de ce temps avaient condamné quelque homme de qualité, ils lui mandaient par leurs officiers de choisir quelque mort à sa guise et de se la donner dans tel ou tel délai qu'ils lui fixaient selon la trempe de leur colère, tantôt plus pressé, tantôt plus long, soit en lui assignant un terme assez long pour qu'il pût pendant ce temps-là disposer de ses affaires, soit quelquefois en lui ôtant le moyen de ce faire par la brièveté du temps. Si le condamné résistait à leur ordonnance, ils dépêchaient des gens propres à l'exécuter ou bien en lui coupant les veines des bras et des jambes, ou bien en lui faisant avaler du poison de force. Mais les personnes d'honneur, n'attendaient pas cette nécessité et se servaient à cet effet de leurs propres médecins et chirurgiens. Sénèque les écouta annoncer leur affaire avec un visage paisible et assuré, et après, il demanda du papier pour faire son testament. Cela lui ayant été refusé par le capitaine, il se tourne vers ses amis : « Puisque je ne puis, leur dit-il, vous laisser autre chose en reconnaissance de ce que je vous dois, je vous laisse au moins ce que j'ai de plus beau, à savoir l'image de mes mœurs et de ma vie, que je vous prie de conserver en votre mémoire afin que, ce faisant, vous acquériez la gloire d'être reconnus pour amis sincères et véritables. » Et en même temps, apaisant tantôt l'aigreur de la douleur qu'il leur voyait souffrir par de douces paroles, tantôt roidissant sa voix pour les en tancer : « Où sont donc, disait-il, ces beaux préceptes de la philosophie ? Que sont devenues les provisions que nous avons faites pendant tant d'années contre les accidents de la fortune ? La cruauté de Néron nous était-elle inconnue ? Que pouvions-nous attendre de celui qui avait tué sa mère et son frère, sinon qu'il fît encore mourir le gouverneur qui l'a nourri et élevé ? » Après avoir adressé ces mots à tous, il se retourne vers sa femme, et l'embrassant étroitement, comme elle défaillait de cœur et de forces sous le poids de la douleur, il la pria de supporter un peu plus patiemment cet accident pour l'amour de lui, et que l'heure était venue où il avait à montrer, non plus par des discours et des dissertations, mais en effet, le fruit qu'il avait tiré de ses études, et que sans nul doute il embrassait la mort non seulement sans douleur, mais avec allégresse. « Aussi, m'amie, disait-il, ne la déshonore pas par tes larmes, afin qu'il ne semble point que tu t'aimes plus que ma réputation. Apaise ta douleur, et te console par la connaissance que tu as eue de moi et de mes actions, et en consacrant le reste de ta vie aux honorables occupations auxquelles tu es adonnée. » À quoi Pauline ayant un peu repris ses esprits et réchauffé la magnanimité de son cœur par une très noble affection : « Non, Sénèque, répondit-elle, je ne suis pas femme à vous laisser sans ma compagnie en une telle nécessité. Je ne veux pas que vous pensiez que les vertueux exemples de votre vie ne m'aient pas encore appris à savoir bien mourir, et quand le pourrai-je ni mieux, ni plus honnêtement, ni plus à mon gré qu'avec vous ? Ainsi faites état que je m'en vais avec vous. » Alors Sénèque prenant en bonne part la si belle et si glorieuse résolution de sa femme, et pour se délivrer aussi de la crainte de la laisser après sa mort à la merci et à la cruauté de ses ennemis : « Mes conseils, Pauline, lui dit-il, visaient à ce que tu pusses conduire sa vie le plus heureusement, mais tu aimes donc mieux l'honneur de la mort ! Vraiment, je ne t'en dissuaderai pas. Que la constance et la résolution soient les mêmes dans notre fin commune, mais que la beauté et la gloire en soit plus grande de ta part. » Cela fait, on leur coupa en même temps les veines des bras, mais parce que celles de Sénèque, resserrées, tant par la vieillesse que par son abstinence, donnaient au sang un cours trop long et trop lâche, il ordonna qu'on lui coupât encore les veines des cuisses, et de peur que le tourment qu'il en souffrait n'attendrît le cœur de sa femme, et pour se délivrer aussi lui-même de l'affliction qu'il portait de la voir en si piteux état, après avoir très amoureusement pris congé d'elle, il la pria de permettre qu'on l'emportât dans la chambre voisine, comme on le fit. Mais toutes ces incisions étant encore insuffisantes pour le faire mourir, il demande à Statius Anneus, son médecin, de lui donner un breuvage de poison, qui n'eut guère d'effet non plus, car du fait de la faiblesse et de la froideur de ses membres, il ne put arriver jusqu'au cœur. Aussi lui fit-on en outre apprêter un bain fort chaud, et alors, sentant sa fin prochaine, tant qu'il eut du souffle, il poursuivit des discours très éminents sur l'état où il se trouvait que ses secrétaires recueillirent aussi longtemps qu'ils purent percevoir sa voix, et ses dernières paroles demeurèrent longtemps par la suite en crédit et en honneur dans les mains des hommes (ce nous est une bien fâcheuse perte qu'elles ne soient parvenues jusqu'à nous). Comme il sentit les derniers traits de la mort, prenant de l'eau du bain rouge de sang, il en arrosa sa tête, en disant : « Je voue cette eau à Jupiter le libérateur. » Néron averti de tout ceci, et craignant que la mort de Pauline, qui était une des dames de Rome des mieux apparentées, et envers laquelle il n'avait aucune inimitié particulière, ne lui vînt à reproche, renvoya en toute diligence lui faire recoudre ses plaies, ce que ses gens à elle firent à son insu, alors qu'elle était déjà demi-morte et sans aucun sentiment. Et le temps que contre son dessein elle vécut par la suite, elle le passa très honorablement et comme il convenait à sa vertu, en montrant par la couleur blême de son visage combien elle avait laissé couler de vie par ses blessures.

Voilà mes trois contes très véritables. Je les trouve aussi plaisants et tragiques que ceux que nous forgeons à notre fantaisie pour donner du plaisir au peuple. Je m'étonne que ceux qui s'adonnent à cela ne s'avisent pas de choisir plutôt dix mille très belles histoires qui se rencontrent dans les livres. Avec elles, ils auraient moins de peine et ils nous donneraient plus de plaisir et de profit. Et qui voudrait en bâtir un corps d'ouvrage un et charpenté, il ne lui faudrait que fournir du sien la liaison, comme la soudure d'un autre métal, et par ce moyen il pourrait entasser force événements véritables de toutes sortes, en les disposant et en les diversifiant selon que la beauté de l'ouvrage le requerrait, à peu près comme Ovide a cousu et rapiécé ses *Métamorphoses* avec ce grand nombre de fables diverses.

Dans ce dernier couple, cela est encore digne d'être considéré que Pauline offre volontiers de quitter la vie pour l'amour de son mari, et que son mari avait autrefois quitté aussi la mort pour l'amour d'elle. Il n'y a pas pour nous grand contrepoids dans cet échange, mais selon son humeur stoïque, je crois qu'il pensait avoir autant fait pour elle en allongeant sa vie en sa faveur, que s'il fût mort pour elle. Dans l'une des lettres qu'il écrit à Lucilius, après qu'il lui a fait entendre comment, la fièvre l'ayant pris à Rome, il monta soudain dans un coche pour s'en aller à une maison qu'il avait aux champs contre l'opinion de sa femme qui voulait l'arrêter, et qu'il lui avait répondu que la fièvre qu'il avait, ce n'était pas fièvre du corps, mais du lieu, il poursuit ainsi : « Elle me laissa aller en me recommandant fort ma santé. Or moi qui sais que je loge sa vie dans la mienne, je commence de pourvoir à moi pour pourvoir à elle. Le privilège que ma vieillesse m'avait donné, en me rendant plus ferme et plus résolu à plusieurs choses, je le perds quand il me souvient qu'en ce vieillard que je suis, il y a une jeune vie à qui je profite. Puisque je ne la puis amener à m'aimer avec plus de courage, elle m'amène à m'aimer moi-même avec plus de soin. Il faut bien en effet prêter quelque chose aux honnêtes affections, et parfois, encore que les occasions nous pressent en sens contraire, il faut rappeler la vie, même si cela est pénible ; il faut arrêter l'âme entre les dents, puisque pour les gens de bien, la loi ce n'est pas de vivre autant qu'il leur plaît mais bien autant qu'ils le doivent. Celui qui n'estime pas assez sa femme ou un sien ami pour en allonger sa vie, et qui s'opiniâtre à mourir, il est trop délicat et trop mou. Il faut que l'âme s'enjoigne cela quand le bien des nôtres le requiert. Il faut parfois nous prêter à nos amis, et, quand bien même nous voudrions mourir pour nous, savoir interrompre pour eux notre dessein. C'est la preuve d'un grand cœur que de retourner à la vie par égard pour autrui, comme plusieurs excellents personnages l'ont fait, et c'est un trait d'une bonté non commune que de conserver la vieillesse, dont le plus grand avantage est l'indifférence à sa durée, et un usage de la vie plus courageux et plus dédaigneux, si l'on sent que ce devoir puisse être doux, agréable et profitable à quelqu'un de bien aimé. Et l'on en reçoit une très plaisante récompense, car qu'y a-t-il de plus doux que d'être si cher à sa femme que, par égard pour elle, on en devienne plus cher à soi-même ? Ainsi ma Pauline m'a communiqué non seulement sa crainte, mais encore la mienne. Ce ne m'a pas été assez de considérer avec quelle fermeté je pourrais mourir, mais j'ai aussi considéré combien peu fermement elle le pourrait souffrir. Je me suis contraint à vivre, et c'est quelquefois magnanimité que vivre. »

Voilà ses mots, excellents comme le sont ses mœurs.

Des plus excellents hommes

[Chapitre XXXVI]

Si on me demandait de choisir parmi tous les hommes qui sont venus à ma connaissance, il me semble en trouver trois excellents au-dessus de tous les autres.

L'un est Homère, non pas qu'Aristote ou Varron, par exemple, ne fussent d'aventure aussi savants que lui, ni, se peut encore, qu'en son art même Virgile ne lui soit comparable. Je le laisse à juger à ceux qui les connaissent tous deux. Moi qui n'en connais que l'un, je puis seulement dire cela selon ma portée que je ne crois pas que les Muses mêmes allassent au-delà du Romain :

Sur sa lyre savante, il a des accents aussi beaux
Que ceux qu'Apollon Cynthien entre ses doigts module

Tale facit carmen docta testudine quale
Cynthius impositis temperat articulis. [1]

Toutefois dans ce jugement, encore ne faudrait-il pas oublier que c'est principalement d'Homère que Virgile tient sa science, qu'il est son guide, et son maître d'école, et qu'un seul trait de l'*Iliade* a fourni

1. Properce, II, XXXIV, 79-80.

de corps et de matière cette grande et divine *Énéide*. Ce n'est pas ainsi que je compte : j'y mêle plusieurs autres circonstances qui me font ranger ce personnage admirable quasi au-dessus de l'humaine condition.

Et, à la vérité, je m'étonne souvent que lui, qui, par sa seule autorité, a produit au monde et mis en honneur plusieurs divinités, n'ait pas lui-même obtenu d'être rangé parmi les dieux. Étant aveugle, indigent, venu avant que les sciences ne fussent mises en règle, et leurs observations certaines, Homère les a pourtant si bien connues que tous ceux qui se sont après lui mêlés d'établir des constitutions politiques, de conduire des guerres, d'écrire ou sur la religion ou sur la philosophie de quelque école qu'ils soient, ou sur les arts, se sont servis de lui comme d'un maître parfaitement accompli dans la connaissance de toutes choses, et de ses livres, comme d'une pépinière en toute espèce de savoir :

Lui qui du beau, du laid, de l'utile et de l'inutile
Parle mieux et plus pleinement que Chrysippe et Crantor
Qui quid sit pulchrum quid turpe quid utile quid non,
Plenius ac melius Chrysippo ac Crantore dicit. [1]

Et lui aussi, comme dit l'autre,

aux chants duquel, source jamais tarie,
Les poètes vont s'abreuver des eaux de la Piérie
a quo, ceu fonte perenni,
Vatum Pieriis labra rigantur aquis. [2]

Et l'autre encore :

Joins-y tous les amis des Muses du mont Hélicon
Parmi lesquels Homère seul a rejoint les étoiles
Adde Heliconiadum comites quorum unus Homerus
Astra potitus. [3]

Et cet autre :

lui, dont la bouche sans s'épuiser
A fourni pour ses chants la postérité de salive,
Qui, de ses seuls bienfaits nourrie, osa bien diviser
Ce fleuve en maints menus ruisseaux
cuiusque ex ore profuso
Omnis posteritas latices in carmina duxit,

1. Horace, *Épîtres*, I, II, 3-4.
2. Ovide, *Les Amours*, III, IX, 25.
3. Lucrèce, III, 1037-1038.

Amnemque in tenues ausa est deducere riuos,
Unius foecunda bonis. [1]

C'est contre l'ordre de la nature qu'Homère a produit l'œuvre la plus éminente qui puisse être, car la naissance ordinaire des choses est imparfaite : elles s'augmentent, elles se fortifient par la croissance, alors que lui, l'enfance de la poésie, comme de plusieurs autres sciences, il l'a dès l'abord rendue mûre, parfaite, et accomplie. C'est pour cette raison qu'on peut le nommer le premier et le dernier des poètes, selon ce beau témoignage que l'antiquité nous a laissé de lui, que n'ayant eu personne qu'il pût imiter avant lui, il n'a eu personne après lui qui le pût imiter. Son verbe, selon Aristote, est le seul verbe qui ait du mouvement et de l'action, c'est le seul verbe substantiel. Alexandre le Grand, qui avait trouvé par hasard parmi les dépouilles de Darius un riche coffret, ordonna qu'on le lui réservât pour y loger son Homère, disant que c'était le meilleur et plus fidèle conseiller qu'il eût dans ses affaires militaires. Pour cette même raison Cléomène, le fils d'Anaxandridas, disait qu'Homère était le poète des Lacédémoniens, parce qu'il était un très bon maître de la discipline guerrière. Cette louange singulière et particulière lui est aussi demeurée, à ce qu'en juge Plutarque, que c'est le seul auteur au monde qui n'a jamais saoulé ni dégoûté les hommes, en se montrant aux lecteurs toujours tout autre et toujours fleurissant de grâces nouvelles. Ce folâtre d'Alcibiade, ayant à quelqu'un qui faisait profession des lettres demandé un livre d'Homère, lui donna un soufflet parce qu'il n'en avait point, comme qui trouverait l'un de nos prêtres sans bréviaire. Xénophane un jour se plaignait à Hiéron, le tyran de Syracuse, de ce qu'il était si pauvre qu'il n'avait de quoi nourrir deux serviteurs : « Eh quoi ! lui répondit-il, Homère, qui était beaucoup plus pauvre que toi, en nourrit bien plus de dix mille, tout mort qu'il est ! » Quel compliment n'était-ce pas dire, de la part de Panætios, quand il nommait Platon « l'Homère des philosophes » ?

Outre cela, quelle gloire se peut comparer à la sienne ? Il n'est rien qui vive en la bouche des hommes comme son nom et ses ouvrages, rien de si connu, et d'aussi reçu que Troie, Hélène, et ses guerres, qui d'aventure ne furent jamais. Nos enfants s'appellent encore par les noms qu'il forgea voici plus de trois mille ans. Qui ne connaît un Hector ou un Achille ? Non seulement certains lignages particuliers, mais la plupart des nations, vont chercher leur origine dans ses fictions. Mahomet, second du nom, l'empereur des Turcs, écrivait à notre pape Pie second : « Je

1. Manilius, II, 8.

m'étonne de voir comment les Italiens s'ameutent contre moi, attendu que nous tirons notre commune origine des Troyens, et que j'ai comme eux intérêt à venger le sang d'Hector sur les Grecs, qu'ils veulent favoriser contre moi. » N'est-ce pas là une noble comédie, où les rois, les choses publiques et les empereurs continuent de jouer leur rôle depuis tant de siècles, et à laquelle tout ce grand univers sert de théâtre ? Sept villes grecques entrèrent en débat sur le lieu de sa naissance, tant son obscurité même lui valut d'honneur :

Smyrne, Argos, Rhodes, Colophon, Chio, Salamine, Athènes
Smyrna, Rhodos, Colophon, Salamis, Chios, Argos, Athenæ. [1]

Le second est Alexandre le Grand.

Car, qui considérera l'âge où il commença ses entreprises, le peu de moyen avec lequel il remplit un si glorieux dessein, l'autorité qu'il s'acquit dès sa jeunesse auprès des capitaines les plus grands et les plus expérimentés du monde qui le suivaient, la faveur extraordinaire dont la fortune embrassa et favorisa tant de ses exploits hasardeux, et peu s'en faut que je ne dise téméraires :

Renversant ce qui s'opposait à son essor aux cimes,
Et joyeux de s'ouvrir le pas à travers des ruines
impellens quicquid sibi summa petenti
Obstaret, gaudensque uiam fecisse ruina ; [2]

cette grandeur d'avoir à l'âge de trente-trois ans traversé en conquérant toute la terre habitable, d'avoir atteint en une demi-vie tout l'effort de l'humaine nature, si bien que vous ne pouvez imaginer sa durée légitime et la poursuite de son accroissement en vaillance et en fortune jusqu'à un juste terme d'âge sans imaginer aussitôt quelque chose au-dessus de l'homme, d'avoir fait naître de ses soldats tant de lignées royales en laissant après sa mort le monde en partage à quatre successeurs, simples capitaines de son armée, dont les descendants ont depuis si longtemps duré en maintenant cette grande possession ; et tant d'excellentes vertus encore qu'il avait en lui : justice, tempérance, libéralité, foi en ses paroles, amour envers les siens, humanité envers les vaincus, car ses mœurs semblent à la vérité n'encourir aucun juste reproche, hormis certaines de ses actions particulières, rares, et exceptionnelles, mais il est impossible de conduire de si grands mouvements selon les règles de la justice, de pareilles gens veulent être jugés en gros par la maîtresse fin de leurs actions : la ruine de Thèbes, le meurtre de

1. Aulu-Gelle, III, XI.
2. Lucain, I, 149-150.

Ménandre et du médecin d'Éphestion, le meurtre de tant de prisonniers persans abattus d'un seul coup, celui d'une troupe de soldats indiens non sans manquer à sa parole, celui des gens de Cos jusqu'aux petits enfants, sont des débordements un peu mal excusables, car pour ce qui est de Clytos, la faute en fut amendée au-delà de son poids, et cette action témoigne autant que toute autre de la bonté de sa nature, et qu'il était de soi une nature excellemment formée à la bonté, et l'on a ingénieusement dit de lui qu'il tenait de la nature ses vertus, de la fortune ses vices. Quant au fait qu'il était un peu vantard, un peu trop irrité d'entendre médire de lui, et qu'il laissa en guise de trophées aux Indes ses mangeoires, ses armes et ses mors, toutes ces choses-là me semblent pouvoir être concédées à son âge et à l'étrange prospérité de sa fortune. Oui, qui donc, dis-je, considérera en même temps tant de vertus militaires, tant de diligence, tant de prévoyance, de patience, de discipline, de subtilité, de magnanimité, de résolution, de bonheur, en quoi, quand bien même l'autorité d'Hannibal ne nous l'aurait appris, il a été le premier des hommes, et les beautés et les qualités de sa personne, rares jusqu'au miracle, ce port, et ce vénérable maintien, sous un visage si jeune, resplendissant, et flamboyant :

Tel Lucifer, humide encor des eaux de l'Océan,
Lui que Vénus chérit plus que les autres feux d'étoiles,
Dresse au ciel sa sainte face et l'ombre va dissipant

Qualis ubi Oceani perfusus lucifer unda,
Quem Venus arte alios astrorum diligit ignes,
Extulit os sacrum cœlo, tenebrasque resoluit, [1]

qui considérera l'éminence de son savoir et de ses capacités, la durée et la grandeur de sa gloire, pure, nette, exempte de tache et d'envie, et qu'encore longtemps après sa mort ce fût une croyance religieuse de croire que ses médailles portassent bonheur à ceux qui les portaient sur eux, et le fait encore que plus de rois et de princes ont écrit sur ses actions militaires que les autres historiens n'ont écrit sur ceux d'aucun autre roi ou prince que ce soit, et qu'encore à présent, les Mahométans, qui méprisent toutes les autres histoires, reçoivent et honorent la sienne seule par spécial privilège, oui, celui-là, dis-je, il devra bien confesser, une fois tout cela mis ensemble, que j'ai eu raison de le préférer à César même qui seul m'a pu mettre en doute du choix, et l'on ne peut nier qu'il n'y ait plus du sien dans ses exploits, plus de la fortune dans ceux d'Alexandre. Ils ont eu plusieurs choses égales, et César d'aventure quelques-unes plus grandes.

1. Virgile, *Énéide*, VIII, 589-591.

Ce furent, oui, deux feux, ou deux torrents, propres à ravager le monde par divers endroits :

Comme les flammes qui, de partout, commencent à prendre
Dans la forêt sèche où le laurier vient à crépiter,
Ou comme en leur décours rapide on voit des monts descendre
Les torrents écumeux courant à grand bruit vers la mer,
Chacun sème la ruine à son passage

Et uelut immissi diuersis partibus ignes
Arentem in siluam, et uirgulta sonantia lauro :
Aut ubi decursu rapido de montibus altis
Dant sonitum spumosi amnes, et in æquora currunt,
Quisque suum populatus iter. [1]

Mais quand l'ambition de César aurait de soi plus de modération, elle a tant de malheur, pour avoir rencontré ce vilain sujet de la ruine de son pays et de l'empirement universel du monde que toutes pièces ramassées et mises en balance, je ne puis que pencher du côté d'Alexandre.

Le troisième, et le plus éminent à mon gré, c'est Épaminondas.

De gloire, il n'en a pas tant que d'autres, à beaucoup près, aussi n'est-ce pas là une partie essentielle de la chose ; de résolution et de vaillance, non pas de celle qui est aiguisée par l'ambition, mais de celle que la sapience et la raison peuvent implanter dans une âme bien réglée, il en avait tout ce qui s'en peut imaginer. De preuves de cette sienne vertu, il en a donné autant, à mon avis, qu'Alexandre même et que César, car, encore que ses exploits de guerre ne soient ni si fréquents ni si enflés, ils ne laissent pas pourtant, à les bien considérer avec toutes leurs circonstances, d'avoir autant de poids et de force, et de témoigner d'autant de hardiesse et de compétence militaire. Les Grecs lui ont fait cet honneur, sans contredit, de le nommer le premier d'entre eux, mais être le premier de la Grèce, c'est facilement être le prince du monde. Quant à son savoir et à sa compétence, ce jugement ancien nous en est resté que jamais homme ne sut autant et ne parla si peu que lui. Il était en effet de l'école de Pythagore, et pour le peu qu'il eut à parler, nul ne parla jamais mieux : excellent orateur, et très persuasif.

Mais, quant à ses mœurs et à sa conscience, il a de bien loin surpassé tous ceux qui se sont jamais mêlés de manier les affaires, car en cette qualité qui doit être principalement considérée, qui seule indique véritablement qui nous sommes, et que je mets seule en balance face à toutes les autres prises ensemble, sur ce point il ne le

1. Virgile, *Énéide*, XII, 521-525.

cède à aucun philosophe, non pas même à Socrate. Chez celui-ci l'innocence est une qualité propre, maîtresse, constante, uniforme, incorruptible, à côté de laquelle celle d'Alexandre paraît subalterne, incertaine, bigarrée, molle, et fortuite.

L'antiquité jugea qu'à éplucher par le menu tous les autres grands capitaines, il se trouve en chacun quelque spéciale qualité qui le rend illustre. Chez celui-ci seul, c'est une vertu et une compétence partout pleine et pareille, qui dans tous les devoirs de la vie humaine ne laisse rien à désirer de soi, que ce soit dans les fonctions publiques ou privées, ou paisibles, ou guerrières, que ce soit pour vivre ou pour mourir avec grandeur et gloire. Je ne connais aucune forme ni aucune fortune d'homme que je regarde avec tant d'honneur et d'amour. Il est bien vrai que son obstination à la pauvreté, je la trouve quelque peu trop scrupuleuse, telle qu'elle est peinte par ses meilleurs amis. Et cette seule action, haute pourtant et très digne d'admiration, je la trouve un peu aigrette dans la forme qu'elle avait chez lui pour désirer l'imiter, même en vœu seulement. Le seul Scipion Emilien, si l'on lui prêtait une fin aussi fière et magnifique, et une connaissance des sciences aussi profonde et universelle, pourrait être mis à l'encontre sur l'autre plat de la balance. Ô quel déplaisir le temps m'a fait d'aller, comme à point nommé, ôter de nos yeux, parmi les premières, la paire de vies justement la plus noble qui fût dans Plutarque, celle de ces deux personnages, qui, comme en convient le monde entier, ont été l'un le premier chez les Grecs, l'autre chez les Romains ! Quelle matière ! Et quel ouvrier ! Si l'on veut se proposer un homme non pas saint, mais ce qu'on appelle un gentilhomme, aux mœurs civiles et communes, d'une élévation modérée, eh bien ! La vie la plus riche que je sache avoir été vécue parmi les vivants, comme on dit, et la mieux étoffée de qualités riches et désirables, c'est, tout bien considéré, celle d'Alcibiade, à mon gré. Mais quant à Épaminondas, comme exemple d'une excellente nature, je veux rajouter ici certaines de ses opinions.

Le plus doux contentement qu'il eut dans toute sa vie, il déclara que c'était le plaisir qu'il avait donné à son père et à sa mère avec sa victoire de Leuctres : il place la barre haut en préférant leur plaisir au sien, si juste et si plein pourtant après une aussi glorieuse action !

Il ne pensait pas qu'il fût loisible, même pour recouvrer la liberté de son pays, de tuer un homme sans connaissance de cause. Voilà pourquoi il fut si froid face à l'entreprise de Pélopidas, son compagnon, pour la délivrance de Thèbes. Il pensait aussi que, lors d'une bataille, il fallait fuir la rencontre d'un ami qui fût du parti contraire, et l'épargner. Son humanité même envers ses ennemis avait éveillé les soupçons des Béotiens parce qu'après avoir miraculeusement forcé les

Lacédémoniens à lui ouvrir le passage qu'ils avaient entrepris de garder à l'entrée de la Morée, près de Corinthe, il s'était contenté de leur passer sur le ventre sans les poursuivre jusqu'au dernier. Il fut déposé de ses fonctions de capitaine général. Ce fut tout à son honneur, vu un motif pareil, et vu la honte que ce leur fut de devoir le rétablir aussitôt après dans son grade, en reconnaissant combien leur gloire et leur salut dépendaient de lui, puisque la victoire le suivait comme son ombre partout où il allât. La prospérité de son pays mourut elle aussi comme elle était née : avec lui.

De la ressemblance des enfants aux pères

[Chapitre XXXVII]

Ce fagotage de tant de pièces diverses se fait dans les conditions que voici : je n'y mets la main que lorsqu'une oisiveté trop relâchée me presse, et jamais ailleurs que chez moi. Ainsi, il s'est bâti à divers moments et intervalles, du fait que les circonstances me retiennent ailleurs parfois plusieurs mois. Au demeurant, je ne corrige point mes premières inventions par les secondes ; oui, d'aventure quelque mot, mais pour diversifier, non pas pour ôter. Je veux représenter le progrès de mes humeurs, et qu'on voie chaque pièce telle qu'en sa naissance. Je prendrais plaisir d'avoir commencé plus tôt, pour reconnaître le train de mes mutations. Un valet qui me servait à les écrire sous ma dictée pensa faire un grand butin en m'en dérobant plusieurs pièces choisies à son gré. Cela me console qu'il n'y fera pas plus de gain que j'y ai fait de perte !

Je me suis envieilli de sept ou huit ans depuis que je commençai. Ce n'a pas été sans quelque nouvel acquêt : j'y ai gagné de souffrir désormais de la pierre [1], grâce à la libéralité des ans. Le commerce et la longue fréquentation de ce mal ne vont pas aisément sans produire quelque fruit. Je voudrais bien qu'entre plusieurs autres présents qu'ils ont à faire à ceux qui les hantent longtemps, ils en eussent choisi un qui m'eût été plus acceptable, car ils ne m'en eussent pu faire que

1. La maladie de la « pierre » ou « gravelle », ce sont les coliques néphrétiques, avec leurs chapelets de calculs, autrement dit leurs « graves », ou leurs « pierres » qui cristallisent dans les reins et obstruent parfois les uretères, ou l'urètre, ce qui donne lieu aux pires douleurs qui puissent être.

j'eusse en plus grande horreur dès mon enfance : c'était, à point nommé, de tous les maux de la vieillesse, celui que je craignais le plus. J'avais pensé maintes fois, à part moi, que j'allais trop avant en âge, et qu'à faire un si long chemin, je ne manquerai pas de m'engager à la fin dans quelque malplaisante rencontre. Je sentais et protestais assez qu'il était heure de partir, et qu'il fallait trancher la vie dans le vif et dans le sein, suivant la règle des chirurgiens quand ils ont à couper quelque membre ; qu'à celui qui ne la rendait pas à temps, Nature avait accoutumé de faire payer de bien rudes usures. Il s'en fallait tant que j'y fusse prêt que depuis dix-huit mois ou presque que je suis dans ce malplaisant état j'ai déjà appris à m'y accommoder. Je m'accommode déjà de ce vivre coliqueux. J'y trouve de quoi me consoler et de quoi espérer. Les hommes sont tellement acoquinés à leur être misérable qu'il n'est si rude condition qu'ils n'acceptent pour s'y conserver.

Écoutez Mécène : [1]

Faites-moi donc, s'il vous en vient l'envie,
Manchot, cul-de-jatte, goutteux
Moi, pourvu que la vie
Me reste, je me trouve heureux

Debilem facito manu,
Debilem pede, coxa,
Lubricos quate dentes :
Vita dum superest, bene est. [2]

Et c'est bien sottement que Tamerlan cherchait à couvrir d'humanité la cruauté fantastique qu'il exerçait contre les lépreux en faisant mettre à mort tous ceux dont il venait à avoir connaissance, pour les délivrer, disait-il, d'une vie qui leur était si pénible à vivre. Car il n'y avait nul d'eux qui n'eût mieux aimé être trois fois lépreux que de n'être pas. Et à Antisthène, le stoïcien, qui, fort malade, criait : « Qui me délivrera de ces maux ? », Diogène venu le voir présenta un couteau : « Celui-ci bientôt, si tu veux – Je n'ai pas dit de la vie, répliqua-t-il, j'ai dit des maux. »

Les souffrances qui nous touchent seulement par l'âme m'affligent beaucoup moins que la plupart des autres hommes, partie par jugement, car le monde estime plusieurs choses horribles ou évitables au prix de la vie qui me sont à peu près indifférentes, partie du fait d'une nature apathique et insensible que j'ai face aux accidents qui ne me frappent pas de droit fil, ce que j'estime être l'une des meilleures

1. Mécène, ministre d'Auguste et protecteur des lettres, faisait aussi de petits vers (dont certains nous ont été conservés par Sénèque, comme ceux-ci).

2. Sénèque, *Lettres à Lucilius*, CI, 11.

parties de mes dispositions naturelles. Mais les souffrances vraiment substantielles et corporelles, elles, je les ressens bien vivement ! Il est vrai pourtant que, lorsqu'autrefois je les prévoyais avec une vue faible, délicate, et amollie par la jouissance de la longue et heureuse santé que Dieu m'a prêtée et le repos qu'il m'a laissé durant la meilleure partie de mon âge, je les avais conçues en imagination si insupportables qu'à la vérité j'en avais plus de peur que je n'y ai trouvé de mal. Par où s'accroît toujours en moi la conviction que la plupart des facultés de notre âme, de la façon dont nous les employons, troublent plus le repos de la vie qu'elles n'y concourent.

Je suis aux prises avec la pire de toutes les maladies, la plus soudaine, la plus douloureuse, la plus mortelle, la plus irrémédiable. J'en ai déjà éprouvé cinq ou six bien longs accès, et pénibles. Toutefois, ou je me flatte, ou encore y a-t-il en cet état de quoi se soutenir pour qui a l'âme déchargée de la crainte de la mort, et déchargée des menaces, des conclusions et des conséquences dont la médecine nous entête, mais l'effet même de la douleur n'est pas d'une aigreur si âpre et si poignante qu'un homme rassis en doive entrer en rage et en désespoir. J'ai au moins ce profit de mes coliques que ce que je n'avais encore pu sur moi pour me concilier tout à fait et m'accointer à la mort, elle le fera complètement, car plus elle me pressera et m'importunera, moins la mort me sera à craindre. J'avais déjà gagné cela de ne tenir à la vie que par la vie seulement : elle dénouera encore cette relation, et Dieu veuille qu'enfin, si son âpreté vient à dépasser mes forces, elle ne me rejette pas à l'autre extrémité, non moins vicieuse, d'aimer et de désirer mourir :

N'appelle ni ne crains le dernier de tes jours
Summum nec metuas diem, nec optes. [1]

Ce sont là deux passions à craindre, mais l'une a son remède bien plus prêt que l'autre. Au demeurant, j'ai toujours trouvé de pure cérémonie ce précepte qui nous enjoint avec tant de rigueur de garder une bonne contenance et un maintien dédaigneux et posé face à la souffrance des maux. Pourquoi la philosophie, qui ne regarde que le vif et la réalité, va-t-elle s'amuser à ces vaines apparences extérieures ? Qu'elle laisse ce soin aux farceurs et aux maîtres de rhétorique qui font si grand cas de nos gestes ! Qu'elle concède hardiment au mal cette lâcheté des cris, si du moins ils ne partent ni du cœur ni de

1. Martial, X, XLVII, 13.

l'estomac [1], et qu'elle range plutôt ces plaintes [2] qu'elle croit volontaires dans le genre des soupirs, des sanglots, des palpitations, des pâleurs que nature a mis hors de notre contrôle. Pourvu que le cœur soit sans effroi, les paroles sans désespoir, qu'elle s'en contente ! Qu'importe que nous tordions nos bras pourvu que nous ne tordions pas nos pensées ! Elle nous dresse pour nous, non pour autrui ; pour être, non pour sembler. Qu'elle s'arrête à gouverner notre entendement qu'elle a entrepris d'instruire ; qu'aux assauts de la colique, elle maintienne l'âme capable de se reconnaître, de suivre son train accoutumé, en combattant la douleur et en la soutenant sans se prosterner honteusement à ses pieds ; qu'elle la garde émue et échauffée du combat, et non pas abattue et renversée, capable d'entretiens et d'autres occupations, jusqu'à certaine mesure.

Dans des accidents aussi extrêmes, il est cruel de requérir de nous une démarche aussi forcée. Si nous faisons beau jeu, c'est peu que nous ayons mauvaise mine ! Si le corps se soulage en se plaignant, qu'il le fasse ; si l'agitation lui plaît, qu'il se tourneboule et se tracasse à sa fantaisie ; s'il lui semble que le mal s'évapore un peu, comme certains médecins disent que cela aide à la délivrance des femmes enceintes de pousser hors la voix avec la plus grande violence, ou s'il en amuse son tourment, eh bien ! Qu'il crie donc tout à fait ! N'ordonnons point à cette voix de jaillir, mais au moins permettons-le-lui ! Épicure ne pardonne pas seulement à son sage de crier sous la torture : il le lui conseille. Et les lutteurs aussi, quand ils frappent, quand ils pointent le ceste, poussent leur han, parce qu'en le poussant tout leur corps se bande et que leur coup part ainsi avec plus de force *pugiles etiam quum feriunt, in iactandis cæstibus, ingemiscunt, quia profundenda uoce omne corpus intenditur, uenitque plaga uehementior.* [3] Le mal nous travaille bien assez sans que nous allions nous travailler à ces règles superflues. Ce que je dis pour excuser ceux qu'on voit ordinairement se tempêter dans les secousses et les assauts de cette maladie, car, pour moi, je l'ai passée jusqu'à cette heure avec une contenance un peu meilleure, et je me contente de gémir sans brailler. Ce n'est pas pourtant que je me mette en peine pour maintenir cette décence extérieure, car je fais peu de compte d'un tel avantage. Sur ce point, je prête au mal autant qu'il veut, mais, ou

1. Car, si les cris de douleur partent de viscères aussi essentiels que le cœur ou aussi profonds que l'estomac, ils sont alors loin d'être « de pure cérémonie » !

2. Entendons : les cris de douleur qui ne proviennent pas de viscères essentiels et internes, comme ceux que Montaigne juge être de purs réflexes, comme les spasmes, et dont il demande aux philosophes de les permettre au goutteux, ou au coliqueux, par exemple.

3. Cicéron, *Tusculanes*, II, XXIII, 56.

mes douleurs ne sont pas si excessives, ou j'y apporte plus de fermeté que le commun. Je me plains, je me dépite quand les aigres morsures m'oppressent, mais je n'en viens point au désespoir, comme celui-là :

Ses plaintes, ses hurlements, ses cris, ses gémissements
Résonnent à l'entour, il pousse des cris déplorables
Eiulatu, questu, gemitu, fremitibus
Resonando multum flebiles uoces refert. [1]

Je me tâte au plus épais du mal, et j'ai toujours trouvé que j'étais capable de parler, de penser, de répondre aussi sainement qu'en une autre heure, mais non pas si constamment, car la douleur me trouble et me détourne. Quand on me croit le plus abattu, et que les assistants m'épargnent, j'essaye souvent mes forces, et je leur entame de moi-même des propos les plus éloignés de mon état. Je puis tout par un soudain effort, mais ôtez-en la durée. Ô ! Que n'ai-je la faculté de ce songeur de Cicéron qui, rêvant qu'il tenait une garce [2] en ses bras, trouva qu'il s'était déchargé de sa pierre au milieu de ses draps ! Les miennes me détournent des filles étrangement !

Dans les intervalles de cette douleur excessive, lorsque mes uretères languissent sans me ronger, je me remets soudain dans ma forme ordinaire, d'autant mieux que mon âme ne prend pas d'autre alarme que celle qui vient des sens et du corps, ce que je dois certainement au soin que j'ai eu de me préparer par la raison à de tels accidents :

Les maux
N'ont plus de visages pour moi neufs et inattendus :
Je m'y suis préparé, d'avance je les ai tous vus
laborum
Nulla mihi noua nunc facies inopinaque surgit,
Omnia præcepi, atque animo mecum ante peregi. [3]

Je suis éprouvé pourtant un peu bien rudement, pour un apprenti, et par un changement bien soudain et bien rude, étant chu tout à coup d'une très douce condition de vie, et très heureuse, à la plus douloureuse et la plus pénible que l'on puisse imaginer. Car, outre le fait que ce soit une maladie fort redoutable en elle-même, elle fait chez moi des commencements beaucoup plus âpres et difficiles qu'elle n'en a l'habitude. Les accès me reprennent si souvent que je ne sens quasi plus jamais en pleine santé. Je maintiens toutefois, jusqu'à cette heure, mon esprit dans cette assiette que, pourvu que j'y puisse apporter de

1. Cicéron, *De finibus*, II, XXIX, 94 ; *Tusculanes*, II, XIV, 33.
2. Féminin de *gars*.
3. Virgile, *Énéide*, VI, 103-105.

la constance, je me trouve en assez meilleure condition de vie que mille autres qui n'ont ni fièvre ni mal autres que ceux qu'ils se donnent eux-mêmes par la faute de leur pensée.

Il est une certaine façon d'humilité subtile qui naît de la présomption, comme celle-ci : nous reconnaissons notre ignorance en plusieurs choses, et nous sommes assez courtois pour avouer qu'il y a dans les ouvrages de Nature certaines qualités et conditions qui nous sont imperceptibles et dont notre habileté ne peut découvrir les moyens ni les causes. Avec cette honnête et consciencieuse déclaration, nous espérons gagner qu'on nous croira aussi à propos de celles que nous dirons comprendre. Nous n'avons que faire d'aller trier des miracles et des difficultés au-dehors : il me semble que parmi les choses que nous voyons ordinairement il y a des étrangetés si incompréhensibles qu'elles surpassent toute la difficulté des miracles. Quel monstre est-ce que cette goutte de semence, dont nous sommes produits, porte en elle les impressions, non de la forme corporelle seulement, mais des pesées et des inclinations de nos pères ? Cette goutte d'eau, où loge-t-elle ce nombre infini de formes ?

Et comment transmettent-elles ces ressemblances, selon une marche si téméraire et si déréglée que l'arrière-petit-fils correspondra à son bisaïeul, le neveu à son oncle ? Dans la famille de Lépide, à Rome, il y en a eu trois, non de suite, mais par intervalles, qui naquirent avec le même œil recouvert de cartilage. À Thèbes, il y avait une lignée qui portait, dès le ventre de la mère, la forme d'un fer de lance, et qui ne le portait était tenu pour illégitime. Aristote dit qu'en certaine nation, où les femmes étaient communes, on assignait les enfants à leurs pères par la ressemblance.

Il est à croire que je dois à mon père cette qualité pierreuse, car il mourut monstrueusement affligé d'une grosse pierre qu'il avait dans la vessie. Il ne s'aperçut de son mal qu'à la soixante-septième année de son âge. Avant cela il n'en avait eu aucune menace ou sensation, aux reins, aux côtés, ni ailleurs, et il avait vécu jusqu'alors avec une santé heureuse et bien peu sujette aux maladies. Et il dura encore sept ans avec ce mal, traînant une fin de vie bien douloureuse. Or j'étais né plus de vingt-cinq ans avant qu'il ne soit malade et durant le cours de son meilleur état, le troisième de ses enfants dans l'ordre de naissance : où donc durant tant de temps se couvait la propension à ce défaut ? Et lorsqu'il était si loin du mal, cette légère partie de sa substance, dont il me bâtit, comment, pour sa part, en portait-elle une aussi forte empreinte ? Et comment le put-elle, de plus, en demeurant si secrète que ce ne soit que quarante-cinq ans plus tard que j'aie commencé à m'en ressentir ? Et que je sois le seul à en souffrir jusqu'à cette heure parmi tant de frères et de sœurs, tous de la même mère ? Qui m'éclaircira sur cette progression, je l'en croirai d'autant sur d'autres miracles qu'il voudra, pourvu que, comme ils font, il ne me donne pas en payement une doctrine beaucoup plus difficile et plus fantastique que n'est la chose même.

Que les médecins excusent un peu ma liberté, car avec cette infusion et cette instillation fatale, j'ai reçu la haine et le mépris de leur science. Cette antipathie que j'ai pour leur art m'est héréditaire. Mon père a vécu soixante et quatorze ans, mon aïeul soixante et neuf, mon bisaïeul près de quatre-vingts sans avoir goûté aucune sorte de médecine, et chez eux tout ce qui sortait de l'usage ordinaire tenait lieu de médicament. La médecine se forme par exemples et par expérience : mon opinion en fait autant. Voilà-t-il pas là une expérience bien expresse, et bien avantageuse ? Je ne sais s'ils m'en trouveront trois dans leurs registres, nés, nourris et trépassés dans le même foyer, sous le même toit, et qui aient vécu si longtemps sous leur conduite. Il faut qu'ils m'avouent en cela que, si ce n'est pas la raison, au moins c'est la fortune qui est de mon parti, or chez les médecins, fortune vaut bien mieux que raison. Qu'ils ne me prennent point à cette heure à leur avantage, qu'ils ne me menacent point, terrassé comme je suis : ce serait de la supercherie. Aussi, à dire la vérité, j'ai assez gagné sur eux par mes exemples familiaux, encore qu'ils s'arrêtent là. Les choses humaines n'ont pas tant de constance : il y a deux cents ans, et il ne s'en faut que de dix-huit, que cette expérience dure parmi nous, car le premier naquit l'an mil quatre cent deux. C'est vraiment bien raison que cette expérience commence à nous faillir : qu'ils ne me reprochent point les maux qui me tiennent à cette heure à la gorge : avoir vécu pour ma part quarante-sept ans en bonne santé, n'est-ce pas assez ? Quand ce serait le bout de ma carrière, elle est déjà des plus longues.

Mes ancêtres prenaient la médecine à contrecœur du fait de quelque inclination occulte et naturelle, car la vue même des drogues faisait horreur à mon père. Le seigneur de Gaviac, mon oncle paternel, homme d'Église, maladif dès sa naissance, et qui fit toutefois durer cette faible vie jusqu'à soixante-sept ans, étant tombé autrefois en une grosse et véhémente fièvre continue, il fut ordonné par les médecins qu'on lui déclarerait que, s'il ne voulait s'aider – ils appellent secours ce qui le plus souvent est empêchement –, qu'il était infailliblement mort. Ce brave homme, tout effrayé qu'il fut de cette horrible sentence, répondit pourtant : « Eh bien ! Je suis donc mort », mais Dieu bientôt après rendit vain ce pronostic.

Le dernier des frères, ils étaient quatre, le sieur de Bussaguet, et de bien loin le dernier, se soumit seul à cet art, en raison du commerce, je crois, qu'il avait avec les autres arts, car il était conseiller en la cour de parlement, et cela lui réussit si mal qu'étant en apparence de plus forte complexion, il mourut pourtant longtemps avant les autres, sauf un, le sieur de Saint-Michel.

Il est possible que j'aie reçu d'eux cette antipathie naturelle pour la médecine, mais s'il n'y eût eu que cette considération, j'eusse essayé de la forcer. Car toutes ces conditions qui naissent en nous sans raison, elles sont vicieuses, c'est une espèce de maladie qu'il faut combattre. Il se peut que j'y avais cette propension, mais je l'ai appuyée et fortifiée par les raisons qui m'en ont établi l'opinion que j'en ai. Car je hais aussi cette considération de refuser la médecine pour l'aigreur de son goût. Ce ne serait aisément pas mon humeur, moi qui trouve que la santé vaut d'être rachetée par tous les cautères et toutes les incisions les plus pénibles qui se fassent. Et selon Épicure, les voluptés me semblent à éviter si elles entraînent à leur suite des douleurs plus grandes, et les douleurs à rechercher qui tirent à leur suite des voluptés plus grandes.

C'est une précieuse chose que la santé, et la seule qui mérite à la vérité qu'on y emploie non le temps seulement, la sueur, la peine, les biens, mais encore la vie à la rechercher, d'autant plus que sans elle, la vie vient à nous être injurieuse. La volupté, la sagesse, la science et la vertu sans elle se ternissent et s'évanouissent, et aux discours les plus fermes et les plus tendus que la philosophie nous veuille imprimer en sens contraire, nous n'avons qu'à opposer l'image d'un Platon frappé d'épilepsie ou d'apoplexie, et le mettre au défi, dans cette hypothèse, d'appeler à son secours les riches facultés de son âme. Toute voie qui nous mènerait à la santé ne se peut dire pour moi ni âpre ni chère. Mais j'ai quelques autres raisons qui me font me défier étrangement de toute cette marchandise. Je ne dis pas qu'il ne puisse y avoir aucun art médical, et qu'il n'y ait parmi tant d'ouvrages de la nature des choses propres à la conservation de notre santé, car cela est certain. J'entends bien qu'il y a quelque plante qui humecte, quelque autre qui assèche. Je sais par expérience et que les raiforts produisent des vents, et que les feuilles de séné lâchent le ventre. Je sais plusieurs expériences semblables, comme je sais que le mouton me nourrit et que le vin m'échauffe. Et Solon disait que le manger était, comme les autres drogues, une médecine contre la maladie de la faim. Je ne désavoue pas l'usage que nous tirons du monde, ni ne doute de la puissance et de la fécondité de la nature, et de son application à notre besoin. Je vois bien que les brochets et les hirondelles se trouvent bien d'elle. Je me défie des inventions de notre esprit, de notre science, et de notre art en faveur duquel nous l'avons abandonnée, et de ses règles auxquelles nous ne savons garder ni mesure ni limite.

De même que nous appelons justice le mélange des premières lois qui nous tombent sous la main ainsi que leur utilisation et leur pratique très ineptes souvent et très iniques, et de même aussi que ceux qui s'en moquent et l'accusent n'entendent pas pourtant injurier cette noble vertu mais condamner seulement l'abus et la profanation de ce titre si saint, de même, dans la médecine, j'honore bien ce nom glorieux, sa proposition, sa promesse, si utile au genre humain, mais ce qu'il désigne parmi nous, je ne l'honore ni ne l'estime.

En premier lieu, l'expérience me le fait craindre, car, d'après ce que j'ai de connaissance, je ne vois nulle race de gens si tôt malade et si tard guérie que celle qui est sous la juridiction de la médecine. Leur santé même est altérée et corrompue par la contrainte des régimes. Les médecins ne se contentent point d'avoir la maladie en gouvernement, ils rendent la santé malade, pour éviter qu'on ne puisse en aucune saison échapper à leur autorité. D'une santé constante et entière, n'en tirent-ils pas l'argument d'une grande maladie future ? J'ai été assez souvent malade ; j'ai trouvé, sans leurs secours, mes maladies aussi douces à supporter (et j'en ai essayé quasi de toutes les sortes) et aussi brèves que chez nul autre, et pourtant je n'y ai point mêlé l'amertume de leurs ordonnances. La santé, je l'ai libre et entière, sans règle, et sans autre discipline que celle de ma coutume et de mon plaisir. Tout endroit m'est bon pour m'arrêter, car il ne me faut pas d'autres commodités quand je suis malade que celles qu'il me faut quand je suis bien portant. Je ne me tourmente point d'être sans médecin, sans apothicaire, et sans secours, ce dont je vois que la plupart sont plus affligés que du mal. Quoi ! Eux-mêmes nous font-ils voir dans leur vie un bonheur et une longévité qui puissent nous témoigner de quelque effet apparent de leur science ?

Il n'est point de nation qui ne soit restée plusieurs siècles sans la médecine, et les premiers siècles, c'est-à-dire les meilleurs et les plus heureux, et du monde la dixième partie ne s'en servent pas encore à cette heure. D'infinies nations ne la connaissent pas, où l'on vit et plus sainement et plus longuement qu'on ne le fait ici, et parmi nous, le commun peuple s'en passe heureusement. Les Romains avaient été six cents ans avant que de la recevoir, mais après l'avoir essayée, ils la chassèrent de leur ville, par l'entremise de Caton le Censeur qui montra combien aisément il s'en pouvait passer, ayant vécu quatre-vingt-cinq ans et fait vivre sa femme jusqu'à l'extrême vieillesse, non pas sans médecine, mais bien sans médecin, car toute chose qui se trouve salubre pour notre vie se peut nommer médecine. Il entretenait, dit Plutarque, sa famille en bonne santé par l'usage, ce me semble, du lièvre, comme les Arcades, dit Pline, guérissent toutes les maladies avec du lait de vache. Et les Libyens, dit Hérodote, jouissent communément d'une rare santé grâce à cette coutume qu'ils ont, après que leurs enfants ont atteint quatre ans, de leur cautériser et brûler les veines de la tête et des tempes, par où ils coupent le chemin pour la vie à toute fluxion de rhume. Et les villageois de ce pays-ci, dans toute occasion, n'emploient que le vin le plus fort qu'ils peuvent, mêlé à force safran et force épices, tout cela avec une fortune pareille.

Et, à dire vrai, dans toute cette diversité et dans cette profusion d'ordonnances, quelle autre fin et quel autre effet après tout y a-t-il que de nous vider le ventre ? Ce que mille simples choses domestiques peuvent faire, et pourtant je ne sais si c'est si utilement qu'ils le disent, et si notre nature n'a point besoin de retenir ses excréments, jusqu'à une certaine mesure, comme le vin a besoin de sa lie pour se conserver. Vous voyez souvent des hommes sains partir dans des vomissements ou des flux de ventre du fait de quelque accident étranger et faire une grande vidange d'excréments sans aucun besoin avant et sans aucune utilité après, voire avec empirement et dommage. C'est du grand Platon que j'appris naguère que des trois sortes de mouvements qui se produisent dans notre corps, le dernier et le pire est celui des purgations, que nul homme, s'il n'est fou, ne doit entreprendre qu'à l'extrême nécessité. On ne fait que troubler et éveiller le mal en lui faisant des oppositions frontales. Il faut que ce soit notre forme de vivre qui doucement l'alanguisse et reconduise à sa fin. Les rudes empoignades de la drogue et du mal sont toujours à compter au nombre de nos pertes, puisque c'est chez nous que la querelle se vide, et que la drogue est un secours peu fiable, par nature l'ennemie de notre santé, et qui n'a d'accès en notre État qu'à l'occasion de nos troubles. Laissons un peu faire ! L'ordre qui pourvoit aux puces et aux taupes pourvoit aussi aux hommes, qui ont une patience pareille à se laisser gouverner que les puces et les taupes. Nous avons beau crier « *defora* [1] ! », c'est bon à nous enrouer, mais non à avancer ! C'est un ordre [2] superbe et sans pitié. Notre crainte, notre désespoir le dégoû-

---

1. « *Dehors* », dans les langues d'oc et bien sûr dans le parler périgourdin et gascon. Montaigne, qui n'a pas l'oreille musicale, transcrit souvent maladroitement en français les termes qui sont autres que français. Et il relit ce qu'il croit entendre et pense avoir voulu dire. Aucun des imprimeurs n'a vraiment fait attention à ce mot qu'aucun n'a compris ; ils l'ont tous laissé tel quel, et certains d'entre eux l'ont peut-être même déformé encore un peu plus (d'où ce « *bihore* », que les éditeurs modernes ont cru pouvoir interpréter comme signifiant « *hue !* », voire comme quelque hypothétique déformation propre à la Guyenne anglaise de l'anglais « *before* »).

2. L'ordre de la nature, qui gouverne selon ses lois nécessaires aussi bien le cours de nos maux que celui de nos vies, de notre bonne santé, et de tous les effets et

tent et le retardent de nous aider au lieu de l'y convier. Il doit au mal son cours, comme à la santé. Se laisser corrompre en faveur de l'un au préjudice des droits de l'autre, il ne le fera pas : il tomberait en désordre. Suivons, par Dieu, suivons ! Il mène ceux qui suivent ; ceux qui ne le suivent pas, il les entraîne, et leur rage, et leur médecine ensemble. Faites ordonner une purgation à votre cervelle : elle y sera mieux employée qu'à votre estomac.

On demandait à un Lacédémonien ce qui l'avait fait vivre en bonne santé si longtemps : « L'ignorance de la médecine, répondit-il. » Et l'empereur Adrien criait sans cesse en mourant que la presse des médecins l'avait tué. Un mauvais lutteur se fit médecin : « Courage, lui dit Diogène, tu as raison : tu vas mettre à cette heure en terre ceux qui t'y ont mis autrefois. » Mais ils ont ce bonheur, selon Nicoclès, que le soleil éclaire leur succès, et que la terre ensevelit leur faute. Et, outre cela, ils ont une façon bien avantageuse de se servir de toutes sortes d'événements, car ce que la fortune, ce que la nature, ou quelque autre cause étrangère, dont le nombre est infini, produit en nous de bon et de salutaire, c'est le privilège de la médecine que de se l'attribuer. Tous les heureux succès qui arrivent au patient qui est sous son régime, c'est d'elle qu'il les tient. Les occasions qui m'ont guéri, moi, et qui en guérissent mille autres qui n'appellent point les médecins à leurs secours, ils les usurpent quand il s'agit de leurs patients. Et quant aux mauvais accidents, ou bien ils les désavouent tout à fait en rejetant la faute sur le patient par des raisons si vaines qu'ils n'ont garde de faillir d'en trouver toujours un assez bon nombre de telles : « Il aura découvert son bras » ; « il aura ouï le bruit d'un coche »,

le passage des chars à l'étroit
Dans le dédale des rues

rhedarum transitus arcto
Vicorum inflexu ; [1]

« on aura entrouvert sa fenêtre » ; « il se sera couché sur le côté gauche » ; ou « il lui sera passé par la tête quelque pensée pénible. » En somme, un mot, un songe, une œillade leur semblent une excuse suffisante pour se décharger de la faute. Ou, s'il leur plaît, ils se servent encore de cet empirement et ils en font leurs affaires par cet autre moyen qui ne leur peut jamais faillir qui est de nous assurer, lorsque la maladie se trouve réchauffée par leurs applications, avec

mouvements qui se produisent dans la nature, chez les vivants, et de par le vaste monde.

1. Juvénal, III, 236-237.

l'assurance qu'ils nous donnent qu'elle se serait bien autrement empirée sans leurs remèdes ! Celui qu'ils ont jeté d'un rhume dans une fièvre du soir, il l'eût eue, sans eux, continue, qu'ils disent. Ils n'ont garde de mal faire leur besogne, puisque le dommage leur revient à profit ! Vraiment, ils ont raison de requérir du malade qu'il leur fasse une confiance aveugle : il faut qu'elle le soit à la vérité, et bien souple, pour adhérer à des imaginations si mal aisées à croire ! Platon disait bien à propos qu'il n'appartenait qu'aux médecins de mentir en toute liberté, puisque notre salut dépend de la vanité et de la fausseté de leurs promesses. Ésope, auteur d'une bien rare excellence, et dont peu de gens découvrent toutes les grâces, est plaisant quand il nous représente cette autorité tyrannique qu'ils usurpent sur ces pauvres âmes affaiblies et abattues par le mal et la crainte, car il conte qu'un malade à qui son médecin demandait quel effet il ressentait des médicaments qu'il lui avait donnés : « J'ai fort sué, répondit-il – Cela est bon, dit le médecin. » Une autre fois il lui demanda encore comment il s'était porté depuis : « J'ai eu un froid extrême, fit-il, et j'en ai fort tremblé – Cela est bon, recommença le médecin. » À la troisième fois, il lui demanda derechef comment il se portait : « Je me sens, dit-il, enfler et bouffir comme d'hydropisie. – Voilà qui va bien, lui redit toujours le médecin. » L'un de ses domestiques survenant après pour s'enquérir de son état : « En fait, mon ami, lui répondit-il, je me meurs à force d'être bien. »

Il y avait en Égypte une loi plus juste par laquelle le médecin prenait son patient en charge les trois premiers jours, aux périls et fortunes du patient, mais, ces trois jours passés, c'était aux siens propres. Car quelle raison y a-t-il qu'Esculape, leur patron, ait été frappé du foudre pour avoir ramené Hyppolite de la mort à la vie,

Le Père tout-puissant, voyant, forfait qui l'horrifie,
Surgir des ombres de l'Érèbe au beau jour de la vie
Un mortel, repoussa l'auteur de ces arts médecins,
Fils de Phébus, du foudre au fond des gouffres stygiens

Nam pater omnipotens aliquem indignatus ab umbris
Mortalem infernis, ad lumina surgere uitæ,
Ipse repertorem medicinæ talis, et artis
Fulmine Phoebigenam stygias detrusit ad undas, [1]

et que ses successeurs soient absous qui envoient tant d'âmes de la vie à la mort ? Devant Nicoclès, un médecin se flattait que son art eût grande autorité : « Oui da ! la chose est nette, dit Nicoclès, puisqu'il peut impunément tuer tant de gens. »

1. Virgile, *Énéide*, VII, 770-773.

Au demeurant, si j'eusse été de leur assemblée, j'eusse rendu ma discipline plus sacrée et mystérieuse. Ils avaient assez bien commencé, mais ils n'ont pas achevé de même. C'était un bon commencement d'avoir pris des dieux et des démons pour auteurs de leur science, d'avoir pris un langage à part, une écriture à part. Quoique la philosophie pense qu'il soit fou de conseiller un homme pour son profit en parlant inintelligiblement, comme si quelque médecin vous prescrivait de prendre d'un broyat de « terrigène, herbigrade, domifère, anémique »[1] *ut si quis medicus imperet ut sumat terigenam, herbigradam, domiportam, sanguine cassam* ![2] C'était une bonne règle dans leur art, et qui accompagne tous les arts mystérieux, vains, et surnaturels, qu'il faut que la foi du patient imagine à l'avance leur opération et ses effets avec une bonne espérance et une belle assurance. Ils observent ladite règle jusque-là que le médecin le plus ignorant et le plus grossier, ils le trouvent meilleur pour quelqu'un qui lui fait confiance qu'un plus expérimenté, mais inconnu du patient. Le choix même de la plupart de leurs drogues est quelque peu mystérieux et divin : le pied gauche d'une tortue, l'urine d'un lézard, la fiente d'un éléphant, le foie d'une taupe, du sang tiré sous l'aile droite d'un pigeon blanc, et pour nous autres coliqueux, tant ils abusent dédaigneusement de notre misère, des crottes de rat pulvérisées, et telles autres simagrées qui ont plus le visage d'un enchantement de magicien que d'une science solide. Je laisse à part le nombre impair de leurs pilules, la destination de certains jours et fêtes de l'année, la distinction des heures pour cueillir les herbes de leurs ingrédients, et cette grimace rébarbative et prudente propre à leur port et à leur mine, dont Pline même se moque. Mais ils ont failli, veux-je dire, parce que, partis d'un si beau commencement, ils n'ont pas su y rajouter de rendre leurs assemblées et leurs consultations plus religieuses et plus secrètes : aucun profane n'aurait dû y avoir accès, non plus qu'aux cérémonies secrètes d'Esculape ! Car il advient de cette faute que leur irrésolution, la faiblesse de leurs arguments, de leurs divinations et de leurs fondements, l'âpreté de leurs contestations, pleines de haine, de jalousie, et de considération particulière, venant à être découvertes à tout un chacun, il faut être merveilleusement aveugle si on ne se sent bien en danger entre leurs mains. Qui vit jamais médecin se servir de la recette de son compagnon sans y retrancher ou rajouter quelque chose ? Ils trahissent assez par là ce qu'est leur art, et nous font voir qu'ils y considèrent plus leur réputa-

1. Autrement dit : « un fils de la terre, qui marche sur l'herbe, porte sa maison, et n'a pas de sang », soit... de l'escargot !

2. Cicéron, *De divinatione*, II, LXIV.

tion, et par conséquent leur profit, que l'intérêt de leurs patients. Celui de leurs docteurs est le plus sage qui leur a anciennement prescrit qu'un seul se mêle de traiter un malade, car s'il ne fait rien qui vaille, le reproche n'en sera pas fort grand pour l'art de la médecine pour la faute d'un homme seul, et au rebours la gloire en sera grande s'il vient à tomber bien, alors que, quand ils sont beaucoup, ils décrient à tous les coups le métier, d'autant qu'il leur advient de faire plus souvent mal que bien. Ils se devaient contenter du perpétuel désaccord qui se trouve dans les opinions des principaux maîtres et auteurs anciens de cette science, lequel n'est connu que des hommes versés dans les livres, sans faire voir encore au peuple les controverses et les inconstances de jugement qu'ils nourrissent et continuent entre eux.

Voulons-nous un exemple du débat des anciens en matière de médecine ? Hiérophile loge la cause originelle des maladies dans les humeurs ; Érasistrate, dans le sang des artères ; Asclépiade, dans les atomes invisibles qui s'écoulent par nos pores ; Alcméon, dans l'exubérance ou le défaut des forces corporelles ; Dioclès, dans l'inégalité des éléments du corps et dans la qualité de l'air que nous respirons ; Straton, dans l'abondance, la crudité et la corruption de l'aliment que nous prenons ; Hippocrate la loge dans les esprits. Il y a l'un de leurs amis, [1] qu'ils connaissent mieux que moi, qui s'écrie à ce propos que la science la plus importante qui soit en notre usage, celle qui a la charge de notre conservation et de notre santé, c'est par malheur la plus incertaine, la plus trouble, et la plus agitée de changements. Il n'y a pas grand danger à nous méprendre sur la hauteur du Soleil, ou sur la fraction de quelque calcul astronomique, mais ici, où il en va de tout notre être, il n'est pas sage de nous abandonner à la merci de l'agitation de tant de vents contraires. Avant la guerre du Péloponnèse, on ne connaissait pas cette science. Hippocrate la mit en honneur. Tout ce que celui-ci avait établi, Chrysippe le renversa ; puis Érasistrate, petit-fils d'Aristote, tout ce que Chrysippe en avait écrit. Après ceux-ci, survinrent les empiriques, qui prirent une voie toute diverse de celle des anciens dans le maniement de cet art. Quand le crédit de ces derniers commença à s'envieillir, Hérophile mit en usage une autre sorte de médecine, qu'Asclépiade vint à combattre et anéantir à son tour. À leur rang gagnèrent autorité les opinions de Thémison, et depuis de Musa, et encore après celles de Vexius Valens, médecin fameux par l'intelligence qu'il avait avec Messaline. L'empire de la médecine tomba du temps de Néron à Thessalus, qui abolit et

1. Pline l'Ancien (*Histoire naturelle*, XIX, 1).

condamna tout ce qui en avait été cru jusqu'à lui. La doctrine de celui-ci fut abattue par Crinas de Marseille qui apporta la nouveauté de régler toutes les opérations médicinales d'après les éphémérides et les mouvements des astres, et de manger, dormir, et boire à l'heure qu'il plairait à la Lune et à Mercure. Son autorité fut bientôt après supplantée par Charinus, médecin de cette même ville de Marseille. Celui-ci combattait non seulement la médecine ancienne, mais encore l'usage public, et depuis tant de siècles accoutumé des bains chauds. Il faisait baigner les gens dans l'eau froide, même en hiver, et plongeait les malades dans l'eau naturelle des ruisseaux. Jusqu'au temps de Pline aucun Romain n'avait encore daigné exercer la médecine. Elle se faisait par des étrangers et par des Grecs, comme elle se fait chez nous, Français, par des Latineurs. Car, comme dit un très grand médecin, nous ne recevons pas aisément la médecine que nous comprenons, non plus que la drogue que nous cueillons. Si les nations de chez qui nous retirons le gaïac, la salsepareille, et le bois de Chine ont des médecins, combien pensons-nous, vu l'estime en laquelle on tient l'étrangeté, la rareté et la cherté, qu'ils fassent fête de nos choux et de notre persil ? Car qui oserait mépriser les choses recherchées de si loin, au hasard d'une si longue pérégrination et si périlleuse ?

Depuis ces mutations de la médecine antique, il y en a eu une infinité d'autres jusqu'à nous, et le plus souvent des mutations entières et universelles, comme le sont celles que produisent de notre temps Paracelse, Fioravanti et Argentier, car ils ne changent pas seulement une recette, mais, à ce qu'on me dit, toute la construction et l'organisation même du corpus de la médecine, accusant d'ignorance et de duperie ceux qui en ont fait profession jusqu'à eux. Je vous laisse à penser où en est le pauvre patient ! Si encore quand ils se méprennent nous étions au moins assurés que leur acte ne nous nuise pas, quand bien même il ne nous fût d'aucun profit, ce serait un marché assez raisonnable de se hasarder à acquérir du bien sans courir un risque de perte.

Ésope fait ce conte de quelqu'un qui avait acheté un esclave maure. Estimant que cette couleur lui fût venue par accident, et du fait d'un mauvais traitement de son premier maître, il le fit médiciner de plusieurs bains et breuvages, à grand soin. Il advint que le Maure n'en amenda nullement sa couleur basanée, mais qu'il en perdit entièrement sa santé première.

Combien de fois nous advient-il de voir les médecins s'imputer les uns aux autres la mort de leurs patients ? Il me souvient d'une épidémie qui courut par les villes de mon voisinage, il y a quelques années, mortelle et très dangereuse [1]. Cet orage passé, qui avait emporté un nombre infini d'hommes, l'un des plus fameux médecins de toute la contrée vint à publier un livret touchant cette matière, dans lequel il se ravisait sur l'emploi qu'ils avaient fait alors de la saignée, et confessait que c'était là l'une des causes principales du dommage survenu à l'occasion de cette épidémie. De plus, leurs auteurs affirment qu'il n'y a aucune drogue médicinale qui n'ait quelque partie nocive. Et si celles-là mêmes qui nous servent nous offensent un peu, que doivent faire alors celles qu'on nous applique tout à fait hors de propos ?

Pour moi, quand bien même il n'y aurait que cela, j'estime que ceux qui haïssent le goût d'une médecine s'imposent un effort dangereux, et préjudiciable, en allant l'avaler à une heure si malcommode et tant à contrecœur : je crois que cela éprouve extraordinairement le malade, dans une saison où il a tant besoin de repos. Sans oublier que, quand on considère les circonstances sur lesquelles ils fondent ordinairement la cause de nos maladies, on voit qu'elles sont si légères et si délicates que j'en déduis qu'une bien petite erreur dans l'administration de leurs drogues peut nous apporter beaucoup de nuisance.

Or, si le mécompte du médecin est dangereux, nous voilà bien mal, car il est bien malaisé qu'il n'y retombe souvent : il a besoin de trop de pièces, de considérations et de circonstances, pour mettre son dessein en batterie avec précision. Il faut qu'il connaisse la constitution du malade, sa température, ses humeurs, ses inclinations, ses actions, ses pensées mêmes, et ses imaginations. Il faut qu'il s'assure des circonstances externes, de la nature du lieu, de la condition de l'air et du temps, de la position des planètes, et de leurs influx ; qu'il sache, pour ce qui est de la maladie, les causes, les signes, les affections, les jours critiques ; concernant la drogue, son poids, sa force, son pays, sa figure, son âge, la façon de l'administrer, et il faut que tous ces facteurs, il sache les proportionner et les rapporter l'un à l'autre pour établir entre eux une parfaite harmonie. À quoi s'il manque tant soit peu, si parmi tant de ressorts il y en a un seul qui tire à gauche, en voilà assez pour nous perdre. Dieu sait de quelle difficulté est la connaissance de la plupart de ces éléments, car, par exemple, comment trouvera-t-il le signe propre de la maladie, chacune étant capable d'un nombre infini de signes ? Combien ont-ils de débats entre eux et de doutes sur l'interprétation des urines ? Autrement d'où viendrait cette altercation continuelle que nous voyons entre eux sur la connais-

1. La peste, qui sévit à Bordeaux et dans la région au moment où Montaigne était maire.

sance du mal ? Comment excuserions-nous cette faute, dans laquelle ils tombent si souvent, de prendre la martre pour le renard ? Dans les maux que j'ai eus, pour peu qu'il y eût de difficulté, je n'en ai jamais trouvé trois qui fussent d'accord entre eux. Je remarque plus volontiers les exemples qui me touchent. Dernièrement à Paris un gentilhomme fut taillé [1] sur ordonnance des médecins : on ne lui trouva pas plus de pierre dans la vessie qu'il n'en avait sur la main, et là même, un évêque qui m'était fort ami, avait été instamment sollicité par la plupart des médecins qu'il appelait à son conseil de se faire tailler. J'aidai moi-même, m'en fiant à autrui, à l'en persuader. Quand il fut trépassé et qu'on l'eut ouvert, on trouva qu'il n'avait mal qu'aux reins. Ils sont moins excusables dans le cas de cette maladie, parce qu'elle est en quelque façon palpable. C'est par là que la chirurgie me semble beaucoup plus certaine, parce qu'au moins elle voit et manie ce qu'elle fait ; il y a moins à conjecturer et à deviner, alors que les médecins n'ont point de *speculum matricis* [2] qui leur puisse découvrir notre cerveau, notre poumon ou notre foie.

Les promesses mêmes de la médecine ne sont pas crédibles, car ayant à pourvoir à des accidents divergents, et même contraires, qui souvent nous pressent ensemble, et qui ont une relation quasi nécessaire, comme la chaleur du foie et la froideur de l'estomac, ils tâchent à nous persuader que, parmi leurs ingrédients, celui-ci va réchauffer l'estomac, cet autre rafraîchir le foie ; que l'un a charge d'aller droit aux reins, voire jusqu'à la vessie, sans étaler ailleurs ses opérations, et ce en conservant ses forces et sa vertu tout au long de ce chemin plein d'obstacles jusqu'au lieu au service duquel il est destiné par sa propriété occulte ; que l'autre asséchera le cerveau, quand celui-là humectera le poumon. Pour avoir fait de tout cet amas une mixture de breuvage, n'est-ce pas quelque espèce de rêverie d'espérer que ces vertus aillent se diviser et se trier de cette confusion et de ce mélange pour courir à des fonctions aussi diverses ? Je craindrais infiniment qu'elles perdissent, ou échangeassent leurs étiquettes, et qu'elles troublassent leurs quartiers. Et qui pourrait imaginer que, dans cette confusion liquide, ces facultés ne se corrompent, confondent, et altèrent l'une l'autre ? Et que dire du fait que l'exécution de cette ordonnance dépende encore d'un autre officier de santé [3], à la foi et merci duquel nous abandonnons encore un coup notre vie ?

1. Opéré par le barbier chirurgien sur ordonnance des docteurs en médecine.
2. Spéculum vaginal.
3. L'apothicaire, qui vient s'ajouter au médecin et au chirurgien.

De même que nous avons des pourpointiers, des chaussetiers pour nous vêtir, et que nous en sommes d'autant mieux servis que chacun ne se mêle que de son sujet et a sa science plus restreinte et plus courte qu'un tailleur qui embrasse tout, et tout comme, pour la nourriture, les grands, pour plus de commodité, ont des offices distincts de maraîchers et de rôtisseurs, dont un cuisinier qui se charge du tout ne peut si bien venir à bout, de même, pour nous guérir, les Égyptiens avaient raison de rejeter ce métier général de médecin et de détailler cette profession : à chaque maladie, à chaque partie du corps, son ouvrier, car chaque partie en était bien plus proprement et moins confusément traitée du fait qu'on ne regardait qu'à elle spécialement. Les nôtres ne s'avisent pas que qui pourvoit à tout ne pourvoit à rien, et que la police totale de tout ce petit monde leur est impossible à gérer. Pendant qu'ils craignaient d'arrêter le cours d'un dysentérique pour ne lui point causer de fièvre, ils me tuèrent un ami [1] qui valait mieux qu'eux tous autant qu'ils sont. Ils mettent leurs prophéties en balance avec les maux présents, et pour ne pas guérir le cerveau au préjudice de l'estomac, ils offensent l'estomac et empirent le cerveau par ces drogues qui suscitent tumultes et dissensions.

Pour ce qui est de la contradiction et de la faiblesse des raisons, elles sont plus apparentes dans cet art qu'en aucun autre : les substances élargissant les conduits sont utiles à un homme souffrant de la gravelle parce que, en ouvrant les passages et en les dilatant, elles acheminent la matière gluante dont se bâtissent le sable et la pierre et conduisent contbabas ce qui commence à durcir et à s'amasser dans les reins ; les choses apéritives sont dangereuses pour un homme qui souffre de la gravelle parce que, en ouvrant les passages et en les dilatant, elles acheminent vers les reins la matière propre à bâtir le sable, et que les reins, s'en saisissant volontiers vu la propension qu'ils y ont, il est malaisé qu'ils n'en arrêtent pas beaucoup de ce qu'on y aura charrié. De surcroît, si de fortune il s'y rencontre quelque corps un peu plus grosset qu'il ne faut pour passer tous ces détroits qui restent à franchir pour l'expulser au-dehors, ce corps, une fois mis en branle par ces substances apéritives et jeté dans ces canaux étroits, s'il vient à les boucher, il acheminera une mort certaine et très douloureuse.

Ils ont une pareille assurance dans les conseils qu'ils nous donnent sur notre régime de vie : il est bon que nous lâchions souvent nos eaux car nous voyons par expérience qu'en les laissant croupir nous leur donnons loisir de se décharger de leurs excréments et de leur lie qui serviront de matière pour bâtir la pierre dans la vessie ; il est bon que

1. La Boétie, bien sûr, qui mourut de dysenterie en août 1563.

ne lâchions point souvent nos eaux, car les excréments pesants qu'elles entraînent avec elles ne s'emporteront point s'il n'y a pas une chasse violente, comme on voit par expérience qu'un torrent qui roule en pente raide balaie bien plus nettement le lieu où il passe que ne le fait le cours d'un ruisseau mol et lâche. Pareillement, il est bon d'avoir souvent affaire aux femmes car cela ouvre les passages et achemine la grave et le sable ; c'est mauvais aussi bien car cela échauffe les reins, les lasse et les affaiblit. Il est bon de se baigner aux eaux chaudes parce que cela relâche et amollit les lieux où se croupissent le sable et la pierre ; c'est mauvais aussi parce que cette application de chaleur externe aide les reins à cuire, durcir, et pétrifier la matière qui y est déposée. Pour ceux qui sont aux bains, il est plus salubre de manger peu le soir afin que le breuvage des eaux qu'ils ont à prendre le lendemain matin fasse plus d'effet en rencontrant l'estomac vide et non embarrassé. Au rebours, il est meilleur de manger peu au dîner pour ne troubler point l'action de l'eau qui n'est pas encore parfaite et ne pas charger l'estomac si soudainement après cet autre travail, et pour laisser le soin de digérer à la nuit qui sait mieux le faire que ne le fait le jour, où le corps et l'esprit sont perpétuellement en mouvement et en action. Voilà comment ils vont batelant et baguenaudant à nos dépens dans tous leurs discours, et ils ne sauraient me fournir une proposition face à laquelle je n'en rebâtisse une contraire de pareille force. Qu'on ne crie donc plus après ceux qui dans ce trouble se laissent doucement conduire par leur appétit et par les conseils de Nature, et qui s'en remettent à la fortune commune.

J'ai vu à l'occasion de mes voyages quasi tous les bains fameux de la chrétienté, et depuis quelques années j'ai commencé à m'en servir, car en général j'estime que se baigner est salubre, et je crois que nous encourons pour notre santé des désagréments qui ne sont pas légers pour avoir perdu cette coutume qui était généralement observée au temps passé quasi chez toutes les nations, et qu'on trouve encore employée dans plus d'une, de se laver le corps tous les jours, et je ne puis pas imaginer que nous ne nous portions pas beaucoup moins bien à garder ainsi nos membres sous leur croûte et nos pores étoupés de crasse. Et quant à la boisson de ces eaux, la fortune a fait premièrement qu'elle ne soit aucunement ennemie de mon goût, secondement elle est naturelle et simple et, si elle est vaine, au moins n'est-elle pas dangereuse. De quoi je prends pour répondant cette infinité de gens de toutes sortes et de toutes constitutions qui s'y assemble. Et encore que je n'y aie aperçu aucun effet extraordinaire et miraculeux, mais que, en m'en informant un peu plus attentivement qu'il ne se fait, j'aie trouvé mal fondés et faux tous les bruits de telles opérations qui se sèment dans ces lieux-là, et que l'on y croie (comme le monde se laisse toujours aisément duper par ce qu'il désire). Toutefois aussi n'ai-je guère vu de personnes que ces eaux aient empirées, et on ne peut sans malice leur refuser la propriété d'éveiller l'appétit, de faciliter la digestion, et de nous prêter quelque nouvelle allégresse, si du moins on n'y va pas par trop abattu dans ses forces, ce que je déconseille de faire. Elles ne sont pas pour relever une ruine profonde ; elles peuvent appuyer un déclin léger, ou pourvoir à la menace de quelque altération. Qui n'y apporte assez d'allégresse pour pouvoir jouir du plaisir des compagnies qui s'y trouvent et des promenades et des exercices auxquels nous convie la beauté des lieux où sont communément situées ces eaux, il perd sans doute la meilleure part et la plus assurée de leur effet. Pour cette raison, j'ai choisi jusqu'à cette heure de m'arrêter et de me servir des eaux où les lieux avaient le plus d'aménité et offraient le plus de commodité pour le logis, les repas et les compagnies, comme sont en France les bains de Bagnères ; à la frontière d'Allemagne et de Lorraine, ceux de Plombières ; en Suisse, ceux de Baden ; en Toscane, ceux de Lucques, et spécialement ceux *della Villa*, dont j'ai usé plus souvent, et à diverses saisons.

Chaque nation a des opinions particulières concernant l'usage des eaux, et des principes et des façons de s'en servir tous divers, et, selon mon expérience, d'un effet quasi pareil. Les boire n'est jamais pratiqué en Allemagne. Pour toutes les maladies, ils se baignent, et sont à grenouiller dans l'eau quasi d'un soleil à l'autre. En Italie, pour neuf jours où ils boivent, ils se baignent pour le moins trente, et communément ils boivent l'eau mêlée d'autres drogues destinées à seconder son action. On nous ordonne ici de nous promener pour la digérer ; là, on les arrête au lit où ils l'ont prise jusqu'à ce qu'ils l'aient vidée, en leur échauffant continuellement l'estomac et les pieds. De même que les Allemands ont cela de particulier qu'ils se font généralement tous poser des ventouses avec un cornet, avec scarification dans le bain, de même les Italiens ont leur *doccie* [1] qui sont certaines gouttières de cette eau chaude qu'ils conduisent par des cannes, et ils vont se baigner une heure le matin, et autant l'après-dînée, dans l'espace d'un mois, qui la tête, qui l'estomac, qui toute autre partie du corps à laquelle ils ont affaire. Il y a un nombre infini d'autres différences de coutumes en chaque contrée, ou, pour mieux dire, il n'y a quasi aucune ressemblance des unes aux autres. Voilà comment cette partie de la médecine, à laquelle seule je me suis laissé aller, quoiqu'elle doive le moins à l'art, a pourtant elle aussi sa bonne part de la confusion et l'incertitude qu'on voit partout ailleurs dans ce domaine.

1. *Doccie* : « douches ».

Les poètes disent tout ce qu'ils veulent avec plus d'emphase et de grâce, comme en témoignent ces deux épigrammes :

Hier Alcon palpa la statue de Jupin : sa Grandeur,
Quoique de marbre, essaie ce que peut ce docteur ;
Le voici contraint de quitter son vénérable toit :
On l'enlève, tout dieu et de pierre qu'il soit

Alcon hesterno signum Jouis attigit. Ille,
Quamuis marmoreus, uim patitur medici.
Ecce hodie iussus transferri ex æde uetusta,
Effertur quamuis sit deus atque lapis. [1]

Et l'autre :

Tout joyeux, il prit avec nous son bain et son repas,
Et voici ce matin qu'est mort Andragoras !
Faustine, tu veux savoir pourquoi donc pareille hâte ?
En rêve il avait vu le docteur Hermocrate

Lautus nobiscum est hilaris, coenauit et idem,
Inuentus mane est mortuus Andragoras.
Tam subitæ mortis causam Faustine requiris ?
In somnis medicum uiderat Hermocratem. [2]

Sur quoi je veux faire deux contes.

Le Baron de Caupène en Chalosse et moi avons en commun le droit de patronage d'un bénéfice ecclésiastique. Il est d'une grande étendue sise au pied de nos montagnes et se nomme Lahontan. Ce qu'on dit de ceux de la vallée d'Angrougne est vrai des habitants de ce coin : ils avaient une vie à part, les façons, les vêtements, et les mœurs à part ; ils étaient régis et gouvernés par certaines polices et coutumes particulières, reçues de père en fils, auxquelles ils s'obligeaient sans autre contrainte que celle du respect de leur usage. Ce petit État s'était maintenu de toute ancienneté dans une condition si heureuse qu'aucun juge voisin n'avait jamais été requis d'ouvrir la moindre information sur leurs affaires, aucun avocat employé à leur donner un avis, aucun étranger appelé pour éteindre leurs querelles, et qu'on n'avait jamais vu personne de ce canton réduit à l'aumône. Ils fuyaient les alliances et le commerce avec l'autre monde de peur d'altérer la pureté de leur police, jusqu'à ce que, comme ils racontent, l'un d'entre eux, du temps de leurs pères, ayant l'âme épointe d'une noble ambition, alla s'aviser, pour mettre son nom en crédit et en estime, de faire de l'un de ses enfants un maître Jean ou un maître

1. Ausone, *Épigrammes*, LXXIV.
2. Martial, VI, LIII, 1-4.

Pierre, et après qu'il lui eut fait apprendre à écrire dans quelque ville voisine, il en fit enfin un beau notaire de village. Celui-ci, devenu grand, commença à dédaigner leurs anciennes coutumes, et à leur mettre en tête la pompe des régions de deçà. Le premier de ses compères à qui on écorna une chèvre, il lui conseilla d'en demander raison aux juges royaux d'autour de là, et de celui-ci à un autre, jusqu'à ce qu'il eût tout abâtardi.

À la suite de cette corruption, ils disent qu'il y en survint aussitôt une autre, de pire conséquence, par le moyen d'un médecin à qui il prit envie d'épouser une de leurs filles et de s'habituer parmi eux. Celui-ci commença à leur apprendre premièrement le nom des fièvres, des rhumes, et des abcès, la situation du cœur, du foie, et des intestins, qui était une science jusqu'alors très éloignée de leur connaissance, et au lieu de l'ail, dont ils avaient appris à chasser toutes sortes de maux, si âpres et extrêmes qu'ils fussent, il les accoutuma, pour une toux ou pour un rhume, à prendre les mixtures venues de l'étranger, puis il commença à faire trafic, non de leur santé seulement, mais aussi de leur mort. Ils jurent que c'est depuis lors seulement qu'ils se sont aperçus que l'humidité de l'air leur appesantissait la tête, que de boire en ayant chaud était nocif, et que les vents d'automne étaient plus graves que ceux du printemps, et depuis l'usage de cette médecine ils se trouvent accablés par une légion de maladies inaccoutumées, ils voient une chute générale de leur ancienne vigueur et leurs vies sont de moitié raccourcies. Voilà le premier de mes contes.

L'autre est qu'avant ma sujétion à la gravelle, comme j'entendais plusieurs personnes faire cas du sang de bouc comme d'une manne céleste envoyée durant ces derniers siècles pour la tutelle et la conservation de la vie humaine, et en en entendant parler à des gens d'entendement comme d'une drogue admirable et d'un effet infaillible, moi qui ai toujours pensé être en bute à tous les accidents qui peuvent toucher tout autre homme, alors que j'étais en pleine santé, je pris plaisir à me pourvoir de ce miracle, et je commandai chez moi qu'on me nourrît un bouc selon la recette, car il faut que ce soit aux mois les plus chauds de l'été qu'on le ferme à part pour ne lui donner plus à manger que des herbes apéritives et à boire que du vin blanc. Je me rendis de fortune chez moi le jour qu'il devait être tué, on vint me dire que mon cuisinier sentait dans la panse deux ou trois grosses boules qui se choquaient l'une l'autre parmi sa mangeaille. Je fus curieux de faire apporter toute cette tripaille en ma présence, et je fis ouvrir cette grosse et large peau. Il en sortit trois gros corps, légers comme des éponges, de façon qu'il semble qu'ils soient creux, durs au demeurant par le dessus et fermes, bigarrés de plusieurs couleurs ternes, l'un parfait en rondeur, à la mesure d'une courte boule, les autres deux, un peu moindres, dont l'arrondi est encore imparfait mais semble s'y acheminer. L'ayant fait demander à ceux qui ont accoutumé d'ouvrir de ces animaux, j'ai trouvé que c'est un accident rare et inusité. Il est vraisemblable que ce sont des pierres cousines des nôtres, et s'il en est bien ainsi, c'est bien vainement que les graveleux espèrent tirer leur guérison du sang d'une bête qui elle-même allait mourir d'un mal pareil au leur ! Car au lieu de dire que le sang ne se ressent pas de cette contagion et qu'elle n'altère pas sa vertu accoutumée, il est plutôt à croire qu'il ne s'engendre rien dans un corps que par la conspiration et la communication de toutes les parties : la masse agit tout entière quoiqu'une pièce y contribue plus que l'autre selon la diversité des opérations. Par quoi il y a grande apparence que dans tous les organes de ce bouc il y avait quelque qualité pétrifiante. Ce n'était pas tant pour la crainte de l'avenir, et pour moi, que j'étais curieux de cette expérience, c'était plutôt parce qu'il advient chez moi, comme dans plusieurs maisons, que les femmes font amas de pareilles menues drogues pour en secourir le peuple en usant de la même recette pour cinquante maladies – et d'une telle recette elles n'en prennent jamais pour elles ; pourtant elles triomphent en bons résultats.

Au demeurant, j'honore les médecins, non pas suivant le précepte de *l'Ecclésiaste*, « pour la nécessité » [1] (car à ce passage on en oppose un autre du prophète qui reproche au roi Asa d'avoir eu recours au médecin) mais par affection pour eux-mêmes, pour avoir vu parmi eux beaucoup d'honnêtes hommes et dignes d'être aimés. Ce n'est pas à eux que j'en veux, c'est à leur art, et je ne leur donne pas grand blâme de faire leur profit de notre sottise, car la plupart du monde en fait autant : plusieurs occupations, les unes moindres, les autres plus dignes que la leur, n'ont de fondement et appui que dans les errements publics. Je les appelle en ma compagnie quand je suis malade, s'ils tombent à propos, je demande à en être entretenu, et je les paye comme les autres. Je leur permets de me recommander de me couvrir chaudement, si je l'aime mieux ainsi que d'une autre sorte ; ils peuvent choisir d'entre les poireaux et les laitues ce dont il leur plaira que mon bouillon soit fait, et m'ordonner le vin blanc ou le clairet, et ainsi pour toutes les autres choses qui sont indifférentes à mon appétit et à mon usage. J'entends bien que ce n'est rien faire pour eux, parce que l'aigreur et l'étrangeté sont des accidents propres à l'essence même de la médecine. Lycurgue ordonnait le vin aux Spartiates malades. Pourquoi ? parce qu'ils en haïssaient l'usage quand ils étaient bien por-

1. L'Ecclésiaste dit en effet : « *honora medicum propter necessitatem* ».

tants, tout ainsi qu'un gentilhomme mon voisin s'en sert pour drogue très salutaire à ses fièvres, parce que, de nature, il en hait mortellement le goût. Combien en voyons-nous parmi entre eux qui sont de mon humeur ? Qui dédaignent la médecine pour leur usage personnel, et qui adoptent une forme de vie libre et toute contraire à celle qu'ils ordonnent à autrui ? Qu'est-ce donc que cela, sinon abuser tout bonnement de notre simplicité ? Car leur vie et leur santé ne leur sont pas moins chères qu'à nous, et ils accommoderaient leurs effets à leur doctrine s'ils n'en connaissaient eux-mêmes la fausseté. C'est la crainte de la mort et de la douleur, l'impatience du mal, une furieuse et indiscrète soif de la guérison qui nous aveugle ainsi. C'est une pure lâcheté qui rend notre croyance si molle et si maniable. La plupart des gens pourtant ne croient pas tant à la médecine qu'ils l'endurent et la laissent faire, car je les entends se plaindre et en parler comme nous. Mais ils s'y résolvent enfin : « Que ferai-je donc ? », comme si l'impatience était de soi quelque meilleur remède que la patience. Y en a-t-il un parmi ceux qui se sont laissés aller à cette misérable sujétion qui ne se rende également à toute sorte d'impostures ? qui ne se mette à la merci de quiconque a l'impudence de lui promettre la guérison ?

Les Babyloniens portaient leurs malades sur la place publique ; leur médecin, c'était le peuple, chacun des passants ayant par humanité et par civilité à s'enquérir de leur état, et à leur donner, selon son expérience, quelque avis salutaire. Nous n'en faisons guère autrement : il n'est pas de si petit bout de femme dont nous n'employions les incantations et les formules ! Et selon mon humeur, si j'avais à en accepter quelqu'une, j'accepterais plus volontiers cette médecine-là qu'aucune autre, d'autant qu'au moins il n'y a nul dommage à craindre. Ce qu'Homère et Platon disaient des Égyptiens qu'ils étaient tous médecins, se doit dire de tous peuples. Il n'est personne qui ne se vante de quelque recette, et qui ne la hasarde sur son voisin, s'il veut l'en croire. J'étais l'autre jour dans une compagnie où je ne sais qui de ma confrérie [1] apporta la nouvelle d'une sorte de pilules compilées de cent et quelques ingrédients, en comptant bien. Il s'en émut une fête et une consolation singulières : quel rocher soutiendrait l'effort d'une batterie d'autant de canons ? J'apprends toutefois par ceux qui l'essayèrent que pas la moindre petite grave n'a daigné bouger de sa place pour autant.

Je ne puis quitter ce papier sans dire encore un mot sur le fait que, pour garantie de la certitude de leurs drogues, ils nous donnent l'expérience qu'ils ont faite. La plupart, et ce crois-je, plus des deux

1. Celle des « coliqueux », atteints de la gravelle.

tiers des vertus médicinales consistent en la quintessence, ou propriété occulte des plantes médicinales, de laquelle nous ne pouvons être autrement instruits que par l'usage. Car une quintessence n'est autre chose qu'une qualité dont par notre raison nous ne savons pas trouver la cause. Parmi les preuves de cet ordre, celles qu'ils disent avoir acquises par l'inspiration de quelque démon, je suis content de les recevoir, car quant aux miracles, je n'y touche jamais, ou bien encore les preuves qui se tirent des choses qui, pour une autre considération, tombent souvent en notre usage, comme, par exemple, si dans la laine dont nous avons accoutumé de nous vêtir il s'est trouvé par accident quelque occulte propriété dessiccative qui guérisse les engelures au talon, ou si dans le raifort que nous mangeons pour nous nourrir il s'est rencontré quelque action apéritive. Galien raconte qu'il advint à un lépreux de guérir par le moyen du vin qu'il but parce que de fortune une vipère s'était coulée dans le tonneau. Nous trouvons dans cet exemple le moyen et la marche qui ont vraisemblablement conduit à cette expérience, comme nous les découvrons aussi dans celles auxquelles les médecins disent avoir été acheminés par l'exemple de certaines bêtes.

Mais dans la plupart des autres expériences dans lesquelles les médecins disent avoir été conduits par la fortune et n'avoir eu d'autre guide que le hasard, je trouve la marche de leur enquête bien peu croyable. J'imagine un homme regardant autour de lui le nombre infini des choses, des plantes, des animaux, des métaux : je ne sais par où lui faire commencer son essai ! Et quand sa première fantaisie se sera jetée sur de la corne d'élan, chose à quoi il faut prêter une croyance bien molle et bien aisée, il se trouvera encore embarrassé tout autant au moment d'entreprendre sa seconde opération : tant de maladies, tant de circonstances se proposent à lui que le sens humain y perd son latin avant qu'il soit certain d'avoir trouvé le point précis que doit déterminer son expérience pour atteindre à son parfait achèvement et avant que parmi cette infinité de choses il ait découvert que le point, c'est précisément cette corne ; parmi cette infinité de maladies, l'épilepsie ; parmi tant de tempéraments, le mélancolique ; parmi tant de saisons, l'hiver ; parmi tant de nations, les Français ; parmi tant d'âges, la vieillesse ; parmi tant de mutations célestes, la conjonction de Vénus et de Saturne ; parmi tant de parties du corps, le doigt ! Comme il n'est guidé dans tout cela ni par des arguments, ni par des hypothèses, ni par des exemples, ni par l'inspiration divine, mais par le seul mouvement de la fortune, il faudrait que ce fût par une fortune parfaitement artiste, réglée et méthodique ! Et puis, quand bien même la guérison se fût produite, comment peut-il bien s'assurer que ce ne serait pas simplement que le mal était arrivé à sa période, ou par quelque effet du hasard ? Ou sous l'effet de quelque autre chose que le patient eût ou mangé, ou bu, ou touché ce jour-là ? Ou grâce au mérite des prières de sa mère-grand ? De plus, quand bien même cette preuve aurait été parfaite, combien de fois fut-elle réitérée et cette longue cordée de fortunes et de rencontres, renfilée pour arriver à en déduire une règle ? Et quand cette règle aura été déduite, par qui l'aura-t-elle été ? Sur tant de millions, il n'y a que trois hommes qui se mêlent d'enregistrer leurs expériences. Le sort aura-t-il donc rencontré à point nommé l'un de ceux-ci justement ? Et que dire si un autre, et si cent autres, ont fait des expériences contraires ? Nous y verrions d'aventure quelque lumière si tous les jugements et tous les raisonnements des hommes nous étaient connus. Mais que trois témoins et trois docteurs régentent le genre humain, ce n'est pas raisonnable : il faudrait que la nature humaine les eût députés et choisis et qu'ils fussent désignés comme nos représentants par une procuration expresse.

À MADAME DE DURAS[1]

Madame, vous me trouvâtes sur ce passage dernièrement que vous me vîntes voir. Parce qu'il se pourra que ces inepties se rencontreront quelquefois entre vos mains, je veux aussi qu'elles portent témoignage que l'auteur se sent bien fort honoré de la faveur que vous leur ferez. Vous y reconnaîtrez le même port et le même air que vous avez vu dans sa conversation. Quand j'eusse pu prendre quelque autre façon que la mienne ordinaire et quelque autre forme plus honorable et meilleure, je ne l'eusse pas fait, car je ne veux rien tirer de ces écrits, sinon qu'ils me représentent à votre mémoire au naturel. Ces mêmes conditions et ces mêmes facultés que vous avez pratiquées et recueillies, Madame, avec beaucoup plus d'honneur et de courtoisie qu'elles ne méritent, je les veux loger (mais sans altération ni changement) dans un corps solide[1] qui puisse durer après moi quelques

1. Ce « corps solide », c'est le « *corpus* » même des *Essais*, dans lequel Montaigne insère cette lettre, qui justement se rapporte au moment (hiver 1579-1580) où il écrivait ce dernier chapitre du livre II, qui devait aussi demeurer le dernier des *Essais* jusqu'à l'édition parisienne de 1588, dans laquelle parut pour la première fois « l'allongeail » du livre troisième. En superposant ainsi l'écriture à sa circons-

années, ou quelques jours, et où vous les retrouverez quand il vous plaira de vous en rafraîchir la mémoire sans prendre autrement la peine de vous en souvenir. Aussi bien ne le valent-elles pas. Je désire que vous continuiez envers moi la faveur de votre amitié par ces mêmes qualités par le moyen desquelles elle a été produite. Je ne cherche nullement à ce qu'on m'aime et m'estime mieux mort que vivant.

L'humeur de Tibère est ridicule, et commune pourtant, qui avait plus de soin d'étendre sa renommée dans l'avenir qu'il n'en avait de se rendre estimable et agréable aux hommes de son temps.

Si j'étais de ceux à qui le monde pût devoir des louanges, je l'en tiendrais quitte pour la moitié, pourvu qu'il me les payât d'avance, qu'elles se hâtassent et s'amoncelassent autour de moi plus épaisses qu'allongées, plus pleines que durables, et qu'elles s'évanouissent hardiment en même temps que ma conscience lorsque leur doux son ne touchera plus mes oreilles.

Ce serait une sotte humeur que d'aller, à cette heure où je suis près d'abandonner le commerce des hommes, me montrer à eux paré d'un nouveau mérite [1]. Je ne mets pas dans mes comptes des biens que je n'ai pas pu employer à l'usage de ma vie. Quel que je sois, je veux l'être ailleurs que sur le papier. Mon art et mon industrie ont été employés à me faire valoir moi-même ; mes études, à m'apprendre à faire, non pas à écrire. J'ai mis tous mes efforts à former ma vie. Voilà mon métier et mon ouvrage. Je suis moins faiseur de livres que de nulle autre besogne. J'ai désiré du talent pour le service de mes commodités présentes et substantielles, non pour en faire un magasin et une réserve pour mes héritiers.

Qui a de la valeur, eh bien ! Qu'il le fasse paraître dans ses mœurs, dans ses propos de tous les jours, dans sa façon de se conduire en amour ou dans les querelles, au jeu, au lit, à table, dans la conduite de ses affaires, dans l'administration de sa maison ! Ceux que je vois faire de bons livres vêtus de méchantes chausses se fussent d'abord occupés de leurs chausses s'ils m'en eussent cru. Demandez à un Spartiate s'il aime mieux être bon rhétoricien que bon soldat ! Même moi, j'aimerais moins l'être que bon cuisinier si je n'avais personne qui m'assurât ce service.

---

tance, Montaigne veut souligner qu'il est bien tel dans son livre que dans sa vie, et que ce qu'il écrit n'a pour lui d'autre mérite que de le portraire au vif. En quoi, cette lettre, insérée en 1580, referme l'œuvre sur son ouverture : « l'Avis au lecteur », rajouté lui aussi au même moment, c'est-à-dire pendant que Montaigne mettait la dernière main à la première édition, celle de 1580, imprimée par Simon Millanges, à Bordeaux.

1. Celui d'homme de lettres et d'écrivain.

Mon Dieu, Madame, que je haïrais de mériter qu'on me tînt pour habile homme par écrit, et ailleurs pour homme de rien et pour sot ! J'aime encore mieux être un sot aussi bien ici que là que d'avoir si mal choisi où employer ma valeur. Aussi il s'en faut tant que j'espère m'attirer quelque nouvel honneur par ces sottises que je ferai déjà beaucoup si je n'y en perds point de ce peu que j'en étais acquis. Car, outre ce que cette peinture morte et muette dérobera à ma vraie nature, elle ne se rapporte pas à mon état le meilleur mais me montre bien déchu de ma vigueur et de mon allégresse d'autrefois, et alors que je tire sur le flétri et le rance. Je vais vers le fond du tonneau ; il commence à sentir déjà le bas et la lie.

Au demeurant, Madame, je n'eusse pas osé remuer si hardiment les mystères de la médecine, attendu le crédit que vous et tant d'autres lui donnez, si je n'y eusse été acheminé par ses auteurs mêmes. Je crois qu'ils ne sont que deux parmi les Latins de l'antiquité, Pline et Celse. Si vous les lisez un jour, vous trouverez qu'ils parlent bien plus rudement à leur art que je ne le fais. Je ne fais que le pincer, ils l'égorgent. Pline se moque, entre autres choses, de ce que, quand ils sont à bout d'arguments, ils ont inventé cette belle dérobade de renvoyer les malades qu'ils ont agités et tourmentés pour rien avec leurs drogues et leurs régimes, les uns, au secours des vœux, et des miracles, les autres aux eaux chaudes ! Ne vous courroucez pas, Madame : il ne parle pas de celles de deçà qui sont sous la protection de votre maison, et toutes grammontaises ! Ils ont une troisième sorte d'échappatoire pour nous chasser d'auprès d'eux et se décharger des reproches que nous leur pouvons faire du peu d'amendement à nos maux qu'ils ont eu si longtemps en gouvernement qu'il ne leur reste plus aucune invention pour nous amuser, c'est de nous envoyer chercher la bonté de l'air de quelque autre contrée. Madame, en voilà assez, vous me donnez bien congé de reprendre le fil de mon propos, duquel je m'étais détourné pour vous entretenir.

C'était, ce me semble, Périclès à qui l'on demandait comme il se portait qui répondit : « Vous pouvez en juger par là » en montrant des formules magiques qu'il portait attachées au cou et au bras. Il voulait suggérer qu'il était bien malade puisqu'il en était rendu au point d'avoir recours à des choses aussi vaines et de s'être laissé équiper de cette façon. Je ne dis pas que je ne puisse être emporté un jour à cette opinion ridicule de remettre ma vie et ma santé à la merci et au gouvernement des médecins. Je pourrais tomber dans cette rêverie. Je ne me puis répondre de ma fermeté future. Mais alors, si quelqu'un me demande comment je me porte, je lui pourrai bien dire aussi comme Périclès : « Vous pouvez en juger par là » en montrant ma main chargée de six drachmes d'opiate [1] : ce sera le signe bien évident d'une maladie violente, et que j'aurai mon jugement extraordinairement démanché. Si l'impatience et la frayeur gagnent cela sur moi, on en pourra conclure à une bien âpre fièvre en mon âme.

J'ai pris la peine de plaider cette cause que j'entends assez mal pour appuyer un peu et conforter la tendance naturelle à me défier des drogues et de la pratique de notre médecine qui s'est dérivée en moi par mes ancêtres, afin que ce ne fût pas seulement une inclination stupide et irréfléchie et qu'elle eût un peu plus de forme. Afin aussi que ceux qui me voient si ferme contre les exhortations et les menaces qu'on me fait quand mes maladies me pressent ne pensent pas que ce soit simple opiniâtreté, ou qu'il y ait quelqu'un d'assez fâcheux pour juger que ce soit là encore quelque aiguillon de gloire. Vraiment, ce serait un désir bien ciblé que de vouloir tirer honneur d'une action qui m'est commune avec mon jardinier et mon muletier ! Assurément, je n'ai point le cœur si enflé ni si vaniteux qu'un plaisir solide, charnu, et moelleux comme la santé, je l'allasse échanger pour un plaisir imaginaire, creux, et tout de vent. La gloire, fût-elle celle des quatre fils Aymon, est trop cher achetée pour un homme de mon humeur si elle lui coûte trois bons accès de colique. La santé, par Dieu !

Ceux qui aiment notre médecine peuvent avoir aussi des considérations bonnes, grandes, et fortes : je ne hais point les idées contraires aux miennes. Il s'en faut tant que je m'effarouche de voir de la discordance entre mes jugements et ceux d'autrui, et que je me rende insociable aux hommes sous prétexte qu'ils sont d'un autre sentiment et d'un autre parti que le mien qu'au rebours (vu que la façon la plus générale que Nature ait suivie, c'est la variété, et plus encore dans les esprits que dans les corps parce qu'ils sont d'une substance plus souple et susceptible de plus formes) je trouve bien plus rare de voir s'accorder nos humeurs et nos desseins. Et il ne fut jamais au monde deux opinions pareilles, non plus que deux poils, ou deux grains. Leur plus universelle qualité, c'est la diversité.

1. Quelques grammes de produit opiacé.

LIVRE III

De l'utile et de l'honnête

[Chapitre premier]

Personne n'est exempt de dire des fadaises : le malheur est de les dire avec sérieux :

Çà, ce drôle à grosse suée me va sortir grosses calembredaines Næ iste magno conatu magnas nugas dixerit. [1]

Cela ne me touche pas : les miennes m'échappent aussi nonchalamment qu'elles le valent : D'où bien leur prend : je les quitterais soudain, vu le peu qu'il m'en coûterait, et je ne les achète ni ne les vends que ce qu'elles pèsent : je parle au papier comme je parle au premier que je rencontre : qu'il soit vrai, voici de quoi.

À qui la perfidie ne doit-elle être détestable, puisque Tibère la refusa à si grand intérêt ? On lui manda d'Allemagne que, s'il le trouvait bon, on le débarrasserait d'Ariminius par le poison. C'était le plus puissant ennemi qu'eussent les romains, qui les avait si vilainement traités sous Varus, et qui seul empêchait cet empereur d'accroître sa domination dans ces contrées-là. Il fit réponse que le peuple Romain avait coutume de se venger de ses ennemis par voie ouverte, les armes à la main, non point par fraude et en cachette : il quitta l'utile pour l'honnête. C'était, me direz-vous, un hypocrite ; je le crois : ce n'est pas grand miracle chez les gens de sa profession ! Mais professer la vertu n'en a pas moins de portée dans la bouche de celui qui la hait, d'autant que la vérité la lui arrache de force, et que, s'il ne la veut recevoir en soi, au moins il s'en couvre pour s'en parer.

---

1. Térence, *Heautontimoroumenos*, 621.

Nos institutions tant publiques que privées sont pleines d'imperfection, mais il n'y a rien d'inutile dans la nature, non pas l'inutilité même : rien ne s'est introduit dans l'univers qui n'y tienne place opportune. Notre être est cimenté de qualités maladives : l'ambition, la jalousie, l'envie, la vengeance, la superstition, le désespoir logent en nous en possesseurs si naturels que l'image s'en reconnaît aussi chez les bêtes, voire même la cruauté, vice si dénaturé : car, au milieu de la compassion, nous sentons au dedans je ne sais quelle aigre-douce pointe de volupté maligne à voir souffrir autrui : les enfants même la sentent :

Douceur, sur l'abîme immense, où les vents troublent les flots,
Pour qui depuis la terre voit l'ahan des matelots
Suaue mari magno turbantibus æquora uentis,
E terra magnum alterius spectare laborem. [1]

De ces qualités, qui ôterait les semences en l'homme détruirait les conditions fondamentales de notre vie. De même, en tout État il y a des offices nécessaires, non seulement abjects, mais encore vicieux : les vices y trouvent leur place, et s'emploient à coudre notre lien social comme les venins à conserver notre santé. S'ils deviennent excusables en raison de ce qu'ils nous font besoin, et si la nécessité commune efface leur vraie nature, il faut laisser jouer cette partie aux citoyens les plus vigoureux et les moins craintifs, qui sacrifient leur honneur et leur conscience, comme ces autres anciens sacrifièrent leur vie, pour le salut de leur pays : nous autres plus faibles prenons des rôles à la fois plus aisés et moins hasardeux. Le bien public requiert qu'on trahisse, et qu'on mente, et qu'on massacre : réservons cette mission à gens plus obéissants et plus souples.

Assurément, j'ai eu souvent dépit de voir des juges attirer par fraude et faux espoirs de faveur ou pardon le criminel à découvrir son fait, et y employer la duperie et l'impudence. Il servirait bien à la justice, et à Platon même qui recommande cet usage, de me fournir d'autres moyens mieux à mon goût : c'est là une justice malicieuse, et je ne l'estime pas moins blessée par soi-même que par autrui. Je répondis, il n'y a pas longtemps, qu'à grand-peine trahirais-je le Prince pour un particulier, moi qui serais très marri de trahir aucun particulier pour le Prince ! Et je ne hais pas seulement tromper, mais je hais aussi bien qu'on se trompe à mon propos : je n'y veux pas seulement fournir de matière et d'occasion.

Lors de ce peu que j'ai eu à négocier entre nos Princes en ces divisions et subdivisions qui nous déchirent aujourd'hui, j'ai soigneu-

1. Lucrèce, II, 1-2.

sement évité qu'ils se méprissent sur moi et s'enferrassent sur mon masque. Les gens du métier se tiennent les plus couverts et se présentent et contrefont les plus neutres et les plus amis qu'ils peuvent : moi, je m'offre par mes opinions les plus vives, et par la forme la plus mienne : tendre négociateur, et novice, qui aime mieux faillir à l'affaire qu'à moi ! Cela est allé pourtant, jusqu'à cette heure, avec un tel bonheur – car certes Fortune y a la principale part ! – que peu ont passé d'une main à l'autre avec moins de soupçon, plus de faveur et de privauté. J'ai une façon ouverte, aisée à s'insinuer et à se donner crédit, dès les premières accointances. La naïveté et la vérité pure, en quelque siècle que ce soit, trouvent encore leur opportunité et leur usage. Et puis, de ceux-là la liberté est peu suspecte et peu odieuse, eux qui besognent hors de tout intérêt personnel : ceux-là peuvent véritablement employer la réponse d'Hypéride aux Athéniens qui se plaignaient de l'âpreté de son parler : « Messieurs, ne considérez pas si je suis libre, mais si je le suis sans rien prendre, et sans amender par là mes affaires. » Ma liberté m'a aussi aisément déchargé du soupçon de feintise, par sa vigueur (n'épargnant rien à dire pour pesant et cuisant qu'il fût, je n'eusse pu dire pis absent !) et en ce qu'elle fait montre d'une apparence de simplicité et de nonchalance. Je ne prétends à nul autre fruit en agissant que d'agir, et je n'y attache point de longues suites et propositions : chaque action fait particulièrement son jeu : que le coup porte s'il peut.

Au demeurant, je ne suis pas pressé de passion, ou haineuse, ou amoureuse, envers les grands, ni n'ai ma volonté garrottée d'offense ou d'obligation particulières. Je regarde nos rois d'une affection simplement légitime et civile, ni émue ni détournée par l'intérêt privé, de quoi je me sais bon gré. La cause générale et juste ne m'attache pas plus, sinon modérément et sans fièvre. Je ne suis pas sujet à ces hypothèques et à ces engagements pénétrants et intimes : la colère et la haine sont au-delà du devoir de la justice, et sont des passions qui servent seulement à ceux qui ne tiennent pas assez à leur devoir, par la raison simple : Obéira à l'émotion qui ne sait à la raison obéir : *Utatur motu animi, qui uti ratione non potest.* [1] Toutes nos intentions légitimes sont par elles-mêmes tempérées, sinon, elles s'altèrent en séditieuses et illégitimes. C'est ce qui me fait marcher partout la tête haute, à visage et cœur ouverts.

À la vérité, et je ne crains point de l'avouer, je porterais facilement au besoin un cierge à Saint Michel, l'autre à son serpent, comme fit la bonne vieille : je suivrai le bon parti jusqu'au feu, mais exclusivement

1. Cicéron, *Tusculanes*, IV, XXV, 55.

si je puis. Que Montaigne s'engouffre avec la ruine publique, si besoin est, mais s'il n'est pas besoin, je saurai bon gré à la fortune qu'il se sauve ! Et, autant que mon devoir me donne de corde, je l'emploie à sa conservation ! Fut-ce pas Atticus qui, se tenant au juste parti, et au parti qui perdit, se sauva par sa modération, en cet universel naufrage du monde, parmi tant de mutations et de bouleversements ?

Aux hommes, comme lui privés, la chose est plus aisée, et, dans cette sorte de besogne, je trouve qu'on peut à juste raison s'épargner l'ambition de s'ingérer et convier soi-même. Se tenir en équilibre et dans l'entre-deux, tenir son affection immobile et sans inclination au milieu des troubles de son pays et lors d'une division publique, je ne le trouve ni beau ni honnête : Ce n'est point là prendre la voie moyenne, mais bien n'en prendre aucune, comme ceux qui attendent l'issue pour conformer leur décision à celle de la fortune *Ea non media, sed nulla uia est, uelut euentum expectantium, quo fortunæ consilia sua applicent.*[1] Cela peut être permis envers les affaires des voisins. Gélon, tyran de Syracuse, suspendait ainsi son inclination lors de la guerre des Barbares contre les Grecs : tenant une ambassade à Delphes, il était sur son échauguette, avec des présents, à voir de quel côté tomberait la fortune, et saisir l'occasion à point pour se rallier aux vainqueurs. Ce serait une espèce de trahison de le faire dans ses propres et domestiques affaires, dans lesquelles nécessairement il faut prendre parti. Mais de ne s'embesogner point, pour un homme qui n'a ni charge ni commandement urgent qui le presse, je le trouve plus excusable (et pourtant je ne pratique pas pour moi cette excuse) que lors des guerres étrangères, desquelles pourtant, selon nos lois, nul ne peut s'exempter. Toutefois ceux encore qui s'y engagent tout à fait le peuvent-ils faire avec cette disposition et modération que l'orage devra couler par-dessus leur tête sans les atteindre ! N'avions-nous pas raison de l'espérer ainsi du feu évêque d'Orléans, monsieur de Morvilliers ? Et j'en connais, entre ceux qui y œuvrent valeureusement à cette heure, de mœurs ou si égales ou si douces qu'ils seront hommes à demeurer debout, quelque injurieuse révolution et chute que le ciel nous apprête. Je tiens que c'est aux rois, proprement, de s'animer contre les rois, et je me moque bien de ces esprits qui, de gaieté de cœur, prennent fait et cause dans des querelles si disproportionnées. Car on ne prend pas querelle particulière avec un prince, pour marcher contre lui ouvertement et courageusement, pour son honneur et selon son devoir : s'il n'aime un tel personnage, il fait mieux : il l'estime. Et notamment la cause des lois et défenses de la tradition de nos mœurs a toujours cela que ceux-là mêmes qui pour

1. Tite-Live, XXXII, XXI, 33-34.

leur dessein particulier le troublent en excusent les défenseurs, s'ils ne les honorent.

Mais il ne faut pas appeler *devoir*, comme nous faisons tous les jours, une aigreur et une intestine âpreté qui naît d'intérêts et de passions privés, ni *courage*, une conduite traîtresse et malicieuse. Ils nomment *zèle* leur propension vers la malignité et la violence : ce n'est pas la cause qui les échauffe, c'est leur intérêt ; ils attisent la guerre non parce qu'elle est juste, mais par ce que c'est guerre. Rien n'empêche qu'on ne se puisse comporter commodément entre des hommes qui sont ennemis les uns des autres, et loyalement : conduisez-vous-y d'une affection, sinon partout égale, (car elle peut souffrir différentes mesures), au moins tempérée, et qui ne vous engage pas tant à l'un qu'il puisse tout requérir de vous, et contentez-vous aussi d'une moyenne mesure de leur grâce. Et de couler en eau trouble sans y vouloir pécher.

L'autre manière de s'offrir de toute sa force et aux uns et aux autres a encore moins de prudence que de conscience. Celui envers qui vous en trahissez un, duquel vous êtes pareillement bien venu, sait-il pas que de lui vous en faites autant à son tour ? Il vous tient pour un méchant homme : cependant il vous écoute, et tire profit de vous, et fait ses affaires de votre déloyauté, car les hommes doubles sont utiles en ce qu'ils apportent. Mais il se faut garder qu'ils n'emportent que le moins qu'on peut.

Je ne dis rien à l'un que je ne puisse dire à l'autre, à son heure, l'accent seulement un peu changé, et ne rapporte que les choses ou indifférentes, ou connues, ou qui servent en commun. Il n'y a point d'utilité pour laquelle je me permette de leur mentir. Ce qui a été confié à mon silence, je le cèle religieusement, mais je prends à celer le moins que je puis : c'est une importune garde que le secret des Princes à qui n'en a que faire. Je présente volontiers ce marché qu'ils me confient peu, mais qu'ils se fient hardiment sur ce que je leur apporte : j'en ai toujours plus su que je n'ai voulu. Un parler ouvert ouvre un autre parler, et le tire hors, comme fait le vin, et l'amour.

Philippidès répondit sagement à mon gré au roi Lysimaque lui disant « que veux-tu que je te communique de mes biens ? » : « Ce que tu voudras, pourvu que ce ne soit de tes secrets. » Je vois que chacun se mutine si on lui cache le fond des affaires auxquelles on l'emploie, et si on lui en a dérobé quelque arrière-sens : pour moi, je suis content qu'on ne m'en dise pas plus qu'on veut que j'en mette en besogne, et je ne désire pas que ma science outrepasse et contraigne ma parole. Si je dois servir d'instrument de tromperie, que ce soit au moins ma conscience sauve. Je ne veux pas être tenu pour serviteur ni si affectionné ni si loyal qu'on me trouve bon à trahir quiconque. Qui est infidèle à soi-même, l'est excusablement à son maître. Mais ce sont nos Princes qui n'acceptent pas les hommes à moitié, et méprisent les services limités et conditionnés. Il n'y a remède : je leur dis franchement mes bornes, car, esclave, je ne le dois être que de la raison (encore n'en puis-je bien venir à bout !). Et eux aussi ont tort d'exiger d'un homme libre même sujétion à leur service et même obligation que de celui qu'ils ont fait et acheté, ou duquel la fortune tient particulièrement et expressément à la leur. Les lois m'ont ôté de grand-peine : elles ont choisi mon parti et donné un maître ; toute autre supériorité et obligation doivent être relatives à celle-là, et subordonnée. Pourtant n'est-ce pas à dire, quand mes sentiments m'inclineraient différemment, qu'incontinent j'y donnasse la main : la volonté, les désirs se font loi eux-mêmes : les actions ont à la recevoir de l'ordre public.

Tout ce mien procédé, est un peu bien dissonant par rapport à nos formes. Il ne serait pas pour produire grands effets, ni pour y durer : l'innocence même ne saurait à cette heure ni négocier sans dissimulation ni marchander sans menterie. Aussi ne sont aucunement de mon gibier les occupations publiques : ce que ma profession en requiert, je l'y fournis, sous la forme que je puis la plus privée. Tout jeune, on m'y plongea jusqu'aux oreilles, et cela réussissait : pourtant je m'en dépris de bonne heure ; j'ai souvent depuis évité de m'en mêler, rarement accepté, jamais sollicité, tenant le dos tourné à l'ambition, mais, sinon comme les tireurs d'aviron qui s'avancent ainsi à reculons, de telle façon du moins que, si je ne m'y suis point embarqué, j'en suis moins redevable à ma résolution qu'à ma bonne fortune. Car il y a des voies moins ennemies de mon goût et plus conformes à ma portée par lesquelles, si ma bonne fortune m'eût appelé autrefois au service public et à mon avancement vers le crédit du monde, je sais que j'eusse passé par-dessus la raison de mes discours pour la suivre.

Ceux qui disent communément contre ma profession que ce que j'appelle *franchise*, *simplicité*, et *naïveté* dans mes mœurs, c'est art et finesse, et plutôt prudence que *bonté*, industrie que *nature*, bon sens que bon *heur*, me font plus d'honneur qu'ils ne m'en ôtent, mais certes ils font ma finesse trop fine ! Et qui m'aura suivi et épié de près, je le donnerai gagnant s'il ne confesse qu'il n'y a point de règle en leur école qui sût reproduire ce mouvement naturel et maintenir une apparence de liberté et de licence si pareille et inflexible parmi des routes si tortueuses et diverses, et que toute leur attention et engin [1] ne

1. Calcul ingénieux.

les y saurait conduire. La voie de la vérité est une et simple, celle du profit particulier et de la réussite des affaires qu'on a en charge, double, inégale, et fortuite. J'ai vu souvent en usage ces libertés contrefaites, et artificielles, mais le plus souvent, sans succès. Elles sentent volontiers leur âne d'Ésope, qui, jaloux du chien, vint à se jeter tout gaiement à deux pieds sur les épaules de son maître : mais pour avoir fait pareille fête, autant que le chien en recevait de caresses, le pauvre âne en reçut deux fois autant de bastonnades : ce qui sied le mieux à chacun est ce qui est à chacun le plus naturel *Id maxime quemque decet, quod est cuiusque suum maxime.* [1] Je ne veux pas priver la tromperie de son rang, ce serait mal entendre le monde : je sais qu'elle a servi souvent profitablement, et qu'elle maintient et nourrit la plupart des occupations des hommes. Il y a des vices légitimes, comme plusieurs actions, ou bonnes, ou excusables, qui sont illégitimes.

La justice en soi, naturelle et universelle, est autrement réglée, et plus noblement que ne l'est cette autre justice spéciale, nationale, contrainte au besoin de nos États : Du droit véritable et de la justice native, nous ne gardons nulle empreinte solide et nette, nous n'avons qu'une ombre et des fantômes *Veri iuris germanæque iustitiæ solidam et expressam effigiem nullam tenemus : umbra et imaginibus utimur.* [2] Si bien que le sage Dandamys, oyant réciter les vies de Socrate, Pythagore, Diogène, les jugea grands personnages sur tout le reste, mais trop asservis au respect des lois : pour donner autorité à celles-ci, et pour les seconder, la vraie vertu doit beaucoup se démettre de sa vigueur originelle, et non seulement plusieurs actions vicieuses ont lieu par leur permission, mais encore grâce à leur persuasion : Il est des sénatus-consultes et des plébiscites qui sont fauteurs de crimes *Ex Senatusconsultis plebisque scitis scelera exercentur.* [3] Je suis le langage commun, qui fait différence entre les choses utiles et les honnêtes, si bien que certaines actions naturelles, non seulement utiles, mais nécessaires, il les nomme déshonnêtes et sales.

Mais continuons notre exemple de la trahison : deux prétendants au royaume de Thrace étaient tombés en débat sur leurs droits. L'Empereur les empêcha d'en venir aux armes. Mais, sous couleur d'arriver à un accord amiable par leur entrevue, l'un d'eux, qui avait assigné son compagnon pour le festoyer en sa maison, le fit emprisonner et tuer. La justice requérait que les Romains eussent raison de ce forfait : la difficulté en empêchait les voies ordinaires. Ce qu'ils ne purent légitimement, sans guerre, et sans hasard, ils entreprirent de le faire par trahison : ce qu'ils ne purent honnêtement, ils le firent

1. Cicéron, *De officiis*, I, XXXI, 113.
2. Cicéron, *De officiis*, III, XVII, 69.
3. Sénèque, *Lettres à Lucilius*, XCV, 30.

utilement. À quoi se trouva propre un Pomponius Flaccus : celui-ci, sous de feintes paroles et assurances ayant attiré cet homme dans ses rets, au lieu de l'honneur et faveur qu'il lui promettait, l'envoya pieds et poings liés à Rome. Un traître là trahit l'autre. Contre l'usage commun : car ces gens-là sont pleins de défiance, et il est malaisé de les surprendre au moyen de leur art, témoin la pesante expérience que nous venons d'en sentir. Sera Pomponius Flaccus qui voudra, et il en est assez qui le voudront : quant à moi, et ma parole et ma foi, sont, comme tout le reste, pièces de notre corps commun : leur meilleur effet, c'est le service de l'État ; je tiens cela pour présupposé. Mais, de même que si l'on me commandait que je prisse la charge du Palais et des procès je répondrais : « Je n'y entends rien », ou la charge de conducteur de pionniers, je dirais : « Je suis appelé à un rôle plus digne », de même qui me voudrait employer à mentir, à trahir, et à me parjurer pour quelque service notable, à plus forte raison à assassiner ou empoisonner, je dirais : « Si j'ai volé ou dérobé quelqu'un, envoyez-moi plutôt aux galères ». Car il est loisible à un homme d'honneur de parler ainsi que firent les Lacédémoniens quand, ayant été défaits par Antipater, ils étaient sur le point de sceller leurs accords : « Vous nous pouvez commander des charges pesantes et dommageables autant qu'il vous plaira, mais de honteuses et déshonnêtes, vous perdrez votre temps à nous en commander. » Chacun doit avoir juré à soi-même ce que les rois d'Égypte faisaient solennellement jurer à leurs juges, qu'ils ne se dévoieraient pas de leur conscience pour quelque commandement qu'eux-mêmes ils leur en fissent. À ce genre de commissions s'attache une marque évidente d'ignominie et de condamnation. Et qui vous la donne, vous accuse, et vous la donne, si vous l'entendez bien, à charge, et pour peine. Autant que les affaires publiques s'amendent par votre fait, autant s'en empirent les vôtres : vous y faites d'autant pis que mieux vous y faites. Et ce ne sera pas nouveau, ni à l'aventure sans quelque air de justice, que celui-là même vous perde qui vous aura confié la besogne ! Si la trahison doit être en quelque cas excusable ? Lors seulement elle l'est qu'elle s'emploie à châtier et trahir la trahison.

Il se trouve assez de perfidies, non seulement refusées, mais punies même par ceux en faveur desquels elles avaient été entreprises. Qui ne sait la sentence de Fabricius à l'encontre du médecin de Pyrrhus ? Mais ceci encore se trouve : que tel a commandé une trahison, qui par après l'a vengée avec la plus grande rigueur sur celui qu'il y avait employé, refusant un crédit et un pouvoir si effréné, et désavouant une servilité et une obéissance si abandonnée et si lâche. Jaropelc, duc de Russie, suborna un gentilhomme de Hongrie pour trahir le roi de

Pologne Boleslas en le faisant mourir, ou en donnant aux Russes le moyen de lui causer quelque notable dommage. Celui-ci s'y employa en habile homme : il s'adonna plus qu'auparavant au service de ce roi, obtint d'être de son conseil, et de ses plus féaux. Avec ces avantages, et choisissant à point l'opportunité de l'absence de son maître, il livra aux Russes Vislicie, grande et riche cité, qui fut entièrement saccagée, et brûlée par eux, avec exécution totale, non seulement de ses habitants, de tout sexe et âge, mais d'un grand nombre de la noblesse de là autour, qu'il y avait assemblé à ces fins. Jaropelc assouvi de sa vengeance et de son courroux, qui pourtant n'était pas sans titre (car Boleslas l'avait fort offensé, et par une semblable conduite), et saoul du fruit de cette trahison, venant à en considérer la laideur nue et seule, et à la regarder d'une vue saine et non plus troublée par sa passion, en éprouva un tel remords et haut-le-cœur qu'il en fit crever les yeux et couper la langue et les parties honteuses à son exécuteur. Antigone persuada les soldats « argyraspides » de lui trahir Eumène, leur capitaine général, son adversaire. Mais à peine l'eut-il fait tuer, après qu'ils le lui eurent livré, qu'il désira lui-même être commissaire de la justice divine pour le châtiment d'un forfait si détestable, et il les consigna entre les mains du gouverneur de la Province, lui donnant le commandement très exprès de les perdre et mettre à mort en quelque manière que ce fût. Tellement que, de ce grand nombre qu'ils étaient, aucun ne vit onques depuis l'air de Macédoine. Mieux il en avait été servi, d'autant jugea-t-il l'avoir été plus méchamment et punissablement. L'esclave qui trahit la cachette de P. Sulpicius, son maître, fut mis en liberté, suivant ce que promettait l'édit de proscription de Sylla, mais suivant ce que promettait la raison publique, tout libre qu'il était, il fut précipité du roc Tarpéien. Et notre roi Clovis, au lieu des armes d'or qu'il leur avait promises, fit pendre les trois serviteurs de Cannacre, après qu'ils lui eurent trahi leur maître, à quoi il les avait subornés. On fait pendre les traîtres avec la bourse de leur payement au cou : ayant satisfait à leur loyauté seconde, et spéciale, ils satisfont ainsi à la générale et première. Mahomet second, se voulant défaire de son frère, par jalousie du pouvoir, suivant le style de leur race, y employa l'un de ses officiers, qui le suffoqua, l'engorgeant de quantité d'eau, absorbée trop d'un coup. Cela fait, il livra, pour l'expiation de ce meurtre, le meurtrier entre les mains de la mère du trépassé (car ils n'étaient frères que de père) : elle, en sa présence, ouvrit à ce meurtrier l'estomac, et tout chaudement de ses mains fouillant et arrachant son cœur, le jeta manger aux chiens.

Et, à ceux mêmes qui ne valent rien, il est si doux, après qu'ils ont tiré profit d'une action vicieuse, d'y pouvoir désormais coudre en toute sûreté quelque trait de bonté et de justice, comme par compensation et correction de conscience ! Joint qu'ils regardent les ministres de pareils horribles méfaits comme gens qui les leur reprochent, et qu'ils cherchent par leur mort à étouffer la connaissance et le témoignage de telles menées.

Maintenant, si par fortune on vous en récompense, pour ne point frustrer la nécessité dans laquelle se trouve l'État de cet extrême et désespéré remède, celui qui le fait ne laisse pas de vous tenir, s'il ne l'est lui-même, pour un homme maudit et exécrable, et il vous tient pour plus traître encore que celui contre qui vous l'êtes, car il connaît la malignité de votre cœur par vos mains mêmes, sans déni, sans objection possibles. Mais il vous emploie tout ainsi qu'on le fait des hommes perdus aux exécutions de la haute justice : charge autant *utile* qu'elle est peu *honnête*. Outre la vilité de telles commissions, il y a là de la prostitution de conscience. La fille à Séjan ne pouvant être punie de mort, selon une certaine forme de jugement à Rome en tant qu'elle était vierge, fut, pour donner passage aux lois, violée par le bourreau avant qu'il l'étranglât : celui-là, non sa main seulement, mais son âme, est esclave de la raison d'État.

Quand Amurath premier, pour aigrir la punition contre ceux de ses sujets qui avaient donné leur support à la parricide rébellion de son fils, ordonna que leurs plus proches parents prêteraient la main à cette exécution, je trouve très honnête à certains d'entre eux d'avoir choisi d'être plutôt injustement tenus coupables du parricide d'un autre que de servir la justice par leur propre parricide. Et, lorsqu'à l'occasion de quelques bicoques cambriolées, de mon temps, j'ai vu des coquins, pour garantir leur vie, accepter de pendre leurs amis et complices, je les ai tenus de pire condition que les pendus. On dit que Vitold, Prince de Lituanie, introduisit en cette nation que le criminel condamné à mort eût lui-même, de sa main, à se donner la mort, trouvant étrange qu'un tiers innocent de la faute fût employé à un homicide et en reçût la charge.

Le Prince, quand une urgente circonstance et quelque impétueux et inopiné accident du besoin de son État lui font gauchir sa parole et sa foi, ou autrement le jettent hors de son devoir ordinaire, doit attribuer cette nécessité à un coup de la verge divine : ainsi vice n'est-ce pas, car il a quitté sa raison pour une plus universelle et puissante raison, mais certes c'est malheur. De sorte qu'à quelqu'un qui me demandait : « quel remède ? » – nul remède, fis-je, s'il fut véritablement garrotté entre ces deux extrêmes (*sed videat ne quæratur latebra perjurio* [1] mais qu'il

1. Cicéron, *De officiis*, III, XXIX, 106.

veille du moins à ne pas s'enquérir d'un paravent pour son parjure), il le fallait faire ; mais s'il le fit sans regret, s'il ne lui pesa pas de le faire, c'est signe que sa conscience est en mauvais point. Quand il s'en trouverait quelqu'un de si tendre conscience, à qui nulle guérison ne semblât digne d'un si pesant remède, je ne l'en estimerais pas moins. Il ne saurait se perdre plus excusablement et décemment. Nous ne pouvons pas tout. Ainsi comme ainsi nous faut-il souvent, comme à la dernière ancre, remettre la protection de notre vaisseau à la pure conduite du ciel. À quelle plus juste nécessité se réserve-t-il ? Que lui est-il moins possible à faire que ce qu'il ne peut faire qu'aux dépens de sa foi et de son honneur ? Choses qui à l'aventure lui doivent être plus chères que son propre salut, et même que le salut de son peuple. Quand, les bras en croix, il appellera Dieu simplement à son aide, n'aura-t-il pas à espérer que la divine bonté ne peut refuser la faveur de sa main extraordinaire à une main pure et juste ? Ce sont là de dangereux exemples, de rares et maladives exceptions à nos règles naturelles : il y faut céder, mais avec grande mesure et circonspection. Aucune utilité privée n'est digne que pour elle nous fassions cette violence à notre conscience : l'utilité publique, soit ! Lorsqu'elle est très apparente, et très importante.

Timoléon se garantit fort à propos de l'étrangeté de son acte par les larmes qu'il répandit en se souvenant que c'était d'une main fraternelle qu'il avait tué le tyran, et cela pinça justement sa conscience qu'il eût été nécessaire d'acheter l'utilité publique au prix de l'honnêteté de ses mœurs. Le Sénat même, délivré de la servitude par son moyen, n'osa rondement décider d'un si haut fait, et qui se déchirait en deux si graves et contraires visages. Mais les Syracusains ayant à point nommé, à l'heure même, envoyé quérir des Corinthiens leur protection, et un chef capable de rétablir leur ville en sa première dignité et de nettoyer la Sicile de plusieurs tyranneaux qui l'oppressaient, le sénat y députa Timoléon, avec cette condition et déclaration inouïe que selon qu'il se comporterait bien ou mal en sa charge, leur arrêt prendrait parti soit en faveur du libérateur de son pays, soit en défaveur du meurtrier de son frère. Cette étrange conclusion peut tirer quelque excuse du danger de l'exemple, et de l'importance d'un acte aussi ambivalent. Et ces gens firent bien d'en décharger leur jugement, ou de l'appuyer ailleurs, et sur des considérations tierces. Or les actions de Timoléon au cours de ce voyage rendirent bientôt sa cause plus claire, tant il s'y comporta dignement et vertueusement, en toutes façons. Et le bonheur qui l'accompagna dans les âpretés qu'il eut à vaincre dans cette noble besogne sembla lui être envoyé par les dieux qui conspiraient, favorisant sa justification.

La fin que visait Timoléon de tuer son frère est excusable, si quelqu'une le pouvait être. Mais le profit de l'augmentation du revenu public qui servit de prétexte au Sénat romain à cette répugnante décision que je m'en vais réciter n'est pas assez fort pour mettre à garant pareille injustice. Certaines cités s'étaient à prix d'argent rachetées des mains de L. Sylla et remises en liberté avec l'ordonnance et la permission du Sénat. La chose étant tombée de nouveau en jugement, le Sénat les condamna à être soumises à la taille comme auparavant, et que l'argent qu'elles avaient employé pour se racheter demeurerait perdu pour elles. Les guerres civiles produisent souvent ces vilains exemples, que nous punissons les particuliers de ce qu'ils nous ont cru quand nous étions autres. Et un même magistrat fait porter la peine de son changement à qui n'en peut mais. Le maître fouette son disciple pour sa docilité, et le guide son aveugle : horrible image de la justice. Il y a des règles en philosophie et fausses et molles. L'exemple qu'on nous propose pour faire prévaloir l'utilité privée sur la foi donnée ne reçoit pas assez de poids par la circonstance qu'ils y mêlent : des voleurs vous ont pris ; ils vous ont remis en liberté, ayant tiré de vous serment du paiement d'une certaine somme. On a tort de dire qu'un homme de bien sera quitte de sa foi sans payer une fois hors de leurs mains. Il n'en est rien. Ce que la crainte m'a fait une fois vouloir, je suis tenu de le vouloir encore sans crainte. Et quand elle n'aura forcé que ma langue, sans la volonté, encore suis-je tenu de rendre au dernier sou ce qu'a promis ma parole. Pour moi, quand parfois elle a inconsidérément devancé ma pensée, j'ai eu pour autant scrupule de la désavouer. Autrement, de degré en degré, nous viendrons à abolir tout le droit qu'un tiers prend de nos promesses, comme si l'on pouvait en vérité faire violence à un homme de cœur *quasi uero forti uiro uis possit adhiberi.* [1] En ceci seulement l'intérêt privé a le droit de nous excuser de faillir à notre promesse : si nous avons promis chose méchante, et inique de soi. Car le droit de la vertu doit prévaloir sur le droit de notre obligation.

J'ai autrefois logé Épaminondas au premier rang des hommes excellents, et ne m'en dédis pas. Jusqu'où montait-il pas la considération de son particulier devoir, lui, qui ne tua jamais homme qu'il eût vaincu ? Qui, pour ce bien inestimable de rendre la liberté à son pays, faisait conscience de tuer un tyran, ou ses complices, sans les formes de la justice ? Et qui jugeait méchant homme, quelque bon citoyen qu'il fût, celui qui, parmi les ennemis, et au cœur de la bataille, n'épargnait son ami et son hôte ? Voilà une âme de riche

1. Cicéron, *De officiis*, III, XXX, 110.

composition ! Il mariait aux plus rudes et violentes actions humaines la bonté et l'humanité, voire la plus délicate qui se trouve en l'école de la Philosophie. Ce cœur si gros, enflé, et obstiné contre la douleur, la mort, la pauvreté, était-ce nature ou art qui l'eussent attendri jusqu'au point d'une si extrême douceur et débonnaireté de caractère ? Hérissé de fer et de sang, il va fracassant et rompant une nation invincible contre tout autre que contre lui seul, se détourne au milieu d'une telle mêlée quand il y rencontre son hôte et son ami ! Vraiment, celui-là proprement commandait bien à la guerre, qui lui faisait souffrir le mors de la bienveillance sur le point de sa plus forte chaleur, enflammée comme elle l'était alors, et tout écumeuse de fureur et de meurtre ! C'est miracle de pouvoir mêler à ce genre d'actions quelque image de justice, mais il n'appartient qu'à la raideur d'Épaminondas d'y pouvoir mêler la douceur et la facilité des mœurs les plus molles, et la pure innocence. Et, là où l'un dit aux Mammertins que les lois n'avaient point de mise envers les hommes armés, l'autre au Tribun du peuple que le temps de la justice et celui de la guerre faisaient deux, le troisième, que le bruit des armes l'empêchait d'entendre la voix des lois, celui-ci n'était pas seulement empêché d'entendre celles de la civilité et de la pure courtoisie. Avait-il pas emprunté de ses ennemis l'usage de sacrifier aux Muses quand il allait à la guerre, pour détremper par leur douceur et gaieté cette furie et âpreté martiale ?

Ne craignons point, après un si grand précepteur, d'estimer qu'il y a quelque chose d'illicite contre les ennemis mêmes ; que l'intérêt commun ne doit pas tout exiger de tous, au mépris de l'intérêt privé, le souvenir du droit privé demeurant jusque dans la dissolution des traités entre États *manente memoria etiam in dissidio publicorum foederum priuati iuris,* [1] car aussi nulle puissance n'a pouvoir de forcer un ami à pêcher *et nulla potentia uires Præstandi ne quid peccet amicus habet* ; [2] et que toutes choses ne sont pas loisibles à un homme de bien pour le service de son roi, ni de la cause générale et des lois. Car la patrie ne prévaut pas sur tous nos devoirs, et il lui importe de compter des citoyens capables de piété envers leurs parents *Non enim patria præstat omnibus officiis, et ipsi conducit pios habere ciues in parentes.* [3] C'est une instruction propre au temps : nous n'avons que faire de durcir nos cœurs par ces lames de fer, c'est assez que nos épaules le soient, c'est assez de tremper nos plumes dans l'encre sans les tremper dans le sang. Si c'est grandeur de cœur et l'effet d'une vertu rare et singulière de mépriser l'amitié, les obligations privées, sa parole, et la parenté pour le bien commun et l'obéissance du magistrat, c'est assez

1. Tite-Live, XXV, XVIII, 5.
2. Ovide, *Pontiques*, I, VII, 37-38.
3. Cicéron, *De officiis*, III, XXIII, 90.

vraiment pour nous en excuser que c'est une grandeur qui ne peut loger dans la grandeur du cœur d'Épaminondas.

J'abomine les exhortations enragées de cette autre âme déréglée [1], tant que fulgurent les traits, qu'aucune figure de la piété, verriez-vous face à vous vos parents, ne vous émeuve, défigurez de votre glaive ces visages vénérés *dum tela micant, non uos pietatis imago Ulla, nec aduersa conspecti fronte parentes Commoueant, uultus gladio turbate uerendos.* [2]

Ôtons aux méchants naturels, aux sanguinaires, aux traîtres, ce prétexte de raison : laissons là cette justice énorme et hors de soi, et tenons-nous-en aux plus humaines imitations. Combien peuvent le temps et l'exemple ? En une rencontre de la guerre civile contre Cinna, un soldat de Pompée, ayant tué sans y penser son frère qui appartenait au parti contraire, se tua sur-le-champ soi-même, de honte et de regret. Et quelques années après, en une autre guerre civile de ce même peuple, un soldat, pour avoir tué son frère, demanda récompense à ses capitaines !

On argumente mal l'honneur et la beauté d'une action par son utilité, et l'on conclut mal en estimant que chacun y soit obligé, et qu'elle soit honnête pour chacun si elle est utile.

> Tout ne convient pas également à tous
> *omnia non pariter rerum sunt omnibus apta.* [3]

Prenons la plus nécessaire et la plus utile société qui soit entre les humains : ce sera le mariage. Et pourtant le conseil des saints trouve le parti contraire plus honnête, et il en exclut la plus vénérable profession des hommes, comme nous assignons aux haras les bêtes qui sont de moindre estime.

Du repentir

[Chapitre II]

Les autres forment l'homme, je le récite ; et j'en représente un particulier, bien mal formé, et que si j'avais à façonner de nouveau je ferais vraiment bien autre qu'il n'est : désormais, c'est fait. Or les

1. César.
2. Lucain, VII, 320-322.
3. Properce, III, IX, 7.

traits de ma peinture ne fourvoient point quoiqu'ils se changent et se diversifient. Le monde n'est qu'une branloire pérenne. Toutes choses y branlent sans cesse, la terre, les rochers du Caucase, les pyramides d'Égypte, et du branle universel, et du leur propre. La constance même n'est autre chose qu'un branle plus languissant. Je ne puis assurer mon objet : il va trouble et chancelant, dans une ivresse naturelle. Je le prends en ce point, comme il est, dans l'instant que je m'occupe de lui. Je ne peins pas l'être, je peins le passage : non un passage d'âge en autre, ou, comme dit le peuple, de sept en sept ans, mais de jour en jour, de minute en minute. Il faut accommoder mon histoire à l'heure présente. Je pourrais tantôt changer, non de fortune seulement, mais aussi d'intention : c'est ici un registre de divers et muables accidents, et d'imaginations irrésolues, et, le cas échéant, contraires : soit que je sois autre moi-même, soit que je saisisse les sujets à l'occasion d'autres circonstances et considérations. Tellement que je me contredis bien d'aventure, mais la vérité, comme disait Démade, je ne la contredis point. Si mon âme pouvait prendre pied, je ne m'essaierais pas, je me résoudrais : elle est toujours en apprentissage, et en épreuve. Je propose une vie basse, et sans lustre. C'est tout un : on attache aussi bien toute la philosophie morale à une vie commune et privée qu'à une vie de plus riche étoffe. Chaque homme porte la forme entière de l'humaine condition. Les auteurs se communiquent au peuple par quelque marque spéciale et non commune : moi, le premier, par mon être universel : comme Michel de Montaigne ; non comme grammairien ou poète ou jurisconsulte. Si le monde se plaint que je parle trop de moi, je me plains qu'il ne pense seulement pas à soi. Mais est-ce raison que, si particulier en usage, je prétende me rendre public en connaissance ? Est-il aussi raison que je publie au monde, où la façon et l'art ont tant de crédit et d'autorité, des faits de nature, et crus et simples, et d'une nature encore bien faiblette ? Est-ce pas faire une muraille sans pierre, ou chose semblable, que de bâtir des livres sans science ? Les fantaisies de la musique sont conduites par art, les miennes par sort. Au moins j'ai ceci selon la méthode et l'école, que jamais homme ne traita sujet qu'il entendît ni ne connût mieux que je le fais de celui que j'ai entrepris, et qu'en celui-là je suis le plus savant homme qui vive ! Secondement, que jamais aucun ne pénétra en sa matière plus avant, ni n'en éplucha plus distinctement les membres et les suites, et n'arriva plus exactement et plus pleinement à la fin qu'il s'était proposée pour sa besogne. Pour la parfaire, je n'ai besoin d'y apporter que la fidélité : celle-là y est, la plus sincère et pure qui se trouve. Je dis vrai, non pas tout mon saoul, mais autant que je l'ose dire. Et je l'ose un peu plus en vieillissant, car il semble que la coutume concède à cet âge plus de liberté de bavasser, et plus d'indiscrétion à parler de soi. Il ne peut advenir ici, ce que je vois advenir souvent, que l'artisan et sa besogne se contrarient : un homme d'une si honnête conversation a-t-il fait un si sot écrit ? Ou : des écrits si savants sont-ils partis d'un homme de si faible conversation ? Qui a un entretien commun, et ses écrits éminents, ce revient à dire que sa capacité réside au lieu d'où il l'emprunte, et non en lui. Un personnage savant n'est pas savant partout. Mais le suffisant est partout suffisant, et à ignorer même ! Ici, nous allons conformément, et tout d'un train, mon livre et moi. Ailleurs, on peut recommander ou blâmer l'ouvrage à part de l'ouvrier ; ici non : qui touche l'un, touche l'autre. Celui qui en jugera sans le connaître se fera plus de tort qu'à moi ; celui qui l'aura connu m'aura totalement satisfait. Heureux plus que je ne le mérite si j'ai seulement cette part à l'approbation publique d'avoir pu faire sentir aux gens d'entendement que j'étais capable de faire mon profit de la science si j'en eusse eu, et que je méritais que la mémoire me secourût mieux.

Excusons ici ce que je dis souvent, que je me repens rarement, et que ma conscience se contente de soi. Non comme de la conscience d'un ange ou d'un cheval, mais comme de la conscience d'un homme. Ajoutant toujours ce refrain, refrain non de cérémonie, mais de naïve et essentielle soumission : que je parle en homme qui s'enquiert et ignore, m'en rapportant pour la conclusion, purement et simplement, aux croyances communes et légitimes. Je n'enseigne point, je raconte. Il n'est point de vice véritablement vice qui n'offense, et qu'un jugement intègre n'accuse, car il a de la laideur, et une incommodité si apparente que d'aventure ceux-là ont raison qui disent qu'il est principalement produit par bêtise et ignorance, au point qu'il est malaisé d'imaginer qu'on le puisse connaître sans le haïr. La malice boit la plupart de son propre venin, et s'en empoisonne. Le vice laisse comme un ulcère dans la chair, une repentance dans l'âme, qui toujours s'égratigne et s'ensanglante elle-même. Car la raison efface les autres tristesses et douleurs, mais elle engendre celle de la repentance, qui est plus pesante, d'autant qu'elle naît au-dedans, comme le froid et le chaud des fièvres est plus poignant que celui qui vient du dehors. Je tiens pour vices (mais chacun selon sa mesure) non seulement ceux que la raison et la nature condamnent, mais ceux aussi que l'opinion des hommes, même fausse et erronée, a établis comme tels, si les lois et l'usage l'autorisent. Pareillement, il n'est point de bonté qui ne réjouisse une nature bien née. Il y a certes je ne sais quelle satisfaction de bien faire qui nous réjouit en nous-mêmes, et une fierté généreuse qui accompagne la bonne conscience. Une âme vicieuse à cœur se peut d'aventure barder de sécurité : mais de ce contentement et satisfaction, elle ne s'en peut fournir. Ce n'est pas un léger plaisir de se sentir préservé de la contagion d'un siècle si corrompu et de se dire en soi-même : qui me verrait jusque dans l'âme, encore ne me trouverait-il coupable ni de l'affliction et de la ruine de quiconque, ni de vengeance ou d'envie, ni d'offense publique aux lois, ni de désirs révolutionnaires et de troubles, ni de faute à ma parole : et, quoi que la licence du temps permît et apprît à chacun, je n'ai pourtant mis la main ni sur les biens ni sur la bourse d'homme de France, et n'ai vécu que sur la mienne, non plus en guerre qu'en paix, ni ne me suis servi du travail de personne sans payer de salaire. Ces témoignages de la conscience plaisent, et ceci nous est un grand bénéfice que cette éjouissance naturelle, et le seul paiement qui jamais ne nous manque.

Fonder la récompense des actions vertueuses sur l'approbation d'autrui, c'est prendre un fondement trop incertain et trouble. Notamment, dans un siècle corrompu et ignorant comme celui-ci, la bonne estime du public est injurieuse. À qui vous fiez-vous pour voir ce qui est louable ? Dieu me garde d'être *homme de bien*, selon la description que je vois tous les jours chacun faire de soi en son propre honneur : *quæ fuerant uitia, mores sunt* [1] vices d'autrefois sont bonnes mœurs d'aujourd'hui. Tels de mes amis ont parfois entrepris de me chapitrer et sermonner à cœur ouvert, tantôt de leur propre mouvement, tantôt sur mes propres semonces qui les priaient comme d'un devoir qui, pour une âme bien faite, non en utilité seulement, mais en douceur aussi bien, surpasse tous les devoirs de l'amitié. Je l'ai toujours accueilli avec les bras de la courtoisie et de la reconnaissance les plus ouverts. Mais, pour en parler à cette heure en conscience, j'ai souvent trouvé tant de fausse mesure dans leurs reproches et leurs louanges que je n'eusse guère failli de faillir plutôt que de bien faire selon leur mode ! Nous autres principalement qui vivons une vie privée qui ne se donne en montre qu'à nous, nous devons avoir établi un patron au-dedans qui serve de pierre de touche à nos actions et, conformément à ce dernier, soit propre à nous caresser tantôt, tantôt à nous châtier. J'ai mes lois et ma Cour pour juger de moi, et je m'y adresse plus qu'ailleurs. Je restreins bien selon autrui mes actions, mais je ne les étends que selon moi. Il n'y a que vous qui sachiez si vous êtes lâche et cruel, ou loyal et dévotieux : les autres ne vous voient point, ils vous devinent par conjectures incertaines : ils voient non tant votre naturel que votre art. Ainsi ne vous en tenez pas à leur sentence, tenez-vous-en à la vôtre.

---

1. Sénèque, *Lettres à Lucilius*, XXXIX, 6.

Fie-toi à ton propre jugement *tuo tibi iudicio est utendum* ;[1] la vertu et le vice pèsent lourd à la conscience : ôtez-les, tout s'écroule *uirtutis et uitiorum grave ipsius conscientiæ pondus est : qua sublata, iacent omnia.*[2] Mais ce qu'on dit, que la repentance suit de près le péché, ne semble pas regarder le péché dans son haut appareil, qui loge en nous comme en son propre domicile. On peut désavouer et dédire les vices qui nous surprennent et vers lesquels les passions nous emportent : mais ceux qui par longue habitude sont enracinés et ancrés dans une volonté forte et vigoureuse ne sont pas sujets à se laisser contredire. Le repentir n'est qu'un désaveu de notre volonté, et un revirement de notre imaginaire, qui nous promène en tous sens. Il fait à celui-là désavouer sa vertu passée et sa continence :

Quel cœur ai-je aujourd'hui ? Que n'avais-je le même, enfant ?
Et, avec ce cœur-là, que ne reviennent mes joues lisses ?

Quæ mens est hodie, cur eadem non puero fuit,
Vel cur his animis incolumes non redeunt genæ ?[3]

C'est une vie d'exception que celle qui se maintient en ordre jusqu'en son privé. Chacun peut bien prendre rôle parmi les bateleurs, et représenter un honnête personnage sur le théâtre : mais au-dedans et dans sa poitrine, là où tout nous est loisible, où tout est caché, d'y être réglé, c'est là le point. Le degré voisin, c'est de l'être en sa maison, en ses actions ordinaires, dont nous n'avons à rendre raison à personne : où il n'y a point d'étude, point d'artifice. C'est pourquoi Bias, pour peindre un excellent état de famille, parle « d'une maison dont le maître soit tel au-dedans, par lui-même, comme il est au dehors par la crainte de la loi et du dire des hommes ». Et ce fut une digne parole de Julius Drusus aux ouvriers qui lui offraient pour trois mille écus de mettre sa maison en tel point que ses voisins n'auraient plus sur elle la vue qu'ils y avaient : « Je vous en donnerai, dit-il, six mille, et faites que chacun y voie de toutes parts. » On remarque avec honneur l'usage d'Agésilas de prendre en voyageant son logis dans les temples afin que le peuple et les dieux mêmes vissent dans ses actions privées. Tel a été miraculeux aux yeux du monde, auquel sa femme et son valet n'ont rien vu seulement de remarquable. Peu d'hommes ont été admirés par leurs domestiques. Nul n'a été prophète non seulement en sa maison, mais en son pays, dit l'expérience des histoires. De même pour les choses de rien. Même en ce modeste exemple que je propose

1. Cicéron, *Tusculanes*, II, XXVI, 63.
2. Cicéron, *De natura deorum*, III, XXXV, 85.
3. Horace, *Odes*, IV, X, 7-8.

on voit l'image des grands. Sous mon climat de Gascogne, on tient pour drôlerie de me voir imprimé. Autant la connaissance qu'on prend de moi s'éloigne de mon gîte, autant mieux j'en vaux : j'achète les imprimeurs en Guyenne, ailleurs, ils m'achètent [1]. Sur cette particularité se fondent ceux qui se cachent vivants et présents pour se mettre en crédit une fois trépassés et absents. J'aime mieux en avoir moins, et je ne me jette au monde que pour la part que j'en tire aujourd'hui. Après ma mort, je le dispense de m'accorder du crédit !

Le peuple reconduit celui-là, dans une cérémonie publique, avec émerveillement, jusqu'à sa porte : lui, il laisse ce rôle avec sa robe ; il retombe d'autant plus bas qu'il s'était plus haut perché. Au-dedans, chez lui, tout est tumultueux et vil. Quand bien même le règlement s'y trouverait, il faut un jugement vif et bien trié pour l'apercevoir dans ces actions basses et privées. Ajoutez que l'ordre est une vertu morne et sombre : emporter une brèche, conduire une ambassade, régir un peuple, ce sont des actions éclatantes : tancer, rire, vendre, payer, aimer, haïr et converser avec les siens et avec soi-même doucement et justement, ne se relâcher point, ne se démentir point, c'est chose plus rare, plus difficile, et moins remarquable. Les vies retirées soutiennent par là, quoi qu'on dise, des devoirs autant ou plus âpres et tendus que ne le font les autres vies. Et les personnes privées, dit Aristote, servent la vertu plus difficilement et plus hautement que ne le font ceux qui exercent des magistratures. Nous nous préparons aux occasions éminentes plus par gloire que par conscience. La plus courte façon d'arriver à la gloire, ce serait de faire pour la conscience ce que nous faisons pour la gloire. Et la vertu d'Alexandre me semble représenter bien moins de vigueur en son théâtre que ne le fait celle de Socrate dans son exercice bas et obscur. Je conçois aisément Socrate à la place d'Alexandre : Alexandre à celle de Socrate, je ne le puis. Qui demandera à celui-là ce qu'il sait faire, il répondra : « subjuguer le monde » ; qui le demandera à celui-ci, il dira : « mener l'humaine vie conformément à sa naturelle condition » : science bien plus générale, plus pesante, et plus légitime ! Le prix de l'âme ne consiste pas à aller haut, mais d'un pas ordonné. Ce n'est pas dans la grandeur que s'exerce la grandeur d'âme : c'est dans la médiocrité. De même que ceux qui nous jugent et éprouvent au-dedans ne font pas grand cas de l'éclat de nos actions publiques et voient bien que ce ne sont là que filets et

---

1. Les deux premiers livres des *Essais* ont d'abord été publiés à compte d'auteur chez Simon de Millages à Bordeaux. Le troisième livre sera quant à lui publié à la suite des deux autres par le libraire parisien Arnoul L'Angelier, qui rétribue Montaigne.

gouttes d'eau pure rejaillies d'un fond au demeurant limoneux et pesant, de même ceux qui nous jugent par cette brave apparence du dehors concluent de même en pareil cas au sujet de notre constitution intime, sans parvenir à accoupler des facultés communes et pareilles aux leurs à ces facultés autres qui les étonnent, si loin de leur visée. Ainsi donnons-nous aux démons des formes sauvages. Et qui ne prête à Tamerlan des sourcils dressés, des naseaux ouverts, un visage affreux, et une taille démesurée, à la mesure de l'image qu'il a conçue de lui d'après le bruit de son nom ? Qui m'eût fait voir Érasme autrefois, il eût été malaisé que je n'eusse pris pour adages et apophtegmes tout ce qu'il eût dit à son valet et à son hôtesse ! Nous imaginons bien plus aisément un artisan sur sa chaise percée ou sur sa femme qu'un grand Président, vénérable par son maintien et sa compétence : il nous semble que de ces hauts trônes ils ne s'abaissent pas jusqu'à vivre.

De même que les âmes vicieuses sont incitées souvent à bien faire par quelque impulsion étrangère, de même aussi le sont les vertueuses à mal faire. Il les faut donc juger d'après leur état au repos : quand elles sont chez elles, si quelquefois elles y sont, ou au moins quand elles sont plus voisines du repos, et dans leur assiette native. Les inclinations naturelles s'aident et se fortifient par l'éducation, mais elles ne se changent guère, ni ne se surmontent. Mille natures, de mon temps, ont tourné vers la vertu ou vers le vice sous l'effet d'enseignements contraires,

Tout comme quand, en cage et loin de leurs forêts,
Les fauves radoucis, perdant leurs airs sauvages,
À l'homme se sont faits ; pour peu qu'un filet de sang frais
Coule dans leurs gosiers, leur reviennent fureurs et rages :
Réveillée au goût du sang, leur gorge enfle, leur courroux
Bout et fait grâce à peine au dompteur tremblant de partout

Sic ubi desuetæ siluis in carcere clausæ
Mansueuere feræ et uultus posuere minaces
Atque hominem didicere pati, si torrida paruus
Venit in ora cruor, redeunt rabiesque furorque,
Admonitæque tument gustato sanguine fauces,
Feruet et a trepido uix abstinet ira magistro. [1]

On n'extirpe pas ces qualités originelles : on les couvre, on les cache. Le latin m'est comme naturel. Je l'entends mieux que le français, mais il y a quarante ans que je ne m'en suis point du tout servi pour parler, ni guère pour écrire. Pourtant, lors d'extrêmes et soudaines émotions

1. Lucain, IV, 237-242.

où je suis tombé deux ou trois fois dans ma vie (et l'une, en voyant mon père, tout bien portant, se renverser sur moi, pâmé), j'ai toujours du fond des entrailles lancé mes premières paroles en latin, Nature jaillissant et s'exprimant en force malgré un si long usage contraire. Et cet exemple se retrouve, dit-on, chez bien d'autres.

Ceux qui, de mon temps, ont essayé de redresser les mœurs du monde par des opinions nouvelles réforment les vices de l'apparence : ceux de l'essence, ils les laissent là, s'ils ne les augmentent. Et l'augmentation y est à craindre : on se dispense volontiers de tout autre bien faire avec ces réformations externes, de moindre coût et de plus grand effet, et ainsi satisfait-on à bon marché les autres vices naturels, consubstantiels et intestins. Regardez un peu comment s'en porte notre expérience ! Il n'est personne, s'il s'écoute, qui ne découvre en soi une forme sienne, une forme maîtresse qui lutte contre l'éducation et contre la tempête des passions qui lui sont contraires. De moi-même, je ne me sens guère agité par secousse : je me trouve quasi toujours en ma place, comme font les corps lourds et pesants. Si je ne suis pas chez moi, j'en suis toujours bien près : mes débauches ne m'emportent pas fort loin ; elles n'ont rien d'extrême et d'extraordinaire, et ainsi me ravisé-je de façon saine et vigoureuse. La vraie condamnation, et qui touche la commune façon de nos hommes, c'est que leur retraite même est pleine de corruption et d'ordure ; leur idée de s'amender, maquillée ; leur pénitence, malade, et coupable autant à peu près que leur péché. D'aucuns, ou pour être collés au vice du fait d'une attache naturelle, ou par longue accoutumance, n'en trouvent plus la laideur. À d'autres (duquel régiment je suis) le vice pèse, mais ils le contrebalancent avec le plaisir, ou quelque autre circonstance, et ils le souffrent et s'y prêtent, sous certaine condition : vicieusement pourtant, et lâchement. Aussi pourrait-on d'aventure imaginer des avis si éloignés de proportion et de mesure que, avec légitimité, le plaisir excuserait le péché, comme nous le disons de l'utilité : non seulement dans les cas où il serait accidentel et extérieur au péché, comme pour un larcin, mais aussi quand il résiderait dans son exercice même, comme dans le commerce des femmes, où l'excitation est violente, et, dit-on, parfois invincible.

Sur les terres d'un mien parent, l'autre jour que j'étais en Armagnac, je vis un paysan que chacun surnomme le Larron. Il faisait ainsi le conte de sa vie : qu'étant né mendiant, et trouvant qu'à gagner son pain au travail de ses mains il n'arriverait jamais à se prémunir assez contre l'indigence, il s'avisa de se faire larron ; il avait employé à ce métier toute sa jeunesse en toute sûreté grâce à sa force corporelle, car il moissonnait et vendangeait sur les terres d'autrui, mais c'était au loin, et à si gros monceaux qu'il était inimaginable qu'un seul homme en eût tant emporté en une nuit sur ses épaules, et il avait soin, outre cela, d'égaliser et répartir le dommage qu'il faisait, si bien que la perte était moins insupportable à chaque particulier. À cette heure dans sa vieillesse il se trouve riche pour un homme de sa condition grâce à ce trafic qu'il confesse ouvertement. Et pour s'accommoder avec Dieu de ses acquêts, il dit être tous les jours occupé à donner réparation par ses bienfaits aux successeurs de ceux qu'il a dérobés, et que s'il n'achève (car d'y pourvoir tout à la fois, il ne peut), il en chargera ses héritiers, à proportion de la science qu'il a lui seul du mal qu'il a fait à chacun. Par cette description, ou vraie, ou fausse, celui-ci regarde le larcin comme action déshonnête, et le hait, mais moins que l'indigence : il s'en repent bien, ingénument ; mais dans la mesure où le vol était ainsi contrebalancé et compensé, il ne s'en repent pas. Cela, ce n'est pas cette habitude qui nous incorpore au vice et y conforme notre entendement même, ni n'est ce vent impétueux qui va troublant et aveuglant notre âme par secousses, et nous précipite sur l'heure, jugement et tout, dans la puissance du vice. Je fais coutumièrement en entier ce que je fais, et je marche tout d'une pièce : je n'ai guère de mouvement qui se cache et dérobe à ma raison, et qui ne se conduise, à peu près, avec le consentement de toutes mes parties, sans division, sans sédition intestine : mon jugement en ressent la faute ou la louange entière, et la faute qu'il ressent une fois, il la ressent toujours, car quasi depuis sa naissance il est le même : même inclination, même route, même force. Et en matière d'opinions générales, dès l'enfance, je me logeai au point où j'avais à me tenir. Il y a des péchés impétueux, prompts et subits : laissons-les à part. Mais pour ces autres péchés, tant de fois repris, délibérés et médités, que ce soient péchés de tempérament ou péchés de profession et de métier, je ne puis pas concevoir qu'ils restent plantés si longtemps en un même cœur sans que la raison et la conscience de celui qui en est le siège ne le veuille constamment, ni ne l'entende bien ainsi, et le repentir qu'il se vante lui en venir à certain instant prescrit m'est un peu dur à imaginer et concevoir. Je ne suis pas ici la secte de Pythagore : que les hommes prennent une âme nouvelle quand ils approchent des statues des dieux pour recueillir leurs oracles, à moins qu'il voulût dire cela même qu'il faut bien qu'elle soit étrangère, nouvelle, et prêtée pour l'occasion, puisque la nôtre montre si peu de signes de la purification et de la pureté convenables à la dignité d'un pareil office. Ces faux repentis dont je parlais font tout à l'opposé des préceptes stoïciens, qui nous ordonnent bien de corriger les imperfections et les vices que nous reconnaissons en nous, mais nous défendent d'en laisser altérer le repos de notre âme. Nos bons apôtres nous font accroire qu'ils ont de leurs vices grand déplaisir et remords au-dedans, mais d'amendement et de correction, ni d'interruption, ils ne nous en laissent rien paraître. Pourtant ce n'est pas guérison si l'on ne se décharge du mal : si la repentance pesait sur le plat de la balance, elle emporterait le péché ! Je ne trouve aucune qualité si aisée à contrefaire que la dévotion, si l'on n'y conforme ses mœurs et sa vie : son essence est abstruse et occulte ; les apparences, faciles et pompeuses. Quant à moi, je puis bien désirer, sur un plan général, d'être autre, je puis condamner ma forme universelle et la juger déplaisante, et supplier Dieu pour mon entière réformation, et qu'il excuse ma faiblesse naturelle, mais cela, je ne le dois point nommer repentir, ce me semble, non plus que le déplaisir de n'être ni ange ni Caton. Mes actions sont réglées et conformes à ce que je suis et à ma condition. Je ne puis faire mieux, et le repentir ne touche pas proprement les choses qui ne sont pas en notre pouvoir : mais bien le regret. J'imagine un nombre infini de natures plus hautes et plus réglées que la mienne : je n'amende pas pour autant mes facultés, tout comme ni mon bras ni mon esprit ne deviennent plus vigoureux pour en concevoir un autre qui le soit ! Si d'imaginer et désirer un agir plus noble que le nôtre produisait la repentance du nôtre, nous aurions à nous repentir de nos opérations les plus innocentes, d'autant que nous jugeons bien que chez une nature plus excellente elles auraient été conduites avec une perfection et une dignité plus grandes, et nous voudrions faire de même. Lorsque je songe aux comportements de ma jeunesse et que je les compare avec ma vieillesse, je trouve que je les ai communément conduits avec ordre, selon mes forces. C'est tout ce que peut ma résistance. Je ne me flatte pas : à circonstances pareilles, je serai toujours le même. Ce n'est là point une moucheture, c'est plutôt une teinture générale qui me tache. Je ne connais pas de repentance superficielle, moyenne, et de pure cérémonie. Il faut qu'elle me touche de toutes parts avant que je la nomme ainsi, et qu'elle pince mes entrailles, et les afflige aussi profondément que Dieu me voit, et aussi complètement. Dans les affaires, il m'est échappé plusieurs bonnes occasions, faute d'heureuse direction. Mes résolutions ont pourtant bien choisi, selon les cas qu'on leur présentait : leur façon de faire est de prendre toujours le parti le plus facile et le plus sûr. Je trouve que dans mes décisions passées j'ai, selon ma règle, sagement procédé, en considération de l'état de la chose qu'on me proposait, et j'en ferais autant d'ici à mille ans en pareilles occasions. Je ne regarde pas quelle est la chose à cette heure, mais quelle elle était quand j'en délibérais. La force de toute décision réside dans le temps : les occasions et les matières roulent et changent sans cesse. J'ai encouru quelques lourdes erreurs dans ma vie, et d'importance, non par faute de bon calcul, mais par faute de chance. Il y a des parties secrètes propres aux affaires que l'on manie, et indevinables, notamment dans la nature des hommes : des conditions muettes, sans étalage, inconnues parfois du possesseur même, qui se produisent et s'éveillent par des événements qui surviennent. Si ma prudence ne les a pu pénétrer et prophétiser, je ne lui en sais nul mauvais gré : sa charge se contient dans ses limites. Si l'événement me bat et s'il favorise le parti que j'ai refusé, il n'y a nul remède, je ne m'en prends pas à moi, j'accuse ma fortune, non pas mon ouvrage : cela ne s'appelle pas *repentir*. Phocion avait donné aux Athéniens certain avis, qui ne fut pas suivi. L'affaire pourtant se passant contre son opinion avec prospérité, quelqu'un lui dit : « Eh bien ! Phocion, es-tu content que la chose aille si bien ? – Bien suis-je content, fit-il, qu'il soit advenu ceci, mais je ne me repens point d'avoir conseillé cela. » Quand mes amis s'adressent à moi pour être conseillés, je le fais librement et clairement, sans m'arrêter comme le fait quasi tout le monde, à ce que, la chose étant hasardeuse, il peut advenir le contraire de ce que je pense, par où ils auraient à me faire reproche de mon conseil : ce dont il ne me chaut, car ils auront tort, et je ne devais pas leur refuser ce service. Je n'ai guère à m'en prendre de mes fautes ou de mes infortunes à un autre qu'à moi. Car en effet je me sers rarement des avis d'autrui, si ce n'est par déférence de pure cérémonie, sauf quand j'ai besoin d'être instruit sur un point, ou de la connaissance du fait. Mais pour les choses où je n'ai à employer que le jugement, les raisons étrangères peuvent servir à m'appuyer, mais peu à me détourner. Je les écoute toutes favorablement et poliment. Mais, autant qu'il m'en souvienne, je n'en ai cru jusqu'à cette heure que les miennes. Selon moi, ce ne sont là que mouches et atomes qui promènent ma volonté. Je prise peu mes opinions, mais je prise aussi peu celles des autres. La fortune m'en paye dignement : si je ne reçois pas de conseil, j'en donne aussi peu ! Je suis peu requis à donner des conseils, et encore moins cru, et je ne sache nulle entreprise publique ni privée que mon avis ait redressée et ramenée. Ceux-là mêmes que la fortune avait portés à prendre en quelque façon mon conseil se sont laissés plus volontiers manier par toute autre cervelle qu'à la mienne. En homme bien aussi jaloux des droits de mon repos que des droits de mon autorité, je l'aime mieux ainsi. En me laissant là, on fait selon ce que je professe, qui est de m'établir et contenir tout en moi : ce m'est un plaisir d'être désintéressé des affaires des autres, et dégagé d'avoir à les garder. Dans toutes les affaires, quand elles sont passées, quelle qu'en ait été l'issue, j'ai peu de regret, car cette pensée me met hors de peine, qu'elles devaient ainsi se passer : les voilà prises dans le grand cours de l'univers, et dans l'enchaînement des causes des Stoïciens ; votre pensée n'en peut, par souhait et par imagination, déplacer un seul point sans que l'ordre entier des choses ne soit renversé, et le passé et l'avenir.

Au demeurant, je hais ce repentir accidentel que l'âge nous apporte. Celui qui, chez les Anciens, disait être obligé aux années de ce qu'elles l'avaient défait de la volupté avait une autre opinion que la mienne : je ne saurai jamais bon gré à l'impuissance de quelque bien qu'elle me fasse : jamais l'on ne verra la Providence si dégoûtée de son œuvre qu'on en vienne à compter l'impuissance parmi les perfections *nec tam auersa unquam uidebitur ab opere suo prouidentia, ut debilitas inter optima inuenta sit* ! [1] Nos désirs sont rares dans la vieillesse ; une profonde satiété nous saisit après le coup : en cela je ne vois rien qui vienne de la conscience ! Le chagrin et la faiblesse nous impriment une vertu lâche et catarrheuse. Il ne faut pas nous laisser emporter si entiers par les altérations naturelles que nous en abâtardissions notre jugement. La jeunesse et le plaisir ne m'ont pas autrefois empêché de reconnaître le visage du vice sous la volupté, ni à cette heure le dégoût que les ans m'apportent ne m'empêche de reconnaître celui de la volupté dans le vice. Maintenant que je n'y suis plus, j'en juge comme si j'y étais. Moi qui secoue ma raison vivement et attentivement, je trouve qu'elle est celle même que j'avais à l'âge le plus licencieux, sinon, peut-être, qu'elle s'est affaiblie et empirée en vieillissant. Et je considère que ce refus de m'enfourner au plaisir, elle ne le ferait pas plus dans l'intérêt de ma santé physique qu'autrefois pour la santé morale. Pour la voir hors de combat, je ne l'en estime pas plus valeureuse ! Mes tentations sont si cassées et si mortifiées qu'elles ne valent pas qu'elle s'y oppose : tendant seulement les mains au devant, je les conjure. Qu'on la remette en présence de cette ancienne concupiscence, je crains qu'elle aurait moins de force à la soutenir qu'elle n'en avait autrefois. Je ne lui vois rien juger à part soi qu'alors elle ne jugeât, ni aucune nouvelle clarté. Par quoi, s'il y a convalescence, c'est une convalescence qui reste contaminée. Misérable sorte de remède que de devoir sa santé à la maladie ! Ce n'est pas à notre malheur de remplir cet office, c'est au bonheur de notre jugement. On ne me fait rien faire par les offenses et les afflictions, sinon les maudire. C'est bon pour les gens qui ne s'éveillent qu'à coups de fouet ! Ma raison a bien son cours plus libre dans la prospérité : elle est bien plus distraite et occupée à digérer les maux que les plaisirs. Je vois bien plus clair par temps serein. La santé

1. Quintilien, *Institution oratoire*, V, XII, 19.

m'avertit, comme plus allègrement, plus utilement aussi, que la maladie. Je me suis avancé le plus que j'ai pu vers ma réparation et le règlement de ma vie lorsque j'avais à en jouir. Je serais honteux et dépité que la misère et l'infortune de ma vieillesse dussent être préférées à mes bonnes années, saines, éveillées, vigoureuses. Et qu'on eût à m'estimer, non par où j'ai été, mais par où j'ai cessé d'être ! À mon avis, c'est le vivre heureusement, et non, comme disait Antisthène, le mourir heureusement, qui fait l'humaine félicité. Je ne me suis pas efforcé d'attacher monstrueusement la queue d'un philosophe à la tête et au corps d'un homme perdu, ni à faire que ce dernier bout chétif eût à désavouer et démentir la plus belle partie de ma vie, la plus intacte, et la plus longue. Je me veux présenter et faire voir partout de façon uniforme : si j'avais à revivre, je revivrais comme j'ai vécu. Ni je ne plains le passé, ni je ne crains l'avenir. Et, si je ne m'abuse, les choses sont allées au-dedans environ comme au-dehors. C'est une des principales obligations que j'aie à ma fortune, que le cours de mon état corporel ait été conduit avec chaque chose en sa saison : j'en ai vu l'herbe, et les fleurs, et le fruit ; et j'en vois la sécheresse. Heureusement, puisque c'est naturellement. Je supporte d'autant plus doucement les maux que j'ai qu'ils viennent en leur temps, et qu'ils me font aussi plus favorablement souvenir de la longue félicité de ma vie passée. Pareillement, ma sagesse peut bien être de même taille en l'un et en l'autre temps, mais elle était bien de plus d'éclat, et de meilleure grâce, verte, gaie, naïve, qu'elle n'est à présent : cassée, grondeuse, laborieuse. Je renonce donc à ces réformations circonstancielles et douloureuses.

Il faut que Dieu nous touche le cœur : il faut que notre conscience s'amende d'elle-même, par un renforcement de notre raison, non par l'affaiblissement de nos appétits. La volupté n'en est en soi ni pâlie ni décolorée, pour être aperçue par des yeux chassieux et troubles. On doit aimer la tempérance par elle-même, et pour le respect de Dieu qui nous l'a ordonnée, ainsi que la chasteté : celle que les catarrhes nous prêtent, et que je dois au bénéfice de ma colique, ce n'est ni chasteté, ni tempérance. On ne peut se vanter de mépriser et de combattre la volupté si on ne la voit, si on l'ignore, elle et ses grâces, et ses forces, et sa beauté la plus attrayante. Je connais l'un et l'autre âge : je puis bien en parler ; mais il me semble que dans la vieillesse nos âmes sont sujettes à des maladies et à des imperfections plus importunes que pendant la jeunesse. Je le disais étant jeune, et l'on me renvoyait alors dans le nez la nudité de mon menton ; je le dis encore à cette heure que mon poil gris m'en donne le crédit : nous appelons *sagesse* la difficulté de nos humeurs, le dégoût des choses présentes, mais à la vérité nous ne quittons pas tant les vices que nous ne les changeons, et, à mon opinion, en pis. Outre une sotte et chancelante fierté, un babil ennuyeux, ces humeurs épineuses et insociables, et la superstition, et un soin ridicule des richesses, alors que l'utilité en est perdue, je trouve en la vieillesse plus d'envie, d'injustice et de malignité. Elle nous attache plus de rides à l'esprit qu'au visage : et il ne se voit point d'âmes, ou fort rares, qui en vieillissant ne sentent l'aigre et le moisi. L'homme marche entier vers son croît puis son décroît.

À voir la sagesse de Socrate et plusieurs circonstances de sa condamnation, j'oserais croire qu'il s'y prêta en quelque façon lui-même, par connivence avec ses accusateurs, à dessein, promis qu'il était, à l'âge de soixante et dix ans, à devoir si promptement souffrir l'engourdissement des riches allures de son esprit, et l'éblouissement de sa clarté accoutumée. Quelles métamorphoses ne vois-je pas la vieillesse faire tous les jours chez plusieurs de mes connaissances ? C'est une puissante maladie, et qui se coule en nous naturellement, et imperceptiblement : il y faut grande provision d'effort, et grande précaution, pour éviter les imperfections dont elle nous charge, ou au moins affaiblir leur progrès. Je sens que, nonobstant toutes les tranchées que je creuse, elle gagne pied à pied sur moi : je soutiens tant que je puis, mais je ne sais enfin où elle me mènera moi-même. En tout cas, je suis content qu'on sache d'où je serai tombé.

De trois commerces

[Chapitre III]

Il ne faut pas se clouer trop fort à ses humeurs et à son tempérament : notre principal talent, c'est de savoir s'appliquer à divers exercices. C'est *être*, mais ce n'est pas *vivre* que se tenir attaché et obligé par nécessité à un seul mode de vie. Les plus belles âmes sont celles qui ont le plus de variété et de souplesse. En voici un admirable témoignage, à propos de Caton l'Ancien : Celui-là avait l'esprit si également souple à tout emploi que l'on eût dit que, quoi qu'il fît, il ne fût né que pour cela *Huic versatile ingenium sic pariter ad omnia fuit ut natum ad id unum diceres quodcumque ageret.* [1] Si c'était à moi à me dresser à ma mode, il n'est aucune si bonne façon où je voulusse être fixé que je ne m'en sache

1. Tite-Live, XXXIX, XL, 5-6.

déprendre. La vie est un mouvement inégal, irrégulier, et multiforme. Ce n'est pas être ami de soi, et moins encore maître, c'est en être esclave, que de se suivre incessamment et d'être si prisonnier de ses inclinations qu'on n'en puisse se dévoyer, qu'on ne les puisse tordre.

Je le dis à cette heure parce que je ne puis facilement me dépêtrer de l'importunité de mon âme, du fait qu'elle ne sait d'ordinaire s'amuser, sinon quand elle se heurte à quelque obstacle, ni s'employer autrement que bandée et tout entière. Quelque léger sujet qu'on lui donne, elle le grossit à plaisir, et l'étire jusqu'au point où elle ait à s'y embesogner de toute sa force. Son oisiveté m'est pour cette raison une pénible occupation, et qui attaque ma santé. La plupart des esprits ont besoin de matière étrangère pour se dégourdir et s'exercer : le mien en a besoin pour se rasseoir plutôt et se poser : chassons les vices du loisir par le travail *uitia otii negotio discutienda sunt,* [1] car sa plus laborieuse et principale étude, c'est de s'étudier soi. Les livres sont pour lui du genre des occupations qui le débauchent de son étude. Aux premières pensées qui lui viennent, il s'agite, et fait preuve de sa vigueur en tous sens, exerce son maniement tantôt vers la force, tantôt vers l'ordre et la grâce, se range, se modère, et se fortifie. Il a de quoi éveiller ses facultés par lui-même : Nature lui a donné, comme à tous, assez de matière sienne pour son utilité, et assez de sujets propres, où inventer et juger. Méditer est un puissant exercice, et plein, pour qui sait se tâter et s'employer vigoureusement. J'aime mieux forger mon âme que la meubler. Il n'est point d'occupation ni plus faible, ni plus forte que celle de s'entretenir avec ses pensées selon l'état de son âme. Les plus grandes en font leur occupation, elles pour qui vivre, c'est penser, *quibus uiuere est cogitare*. [2] Aussi nature a-t-elle favorisé la pensée de ce privilège qu'il n'y a rien que nous puissions faire si longtemps, ni action à laquelle nous nous adonnions plus ordinairement et plus facilement. C'est la besogne des dieux, dit Aristote, de laquelle naît et leur béatitude et la nôtre. La lecture me sert spécialement à éveiller par divers objets mon discours, à faire travailler mon jugement, non ma mémoire.

Peu d'entretiens donc m'arrêtent sans vigueur et sans effort. Il est vrai que la grâce et la beauté me remplissent et m'occupent autant ou plus que le poids et la profondeur. Et parce que je sommeille en toute autre communication, et que je n'y prête que l'écorce de mon attention, il m'advient souvent, en certaine sorte de propos abattus et lâches, propos de contenance, de dire et répondre des songes et des bêtises indignes d'un enfant, et ridicules ; ou de me tenir obstiné en

1. Sénèque, *Lettres à Lucilius*, LVI, 9.
2. Cicéron, *Tusculanes*, V, XXXVIII, 111.

silence, de façon plus inepte encore, et plus incivile. J'ai une façon rêveuse qui me retire en moi, et d'autre part une lourde ignorance, et puérile, de plusieurs choses communes : par ces deux propriétés, j'ai gagné qu'on puisse faire, au vrai, cinq ou six contes sur moi aussi niais que sur autre quel qu'il soit.

Maintenant, pour poursuivre mon propos, ce tempérament difficile me rend délicat la pratique des hommes : il me les faut trier sur le volet ; et je me rends inhabile aux actions communes. Nous vivons et commerçons avec le peuple : si sa conversation nous importune, si nous dédaignons de nous appliquer aux âmes basses et vulgaires (et les basses et vulgaires sont souvent aussi réglées que les plus déliées, – et toute sapience est insipide qui ne s'accommode à l'*insipience* commune), il ne faut plus nous mêler ni de nos propres affaires, ni de celles d'autrui. Et les affaires tant publiques que privées se démêlent avec ces gens-là. Les allures les moins tendues et les plus naturelles de notre âme sont les plus belles, les meilleures occupations, les moins efforcées. Mon Dieu, que la sagesse rend un bon service à ceux chez qui elle subordonne les désirs à leur pouvoir ! Il n'est point de plus utile science. « Selon qu'on peut » : c'était le refrain et le mot favori de Socrate : mot de grande substance : il faut adresser et arrêter nos désirs aux choses les plus aisées et les plus prochaines. N'est-ce pas chez moi une sotte humeur que de ne pas m'accorder avec un millier de gens à qui mon sort me joint, de qui je ne puis me passer, pour me tenir à un ou deux qui sont hors de mon commerce, ou plutôt à un désir chimérique de chose que je ne puis recouvrer ? Mes mœurs molles, ennemies de toute aigreur et âpreté, peuvent aisément m'avoir déchargé d'envies et d'inimitiés. D'être aimé, je ne dis pas, mais de n'être point haï, jamais homme n'en donna plus d'occasion. Mais la froideur de ma conversation m'a dérobé avec raison la bienveillance de plusieurs, qui sont excusables de l'interpréter dans un autre et pire sens.

Je suis très capable d'acquérir et de conserver des amitiés rares et des mieux choisies. D'autant que je me harponne avec si grande faim aux relations qui reviennent à mon goût, je m'y produis, je m'y jette si avidement que je ne manque pas aisément de m'y attacher, et d'imprimer ma trace là où je frappe : j'en ai fait souvent l'heureuse preuve. Dans les amitiés communes, je suis en quelque sorte stérile et froid, car mon allure n'est pas naturelle si elle n'est à pleine voile. Outre cela que ma fortune, qui m'habitua et fit goûter dès ma jeunesse à une amitié unique et parfaite, m'a, à la vérité, quelque peu dégoûté des autres, et trop imprimé dans l'imagination que l'amitié est « bête de meute », non pas « de troupeau », comme disait ce grand ancien.

Ajoutons que j'ai naturellement peine à me livrer à demi, et avec déguisement, et aussi cette prudence servile et soupçonneuse qu'on nous recommande d'avoir dans le commerce de ces amitiés nombreuses et imparfaites. Et l'on nous la recommande tout particulièrement en ce temps où l'on ne peut parler du monde que dangereusement, ou faussement.

Aussi vois-je bien pourtant que qui a, comme moi, pour seule fin les agréments de sa vie (je dis les agréments essentiels) doit fuir comme la peste ces difficultés-là et cette délicatesse d'humeur. Je louerais volontiers une âme à plusieurs étages, qui sache et se tendre et se relâcher, qui soit bien partout où sa fortune la porte, qui puisse deviser avec son voisin de son bâtiment, de sa chasse et de son procès, entretenir avec plaisir un charpentier et un jardinier. J'envie ceux qui savent s'apprivoiser au moindre personnage de leur suite, et s'entretenir aisément avec leurs gens.

Et le conseil de Platon ne me plaît pas, de parler toujours en maître à ses serviteurs, sans jeu, sans familiarité, que ce soit envers les mâles ou envers les femelles. Car, outre la raison que je viens de dire, il est inhumain et injuste de faire tant valoir cette prérogative de la fortune telle quelle, et les États dans lesquels on souffre le moins de disparité entre les valets et les maîtres me semblent les plus équitables.

Les autres s'étudient à hausser et guinder leur esprit ; moi, à le baisser et coucher : il n'est boiteux que lorsqu'il s'élève trop :

Tu contes et la race d'Éaque, et les combats livrés sous la sainte Ilion, mais combien coûte un pot de vin de Chio, qui fera tiédir l'eau, chez quel hôte, et à quelle heure me lâchera ce froid digne des Abruzzes, ça tu n'en pipes mot,

Narras et genus Æaci,
Et pugnata sacro bella sub Ilio,
Quo Chium pretio cadum
Mercemur, quis aquam temperet ignibus,
Quo præbente domum, Et quota
Pelignis caream frigoribus, taces. [1]

Ainsi, de même que la vaillance lacédémonienne avait besoin de modération et du son doux et gracieux du jeu des flûtes pour la flatter en guerre, de peur qu'elle ne se jetât dans la témérité et la furie, quand toutes les autres nations d'ordinaire emploient des sons et des voix aiguës et fortes qui émeuvent et échauffent à outrance le courage des soldats, il me semble de même, contre l'habitude ordinaire, qu'en l'usage de notre esprit nous avons, pour la plupart, plus besoin de plomb que d'ailes, de froideur et de repos que d'ardeur et d'agitation.

1. Horace, *Odes*, III, XIX, 3-8.

Surtout, c'est à mon gré bien faire le sot que de faire l'entendu au milieu de ceux qui ne le sont pas : et de parler toujours bandé, comme on dit : sur la pointe d'une fourchette *fauellar in punta di forchetta* ! [1] Il faut descendre et se mettre au train de ceux avec qui vous êtes, et parfois affecter l'ignorance. Mettez à part votre force et votre subtilité : pour l'usage commun, c'est assez d'y réserver l'ordinaire. Traînez-vous à terre, au demeurant, s'ils le veulent !

Les savants achoppent souvent à cette pierre : ils font toujours parade de leur magistère, et sèment leurs livres partout. Ils en ont, de notre temps, fait résonner si fort les cabinets et les oreilles des dames que si elles n'en ont retenu la substance, au moins elles en ont la mine. À toute sorte de propos et matière, si humble et familière qu'elle soit, elles se servent d'une façon de parler et d'écrire nouvelle et savante :

Voilà leur vocabulaire pour la peur, voilà pour l'ire, les joies, les peines, voilà dans quels termes elles vont nous livrer tous les petits secrets de leur cœur ! Que dire d'autre ? Elles se mettent au lit doctement

Hoc sermone pauent, hoc iram, gaudia, curas,
Hoc cuncta effundunt animi secreta, quid ultra ?
Concumbunt docte. [2]

Et d'alléguer Platon et saint Thomas pour des choses auxquelles le premier venu servirait aussi bien de témoin ! La doctrine qui ne leur a pu arriver jusqu'à l'âme leur est demeurée sur la langue. Si les personnes bien nées m'en croient, elles se contenteront de faire valoir leurs richesses propres et naturelles. Elles cachent et couvrent leurs beautés sous des beautés étrangères : c'est grande naïveté d'étouffer sa clarté pour luire d'une lumière empruntée ; elles sont enterrées et ensevelies sous l'art, sortant de pied en cap de leur poudrier *de capsula totæ.* [3] C'est qu'elles ne se connaissent point assez : le monde n'a rien de plus beau ; c'est à elles d'honorer les arts, et de farder le fard ! Que leur faut-il d'autre que de vivre aimées et honorées ? Elles n'ont et ne savent que trop pour cela. Il ne faut qu'éveiller un peu et réchauffer les facultés qui sont en elles. Quand je les vois attachées à la rhétorique, au droit, à la logique, et semblables drogueries, si vaines et si inutiles à leur besoin, j'entre en crainte que les hommes qui le leur conseillent ne le fassent pour avoir droit de les régenter sous ce prétexte. Car quelle autre excuse leur trouverais-je ? Basta que sans nous elles sachent ranger la grâce de leurs yeux à la gaieté, à la sévérité et à la douceur,

1. Se dit de ceux qui parlent avec affectation.
2. Juvénal, VI, 189-191.
3. Sénèque, *Lettres à Lucilius*, CXV, 2.

assaisonner un *nenni* de rudesse, de doute, et de faveur, et qu'elles ne cherchent point d'interprète savant aux discours qu'on fait pour les servir. Avec cette science, elles commandent à la baguette et régentent les régents et l'école ! Si toutefois il leur fâche de nous céder en quoi que ce soit, et si elles veulent par curiosité avoir part aux livres, la poésie est un amusement propre à leur besoin : c'est un art badin et subtil, paré, tout en paroles, tout en plaisir, tout en parade, comme elles. Elles tireront aussi divers agréments de l'histoire. Dans la philosophie, de la part qui sert à la vie, elles prendront les discours qui les dressent à juger de nos humeurs et conditions, à se défendre de nos trahisons, à régler la témérité de leurs propres désirs, à ménager leur liberté, allonger les plaisirs de la vie, et à supporter humainement l'inconstance d'un serviteur, la rudesse d'un mari, et l'importunité des ans et des rides, et toutes choses semblables. Voilà, tout au plus, la part que je leur désignerais dans les sciences.

Il y a des naturels réservés, retirés, et renfermés ; ma forme essentielle est propre à se communiquer et s'exprimer : je suis tout au dehors et en évidence, né pour la société et à l'amitié. La solitude que j'aime et que je prêche, ce n'est principalement que ramener à moi mes affections et mes pensées, restreindre et resserrer, non mes pas, mais mes désirs et mon souci, repoussant la sollicitude extérieure, et fuyant mortellement la servitude et l'obligation, et non tant la foule des hommes que la foule des affaires. L'isolement, à dire la vérité, m'étend plutôt et m'élargit au dehors : je me jette plus volontiers dans les affaires d'État et dans les choses du monde quand je suis seul. Au Louvre et au milieu de la presse, je me resserre et me contrains en ma peau. La foule me repousse vers moi. Et je ne m'entretiens jamais si follement, si librement et si personnellement que dans les lieux de respect et de précaution cérémonieuse. Nos folies ne me font pas rire, mais nos prudences. Par tempérament, je ne suis pas ennemi de l'agitation des cours : j'y ai passé une partie de ma vie, et je suis fait à me porter allègrement vers les grandes compagnies, pourvu que ce soit par intervalles, et à mon heure. Mais cette mollesse de jugement dont je parle m'attache par force à la solitude, même chez moi, au milieu d'une famille nombreuse et d'une maison des plus fréquentées. J'y vois des gens assez, mais rarement ceux avec qui j'aime à communiquer. Et je réserve là, et pour moi, et pour les autres, une liberté inusitée : il s'y fait trêve de cérémonie, de compagnie, et de raccompagnements, et tels autres règlements pénibles de notre courtoisie (ô le servile et importun usage !) ; chacun s'y gouverne à sa mode ; y entretient qui veut de ses pensées ; je m'y tiens muet, rêveur, et enfermé, sans offenser mes hôtes.

Les hommes, de la société et de la familiarité desquels je suis en quête sont ceux qu'on appelle honnêtes et habiles hommes : l'image que je me fais de ceux-ci m'ôte le goût des autres. C'est là, à le bien prendre, de toutes nos formes, la plus rare, et forme qui se doit principalement à la nature. La fin de ce commerce, c'est simplement la privauté, la fréquentation, et la *conférence* [1], l'exercice des âmes, sans autre fruit. Dans nos propos, tous les sujets me sont égaux. Il ne me chaut qu'il n'y ait ni poids ni profondeur. La grâce et la pertinence y sont toujours : tout y est teint d'un jugement mûr et constant, et mêlé de bonté, de franchise, de gaieté et d'amitié. Ce n'est pas au sujet des substitutions [2] seulement que notre esprit montre sa beauté et sa force, et aux affaires des rois : il la montre autant aux conversations privées. Je connais mes gens au silence même, et à leur sourire, et les découvre mieux à l'aventure à table qu'au conseil. Hippomaque disait bien qu'il connaissait les bons lutteurs à les voir simplement marcher dans une rue. S'il plaît à la doctrine de se mêler à nos devis, elle n'en sera point refusée : non pas magistrale, impérieuse, et importune, comme de coutume, mais subordonnée et docile elle-même. Nous n'y cherchons qu'à passer le temps : à l'heure d'être instruits et prêchés, nous l'irons trouver sur son trône. Qu'elle descende jusqu'à nous pour ce coup s'il lui plaît, car tout utile et désirable qu'elle est, je présuppose qu'encore au besoin nous pourrions bien nous en passer tout à fait, et faire notre affaire sans elle. Une âme bien née, et exercée à la pratique des hommes, se rend pleinement agréable d'elle-même. L'art n'est autre chose que l'inventaire et le registre des productions de telles âmes.

C'est aussi pour moi un doux commerce que celui des belles et honnêtes femmes, car moi aussi, j'ai l'œil expert *nam nos quoque oculos eruditos habemus.* [3] Si l'âme n'y a pas tant à jouir que dans le premier, les sens corporels qui participent aussi plus à celui-ci le ramènent à une proportion voisine de l'autre, quoique, selon moi, non égale. Mais c'est un commerce où il se faut tenir un peu sur ses gardes : et notamment ceux chez qui le corps peut beaucoup, comme moi.

1. *Conversation.* « Conférer », « conférence », au sens de « converser », « conversation » sont des mots fétiches du vocabulaire de Montaigne. « L'art de conférer » (III, 8), c'est, proprement, l'art de *se comparer*, et *confronter* aux autres au cours d'un échange vif et enjoué, de joutes cultivées, mais toujours élégantes et dénuées de pédantisme.

2. Terme de droit privé : dispositions par lesquelles un légataire se voyait, en vertu du testament, tenu de transmettre à sa mort tel bien qu'il avait reçu à un tiers désigné par le disposant.

3. Cicéron, *Paradoxes*, V, II, 38.

Je m'y échaudai dans ma jeunesse, et y souffris toutes les rages que les poètes disent advenir à ceux qui s'y laissent aller sans ordre et sans jugement. Il est vrai que ce coup de fouet m'a servi depuis d'instruction,

Qui dans la flotte d'Argos a échappé à Capharée
toujours vire de bord pour fuir les flots d'Eubée

Quicumque Argolica de classe Capharea fugit,
Semper ab Euboicis uela retorquet aquis. [1]

C'est folie d'y attacher toutes ses pensées, et de s'y engager avec une passion furieuse et indiscrète. Mais, d'un autre côté, s'y mêler sans amour et sans obligation de sa volonté, à la façon des comédiens, pour jouer ce rôle convenu que veulent l'âge et la coutume, et n'y mettre de soi que les paroles, c'est, de vrai, pourvoir à sa sûreté, mais bien lâchement, comme celui qui abandonnerait son honneur ou son profit ou son plaisir de peur du danger, car il est certain, que d'une telle relation, ceux qui l'établissent n'en peuvent espérer aucun fruit qui touche ou satisfasse une belle âme. Il faut avoir à bon escient désiré ce dont on veut prendre à bon escient plaisir à jouir. Je dis : quand bien même la fortune favoriserait injustement leur comédie, ce qui advient souvent, à cause de ce qu'il n'y a aucune d'elles, pour contrefaite qu'elle soit, qui ne pense être bien aimable, qui ne se recommande par son âge, ou par son poil, ou par son mouvement (car de laides entièrement, il n'en est pas plus que de belles) ; et les filles Brahmanes qui ont défaut de quelque autre mérite, le peuple étant assemblé à cri public à cette fin, vont sur la place faire montre de leurs parties génitales, pour voir si par là au moins elles ne valent pas d'acquérir un mari.

Par conséquent il n'en est pas une qui ne se laisse facilement persuader au premier serment qu'on lui fait de la servir. Or, de cette trahison commune et ordinaire des hommes d'aujourd'hui, il faut qu'il advienne ce que déjà nous montre l'expérience : c'est qu'elles se rallient et rejettent à elles-mêmes, ou entre elles, pour nous fuir, ou bien qu'elles se rangent aussi de leur côté à cet exemple que nous leur donnons : qu'elles jouent leur part de la farce, et se prêtent à cette fréquentation sans passion, sans soin et sans amour, sans être liées ni par leur cœur ni par celui de l'autre, *neque affectui suo aut alieno obnoxiæ.* [2] Estimant, suivant le conseil de Lysias dans Platon, qu'elles se peuvent donner d'autant plus utilement et commodément à nous que moins nous les

1. Ovide, *Les Tristes*, I, I, 83-84.
2. Tacite, *Annales*, XIII, XLV, 7.

aimons. Il en ira comme des comédies, le peuple y aura autant ou plus de plaisir que les comédiens.

De moi, je ne connais pas plus Vénus sans Cupidon qu'une maternité sans progéniture : ce sont choses qui s'entre-prêtent et s'entre-doivent leur essence ! Ainsi cette piperie rejaillit sur celui qui la fait : il ne lui en coûte guère, mais il n'acquiert aussi rien qui vaille. Ceux qui ont fait de Vénus une déesse ont regardé que sa principale beauté était incorporelle et spirituelle. Mais celle que ces gens-ci cherchent n'est pas seulement humaine, ni même animale : les bêtes ne la veulent pas si lourde et si terrestre ! Nous voyons que l'imagination et le désir les échauffent souvent et sollicitent avant le corps : nous voyons chez l'un et l'autre sexe que dans le troupeau elles ont du choix et du tri dans leurs affections, et qu'elles ont entre elles des accointances de longue bienveillance. Celles mêmes à qui la vieillesse refuse la force corporelle frémissent encore, hennissent et tressaillent d'amour. Nous les voyons, avant le fait, pleines d'espérance et d'ardeur, et, quand le corps a joué son jeu, se chatouiller encore du fait de la douceur de cette souvenance ; et nous en voyons qui s'enflent de fierté au partir de là, et qui en produisent des chants de fête et de triomphe, lasses et saoules : qui ne cherche qu'à se décharger le corps d'un besoin naturel n'a que faire d'y amener autrui avec des préparatifs aussi soigneux : l'amour n'est pas la viande pour grosse et lourde faim.

Ne demandant point qu'on me tienne pour meilleur que je suis, je dirai ceci des erreurs de ma jeunesse. Non seulement pour le danger qu'il y a de la santé, (je n'ai pourtant su si bien faire que je n'en aie eu deux atteintes, légères toutefois, et sans complication) mais encore par mépris, je ne me suis guère adonné aux accointances vénales et publiques. J'ai voulu aiguiser ce plaisir par la difficulté, par le désir, et par quelque gloire. Et j'aimais la façon de l'Empereur Tibère, qui se prenait dans ses amours autant par la modestie et la noblesse que par d'autres qualités ; j'aimais aussi l'humeur de la courtisane Flora, qui ne se prêtait à moins que d'un Dictateur, d'un Consul, ou d'un Censeur, et prenait son plaisir dans la dignité de ses amoureux. Certes les perles et le brocart y confèrent quelque chose, et les titres, et le train. Au demeurant, je tenais grand compte de l'esprit, mais pourvu que le corps ne laissât pas à désirer, car, pour répondre en conscience, si l'une ou l'autre des deux beautés devait nécessairement y faillir, j'eusse choisi de quitter plutôt la spirituelle : elle a son usage pour de meilleures choses. Mais au sujet de l'amour, sujet qui principalement se rapporte à la vue et à l'attouchement, on fait quelque chose sans les grâces de l'esprit, rien sans les grâces physiques. C'est le vrai avantage des dames que la beauté : elle leur est si propre que la nôtre, quoiqu'elle demande des traits un peu différents, n'est à son point de perfection que lorsqu'elle se confond avec la leur, chez l'enfant ou l'imberbe. On dit que chez le grand Turc ceux qui le servent au titre de leur beauté, et qui sont en nombre infini, reçoivent leur congé au plus tard à vingt et deux ans.

Les raisonnements, la prudence, et les devoirs d'amitié se trouvent davantage chez les hommes, aussi gouvernent-ils les affaires du monde.

Le commerce avec les hommes et celui avec les femmes sont fortuits, et dépendent d'autrui ; l'un est ennuyeux par sa rareté, l'autre se flétrit avec l'âge : ainsi, ils n'eussent pas assez pourvu au besoin de ma vie. Celui des livres, qui est le troisième, est bien plus sûr et plus à nous. Il cède aux premiers les autres avantages, mais il a pour lui la constance, et la facilité du service rendu. Ce commerce-là côtoie tout au long le cours de ma vie et m'assiste partout. Il me console dans la vieillesse et dans la solitude. Il me décharge du poids d'une oisiveté ennuyeuse, et me défait à toute heure des compagnies qui me fâchent. Il émousse les pointes de la douleur, tant qu'elle n'est pas extrême et entièrement maîtresse. Pour me distraire d'une idée importune, je n'ai besoin que de recourir aux livres : ils me détournent facilement à eux, et me la dérobent. Et pourtant ils ne se mutinent point de voir que je ne les recherche qu'au défaut de ces autres agréments, plus réels, plus vifs et plus naturels : ils me reçoivent toujours avec même visage ! « Il a beau jeu », dit-on, « d'aller à pied, qui mène son cheval par la bride ». Et notre Jacques, roi de Naples et de Sicile, qui, beau, jeune, et bien portant, se faisait porter à travers le pays en civière, couché sur un méchant oreiller de plume, vêtu d'une robe de drap gris, et d'un bonnet de même, suivi cependant d'une grande pompe royale, de litières, de chevaux de somme de toutes sortes, de gentilshommes et d'officiers, donnait le spectacle d'une austérité encore assez douce et passagère : le malade n'est pas à plaindre, qui a le remède dans sa manche ! C'est dans l'expérience et la pratique de cette sentence, qui est pleine de vérité, que consiste tout le fruit que je tire des livres. Je ne m'en sers en effet presque pas plus que ceux qui ne les connaissent point : j'en jouis comme les avares de leurs trésors, parce que je sais que j'en jouirai quand il me plaira. Mon âme se rassasie et se contente de ce droit de possession. Je ne voyage pas sans livres, ni en paix, ni en guerre. Toutefois il se passera plusieurs jours et des mois sans que je les emploie : « ce sera tantôt », dis-je, ou « demain », ou « quand il me plaira ». Le temps court et s'en va pendant ce temps sans me blesser, car on ne saurait dire combien je trouve de repos et d'apaisement à considérer qu'ils sont à mon côté pour me donner du plaisir à mon heure, et à reconnaître combien ils portent de secours à ma vie. C'est la meilleure munition que j'aie trouvée pour cet humain voyage. Et je plains extrêmement les hommes d'entendement à qui elle fait défaut. J'accepte d'autant plus vite toute autre sorte d'amusement, si léger qu'il soit, que celui-ci ne peut jamais me faire défaut.

Chez moi, je me retire un peu plus souvent dans ma bibliothèque, d'où, tout d'une main, je commande mon ménage : je donne sur l'entrée, et je vois sous moi mon jardin, ma basse cour, ma cour, et dans la plupart des parties de ma maison. Là, je feuillette à cette heure un livre, à cette heure un autre, sans ordre et sans dessein, à pièces décousues. Tantôt je rêve, tantôt je prends des notes ou je dicte en me promenant mes songes, que voici. Elle est au troisième étage d'une tour. Le premier, c'est ma chapelle, le second une chambre et sa suite, où je me couche souvent pour être seul. Au-dessus, elle a une grande garde-robe. C'était au temps passé le lieu le plus inutile de ma maison : je passe là et la plupart des jours de ma vie, et la plupart des heures du jour. Je n'y suis jamais la nuit. À sa suite est un cabinet assez élégant, capable de recevoir du feu pour l'hiver, très plaisamment percé de fenêtres. Et si je ne craignais non plus le tracas que la dépense, le tracas qui me chasse de toute besogne, j'y pourrais facilement coudre à chaque côté une galerie de cent pas de long et douze de large, de plain-pied, ayant trouvé tous les murs montés pour autre usage à la hauteur qu'il me faut. Tout lieu retiré requiert un promenoir. Mes pensées dorment si je les assois. Mon esprit n'avance pas seul comme quand les jambes l'agitent. Ceux qui étudient sans livre en sont tous là. La figure en est ronde, elle n'a de plat que ce qu'il faut à ma table et à mon siège, et vient en se courbant m'offrir d'une seule vue tous mes livres, rangés sur des pupitres à cinq degrés tout à l'entour. Elle a trois fenêtres de riche et libre perspective, et seize pas de vide en diamètre. En hiver, j'y suis moins continuellement, car ma maison est juchée sur un tertre, comme dit son nom, et n'a point de pièce plus éventée que celle-ci, qui me plaît d'être ainsi un peu pénible et à l'écart, tant pour le fruit de l'exercice, que pour reculer de moi la presse. C'est là mon siège. J'essaye à m'en rendre la domination pure et à soustraire ce seul coin à la communauté et conjugale et filiale et civile. Partout ailleurs je n'ai qu'une autorité verbale, abstraite, indécise. Misérable, à mon gré, qui n'a chez soi où être à soi, où se faire particulièrement la cour, où se cacher. L'ambition paye bien ses gens de les maintenir toujours sur l'étalage, comme la statue d'un marché : grande fortune, grande servitude *magna seruitus est magna fortuna.* [1] Ils n'ont

1. Sénèque, *Consolation à Polybe*, VI, IV.

pas seulement chez eux le petit retrait [1] pour retraite ! Je n'ai rien jugé de si rude dans cette austérité de vie que nos religieux recherchent que ce que je vois dans l'un de leurs ordres : avoir pour règle une perpétuelle société de lieu, et une assistance nombreuse entre eux pour quelque action que ce soit. Et je trouve en quelque façon plus supportable d'être toujours seul que de ne pouvoir jamais l'être.

Si quelqu'un me dit que c'est avilir les muses que de s'en servir seulement de jouet et de passe-temps, il ne sait pas comme moi combien valent le plaisir, le jeu et le passe-temps : peu s'en faut que je ne juge toute autre fin ridicule. Je vis du jour à la journée, et, sans vouloir choquer, je ne vis que pour moi : mes desseins se terminent là. Jeune, j'étudiais pour l'ostentation ; depuis, un peu pour m'assagir ; à cette heure pour m'ébattre : jamais pour le profit. Le goût vain et dépensier que j'avais pour cette sorte de meubles, non pour en pourvoir seulement mon besoin, mais de trois pas au-delà, pour m'en tapisser et parer, je l'ai depuis longtemps abandonné. Les livres ont beaucoup de qualités agréables à ceux qui les savent choisir. Mais aucun bien sans sa peine : c'est un plaisir qui n'est pas net et pur, pas plus que les autres ; il a ses incommodités, et fort pesantes. L'âme s'y exerce, mais le corps, duquel je n'ai pas non plus oublié le soin, demeure cependant sans action, s'avachit et s'attriste. Je ne sache excès plus dommageable pour moi, ni plus à éviter dans ce déclin de l'âge. Voilà mes trois occupations favorites et privées : je ne parle pas ici de celles que je dois au monde par obligation de civilité.

De la diversion

[Chapitre IV]

J'ai autrefois été employé à consoler une dame sincèrement affligée. La plupart de leurs deuils sont artificiels et cérémonieux.

Toujours gonflées de larmes toujours prêtes,
à poste, et n'attendant qu'un signe pour jaillir

Uberibus semper lacrymis, semperque paratis,
In statione sua, atque expectantibus illam
Quo jubeat manare modo. [2]

1. Toilettes, latrines.
2. Juvénal, VI, 273-275.

On s'y prend mal quand on s'oppose à cette passion, car l'opposition les pique et les engage plus avant dans leur tristesse : on exaspère le mal par l'émulation du débat. Nous voyons, pour ce qui est des propos communs, que chose que j'aurai dite sans m'en soucier, si l'on vient à me la contester, je m'en formalise, je l'épouse, et beaucoup plus encore si c'est chose à quoi j'aurais intérêt. Et puis, ce faisant, vous vous présentez à votre opération en faisant une entrée rude, alors que les premiers accueils du médecin envers son patient doivent être gracieux, gais, et agréables. Jamais médecin laid et rechigné n'y fit bon travail. Au contraire donc, il faut aider d'emblée et favoriser leur plainte, et en témoigner quelque approbation et excuse. Par cette connivence, vous gagnez crédit à passer outre, et, par une facile et insensible inclination, vous vous coulez aux discours plus fermes et propres à leur guérison. Moi, qui ne désirais principalement que d'éblouir l'assistance qui avait les yeux sur moi, je résolus de plâtrer le mal. Aussi se trouva-t-il – et l'expérience le prouva – que j'avais eu la main malheureuse, et infructueuse à persuader. Ou je présente mes raisons trop pointues et trop sèches, ou trop brusquement, ou trop nonchalamment. Après que je me fus employé un temps à lui parler de son tourment, je n'essayai pas de le guérir par quelques fortes et vives raisons, parce que j'en suis démuni, ou que je pensais autrement faire mieux mon effet : ni je n'allai choisissant les diverses manières que la philosophie prescrit pour consoler : « que ce dont on pleure la perte n'est pas un mal », comme Cléanthe ; « que c'est un mal léger », comme les Péripatéticiens ; « que se plaindre n'est ni juste ni louable », comme Chrysippe ; ni celle-ci d'Épicure, plus proche pourtant de mon style, qu'il faut « transférer la pensée des choses fâcheuses aux plaisantes » ; ni n'allai faire une charge de tout cet amas, en l'utilisant selon les cas et les personnes, comme Cicéron. Mais infléchissant tout doucement nos propos, et les gauchissant peu à peu vers les sujets les plus voisins, et puis un peu plus éloignés, à mesure qu'elle se prêtait plus à moi, je lui dérobai imperceptiblement cette pensée douloureuse, et je parvins à la maintenir en bonne contenance et complètement rapaisée aussi longtemps que j'y fus. J'usai de *diversion*. Ceux qui me suivirent à ce même service n'y trouvèrent aucun amendement, car je n'avais pas porté la cognée aux racines.

Peut-être ai-je touché ailleurs de quelque espèce de diversions publiques. Et l'usage des militaires, dont se servit Périclès lors de la guerre du Péloponnèse, et mille autres ailleurs, pour faire déguerpir de leurs pays les forces ennemies, sont trop fréquents dans les histoires. Ce fut un ingénieux détour que celui par lequel le Sieur d'Himbercourt sauva et soi et d'autres dans la ville de Liège, où le Duc de Bourgogne, qui la tenait assiégée, l'avait fait entrer pour exécuter les conventions de la reddition qu'il leur avait accordée. Ce peuple, assemblé de nuit pour y pourvoir, commence à se mutiner contre ces accords passés, et plusieurs délibérèrent de s'en prendre aux négociateurs, qu'ils tenaient en leur puissance. Lui, sentant le vent de la première ondée de ces gens qui venaient se ruer en son logis, lâcha soudain vers eux deux des habitants de la ville, (car il y en avait quelques-uns avec lui) chargés de plus douces et nouvelles offres à proposer en leur conseil, qu'il avait forgées sur-le-champ pour son besoin. Ces deux-là arrêtèrent la première tempête, en ramenant cette foule émue dans la maison de ville pour ouïr les propositions dont ils étaient chargés et y délibérer. La délibération fut courte : voici que débonde un second orage, aussi animé que l'autre : et lui de leur dépêcher en tête quatre nouveaux et semblables intercesseurs, qui prétendaient avoir à leur présenter pour ce coup des offres plus grasses, entièrement propres à leur contentement et satisfaction, par où ce peuple fut derechef repoussé dans le conclave. Tant et si bien, en somme, que par une telle dispensation d'amusements, en divertissant leur furie, et la dissipant en vaines consultations, il l'endormit enfin et gagna le jour, ce qui était sa principale affaire.

Cet autre conte est aussi du ressort de ce prêche. Atalante fille d'une beauté éminente, et de merveilleuse disposition, pour se défaire de la presse de mille poursuivants qui la demandaient en mariage, leur donna cette loi qu'elle accepterait celui qui l'égalerait à la course, pourvu que ceux qui y manqueraient en perdissent la vie : il s'en trouva assez qui estimèrent ce prix digne d'un tel risque et qui encoururent la peine de ce cruel marché. Hippomène, ayant à faire son essai après les autres, s'adressa à la déesse tutrice de cette amoureuse ardeur, l'appelant à son secours, qui, exauçant sa prière, le fournit de trois pommes d'or, et de leur usage. Le champ de la course ouvert, à mesure qu'Hippomène sent sa maîtresse lui presser les talons, il laisse échapper, comme par inadvertance, l'une de ces pommes : la fille amusée par son éclat, ne manque point de se détourner pour la ramasser :

> Interdite, la fille, que l'éclat du fruit tente,
> détourne sa course et ramasse l'or qui roule
>
> *Obstupuit uirgo, nitidique cupidine pomi*
> *Declinat cursus, aurumque uolubile tollit* [1]

Autant en fit-il à point nommé tant de la seconde que de la tierce,

1. Ovide, *Métamorphoses*, X, 666-667.

jusqu'à ce que, par ce fourvoiement et ce divertissement, l'avantage de la course lui demeura.

Quand les médecins ne peuvent purger le catarrhe, ils le divertissent et dévoient vers une autre partie moins dangereuse. Je m'aperçois que c'est aussi la plus ordinaire recette contre les maladies de l'âme : on doit aussi parfois divertir l'esprit par d'autres soins, soucis, tracas, affaires, et souvent enfin le soigner par un changement de lieu, comme on fait de ces malades qui ne parviennent à reprendre santé *Abducendus etiam nonnunquam animus est ad alia studia, solicitudines, curas, negotia , loci denique mutatione, tanquam ægroti non convalescentes sæpe curandus est.* [1] On lui fait peu attaquer les maux de droit fil, on ne lui en fait ni soutenir ni parer l'atteinte : on la lui fait décliner et gauchir.

Cette autre leçon est trop haute et trop difficile. C'est à faire à ceux de la première classe, de s'arrêter purement à la chose, de la considérer, de la juger. Il appartient au seul Socrate d'affronter la mort d'un visage ordinaire, de s'en apprivoiser et s'en jouer ; il ne cherche point de consolation hors de la chose : le mourir lui semble un accident naturel et indifférent ; il fiche là justement sa vue, et s'y résout sans regarder ailleurs. Les disciples d'Hégésias, qui se laissent mourir de faim, échauffés par les beaux discours de ses leçons, et en si grand nombre que le roi Ptolémée lui fit défendre d'entretenir plus longtemps son école de ces discours homicides. Ceux-là ne considèrent point la mort en soi, ils ne la jugent point : ce n'est pas là où ils arrêtent leur pensée : ils courent, ils visent à un être nouveau.

Ces pauvres gens qu'on voit sur l'échafaud, remplis d'une ardente dévotion, y occupant tous leurs sens autant qu'ils le peuvent, les oreilles aux instructions qu'on leur donne, les yeux et les mains tendues au ciel, la voix à des prières hautes, avec une émotion âpre et continuelle, font certes chose louable et qui convient à pareille nécessité. On les doit louer de religion, mais non proprement de constance : ils fuient la lutte, ils détournent de la mort leur considération, comme on amuse les enfants pendant qu'on leur veut donner le coup de lancette. J'en ai vu, si parfois leur vue se rabaissait à ces horribles apprêts de la mort qui sont autour d'eux, s'en transir, et rejeter avec furie ailleurs leur pensée. À ceux qui passent un abîme effroyable, on ordonne de clore ou de détourner les yeux.

Subrius Flavius, – ayant par ordre de Néron à être exécuté, et par les mains de Niger, tous deux étant chefs de guerre –, quand on le mena au champ où l'exécution devait être faite, voyant que le trou que Niger avait fait creuser pour le mettre était inégal et mal formé : « Ni cela-même », dit-il, en se tournant vers les soldats qui y assis-

1. Cicéron, *Tusculanes*, IV, XXXV, 74.

taient, « n'est selon la discipline militaire ! », et à Niger qui l'exhortait à tenir sa tête ferme : « Puisses-tu seulement frapper aussi ferme ! » Et il devina bien, car, comme le bras lui tremblait, Niger la lui coupa en plusieurs coups. Celui-ci semble bien avoir eu sa pensée droitement et fixement au sujet.

Celui qui meurt dans la mêlée les armes à la main, il n'étudie pas alors la mort, il ne la sent, ni ne la considère : l'ardeur du combat l'emporte. Un honnête homme de ma connaissance étant tombé comme il se battait en champ clos, et se sentant porter à terre par son ennemi neuf ou dix coups de dague, chacun des assistants lui criait qu'il pensât à sa conscience, mais il me dit depuis qu'encore que ces voix lui parvinssent aux oreilles, elles ne l'avaient aucunement touché, et qu'il ne pensa jamais qu'à se décharger et à se venger. Il tua son homme en ce même combat.

Beaucoup fit pour L. Silanus celui qui lui apporta sa condamnation : ayant ouï sa réponse, qu'il était bien préparé à mourir, mais non pas par des mains scélérates, l'officier se rua sur lui avec ses soldats pour le forcer, et, comme Silanus, totalement désarmé, se défendait obstinément à coups de poing et de pied, il le fit mourir dans cette altercation, dissipant dans une prompte et tumultueuse colère le sentiment pénible d'une mort longue et préparée, à quoi Silanus était destiné.

Nous pensons toujours ailleurs : l'espérance d'une meilleure vie nous arrête et nous soutient : ou l'espérance de la valeur de nos enfants, ou la gloire future de notre nom, ou la fuite des maux de cette vie, ou la vengeance qui menace ceux qui nous causent la mort :

Pour moi, oui, mon espoir, si les justes dieux ont un quelconque pouvoir, c'est que dans les écueils tu connaisses les derniers supplices, répétant le nom de Didon ; je l'entendrai, et le bruit m'en viendra jusqu'au fond des enfers

Spero equidem mediis, si quid pia numina possunt,
Supplicia hausurum scopulis, et nomine Dido
Sæpe uocaturum.
Audiam, Et hæc manes ueniet mihi fama sub imos. [1]

Xénophon sacrifiait, le front couronné, quand on lui vint annoncer la mort de son fils Gryllus à la bataille de Mantinée. Au premier sentiment de cette nouvelle, il jeta sa couronne à terre ; mais apprenant par la suite du rapport qu'il était mort d'une façon très valeureuse, il la ramassa et remit sur sa tête.

1. Virgile, *Énéide*, IV, 382-384 et 387.

Épicure même se console de sa fin par l'éternité et l'utilité de ses écrits. Illustres et applaudies, toutes les épreuves deviennent supportables *Omnes clari et nobilitati labores fiunt tolerabiles.* [1] Et la même plaie, le même travail ne pèsent pas, dit Xénophon, à un général d'armée comme à un soldat. Épaminondas prit sa mort bien plus allègrement dès qu'il eut été informé que la victoire était demeurée de son côté. Voilà le dictame, voilà le baume des plus grandes douleurs *Hæc sunt solatia, hæc fomenta summorum dolorum.* [2] Et d'autres pareilles circonstances nous amusent, divertissent et détournent de la considération de la chose en soi. Même les arguments de la philosophie vont à tous coups côtoyant et gauchissant la matière, et à peine essuyant sa croûte. Le premier homme de la première école philosophique, et surintendante des autres, ce grand Zénon, contre la mort : « Nul mal n'est honorable : la mort l'est : elle n'est donc pas un mal ». Contre l'ivrognerie : « Nul ne confie son secret à l'ivrogne ; chacun le confie au sage : le sage ne sera donc pas ivrogne ». Cela, est-ce toucher le centre de la cible ? J'aime à voir ces âmes principales ne se pouvoir déprendre de notre commune condition. Si parfaits hommes qu'ils soient, ce sont toujours bien lourdement des hommes.

C'est une douce passion que la vengeance, qui a le pouvoir de s'imprimer en nous de façon profonde et naturelle. Je le vois bien, encore que je n'en aie aucune expérience. Pour en distraire dernièrement un jeune prince, je ne lui allais pas disant qu'il fallait prêter la joue à celui qui vous avait frappé l'autre par devoir de charité, ni ne lui allais représenter les tragiques événements que la poésie attribue à cette passion. Je la laissai là, et m'amusai à lui faire goûter la beauté d'une image contraire : l'honneur, la faveur, la bienveillance qu'il acquerrait par des actes de clémence et de bonté : je le détournai vers l'ambition. Voilà comme l'on y fait.

Si votre affection en l'amour est trop puissante, dissipez-la, disent-ils. Et ils disent vrai, car je l'ai souvent essayé avec utilité : rompez-la en divers désirs, desquels il y en ait un régent et un maître, si vous voulez, mais de peur qu'il ne vous gourmande et tyrannise, affaiblissez-le, contenez-le en le divisant et en le divertissant.

Quand ton membre morose sautera sur l'aine vagabonde,
vide plutôt ta liqueur à fille qui se présente

Cum morosa uago singultiet inguine uena, [3]
Coniicito humorem collectum in corpora quæque. [4]

---

1. Cicéron, *Tusculanes*, II, XXVI, 62.
2. Cicéron, *Tusculanes*, II, XXIV, 59.
3. Perse, VI, 72.
4. Lucrèce, IV, 1065.

Et pourvoyez-y de bonne heure, de peur que vous n'en soyez en peine quand il vous a une fois saisi.

À moins qu'un nouveau trait du premier te soulage,
et d'aller gueuser pour guérir chez la Vénus volage

Si non prima noiis conturbes uulnera plagis,
Volgiuagáque uagus Venere ante recentia cures. [1]

Je fus autrefois touché d'une peine violente pour mon naturel, et encore plus juste que violente. Je m'y fusse perdu peut-être si je m'en fusse simplement fié à mes forces. Ayant besoin d'une puissante diversion pour m'en distraire, je me fis amoureux par art et par calcul, ce à quoi l'âge m'aidait. L'amour me soulagea et me retira du mal qui m'était causé par l'amitié. Partout ailleurs de même. Une pensée pénible me tient : plutôt que de la dompter, je trouve plus court de la changer ; je lui en substitue, si je ne puis une contraire, au moins une autre : toujours la variation soulage, dissout et dissipe. Si je ne puis la combattre, je lui échappe, et en la fuyant, je me dévoie, je ruse. Changeant de lieu, d'occupation, de compagnie, je me sauve dans une foule d'autres amusements et pensées, où elle perd ma trace et m'égare. Nature procède ainsi au bénéfice de l'inconstance, car le temps, qu'elle nous a donné pour souverain médecin de nos passions, gagne son effet principalement par là, que, fournissant d'autres affaires et d'autres encore à notre imagination, il défait et rompt cette première appréhension, si forte qu'elle soit. Un sage ne prévoit guère moins son ami mourant au bout de vingt et cinq ans que lors de la première année, et même, suivant Épicure, en rien moins, car il n'attribuait aucun pouvoir d'adoucir nos souffrances, ni à leur prévision ni à leur ancienneté. Mais tant d'autres pensées traversent cette première crainte qu'elle s'alanguit et se lasse à la fin.

Pour détourner le cours des bruits qui circulaient, Alcibiade coupa les oreilles et la queue à son beau chien et le chassa sur la place, afin que, donnant ce sujet de babiller au peuple, celui-ci laissât en paix ses autres actions. J'ai vu aussi, pour cet effet de divertir les opinions et les conjectures du peuple, et fourvoyer les parleurs, des femmes dissimuler leurs véritables amours sous des affections déguisées. Mais j'ai vu l'une d'elles qui en se déguisant s'est laissée prendre pour de bon et a quitté son originelle et véritable affection pour celle qu'elle avait feinte, et j'ai appris par elle que ceux qui se trouvent bien lotis en amour sont des sots de consentir à ce masque. Les accueils et les

1. Lucrèce, IV, 1070-1071.

entretiens publics étant réservés à cet amoureux supposé, croyez que ce dernier n'est guère habile s'il ne prend à la fin votre place et ne vous envoie à la sienne : cela, c'est proprement tailler et coudre un soulier pour qu'un autre le chausse.

Peu de choses nous divertissent et détournent, car peu de choses nous tiennent. Nous ne regardons guère les sujets en gros et seuls. Ce sont des circonstances ou des images menues et superficielles qui nous frappent, et de vaines écorces qui rejaillissent des objets.

Comme ces fins corsets que nos cigales quittent l'été
Folliculos ut nunc teretes æstate cicadæ
Linquunt. [1]

Plutarque même regrette sa fille pour des singeries de son enfance. Le souvenir d'un adieu, d'une action, d'une grâce particulière, d'une recommandation dernière nous afflige. La toge de César troubla toute Rome, ce que sa mort n'avait pas fait. Le son même des noms, qui nous tintouine aux oreilles : « mon pauvre maître ! », ou « mon grand ami ! », « hélas, mon cher père ! », ou « ma bonne fille ! », quand ces refrains me pincent, et que j'y regarde de près, je trouve que c'est une plainte grammairienne : le mot et le ton me blessent. Comme les exclamations des prêcheurs émeuvent leur auditoire souvent plus que ne font leurs raisons, et comme nous frappe la voix piteuse d'une bête qu'on tue pour notre service, sans que je pèse ou pénètre pour autant la véritable et solide essence de mon sujet.

Par de tels éperons, la douleur s'irrite elle-même
his se stimulis dolor ipse lacessit. [2]

Ce sont là les fondements de notre deuil.

L'opiniâtreté de mes pierres, spécialement dans la verge, m'a parfois jeté en de longues suppressions d'urine, de trois, de quatre jours, et si avant dans la mort que c'eût été folie d'espérer l'éviter, voire de désirer l'espérer, vu les cruels efforts que cet état m'apporte. Ô que ce bon empereur qui faisait lier la verge à ses criminels pour les faire mourir à faute de pisser était passé grand maître dans la science des bourreaux ! Me trouvant là, je considérais combien étaient légers les causes et les objets par lesquels l'imagination nourrissait en moi le regret de la vie, de quels atomes se bâtissaient en mon âme le poids et la difficulté de ce départ, à quelles bien frivoles pensées nous faisions

1. Lucrèce, V, 803-804.
2. Lucain, II, 42.

place dans une si grande affaire. Un chien, un cheval, un livre, un verre, et quoi non ? entraient dans le compte de ma perte. Aux autres, leurs ambitieuses espérances, leur bourse, leur science. Non moins sottement à mon gré. Je vois nonchalamment la mort quand je la vois universellement, comme fin de la vie. En bloc, je la gourmande ; par le menu, elle me pille ! Les larmes d'un laquais, la distribution de ma garde-robe, l'attouchement d'une main connue, une banale consolation, m'affligent et m'attendrissent.

De même nous troublent l'âme les plaintes qu'on lit dans les fables. Et les regrets de Didon et ceux d'Ariane dans Virgile et dans Catulle touchent ceux-là mêmes qui ne les croient point. C'est un exemple de nature obstinée et dure que de n'en ressentir aucune émotion, comme de Polémon, dont, à titre de merveille, on nous récite : « mais aussi ne pâlit-il pas seulement à la morsure d'un chien enragé, qui lui emporta le gras de la jambe ! ». Et nulle sagesse, quand elle se représente la cause d'une tristesse, si vive et entière soit-elle, ne va, par le seul jugement, si avant que l'idée ne soit renforcée par la présence de la chose, quand les yeux et les oreilles y ont leur part, organes qui pourtant ne peuvent être agités que par de vains détails. Est-il normal que les arts mêmes se servent et profitent de notre faiblesse et bêtise naturelles ? L'Orateur, dit la Rhétorique, dans cette comédie qu'est son plaidoyer, s'émouvra par le son de sa voix et par ses gestes feints ; il se laissera prendre à la passion qu'il représente ; il s'imprimera un vrai deuil et essentiel par le moyen de cette comédie qu'il joue, pour le transmettre aux juges, que cela touche encore moins. Comme font ces personnes qu'on loue aux obsèques pour aider à la cérémonie du deuil, qui vendent leurs larmes à poids et à mesure, et leur tristesse. Car encore qu'ils s'ébranlent d'une façon empruntée, toutefois, en habituant et rangeant leur contenance, il est certain qu'ils s'emportent souvent tout entiers, et ressentent en eux une vraie mélancolie. Je fus, entre plusieurs autres de ses amis, conduire à Soissons le corps de monsieur de Grammont, depuis le siège de La Fère où il fut tué : je relevai que partout où nous passions nous remplissions de lamentation et de pleurs le peuple que nous rencontrions par le seul étalage de l'appareil de notre convoi, car le nom du trépassé n'y était seulement pas connu.

Quintilien dit avoir vu des comédiens si fort engagés dans un rôle douloureux qu'ils en pleuraient encore au logis, et, à propos de lui-même, que s'étant pris à émouvoir quelque passion chez autrui, il l'avait épousée jusqu'à se trouver pris malgré lui, non seulement de larmes, mais d'une pâleur de visage et d'un port d'homme vraiment accablé de douleur.

En une contrée près de nos montagnes, les femmes jouent les « prêtres-Martin » [1], car, tandis qu'elles grandissent le regret qu'elles ont de leur mari perdu par le souvenir des bonnes et agréables qualités qu'il avait, elles font aussi tout du même train le recueil de ses imperfections et les publient, comme pour entrer d'elles-mêmes dans une sorte de compensation, et se divertir de la pitié en se portant au dédain. De bien meilleure grâce encore que nous, qui à la perte du premier connu, nous piquons de lui presser des louanges nouvelles et fausses, et à le faire tout autre, quand nous l'avons perdu de vue, qu'il ne nous semblait être quand nous le voyions. Comme si le regret était une partie instructive, ou que les larmes, en lavant notre entendement, l'éclaircissaient. Je renonce dès à présent aux témoignages de faveur qu'on me voudra donner, non parce que j'en serai digne, mais parce que je serai mort.

Qui demandera à celui-là : « Quel intérêt avez-vous à ce siège ? », « L'intérêt de l'exemple, dira-t-il, et de l'obéissance commune au Prince : je n'y prétends profit quelconque, quant à la gloire, je sais la petite part qui en peut toucher un particulier comme moi : je n'ai ici ni passion ni querelle ». Voyez-le pourtant le lendemain, tout changé, tout bouillant et rougissant de colère, sur son rang de bataille, prêt pour l'assaut : c'est la lueur de tant d'acier, et le feu et le tintamarre de nos canons et de nos tambours qui lui ont jeté dans les veines cette dureté nouvelle et cette haine. Frivole cause, me direz-vous : comment ? Quelle cause ? Il n'en faut point pour agiter notre âme : une rêverie sans corps et sans sujet la régente et l'agite. Que je me mette à faire des châteaux en Espagne, mon imagination m'y forge des agréments et des plaisirs par lesquels mon âme est réellement chatouillée et réjouie. Combien de fois embrouillons-nous notre esprit de colère ou de tristesse par de semblables ombres, et nous glissons-nous dans des passions imaginaires, qui nous altèrent et l'âme et le corps ! Quelles grimaces étonnées, riardes, confuses, la rêverie ne suscite-t-elle pas sur nos visages ! Quelles saillies et quelles agitations des membres et de la voix ! Semble-t-il pas de cet homme seul qu'il ait de fausses visions d'une foule d'autres hommes avec qui il négocie, ou quelque démon interne qui le persécute ? Enquérez-vous à vous-même où est l'objet qui cause cette mutation : est-il rien, hormis nous, dans la nature que l'inanité sustente ainsi, et sur quoi elle ait pouvoir ?

Cambyse, pour avoir songé en dormant que son frère devait devenir roi de Perse, le fit mourir. Un frère qu'il aimait, et auquel il s'était

1. « Font les versets et les répons », comme certain « prêtre Martin » de la fable, qui se trouva seul à dire et chanter sa messe.

toujours fié. Aristodème, roi des Messéniens se tua pour une imagination qu'il prit pour de mauvais augure, venue de je ne sais quel hurlement de ses chiens. Et le roi Midas en fit autant, troublé et fâché par quelque songe malplaisant qu'il avait songé : c'est priser sa vie à son vrai prix que de l'abandonner pour un songe !

Écoutez pourtant notre âme triompher de la misère du corps, de sa faiblesse, de ce qu'il est en butte à toutes offenses et altérations : vraiment elle a raison d'en parler.

Argile infortunée que d'abord entreprit de pétrir Prométhée, Celui-là bien œuvra d'un cœur trop peu prudent : Modelant le corps, son art n'y vit d'esprit au dedans, Par l'âme, pour bien faire, eût dû l'œuvre être commencée

O prima infoelix fingenti terra Prometheo !
Ille parum cauti pectoris egit opus.
Corpora disponens, mentem non uidit in arte,
Recta animi primùm debuit esse uia. [1]

Sur des vers de Virgile[a]

[Chapitre V]

À mesure que les réflexions utiles sont plus pleines et plus solides elles sont aussi plus accaparantes et plus lourdes. Le vice, la mort, la pauvreté, les maladies sont des sujets graves, et qui nous grèvent. Il faut avoir l'âme instruite des moyens de soutenir et combattre les maux, et instruite aux règles du bien vivre et du bien croire, et souvent l'éveiller et l'exercer à cette belle étude. Mais une âme de commune espèce ne doit aborder ces sujets qu'avec de la relâche et de la modération : elle flanche à être trop continuellement bandée. J'avais besoin dans ma jeunesse de m'avertir et de me secouer pour me tenir à mon devoir. L'allégresse et la santé ne s'accordent pas si bien, dit-on, avec ces discours sérieux et sages. Je suis à présent dans un autre état. Les conditions de la vieillesse ne m'avertissent que trop ; elles m'assagissent et me sermonnent. De l'excès de la gaieté je suis tombé dans celui de la sévérité, plus fâcheux. Aussi je me laisse à cette heure aller un peu à la détente, à dessein, et j'emploie quelquefois mon âme à des pensées folâtres et jeunes où elle se repose. Je ne suis aujourd'hui que trop rassis, trop pesant et trop mûr. Les ans me font

1. Properce, III, V, 7-10.

tous les jours leçon de froideur et de tempérance. Mon corps fuit le dérèglement et le craint ; c'est à son tour de conduire l'esprit à se réformer ; il régente à son tour, et de façon plus rude et plus impérieuse. Pas une heure, ni quand je dors, ni quand je veille, il ne me laisse chômer d'enseignements sur la mort, la patience et la pénitence. Je me défends de la modération comme je l'ai fait autrefois de la volupté : elle me freine trop arrière, et jusqu'à l'hébétude. Or je veux être maître de moi dans tous les sens. La sagesse a ses excès, et n'a pas moins besoin de modération que la folie. Ainsi, de peur de sécher, de tarir et de m'alourdir de prudence, dans les répits que me laissent mes maux,

Pour n'avoir l'âme toujours occupée à ses malheurs
Mens intenta suis ne siet usque malis, [1]

je prends à gauche tout doucement et dérobe ma vue de ce ciel orageux et nébuleux que j'ai devant moi. Ce ciel, Dieu merci, je le considère bien sans effroi, mais non pas sans effort ni sans m'y étudier. Je m'amuse à me ressouvenir de ma jeunesse passée,

le cœur guigne ce qu'il n'a plus,
Et se perd dans le souvenir des moments disparus
animus quod perdidit optat,
Atque in præterita se totus imagine uersat. [2]

Que l'enfance regarde devant elle et la vieillesse derrière, n'était-ce pas ce que signifiait le double visage de Janus ? Que les ans m'entraînent s'ils veulent, mais à reculons ! Autant que mes yeux peuvent reconnaître cette belle saison expirée, je les détourne vers elle par à-coups. Si elle s'échappe de mon sang et de mes veines, au moins n'en veux-je point déraciner l'image de la mémoire,

c'est bien
Vivre deux fois que de jouir des jours qui ne sont plus
hoc est
Viuere bis uita posse priore frui ! [3]

Platon ordonne aux vieillards d'assister aux exercices, aux danses et aux jeux de la jeunesse pour se réjouir en autrui de la souplesse et de la beauté du corps qui ne sont plus en eux et se ressouvenir de la grâce et du bonheur de cet âge verdissant. Et il veut qu'en ces ébats ils

1. Ovide, *Les Tristes*, IV, 1, 4.
2. Pétrone, *Satiricon*, 128.
3. Martial, *Épigrammes*, X, 23, 7-8.

attribuent l'honneur de la victoire au jeune homme qui aura le mieux mis en joie et le plus réjoui le plus grand nombre d'entre eux.

Je marquais autrefois les jours pesants et ténébreux comme extraordinaires : ceux-là sont à présent mes jours ordinaires ; les extraordinaires sont les beaux et sereins. J'en suis presque à tressaillir de joie comme à une faveur nouvelle quand aucune douleur ne me lance. J'ai beau me chatouiller, je ne puis plus bientôt arracher un pauvre rire de mon méchant corps. Je ne m'égaie plus que dans la fantaisie [1] et le songe pour détourner par ruse le chagrin de la vieillesse. Mais certes il faudrait un autre remède que le songe. Faible lutte de l'art contre la nature ! C'est une grande naïveté de vouloir, comme chacun fait, allonger et étirer plus avant l'inconvénient d'être homme : j'aime mieux être moins longtemps vieux que d'être vieux avant de l'être. Jusqu'aux moindres occasions de plaisir que je puis rencontrer, je les empoigne. Je connais bien par ouï-dire plusieurs espèces de voluptés sages, fortes et glorieuses ; mais la bonne opinion qu'on en a ne peut pas assez sur moi pour m'en donner l'appétit. Je ne veux pas tant des plaisirs magnanimes, magnifiques et fastueux que doux, faciles et à portée de main : on s'éloigne de la nature pour s'adonner aux modes populaires qui pour nulle chose ne sont de bons guides, *a natura discedimus ; populo nos damus, nullius rei bono auctori.* [2] Ma philosophie est dans l'action, dans mon activité naturelle et présente, peu dans les fantasmes. Puissé-je prendre plaisir à jouer aux noisettes et à la toupie [b],

N'étant homme à placer les rumeurs avant mon salut
Non ponebat enim rumores ante salutem ! [3]

La volupté est de nature peu ambitieuse ; elle s'estime assez riche de soi sans y rajouter le prix de la réputation, et elle s'aime mieux à l'ombre. Il faudrait donner le fouet à un jeune homme qui s'amuserait à choisir le goût du vin et des sauces. Il n'est rien que j'aie moins su et moins prisé. À cette heure je l'apprends. J'en ai grande honte, mais qu'y ferais-je ? J'ai encore plus de honte et de dépit des circonstances qui m'y poussent. C'est à nous à rêver et baguenauder, et à la jeunesse à rechercher la réputation et à se placer à la meilleure place. Elle va vers le monde, vers le crédit ; nous, nous en venons : à eux les armes, à eux les destriers, à eux les lances, à eux la massue, à eux la balle, à eux la nage et les courses ; et qu'à nous, les vieux, parmi force hochets, ils nous laissent les dés et les osselets *sibi arma, sibi equos, sibi hastas, sibi clauam, sibi pilam, sibi natationes et*

1. L'imagination, ce que l'âme fantasme.
2. Sénèque, *Lettres à Lucilius*, XCIX, 17.
3. Cicéron, *De officiis*, I, XXIV, 84.

cursus habeant : nobis senibus, ex lusionibus multis, talos relinquant et tesseras ! [1] Les lois mêmes nous renvoient au logis. Je ne puis faire moins en faveur de la chétive condition où mon âge me pousse que de la fournir de jouets et d'amusoires, comme l'enfance : aussi y retombons-nous. Et la sagesse et la folie auront fort à faire pour m'étayer et secourir tour à tour dans cette calamité de l'âge :

À tes graves pensers, mêle un brin de folie
Misce stultitiam consiliis breuem. [2]

Je fuis de même les plus légères piqûres. Celles qui ne m'eussent pas autrefois égratigné me transpercent à cette heure. Mon état apprend si volontiers à s'habituer au mal : pour un corps fragile, la moindre blessure est odieuse *in fragili corpore, odiosa omnis offensio est.* [3]

Mon cœur déjà dolent n'endure aucune peine
Mensque pati durum sustinet ægra nihil. [4]

J'ai été toujours chatouilleux et douillet au mal ; j'y suis plus tendre encore à cette heure, et sensible par tous les côtés.

Le moindre heurt suffit à rompre la cruche fêlée
Et minimæ uires frangere quassa ualent. [5]

Mon jugement m'empêche bien de regimber et de gronder contre les inconvénients que Nature m'ordonne de souffrir, mais non pas de les ressentir. J'irais volontiers courir d'un bout du monde à l'autre pour chercher une bonne année de tranquillité plaisante et enjouée, moi qui n'ai d'autre fin que de vivre et me réjouir. La tranquillité maussade et inerte se trouve assez chez moi, mais elle m'endort et me laisse la tête gourde : je ne m'en contente pas. S'il y a quelque personne, quelque bonne compagnie, aux champs, en ville, en France ou ailleurs, résidente ou de passage, à qui conviennent mes goûts et de qui les goûts me conviennent, il n'est que de siffler dans sa paume, j'irai leur fournir des *Essais* en chair et en os ! Puisque c'est le privilège de l'esprit de se ressaisir de la stupeur de la vieillesse, autant que je puis, je lui conseille de le faire : qu'il verdisse, qu'il fleurisse pendant cet âge s'il le peut comme le gui sur un arbre mort ! Je crains que ce soit un traître : il a si étroitement fraternisé avec mon corps qu'il

1. Cicéron, *De senectute*, XVI, 59.
2. Horace, *Odes*, IV, 12, 27.
3. Cicéron, *De senectute*, XVIII, 65.
4. Ovide, *Pontiques*, I, V, 18.
5. Ovide, *Tristes*, III, XI, 22.

m'abandonne à tous les coups pour le suivre dans son état nécessiteux ; je le flatte à part, je l'entretiens : bien en vain. J'ai beau essayer de le détourner de cette communion et lui présenter et Sénèque et Catulle, et les dames et les danses royales, si son compagnon a la colique [1], il semble qu'il l'ait aussi. Les forces mêmes qui lui sont particulières et propres ne peuvent alors se soulever : à l'évidence, elles s'enrhument au froid qui me morfond. Il n'y a point d'allégresse dans ce qu'il produit s'il n'y en a point en même temps dans le corps. Nos maîtres ont tort sur ce point : quand ils cherchaient les causes des élancements extraordinaires de notre esprit, en plus de ceux qu'ils attribuent au ravissement en Dieu, à l'amour, à l'âpreté guerrière, à la poésie, au vin, ils n'ont pas là-dessus fait sa part à la santé, une santé bouillante, vigoureuse, pleine, tranquille, telle qu'autrefois la verdeur des ans et la sécurité me la fournissaient par belles venues. Ce feu de gaieté suscite dans l'esprit des illuminations vives et claires qui vont au-delà de nos clartés naturelles et comptent parmi les enthousiasmes les plus gaillards, sinon les plus éperdus. Or bien, ce n'est pas merveille si un état contraire affaisse mon esprit, le cloue et en tire un effet contraire ;

Rien ne l'anime plus dès que le corps languit
Ad nullum consurgit opus cum corpore languet. [2]

Et encore veut-il que je lui sois reconnaissant de prêter beaucoup moins, comme il dit, à cette sympathie que ne le comporte l'usage ordinaire des hommes. Au moins, pendant que nous avons trêve, chassons nos maux et nos difficultés de notre commerce,

Tant que peut sur notre front s'effacer le pli de l'âge
Dum licet obducta soluatur fronte senectus : [3]

il faut savoir égayer sa tristesse avec des gaudrioles
tetrica sunt amœnanda iocularibus. [4]

J'aime une sagesse gaie et sociable et je fuis l'âpreté de mœurs et l'austérité, car je tiens pour suspecte toute mine rébarbative.

Et l'orgueil assombri des trognes renfrognées
Tristemque uultus tetrici arrogantiam ; [5]

1. La colique néphrétique (la gravelle).
2. Maximianus, *Élégies*, I, 125.
3. Horace, *Épodes*, XIII, 4-5.
4. Sidoine Apollinaire, *Lettres*, I, 9, 8.
5. Buchanan (fameux humaniste écossais qui fut l'un des professeurs de Montaigne au collège de Guyenne à Bordeaux), *Ioannes Baptista*, prologue, v. 31.

Et cette troupe austère a bien aussi ses grandes folles
Et habet tristis quoque turba cynædos. [1]

Je crois Platon de bon cœur, qui dit que les humeurs faciles ou difficiles préjugent beaucoup de la bonté ou de la méchanceté de l'âme. Socrate avait un visage constant, mais serein et riant, et non pas fâcheusement constant comme ce Crassus l'Ancien qu'on ne vit jamais rire. La vertu est une qualité plaisante et gaie. Il est fort peu de gens, je le sais bien, parmi ceux qui rechigneront à la licence de mes écrits qui n'aient pas plus à rechigner à la licence de leur pensée : je me conforme bien à leur sentiment, mais j'offense leurs yeux ! Il est de bon ton de feuilleter les écrits de Platon, sans oser glisser sur ses relations prétendues avec Phédon, Dion, Stella, Archéanassa : ne rougissons pas de dire ce que nous ne rougissons pas de penser, *non pudeat dicere quod non pudeat sentire* ! [2] Je hais un esprit hargneux et triste qui passe sur les plaisirs de sa vie pour s'empoigner à ses malheurs et s'en repaître comme les mouches qui, ne pouvant tenir sur un corps lisse et bien poli, s'accrochent et se reposent aux endroits rugueux et raboteux, ou comme les ventouses qui ne hument et n'aspirent que le mauvais sang.

Au reste, je me suis ordonné d'oser dire tout ce que j'ose faire, et il me déplaît que des pensées mêmes soient impubliables : la pire de mes actions et de mes manières ne me semble pas aussi laide que je trouve laid et lâche de ne pas oser l'avouer. Chacun se fait discret à confesse : on devrait l'être dans l'action. La hardiesse de faillir est d'une certaine façon compensée et bridée par celle d'oser le confesser ; qui s'obligerait à tout dire s'obligerait à ne rien faire de ce qu'on est contraint de taire. Dieu veuille que cet excès de ma licence attire nos hommes d'aujourd'hui jusqu'à la liberté, par-dessus ces vertus couardes et minaudières nées de nos imperfections : puissé-je au prix de mon manque de retenue les attirer jusqu'au seuil de la raison ! Il faut voir son vice et l'étudier pour le critiquer. Ceux qui le cachent aux autres le cachent ordinairement à eux-mêmes et ne le tiennent pas pour assez couvert s'ils le voient : ils le soustraient et le déguisent à leur propre conscience : d'où vient que nul n'avoue ses vices ? C'est que l'on y baigne encore : il faut être éveillé pour raconter ses songes *quare uitia sua nemo confitetur ? Quia etiam nunc in illis est : somnium narrare uigilantis est* ! [3]

Les maux du corps s'éclaircissent à mesure qu'ils augmentent : nous découvrons que c'était de la goutte que nous nommions

1. Martial, *Épigrammes*, VIII, 57.
2. Cicéron, *De finibus*, II, 24, 77.
3. Sénèque, *Lettres à Lucilius*, LIII, 8.

rhumatisme ou foulure ; les maux de l'âme s'obscurcissent à mesure qu'ils prennent force : le plus malade les sent le moins. Voilà pourquoi souvent il les faut manier et remanier au jour d'une main sans pitié et les ouvrir et arracher du creux de notre poitrine. Comme en matière de bienfaits, de même en matière de méfaits, c'est parfois faire assez que de seulement les reconnaître. Est-il quelque laideur dans le fait de faillir qui nous dispense de nous en confesser ? J'ai de la peine à feindre, si bien que j'évite de prendre en garde les secrets d'autrui, n'ayant pas bien le cœur à ne pas avouer ce que je sais. Je puis le taire, mais le nier, je ne le puis sans effort ni déplaisir. Pour être vraiment secret, il faut l'être par nature, non par obligation. Au service des princes, c'est peu d'être secret si l'on n'est en outre d'un naturel menteur. À celui qui demandait à Thalès de Millet s'il devait solennellement nier d'avoir paillardé, s'il se fût adressé à moi, je lui eusse répondu qu'il ne devait pas le faire car le mensonge me semble pire encore que la paillardise. Thalès, tout à l'inverse, lui conseilla de jurer pour couvrir le pire par le moindre. Ce conseil pourtant ne revenait pas tant à choisir entre deux vices qu'à les multiplier l'un par l'autre. Sur quoi disons ce mot en passant : on fait bon marché à un homme de conscience quand on lui propose quelque épreuve pour faire contrepoids au vice ; mais quand on l'enferme entre deux vices, on le soumet à un rude choix. Comme lorsqu'on exigea d'Origène ou qu'il fût idolâtre, ou qu'il souffrît qu'un grand rustre d'Éthiopien qu'on lui présentait jouisse de lui charnellement : il se soumit à la première condition, par suite, dit-on, d'un raisonnement « vicieux ». À tant faire, ces femmes ne seraient pas sans jugement qui de nos jours, selon leur erreur de religion, nous protestent qu'elles aimeraient mieux charger leur conscience de dix amants que d'une messe ! Si c'est une indiscrétion de publier ainsi ses erreurs, il n'y a pas grand danger qu'elle passe en exemple et dans l'usage. Car Ariston disait que les vents que les hommes craignent le plus sont ceux qui les découvrent. Il faut retrousser ce sot haillon qui cache nos mœurs : ils envoient leur conscience au bordel, et se donnent une contenance en règle ! Il n'est pas jusqu'aux traîtres et aux assassins qui n'épousent les lois de la cérémonie et n'y attachent tout leur devoir. Ce n'est pourtant ni à l'injustice de se plaindre de l'incivilité, ni à la méchanceté de l'indiscrétion. C'est dommage qu'un méchant homme ne soit pas aussi un sot, et qu'une habile décence suffise à masquer le vice. Ces parements ne conviennent qu'à une bonne et saine paroi qui mérite d'être conservée ou blanchie. Accordant sur ce point ma faveur aux Huguenots qui critiquent notre confession auriculaire et privée, moi, je me confesse en public, religieusement et purement. Saint Augustin, Origène, et

Hippocrate ont publié les erreurs de leurs opinions : moi, celles aussi de mes mœurs. Je suis affamé de me faire connaître, et peu me chaut à combien pourvu que ce soit véritablement, ou pour mieux dire, je n'ai faim de rien mais je redoute mortellement d'être pris pour un autre par ceux à qui il arrive de connaître mon nom. Celui qui fait tout pour l'honneur et pour la gloire, que pense-t-il gagner s'il se produit au monde sous le masque et dérobe son être véritable à la connaissance de tous ? Louez un bossu pour sa belle taille : il le doit prendre pour une injure. Si vous êtes couard et qu'on vous honore comme vaillant homme, est-ce bien de vous qu'on parle ? On vous prend pour un autre ! J'aurais autant d'estime pour celui qui se féliciterait des bonnetades [1] qu'on lui fait en le croyant le maître de la troupe alors qu'il n'est qu'un des moindres de la suite. Au moment où le roi de Macédoine Archélaos passait dans une rue, quelqu'un versa de l'eau sur lui. Ceux qui l'escortaient disaient qu'il devait le punir. « Voire, fit-il, il n'a pas versé l'eau sur moi, mais sur celui qu'il pensait que je fusse. » Socrate à celui qui l'avertissait qu'on médisait de lui : « Non, dit-il, il n'y a rien chez moi de ce qu'ils disent ! Pour moi, celui qui me louerait d'être fin pilote, ou très mesuré, ou très chaste, je ne lui en devrais nul merci ; et, tout pareillement, celui qui m'appellerait traître, voleur ou ivrogne, je m'en tiendrais pour aussi peu offensé. » Ceux qui se méconnaissent peuvent bien se repaître de louanges infondées, mais non pas moi qui me vois, qui me recherche jusqu'aux entrailles et qui sais fort bien ce qui m'appartient. Il me plaît d'être moins loué pourvu que je sois mieux connu : on me pourrait tenir pour sage en me prêtant une sorte de sagesse que je tiens pour sottise ! Je m'afflige que mes *Essais* servent aux dames de meuble commun seulement, et de meuble de salle : ce chapitre me fera entrer dans leur cabinet. J'aime avoir avec elles un entretien un peu privé : en public, il est sans faveur et sans saveur. Au moment des adieux, nous échauffons au-delà de l'ordinaire l'affection que nous portons aux choses que nous abandonnons. Je prends l'extrême congé des jeux du monde. Voici nos dernières accolades. Mais venons à mon thème.

Qu'a donc fait aux hommes l'action génitale, si naturelle, si nécessaire, et si juste pour qu'on n'ose pas en parler sans vergogne et pour qu'on l'exclue des propos sérieux et réglés ? Nous prononçons hardiment « tuer », « dérober », « trahir », et cela, nous n'oserions qu'entre les dents ? Est-ce à dire que moins nous en exhalons en parole, d'autant nous avons droit d'en grossir la pensée ? Car il est plaisant

1. Coups de bonnet, ou de « chapeau » ; salutations ostensibles.

que les mots qui sont les moins en usage, les moins écrits, et les mieux tus, soient les mieux sus et les plus universellement connus. Nul âge, nulles mœurs ne les ignorent, non plus que le pain. Ils s'impriment en chacun sans être exprimés, sans vocable ni dessin. Et le sexe qui le fait le plus a le devoir de le taire le plus ! C'est une action à laquelle nous avons donné le silence pour terre de franchise et d'asile, d'où c'est un crime de l'arracher, non pas même pour l'accuser et la juger, et nous n'osons la fouetter qu'en périphrase et en peinture. Belle faveur pour un criminel d'être si exécrable que la justice estime injuste de le toucher et de le voir : le voilà libre et sauvé au seul bénéfice de la gravité de son incrimination ! N'en va-t-il pas de même pour les livres, qui se vendent et se répandent d'autant mieux dans le public qu'ils sont supprimés par l'autorité ? Je m'en vais, pour moi, prendre au mot l'avis d'Aristote qui dit que la pudeur est une parure pour la jeunesse, mais un stigmate pour la vieillesse. Les vers qui suivent se prêchent dans l'école ancienne, école à laquelle je me tiens bien plus qu'à la moderne ; ses vertus me semblent plus grandes, ses vices moindres :

Ceux qui, par trop fuyant Vénus, estrivent [1]
Faillent autant que ceux qui trop la suivent [c],

Toi, Dive, toi seule es de Nature la Timonière,
Sans toi rien ne naît ni n'aborde à la dive lumière,
Sans toi rien d'aimable et d'heureux ne se peut engager

Tu, dea, tu, rerum naturam sola gubernas,
Nec sine te quicquam dias in luminis oras
Exoritur, neque fit lætum, nec amabile quicquam. [2]

Je ne sais qui a pu mal brouiller Pallas et les Muses avec Vénus et les refroidir envers l'Amour, mais je ne vois point de divinités qui se conviennent mieux ni qui s'entre-doivent plus. Qui ôterait aux Muses les pensers amoureux leur déroberait le plus bel entretien qu'elles aient et la plus noble matière de leur ouvrage ; et qui ferait perdre à l'Amour son intimité avec la poésie et la charge de la servir l'affaiblirait de ses meilleures armes. Par ainsi, on chargerait du grief d'ingratitude et d'oubli le dieu des unions et de la bienveillance et les déesses protectrices de l'humanité et de la justice. Je ne suis pas depuis si longtemps rayé de la liste des serviteurs et de la liste de ce dieu que je n'aie encore en moi la mémoire de ses forces et de sa valeur.

1. « *Estrivent* » : « luttent », « résistent ».
2. Lucrèce, I, 21-23.

À ses cendres, je reconnais mon ancienne flamme
agnosco ueteris uestigia flammæ ; [1]

il y a encore quelque reste d'émotion et de chaleur après la fièvre :

Puisse ce feu ne me faillir dans mes années d'hiver
Nec mihi deficiat calor hic hiemantibus annis ! [2]

Tout asséché et appesanti que je suis, je sens encore quelques tièdes restes de cette ardeur passée ;

Ainsi, dès que les vents tombent, la mer Égée
Qu'Aquilon et Notus ont mue et fourragée
Ne s'apaise aussitôt, mais la houle qui bruit
Agite l'onde grosse encore et se poursuit
Qual l'alto Ægeo, perche Aquilone o Noto
Cessi, che tutto prima il vuolse et scosse,
Non s'accheta ei pero, ma'l suono e'l moto
Ritien de l'onde anco agitate e grosse. [3]

Mais (pour ce que je m'y entends) les forces et la valeur de ce dieu se trouvent plus vives et plus animées dans la peinture qu'en fait la poésie que dans leur propre réalité :

Le vers même a des doigts
Et uersus digitos habet ! [4]

Elle représente je ne sais quel air plus amoureux que l'amour même. Vénus n'est pas si belle toute nue, et vive, et haletante qu'elle l'est ici chez Virgile :

Elle se tut, et, dans ses bras de neige le pressant,
De sa tendre étreinte elle couvre et couve l'hésitant ;
Lui sent la flamme accoutumée, une ardeur bien connue
Le parcourt jusqu'à la moelle et dans ses os s'insinue :
Ainsi parfois, dans le fracas du tonnerre, un sillon
De feu perce les nues d'un fulgurant rayon.
[...] sur ces mots, il fournit
L'étreinte espérée, et, coulé sur le sein de sa femme,
Laisse en ses membres infuser le sommeil et le calme
Dixerat, et niueis hinc atque hinc diua lacertis
Cunctantem amplexu molli fouet : Ille repente
Accepit solitam flammam, notusque medullas

1. Virgile, *Énéide*, IV, 23.
2. Jean Second, *Élégies*, I, 3.
3. Le Tasse, *La Jérusalem délivrée*, XII, 63.
4. Juvénal, *Satires*, VI, 197.

Intrauit calor, et labefacta per ossa cucurrit.
Non secus atque olim tonitru cum rupta corusco
Ignea rima micans percurrit lumine nimbos.
[...] *ea uerba locutus,*
Optatos dedit amplexus, placidumque petiuit
Coniugis infusus gremio per membra soporem. [1]

Ce que j'y trouve à observer, c'est qu'il la peint un peu bien émue pour une Vénus maritale ! Dans ce sage marché qu'est le mariage, les désirs ne se trouvent pas si folâtres : ils sont ternes et plus émoussés. L'amour hait qu'on s'attache autrement que par lui seul et il ne se mêle que mollement aux relations qui sont établies et entretenues sous un autre titre, comme celui du mariage. L'alliance familiale, le patrimoine, y pèsent avec raison autant ou plus que les grâces et la beauté. On ne se marie pas pour soi, quoi qu'on dise : on se marie autant ou plus pour sa postérité, pour sa famille. L'usage et l'intérêt du mariage touchent notre lignée bien loin au-delà de nous. D'autant mieux me plaît cette façon qu'on a de le laisser arranger plutôt par de tierces mains que par les siennes propres, et par le jugement d'autrui plutôt que par le sien. Combien tout cela est à l'opposé des liaisons amoureuses ! Aussi est-ce une espèce d'inceste que d'aller employer dans ce parentage vénérable et sacré les ébats et les extravagances de la licence amoureuse, comme il me semble l'avoir dit ailleurs : il faut (dit Aristote) toucher sa femme sagement et pudiquement, de peur qu'en la chatouillant de façon trop lascive le plaisir ne la fasse sortir des gonds de la raison. Ce qu'il dit pour la conscience, les médecins le disent pour la santé : qu'un plaisir excessivement chaud, voluptueux et assidu altère la semence et empêche la conception. Ils disent aussi qu'à une union nonchalante comme l'est par nature le mariage, il suffit, pour la remplir d'une juste et fertile chaleur, de s'y présenter rarement et à de notables intervalles :

Pour qu'elle boive Vénus et l'enfouisse avec soif
Quo rapiat sitiens uenerem interiusque recondat. [2]

Je ne vois point de mariages qui défaillent et se troublent plus tôt que ceux dont le chemin passe par la beauté et les désirs amoureux. Il y faut des fondements plus solides et plus constants, et n'y avancer qu'aux aguets : cette bouillante allégresse n'y vaut rien. Ceux qui pensent faire honneur au mariage en y joignant l'amour font, ce me semble, comme ceux qui, pour faire une faveur à la vertu, soutiennent

1. Virgile, *Énéide*, VIII, 387-92 et 404-6.
2. Virgile, *Géorgiques*, III, 137.

que la noblesse n'est autre que la vertu. Ce sont des choses qui ont quelque cousinage, mais aussi beaucoup de différences. On n'a que faire de brouiller leurs noms et leurs titres ; à les confondre, on fait tort à l'une comme à l'autre. La noblesse est une belle qualité, et qui fut introduite avec raison ; mais, dans la mesure où c'est une qualité qui dépend d'autrui et peut échoir à un homme pervers et de rien, elle est en prix bien au-dessous de la vertu. C'est une vertu, si c'en est une, artificielle et extérieure, qui dépend des temps et de la fortune, diverse de forme selon les contrées, à la fois vivante et mortelle, sans plus d'origine que la rivière du Nil, lignagère et partagée, d'héritage et de ressemblance, obtenue par voie de consécution, et d'une consécution bien faible [1]. La science, la force, la bonté, la beauté, la richesse, toutes les autres qualités tombent dans les échanges et le commerce communs : celle-ci s'absorbe en soi, n'étant d'aucun emploi pour le service d'autrui. On proposait à l'un de nos rois de choisir entre deux compétiteurs à une même charge dont l'un était gentilhomme et l'autre point. Il ordonna que sans regarder à cette qualité on choisît celui qui aurait le plus de mérite ; mais dans le cas où la valeur serait entièrement pareille, qu'alors on eût égard à la noblesse. C'était lui donner son juste rang. Le roi Antigone, à un jeune homme inconnu qui lui demandait la charge de son père, homme de valeur qui venait de mourir : « Mon ami, lui dit-il, pour ce genre de faveurs, je ne regarde pas tant à la noblesse de mes soldats qu'à leur vaillance. » De vrai, il n'en doit pas aller comme des officiers des rois de Sparte, trompettes, ménestrels ou cuisiniers, à qui dans leurs charges succédaient leurs enfants, si ignorants qu'ils fussent, avant les mieux expérimentés du métier. Ceux de Calicut font des nobles une espèce au-dessus de l'humaine. Le mariage leur est interdit, ainsi que toute occupation autre que militaire. De concubines, ils en peuvent avoir tout leur saoul, et les femmes autant de ruffians [2], sans jalousie les uns des autres. Mais c'est un crime capital et irrémissible que de s'accoupler à quelqu'un d'une autre condition que la leur. Ils se tiennent même pour souillés s'ils en sont seulement touchés en passant, et, comme si leur noblesse en était prodigieusement atteinte et offensée, ils tuent ceux qui les ont seulement approchés d'un peu trop près. Au point que les parias sont tenus de crier en marchant, comme les gondoliers de Venise, au détour des rues, pour qu'on ne s'entre-heurte pas ; et les nobles leur commandent de se ranger du côté qu'ils veulent. Les uns

1. Cette relation d'antécédent à conséquent semble viser la filiation paternelle, souvent incertaine et fragile (stérilité, malformation, adultère).

2. « Maquereaux », amants.

évitent par là une ignominie qu'ils estiment perpétuelle, les autres, une mort certaine. Nulle durée de temps, nulle faveur du prince, nul service ou vertu ou richesse ne peut faire qu'un roturier devienne noble. Ce à quoi aide cette coutume qu'il est défendu de se marier d'un état à l'autre. Une fille née d'une lignée de cordonniers ne peut épouser un charpentier, et les parents sont obligés de dresser les enfants au métier de leurs pères, précisément, et à nul autre, par où se maintient à perpétuité la distinction de leur condition.

Un bon mariage, si jamais il en est, refuse la compagnie et les façons de l'amour : il tâche de présenter celles de l'amitié. C'est une douce société de vie, pleine de constance, de confiance, et d'un nombre infini d'utiles et solides devoirs et obligations mutuelles. Aucune femme qui en savoure le goût, et que

le flambeau d'hymen put unir à la flamme espérée
optato quam iunxit lumine tæda, [1]

ne voudrait tenir lieu de maîtresse et d'amie à son mari. Si elle est logée dans son affection en tant qu'épouse, elle y est bien plus honorablement et bien plus sûrement logée. Quand il ira faire ailleurs l'ému et l'empressé, qu'on lui demande pourtant alors à qui il aimerait mieux voir arriver une honte, ou à sa femme ou à sa maîtresse, de qui l'infortune l'affligerait le plus, à qui il souhaite le plus de grandeur : ces demandes ne font aucun doute dans un mariage sain. Le fait qu'il s'en voie si peu de bons est le signe de son prix et de sa valeur. Quand un mariage est bien formé et bien reçu, il n'est point de plus belle institution dans notre société. Nous ne pouvons nous en passer et nous ne cessons de l'avilir. Il en advient ce que l'on voit dans nos cages : les oiseaux qui sont dehors désespèrent d'y entrer, et, avec la même impatience, ceux qui sont au-dedans, d'en sortir. Socrate, comme on lui demandait ce qui était plus avantageux entre prendre et ne prendre point femme : « Des deux, dit-il, quelque choix que l'on fasse, on se repentira. » Le mariage est un contrat auquel se rapporte à point nommé ce qu'on dit : *homo homini* ou *deus* ou *lupus*, que l'homme est pour l'homme ou dieu ou loup. Il faut la réunion de beaucoup de qualités pour le bâtir. Il est de nos jours plus commode aux âmes simples et communes, chez qui les délices, la curiosité et l'oisiveté ne le troublent pas tant. Les humeurs libérales comme la mienne qui hait toute sorte de liaison et d'obligation n'y sont pas si propres.

1. Catulle, *Carmina*, LXVI, 79

Et j'aime vivre aussi sans laisse autour du cou
Et mihi dulce magis resoluto uiuere collo. [1]

De mon libre gré, j'eusse fui d'épouser la sagesse même – supposé qu'elle eût voulu de moi. Mais nous avons beau dire : la coutume et l'usage commun nous emportent. La plupart de mes actions sont faites par imitation, non par choix. Toutefois je ne me suis pas invité au mariage à proprement parler : on m'y mena, et j'y fus porté par des causes qui m'étaient étrangères. Car, outre les choses seulement désagréables, il n'en est aucune, si laide et vicieuse et à fuir soit-elle, qui ne puisse devenir acceptable dans certaines circonstances ou dans certains cas, tant est vaine l'humaine position. Et j'y fus certes alors porté plus mal préparé et de plus mauvais gré que je ne le suis à présent après l'avoir essayé. Et tout libertin qu'on me croit, j'ai en vérité plus sévèrement observé les lois du mariage que je ne l'avais ni promis ni espéré : il n'est plus temps de regimber quand on s'est laissé entraver. Il faut prudemment ménager sa liberté, mais dès le moment qu'on s'est soumis à l'obligation, il faut se tenir sous les lois du devoir commun ou du moins s'y efforcer. Ceux qui entreprennent ce marché pour s'y comporter avec haine et mépris agissent en hommes injustes et malfaisants. Et cette belle règle que je vois passer de main en main entre les femmes comme un saint oracle,

Sers ton mary comme ton maistre,
Et t'en garde comme d'un traistre :

ce qui revient à dire : comporte-toi envers ton époux avec un respect contraint, hostile, et défiant (vrai cri de guerre et de défi !) : c'est pareillement injuste et insupportable. Je suis trop tendre pour des desseins aussi épineux. À dire vrai, je ne suis pas encore arrivé à cette perfection d'habileté et à cette élégance d'esprit que de confondre la raison avec l'injustice, et de mettre en risée tout ordre et toute règle qui ne s'accordent pas à mon désir. Pour haïr la superstition, je ne me jette pas incontinent dans l'irréligion. Si on ne fait toujours son devoir, au moins le faut-il toujours aimer et reconnaître : c'est trahison de se marier sans s'épouser.

Passons outre.

Virgile, dans les vers que nous lui avons empruntés plus haut, représente un mariage bien harmonieux et bien assorti dans lequel pourtant il n'y a pas beaucoup de loyauté. A-t-il voulu dire qu'il ne serait pas impossible de céder aux efforts de l'amour tout en

1. Maximianus, *Élégies*, I, 61.

préservant néanmoins quelque devoir envers le mariage, et qu'on peut blesser ce lien sans le rompre tout à fait ? Tel valet ferre bien la mule [1] à son maître qu'il ne hait pas pourtant... La beauté, la facilité de l'occasion, les destins (car les destins y mettent aussi la main) :

> un mauvais sort pèse sur ces parties
> Qu'on tient sous le manteau, car si les astres n'en ont soin
> À bander loin des yeux, long vit ne sert de rien
> *fatum est in partibus illis*
> *Quas sinus abscondit : nam si tibi sidera cessent,*
> *Nil faciet longi mensura incognita nerui* [2]

ont attachée l'épouse à un amant, mais non pas si entièrement peut-être qu'il ne lui puisse rester quelque lien par où elle tient encore à son mari. Amour et mariage, ce sont là deux desseins aux routes distinctes et non confondues : une femme peut se donner à tel personnage qu'elle ne voudrait nullement avoir épousé, je ne dis pas pour la tournure de sa fortune, mais pour celle même de sa personne. Peu de gens ont épousé des amantes qui ne s'en soient repentis, et jusque dans l'autre monde : quel mauvais ménage fait Jupiter avec sa femme, qu'il avait antérieurement fréquentée et dont il avait joui au cours d'amourettes ! C'est là ce qu'on appelle chier dans le panier pour se le mettre après sur la tête. J'ai vu de mon temps dans certaines grandes maisons guérir l'amour par le mariage de façon honteuse et déshonorante : ce sont là des considérations tout autres. Nous aimons sans vouloir être entravés, deux choses divergentes et qui se contrarient. Isocrate disait que la ville d'Athènes plaisait à la façon des dames qu'on sert par amour : chacun aimait à venir s'y promener et passer son temps ; nul ne l'aimait pour l'épouser, c'est-à-dire pour y prendre ses habitudes et y élire domicile. J'ai vu avec dépit des maris haïr leurs femmes pour la seule raison qu'ils leur font du tort : au moins ne faut-il pas les aimer moins du fait de notre faute ; par remords et compassion au moins elles devraient nous en être plus chères. Ce sont des fins différentes et pourtant compatibles, nous dit Virgile en quelque façon. Le mariage a pour sa part l'utilité, la justice, l'honneur, et la constance : un plaisir plat, mais plus universel. L'amour se fonde sur le seul plaisir, et, de vrai, il l'a plus chatouilleux, plus vif, et plus

1. « Ferrer la mule » : autrement dit « tromper » ; cette expression devenue proverbiale trouve son origine dans une anecdote qui survint à l'empereur Vespasien. L'un de ceux qui le servaient avait forgé le prétexte de faire referrer une mule pour décider l'empereur à suspendre son trajet, à la seule fin de l'amener à écouter un certain solliciteur qui avait exprès soudoyé ce serviteur.

2. Juvénal, *Satires*, IX, 32-34.

aigu : un plaisir attisé par la difficulté, où il faut de la piqûre et du cuisant. Ce n'est plus l'amour s'il est sans flèches et sans feux ! La libéralité des femmes est trop largement prodiguée dans le mariage, et elle émousse la pointe de l'affection et du désir. Pour fuir cet inconvénient, voyez la peine qu'y prennent en leurs lois Lycurgue et Platon. [1]

Les femmes n'ont pas du tout tort quand elles refusent les règles de vie qui ont cours dans le monde dans la mesure où ce sont les hommes qui les ont faites sans elles. Il y a naturellement de la querelle et de la dispute entre elles et nous. La plus étroite intelligence que nous ayons avec elles, encore est-elle pleine de tumultes et de tempêtes. Selon l'avis de Platon, nous les traitons de façon inconséquente pour les raisons que voici. Après que [2] nous avons reconnu qu'elles sont sans comparaison plus capables et plus ardentes que nous dans les effets que produit l'amour, ce dont a témoigné ce prêtre [3] de jadis qui, ayant été tour à tour homme et femme,

De Vénus connaissait chacune des deux faces
Venus huic erat utraque nota ; [4]

après en outre que nous avons appris, et de leur propre bouche, la preuve qu'ont jadis donnée de la chose, en des siècles différents, un empereur et une impératrice de Rome [5], maîtres ouvriers et fameux en cette besogne : lui, certes, dépucela bien en une nuit dix vierges Sarmates, ses captives, mais elle, elle fournit physiquement à vingt-cinq assauts en une seule nuit, changeant de compagnie selon son besoin et son goût,

Et, la vulve en chaleur et toujours turgescente,
Elle se retira, lasse, mais encor désirante
adhuc ardens rigidæ tentigine uuluæ,
Et, lassata uiris, nondum satiata recessit ; [6]

---

1. Qui tous deux stipulent très strictement ce que doit être la fréquence des rapports entre époux.

2. « *Après que... après que... après en outre que...* » : Montaigne, qui avait souvent rapporté à la cour de Parlement, s'amuse ici à rédiger en style du palais, et comme à coup « d'attendus que ».

3. Tirésias, devin légendaire de Thèbes qui avait été transformé en femme sept ans durant. L'épisode est dans les *Métamorphoses* d'Ovide (Livre III).

4. Ovide, *Métamorphoses*, III, 323.

5. Proculus, empereur du IIIe siècle, et Messaline, épouse de l'empereur Claude.

6. Juvénal, *Satires*, VI, 129-30.

et après que, à l'occasion d'un différend qu'en Catalogne une femme eut contre son mari dont elle se plaignait des assauts trop assidus (non tant à mon avis qu'elle en fût incommodée, car je ne crois aux miracles qu'en matière de foi, que pour réduire sous ce prétexte et brider l'autorité des maris sur leurs femmes par cela même qui est l'action fondamentale du mariage et montrer que leur hargne et leur malignité dépassent la couche nuptiale et foulent aux pieds les grâces et les douceurs mêmes de Vénus) ; après donc que ce mari, homme vraiment bestial et dénaturé, eut à sa plainte répondu qu'aux jours mêmes de jeûne il ne saurait s'en passer à moins de dix, et que fut intervenu l'arrêt remarquable que prit la reine d'Aragon où, après mûre délibération en son conseil, cette bonne reine, *pour donner pour tous les temps la règle et le modèle de la modération et de la mesure requise en un juste mariage*, fixait pour bornes légitimes et nécessaires le nombre de *six fois par jour* (en quoi elle en rabattait et laissait beaucoup du besoin et du désir de son sexe) *pour établir*, disait-elle, *une forme aisée,* et par conséquent *permanente et immuable.* Sur quoi, nos docteurs, quand ils considéraient la diversité de mesure de nos appétits, de se récrier : « Mais quels doivent donc être l'appétit et la concupiscence des femmes si leur raison, leur sagesse et leur vertu se taillent à ce prix-là ! », car Solon, patron de l'école des législateurs, ne fixe qu'à trois fois par mois, pour ne point faillir, cette fréquentation conjugale. Après, dis-je donc, que nous avons cru et prêché tout cela, voilà que nous sommes allés leur donner la continence en partage particulier, et ce, sous des peines dernières et extrêmes ! Il n'est pas de passion plus pressante que celle-là, à laquelle nous voulons pourtant qu'elles résistent seules. Non comme à un simple vice, mais comme à une chose plus abominable et plus exécrable encore que l'irréligion ou le parricide, alors que nous, nous nous y livrons dans le même temps sans culpabilité ni remords. Même ceux d'entre nous qui ont essayé d'en venir à bout ont assez avoué quelle difficulté, ou plutôt quelle impossibilité il y avait, en usant de remèdes physiques, à mater, affaiblir et refroidir le corps. Mais nous, au contraire, nous les voulons saines, vigoureuses, en bon point, bien nourries et chastes tout ensemble, c'est-à-dire tout à la fois chaudes et froides ! Car le mariage par lequel nous prétendons les empêcher de brûler leur apporte assez peu de rafraîchissement, vu la façon dont nous en usons ! Si elles prennent un époux chez qui la vigueur de l'âge bout encore, il se fera gloire de la répandre ailleurs :

Un peu de pudeur, je t'en prie, ou courons en justice,
Ton membre, Bassus, m'a coûté trop de milliers d'écus ;
Tu l'as vendu, mon cher : il ne t'appartient plus

Sit tandem pudor, aut eamus in ius,
Multis mentula millibus redempta,
Non est hæc tua, Basse, uendidisti ! [1]

Le philosophe Polémon fut à juste titre cité en justice par sa femme parce qu'il allait semant dans un champ stérile le fruit qu'il devait au sillon génital. Si c'est à l'inverse parmi les invalides qu'elles prennent mari, toutes mariées qu'elles soient, les voilà dans une condition pire que celle des vierges et des veuves : nous les tenons pour bien pourvues parce qu'elles ont un homme auprès d'elles, comme les Romains tinrent pour violée Clodia Læta, la vestale que Caligula avait approchée, encore qu'il fût avéré qu'il ne l'avait qu'approchée, alors que par là au contraire on renforce leur besoin, vu que la proximité et la compagnie de quelque mâle que ce soit éveillent leur chaleur qui demeurerait plus paisible dans la solitude. Et, selon toute vraisemblance, c'est bien afin de rendre leur vie plus chaste et plus méritoire que ces souverains de Pologne, Boleslas et Kinge, sa femme, d'un commun accord et couchés l'un près de l'autre, ont fait vœu de chasteté le jour même de leurs noces et s'y sont tenus à la barbe des plaisirs maritaux.

Nous dressons dès l'enfance les femmes aux ruses de l'amour : leur grâce, leur coiffure, leur science, leur parole, toute leur instruction, ne regardent qu'à ce but. Leurs gouvernantes ne leur impriment pas autre chose que le visage de l'amour, ne fût-ce qu'en le leur représentant continuellement pour les en dégoûter. Ma fille (c'est tout ce que j'ai d'enfants) est à l'âge auquel les lois excusent les plus échauffées de se marier. Elle est d'une constitution assez peu précoce, mince et douce, et elle a été élevée de même par sa mère, d'une façon privée et particulière, si bien qu'elle ne commence qu'encore à se déniaiser de la naïveté de l'enfance. Elle lisait devant moi un livre français : le mot de *foutau* [2] s'y rencontra, nom d'un arbre connu : la femme qu'elle a pour sa conduite l'arrêta tout court, un peu rudement, et la fit passer par-dessus ce mauvais pas. Je la laissai faire pour ne pas troubler leurs règles, car je ne me mêle en rien du gouvernement des femmes. La politesse féminine va d'un train mystérieux. Il faut la leur laisser. Mais, si je ne me trompe, le commerce de vingt laquais n'eût su en six mois imprimer dans son imagination l'intelligence et l'usage de ces

1. Martial, *Épigrammes*, XII, 97 ; 10, 7 et 11.

2. *Foutau*, jeune fau, (lat. *fagus*), *i. e.* jeune hêtre (l'arbre à *faînes*) ; le mot *fau*, encore employé par Anatole France, par exemple, est toujours une entrée dans le *Trésor de la Langue Française Informatisé*. Il est toujours en usage dans les langues d'oc et dans le Midi. En picard, on dit « *fou* ». La gouvernante a craint une paronymie scabreuse pour sa jeune élève.

syllabes scélérates, avec toutes les conséquences de leur son, aussi bien que le fit cette bonne vieille avec sa réprimande et son interdiction.

Ô joie de s'étudier aux danses d'Ionie
Pour la vierge précoce et de se déhancher le corps :
Cette tendre enfance dès lors
À d'impures amours rêve de se sentir unie

Motus doceri gaudet Ionicos
Matura uirgo, et frangitur artubus
Jam nunc et incestos amores
De tenero meditatur ungui ! [1]

Que les femmes se dispensent seulement un peu de la cérémonie, qu'elles parlent en toute liberté, et nous ne sommes que des enfants au prix d'elles dans cette science. Écoutez-les rapporter nos compliments et nos propos : elles vous font bien connaître que nous ne leur apportons rien qu'elles n'aient su et digéré sans nous ! Serait-ce ce que dit Platon, qu'elles aient été autrefois des garçons débauchés ? Mon oreille se rencontra un jour en un lieu où elle pouvait sans soupçon dérober quelques-uns des propos que des femmes se faisaient entre elles : las ! Que ne puis-je le redire ? Notre Dame ! Me suis-je dit, nous pouvons bien aller à cette heure étudier dans les phrases d'*Amadis* et dans les livres de Boccace et de l'Arétin pour faire les habiles, nous employons vraiment bien notre temps ! Il n'est ni parole, ni exemple, ni façon qu'elles ne sachent mieux que nos livres. C'est une science née dans leurs veines,

Et par Vénus inoculée

Et mentem Venus ipsa dedit, [2]

que ces bons maîtres d'école que sont Nature, Jeunesse et Santé leur soufflent continuellement dans l'âme. Elles n'ont que faire de l'apprendre, elles l'engendrent.

Moins jouit la tourterelle avec son blanc tourtereau,
Ou bien quelque autre encor plus amoureux oiseau,
À lui voler des baisers en le becquetant sans cesse
Qu'une femme qui brûle avide de caresse

Nec tantum niueo gauisa est ulla columbo
Compar, uel si quid dicitur improbius,
Oscula mordenti semper decerpere rostro
Quantum præcipue multiuola est mulier. [3]

---

1. Horace, *Odes*, III, 6, 21-24.
2. Virgile, *Géorgiques*, III, 242-244.
3. Catulle, LXVIII, 125-8.

Si l'on n'eût tenu un peu en bride cette violence naturelle de leur désir par la crainte et la pudeur dont on les a pourvues, nous étions perdus de réputation ! Tout le mouvement du monde se résout et se rend à cet accouplement : c'est une matière infuse partout et un centre vers lequel toutes choses regardent. On voit encore des ordonnances de la vieille et sage Rome faites pour le service de l'amour, les préceptes de Socrate pour l'instruction des courtisanes,

Et même les livrets des Stoïciens non sans joie
Se plaisent à traîner sur les coussins de soie

Nec non libelli Stoici inter sericos
Jacere pululillos amant. [1]

Zénon aussi voulait régler par des lois les écartèlements et les secousses du dépucelage ! De quelle teneur était le livre du philosophe Straton *Sur la conjonction de la chair* ? De quoi pouvait bien traiter Théophraste dans ces deux qu'il intitula, l'un *L'Amoureux*, l'autre, *De l'Amour* ? Et de quoi Aristippe dans le sien, intitulé *Des anciennes délices* ? À quoi tendent chez Platon ces descriptions si étendues et si vives des amours de son temps ? Et le livre *De l'Amoureux* de Démétrius de Phalère ? Et *Clinias* ou *L'Amoureux forcé* d'Héraclite du Pont ? Et, d'Antisthène, le traité *De faire les enfants* ou celui *Des Noces*, ainsi que cet autre dit *Du Maître* ou *De l'Amant* ? D'Aristote, celui *Des Exercices amoureux* ? De Cléanthe, son *De l'Amour* ainsi que son *Art d'aimer* ? Et les *Dialogues amoureux* de Sphéros ? Et la fable de *Jupiter et Junon* de Chrysippe, éhontée au-delà de tout ce qui se peut tolérer ? Et ses cinquante *Épîtres*, si lascives ? Je veux laisser à part les écrits des philosophes qui ont suivi la secte d'Épicure, protectrice de la volupté. Cinquante divinités étaient au temps jadis asservies à ce travail, et il s'est même trouvé une nation où, pour endormir la concupiscence de ceux qui venaient faire leurs dévotions, on offrait dans les temples pour en jouir des garces et des garçons, et où c'était un acte de cérémonie que de s'en servir avant de venir à l'office : rien d'étonnant : la continence a besoin de l'incontinence : le feu s'éteint par les flammes *nimirum propter continentiam incontinentia necessaria est, incendium ignibus extinguitur.* [2] Dans la majeure part du monde, cette partie de notre corps était déifiée. Dans la même province, les uns se l'écorchaient pour en offrir et consacrer un lambeau, les autres offraient et consacraient leur semence ; dans une autre, les jeunes gens se perçaient la verge publiquement, ils se l'ouvraient en divers lieux entre chair et

1. Horace, *Épodes*, VIII, 15.
2. Tertullien, *De pudicitia*, I, 16.

cuir, et par ces ouvertures traversaient des broches, les plus longues et les plus grosses qu'ils pouvaient souffrir ; et de ces broches ils faisaient après du feu en offrande à leurs dieux. On réputait peu vigoureux et peu chastes ceux qui venaient à défaillir sous la violence de cette douleur cruelle. Ailleurs, le magistrat le plus sacré était révéré et reconnu par ces parties-là ; dans plusieurs cérémonies on en portait l'effigie en grande pompe en l'honneur de diverses divinités. Les femmes d'Égypte, lors de la fête des Bacchanales, en portaient un de bois autour du cou, chacune selon sa capacité, fait à la perfection, grand et pesant, outre celui qu'en présentait la statue de leur dieu, lequel, par sa mesure, dépassait le reste du corps. Les femmes mariées, près d'ici [1], en façonnent une figure sur leur front au moyen de leur couvre-chef pour bien montrer, à leur gloire, la jouissance qu'elles en ont ; et quand elles viennent à être veuves elles le couchent en arrière et l'ensevelissent sous leur coiffure. Les plus sages matrones à Rome étaient honorées d'offrir des fleurs et des couronnes au dieu Priape et on faisait asseoir les vierges au temps de leurs noces sur ses parties les moins honnêtes. Encore ne sais-je si je n'ai pas vu de nos jours quelque apparence d'une pareille dévotion ! Que voulait dire cette ridicule pièce cousue à l'entrecuisse des hauts-de-chausse de nos pères qui se voit encore sur nos Suisses ? À quoi sert donc cette exhibition que nous faisons à cette heure du moulage de nos parties sous nos culottes à la grecque, et souvent, qui pis est, en outrant leur grandeur naturelle non sans mensonge et imposture ? Il me prend envie de croire que cette sorte d'appendice vestimentaire fut inventée dans les siècles les meilleurs et les plus consciencieux pour éviter qu'on ne dupe son monde, afin que chacun rendît compte en public – et galamment – de ce qu'il en était réellement de lui. Les nations les plus simples le portent encore [2], en lui gardant quelque rapport avec la vérité. L'on instruisait alors son monde sur ce point comme on le fait pour la mesure du bras ou du pied. Ce saint homme [3] qui, du temps de ma jeunesse, fit châtrer tant de belles statues antiques dans sa grande ville, pour ne point corrompre les yeux, suivant en cela l'avis de cet autre ancien saint homme selon lequel

1. Au Pays basque.

2. Montaigne passe de la « braguette » (mot dérivé de « braie ») qu'arboraient encore les Suisses et les modernes culottes à la grecque aux étuis péniens portés par certaines tribus indiennes d'Amazonie, et décrits par Jean de Léry.

3. Il pourrait s'agir du pape Paul III ou de Paul IV, son successeur. La « grande ville » est Rome.

Le premier pas vers la faute est d'aller nu devant tous
Flagitii principium est nudare inter ciues corpora, [1]

aurait dû s'aviser, à l'exemple des mystères de la bonne Déesse d'où toute apparence masculine était exclue, que cela n'avançait à rien s'il ne faisait encore châtrer les chevaux, les ânes, et toute la nature à la fin,

Tant tout ce qu'il est de mortels et de bêtes sauvages,
Peuple des eaux, troupeaux, volants aux chatoyants plumages,
Se rue avec fureur dans les feux de l'amour
Omne adeo genus in terris hominumque ferarumque,
Et genus æquoreum, pecudes, pictæque uolucres,
In furias ignemque ruunt. [2]

Les dieux, dit Platon, nous ont munis d'un membre désobéissant et tyrannique, qui, comme un animal furieux, entreprend de tout soumettre à lui par la violence de son appétit. De même aux femmes ils ont fourni pour le leur une sorte d'animal glouton et avide, qui, si on lui refuse ses aliments en sa saison, devient forcené, ne supporte aucun délai, et, insufflant sa rage dans leurs corps, obstrue les conduits, arrête la respiration et cause mille sortes de maux jusqu'à ce que, ayant absorbé le fruit de la soif commune, il en ait largement arrosé et ensemencé le fond de leur matrice. Or ce poète législateur que j'invoquais précédemment aurait aussi dû s'aviser qu'il est peut-être plus chaste et plus fructueux de faire de bonne heure connaître le vif aux femmes que de le leur laisser deviner selon la liberté et la chaleur de leur imagination : aux parties vraies, par désir et par espérance, elles en substituent d'autres extravagantes du triple. Et tel de ma connaissance s'est perdu pour avoir mis à nu les siennes en un lieu où il n'était pas encore en mesure de leur donner leur plus sérieux usage. Quel dommage ne font pas ces énormes dessins que nos petits pages vont semant par les couloirs et les escaliers des maisons royales ? De là vient aux femmes un cruel mépris de notre envergure naturelle. Et sait-on si Platon, en ordonnant, après d'autres républiques bien instituées, que les hommes, les femmes, les vieux, les jeunes se montrent nus à la vue les uns des autres dans ses gymnases n'a pas regardé à cela ? Les Indiennes qui voient les hommes tout nus ont au moins le sens de la vue refroidi ! Les femmes de ce grand royaume du

1. Vers d'Ennius cité par Cicéron dans les *Tusculanes* (IV, 33) Le vieux poète latin dans ce passage condamnait les gymnases où, selon lui, était né le vice grec.
2. Virgile, *Géorgiques*, III, 242-244.

Pégu [1] n'ont pour se couvrir au-dessous de la ceinture qu'un drap fendu par le devant, et si étroit que, quelque cérémonieuse décence qu'elles y cherchent, à chaque pas on leur voit tout. Quoiqu'elles disent que c'est une invention trouvée aux fins d'attirer à elles les hommes et de les détourner des mâles auxquels cette nation s'adonne entièrement, on pourrait dire qu'elles y perdent plus qu'elles n'y misent et qu'une faim entière est plus âpre que celle qu'on a rassasiée au moins par les yeux. Livie disait aussi que pour une femme honnête un homme nu n'est jamais plus qu'une statue. Les Lacédémoniennes, femmes plus pures que ne le sont nos filles, tous les jours pendant leurs exercices voyaient les jeunes gens de leur ville dénudés, peu soucieuses elles-mêmes de se couvrir les cuisses en marchant, car, comme dit Platon, elles estimaient qu'elles étaient assez couvertes de leur vertu sans vertugade [2]. Mais ces gens dont parle saint Augustin ont prêté à la nudité un singulier pouvoir de tentation, qui se sont demandés si les femmes, au jour du jugement dernier, ressusciteront dans leur sexe, ou non pas plutôt dans le nôtre pour ne pas nous tenter encore dans ce saint état.

On les leurre, en somme, et on les acharne [3] par tous les moyens : nous échauffons et excitons sans cesse leur imagination, et puis nous crions au ventre ! Confessons le vrai : il n'en est guère parmi nous qui ne craigne pas plus la honte qui lui vient des vices de sa femme que des siens, qui ne s'occupe pas plus (merveilleuse charité !) de la conscience de sa bonne épouse que de la sienne propre, qui n'aimât pas mieux être voleur et sacrilège et que sa femme fût meurtrière et hérétique que si elle n'était pas plus chaste que son mari. Inique évaluation des vices ! Nous et elles sommes capables de mille dépravations plus dommageables et plus dénaturées que ne l'est la lascivité, mais nous pensons et pesons les vices, non selon la nature, mais selon notre intérêt. Par où ils prennent tant de formes inégales. L'âpreté de nos décrets rend l'application des femmes à ce vice plus âpre et plus vicieuse que ne le comporte sa nature, et le porte à des conséquences pires que leur cause. Elles offriraient volontiers d'aller au palais chercher des avantages et à la guerre de la réputation plutôt que d'avoir, au milieu de l'oisiveté et des délices, à monter une garde si difficile ! Voient-elles pas qu'il n'est ni marchand, ni procureur, ni

---

1. Ancienne capitale de la basse Birmanie (aujoud'hui Myanmar), non loin de Rangoon.

2. Ou « vertugadin » : jupe gonflée par un cercle de bois à la mode lors de la Renaissance. Jeu de mot sur *vertu / vertu-garde*.

3. Appâte (on « acharne » le rapace pour la chasse au vol).

soldat qui ne quitte sa besogne pour courir à cette autre ? Et même le crocheteur et le savetier, tout fourbus et décatis qu'ils sont de travail et de faim ?

Fût-ce pour les trésors d'Achéménés,
Et pour tout l'or de la grasse Phrygie,
Eusses-tu de Licinnie un seul cheveu pu donner,
Voire pour les palais opulents d'Arabie,

Quand sa nuque en se détournant s'offre aux feux des baisers,
Ou lorsqu'elle refuse en feignant un caprice
Ce que plus que l'amant elle aime à se voir dérober
Et qu'elle attend afin qu'il le ravisse ?

Num tu quæ tenuit diues Achæmenes,
Aut pinguis Phrygiæ Mygdonias opes,
Permutare uelis crine Licinniæ,
Plenas aut Arabum domos,

Dum fragrantia detorquet ad oscula
Ceruicem, aut facili sæuitia negat,
Quæ poscente magis gaudeat eripi,
Interdum rapere occupet ? [1]

Je ne sais si les exploits de César et d'Alexandre surpassent en rudesse la résolution d'une belle jeune femme nourrie à notre façon à la lumière et dans le commerce du monde, battue de tant d'exemples contraires, et qui se maintient pure au milieu de mille continuelles et fortes assiduités. On ne saurait trouver d'action plus épineuse que cette inaction, ni plus active ! Je trouve plus aisé de porter une cuirasse toute sa vie qu'un pucelage. Le vœu de virginité est le plus noble de tous les vœux, puisqu'il est le plus rude : la force du Diable est dans les reins, dit saint Jérôme, *Diaboli uirtus in lumbis est.* [2] Assurément, le plus ardu et le plus exigeant de nos humains devoirs, nous l'avons assigné aux femmes, et nous leur en laissons la gloire. Cela doit leur servir d'un singulier aiguillon à s'y opiniâtrer, car voilà une belle matière à nous braver et à fouler aux pieds cette vaine prééminence en valeur et en vertu que nous prétendons avoir sur elles ! Elles trouveront, si elles y prennent garde, qu'elles en seront non seulement très estimées, mais aussi plus aimées. Un galant homme ne renonce pas à ses assiduités parce qu'il se voit refusé, pourvu que ce soit un refus fait par chasteté et non par choix. Nous avons beau jurer, et menacer et nous plaindre, nous mentons : nous ne les en aimons que mieux ! Il n'est point de meilleur appât qu'une sagesse aimable et non

1. Horace, *Odes*, II, 12, 21-28.
2. Saint Jérôme, *Lettres*, VII et XXII.

renfrognée. Il est stupide et lâche de s'opiniâtrer contre la haine et le mépris ; mais contre une résolution vertueuse et constante, mêlée d'une volonté reconnaissante, c'est l'exercice d'une âme noble et généreuse. Elles peuvent reconnaître nos services, jusque dans une certaine mesure, et nous faire sentir honnêtement qu'elles ne nous dédaignent pas. Car cette loi qui leur commande de nous abhorrer parce que nous les adorons et de nous haïr parce que nous les aimons est cruelle assurément, ne fût-ce que par sa rigueur. Pourquoi n'écouteraient-elles pas nos offres et nos demandes aussi longtemps que celles-ci se contiennent sous le devoir de la réserve ? Que va-t-on soupçonner que ces demandes aient au-dedans quelque sens plus libre ? Une reine de notre temps [1] disait non sans finesse que de refuser ces abords est un témoignage de faiblesse et une preuve de sa propre facilité, et qu'une femme qui n'était pas tentée ne pouvait se vanter d'être chaste. Les limites de l'honneur ne sont pas du tout taillées si court : l'honneur a de quoi se relâcher, il peut s'accorder un peu de dispense sans pour autant se forfaire. À sa frontière, il y a quelque étendue libre, indifférente et neutre : qui l'a pu chasser et acculer de force jusque dans ses réduits et son fort est un malhabile homme s'il n'est satisfait de sa fortune. Le prix de la victoire s'évalue à la difficulté. Voulez-vous savoir quelle impression ont faite sur son cœur votre soumission et votre mérite ? Mesurez-le à ses façons : telle peut donner plus qui ne donne pas tant. La reconnaissance que l'on a d'un bienfait se mesure entièrement à l'intention de celui qui donne : toutes les autres circonstances qui s'y rencontrent sont muettes, mortes et occasionnelles. Ce peu lui coûte plus à donner qu'à sa compagne d'offrir son tout. S'il est quelque chose où la rareté serve de critère, ce doit bien être ici. Ne regardez pas combien peu c'est, mais combien peu l'ont. La valeur de la monnaie change selon le coin et la marque du lieu.

Quoi que le dépit et le manque de mesure de certains puissent leur faire dire au moment de l'excès de leur mécontentement, la vertu et la vérité regagnent toujours leur avantage. J'ai vu des femmes dont la réputation a longtemps été injustement attaquée qui se sont remises dans l'approbation universelle des hommes par leur seule constance, sans étude et sans artifice. Chacun se repent et se dément de ce qu'il en a cru ; de filles un peu suspectes, elles en viennent à tenir le premier rang parmi les dames d'honneur. Quelqu'un disait à Platon : « Tout le monde médit de vous ! – Laissez-les dire, fit-il, je vivrai de façon à leur faire changer de langage. » Outre la crainte de Dieu et le prix d'une gloire si rare qui doivent les inciter à se conserver, la corruption de

1. Marguerite de Navarre, dans *L'Heptaméron*.

ce siècle les y force. Et si j'étais à leur place, il n'est rien que je ne fisse plutôt que de commettre ma réputation entre des mains aussi dangereuses ! De mon temps, le plaisir de conter ses bonnes fortunes (plaisir qui ne doit guère en douceur à celui même du plaisir réel) n'était permis qu'à ceux qui avaient quelque ami fidèle et unique. À présent, les entretiens ordinaires des assemblées et des tables, ce sont les vantardises sur les faveurs reçues et les libéralités secrètes des femmes. Vraiment c'est trop d'abjection et de bassesse de cœur que de laisser ainsi fièrement persécuter, pétrir et fourrager ces tendres et douces mignonnes à des personnes ingrates, indiscrètes et si volages.

Cette exaspération immodérée et illégitime que nous avons contre le vice des femmes naît de la maladie la plus vaine et la plus orageuse qui afflige les âmes humaines, qui est la jalousie :

Empêche-t-on de s'allumer lampe à lampe approchée ?
Quis uetat apposito lumen de lumine sumi ? [1]
Elles ont beau donner sans fin, la source jamais ne tarit
Dent licet assidue, nil tamen inde perit. [2]

Cette passion-là, et l'Envie sa sœur, me semblent les plus ineptes de la troupe. De celle-ci je ne puis guère parler : cette passion qu'on peint si forte et si puissante n'a (de par sa bonne grâce) aucune prise sur moi. Quant à l'autre, je la connais au moins de vue. Les bêtes en ont le sentiment. Le pasteur Cratis s'était pris d'amour pour une chèvre. Son bouc, tandis qu'il dormait, lui vint par jalousie choquer la tête de la sienne et la lui écrasa. Nous avons poussé l'excès de cette fièvre jusqu'à un point qui jamais ne fut atteint chez aucune nation barbare : les mieux disciplinées en ont été atteintes, naturellement, mais sans s'y laisser emporter ; chez elles :

Jamais nul amant adultère embroché par l'épée
Maritale n'a de son sang l'eau du Styx empourprée
Ense maritali nemo confossus adulter
Purpureo stygias sanguine tinxit aquas. [3]

Lucullus, César, Pompée, Antoine, Caton, et d'autres vaillants hommes furent cocus, et le surent, sans en exciter de tumulte. Il n'y eut en ce temps-là que ce sot de Lépide qui en mourut de chagrin.

1. Ovide, *Art d'aimer*, III, 93.
2. *Priapées,* III, 2, 90.
3. Jean Second, *Élégies*, I, 7, 71-72.

Ah ! triste misérable au sort infortuné,
Te tirant par les pieds, l'on te fera passer la porte :
Tu nourriras navets et muges de la sorte

Ah tum te miserum malique fati,
Quem attractis pedibus patente porta,
Percurrent mugilesque raphanique. [1]

Et Vulcain, chez le poète que nous invoquions au début, quand il surprit l'un de ses compagnons avec sa femme, se contenta de leur en faire honte :

Les dieux pouffent de rire et l'un d'eux dit même aspirer
À pareil déshonneur

Atque aliquis de Diis non tristibus optat,
Sic fieri turpis, [2]

sans laisser pourtant de s'échauffer aux douces caresses qu'elle lui prodigue, tout en se plaignant qu'elle se soit en cela défiée de son affection :

Mais que vas-tu chercher tes raisons d'aussi loin ?
Dive, qu'as-tu donc fait de ta confiance en Vulcain ?

Quid causas petis ex alto ? Fiducia cessit
Quo tibi, Diua, mei ? [3]

Elle va jusqu'à lui faire une requête en faveur de son bâtard :

– Ces armes, pour un fils, c'est sa mère qui t'en prie

Arma rogo genitrix nato, [4]

laquelle lui est libéralement accordée. Et Vulcain parle d'Énée avec honneur

– Vaillant guerrier vaut bien qu'on lui forge des armes

Arma acri facienda uiro, [5]

avec une humanité, à la vérité, plus qu'humaine ! Pour cet excès de bonté, je consens qu'on le laisse aux divinités :

1. Catulle, *Carmina*, XV, 17-19.
2. Ovide, *Métamorphoses*, IV, 187-188.
3. Virgile, *Énéide*, VIII, 395-6.
4. Virgile, *Énéide*, VIII, 383.
5. Virgile, *Énéide*, VIII, 441.

On ne compare point les mortels et les dieux
Nec diuis homines componier æquum est ! [1]

Quant à la mise en commun des enfants, bien que les plus graves législateurs l'ordonnent et la requièrent dans leurs républiques, elle ne touche pas les femmes, chez qui, je ne sais comment, cette passion est encore mieux en son siège :

Souvent Junon aussi, de l'Olympe la souveraine,
A, contre son époux, brûlé d'une ire quotidienne
Sæpe etiam Juno, maxima cælicolum
Coniugis, in culpa flagrauit quotidiana. [2]

Lorsque la jalousie saisit ces pauvres âmes faibles et sans résistance, c'est pitié de voir comme elle les tiraille et tyrannise cruellement. Elle s'y insinue sous le titre de l'amitié, mais dès lors qu'elle les possède, les mêmes causes qui servaient de fondement à la bienveillance servent de fondement à une haine mortelle. Des maladies de l'esprit, c'est celle à qui le plus de choses servent d'aliment, et le moins de remèdes. La vertu, la santé, le mérite, la réputation du mari sont les boutefeux de leur malignité et de leur rage :

Nul courroux éternel, hormis celui d'Amour
Nullæ sunt inimicitiæ nisi amoris acerbæ. [3]

Cette fièvre enlaidit et corrompt tout ce que les femmes ont de bon et de beau par ailleurs. Et chez une femme jalouse, quelque chaste et bonne ménagère qu'elle soit, il n'est plus aucune action qui ne respire l'aigreur et l'exaspération. C'est une agitation enragée qui les rejette à une extrémité radicalement contraire à sa cause. Ce fut une chose plaisante chez un certain Octavius à Rome. Ayant couché avec Pontia Posthumia, il augmenta son affection par la jouissance et il la poursuivit instamment afin qu'elle l'épousât. Faute d'avoir pu la persuader, cet amour extrême le précipita dans la plus cruelle et mortelle inimitié : il la tua. Pareillement, les symptômes ordinaires de cette autre maladie amoureuse, ce sont les haines intestines, les obsessions et les complots :

– Et l'on sait ce que peut la fureur d'une femme
Notumque furens quid foemina possit [4]

1. Catulle, *Carmina*, LXVIII, 141.
2. Catulle, *Carmina*, LXVIII, 138-139.
3. Properce, *Élégies*, II, 8, 3.
4. Virgile, *Énéide*, V, 6.

et une rage qui se ronge d'autant plus qu'elle est contrainte de s'excuser en prenant de bons sentiments pour prétexte.

Or le devoir de chasteté a une grande étendue. Est-ce la volonté que nous voulons qu'elles brident ? C'est là chose bien trop souple et trop active. Elle a trop de promptitude pour qu'on la puisse arrêter. Et comment, quand leurs songes les engagent parfois si avant qu'elles ne peuvent plus s'en dédire ? Il n'est pas en leur pouvoir (ni d'aventure en celui de la chasteté même, puisqu'elle est femelle), de se défendre des concupiscences et des désirs. Si leur volonté seule nous intéresse en la matière, où allons-nous ? Imaginez la presse autour de celui qui aurait le privilège de se voir porté tout emplumé, mais sans yeux ni langue, à point nommé dans les bras de chacune de celles qui l'accepteraient ! Les femmes Scythes crevaient les yeux à tous leurs esclaves et prisonniers de guerre pour pouvoir s'en servir de façon plus libre et mieux couverte. Ô le formidable avantage que le moment opportun ! Qui me demanderait quel est le premier atout en amour, je répondrais que c'est de savoir saisir l'occasion ; le second, de même ; et le tiers encore aussi bien ! C'est un point qui peut tout. J'ai souvent manqué de chance, mais parfois aussi d'entreprise. Que Dieu garde de mal celui qui peut encore se moquer de cela ! L'amour en ce siècle demande plus de témérité : nos jeunes gens excusent la leur sous prétexte d'ardeur. Mais, si les femmes y regardaient de près, elles trouveraient que leur témérité tient plutôt à leur mépris. Je craignais superstitieusement d'offenser et je suis porté à respecter ce que j'aime. Outre que, dans ce marché, qui en ôte le respect en efface le lustre. J'aime qu'on y fasse un peu l'enfant, le timide et le serviteur. Si j'en suis exempt en amour, j'ai par ailleurs quelques airs de cette sotte honte dont parle Plutarque, et le cours de ma vie en a été blessé et entaché en diverses occasions : qualité bien mal assortie à ma façon d'être générale. Mais aussi que sommes-nous d'autre que contradictions et discordances ? J'ai les yeux trop tendres pour soutenir un refus comme pour refuser, et il me pèse tant de peser à autrui que, dans les occasions où le devoir me force d'éprouver les intentions de quelqu'un en quelque affaire incertaine et qui lui coûte, je le fais chichement et à contrecœur. Mais si c'est pour mon propre intérêt (quoiqu'Homère ait bien raison de dire que dans le besoin c'est une sotte vertu que la honte), j'y délègue ordinairement un tiers, qui rougisse à ma place, et j'éconduis avec autant de difficulté ceux qui me sollicitent, si bien qu'il m'est arrivé parfois d'avoir la volonté de refuser et de n'en avoir pas la force. C'est donc folie d'essayer de brider chez les femmes un désir qui chez elles est si brûlant et si naturel. Et quand je les entends se vanter de garder leur volonté si vierge et si froide, je me moque d'elles. Elles se reculent trop arrière. Si c'est une vieille édentée et décrépite, ou une jeune, sèche et pulmonaire, même si la chose reste parfaitement incroyable, au moins ont-elles quelque apparence de le dire. Mais celles qui remuent et respirent encore en gâtent d'autant leur marché que leurs excuses inconsidérées ne servent qu'à les faire mieux accuser, comme un gentilhomme de mes voisins qu'on soupçonnait d'impuissance :

Plus que blette molle pendait son membre lymphatique
Qu'à l'entrejambe on ne vit jamais gonfler sa tunique
Languidior tenera cui pendens sicula beta,
Nunquam se mediam sustulit ad tunicam, [1]

et qui trois ou quatre jours après ses noces alla jurer bien hardiment, pour se justifier, qu'il avait vingt fois relayé la nuit précédente, ce dont par la suite on s'est servi pour le convaincre de pure ignorance et pour le démarier. Outre que se flatter de « garder sa volonté vierge », ce n'est rien dire qui vaille, car il n'y a ni continence ni vertu là où l'on ne fait nul effort pour contrarier la tentation : « Il est vrai », devraient-elles dire, « mais je ne suis pas prête à me rendre ». Les saints mêmes parlent ainsi. Je parle, s'entend, de celles qui, tout de bon, se targuent de froideur et d'insensibilité, et qui veulent en être crues sur le sérieux de leur mine, car lorsque c'est dit avec un visage étudié, où les yeux démentent les paroles, et dans ce jargon de leur déclaration, qui fait mouche à contre-poil, je le trouve assez piquant. Je suis grand serviteur de la naïveté et de la liberté, mais on n'y saurait là remédier : si elle n'est parfaitement naïve ou enfantine, elle ne sert de rien et ne convient nullement aux femmes dans le commerce amoureux ; elle se gauchit aussitôt dans le sens de l'impudence. Leurs déguisements et leurs grimaces ne trompent que les sots. Le mensonge y trône sur le siège d'honneur : il n'est qu'un détour qui nous conduit à la vérité par une fausse porte.

Si nous ne pouvons contenir leur imagination, que voulons-nous des femmes ? Les actes ? Il en est assez par lesquels la chasteté peut être corrompue qui échappent totalement à la connaissance d'autrui :

– Bien souvent elle fait ce qu'on fait sans témoin
– Illud sæpe facit quod sine teste facit [2]

et les actes que nous craignons le moins sont d'aventure les plus à craindre ; leurs péchés muets sont les pires :

1. Catulle, LXVII, 21-22.
2. Martial, *Épigrammes*, VI, 7, 6.

Une franche putain m'est bien moins scandaleuse
Offendor moecha simpliciore minus. [1]

Il est aussi des actes qui sans impudicité peuvent perdre la pudicité des femmes, et qui plus est, à leur insu : souvent la sage-femme qui de la main s'assure qu'une fille est vierge, soit malice, soit maladresse, soit malchance, l'a déflorée en l'examinant *obstetrix uirginis cuiusdam integritatem manu uelut explorans, siue maleuolentia, siue inscitia, siue casu, dum inspicit perdidit.* [2] Telle a supprimé sa virginité pour l'avoir cherchée ; telle, qui voulait s'en divertir, l'a tuée.

Nous ne saurions leur circonscrire précisément les actions que nous leur défendons. Il faut rédiger notre loi dans des termes généraux et peu définis. L'idée même que nous nous forgeons de leur chasteté est ridicule, car parmi les exemples extrêmes que j'en ai, c'est Fatua, la femme de Faunus, qui ne se laissa jamais voir après ses noces à quelque mâle que ce fût, et la femme de Hiéron, qui ne sentait pas que son mari puait, croyant que ce fût là une propriété commune à tous les hommes. Il faut qu'elles deviennent insensibles et invisibles pour nous satisfaire ! Or confessons que, pour juger de ce devoir, le nœud gît principalement dans la volonté. Il y a eu des maris qui ont souffert leur mésaventure non seulement sans reproche ni offense envers leurs femmes, mais en se montrant même singulièrement obligés et reconnaissants envers leur vertu : telle qui aimait mieux son honneur que sa vie, l'a prostitué à l'appétit forcené d'un ennemi mortel pour sauver la vie à son mari et a fait pour lui ce qu'elle n'eût aucunement fait pour elle. Ce n'est pas ici le lieu d'étendre ces exemples : ils sont trop élevés et trop riches pour être représentés sous ce jour : gardons-les pour un plus noble endroit. Mais, pour des exemples d'un éclat plus ordinaire, n'est-il pas tous les jours des femmes parmi nous qui se prêtent, pour le seul service de leurs maris, et sur leur ordre exprès, et par leur entremise même ? Dans l'antiquité, Phaulios l'Argien offrit bien la sienne au roi Philippe par ambition, tout ainsi que le fit par civilité ce Galba qui avait donné à souper à Mécène : voyant que sa femme et lui commençaient de comploter à coups d'œillades et de signes, il se laissa couler sur son coussin et, jouant l'homme appesanti de sommeil, il prêta l'épaule à leurs amours. Ce qu'il avoua d'assez bonne grâce, car un valet ayant à ce moment eu la hardiesse de porter la main sur les vases qui étaient sur la table, il lui cria : « Comment coquin ? Ne vois-tu pas que je ne dors que pour Mécène ? » Telle a des mœurs débordées, qui a la volonté mieux corsetée que ne l'a cette autre qui se

1. Martial, *Épigrammes*, VI, 7, 6.
2. Saint Augustin, *Cité de Dieu*, I, 18.

conduit sous une apparence fort réglée. Et tout comme nous en voyons qui se plaignent d'avoir été vouées à la chasteté avant l'âge de connaître, j'en ai vu aussi bien se plaindre sincèrement d'avoir été vouées à la débauche avant l'âge de raison. Le vice des parents peut en être la cause, ou la force du besoin, qui est un rude conseiller. Aux Indes Orientales, où la chasteté est singulièrement en honneur, l'usage souffrait pourtant qu'une femme mariée pût s'abandonner à celui qui lui offrait un éléphant, et même avec quelque gloire d'avoir été estimée à si haut prix. Le philosophe Phédon, homme de noble lignée, après la prise de son pays d'Élide, fit métier, autant qu'elle dura, de prostituer la beauté de sa jeunesse à qui en voulut, à prix d'argent, pour en vivre. Et Solon fut le premier en Grèce qui, dit-on, donna par ses lois aux femmes la liberté de pourvoir au besoin de leur vie aux dépens de leur pudicité, coutume qu'Hérodote dit avoir été reçue avant lui dans plusieurs États. Et puis, quel fruit espère-t-on de cette pénible inquiétude ? Car quelque justice qu'il y ait dans cette passion jalouse, encore faudrait-il voir si elle nous charrie utilement. Est-il quelqu'un qui pense boucler les femmes par son industrie ?

Mets le verrou, claustre-la : qui va ses gardiens garder ?
La rusée avec eux d'abord ira baguenauder

Pone seram, cohibe, sed quis custodiet ipsos
Custodes ? cauta est, et ab illis incipit uxor. [1]

Quel moyen leur manquerait dans un siècle aussi savant ? La curiosité est partout un vice, mais elle est pernicieuse ici. C'est folie de vouloir s'éclaircir d'un mal pour lequel il n'y a point de médecine qui ne l'empire et ne l'aggrave, dont la honte s'augmente et se rend publique principalement par la jalousie, et dont la vengeance blesse plus nos enfants qu'elle ne nous guérit. Vous vous desséchez et vous mourez à vous mettre en quête d'une preuve aussi cachée. De quelle piteuse façon y sont arrivés ceux de mon temps qui en sont venus à bout ! Si l'avertisseur ne présente pas en même temps le remède à l'affaire et son secours, son avertissement est une offense, et qui mérite un coup de poignard mieux que ne le fait une accusation de mensonge [2]. On ne se moque pas moins de celui qui se met en peine de connaître sa disgrâce que de celui qui l'ignore. Le caractère de cocu est indélébile : à qui il est une fois attaché, il l'est toujours. Le châtiment l'exprime plus que la faute. Il fait beau voir arracher de

1. Juvénal, *Satires*, VI, 347-348.
2. « Que ne le fait un *démenti* », dit le texte original : dire à quelqu'un « Vous en avez menti ! » était une offense qui se lavait dans le sang.

l'ombre et du doute nos malheurs privés pour les trompéter sur des échafauds de tragédie, et des malheurs encore qui ne nous pincent que quand on nous les rapporte ! Car « bonne épouse », et « bon mariage » ne se disent pas de ce qui est, mais de ce dont on ne parle pas. Il faut être habile à éviter cette ennuyeuse et inutile révélation. Les Romains avaient même pour coutume, à leur retour de voyage, d'envoyer au devant à la maison pour faire savoir aux femmes qu'ils arrivaient afin de ne pas les surprendre. Et pour cela, une certaine nation a introduit que le prêtre ouvre le pas à l'épousée, le jour des noces, pour ôter au marié le doute et la curiosité de chercher, en ce premier essai, si elle vient à lui vierge ou blessée par une amour étrangère.

– Mais le monde en parle.

– Je sais cent honnêtes cocus qui le sont de façon honorable et sans grand déshonneur : on en plaint un galant homme plus qu'on ne l'en mésestime. Faites que votre vertu étouffe votre malheur, que les gens de bien en maudissent la cause, et que celui qui vous offense tremble seulement à savoir le mal qu'il fait. Et puis, de qui ne parle-t-on pas en ce sens, depuis le petit jusqu'au plus grand :

Qui sur tant de légions put exercer son empire,
Et qui de loin, fripon, au prix de toi est supérieur

Tot qui legionibus imperitauit,
Et melior quam tu multis fuit, improbe, rebus ? [1]

Tu vois, dis-tu, qu'on livre à ce reproche tant d'honnêtes hommes en ta présence ? Dis-toi bien qu'on ne t'épargne pas non plus ailleurs !

– Mais même les femmes vont se moquer !

– Et de quoi donc se moquent-elles plus volontiers de notre temps que d'un mariage paisible et bien composé ? Chacun de vous a fait quelqu'un cocu, or Nature est toute faite de choses pareilles, de compensations et de retours de fortune. La fréquence de cette disgrâce devrait en avoir aujourd'hui modéré l'aigreur : la voilà bientôt passée en coutume ! Pitoyable passion, qui a ceci encore qu'elle est incommunicable :

Le sort même refuse une oreille à mes plaintes

Fors etiam nostris inuidit questibus aures, [2]

car à quel ami oserez-vous confier vos doléances, qui, s'il ne s'en rit, n'aille pas s'en servir de chemin et de leçon pour prendre lui-même sa

1. Lucrèce, III, 1028 et 1026.
2. Catulle, LXIV, 170.

part à la curée ? Les aigreurs comme les douceurs du mariage sont tenues secrètes par les sages, et parmi les autres circonstances fâcheuses qui se trouvent en lui, celle-ci, pour un homme grand parleur comme je le suis, compte parmi les principales : puisse la coutume rendre indécent et criminel de communiquer à quiconque tout ce qu'on en sait et perçoit !

De leur donner à elles le même conseil pour les dégoûter de la jalousie, ce serait temps perdu : tout leur être est si confit en soupçon, en niaiserie et en curiosité, que de les guérir par voie de raison, il ne faut pas l'espérer. Elles s'amendent souvent de cet inconvénient par une forme de bonne santé, beaucoup plus à craindre que ne l'est la maladie même ! Car, tout comme il y a des enchantements qui ne savent ôter le mal qu'en le transférant à un autre, elles rejettent de même volontiers cette fièvre sur leurs maris quand elles la perdent elles-mêmes. Toutefois, à dire vrai, je ne sais si on peut souffrir de leur part pis que la jalousie : c'est la plus dangereuse de leurs façons d'être, comme de tous leurs membres l'est la tête. Pittacos [1] disait que chacun avait son défaut, que le sien était la coquine tête de sa femme ; que, hors cela, il s'estimerait en tout point heureux. C'est un bien pesant inconvénient, dont un personnage si juste, si sage, si vaillant sentait tout l'état de sa vie altéré : mais que devons-nous faire, nous autres petits bouts d'hommes ?

Le sénat de Marseille eut bien raison d'accorder sa requête à celui qui lui demandait la permission de se tuer pour se libérer des tempêtes de sa femme, car c'est un mal qui ne s'emporte jamais qu'en emportant la pièce, et face auquel il n'est d'autre composition qui vaille que la fuite ou la souffrance, si difficiles qu'elles soient toutes deux. Celui-là s'y entendait, ce me semble, qui a dit qu'un bon mariage ne pouvait s'établir qu'entre une femme aveugle et un mari sourd ! Veillons aussi que cette grande et violente âpreté de devoir que nous leur enjoignons ne produise pas deux effets contraires à nos fins, à savoir qu'elle aiguise les poursuivants, et qu'elle rende les femmes plus faciles à se rendre. Car, pour ce qui est du premier point, en montant le prix de la place, nous montons le prix et le désir de sa conquête. Ne serait-ce pas Vénus même qui eût ainsi finement rehaussé le chevet de sa marchandise en faisant servir les lois à son maquerellage, quand elle eut reconnu combien l'amour était un sot divertissement si on ne le faisait valoir par la fantaisie et la cherté ? Enfin, tout cela, c'est toujours chair de porc que la sauce seule varie, comme disait l'hôte de

1. L'un des Sept Sages de la Grèce.

Flaminius. Cupidon est un dieu félon. Il se fait un jeu de lutter contre la dévotion et la justice : c'est sa gloire que sa puissance choque toute autre puissance, et que toutes les autres règles cèdent aux siennes :

Ce dieu cherche toujours matière pour pécher
Materiam culpæ prosequiturque suæ. [1]

Et quant au second point : ne serions-nous pas moins cocus si nous craignions moins de l'être, vu le tempérament des femmes que tout interdit incite et convie ?

Tu veux ? Elles, non ! Point ne veux ? Plus encore elles veulent
Ubi uelis nolunt, ubi nolis uolunt ultro ; [2]
Suivre route permise est grand honte à leurs yeux
Concessa pudet ire uia. [3]

Quelle meilleure interprétation trouverions-nous du comportement de Messaline ? Au commencement, elle fit son mari cocu en cachette, comme il se fait, mais, comme elle filait ses intrigues trop facilement du fait de la stupidité du mari, elle dédaigna soudain cette façon de faire, et la voilà de faire l'amour à découvert, d'avouer des chevaliers servants, de les entretenir et de leur accorder ses faveurs à la vue de tout un chacun. Elle voulait qu'il lui en cuisît. Cet animal, qui ne pouvait s'éveiller pour si peu, lui rendait ses plaisirs mous et fades par cette trop lâche facilité avec laquelle il semblait les autoriser et les approuver. Que fit-elle ? Femme d'un empereur bien portant et vivant, à Rome, sur le théâtre du monde, en plein midi, au cours d'une fête et d'une cérémonie publique, et avec Silius dont elle jouissait depuis longtemps, elle se marie un jour que son mari avait quitté la ville. Ne semble-t-il pas qu'elle s'acheminait vers la chasteté du fait de la nonchalance de son mari ? Ou qu'elle cherchait un autre mari, qui lui aiguiserait l'appétit par sa jalousie et qui, en la serrant de près, l'exciterait ? Mais la première difficulté qu'elle rencontra fut aussi la dernière. Car la bête s'éveilla en sursaut. On a souvent pire marché avec ces sourdauds endormis. J'ai vu par expérience que cette extrême patience, quand elle vient à se dénouer, produit les vengeances les plus âpres, car, prenant feu tout d'un coup, la colère et la fureur qui s'amoncellent ensemble font exploser tous leurs efforts dès la première charge,

1. Ovide, *Les Tristes*, IV, 1, 34.
2. Térence, *Eunuque*, 813.
3. Lucain, II, 446.

> Et on lâche la bride à toutes ses fureurs
> *irarumque omnes effundit habenas.* [1]

Il la fit donc mourir, avec un grand nombre de ceux qui étaient d'intelligence avec elle, jusqu'à tel qui n'en pouvait rien et qu'elle avait convié à son lit à coups de fouet.

Ce que Virgile dit de Vénus et de Vulcain, Lucrèce l'avait dit en termes plus convenables d'une jouissance dérobée entre elle et Mars :

> Mars, souvent, seigneur de la guerre farouche
> Et des armes le dieu, cherche asile en ta couche,
> S'y rejette, meurtri des traits de l'éternel Amour,
> Et, levant vers toi les yeux, repose un cou fait au tour,
> Se repaît d'aimer, ô Divine, et soupire à ta vue,
> Renversé sur le dos, l'haleine à ta voix suspendue :
> Alors, circonviens-le, Dive, en tes bras sacrés, répands
> Le baume de ta bouche
> *belli fera moenera Mauors*
> *Armipotens regit, in gremium qui sæpe tuum se*
> *Reiicit, æterno deuinctus uulnere amoris,*
> *Atque ita suspiciens, tereti ceruice reposta,*
> *Pascit amore auidos inhians in te, Dea, uisus,*
> *Eque tuo pendet resupini spiritus ore :*
> *Hunc tu, Diva, tuo recubantem corpore sancto*
> *Circumfusa super, suaueis ex ore loquelas*
> *Funde* [2, d]

Quand je rumine ces *reiicit, pascit, inhians, molli, fouet, medullas, labefacta, pendet, percurrit*, et cette noble *circumfusa* (mère du gentil « *infusus* » [de Virgile]) [3], j'ai dédain de ces menues pointes et de ces amusements verbaux qui naquirent depuis. À ces bonnes gens, il ne fallait point d'aiguës et subtiles rencontres de mots : leur langage est tout plein et gros d'une vigueur naturelle et continue. Ils sont tout épigramme, non par la queue seulement, mais par la tête, le torse et les pieds. Il n'y a rien d'efforcé, rien de traînant ; tout y marche avec la même teneur : *contextus totus uirilis est, non sunt circa flosculos occupati* [4] tout est là tissé de virile toile, ce ne sont point gens à butiner les fleurettes ! Ce n'est

1. Virgile, *Énéide*, XII, 499.

2. Lucrèce, I, 32-34 et 36-40 (dans le célèbre hymne à Vénus qui ouvre le poème). J'ai pris la liberté de rétablir le vers que Montaigne avait sauté.

3. Montaigne cite librement et de mémoire ; sautant un vers dans le passage de Lucrèce, et plusieurs dans celui de Virgile, il mêle ici des termes empruntés tantôt aux vers de Lucrèce qu'il vient de citer, tantôt à ceux de Virgile mentionnés plus haut.

4. Sénèque, *Lettres à Lucilius*, XXXIII, 1.

pas une éloquence molle et seulement sans défaut : elle est nerveuse et solide ; elle ne plaît pas autant qu'elle remplit et ravit, et elle ravit le plus les esprits les plus forts. Quand je vois ces braves formes de s'exprimer si vives, si profondes, je ne dis pas que c'est bien dire, je dis que c'est bien penser. C'est la gaillardise de l'imagination qui élève et enfle les paroles : *pectus est quod disertum facit* [1] le cœur seul est poète. Nos gens d'aujourd'hui appellent « jugement » ce qui n'est que verbiage ; et « beaux mots », les amples conceptions. Cette peinture n'est pas tant conduite par la dextérité de la main que parce que le peintre avait l'objet plus vivement empreint dans l'âme. Gallus parle simplement parce qu'il conçoit simplement ; Horace ne se contente point d'une expression superficielle, elle le trahirait : il voit plus clair et plus profondément dans les choses ; son esprit crochète et furette dans tout le magasin des mots et des figures pour s'exprimer ; et il les lui faut au-delà de l'ordinaire puisque ce qu'il conçoit est au-delà de l'ordinaire. Plutarque dit qu'il a appris le latin par les choses. Ici de même : le sens éclaire et produit des paroles non plus de vent, mais bien de chair et d'os. Elles signifient plus qu'elles ne disent. Même les orateurs sans force ont encore quelque sentiment de cela, car, en Italie, je disais ce qu'il me plaisait dans les conversations ordinaires, mais, pour les propos roides, je n'eusse osé me fier à un idiome que je ne pouvais plier ni tourner au-delà de son allure commune. Je veux dans ce domaine pouvoir y mettre quelque chose du mien. Le maniement et l'emploi par les beaux esprits donnent son prix à la langue non pas tant en la renouvelant qu'en la remplissant de sens plus vigoureux et plus variés, en l'étirant et en l'assouplissant. Ils n'y apportent point de mots nouveaux : ils enrichissent les leurs ; ils en appesantissent et approfondissent la signification et l'usage ; ils lui apprennent des mouvements inaccoutumés, mais avec prudence et ingéniosité. Et l'on voit combien la chose est peu donnée à tous à travers tant d'écrivains français de notre siècle : ils sont assez hardis et dédaigneux pour ne suivre point la route commune, mais leur manque d'invention et de discernement les perd. L'on ne voit chez eux qu'une misérable affectation d'étrangeté, des déguisements froids et absurdes, qui, au lieu de l'élever, rabattent la matière. Pourvu qu'ils puissent se rengorger de la nouvelleté, peu leur chaut de l'efficacité : pour attraper un nouveau mot, ils délaissent l'ordinaire, qui souvent est plus fort et plus nerveux. Dans notre langage je trouve qu'il y a assez d'étoffe, mais qu'il y manque un peu de façon. Car il n'est rien qu'on ne pût exprimer à partir du jargon de nos chasses et de notre guerre, qui est un terrain

1. Quintilien, *L'Institution oratoire*, X, 7, 15.

généreux pour les emprunts. Et, comme les herbes, les formes de parler s'amendent et se fortifient quand on les transplante. Je trouve le français suffisamment abondant, mais non pas assez maniable et vigoureux : il succombe ordinairement à une pensée puissante. Si l'allure de l'esprit est soutenue, vous sentez souvent que la langue faiblit et fléchit sous vous, et qu'à son défaut le latin s'offre à votre secours, ou le grec pour d'autres. De certains de ces mots que je viens de choisir, nous en apercevons d'autant plus malaisément l'énergie que l'usage et la fréquence nous en ont d'une certaine façon avili la grâce et l'ont rendue triviale. Comme dans notre parler commun, il s'y rencontre des phrases excellentes et des métaphores dont la beauté flétrit de vieillesse et dont la couleur s'est ternie du fait d'un emploi trop courant. Mais cela n'ôte rien au goût pour ceux qui ont bon nez, ni ne nuit à la gloire des auteurs de jadis, qui, comme il est vraisemblable, ont les premiers paré ces mots de cet éclat. Les sciences traitent les choses trop finement, sur un mode artificiel, et différent de l'expression commune et naturelle. Mon page fait l'amour, et s'y entend fort bien. Lisez-lui Léon l'Hébreu et Marsile Ficin : on parle de lui, de ses pensées, de ses actions, et pourtant il n'y entend rien. Chez Aristote, je ne reconnais plus la plupart des mouvements ordinaires de ma pensée. On les a couverts et revêtus d'une autre robe, pour les besoins de l'école. Dieu veuille leur donner la grâce de bien s'y prendre ! Si j'étais du métier, je naturaliserais l'art autant qu'ils artialisent la nature. Laissons là Bembo et Equicola [1] ! Quand j'écris, je me passe bien de la compagnie et du souvenir des livres, de peur qu'ils n'interrompent ma forme propre, et parce qu'à la vérité les bons auteurs m'abaissent par trop et me rompent le courage. Je fais volontiers comme ce peintre, qui ayant misérablement représenté des coqs, défendait à ses garçons de laisser entrer dans sa boutique aucun coq naturel. J'aurais même plutôt besoin, pour me donner un peu de lustre, de l'astuce du musicien Antinonydès, qui, quand il avait à faire de la musique, ordonnait qu'avant et après lui son auditoire fût abreuvé par quelques autres mauvais chantres ! Mais je puis plus malaisément me défaire de Plutarque : il est si universel et si plein qu'en toutes occasions, et quelque sujet extravagant que vous ayez pris, il s'ingère à votre

1. Bembo, Equicola : deux auteurs italiens de la Renaissance, très en faveur alors, et qui tous deux avaient traité de l'amour dans les termes les plus savants et les plus recherchés. Léon l'Hébreu est un rabbin portugais dont les dialogues d'amour traduits en français en 1551 avaient eu grand succès ; Marsile Ficin est le fameux humaniste italien du Quattrocento qui le premier découvrit Platon à l'Occident par les traductions qu'il en fit en latin.

besogne et vous tend une main libérale et inépuisable de richesses et d'embellissements. Et je me dépite d'être par là si fort exposé au pillage de ceux qui le fréquentent ! Mais je ne puis si peu le rencontrer que je n'en tire cuisse ou aile. Pour le dessein qui est le mien, il me convient aussi d'écrire chez moi, dans un pays sauvage, où personne ne m'aide ni ne me relève, où je ne côtoie communément homme qui entende le latin de son patenôtre, et de français moins encore. Je l'eusse fait meilleur ailleurs, mais l'ouvrage eût été moins mien. Or sa principale fin et sa perfection, c'est d'être exactement mien. Je corrigerais bien une erreur accidentelle, ce dont je suis plein puisque je cours sans faire attention, mais les imperfections qui sont chez moi ordinaires et constantes, ce serait trahison de les ôter. Quand on m'a dit, ou que moi-même je me suis dit : « Tu es trop épais en figures ! Voilà bien un mot de ton cru de Gascogne ! Voilà une expression scabreuse (je ne fuis aucune de celles qu'on emploie dans les rues de France : ceux qui veulent combattre l'usage par la grammaire se moquent) ; voilà un discours ignorant ; voilà un discours paradoxal ; en voilà un trop fol ! Tu te joues souvent : on croira que tu dis sérieusement ce que tu dis par feinte » « Oui », fais-je, « mais je corrige les fautes d'inadvertance, non celles de coutume. » N'est-ce pas ainsi que je parle partout ? Ne me représenté-je pas tout vif ? Suffit : j'ai fait ce que j'ai voulu : tout le monde me reconnaît en mon livre, et mon livre en moi. Mais j'ai une disposition singeresse et imitatrice. Quand je me mêlais de faire des vers (et je n'en fis jamais que des latins), ils accusaient évidemment le dernier poète que je venais de lire. Et de mes premiers *Essais*, certains aussi puent un peu l'étranger. À Paris, je parle un langage un peu différent qu'à Montaigne. Qui que je regarde avec attention m'imprime facilement quelque chose du sien. Ce que je considère, je l'usurpe : une sotte contenance, une déplaisante grimace, une façon de parler ridicule. Et les défauts plus encore : du seul fait qu'ils piquent mon attention, ils s'accrochent à moi et ne s'en vont pas sans que je les secoue. On m'a vu plus souvent jurer par similitude que par mon naturel. Imitation meurtrière, comme celle de ces singes terribles par la taille et la force que le roi Alexandre rencontra en une certaine contrée des Indes. Il eût été difficile d'en venir à bout autrement, mais ils en prêtèrent le moyen par cette inclination qu'ils ont à contrefaire tout ce qu'ils voient faire. Car les chasseurs apprirent par là à se chausser devant eux de souliers, avec force nœuds et liens, à s'affubler d'accoutrements de tête à nœuds coulants, et à faire semblant d'oindre leurs yeux de glu. Ainsi leur disposition singeresse mettait imprudemment à mal ces pauvres bêtes : ils s'engluaient, s'enchevêtraient et se garrottaient eux-mêmes. Quant à cette autre faculté de représenter ingénieusement les gestes et les paroles d'un autre à dessein, qui apporte souvent plaisir et admiration, elle n'est en moi non plus qu'en une souche. Quand je jure selon moi, c'est seulement *par Dieu*, qui est le plus direct de tous les serments. Ils disent que Socrate jurait par le chien, Zénon, par cette même interjection qui sert à cette heure aux Italiens, « *Cappari* ! » [1], Pythagore, par l'eau et l'air. Je suis si aisément porté à recevoir sans y penser ces impressions superficielles que si j'ai eu trois jours de suite à la bouche *Sire* ou *Altesse*, huit jours après ils m'échappent encore pour *Excellence* ou *Seigneurie*. Et ce que je me serai pris à dire en plaisantant et en me moquant, je vais le lendemain le dire sérieusement. Par quoi, quand j'écris, j'accueille de plus mauvais gré les sujets rebattus de peur de les traiter aux dépens d'autrui. Tout argument m'est également fertile. Je les prends dès la première mouche [2], et Dieu veuille que celui que j'ai ici en main n'ait pas été pris sous l'empire d'une volonté aussi volage ! Je peux bien commencer par celle qu'il me plaira, car les matières se tiennent toutes enchaînées les unes aux autres, mais il me fâche que mon âme produise ordinairement ses plus profondes rêveries, les plus folles et qui me plaisent le mieux, à l'imprévu et lorsque je les cherche le moins ; elles s'évanouissent aussitôt faute que j'aie où les attacher sur-le-champ : à cheval, à table, au lit, mais le plus souvent à cheval, où j'ai mes plus longs entretiens. Quand je parle, je suis un peu délicatement jaloux qu'on me prête attention et qu'on fasse silence si je parle de façon soutenue : qui m'interrompt, m'arrête. En voyage, les contraintes mêmes des chemins coupent mes propos. Sans compter que je voyage le plus souvent sans compagnie propre à des entretiens suivis, ce qui fait que je prends tout loisir de m'entretenir moi-même. Il m'en advient comme de mes songes : en songeant, je les recommande à ma mémoire (car je songe volontiers que je songe) mais le lendemain, je me représente bien leur couleur, comme elle était, ou gaie, ou triste, ou étrange, mais quels ils étaient pour le reste, plus j'ahane à le trouver, plus je l'enfonce dans l'oubli. De même, des discours fortuits qui me tombent dans l'imagination, il ne m'en reste en mémoire qu'une vaine image : seulement ce qu'il faut pour me faire me ronger et dépiter inutilement à les retrouver.

Maintenant donc, laissant les livres de côté, et pour parler de façon plus matérielle et plus simple, je trouve après tout que l'amour n'est pas autre chose que la soif de jouir d'un objet désiré, ni Vénus autre chose que le plaisir de décharger ses vases, qui, comme le plaisir que

1. De *kapparis*, nom grec du câprier.
2. Image empruntée au domaine de la pêche.

Nature nous donne à décharger d'autres parties, ne devient vice que par le défaut de modération ou de discernement. Pour Socrate, l'amour est l'appétit de se reproduire par l'entremise de la beauté. Et, considérant maintes fois la ridicule titillation de ce plaisir, les absurdes mouvements écervelés et étourdis dont il agite Zénon ou Chrysippe, quand je vois cette rage sans mesure, ce visage enflammé de fureur et de cruauté au moment du plus doux effet de l'amour, et puis cette morgue grave, sévère, extatique dans une action aussi folle, et m'étonnant aussi qu'on ait logé pêle-mêle nos délices et nos ordures ensemble et que la suprême volupté ait quelque chose de transi et de plaintif comme la douleur, je crois que Platon dit vrai quand il affirme que l'homme a été fait par les dieux pour leur servir de jouet.

– Mais quelle est donc cette façon de jouer
Cruelle ?

– Quænam ista iocandi
Sæuitia ? [1]

Et que c'est par moquerie que Nature nous a laissé cette action génitale, la plus turbulente et la plus commune de toutes, pour nous rendre par là tous égaux, et apparier les fous aux sages, et nous aux bêtes ! Le plus contemplatif et le plus sage des hommes, quand je l'imagine dans cette assiette, je le tiens pour trompeur de vouloir faire après le sage et le contemplatif : ce sont les pieds du paon qui rabattent son orgueil :

Dire vrai avec un sourire,
Qu'est-ce donc qui l'interdit ?

Ridentem dicere uerum,
Quid uetat ? [2]

Ceux qui parmi les jeux refusent les opinions sérieuses font, dit quelqu'un, comme celui qui craint d'adorer la statue d'un saint si elle est sans tablier ! Nous mangeons et buvons comme les bêtes, mais ce ne sont pas là des actions qui empêchent les fonctions de l'âme. Dans celles-là, nous gardons l'avantage ; celle-ci met toute autre pensée sous le joug, elle abrutit et abêtit par son impérieuse autorité toute la théologie et toute la philosophie qu'on a dans Platon, qui pourtant ne s'en plaint pas. Partout ailleurs vous pouvez garder quelque décence, toutes vos autres actions souffrent des règles d'honnêteté : celle-ci ne se peut seulement imaginer que vicieuse ou ridicule. Trouvez-y, pour

1. Claudien, *Contre Eutrope*, I, 24-25.
2. Horace, *Satires*, I, 1, 24-25.

voir, un procédé sage et discret ! Alexandre disait qu'il se reconnaissait pour mortel principalement par cette action, et par le fait de dormir : le sommeil suffoque et supprime les facultés de notre âme ; la besogne amoureuse les absorbe et dissipe de même. Certes c'est une marque, non seulement de notre corruption originelle, mais aussi de notre inanité et de notre difformité. D'un côté, Nature nous y pousse, qui a attaché à ce désir la plus noble, utile et plaisante de toutes ses fonctions, et d'autre part elle nous la laisse blâmer et fuir comme insolente et déshonnête ; elle nous en fait rougir et recommande l'abstinence ! Sommes-nous pas bien brutes de nommer *brutale* l'opération qui nous fait ? Les peuples, en matière de religion, se sont rencontrés dans plusieurs de leurs traditions comme les sacrifices, les luminaires, les encensements, les jeûnes, les offrandes, et, entre autres, dans la condamnation de cette action : toutes les opinions y viennent, sans compter l'usage si étendu des circoncisions. Nous avons d'aventure raison de nous blâmer de faire une si sotte production que l'homme, d'appeler l'action génitale honteuse, et honteuses les parties qui y concourent (à cette heure, c'est au sens propre que le sont les miennes !). Les Esséniens dont parle Pline l'Ancien purent se maintenir durant plusieurs siècles sans nourrice ni langes grâce à l'arrivée des étrangers, qui, suivant cette belle humeur, se rangeaient continuellement auprès d'eux, toute une nation ayant risqué de s'exterminer plutôt que s'engager à un embrassement féminin et de perdre la suite des hommes plutôt que d'en forger un seul ! Ils disent que Zénon n'eut affaire à une femme qu'une seule fois dans sa vie et qu'encore ce ne fut que par civilité, pour ne sembler point dédaigner trop obstinément le sexe. Chacun répugne à voir naître l'homme ; chacun court à le voir mourir : pour le détruire, on recherche un champ de bataille spacieux et en pleine lumière ; pour le construire, on se musse au fond d'un trou ténébreux et le plus étroit qu'il se peut. C'est un devoir de se cacher et de rougir pour le faire, et c'est une gloire – d'où naissent plusieurs vertus – que de le savoir tuer ! L'un est injure ; l'autre est faveur, et Aristote dit en effet que « bonifier quelqu'un », c'est le tuer, selon une certaine expression de son pays. Pour apparier ces deux actions dans la défaveur, les Athéniens qui devaient purifier l'île de Délos et se justifier envers Apollon défendirent ensemble qu'on fît tout enterrement et tout enfantement sur son territoire.

Nostri nosmet poenitet [1]

Nous avons honte de nous-mêmes.

1. Térence, *Phormion*, 172.

Il y a des nations qui se cachent pour manger. Je sais une dame, et des plus grandes, qui a cette même opinion que c'est une contenance désagréable que de mâcher, qui enlève beaucoup à la grâce des femmes et à leur beauté, et elle ne se présente pas volontiers en public avec de l'appétit. Et je sais un homme qui ne peut souffrir ni de voir ni qu'on le voie manger et refuse ici tout public, et plus même quand il s'emplit que lorsqu'il se vide. Dans l'empire du Grand Turc, on voit bon nombre d'hommes, qui, pour exceller sur les autres, ne se laissent jamais voir quand ils font leur repas, qui n'en font qu'un la semaine, qui se déchiquettent et découpent la face et les membres, et qui ne parlent jamais à personne [1]. Gens fanatiques, qui pensent honorer leur nature en se dénaturant, qui se prisent à l'aune de leur mépris, et croient s'amender en s'empirant ! Quel monstrueux animal, qui se fait horreur à soi-même, à qui ses plaisirs pèsent, et qui se tient lui-même pour un malheur ! Il en est qui cachent leur vie, qui

Quittant pour l'exil leur demeure et la douceur du seuil
Exilioque domos et dulcia limina mutant, [2]

la dérobent à la vue des autres hommes ; qui évitent la santé et l'allégresse comme des qualités ennemies et dommageables. Non seulement plusieurs sectes, mais même plusieurs peuples maudissent leur naissance et bénissent leur mort. Il en est où le soleil est abominé ; les ténèbres, adorées. Nous ne sommes ingénieux que pour nous malmener : c'est là le vrai gibier à la mesure de notre esprit, dangereux outil quand il se dérègle :

Pauvres gens, qui dans leurs plaisirs se jugent criminels
O miseri quorum gaudia crimen habent ! [3]

Hé ! pauvre homme, tu as assez d'incommodités nécessaires sans les augmenter par ton invention, et tu es assez misérable par ta condition sans l'être du fait de ton art : tu as à suffisance des laideurs réelles et essentielles sans en forger d'imaginaires. Trouves-tu que tu sois trop à l'aise si la moitié de ton plaisir ne te fâche ? Trouves-tu que tu aies rempli tous les devoirs nécessaires auxquels Nature t'engage et qu'elle soit oisive chez toi si tu ne t'obliges à de nouveaux devoirs ? Tu ne crains pas d'offenser ses lois universelles et certaines, et tu te piques des tiennes, partisanes et imaginaires ; et plus elles sont particulières,

---

1. Il s'agit des derviches (voir Guillaume Postel, *Des histoires orientales et principalement turques* (1575)).
2. Virgile, *Géorgiques*, II, 511.
3. Pseudo-Gallus, *Élégies*, I, 180.

incertaines et contredites, plus tu fais là ton effort ! Les lois positives de ta paroisse [1] t'attachent ; celles de l'univers ne te touchent pas ! Parcours un peu les exemples de cette idée : ta vie en est faite tout entière.

Les vers de nos deux poètes [2], en traitant ainsi de la lascivité comme ils le font avec réserve et discrétion, me semblent la découvrir et l'éclairer de plus près. Les dames couvrent leur sein d'une résille, les prêtres, maintes choses sacrées ; les peintres ombragent leur tableau pour lui donner plus d'éclat, et, dit-on, le coup du soleil et du vent est plus pénible par réverbération que lorsqu'il tombe de droit fil. À celui qui lui demandait : « Que portes-tu là, caché sous ton manteau ? l'Égyptien répondit sagement : – C'est caché sous mon manteau afin que tu ne saches ce que c'est », mais il y a certaines autres choses qu'on cache pour mieux les montrer. Écoutez celui-là, qui parle plus à découvert :

Et je l'ai contre moi pressée toute nue
Et nudam pressi corpus adusque meum, [3]

il me semble qu'il me chaponne ! Que Martial retrousse Vénus à sa guise, il n'arrive pas à la faire paraître aussi entière ! Celui qui dit tout, il nous saoule et nous dégoûte ; celui qui craint de s'exprimer nous achemine à en penser plus qu'il n'y en a. Il y a de la trahison dans cette sorte de modestie, et notamment quand on entrouvre, comme ceux-ci, une si belle route à l'imagination. L'action et sa peinture doivent ici nous laisser le sentiment du larcin.

L'amour me plaît des Espagnols et des Italiens, plus respectueux et craintif, plus minaudier et couvert. Je ne sais qui parmi les anciens désirait d'avoir le gosier allongé comme le cou d'une grue pour déguster plus longtemps ce qu'il avalait. Ce souhait est mieux à propos dans la volupté qui nous occupe ici, toujours rapide et précipitée. Surtout pour des natures comme la mienne qui pèche par la soudaineté ! Pour arrêter sa fuite et l'étendre en préambules, tout sert de faveur et de récompense entre les amants de ces deux pays : une œillade, une révérence, une parole, un signe. Qui pourrait dîner de la fumée du rôti, ne ferait-il pas une belle épargne ? L'amour est une

---

1. Le droit positif par opposition au droit naturel, universel ; « de ta paroisse » : de ton petit canton natal.

2. Ces deux poètes sont bien sûr ceux dont les groupes parallèles de Vénus enlaçant Mars et de la même caressant Vulcain forment comme les deux piliers de cet essai, savoir Virgile et Lucrèce.

3. Ovide, *Amours*, I, 24.

passion qui mêle à bien peu de matière solide beaucoup plus de vacuité et de rêverie fiévreuse, il faut donc le payer et le servir de même. Apprenons aux dames à se faire valoir, à s'estimer, à nous amuser et à nous duper. Nous livrons notre charge suprême dès le premier assaut – il y a toujours de l'impétuosité chez les Français. Si elles nous filent en long leurs faveurs et les étalent dans le détail, chacun jusqu'à la vieillesse misérable y trouve, sur la lisière, quelque bout qui soit à la mesure de sa vaillance et de son mérite. Qui n'a de jouissance qu'en la jouissance, qui ne veut gagner qu'à tout ou rien, qui dans la chasse n'aime que la prise, il ne lui appartient pas de se mêler à notre école. Plus il y a de marches et de degrés, plus il y a d'élévation et d'honneur quand on arrive au dernier palier. Nous devrions nous plaire à y être conduits, comme on le fait dans les palais magnifiques, par divers portiques et passages, par de longues et plaisantes galeries et par plusieurs détours. Cet échelonnement tournerait à notre avantage : nous nous y arrêterions et nous y aimerions plus longtemps. Sans espérance et sans désir, notre allure n'a plus rien qui vaille. Nous laisser devenir leurs maîtres et entiers possesseurs est infiniment à craindre pour les femmes. Dès lors qu'elles sont entièrement rendues à la merci de notre fidélité et de notre constance, elles sont bien en effet un peu exposées. Ce sont là des vertus rares et difficiles : aussitôt qu'elles sont à nous, nous ne sommes plus à elles :

Sitôt que le désir a repu son avidité,
Les discours et les serments ne sont plus que vanité

Postquam cupidæ mentis satiata libido est,
Verba nihil metuere, nihil periuria curant. [1]

Thrasonidès, un jeune grec, était même si amoureux de son amour qu'ayant gagné le cœur d'une maîtresse il refusa d'en jouir pour ne pas amortir, rassasier ni alanguir par la jouissance cette ardeur inquiète dont il se glorifiait et se repaissait. La cherté donne goût à la viande. Voyez combien la forme de salutations qui est propre à notre nation peut, par sa facilité, abâtardir la grâce des baisers, que Socrate dit être si puissants et si dangereux pour voler nos cœurs. C'est une déplaisante coutume, et bien injuste pour les dames, d'avoir à prêter leurs lèvres à quiconque a trois valets à sa suite, si mal plaisant qu'il soit :

Oui, ta truffe de chien nous en a convaincus,
D'où pend ce glaçon blanc sur ta raide moustache,
Et j'aime encore mieux aller baiser cent culs

1. Catulle, LXIV, 147.

Cuius liuida naribus caninis,
Dependet glacies rigetque barba :
Centum occurrere malo culilingis. [1]

Et nous-mêmes nous n'y gagnons guère, car, de la façon dont le monde se répartit, pour trois belles, il nous en faut baiser cinquante laides ! Et pour un estomac tendre, comme sont ceux de mon âge, un mauvais baiser en paie trop cher un bon. En Italie, ils jouent les courtisans et les amoureux transis même pour les femmes qui sont à vendre, et pour leur défense ils disent qu'il y a des degrés dans la jouissance, et que, par leurs services, ils veulent obtenir pour eux celle qui est la plus entière. Elles ne vendent que leur corps ; la volonté ne peut être mise en vente : elle est trop libre et trop à soi. Ainsi ces gens disent-ils que c'est la volonté qu'ils entreprennent, et ils ont raison. C'est la volonté qu'il faut servir et courtiser. J'ai horreur de m'imaginer possédant un corps privé d'affection. Et il me semble que ce comportement de forcené est voisin de celui de ce garçon qui alla saillir par amour la belle statue de Vénus que Praxitèle avait faite, ou de cet Égyptien furieux, échauffé après la charogne d'une morte qu'il embaumait et mettait au suaire, et qui fut cause de la loi que l'on fit en Égypte après cela, que les corps des belles et jeunes femmes et de celles de noble maison seraient gardés trois jours avant qu'on les remît entre les mains de ceux qui avaient la charge de pourvoir à leur enterrement. Périandre se montra plus monstrueux, qui étendit l'affection conjugale, plus réglée et légitime, jusqu'à jouir de sa femme, Melissa, qui venait de trépasser. Ne semble-t-il pas, de la part de la Lune, que ce soit une humeur bien lunatique que, faute de pouvoir autrement jouir d'Endymion, son mignon, elle soit allée l'endormir pour plusieurs mois et se repaître de la jouissance d'un garçon qui ne se remuait qu'en songe ? Je dis pareillement qu'on aime un corps sans âme ou privé de sentiment quand on aime un corps sans son consentement et sans son désir. Toutes les jouissances ne se valent pas. Il y a des jouissances étiques et languissantes. Mille autres causes que le bon vouloir peuvent nous acquérir ce don que les dames nous font d'elles. Ce n'est pas un témoignage d'affection suffisant. Il peut s'y trouver de la trahison comme ailleurs : elles n'y vont parfois que d'une fesse, si bien que

Comme pour les apprêts du vin et de l'encens
Tu croirais tout son corps ou de marbre ou absent

1. Martial, VII, 95, 10-11 et 14 (Montaigne forge *culingis* qu'il substitue à *cunnilingis*).

Tanquam thura merumque parent :
Absentem marmoreamue putes. [1]

J'en sais qui aiment mieux vous prêter cela que leur coche et qui ne se livrent que par là : il faut regarder si votre compagnie leur plaît pour quelque autre fin encore ou pour celle-là seulement comme d'un gros garçon d'étable, et en quel rang et à quel prix vous y êtes logés,

si à toi seul elle s'est donnée,
De quel caillou plus blanc elle marque cette journée
tibi si datur uni,
Quo lapide illa diem candidiore notet. [2]

Que dire si, tandis qu'elle mange votre pain, elle le sauce dans une plus agréable rêverie,

Si, blottie en tes bras, elle soupire pour l'absent,
Te tenet, absentes alios suspirat amores ?

Comment ! N'avons-nous pas vu quelqu'un de nos jours qui s'est servi de cette action à l'usage d'une horrible vengeance, pour tuer par là et empoisonner, comme il le fit, une honnête femme ? Ceux qui connaissent l'Italie ne trouveront jamais étrange si, pour ce sujet, je ne cherche pas d'exemples ailleurs. Car cette nation peut être dite la reine du reste du monde en la matière. Ils ont plus communément de belles femmes que nous, et moins de laides, mais pour les beautés rares et supérieures, j'estime que nous marchons de pair. Et j'en juge autant des esprits : de ceux de la commune espèce, ils en ont beaucoup plus ; même si, de toute évidence, la brutalité y est sans comparaison plus rare ; pour les âmes singulières et du plus haut étage, nous ne leur devons rien. Si j'avais à étendre ce parallèle, il me semblerait au rebours pouvoir dire de la vaillance qu'en comparaison d'eux, elle est chez nous répandue et naturelle ; mais on la voit parfois entre leurs mains si pleine et si vigoureuse qu'elle surpasse tous les plus roides exemples que nous en ayons. Les mariages de ce pays-là clochent en ceci : d'ordinaire, leur coutume donne aux femmes une loi si rude et si contraignante que de la plus distante relation avec un étranger on leur fait une faute aussi capitale que de la plus étroite. Cette loi fait que toutes les approches en viennent nécessairement jusqu'à la chair, et, puisque tout leur est compté au même prix, elles ont le choix bien

1. Martial XI, 104, 12 et 9, 8.
2. Catulle, LXVIII, 149-150 ; cit. suivante : Tibulle, I, 6, 35.

aisé. Et ont-elles une fois brisé ces cloisons, croyez bien qu'elles font alors feu des quatre fers : la luxure irritée par ses fers est comme une bête fauve qu'ensuite on relâche *Luxuria ipsis uinculis, sicut fera bestia, irritata, deinde emissa.* [1] Il faut donc un peu leur lâcher les rênes :

Je vis, hier encore, une cavale, au frein rebelle,
S'échapper, mords aux dents, comme foudre étincelle
Vidi ego nuper equum contra sua frena tenacem
Ore reluctanti fulminis ire modo ; [2]

on alanguit le désir de la compagnie en lui donnant quelque liberté.

C'est un bel usage de notre nation que nos enfants soient reçus dans les bonnes maisons pour y être nourris et élevés en qualité de pages comme en une école de noblesse. Et il est discourtois, dit-on, et injurieux, de le refuser à un gentilhomme. J'ai aperçu (car autant de maisons, autant de styles et de formes divers) que les dames qui ont voulu donner aux filles de leur suite les règles les plus austères n'y ont pas eu pour cela meilleure aventure. Il y faut de la mesure. Il faut laisser une bonne partie de leur conduite à leur propre discrétion, car, d'une ou l'autre façon, il n'y a point de discipline qui puisse brider une fille de toutes parts. Mais il est bien vrai que celle qui est échappée, sans dommage, d'une libre école inspire bien plus de confiance que celle qui sort sans tache d'une institution sévère et qui tient de la prison. Nos pères dressaient la contenance de leurs filles à la pudeur et à la timidité (les cœurs et les désirs étaient toujours les mêmes), nous à l'assurance. Nous n'y entendons rien : voilà qui est bon pour des filles de Sarmates qui ont pour loi de ne coucher avec un homme avant que de leurs mains elles n'en aient tué un autre à la guerre ! À moi, qui en la matière n'ai d'autorité que par les oreilles, il me suffit qu'elles me prennent pour leur conseiller en vertu du privilège de l'âge. Je leur conseille donc l'abstinence, et à nous aussi ; mais, si ce siècle en est trop ennemi, au moins la mesure et la modération. Car, comme dit l'histoire d'Aristippe répondant à des jeunes gens qui rougissaient de le voir entrer chez une courtisane, « le vice est non pas d'y entrer, mais de n'en pas sortir. » Qui ne veut épargner sa conscience, que sa conscience épargne au moins son nom ; si le fond ne vaut guère, que l'apparence au moins tienne bon. Je loue la gradation et la longueur dans la dispensation des faveurs des femmes. Platon montre qu'en toute espèce d'amour la facilité et la promptitude sont

1. Tite-Live, XXXIX, IV, 19.
2. Ovide, *Amours*, III, IV, 13-14.

interdites aux objets de désir. C'est un trait de gourmandise dont il faut qu'elles se cachent avec tout leur art que de se donner à l'étourdie, tout de go, et de façon tumultueuse. En se conduisant dans leur dispensation avec ordre et mesure, elles appâtent bien mieux notre désir, et cachent le leur. Qu'elles fuient toujours devant nous, et celles-là mêmes, j'entends, qui ont à se laisser attraper. Elles nous battent mieux en fuyant, comme les Scythes. De vrai, selon la loi que leur donne Nature, ce n'est pas proprement à elles de vouloir et désirer : leur rôle est de supporter, d'obéir et de consentir. C'est ce pourquoi Nature leur a donné une capacité perpétuelle ; à nous, une rare et incertaine : elles ont toujours leur heure afin qu'elles soient toujours prêtes à la nôtre, étant nées pour subir *pati natæ*. Et, alors qu'elle a voulu que nos désirs eussent une apparence et une manifestation proéminentes, elle a fait que les leurs fussent occultes et intestins en les fournissant d'organes impropres à l'ostentation et faits seulement pour la défensive. Il faut laisser à la licence des Amazones des traits pareils à celui-ci : Alexandre passant par l'Hyrcanie, Thalestris, la reine des Amazones, vint le trouver avec trois cents gendarmes de son sexe, bien montées et bien armées, ayant laissé tout le demeurant d'une grosse armée qui la suivait au-delà des montagnes voisines. Et elle lui dit tout haut et en public que le bruit de ses victoires et de sa valeur l'avait menée là pour le voir, pour mettre ses moyens et sa puissance au service de ses entreprises, et que, le trouvant si beau, si jeune et si vigoureux, elle, qui était parfaite en toutes ses qualités, lui conseillait qu'ils couchassent ensemble afin que de la plus vaillante femme au monde et du plus vaillant homme qui fût alors vivant il naquît quelque chose de grand et de rare pour l'avenir. Alexandre la remercia pour le reste, mais pour donner tout son temps à la satisfaction de sa dernière demande il s'arrêta treize jours en ce lieu, lesquels il fêta le plus allègrement qu'il put en honorant une si courageuse princesse.

Nous sommes presque partout d'injustes juges des actions des femmes, comme elles le sont des nôtres. J'avoue la vérité lorsqu'elle me nuit de même que si elle me sert. C'est un vilain dérèglement qui les pousse si souvent à changer et les empêche d'affermir leur affection sur quelque objet que ce soit, comme on le voit pour cette déesse à qui l'on prête tant d'inconstance et d'amants. Mais il est vrai aussi que c'est contre la nature de l'amour qu'il ne soit pas violent, et contre la nature de la violence qu'il soit constant. Ceux qui s'en étonnent s'en récrient et cherchent du côté des femmes les causes de cette maladie qu'ils trouvent dénaturée et incroyable : que ne voient-ils combien souvent ils en sont eux-mêmes atteints sans s'épouvanter ni s'étonner ! Il serait d'aventure plus étrange de les voir constants. Ce n'est pas une passion simplement corporelle. Si on ne trouve point de bout à l'avarice et à l'ambition, il n'y en a pas non plus à la paillardise. Elle survit encore après la satiété, et on ne peut lui prescrire ni satisfaction permanente ni fin : elle va toujours outre ce qu'elle possède déjà. Et aussi l'inconstance leur est à l'aventure un peu plus pardonnable qu'à nous. Elles peuvent alléguer, comme nous, l'inclination qui nous est commune à la variété et à la nouvelleté ; et alléguer en second lieu que, contrairement à nous, elles achètent chat en poche. Jeanne, reine de Naples, fit étrangler Andréos, son premier mari, aux grilles de sa fenêtre avec un lacet d'or et de soie tissu de sa propre-main parce que dans les corvées matrimoniales elle trouvait que ni ses qualités ni ses efforts ne répondaient assez à l'espérance qu'elle en avait conçue à voir sa taille, sa beauté, sa jeunesse et son bâti, par où elle avait été surprise et abusée. Elles peuvent ajouter que l'action demande plus d'effort que la passivité, et qu'ainsi, de leur part au moins, il est toujours pourvu au besoin, alors que de notre part il peut en advenir bien autrement. Platon pour cette raison établit sagement dans ses *Lois* qu'avant tout mariage, pour décider de son opportunité, les juges voient les garçons qui y prétendent tout nus, et les filles nues jusqu'à la ceinture seulement. En nous essayant, d'aventure elles ne nous trouvent pas dignes de leur choix :

Elle éprouve son membre à du cuir mouillé tout semblable,
Tâchant à l'affermir d'une main inlassable,
Puis déserte ce lit qui répugne au combat

experta latus madidoque simillima loro
Inguina, nec lassa stare coacta manu,
Deserit imbelles thalamos. [1]

Ce n'est pas tout que la volonté marche droit. La faiblesse et l'incapacité rompent légitimement un mariage :

Il faudrait chercher ailleurs quelque chose de plus mâle
Qui pût dénouer enfin la ceinture virginale

Et quærendum aliunde foret neruosius illud,
Quod posset Zonam soluere uirgineam. [2]

Pourquoi non ? Et pourquoi pas aussi, selon sa mesure, une complicité amoureuse plus libertine et plus active ?

1. Martial, *Épigrammes*, VII, 58, 3-5.
2. Catulle, *Charmes*, LXVII, 27-28.

S'il ne vient pas à bout de son tendre labeur
si blando nequeat superesse labori. [1]

Mais n'est-ce pas aussi une grande impudence que d'apporter nos imperfections et nos faiblesses en un lieu où nous désirons plaire et laisser bonne estime et recommandation de nous-mêmes ? Pour le peu qu'il m'en faut à cette heure, moi qui suis à présent,

mol à n'en pouvoir
Mettre qu'un
ad unum
Mollis opus, [2]

je ne voudrais importuner une personne que j'ai à révérer et craindre.

Tu ne dois avoir peur
D'un homme dont, malheur,
L'âge a clos les dix lustres
Fuge suspicari
Cuius, heu ! denum trepidauit ætas
Claudere lustrum. [3]

Nature aurait dû se contenter d'avoir rendu cet âge misérable sans le rendre encore ridicule ! Je hais de le voir, pour un pouce de chétive vigueur qui l'échauffe trois fois la semaine, s'empresser et se mettre en armes avec la même ardeur que s'il avait quelque grande et légitime journée dans le ventre : un vrai feu d'étoupe ! Et je m'étonne que sa flamme si vive et frétillante soit en un moment si lourdement congelée et éteinte. Cet appétit ne devrait appartenir qu'à la fleur d'une belle jeunesse. Fiez-vous, pour voir, à ce bel âge pour seconder la belle ardeur infatigable, pleine, constante et magnanime qui est en vous : il vous la laissera vraiment en beau chemin ! Renvoyez-le hardiment plutôt vers quelque tendre jeunesse étonnée et ignorante qui tremble encore sous la verge, et en rougisse,

Comme aux Indes l'ivoire est teint dans la pourpre du sang,
Ou comme, à des roses mêlées, les gerbes de lis blanc
Se prennent à rougir
Indum sanguineo ueluti uiolauerit ostro
Si quis ebur uel mista rubent ubi lilia multa
Alba rosa. [4]

1. Virgile, *Géorgiques*, III, 127.
2. Horace, *Épodes*, XII, 15.
3. Horace, *Odes*, II, 4, 22-24.
4. Virgile, *Énéide*, XII, 67-69.

Celui qui, sans mourir de honte, peut attendre le lendemain le dédain de ces beaux yeux témoins de sa lâcheté et de son impuissance :

– Chacun de ses regards le gifflait en silence
Et taciti fecere tamen conuitia uultus [1]

il n'a jamais senti le contentement et la fierté de les leur avoir battus et ternis par le vigoureux exercice d'une nuit d'action employée à les servir ! Quand j'en ai vu quelqu'une s'ennuyer de moi, je n'en ai point aussitôt accusé sa légèreté : je me suis demandé si je ne devais pas plutôt m'en prendre à Nature. Assurément, elle m'a traité de façon injuste et fort peu civile :

– Si tu ne l'as bien longue et décemment épaisse,
Ces dames avec dédain, et, sûr, elles s'y connaissent,
Regardent ta virgule
Si non longa satis, si non bene mentula crassa,
Nimirum sapiunt uidentque paruam
Matronæ quoque mentulam illibenter [2]

et me cause ainsi une lésion [3] énormissime. Chacun de mes membres est aussi mien que tout autre, et nul autre ne me fait plus proprement homme que celui-ci. Je dois au public mon portrait dans son entièreté. La sagesse de ma leçon tient dans la vérité, la franchise, dans ce qui est, tout entière ; elle dédaigne de coucher sur le rôle de ses vrais devoirs ces petites règles de convention, contingentes, provinciales. Elle est tout entière naturelle, constante, universelle. En sont filles, mais bâtardes seulement, la civilité et la cérémonie. Nous saurons bien avoir raison des vices de l'apparence quand nous aurons eu ceux du réel. Quand nous en aurons fini avec eux, nous courrons sus aux autres, si nous trouvons qu'il faille y courir. Car il y a danger que nous imaginions des devoirs nouveaux pour excuser notre négligence envers les devoirs naturels, et pour les rendre confus. Preuve qu'il en est bien ainsi : on voit que dans les lieux où les fautes sont des crimes les crimes ne sont que des fautes ; et que dans les nations où les lois de la bienséance sont plus rares et plus lâches les lois primitives de la raison commune sont mieux observées, car l'innombrable multitude de tant de devoirs suffoque notre zèle, l'alanguit et le dissipe. L'application aux choses légères nous éloigne des justes. Oh ! Que ces hommes superficiels prennent une route facile et applaudie au prix de

1. Ovide, *Amours*, I, 17, 21.
2. *Priapées,* LXXX, 1, et VIII, 4-5.
3. Dommage ; Montaigne file la métaphore juridique.

la nôtre ! Ce sont des fards dont nous nous plâtrons et entre-payons. En fait, nous ne payons pas avec cela : nous augmentons plutôt notre dette envers le grand juge qui, lui, retrousse nos pans de tissu et nos haillons d'autour de nos parties honteuses et n'hésite pas à nous voir partout, jusqu'à nos intimes et plus secrètes ordures. Utile décence de notre pudeur virginale, si elle pouvait lui interdire cette découverte ! Enfin, qui déniaiserait l'homme d'une si scrupuleuse superstition des mots ne causerait pas grande perte au monde. Notre vie est mi-partie en folie, mi-partie en sagesse. Qui n'en écrit qu'avec respect et selon les bienséances, il en laisse derrière plus de la moitié. Je ne m'excuse pas envers moi, et, si je le faisais, ce serait plutôt de mes excuses que je m'excuserais que d'aucune autre faute de ma part. Je m'excuse auprès de certains tempéraments que j'estime plus forts en nombre que ceux qui sont de mon côté. En leur faveur, je dirai encore ceci (car je désire contenter chacun, chose pourtant difficile qu'un même homme s'adapte à des mœurs, des discours et des goûts si divers *esse unum hominem accommodatum ad tantam morum ac sermonum et uoluntatum uarietatem* [1]) qu'ils n'ont pas à me reprocher ce que je fais dire aux autorités reçues et approuvées par plusieurs siècles, et que ce n'est pas raison que, faute pour moi d'écrire en rimes, ils me refusent la dispense dont même des hommes d'Église parmi nous jouissent en ce siècle. En voici deux, et parmi les mieux huppés :

Ta mince fente, sur ma mort, n'est qu'un fin monostique,
Rimula, dispeream, ni monogramma tua est, [2]

ou :

Un vit d'ami la contente et bien traicte. [3]

Et que dire de tant d'autres ? J'aime la pudeur, et ce n'est pas de mon libre arbitre que j'ai choisi cette sorte de parler scandaleux : c'est Nature qui l'a choisie pour moi. Je ne la loue pas plus que toutes formes contraires aux usages reçus, mais je l'excuse ; et par des circonstances tant générales que particulières j'en allège l'accusation.

Poursuivons. Pareillement, d'où peut venir cette usurpation d'autorité souveraine que vous prenez sur celle qui vous favorise à ses dépens,

1. Quintus Cicéron, *Commentariolum petitionis*, XIV, 54.
2. Théodore de Bèze, *Poemata,* 1588, épigramme 74.
3. Mellin de Saint-Gelais, *Œuvres*, éd. 1574, p. 99, « Rondeau sur la dispute des vits par quatre dames », (éd. D. H. Stone, 1993, t. I, rondeau 17).

Si, furtive, une nuit, elle a fait son petit cadeau
Si furtiua dedit nigra munuscula nocte, [1]

que vous en revêtiez aussitôt les droits, la froideur et l'autorité d'un mari ? C'est une convention libre : que ne vous y prenez-vous comme vous voulez les voir s'y tenir ? On ne prescrit point de règles sur les choses volontaires. Ce que je dis est contre les formes d'usage, mais il est vrai pourtant que j'ai, en mon temps, conduit ce marché – dans la mesure où sa nature le peut supporter – aussi consciencieusement que tout autre marché, et avec quelque air de justice : je ne leur ai témoigné de mon affection que ce que j'en ressentais, et je leur en ai représenté avec sincérité la décadence, la vigueur, et la naissance, les accès comme les accalmies : on ne va pas là toujours du même train. J'ai été si économe dans mes promesses que je pense avoir plus tenu que promis ni dû. Elles ont chez moi trouvé de la fidélité, et jusqu'au service de leur inconstance, et je dis inconstance avouée et parfois même multipliée ! Je n'ai jamais rompu avec elles tant que j'y tenais ne fût-ce que par le bout d'un fil ; et quelques occasions qu'elles m'aient données, je n'ai jamais rompu jusqu'au mépris et à la haine. Car de pareilles privautés, lors même qu'on les acquiert par les plus honteux contrats, encore m'obligent-elles à quelque bienveillance. De colère et d'impatience un peu mal mesurée, sur le moment même de leurs ruses, de leurs faux-fuyants et de nos disputes, je leur en ai parfois fait voir, car je suis, par tempérament, sujet à des éclats brusques, qui souvent nuisent à mes approches, quoiqu'ils soient courts et peu profonds. Si elles ont voulu essayer la liberté de mon jugement, je n'ai pas pris de masque pour leur donner des avis paternels et mordants, et pour les pincer là où il pouvait leur en cuire. Si je leur ai donné à se plaindre à mon sujet, c'est plutôt d'avoir trouvé chez moi un amour sottement consciencieux au prix de ce qu'est l'usage moderne : j'ai observé ma parole dans des choses dont on m'eût aisément dispensé ! Elles se rendaient alors parfois à mes raisons, en préservant leur réputation sous des conditions qu'elles auraient souffert aisément de voir enfreintes par le vainqueur. J'ai plus d'une fois fait caler le plaisir au beau milieu de son effort, dans l'intérêt de leur honneur ; et, là où la raison me pressait, je les ai armées contre moi, si bien qu'elles se conduisaient plus sûrement et plus sévèrement en suivant mes règles quand elles s'en étaient franchement remises à celles-là qu'elles ne l'eussent fait en suivant les leurs propres. J'ai, autant que j'ai pu, chargé sur

1. Catulle, LXVIII, 145.

moi seul le hasard de nos rendez-vous pour les en décharger, et j'ai toujours organisé nos parties par les détours les plus escarpés et les moins attendus pour éveiller moins de soupçon, et qui sont en outre, à mon avis, les plus sûrs chemins à pratiquer. Les amants sont principalement découverts par les endroits qu'ils tiennent de soi pour les mieux couverts. Les choses qu'on craint le moins sont les moins défendues et les moins surveillées. On peut oser plus aisément ce que personne ne pense que vous oserez, et qui devient facile par sa difficulté même. Jamais homme n'eut d'approches charnelles qui comportassent moins de risque génital ! Cette façon de se conduire en amour est plus conforme à la morale. Mais combien elle est ridicule pour nos gens d'aujourd'hui, et peu efficace ! Qui le sait mieux que moi ? Pourtant il ne m'en viendra point de repentir ; je n'ai là plus rien à perdre,

moi, le saint mur des vœux par ses tablettes
Montre que j'ai bien raccroché
Mon manteau détrempé pour apaiser
Le puissant dieu qui préside aux tempêtes[e]

me tabula sacer
Votiua paries indicat uuida
Suspendisse potenti
Vestimenta maris deo. [1]

Il est donc temps à cette heure d'en parler ouvertement. Mais, tout comme je dirais d'aventure à un autre : « Mon ami, tu rêves, l'amour de ton temps a peu de rapport avec la fidélité et la prud'homie,

Prétendre par des lois des bornes lui donner
Sous un air de raison n'est que déraisonner

hæc si tu postules
Ratione certa facere, nihilo plus agas
Quam si des operam ut cum ratione insanias » [2]

de même aussi, au rebours, si c'était à moi de recommencer, j'irais assurément du même train et selon la même marche, si peu de fruit que j'en pusse tirer. L'insuffisance et la sottise sont louables dans une action mélouable. Autant je m'éloigne en cela de l'opinion de nos gens, autant je me rapproche de la mienne.

Au demeurant, dans ce marché, je ne me laissais pas aller tout à fait : je m'y plaisais, mais je ne m'y oubliais pas ; je réservais en son entier ce peu de sens et de discernement que Nature m'a donné pour

1. Horace, *Odes*, I, 5, 13-16.
2. Térence, *Eunuque,* 61-63.

leur service et pour le mien : un peu d'émotion, mais point de rêveries. Ma conscience s'y perdait certes jusqu'à la débauche et la dissolution, mais non pas jusqu'à l'ingratitude, la trahison, la malignité et la cruauté. Je n'achetais pas le plaisir de ce vice à tout prix, et je me contentais de son propre et simple coût : nul vice n'est en lui-même enfermé *nullum intra se uitium est.* [1] Je hais presque dans la même mesure une oisiveté croupissante et endormie qu'un embesognement épineux et pénible. L'un me pince, l'autre m'assoupit. J'aime autant les blessures que les meurtrissures, et les coups tranchants que ceux donnés du plat. J'ai trouvé dans ce marché, quand j'y étais le plus propre, une juste mesure entre ces deux extrémités. L'amour est une agitation éveillée, vive, et gaie ; je n'en étais ni troublé ni affligé, mais j'en étais échauffé et changé également ; il faut s'en tenir là : cette passion n'est nuisible qu'aux fous. Un jeune homme demandait au philosophe Panétius s'il siérait bien au sage d'être amoureux : « Laissons là le sage, répondit-il, mais toi et moi, qui ne le sommes pas, ne nous engageons pas dans une chose si tumultueuse et si violente qui nous rend esclave d'autrui et méprisables à nous-mêmes. » Il disait vrai : il ne faut pas confier une chose qui de soi pousse dans tant de précipices à une âme qui n'ait de quoi en soutenir les assauts ni de quoi parer en acte ce mot d'Agésilas que « la prudence et l'amour ne peuvent aller ensemble ». C'est une vaine occupation, il est vrai, malséante, honteuse, et immorale, mais, à la conduire de cette façon, je l'estime salubre, propre à dégourdir un esprit et un corps pesants ; et, si j'étais médecin, je la prescrirais à un homme de ma nature et de ma condition aussi volontiers qu'aucune autre recette, pour l'éveiller et le maintenir en force bien avant dans les ans, et retarder sur lui les prises de la vieillesse. Pendant que nous n'en sommes qu'aux faubourgs, que le pouls bat encore,

Tant que le poil commence à peine à grisonner
Que la jeune vieillesse encore se tient roide,
Tant que la Parque à son fuseau garde laine à filer,
Et qu'on tient sur ses pieds sans canne à la main droite

Dum noua canities, dum prima et recta senectus,
Dum superest Lachesi quod torqueat, et pedibus me
Porto meis, nullo dextram subeunte bacillo, [2]

nous avons besoin d'être sollicités et chatouillés par quelque agitation mordicante comme celle-ci. Voyez combien elle a rendu de jeunesse, de vigueur et de gaieté au sage Anacréon ! Et Socrate, plus vieux que

1. Sénèque, *Lettres à Lucilius*, XCV, 33.
2. Juvénal III, 26-28.

je ne suis, parlant d'un objet amoureux : « M'étant, dit-il, appuyé de l'épaule contre son épaule, et comme ma tête touchait la sienne tandis que nous regardions ensemble dans un livre, je sentis soudain, sans mentir, une piqûre à l'épaule, comme de quelque morsure de bête ; je fus plus de cinq jours à sentir qu'elle me fourmillait, et elle m'écoula dans le cœur une démangeaison continuelle. » Qu'un attouchement, et fortuit, et par une épaule, aille échauffer et changer une âme refroidie et affaiblie par l'âge – et la première en sagesse de toutes les âmes humaines ! – pourquoi non ? Socrate était un homme ! Et il ne voulait ni être ni sembler autre chose. La philosophie ne s'escrime point contre les voluptés naturelles pourvu que la mesure y soit jointe ; elle en prêche la modération, non la fuite. Sa résistance emploie ses efforts contre les plaisirs étrangers à la nature et bâtards. Elle dit que les appétits du corps ne doivent pas être augmentés par l'esprit et elle nous avertit spirituellement de ne vouloir point provoquer notre faim par la saturation ; de ne vouloir, au lieu de l'emplir, nous farcir le ventre ; d'éviter toute jouissance qui nous mette en disette et toute viande ou breuvage qui nous altère et nous affame. De même, pour le service de l'amour, elle nous ordonne de prendre un objet qui satisfasse simplement au besoin du corps, qui n'émeuve point l'âme, laquelle, loin d'en faire son fait, doit tout simplement suivre et assister le corps. Mais n'ai-je pas raison d'estimer que ces préceptes, qui, selon moi, ont par ailleurs pourtant un peu trop de rigueur, concernent un corps capable de remplir son office, mais qu'un corps abattu, comme pour un estomac avachi, il est excusable qu'on le réchauffe et le soutienne par quelques artifices et par l'entremise des fantaisies de l'imagination, et qu'on lui fasse ainsi revenir l'appétit et l'allégresse puisque par lui-même il les a perdus ? Ne pouvons-nous pas dire qu'il n'y a rien en nous, pendant notre prison terrestre, qui soit purement ou corporel ou spirituel ? Que c'est là démembrer injustement un homme tout vif ? Et qu'il ne semble pas sans raison que nous nous comportions envers l'usage du plaisir au moins aussi favorablement que nous le faisons envers la douleur ? Elle était, par exemple, violente jusqu'au dernier point dans l'âme des saints au cours de la pénitence. Le corps y avait naturellement part, en vertu du droit de leur communion, et pourtant il pouvait avoir peu de part à la cause : aussi ne se sont-ils pas contentés qu'il suivît tout simplement et assistât l'âme affligée. Ils l'ont lui-même affligé de peines atroces, et à lui propres, afin que l'âme et le corps pussent à l'envi plonger l'homme dans une douleur d'autant plus salutaire qu'elle serait plus âpre. Le cas est le même pour les plaisirs corporels : n'est-il pas injuste de refroidir l'âme à leur égard et de dire qu'il faille l'y traîner comme à quelque obligation et nécessité contrainte et servile ? C'est à elle plutôt de les couver et de les réchauffer, à elle de s'y présenter et de s'y convier puisque la charge de régir lui appartient. Tout comme c'est aussi, à mon avis, à elle, dans les plaisirs qui lui sont propres, d'en inspirer et infuser au corps tout le sentiment que comporte sa nature, en s'efforçant qu'ils lui soient doux et salutaires. Car c'est bien raison, comme ils disent, que le corps ne poursuive point ses appétits au détriment de l'esprit. Mais pourquoi n'est-ce pas aussi raison que l'esprit ne poursuive pas les siens au détriment du corps ?

Je n'ai pas d'autre passion qui me tienne en haleine. Ce que l'avarice, l'ambition, les querelles, les procès font à l'égard des autres qui, comme moi, n'ont point d'occupation assignée, l'amour le ferait plus aisément : il me rendrait la vigilance, la sobriété, la grâce, le soin de ma personne ; il raffermirait mon visage pour que les grimaces de la vieillesse, ces grimaces difformes et pitoyables, n'en vinssent à le gâter ; il me remettrait aux études saines et sages par où je pourrais me faire plus estimer et plus aimer tout en ôtant à mon esprit le désespoir de lui-même et de son usage et en le raccommodant à soi ; il me divertirait de mille pensées pesantes, de mille chagrins mélancoliques, dont l'oisiveté et le mauvais état de notre santé nous accablent à notre âge ; il réchaufferait au moins en songe ce sang que Nature abandonne ; il soutiendrait le menton, et allongerait un peu les muscles et la vigueur et l'allégresse de vivre à ce pauvre homme qui s'en va à grand train vers sa ruine. Mais j'entends bien que c'est une commodité fort malaisée à recouvrer : par faiblesse et longue expérience, notre goût est devenu plus tendre et plus exigeant ; nous demandons plus alors que nous fournissons moins ; nous voulons le plus choisir alors que nous méritons le moins d'être acceptés ; nous connaissant tels, nous sommes moins hardis et plus défiants : rien ne nous peut assurer d'être aimés, vu notre condition et la leur. J'ai honte de me trouver parmi cette verte et bouillante jeunesse :

Dont l'aine indomptée érige un membre qui tend plus dru
Que sur le dos des monts l'arbrisseau frais paru

Cuius in indomito constantior inguine neruus,
Quam noua collibus arbor inhæret ; [1]

qu'irions-nous présenter notre misère parmi cette allégresse ?

Pour que la bouillante jeunesse
Pût voir à grand-liesse
La torche en cendre s'en aller

1. Horace, *Épodes* XII, 19-20.

Possint ut iuuenes uisere feruidi
Multo non sine risu,
Dilapsam in cineres facem. [1]

Ils ont la force et la raison pour eux. Faisons-leur place : nous n'avons plus de quoi résister. Et ce germe de beauté naissante ne se laisse pas manier par des mains aussi gourdes, ni pratiquer par des moyens seulement matériels. Car, comme répondit ce philosophe ancien [2] à celui qui se moquait de ce qu'il n'avait su gagner les bonnes grâces d'un tendron qu'il pourchassait : « Mon ami, l'hameçon ne mord pas à du fromage aussi frais. » Or c'est un commerce qui a besoin d'échange et de retour : les autres plaisirs que nous recevons peuvent être reconnus par des récompenses de nature diverse, mais celui-ci ne se paie qu'en monnaie de même espèce. En vérité dans cette affaire le plaisir que je fais chatouille plus doucement mon imagination que celui qu'on me fait. Or il n'a rien de généreux celui qui peut recevoir du plaisir quand il n'en donne point : c'est une âme vile, qui veut qu'on l'oblige en tout, et qui se plaît à nourrir des relations avec les personnes auxquelles il est à charge. Il n'y a beauté, ni grâce, ni privauté si exquise qu'un galant homme dût désirer à ce prix. Si les femmes ne peuvent nous faire du bien que par pitié, j'aime bien mieux ne vivre point que de vivre d'aumône. Je voudrais avoir le droit de le leur demander, à la façon dont je l'ai vu faire en Italie : *Fate ben per voi*, « Fais-toi du bien », ou à la façon dont Cyrus exhortait ses soldats : « Qui m'aimera, me suive ! » Ralliez-vous, me dira-t-on, à celles de votre âge, que la communauté de destin vous rendra plus aisées. Oh ! la sotte union, et insipide,

Je ne me fais point fort
D'aller tirer la barbe au lion déjà mort
Nolo
Barbam uellere mortuo leoni ! [3]

Xénophon emploie en manière de reproche et de blâme à l'encontre de Ménon le fait d'avoir embesogné dans son amour des partenaires qui passaient fleur. Je trouve plus de volupté à seulement voir le juste et doux mélange de deux jeunes beautés, ou à le considérer seulement en imagination, qu'à faire moi-même le second d'un mélange triste et informe. Je laisse cet appétit fantasmatique à l'empereur Galba,

1. Horace, *Odes*, IV, 13, 26-28.
2. Il s'agit de Bion (voir Diogène Laërce, *Bion*, IV, 47).
3. Martial, X, 90, 10.

qui ne s'adonnait qu'aux chairs dures et vieilles, et à ce malheureux qui clamait :

Ô dieux, accordez-moi de te voir un jour vieille,
D'offrir à tes cheveux blancs ces baisers que tu chéris,
Et de serrer tout contre moi tes membres amaigris
O ego di faciant talem te cernere possim,
Caraque mutatis oscula ferre comis,
Amplectique meis corpus non pingue lacertis ! [1]

Et au nombre des premières laideurs, je compte les beautés artificielles et forcées. Émonès, un jeune garçon de Chio qui par de beaux atours pensait s'acquérir la beauté que lui refusait Nature, se présenta au philosophe Arcésilas et lui demanda si un sage pourrait se voir amoureux : « Oui-da, répondit l'autre, pourvu que ce ne fût pas d'une beauté parée et sophistiquée comme la tienne ! » La laideur d'une vieillesse avouée est moins vieille et moins laide à mon gré qu'une autre peinte et lissée. Le dirai-je, pourvu qu'on ne m'en prenne à la gorge ? L'amour ne me semble être proprement et naturellement dans sa saison qu'à l'âge voisin de l'enfance :

– Mettez-le dans le chœur parmi les jeunes grâces :
Son tour indécis trompera mille hôtes perspicaces
Avec ses cheveux dénoués
Dont s'adombrent des traits encore inavoués
Quem si puellarum insereres choro,
Mille sagaces falleret hospites,
Discrimen obscurum, solutis
Crinibus, ambiguoque uultu [2]

et la beauté aussi. Car, si Homère fait s'étendre la pédérastie jusqu'à l'âge où s'ombrage le menton, Platon a lui-même noté que ce moment était le meilleur. Et notoire est la cause pour laquelle le sophiste Dion disait si plaisamment des poils follets des adolescents qu'ils étaient leurs « *Aristogitons* et leurs *Harmodios* » [3] ! Dans l'âge d'homme je trouve déjà qu'en quelque façon Amour n'est plus à sa place, pas seulement dans la vieillesse,

1. Ovide, *Pontiques*, I, 4, 49-51.
2. Horace, *Odes*, II, 5, 21-24.
3. Grâce à ce poil au menton, les mignons, devenus hommes faits, se voyaient aussitôt délivrés de la tyrannie de leurs amants, tout comme *Aristogiton* et *Harmodios*, qui, à peine leur barbe poussée, avaient délivré Athènes de la tyrannie des Pisistratides.

Le cruel en effet évite à tire d'aile
Les chênes desséchés

Importunus enim transuolat aridas
Quercus. [1]

Et Marguerite, la reine de Navarre, en femme qu'elle est, prolonge bien loin l'avantage des femmes quand elle décide qu'à trente ans la saison est pour elles venue qu'elles changent leur titre de belles pour celui de bonnes ! Plus courte est la possession que nous donnons à l'amour sur notre vie, mieux nous en valons. Voyez son air : il a le menton d'un enfant. Qui ne sait combien à son école on agit au rebours de tout ordre ? L'étude, l'exercice, l'expérience sont des voies qui vous mènent à l'impuissance ; les novices sont ici les maîtres : *amor ordinem nescit,* [2] amour ignore la discipline. Et assurément sa conduite a meilleur tour quand elle est mêlée d'inadvertance et de trouble ; les fautes, les succès contraires lui donnent du piquant et de la grâce. Pourvu qu'elle soit âpre et bien affamée, il importe peu qu'elle soit prudente. Voyez comme son pas hésite, achoppe et folâtre : on le met aux fers quand on le guide avec art et sagesse, et on contraint sa divine liberté quand on le soumet à ces mains barbues et calleuses. Au demeurant, j'entends souvent les femmes peindre ce commerce sous des traits purement spirituels et dédaigner de prendre en considération l'intérêt que les sens y ont : tout y sert ! Mais je puis bien le dire : je nous ai vus souvent excuser la faiblesse de leurs esprits en faveur de leurs beautés corporelles, mais je n'ai point encore vu qu'en faveur de la beauté de l'esprit, tant sage et mûr soit-il, elles veuillent prêter la main à un corps qui tant soit peu tombe en décadence ! Que ne prend-il à quelqu'une envie de ce noble troc socratique du corps contre l'esprit ? Elle achèterait, au prix de ses cuisses, de s'unir et de concevoir philosophiquement et en esprit, et au plus haut prix où elle puisse les monter ! Platon dans ses *Lois* [3] ordonne que celui qui aura fait à la guerre quelque exploit utile et signalé ne puisse, durant toute la campagne, au prétexte de sa laideur ou de son âge, se voir refuser un baiser ou toute autre faveur amoureuse, et ce, de qui qu'il veuille les obtenir. Ce qu'il trouve si juste en considération de la valeur militaire, ne peut-il pas l'être aussi en faveur de quelque autre mérite ? Et que ne prend-il envie à quelqu'une de conquérir la première sur ses compagnes la gloire de cet amour chaste ? Chaste, dis-je bien,

1. Horace, *Odes* IV, 13, 9-10.
2. Saint Jérôme, *Lettres*, VII, 6.
3. Dans la *République*, en fait, et non dans les *Lois*.

car si par aventure on en vient à l'assaut,
Comme souvent un feu de paille élancé mais sans force,
C'est en vain qu'on s'enrage

nam si quando ad prælia uentum est,
Ut quondam in stipulis magnus sine uiribus ignis
Incassum furit. [1]

Les vices qui restent étouffés dans la pensée ne sont pas des pires.

Pour finir ce notable commentaire qui m'est échappé d'un flux de caquet, flux impétueux parfois et qui peut me nuire :

La pomme, tout ainsi, furtif présent d'un fiancé,
Roule du chaste sein de la naïve fille ;
La pauvre, oubliant cette offrande aux plis de sa mantille,
Bondit quand survient sa mère, en sorte qu'ainsi lancé,
Sans s'arrêter le fruit aux pieds de mignonne dévale :
Découverte, elle sent la honte qui la hâle

Ut missum sponsi furtiuo munere malum,
Procurrit casto uirginis e gremio :
Quod miseræ oblitæ molli sub ueste locatum,
Dum aduentu matris prosilit, excutitur,
Atque illud prono præceps agitur decursu,
Huic manat tristi conscius ore rubor – [2]

je dis que les mâles et femelles sont jetés dans le même moule : si l'on met à part l'éducation et la coutume, la différence n'y est pas grande. Platon appelle indifféremment les uns et les autres à partager dans sa république toutes études, toutes activités, toutes charges et toutes occupations tant dans la guerre que dans la paix. Et le philosophe Antisthène ôtait toute distinction entre leur vertu et la nôtre. Il est bien plus aisé d'accuser un sexe que d'excuser l'autre. C'est, comme on dit, le fourgon qui se moque de la pelle à feu ! [3, f]

1. Virgile, *Géorgiques*, III, 98-100.

2. Catulle, LXV, 19-24. (Dans le texte latin, le comparé est un flot de paroles « échappées » à la mémoire (*effluxisse meo... animo*), que M. reprend avec son « flux de caquet »).

3. Montaigne détourne la forme habituelle de ce dicton, qui est « le fourgon se moque de la *pelle* ». « *Paele* », qui est le mot du texte, vient du latin *patella*, en langue d'oc « *padella* » ; quant au mot « pelle », il est attesté dès le XIe siècle sous la forme « *pele* » : aucune confusion n'est possible. Le fourgon – mot est toujours en usage – est une grosse tige de fer servant à tisonner. À force d'aller ensemble au feu, le bout du « fourgon » et le cul de la « pelle » sont aussi noirs l'un que l'autre... Ainsi modifié, le proverbe se charge de connotations sexuelles qui ne manquent ni de sel ni de vigueur au terme de cet essai sur l'amour que le sentiment de la mort rend si franc de propos.

Des Coches [g]

[Chapitre VI]

Il est bien aisé de vérifier que les grands auteurs, écrivant sur les causes, ne se servent pas seulement de celles qu'ils estiment être vraies, mais de celles encore qu'ils ne croient pas, pourvu qu'elles aient quelque invention et beauté. Ils parlent toujours assez véritablement et utilement s'ils parlent ingénieusement. Nous ne pouvons nous assurer de la maîtresse cause, nous en entassons plusieurs, pour voir si par rencontre elle se trouvera dans ce nombre,

car une n'y suffisant, il en faut nommer plusieurs, dont une soit, se peut, la bonne

Namque unam dicere causam
Non satis est, uerum plures unde una tamen sit. [1]

Me demandez-vous d'où vient cette coutume de bénir ceux qui éternuent ? Nous produisons trois sortes de vent : celui qui sort par en bas est trop sale ; celui qui sort par la bouche emporte quelque reproche de gourmandise ; le troisième est l'éternuement, et parce qu'il vient de la tête, et qu'il est sans blâme, nous lui faisons cet honnête accueil : ne vous moquez pas de cette subtilité, elle est (dit-on) d'Aristote. Il me semble avoir vu dans Plutarque (qui est de tous les auteurs que je connaisse celui qui a le mieux mêlé l'art à la nature, et le jugement à la science), quand il donne la cause du soulèvement d'estomac qui advient à ceux qui voyagent en mer, que cela leur arrive en raison de la crainte, ayant trouvé quelque raison par laquelle il prouve que la crainte peut produire un tel effet. Moi, qui y suis fort sujet, je sais bien que cette cause ne me concerne pas. Et je le sais, non point par argument, mais par expérience irrécusable, sans alléguer ce qu'on m'a dit, qu'il en arrive de même souvent aux bêtes, spécialement aux pourceaux [2], hors de toute appréhension d'un danger, ni ce dont une de mes connaissances m'a témoigné à propos de lui-même, qu'y étant fort sujet, l'envie de vomir lui était passée,

---

1. Lucrèce, VI, 703-704.

2. Lesdits « pourceaux », pour peu qu'ils en eussent le genre, pourraient se nommer aussi bien des « *coches* », autre nom du « cochon » femelle... Montaigne s'amuserait-il à nous promener ?

deux ou trois fois, alors qu'il se trouvait mort de frayeur au milieu d'une grande tempête, comme à cet ancien : J'étais trop secoué pour m'aviser du péril *Peius uexabar quam ut periculum mihi succurreret.* [1] Je n'eus jamais de peur sur l'eau, comme je n'en ai jamais eu non plus ailleurs (et pourtant il s'en est assez souvent offert de justifiées, si la mort en fait partie) qui m'ait troublé ou ébloui. La peur naît parfois faute de jugement, comme parfois faute de courage. Tous les dangers que j'ai vus, ça a été les yeux ouverts, la vue libre, saine, et entière. Encore faut-il du courage pour craindre. Cela m'a servi autrefois, en comparaison à d'autres, pour conduire et tenir en ordre ma fuite, qu'elle fût, sinon sans crainte, toutefois sans effroi et sans étonnement. Elle était émue, mais non pas étourdie ni éperdue. Les grandes âmes vont bien plus outre ; elles présentent l'exemple de fuites, non seulement rassises et saines, mais fières. Disons celle qu'Alcibiade raconte de Socrate, son compagnon d'armes : « Je le trouvai, dit-il, après la déroute de notre armée, lui et Lachès, des derniers parmi les fuyants, et je le considérai tout à mon aise, et en sûreté, car j'étais sur un bon cheval, lui à pied, et nous avions ainsi combattu. Je remarquai premièrement combien il se montrait avisé et résolu en comparaison de Lachès, et puis la brave allure de son pas, nullement différent du sien ordinaire, sa vue ferme et réglée, considérant et jugeant ce qui se passait autour de lui, regardant tantôt les uns, tantôt les autres, amis et ennemis, d'une façon qui encourageait les uns, et signifiait aux autres qu'il était homme à vendre bien cher son sang et sa vie à qui essayerait de la lui ôter, et ils se sauvèrent ainsi, car volontiers on n'attaque pas ceux-ci, on court après les effrayés. » Voilà le témoignage de ce grand capitaine, qui nous apprend ce que nous essayons [2]tous les jours, qu'il n'est rien qui nous jette tant aux dangers qu'une faim inconsidérée de nous en mettre hors : Où moindre est la peur, moindre est le péril, c'est sûr *Quo timoris minus est, eo minus ferme periculi est.* [3] Notre peuple a tort de dire : « celui-là craint la mort », quand il veut exprimer qu'il y songe et qu'il la prévoit. La prévoyance convient également à ce qui nous touche en bien et en mal. Considérer et juger le danger est en quelque façon le contraire de s'en étonner. Je ne me sens pas assez fort pour soutenir le coup et l'impétuosité de cette passion de la peur, ni d'aucune autre impression violente. Si j'en étais une fois vaincu et mis à terre, je ne m'en relèverais jamais bien entier. Qui aurait fait perdre pied à mon

1. Sénèque, *Lettres à Lucilius*, LIII, 3.

2. « Ce dont nous faisons tous les jours l'expérience » : « *essayer* », c'est expérimenter. On se refuse, bien sûr, à toucher à ce mot-clé des « *Essais* ».

3. Tite-Live, XXII, V, 2.

âme ne la remettrait jamais droite en sa place : elle se tâte et se cherche trop vivement et trop profondément, et par cela elle ne laisserait jamais se ressouder et consolider la plaie qui l'aurait percée. Il m'en a bien pris qu'aucune maladie ne me l'ait encore démise ! À chaque charge que j'essuie, je me présente et m'oppose en grande armure. Ainsi la première qui m'emporterait me mettrait sans ressource. Je ne fais pas de détail : par quelque endroit que le ravage eût affaibli la digue de ma résistance, me voilà ouvert, et noyé sans remède. Épicure dit que le sage ne peut jamais passer à un état contraire. J'ai quelque opinion de l'envers de cette sentence : que qui aura été une fois bien fol ne sera nulle autre fois bien sage. Dieu donne le froid à la mesure de la robe, et les passions selon le moyen que j'ai de les soutenir. Nature, m'ayant découvert d'un côté, m'a couvert de l'autre : m'ayant désarmé de force, elle m'a armé d'insensibilité, et d'une appréhension mesurée, ou émoussée. Or, il reste que je ne puis souffrir longtemps (et je les souffrais plus difficilement dans ma jeunesse) ni coche, ni litière, ni bateau, et je hais tout autre voiturage que par des chevaux, et en ville et aux champs. Mais je puis supporter la litière moins qu'un coche, et, par même raison, une rude agitation sur l'eau, d'où naît la peur, plus aisément que le mouvement que l'on ressent par temps calme. Par cette légère secousse que les avirons donnent, dérobant le vaisseau sous nous, je me sens brouiller, je ne sais comment, la tête et l'estomac, comme je ne puis souffrir sous moi un siège tremblant. Quand la voile, ou le cours de l'eau, nous emporte d'un mouvement égal, ou qu'on nous hale, cette agitation uniforme ne m'est aucunement pénible. C'est un remuement irrégulier qui me gêne, et plus encore quand il est languissant. Je ne saurais autrement le dépeindre. Les médecins m'ont ordonné de me presser et sangler d'une serviette le bas du ventre pour remédier à cet accident, ce que je n'ai point essayé, ayant accoutumé de combattre les défauts qui sont en moi et de les dompter par moi-même.

Si j'en avais la mémoire suffisamment informée, je n'épargnerais pas mon temps à dire ici l'infinie variété que les histoires nous présentent sur l'usage des coches au service de la guerre, usage divers selon les nations, selon les siècles, de grand effet, ce me semble, et de grande utilité, à tel point que c'est merveille que nous en ayons perdu toute connaissance. J'en dirai seulement ceci que tout fraîchement, du temps de nos pères, les Hongrois les mirent très utilement en besogne contre les Turcs : ayant en chacun aposté un porte-rondache [1] et un

1. Montaigne dit un « rondellier » : le soldat qui porte une rondache (ou « rondelle »), qui est un grand bouclier rond.

mousquetaire, et nombre d'arquebuses rangées, prêtes et chargées, le tout couvert d'une rangée de pavois, à la façon d'une galiote, ils faisaient front dans leur corps de bataille avec trois mille pareils coches [1], et, après que le canon avait joué, ils les faisaient tirer et avaler aux ennemis cette salve, avant que de tâter le reste, ce qui n'était pas un léger avantage, ou bien ils décochaient lesdits coches contre les escadrons ennemis, pour les rompre et y faire une percée, sans compter le secours qu'ils pouvaient en tirer pour flanquer, en lieu chatouilleux, les troupes qui marchaient en rase campagne, ou pour couvrir un camp à la hâte, et le fortifier. De mon temps, un gentilhomme, dans l'une de nos frontières, impotent de sa personne, et ne trouvant de cheval capable de son poids, ayant une querelle, marchait par le pays dans un coche tout semblable à ceux que je viens de peindre, et il s'en trouvait très bien. Mais laissons ces coches guerriers : comme si leur fainéantise n'était assez connue à meilleures enseignes, les derniers rois de notre première race parcouraient le pays sur un chariot mené par quatre bœufs ; Marc Antoine fut le premier qui se fit traîner à Rome, une musicienne à ses côtés, par des lions attelés à un coche ; Héliogabale en fit autant par la suite, se disant Cybèle, la mère des dieux, et aussi par des tigres, à l'imitation du dieu Bacchus ; il attela aussi parfois deux cerfs à son coche, une autre fois quatre chiens, et une autre encore quatre filles nues, se faisant traîner par elles en grande pompe, tout nu ; l'empereur Firmus fit mener son coche par des autruches d'une merveilleuse grandeur, de manière qu'il semblait plus voler que rouler.

L'étrangeté de ces inventions me met en tête cette autre idée, que c'est une espèce de pusillanimité, chez des monarques, et un témoignage de ne sentir point assez ce qu'ils sont, que de travailler à se faire valoir et paraître par des dépenses excessives. Ce serait chose excusable en pays étranger, mais parmi ses sujets, où il peut tout, il tire de sa dignité le plus extrême degré d'honneur où il puisse arriver. De même, pour un gentilhomme : il me semble qu'il est superflu de se vêtir à grand soin dans son privé : sa maison, son train, sa cuisine répondent assez de lui. Le conseil qu'Isocrate donne à son roi ne me semble point sans raison : qu'il soit splendide en meubles et en ustensiles, parce que

1. Ces sortes de « galiotes » terrestres, ou « coches de guerre », sont aussi connus en poliorcétique sous le nom de « truies » de siège : autrement dit ce sont là encore des cochons femelles, ou « coches », comme on l'a dit. Dans cet essai « *Des Coches* », Montaigne joue autant sur le mot-titre que sur la composition digressive. C'est le propre de ce genre de l'essai, que crée Montaigne, que d'aller ainsi tantôt à droite, tantôt à gauche, et d'interroger plutôt que d'assurer.

c'est une dépense durable qui passe jusqu'à ses successeurs, et qu'il fuie toutes les magnificences qui s'écoulent incontinent et de l'usage et de la mémoire. J'aimais à me parer quand j'étais cadet, faute d'autre parure, et cela me seyait bien ; il en est sur qui les belles robes pleurent ! Nous avons des contes merveilleux de la frugalité de nos rois autour de leurs personnes, et dans leurs dons : grands rois en crédit, en valeur, et en fortune. Démosthène combat à outrance la loi de sa ville qui assignait les deniers publics aux pompes des jeux et de leurs fêtes : il veut que leur grandeur se montre en quantité de vaisseaux bien équipés, et en bonnes armées bien fournies. Et l'on a raison d'accuser Théophraste, qui établit dans son livre *Des richesses* un avis contraire et maintient que cette sorte de dépense est le vrai fruit de l'opulence. Ce sont plaisirs, dit Aristote, qui ne touchent que le plus bas peuple, qui s'évanouissent de la souvenance aussitôt qu'on en est rassasié, et desquels nul homme judicieux et grave ne peut faire estime. L'emploi me semblerait bien plus royal, comme plus utile, juste et durable, en ports, en havres, en fortifications et murs, en bâtiments somptueux, en églises, hôpitaux, collèges, en réfection de rues et de chemins : en quoi le pape Grégoire treizième laissera sa mémoire recommandable pour longtemps, et en quoi notre reine Catherine témoignerait pour de longues années de sa libéralité et de sa munificence naturelles si ses moyens suffisaient à ses désirs : la fortune m'a fait grand déplaisir d'interrompre la belle construction du Pont neuf de notre grande ville, et de m'ôter l'espoir d'en voir en train le service avant mourir. Outre cela, il semble aux sujets spectateurs de ces triomphes qu'on leur fait montre de leurs propres richesses et qu'on les festoie à leurs dépens. Car les peuples présument volontiers des rois, comme nous faisons de nos valets, qu'ils doivent prendre soin de nous apprêter en abondance tout ce qu'il nous faut, mais qu'ils n'y doivent aucunement toucher pour leur part. Et c'est pour cela que l'empereur Galba, ayant pris plaisir à un musicien pendant son souper, se fit porter sa boîte et lui donna dans la main une poignée d'écus qu'il y pêcha, avec ces paroles : « Ce n'est pas du public, c'est du mien. » Toujours est-il qu'il advient le plus souvent que le peuple a raison, et qu'on repaît ses yeux de ce dont on avait à paître son ventre. La libéralité même ne se montre pas sous son meilleur jour entre les mains de souverains : les particuliers y ont plus de droit, car, à le prendre exactement, un roi n'a rien qui soit proprement sien : il se doit soi-même à autrui. La juridiction ne se donne point en faveur du « juridiciant » : c'est en faveur du « juridicié ». On établit un supérieur, non jamais pour son propre profit, mais pour le profit de l'inférieur, et un médecin pour le malade, non pour lui. Toute magistrature, comme tout art, projette sa fin hors d'elle : Nul art n'a en soi sa propre fin *Nulla ars in se uersatur* [1]. Par quoi les gouverneurs de l'enfance des princes, qui se piquent de leur imprimer cette vertu de largesse et leur prêchent de ne savoir rien refuser et de n'estimer rien si bien employé que ce qu'ils donneront (instruction que j'ai vue de mon temps fort en crédit), ou bien regardent plus à leur profit qu'à celui de leur maître, ou bien entendent mal à qui ils parlent : il est trop aisé d'imprimer la libéralité en celui qui a de quoi y fournir autant qu'il veut aux dépens d'autrui ! Et son estimation se réglant, non sur la mesure du présent, mais sur la mesure des moyens de celui qui l'exerce, elle vient à être vaine entre des mains aussi puissantes : ils se trouvent prodigues avant qu'ils ne soient libéraux ! Aussi est-elle de peu de recommandation en comparaison d'autres vertus royales, et la seule, comme disait le tyran Denys, qui se comporte bien avec la tyrannie même. Je lui apprendrais plutôt ce verset du laboureur ancien :

Τῇ χειρὶ δεῖ σπείρειν, ἀλλὰ μὴ ὅλῳ τῷ θυλακῷ, [2]

« qu'il faut », à qui en veut retirer fruit, « semer de la main, non pas verser du sac », il faut épandre le grain, non pas le répandre, et qu'ayant à donner, ou pour mieux dire, à payer et à rendre à tant de gens selon ce qu'ils auront mérité, il doit s'en montrer le dispensateur loyal et avisé. Si la libéralité d'un prince est sans discernement et sans mesure, je l'aime mieux avare. La vertu royale semble consister surtout dans la justice, et, parmi toutes les parties de la justice, celle qui distingue le mieux les rois est celle qui accompagne la libéralité, car ils l'ont personnellement réservée à leur charge, là où toute autre justice, ils l'exercent souvent par l'entremise d'autrui. L'immodérée largesse est un faible moyen pour eux de s'acquérir de la bienveillance, car elle rebute plus de gens qu'elle n'en gagne : Plus nous aurons obligé de gens, moins nous en pourrons obliger à l'avenir. Quoi de plus sot que de s'interdire de faire plus longtemps chose qu'on fait à plaisir ? *Quo in plures usus sis, minus in multos uti possis. Quid autem est stultius quam quod libenter facias curare ut id diutius facere non possis ?* [3] Et si la libéralité est employée sans respect du mérite, elle fait vergogne à qui la reçoit, et est reçue sans reconnaissance. Des tyrans ont été sacrifiés à la haine du peuple par les mains de ceux-là mêmes qu'ils avaient injustement avantagés, car cette sorte d'hommes croit s'assurer la possession des biens indûment reçus s'ils

1. Cicéron, *De finibus*, V, VI, 16.
2. Juste-Lipse, *De amphitheatro*, VII.
3. Cicéron, *De officiis*, II, XV, 52 et 54.

montrent qu'ils tiennent en haine et mépris celui duquel ils les tenaient et se rallient en cela au jugement et à l'opinion commune. Les sujets d'un prince excessif en dons se rendent excessifs en demandes : ils s'ajustent, non sur la raison, mais sur l'exemple. Il y a certes souvent de quoi rougir de notre impudence : nous sommes surpayés, au regard de la simple justice, quand la récompense égale le service que nous avons rendu, car n'en devons-nous rien à nos princes par obligation naturelle ? S'il subvient à toute notre dépense, il fait trop : c'est assez qu'il l'aide ; le surplus s'appelle bienfait, lequel ne se peut exiger, car avec le nom même de libéralité sonne celui de liberté. Avec notre façon de faire, ce n'est jamais fini : le reçu ne se met plus en compte ; en fait de libéralités nous n'aimons que les futures, de là vient que plus un prince s'épuise en donnant, plus il s'appauvrit d'amis. Comment assouvirait-il les envies, qui croissent à mesure qu'elles se comblent ? Qui a sa pensée à prendre ne l'a plus à ce qu'il a pris. La convoitise n'a rien qui lui soit si propre que l'ingratitude. L'exemple de Cyrus ne sera pas mal instructif en ce lieu en vue de servir aux rois de ce temps de pierre de touche pour reconnaître si leurs dons sont bien ou mal employés, et leur faire voir combien cet empereur les assignait plus heureusement qu'ils ne font. Par leur façon de faire, ils en sont réduits à faire leurs emprunts auprès de sujets inconnus, et plutôt auprès de ceux à qui ils ont fait du mal que de ceux à qui ils ont fait du bien, et ils n'en reçoivent point d'aide où il y ait rien autre de gratuit que le nom. Crésus lui reprochait sa largesse, et calculait à combien se monterait son trésor s'il eût eu les mains plus serrées : Cyrus eut envie de justifier sa libéralité, et, dépêchant de toutes parts vers les grands de son État qu'il avait particulièrement avantagés, il les pria chacun de le secourir d'autant d'argent qu'il pourrait, en raison de la nécessité dans laquelle il se trouvait, et de le lui envoyer par déclaration. Quand tous ces bordereaux lui furent apportés, chacun de ses amis n'estimant pas que ce fût assez faire de lui en offrir seulement autant qu'il en avait reçu de sa munificence, et y ajoutant beaucoup de son bien propre, il se trouva que cette somme se montait bien plus haut que ce qu'annonçaient les comptes de Crésus. Sur quoi Cyrus : « Je ne suis pas moins amoureux des richesses que les autres princes, et j'en suis plutôt plus économe. Vous voyez au prix de quelle faible mise j'ai acquis le trésor inestimable de tant d'amis, et combien ils me sont plus fidèles trésoriers que ne le seraient des hommes mercenaires, sans obligation, sans affection, et combien ma fortune est mieux logée que dans des coffres, qui m'attireraient la haine, l'envie, et le mépris des autres princes. » Les empereurs tiraient excuse à la superfluité de leurs jeux et pompes publics de ce que leur autorité dépendait d'une certaine manière (au moins en apparence) de la volonté du peuple romain, lequel de tout temps avait eu coutume d'être flatté par cette sorte de spectacles et d'excès. Mais c'étaient des particuliers qui avaient d'abord nourri cette coutume de gratifier leurs concitoyens et compagnons avec tant de profusion et de magnificence, en prenant principalement sur leur bourse. Elle eut tout autre goût quand ce furent les maîtres qui vinrent à l'imiter. Transférer de l'argent de son juste propriétaire à des étrangers ne saurait se nommer libéralité *Pecuniarum translatio a iustis dominis ad alienos non debet liberalis uideri.* [1] Philippe, instruit de ce que son fils essayait par des présents de gagner la volonté des Macédoniens, l'en tança par une lettre en ces termes : « Quoi ? As-tu envie que tes sujets te tiennent pour leur boursier, non pour leur roi ? Veux-tu les gagner ? Gagne-les par les bienfaits de ta vertu, non par les bienfaits de ton coffre ! » C'était pourtant une belle chose d'aller faire apporter et planter sur la place aux arènes une grande quantité de gros arbres, tout branchus et tout verts, représentant une grande forêt ombreuse, départie en une belle symétrie, et, le premier jour, de jeter là-dedans mille autruches, mille cerfs, mille sangliers, et mille daims, les abandonnant à piller au peuple ; le lendemain, de faire assommer en sa présence cent gros lions, cent léopards, et trois cents ours, et, pour le troisième jour, de faire combattre à outrance trois cents paires de gladiateurs, comme le fit l'empereur Probus. C'était aussi une belle chose à voir que ces grands amphithéâtres incrustés de marbre au dehors, enrichis d'ouvrages et de statues, le dedans reluisant de rares enrichissements, Là, une galerie plaquée de pierres ! Là, un portique incrusté d'or *Baltheus en gemmis, en illita porticus auro,* [2] avec tous les côtés de ce grand vide remplis et environnés, du fond jusqu'au comble, de soixante ou quatre-vingts rangs de gradins, eux aussi en marbre et couverts de coussins,

« Qu'il dégage ! » crie-t-on, « s'il lui reste quelque pudeur ! Qu'il quitte ces coussins, des chevaliers l'honneur, Lui dont le bien n'atteint pas le cens que fixe la loi »

exeat, inquit,
Si pudor est, et de puluino surgat equestri,
Cuius res legi non sufficit, [3]

gradins où se pussent ranger cent mille hommes assis à leur aise ; et la place du fond, où les jeux se jouaient, la faire d'abord s'entrouvrir par

1. Cicéron, *De officiis*, II, XIV, 43.
2. Calpurnius, *Bucoliques*, VII, 47.
3. Juvénal, III, 153-155.

art et fendre de crevasses représentant des antres qui vomissaient les bêtes destinées au spectacle, puis, secondement, l'inonder d'une mer profonde qui charriait force monstres marins, chargée de vaisseaux armés pour représenter une bataille navale, et, tiercement, l'aplanir et assécher de nouveau pour le combat des gladiateurs, et, pour la quatrième façon, de la sabler de vermillon et de storax, au lieu de sable, pour y dresser un festin solennel, offert à tout ce nombre infini de peuple, le dernier acte d'un seul jour.

Que de fois de l'arène abaissée Par endroits, et du sol où s'ouvrait un gouffre, N'ai-je vu des fauves surgir, et souvent pousser de ces mêmes abîmes des arbres d'or à l'écorce de safran ? Des forêts non seulement j'ai pu voir les monstres, mais des mers aussi j'ai admiré les veaux affrontant des ours, et le troupeau de chevaux, digne de son nom, mais affreux

quoties nos descendentis arenæ
Vidimus in partes ruptaque uoragine terræ
Emersisse feras, et iisdem sæpe latebris
Aurea cum croceo creuerunt arbuta libro.
Nec solum nobis siluestria cernere monstra
Contigit, æquoreos ego cum certantibus ursis
Spectaui uitulos, et equorum nomine dignum,
Sed deforme pecus. [1]

Quelquefois on y a fait naître une haute montagne pleine de fruitiers et d'arbres verdoyants, qui rendait par son faîte un ruisseau d'eau, comme de la bouche d'une fontaine vive. Quelquefois on y promena un grand navire, qui s'ouvrait et déprenait de soi-même, et qui, après avoir vomi de son ventre quatre ou cinq cents bêtes de combat, se resserrait et s'évanouissait, sans aide. Autrefois, du bas de cette place, ils faisaient s'élancer des surgeons et des filets d'eau qui rejaillissaient contremont, et à cette hauteur infinie, allaient arrosant et embaumant cette infinie multitude. Pour se couvrir de l'injure du temps, ils faisaient tendre cet immense espace de voiles tantôt de pourpre ouvragés à l'aiguille, tantôt de soie, d'une couleur ou d'une autre, et les avançaient et retiraient en un moment, comme il leur en venait fantaisie,

Si fort que le soleil veuille brûler l'arène,
On retire les dais quand arrive Hermogène

Quamuis non modico caleant spectacula sole,
Vela reducuntur cùm uenit Hermogenes. [2]

1. Calpurnius, *Églogues*, VII, 69-72 et 64-67.
2. Martial, XII, XXVIII, 15-16.

Les rets aussi, qu'on mettait au-devant du peuple pour le défendre de la violence de ces bêtes élancées, étaient tissus d'or,

de l'or aussi dont ils sont tissus étincellent
Les rets

auro quoque torta refulgent
Retia. [1]

S'il y a quelque chose qui soit excusable en de tels excès, c'est quand l'invention et la nouveauté suscitent l'émerveillement, non pas la dépense : dans ces vanités mêmes, nous découvrons combien ces siècles étaient fertiles d'esprits tout autres que ne sont les nôtres. Il en va de cette sorte de fertilité comme de toutes les autres productions de la nature : ce n'est pas à dire qu'elle y ait alors employé son dernier effort. Nous n'allons point, nous virons plutôt et tournevirons çà et là : nous nous promenons en marchant sur nos pas. Je crains que notre connaissance soit faible en tous sens. Nous ne voyons ni guère loin, ni guère en arrière. Elle embrasse peu, et vit peu : courte et en étendue de temps, et en étendue de matière :

Maints héros avant Agamemnon ont paru sur terre,
Mais, sans pleurs, ignorés, une longue nuit les enterre...
D'où vient que la geste troyenne et la prise de Troie
Fussent les premiers hauts faits que dans l'épopée on oie ?

Vixere fortes ante Agamemnona
Multi, sed omnes illacrymabiles
Urgentur, ignotique longa
Nocte. [2]
Et supera bellum Troianum et funera Troiæ,
Multi alias alii quoque res cecinere poetæ. [3]

Et la narration que fait Solon de ce qu'il avait appris des prêtres d'Égypte sur la longue vie de leur État, et leur manière d'apprendre et conserver les histoires venues de l'étranger ne me semble pas un témoignage à refuser en cette considération. Si nous pouvions considérer l'étendue de partout infinie des cieux et des âges, et que, absorbé et tendu, notre esprit s'y mût de long en large sans apercevoir de borne où s'arrêter, dans cette immensité sans fin apparaîtraient en foule des formes sans nombre *Si interminatam in omnes partes magnitudinem regionum uideremus, et temporum, in quam se iniciens animus et intendens, ita late longeque peregrinatur ut nullam oram ultimi uideat in qua possit insistere, in hac immensitate infinita, uis innumerabilium*

1. Calpurnius, *Églogues*, VII, 53-54.
2. Horace, *Odes*, IV, IX, 25-28.
3. Lucrèce, V, 327-328.

appareret formarum. [1] Quand tout ce qui par tradition est venu du passé jusqu'à nous serait vrai et serait su par quelqu'un, ce serait moins que rien au prix de ce qui est ignoré. Et de cette même image du monde, qui coule pendant que nous y sommes, combien chétive et raccourcie est la connaissance qu'en ont les plus curieux ? Non seulement au sujet des événements particuliers, que la fortune rend souvent exemplaires et de poids, mais à propos de l'état des grands empires et nations, il nous en échappe cent fois plus qu'il n'en vient à notre science. Nous crions au miracle pour l'invention de notre artillerie, de notre imprimerie : d'autres hommes, à l'autre bout du monde, à la Chine, en jouissaient mille ans auparavant ! Si de notre monde nous voyions autant que nous n'en voyons pas, nous apercevrions, comme il est à croire, une multiplication et une vicissitude perpétuelle de formes. Il n'y a rien de seul et de rare eu égard à la nature, mais seulement eu égard à notre connaissance, qui fournit un misérable fondement à nos règles, et qui nous représente souvent une très fausse image des choses. Comme vainement nous concluons aujourd'hui au déclin et à la décrépitude du monde par les arguments que nous tirons de notre propre faiblesse et décadence :

Le monde est déjà recru d'âge, et la terre lasse d'enfanter

Jamque adeo affecta est ætas, affectàque tellus : [2]

Ainsi est-ce bien vainement que ce même poète concluait à la naissance et à la jeunesse du monde d'après la vigueur qu'il voyait chez les esprits de son temps, abondant en nouveautés et en inventions d'arts divers :

Mais le monde est neuf, je crois, et toujours adolescent : Des limbes hier à peine on le voyait naissant ! Car nos arts chaque jour de progrès nouveaux s'enrichissent, Et vont s'améliorant ! Les navires se polissent Et perfectionnent sans fin

Verùm, ut opinor, habet nouitatem, summa, recénsque
Natura est mundi, neque pridem exordia coepit :
Quare etiam quædam nunc artes expoliuntur,
Nunc etiam augescunt, nunc addita nauigiis sunt
Multa. [3]

Notre monde vient d'en trouver un autre (et qui nous répond si c'est le dernier de ses frères, puisque les Démons, les Sybilles, et nous, avons ignoré celui-ci jusqu'à cette heure ?), non moins grand, plein, et

1. Cicéron, *De natura deorum*, I, XX, 54.
2. Lucrèce, II, 1150.
3. Lucrèce, V, 330-334.

membru que lui, si nouveau toutefois, et si enfant, qu'on lui apprend encore son a, b, c : il n'y a pas cinquante ans il ne savait ni lettres, ni poids, ni mesure, ni vêtements, ni blés, ni vignes. Il était encore tout nu, au giron, et ne vivait que des moyens de sa mère nourrice. Si nous concluons bien de notre fin, et ce Poète de la jeunesse de son siècle, cet autre monde ne fera qu'entrer en lumière quand le nôtre en sortira. L'univers tombera en paralysie : l'un de ses membres sera perclus, l'autre en pleine vigueur. Je crains pourtant que nous aurons très fort hâté son déclin et sa ruine par notre contagion, et que nous lui aurons bien cher vendu nos opinions et nos arts. C'était un monde enfant : pourtant nous ne l'avons pas fouetté et soumis à notre discipline par l'avantage de notre valeur et de nos forces naturelles, pas plus que nous ne l'avons gagné par notre justice et notre bonté, ni subjugué par notre magnanimité. La plupart de leurs réponses et des négociations faites avec eux témoignent qu'ils ne nous devaient rien en clarté d'esprit naturelle et en pertinence. L'épouvantable magnificence des villes de Cusco et de Mexico, et, entre plusieurs choses pareilles, le jardin de ce roi où tous les arbres, les fruits, et toutes les herbes, selon l'ordre et la grandeur qu'ils ont dans un jardin, étaient excellemment façonnées en or, comme en son cabinet tous les animaux qui naissaient dans son État et dans ses mers, et la beauté de leurs ouvrages, en pierreries, en plume, en coton, en peinture, montrent qu'ils ne nous le cédaient pas plus en industrie. Mais quant à la dévotion, l'observance des lois, la bonté, la libéralité, la loyauté, la franchise, il nous a bien servi de n'en avoir pas autant qu'eux : ils se sont perdus par cet avantage, et vendus et trahis eux-mêmes. Quant à la hardiesse et au courage, quant à la fermeté, à la constance, à la résolution contre les douleurs et la faim et la mort, je ne craindrais pas d'opposer les exemples que je trouverais parmi eux aux plus fameux exemples anciens que nous ayons dans les Mémoires de notre monde de deçà. Car, pour ceux qui les ont subjugués, qu'ils ôtent donc les ruses et les tours de passe-passe dont ils se sont servis pour les duper ; qu'ils ôtent donc l'épouvante bien justifiée qu'apportait à ces nations-là de voir arriver si inopinément des gens barbus, différents d'eux par le langage, la religion, l'aspect, et les comportements, depuis un endroit du monde si éloigné, et où ils n'avaient jamais entendu qu'il y eût quelque habitant que ce fût, montés sur de grands monstres inconnus ; contre eux qui n'avaient non seulement jamais vu de cheval, mais même de bête quelconque dressée à porter et soutenir ni homme ni quelque autre charge, munis d'une peau luisante et dure et d'une arme tranchante et resplendissante ; contre eux qui, pour le miracle de l'éclat d'un miroir ou d'un couteau, allaient échangeant une grande richesse en or et en perles, et qui n'avaient ni science ni matériau par où ils pussent à leur aise percer notre acier ; ajoutez-y les foudres et les tonnerres de nos pièces et de nos arquebuses, capables de troubler César même s'il eût été de nos jours surpris par de telles armes, et en en ayant aussi peu d'expérience, et alors qu'on les employait à ce moment-là contre des peuples nus (hormis aux lieux où l'invention était parvenue de quelque tissu de coton), et qui, de plus, n'avaient pas d'autres armes que des arcs, des pierres, des bâtons et des boucliers de bois ; contre des peuples surpris, sous couleur d'amitié et de bonne foi, par la curiosité de voir des choses étrangères et inconnues : ôtez donc, dis-je, aux conquérants cette disparité, vous leur ôtez toute l'occasion de tant de victoires. Quand je considère cette ardeur indomptable avec laquelle tant de milliers d'hommes, de femmes, et d'enfants, tant de fois s'exposent à des dangers inévitables et s'y jettent pour la défense de leurs dieux et de leur liberté ; quand je vois cette généreuse obstination à souffrir les dernières extrémités et difficultés, et même la mort, plus volontiers que de se soumettre à la domination de ceux par qui ils ont été si honteusement abusés, et que d'aucuns choisissent même de se laisser défaillir de faim et de jeûne quand ils sont pris plutôt que d'accepter leur nourriture des mains de leurs ennemis si vilement victorieuses : je prévois que, quiconque les eût attaqués d'égal à égal tant en armes qu'en expérience et en nombre, eût couru autant de dangers, sinon plus, qu'en quelque autre guerre que nous voyons. Que n'est donc tombée sous Alexandre, ou sous les anciens Grecs et Romains, une si noble conquête ! Et que ne sont tombées une si grande mutation et altération de tant d'empires et de peuples sous des mains qui eussent doucement poli et défriché ce qu'il y avait de sauvage, qui eussent conforté et promu les bonnes semences que nature y avait produites, en mêlant non seulement à la culture des terres et à l'ornement des villes les arts de deçà, en tant qu'ils y eussent été nécessaires, mais aussi en mêlant les vertus grecques et romaines aux qualités originelles du pays ! Quelle réparation eût-ce été, et quel progrès pour toute notre machine ronde, si les premiers exemples et comportements que nous avons montrés par-delà eussent appelé ces peuples à l'admiration et à l'imitation de la vertu, et eussent dressé entre eux et nous une association et une entente fraternelles ! Combien il eût été aisé de faire son profit d'âmes si neuves, si affamées d'apprendre, et qui avaient pour la plupart de si beaux commencements naturels ! Au rebours, nous nous sommes servis de leur ignorance et de leur inexpérience pour les plier plus facilement à la trahison, à la luxure, à l'avarice, et à toute sorte d'inhumanités et de cruautés à l'exemple et sur le patron de nos mœurs. Qui mit jamais à tel prix le service de la marchandise et du trafic ? Tant de villes rasées, tant de nations exterminées, tant de millions de peuples passés au fil de l'épée, et la plus riche et plus belle partie du monde bouleversée pour le commerce des perles et du poivre : mécaniques [1] victoires ! Jamais l'ambition, jamais les inimitiés publiques ne poussèrent les hommes les uns contre les autres à de si horribles hostilités, et à des calamités aussi misérables. En côtoyant la mer en quête de leurs mines, certains Espagnols prirent terre en une contrée fertile et plaisante, fort habitée, et firent à ce peuple leurs remontrances accoutumées : qu'ils étaient gens paisibles, venant de lointains voyages, envoyés de la part du roi de Castille, le plus grand prince de la terre habitable, auquel le Pape, représentant Dieu sur terre, avait donné la principauté de toutes les Indes. Que s'ils voulaient lui être tributaires, ils seraient très bienveillamment traités ; ils leur demandaient des vivres pour leur nourriture, et de l'or pour le besoin de quelque médecine. Ils leur exposaient, au demeurant, la croyance en seul Dieu, et la vérité de notre religion, laquelle ils leur conseillaient d'accepter, y ajoutant quelques menaces. La réponse fut telle : que quant à être paisibles, ils n'en portaient pas la mine, s'ils l'étaient. Quant à leur roi, puisqu'il demandait, il devait être indigent et nécessiteux ; et celui qui lui avait fait cette distribution devait bien être homme à aimer la dissension que d'aller ainsi donner à un tiers chose qui n'était pas sienne pour la mettre en débat contre les anciens possesseurs ! Quant aux vivres, qu'ils leur en fourniraient ; d'or, ils en avaient peu, et que c'était chose qu'ils ne tenaient en nulle estime, dans la mesure où elle était inutile au service de leur vie, là où tout leur soin regardait seulement à la passer heureusement et plaisamment ; pourtant ce qu'ils en pourraient trouver, sauf ce qui était employé au service de leurs dieux, qu'ils le prissent hardiment. Quant à un seul Dieu, le discours leur en avait plu, mais qu'ils ne voulaient point changer leur religion, dont ils s'étaient si utilement servi si longtemps ; et qu'ils n'avoient pour coutume de prendre conseil que de leurs amis et connaissances. Quant aux menaces, c'était signe d'un défaut de jugement que d'aller menaçant des gens dont la nature et les moyens leur étaient inconnus. Ainsi, qu'ils se dépêchassent promptement de vider leur terre, car ils n'étaient pas accoutumés à prendre en bonne part les honnêtetés et les remontrances de gens armés et étrangers : autrement qu'on ferait d'eux, comme de ces autres, leur montrant les têtes de certains suppliciés à l'entour de leur ville. Voilà un exemple des « balbutiements » de ces prétendus enfants.

1. « Mécaniques » : dignes d'un travail d'esclave, viles, serviles, et basses.

Mais toujours est-il que ni en ce lieu-là, ni en plusieurs autres où les Espagnols ne trouvèrent pas les marchandises qu'ils cherchaient, ils ne firent ni station ni entreprise, quelque autre commodité qu'il y eût : témoins mes *Cannibales*. Entre les deux plus puissants monarques de ce monde-là et, se peut, de celui-ci, rois de tant de rois, qui furent les derniers que les Espagnols en chassèrent, l'un était celui du Pérou : il avait été pris lors d'une bataille, et mis à une rançon si excessive qu'elle surpasse tout ce que l'on peut croire, et, une fois que celle-là eut été fidèlement payée, et qu'il eut donné par son comportement le signe d'un cœur franc, libéral, et constant, et d'un entendement net et bien composé, il prit envie aux vainqueurs, après en avoir tiré un million trois cent vingt cinq mille cinq cents pesants d'or outre l'argent et d'autres choses qui ne montèrent pas moins (si bien que leurs chevaux n'allaient plus ferrés que d'or massif), de voir encore, au prix de quelque déloyauté que ce fût, quel pouvait être le reste des trésors de ce roi, et de jouir librement de ce qu'il avait réservé. On lui prémédita une accusation et une preuve fausses : qu'il avait dessein de faire soulever ses provinces pour se remettre en liberté. Sur quoi, par beau jugement de ceux-là mêmes qui lui avaient dressé cette trahison, on le condamna à être pendu et étranglé publiquement, non sans lui avoir fait racheter le tourment d'être brûlé tout vif par le baptême qu'on lui donna au moment même du supplice. Accident horrible et inouï, qu'il souffrit pourtant sans se démentir, ni en contenance, ni en parole, d'une attitude et d'une gravité vraiment royales. Et puis, pour endormir les peuples foudroyés et transis par une chose aussi étrange, on contrefit un grand deuil de sa mort et on lui ordonna de somptueuses funérailles. L'autre était le roi de Mexico. Celui-là avait longtemps défendu sa ville assiégée, et montré durant ce siège tout ce que peuvent l'endurance et la persévérance, si onques prince et peuple le montrèrent. Son malheur l'avait livré vivant aux mains de ses ennemis, avec cette convention qu'il serait traité en roi, aussi ne leur fit-il rien voir pendant sa prison d'indigne de ce titre. Ne trouvant point après cette victoire tout l'or qu'ils s'étaient promis, quand ils eurent tout remué et tout fouillé, les Espagnols se mirent à en chercher d'autre par les plus âpres géhennes dont ils se purent aviser sur les prisonniers qu'ils détenaient. Mais pour n'avoir rien profité, trouvant des cœurs plus forts que leurs tourments, ils en vinrent enfin à une telle rage que, contre leur foi, et contre tout droit des gens, ils condamnèrent le roi lui-même et l'un des principaux seigneurs de sa cour à la géhenne, en présence l'un de l'autre. Ce seigneur, forcé par la douleur, environné de brasiers ardents, tourna sur la fin un regard piteux vers son maître, comme pour lui demander merci de ce qu'il n'en pouvait plus : le roi, plantant fièrement et rigoureusement les yeux sur lui, pour reproche de sa lâcheté et de sa pusillanimité lui dit seulement ces mots d'une voix rude et ferme : « Et moi, suis-je dans un bain ? Suis-je pas plus à mon aise que toi ? » Celui-là soudain après succomba aux douleurs et mourut sur la place. Le roi à demi rôti fut emporté de là, non tant par pitié (car quelle pitié toucha jamais des âmes si barbares, qui, pour la douteuse information de quelque vase d'or à piller, fissent griller un homme devant leurs yeux, bien plus un roi si grand tant en fortune qu'en mérite ?), mais parce que sa constance rendait de plus en plus honteuse leur cruauté. Ils le pendirent par la suite, après qu'il avait courageusement entrepris de se délivrer par les armes d'une si longue captivité et sujétion, par où il se donna une fin digne d'un prince magnanime. À une autre fois, ils mirent brûler d'un coup, en un même feu, quatre cent soixante hommes tous vifs, dont quatre cents issus du commun peuple, et soixante des principaux seigneurs d'une province, simplement prisonniers de guerre. Nous tenons d'eux-mêmes ces narrations, car ils ne les avouent pas seulement, ils s'en vantent, et les prêchent ! Serait-ce pour témoignage de leur justice ? Ou de leur zèle envers la religion ? Assurément, ce sont là des voies trop opposées, et même ennemies d'une si sainte fin. S'ils se fussent proposé d'étendre notre foi, ils eussent considéré que ce n'est pas par la possession de terres qu'elle se développe, mais par la possession d'hommes, et ils ne se fussent que trop contentés des meurtres que la nécessité de la guerre comporte sans y mêler indifféremment une boucherie comme sur des bêtes sauvages, aussi totale que le fer et le feu y ont pu atteindre, car ils n'ont gardé en vie, selon leur dessein, que le nombre d'hommes dont ils ont voulu faire de misérables esclaves pour le travail et le service de leurs mines, tant et si bien que plusieurs des chefs, quasi tous déconsidérés et haïs, ont été punis de mort sur les lieux mêmes de leur conquête par ordonnance des rois de Castille, justement offensés de l'horreur de leurs comportements, et quasi tous désestimés et détestés. Dieu a louablement permis que ces grands pillages aient été absorbés par la mer dans leur transport, ou par les guerres intestines par lesquelles ils se sont mangés entre eux, et où la plupart s'enterrèrent sur place, sans aucun fruit de leur victoire. Quant au fait que la recette, même entre les mains d'un prince économe et prudent [1], répond si peu à l'espérance qu'on en donna à ses prédécesseurs et à cette première abondance de richesses qu'on rencontra dès l'abord dans ces nouvelles terres (car encore qu'on en retire beaucoup, nous voyons que ce n'est rien au prix de ce qui s'en

1. Philippe II, précisément dit « le Prudent », qui régna jusqu'en 1598.

devait attendre), c'est que l'usage de la monnaie était entièrement inconnu là-bas, et que par conséquent tout leur or se trouva rassemblé au complet, vu qu'il ne servait à rien d'autre qu'à la montre et à la parade, comme un meuble conservé de père en fils par plusieurs puissants rois qui épuisaient toujours leurs mines à faire ce grand monceau de vases et de statues pour orner leurs palais et leurs temples, au lieu que notre or est tout en emploi et en commerce. Nous le mettons en pièces et le changeons en mille formes, nous l'épandons et le dispersons. Imaginons que nos rois amoncelassent ainsi tout l'or qu'ils pourraient trouver en plusieurs siècles, et le gardassent immobile ! Ceux du royaume de Mexico étaient d'une certaine façon plus civilisés et plus artistes que ne l'étaient les autres nations de là-bas. Aussi jugeaient-ils, ainsi que nous, que l'univers fût proche de sa fin, et ils en prirent pour signe la désolation que nous y apportâmes. Ils croyaient que l'être du monde se répartit en cinq âges, correspondant à la vie de cinq soleils consécutifs, dont les quatre premiers avaient déjà fourni leurs temps, et que celui qui les éclairait était le cinquième. Le premier périt avec toutes les autres créatures par une universelle inondation des eaux. Le second, par la chute du ciel sur nous, qui étouffa toute chose vivante, auquel âge ils assignent les géants dont ils firent voir aux Espagnols des ossements à la proportion desquels la stature des hommes revenait à vingt paumes de hauteur. Le troisième, par le feu, qui embrasa et consuma tout. Le quatrième, par une agitation d'air et de vent qui abattit jusqu'à plusieurs montagnes : les hommes n'en moururent point, mais ils furent changés en magots (quelles impressions ne souffre la lâcheté de l'humaine crédulité !). Après la mort de ce quatrième Soleil, le monde resta vingt-cinq ans dans de perpétuelles ténèbres, au quinzième desquels fut créé un homme, puis une femme, qui refirent l'humaine race : dix ans après, à tel jour de leur calendrier, le Soleil parut nouvellement créé, et depuis lors, le compte de leurs années commence par ce jour-là. Le troisième jour de sa création, moururent les dieux anciens : les nouveaux sont nés depuis, du jour à la journée. Ce qu'ils pensent de la manière dont ce dernier Soleil périra, mon auteur n'en a rien appris. Mais leur datation depuis ce quatrième changement coïncide avec cette grande conjonction des astres qui produisit, il y a huit cents ans selon le calcul des astrologues, plusieurs grandes altérations et révolutions au monde. Quant à la pompe et à la magnificence, par où je suis entré en ce propos, ni Grèce, ni Rome, ni Égypte ne peuvent, soit en utilité, difficulté, ou noblesse, comparer aucun de leurs ouvrages au chemin qui se voit au Pérou, dressé par les rois du pays depuis la ville de Quito jusqu'à celle de Cusco (ce qui fait trois cents lieues), droit, uni, large de vingt-cinq pas, le pavé flanqué de part et d'autre de belles et hautes murailles, et le long de celles-ci, par le dedans, de deux ruisseaux perpétuels bordés de beaux arbres qu'ils nomment « moly ». Où ils ont trouvé des montagnes et des rochers, ils les ont taillés et aplanis ; ils ont comblé les fondrières de pierre et chaux. Au départ de chaque journée de marche, il y a de beaux palais fournis de vivres, de vêtements, et d'armes, tant pour les voyageurs que pour les armées qui ont à y passer. Dans l'estimation de cet ouvrage, j'ai compté la difficulté, qui est particulièrement considérable en ce lieu-là. Ils ne bâtissaient point avec des pierres moindres que de dix pieds carrés ; ils n'avaient d'autre moyen de charrier qu'à force de bras en traînant leur charge ; ils ne possédaient pas même l'art d'échafauder, ne sachant d'autre finesse en la matière que de hausser contre leur bâtiment autant de terre que sa hauteur, pour l'ôter après. Retombons à nos coches : en leur place, et au lieu de toute autre voiture, ils se faisaient porter par les hommes, et sur les épaules. Ce dernier roi du Pérou, le jour qu'il fut pris, était ainsi porté sur des brancards d'or, et assis dans une chaise d'or, au milieu de son armée en bataille. Autant qu'on tuait de ces porteurs pour le faire choir à bas (car on le voulait prendre vif) autant d'autres, et à l'envi, prenaient la place des morts, de façon qu'on ne le put onques abattre, quelque meurtre qu'on fît de ces gens-là, jusqu'à ce qu'un homme à cheval l'alla saisir au corps, et le jeta par terre.

De l'incommodité de la grandeur

[Chapitre VII]

Puisque nous ne la pouvons atteindre, vengeons-nous à médire d'elle – encore que ce ne soit pas entièrement médire de quelque chose que d'y trouver des défauts : il s'en trouve en toutes choses, pour belles et désirables qu'elles soient. En général, la grandeur a cet évident avantage qu'elle se rabaisse quand il lui plaît, et qu'à peu près elle a le choix de l'une et l'autre condition. Car on ne tombe pas de toute sorte de hauteur : il en est plus d'où l'on peut descendre sans tomber. Bien il me semble que nous la faisons trop valoir, et trop valoir aussi la résolution de ceux que nous avons ou vus ou entendus dire l'avoir méprisée, ou s'en être démis de leur propre dessein [1]. Son essence n'est pas si évidemment commode qu'on ne la puisse refuser sans miracle. Je trouve bien difficile l'effort à la souffrance des maux, mais au contentement d'une médiocre mesure de fortune, et à la fuite de la grandeur, j'y trouve fort peu à faire. C'est une vertu, ce me semble, où moi, qui ne suis qu'un oison, j'arriverais sans avoir beaucoup à m'efforcer. Que doivent faire ceux qui prendraient encore en considération la gloire qui accompagne ce refus, dans lequel il peut entrer, le cas échéant, plus d'ambition que dans le désir même de la grandeur et de sa jouissance, parce que l'ambition ne se dirige jamais mieux selon sa propre pente que lorsqu'elle emprunte une voie écartée et inusitée.

J'aiguise mon courage quand je prends vers la patience, je l'affaiblis vers le désir. Autant ai-je à souhaiter qu'un autre, et je laisse à mes souhaits autant de liberté et de démesure, mais pour autant il ne m'est jamais advenu de souhaiter ni Empire ni Royauté, ni l'éminence de ces hautes fortunes où l'on exerce des commandements. Je ne vise pas de ce côté-là : je m'aime trop. Quand je pense à croître, c'est bassement, d'une croissance restreinte et peureuse, proprement pour moi : en résolution, en prudence, en santé, en beauté, et en richesse encore. Mais ce grand prestige, cette autorité si puissante accable mon imagination. Et tout au contraire de l'autre, je m'aimerais mieux peut-être deuxième ou troisième à Périgueux que premier à Paris : au moins, sans mentir, mieux troisième à Paris que premier dans les charges. Je ne veux ni débattre, tel un misérable inconnu, avec un huissier de porte, ni faire se fendre en adoration les foules où je passe : je suis fait à un étage moyen, autant par mon sort que par mon goût. Et j'ai montré dans la conduite de ma vie et de mes entreprises que j'ai plutôt fui que tenté d'enjamber par-dessus le degré de fortune où Dieu logea ma naissance. Toute situation conforme à la nature est également juste et aisée. J'ai l'âme si poltronne que je ne mesure pas la bonne fortune selon sa hauteur, je la mesure selon sa facilité.

Mais, si je n'ai point le cœur gros assez, je l'ai, en même proportion, ouvert, et qui m'ordonne de publier hardiment sa faiblesse. Qui me donnerait à comparer la vie de L. Thorius Balbus, galant homme, beau, savant, sain, entendu et abondant en toute sorte d'agréments et de plaisirs, conduisant une vie tranquille, et toute sienne, l'âme bien préparée contre la mort, la superstition, les douleurs, et autres

1. Comme l'empereur Charles Quint, dont la démission, en octobre 1555, avait stupéfié toutes les cours d'Europe. Cet exemple inouï renouvelait celui de Dioclétien à Rome.

embûches de l'humaine misère, mourant enfin sur le champ de bataille, les armes à la main, pour la défense de son pays, d'une part, et d'autre part la vie de M. Regulus, si grande et altière que chacun la connaît, et sa fin admirable, la première sans nom, sans dignité, l'autre exemplaire et glorieuse à merveilles, j'en dirais certes ce qu'en dit Cicéron si je savais aussi bien dire que lui, mais s'il me les fallait confronter à la mienne je dirais aussi que la première est autant selon ma portée et mon désir (que je conforme à ma portée) que la seconde est loin au-delà ; qu'à celle-ci je ne puis atteindre que par la vénération, qu'à l'autre j'atteindrais sans peine à l'usage.

Retournons à notre grandeur temporelle, d'où nous sommes partis. Je suis dégoûté de l'autorité, exercée ou subie. Otanès, l'un des sept qui avaient le droit de prétendre au royaume de Perse, prit un parti que j'eusse pris volontiers : c'est qu'il laissa à ses compagnons son droit d'y pouvoir arriver par élection ou tirage au sort, pourvu que lui et les siens vécussent dans cet empire libres de toute sujétion et autorité, sauf celle de leurs anciennes lois, et qu'ils y eussent toute liberté qui ne porterait pas préjudice à ces dernières, ne supportant pas plus de commander que d'être commandé.

Le plus âpre et difficile métier du monde, à mon gré, c'est de faire dignement le roi. J'excuse plus de leurs fautes qu'on ne le fait communément, en considération de l'horrible poids de leur charge, qui me confond. Il est difficile de garder mesure à une puissance aussi démesurée. Au point qu'envers ceux mêmes qui sont de moins excellente nature c'est une singulière incitation à la vertu que d'être logé en tel lieu, où vous ne fassiez aucun bien qui ne soit mis en registre et en compte, où le moindre bien faire porte sur tant de gens, et où votre habileté, comme celle des prêcheurs, s'adresse principalement au peuple, juge peu exact, facile à duper, facile à contenter. Il est peu de choses sur lesquelles nous puissions porter un jugement sincère, parce qu'il en est peu auxquelles en quelque façon nous n'ayons pas d'intérêt particulier. La supériorité et l'infériorité, la maîtrise et la sujétion sont obligées par nature à rivaliser et se contester : il faut qu'elles s'entre-pillent perpétuellement. Je ne crois ni l'une ni l'autre au sujet des droits de sa compagne : laissons là-dessus dire à la raison, qui est inflexible et impassible, quand nous en pourrons finir. Je feuilletais, il n'y a pas un mois, deux livres écossais en dispute sur ce sujet : le livre républicain rend le roi de pire condition qu'un charretier, le monarchiste le loge quelques brasses au-dessus de Dieu en puissance et souveraineté.

Or l'incommodité de la grandeur, que j'ai entrepris ici de souligner du fait de quelque occasion qui vient de m'en avertir, est celle-ci. : il n'est d'aventure rien de plus plaisant dans le commerce des hommes que les essais que nous faisons les uns contre les autres en rivalisant d'honneur et de valeur, soit dans les exercices du corps, soit ans ceux de l'esprit, et dans lesquels la grandeur souveraine n'a aucune vraie part. À la vérité, il m'a semblé souvent qu'à force de respect on y traite les princes dédaigneusement et injurieusement. Car cette chose dont je m'offensais infiniment dans ma jeunesse, à savoir que ceux qui s'exerçaient avec moi épargnassent de s'y employer pour de bon, parce qu'ils me trouvaient indigne d'être homme contre qui ils s'efforçassent, c'est ce qu'on voit qu'il advient aux rois tous les jours, chacun se trouvant indigne de s'efforcer contre eux ! Si l'on s'aperçoit qu'ils aient tant soit peu envie de la victoire, il n'est homme qui ne se travaille à la leur céder, et qui n'aime mieux trahir sa gloire que d'offenser la leur : on n'y emploie d'effort qu'autant qu'il en faut pour servir à leur honneur. Quel mérite ont-ils dans une mêlée dans laquelle chacun est pour eux ? Il me semble voir ces paladins du temps passé se présentant aux joutes et aux combats avec des corps et des armes enchantées ! Brisson courant contre Alexandre, feignit de perdre la course : Alexandre l'en tança, mais il aurait dû lui faire donner le fouet ! Pour cette considération, Carnéade disait que les enfants des princes n'apprennent rien correctement qu'à manier des chevaux, parce qu'en tout autre exercice chacun fléchit sous eux et leur laisse le gain, mais qu'un cheval, qui n'est ni flatteur ni courtisan, verse le fils du roi par terre comme il le ferait du fils d'un crocheteur. Homère a été contraint de consentir que Vénus fût blessée au combat de Troie, une si douce divinité, et si délicate, pour lui donner du courage et de la hardiesse, qualités qui n'échoient d'aucune façon à ceux qui sont exempts de danger. Les poètes font les dieux se courroucer, craindre, fuir, se jalouser, se plaindre, et se passionner pour les honorer des vertus qui chez nous se construisent à partir de ces imperfections.

Qui ne participe point au hasard et à la difficulté ne peut prétendre au bénéfice de l'honneur et du plaisir qui suivent les actions hasardeuses. C'est pitié de tant pouvoir qu'il advienne que toutes choses vous cèdent ! Votre fortune rejette trop loin de vous la société et la compagnie, elle vous plante trop à l'écart. Cette commodité et cette lâche facilité de faire tout baisser sous soi sont ennemies de toute sorte de plaisir. C'est glisser que cela, ce n'est pas aller ; c'est dormir, ce n'est pas vivre. Concevez l'homme doué d'omnipotence, vous le jetez au fond de l'abîme ; il faut qu'il vous demande par aumône de l'empêchement et de la résistance : son être et son bien consistent dans le besoin.

Les bonnes qualités des rois sont mortes et perdues, car elles ne se sentent que par comparaison, et on les en laisse hors : ils connaissent peu les vraies louanges, étant battus d'une approbation si continuelle et uniforme. Ont-ils affaire au plus sot de leurs sujets ? Ils n'ont aucun moyen de prendre avantage sur lui. En disant : « C'est parce qu'il est mon roi », il lui semble avoir assez dit qu'il a prêté la main à se laisser vaincre. Cette qualité étouffe et consume les autres qualités vraies et essentielles, elles sont enfoncées dans la royauté, et ne leur laisse à eux, comme faire-valoir, que les actions qui la touchent directement et qui lui servent, à savoir les devoirs de leur charge. C'est tant être roi pour un monarque qu'il n'existe plus que par là. Cet extraordinaire éclat qui l'environne le cache et nous le dérobe : notre vue s'y rompt et s'y dissipe, parce qu'elle est noyée et arrêtée par cette forte lumière. Le Sénat décerna le prix d'éloquence à Tibère : il le refusa, n'estimant pas que d'un jugement si peu libre, quand bien même il eût été véritable, il pût ressentir de la joie.

Comme on leur cède tous les avantages d'honneur, on conforte et l'on autorise aussi les défauts et les vices qu'ils ont, non seulement en les approuvant, mais encore en les imitant. Chacun de ceux de la suite d'Alexandre portait comme lui la tête de côté. Et les flatteurs de Denys le tyran s'entre-heurtaient en sa présence, poussaient et renversaient ce qui se rencontrait à leurs pieds pour dire qu'ils avaient la vue aussi courte que lui. Les infirmités ont aussi parfois servi de recommandation et de faveur. J'en ai vu qui affectaient la surdité. Et, parce que le maître haïssait sa femme, Plutarque a vu des courtisans répudier les leurs, que pourtant ils aimaient. Qui plus est, la paillardise s'en est vue en faveur, ainsi que toute forme de vie dissolue, comme aussi la déloyauté, les blasphèmes, la cruauté ; comme l'hérésie, comme la superstition, l'irréligion, la mollesse, et pis si pis il y a : exemples encore plus dangereux que celui des flatteurs de Mithridate qui, parce que leur maître prétendait à l'honneur de passer pour bon médecin, lui portaient à inciser et cautériser leurs membres, car ces autres souffrent, eux, de donner leur âme à cautériser, partie plus délicate, et plus noble.

Mais pour achever par où j'ai commencé : l'empereur Hadrien débattant avec le philosophe Favorinus sur l'interprétation de quelque mot, Favorinus lui en laissa bientôt la victoire ; comme ses amis se plaignaient à lui : « Vous vous moquez, fit-il, voudriez-vous qu'il ne fût pas plus savant que moi, lui qui commande à trente légions ? » Auguste écrivit des vers contre Asinius Pollion : « Et moi », dit Pollion, « je me tais : ce n'est pas sagesse d'écrire en rival de celui qui peut proscrire. » Et ils avaient raison. Car Denys, faute de ne pouvoir égaler Philoxène en poésie, et Platon en éloquence, en fit condamner l'un aux carrières et envoya vendre l'autre comme esclave dans l'île d'Égine.

De l'art de conférer[h] [1]

[Chapitre VIII]

C'est un usage de notre justice d'en condamner certains pour l'avertissement des autres. Les condamner parce qu'ils ont failli, ce serait bêtise, comme dit Platon, car ce qui est fait ne se peut défaire, mais c'est afin qu'ils ne défaillent plus de même, ou qu'on fuie l'exemple de leur faute. On ne corrige pas celui qu'on pend, on corrige les autres par lui. Je fais de même. Mes erreurs sont aujourd'hui naturelles, incorrigibles, et irrémédiables, mais ce que les honnêtes hommes font d'utile pour le public en se faisant imiter, je le ferai d'aventure à me faire éviter.

Ne vois-tu donc combien vit mal le fils d'Albus, Et combien est pauvre Barrus ? Belle leçon pour ne pas dissiper son patrimoine

Nonne uides Albi ut male uiuat filius, utque
Barrus inops ? Magnum documentum ne patriam rem
Perdere quis uelit. [2]

Si je rends publiques et dénonce mes imperfections, quelqu'un apprendra à les craindre. Les côtés que j'estime le plus en moi tirent plus d'honneur de m'accuser que de me recommander. Voilà pourquoi j'y reviens et m'y arrête plus souvent. Mais, au bout du compte, on ne parle jamais de soi sans y perdre : les condamnations contre sa propre personne sont toujours crues, les louanges mécrues.

Il peut y en avoir certains qui soient de mon tempérament, moi qui m'instruis mieux par opposition que par imitation, et par fuite que par suite. À cette sorte d'école songeait Caton l'Ancien quand il disait que les sages ont plus à apprendre des fous que les fous des sages, et non moins cet ancien joueur de lyre dont Pausanias raconte qu'il avait coutume de contraindre ses disciples d'aller ouïr un mauvais musicien qui logeait vis-à-vis de chez lui, pour qu'ils y prissent en horreur ses

1. Converser.
2. Horace, *Satires*, I, IV, 109-111.

défauts d'accord et ses fausses mesures. L'horreur de la cruauté me rejette plus avant dans la clémence qu'aucun modèle de clémence ne me saurait attirer. Un bon écuyer ne rectifie pas mon assiette aussi bien que le font un procureur ou un Vénitien à cheval [1] ! Et une mauvaise façon de langage réforme mieux la mienne que ne fait la bonne. Tous les jours la sotte contenance d'un autre m'avertit et m'avise. Ce qui nous heurte touche et éveille mieux que ce qui plaît. Ce temps est propre à nous amender à reculons, par disconvenance plus que par convenance, par différence plus que par accord. Étant peu instruit par les bons exemples, je me sers des mauvais, dont le modèle est partout : je me suis efforcé de me rendre aussi agréable que j'en voyais de fâcheux, aussi ferme que j'en voyais de mous, aussi doux que j'en voyais d'âpres, aussi bon que j'en voyais de méchants. Mais je me proposais des mesures inaccessibles : le plus fructueux et le plus naturel exercice de notre esprit, c'est à mon gré la *conférence*. J'en trouve l'usage plus doux que d'aucune autre action de notre vie. Et c'est la raison pourquoi, si j'étais à cette heure forcé de choisir, je consentirais plutôt, ce crois-je, de perdre la vue que l'ouïr ou le parler ! Les Athéniens, et les Romains encore, conservaient en grand honneur cet exercice au sein de leurs Académies. De notre temps, les Italiens en retiennent quelques vestiges, à leur grand profit, comme il se voit par la comparaison de nos entendements aux leurs. L'étude des livres, c'est un mouvement languissant et faible, qui n'échauffe point, là où la *conférence* apprend et exerce en un coup. Si je *confère* avec une âme forte et un raide jouteur, il me presse les flancs, me pique à gauche et à dextre : ses idées élancent les miennes. La jalousie, la gloire, l'émulation me poussent et rehaussent au-dessus de moi-même. Et l'unisson est chose parfaitement ennuyeuse lorsque l'on *confère*. Mais, autant notre esprit se fortifie par la communication des esprits vigoureux et réglés, autant ne saurait-on dire combien il perd à l'inverse, et s'abâtardit, par le commerce et la fréquentation continuels que nous avons avec les esprits bas et maladifs. Il n'est contagion qui s'épande comme celle-là ! Je sais par assez d'expérience combien en vaut l'aune. J'aime à contester et à discourir, mais c'est avec peu d'hommes, et pour moi : car servir de spectacle aux grands et faire à l'envi parade de son esprit et de son caquet, je trouve que c'est un métier très malséant pour un homme d'honneur. La sottise est une mauvaise qualité, mais de ne la pouvoir supporter, et s'en dépiter et

1. Un homme de loi, qui n'a jamais à faire long voyage ni à se battre, un Vénitien, qui va toujours en gondole, montent tous deux fort mal, n'ayant pour ainsi dire jamais à utiliser un cheval.

ronger, comme il m'arrive, c'est une autre sorte de maladie, qui ne le cède guère à la sottise en fait d'importunité, et c'est là ce qu'à présent je veux blâmer chez moi. J'entre en conférence et en dispute avec beaucoup de liberté et de facilité, d'autant que les opinions trouvent en moi un terrain mal propre à y pénétrer et à y pousser de profondes racines : nulles propositions ne m'étonnent, nulle croyance ne me heurte, quelque contraires qu'elles soient à mes convictions. Il n'est si frivole ni si extravagante fantaisie qui ne me semble bien s'assortir à ce que produit l'esprit humain. Nous autres, qui privons notre jugement du droit de prononcer des arrêts, nous regardons mollement les opinions divergentes, et si nous n'y prêtons le jugement, nous y prêtons aisément l'oreille. Quand l'un des plateaux est entièrement vide dans la balance, je laisse vaciller l'autre sous des sornettes de vieille femme, et je pense être excusable si j'accepte plutôt le nombre impair ; le jeudi de préférence au vendredi ; si je m'aime mieux douzième ou quatorzième que treizième à table ; si je vois d'un meilleur œil un lièvre côtoyant que traversant mon chemin quand je voyage, et donne plutôt le pied gauche que le droit à chausser. Toutes les rêvasseries de ce genre, qui sont en crédit autour de nous, méritent au moins qu'on les écoute. Pour moi, elles n'emportent que le poids du vide, mais elles l'emportent : les opinions vulgaires et hasardeuses valent en fait de poids mieux encore que rien en fait de matière ! Et qui ne se laisse aller jusque-là tombe peut-être dans le vice d'opiniâtreté pour éviter celui de superstition.

Les contradictions des jugements ne m'offensent donc pas ni ne m'altèrent : elles m'éveillent seulement et m'exercent. Nous fuyons la correction : il s'y faudrait présenter et offrir surtout quand elle nous vient sous forme de conférence, non de régence. À chaque opposition, on ne regarde pas si elle est juste, mais, à tort ou à raison, comment on s'en défera : au lieu d'y tendre les bras, nous y tendons les griffes ! Je souffrirais d'être rudoyé par mes amis : « Tu es un sot, tu rêves ! » : J'aime entre les galants hommes qu'on s'exprime courageusement, que les mots aillent où va la pensée. Il nous faut fortifier l'ouïe et l'endurcir contre cette tendreté du son cérémonieux des paroles. J'aime une société et une familiarité fortes et viriles, une amitié qui se plaît à l'âpreté et à la vigueur de son commerce, comme l'amour aux morsures et aux égratignures sanglantes. Elle n'est pas assez vigoureuse et généreuse si elle n'est point querelleuse, si elle est civilisée et artificieuse, si elle craint le heurt et a ses allures contraintes : car on ne saurait disputer sans se faire reprendre *Neque enim disputari sine reprehensione potest.* [1]

1. Cicéron, *De finibus*, I, VIII, 28.

Quand on m'est contraire, on éveille mon attention, non pas ma colère : je m'avance vers celui qui me contredit, qui m'instruit. La cause de la vérité devrait être la cause commune à l'un et à l'autre. Que répondra-t-il ? La passion du courroux lui a déjà frappé le jugement. Le trouble s'est saisi de lui avant la raison. Il serait utile qu'on passât des paris sur la décision de nos disputes, et qu'il y eût une marque matérielle de nos pertes, afin que nous en tinssions l'état, et que mon valet me pût dire : « Il vous en coûta l'année passée cent écus, par vingt fois, pour avoir été ignorant et opiniâtre. »

Je fais fête à la vérité et la caresse ; en quelque main que je la trouve, je m'y rends allègrement, et je lui tends mes armes vaincues d'aussi loin que je la vois approcher. Et pourvu qu'on n'y aille pas d'une trogne trop impérieusement magistrale, je prends plaisir à être repris. Et je m'accommode à mes accusateurs souvent plus par raison de civilité que par raison d'amendement, car j'aime à favoriser et nourrir la liberté de me critiquer par ma facilité à céder. Toutefois il est malaisé d'y attirer les hommes de mon temps. Ils n'ont pas le courage de corriger parce qu'ils n'ont pas le courage de supporter de l'être. Ils parlent toujours avec dissimulation en présence les uns des autres. Je prends si grand plaisir à être jugé et connu qu'il m'est comme indifférent que je le sois dans l'un ou l'autre sens. Mon imagination se contredit et se condamne elle-même si souvent que ce m'est tout un qu'un autre le fasse, vu principalement que je ne donne à sa répréhension que l'autorité que je veux. Mais je me brouille avec celui qui se montre si hautain, comme j'en connais un qui regrette son avertissement s'il n'en est cru, et prend à injure que l'on rechigne à le suivre. À propos du fait que Socrate accueillait toujours en riant les contradictions qu'on opposait à son discours, on pourrait dire que sa force en était la cause, et que l'avantage ayant à tomber certainement de son côté, il les acceptait comme matière à nouvelle victoire. Toutefois nous voyons, au rebours, qu'il n'est rien qui nous rende si sensibles à la contradiction que l'opinion de notre supériorité et le dédain de l'adversaire, et qu'avec raison c'est au faible plutôt d'accepter de bon gré les oppositions qui le redressent et le rhabillent. Je cherche à la vérité plus la fréquentation de ceux qui me gourmandent que de ceux qui me craignent. C'est un plaisir fade et nuisible que d'avoir affaire à des gens qui nous admirent et cèdent la place. Antisthène commanda à ses enfants de ne savoir jamais gré ni grâce à homme qui les louât. Je me sens bien plus fier de la victoire que je gagne sur moi quand, dans l'ardeur même du combat, je me fais plier sous la force de la raison de mon adversaire que je ne me sais gré de la victoire que je gagne sur lui à la faveur de sa faiblesse. Enfin, je reçois et j'admets toute sorte de coups qui me sont portés de droit fil, pour faibles qu'ils soient, mais je suis par trop impatient de ceux qui se donnent sans les formes. Il me chaut peu de la matière, toutes les opinions me sont unes ; et la victoire à propos du sujet, à peu près indifférente. Je discuterai paisiblement tout un jour durant si la conduite du débat se poursuit avec ordre. Ce n'est pas tant la force et la subtilité que je demande comme l'ordre, cet ordre qui se voit tous les jours dans les altercations des bergers et des enfants de boutique, mais jamais entre nous : s'ils sortent de route, c'est par incivilité – nous le faisons bien aussi –, mais au moins leur tumulte et leur impatience ne les dévoient pas de leur thème : leur propos suit son cours ; s'ils se devancent l'un l'autre, s'ils ne s'attendent pas, au moins s'entendent-ils ! On répond toujours trop bien, pour moi, si l'on répond à ce que je dis. Mais quand la dispute est confuse et déréglée, je quitte la chose et je m'attache à la forme avec dépit et sans mesure, et je me jette dans une façon de débattre têtue, malicieuse, et impérieuse dont j'ai à rougir après coup.

Il est impossible de traiter de bonne foi avec un sot. Mon jugement ne se corrompt pas seul sous la main d'un maître si impétueux, mais aussi ma conscience. Nos disputes auraient dû être proscrites et punies comme d'autres crimes verbaux. Quel vice n'éveillent-elles et n'amoncellent-elles pas, elles que toujours régit et commande la colère ! Nous entrons en inimitié d'abord contre les raisons, et ensuite contre les hommes. Nous n'apprenons à disputer que pour contredire, et, chacun contredisant et étant contredit, il en advient que le fruit de nos controverses, c'est de perdre et d'anéantir la vérité. Ainsi Platon dans sa *République*, défend cet exercice aux esprits inaptes et mal nés. Pourquoi vous mettez-vous en voie de quêter la vérité avec celui qui n'a ni pas ni allure qui vaille ? On ne fait point tort au sujet quand on le quitte pour s'aviser du moyen de le traiter, je ne dis pas moyen scholastique et artificiel, je dis moyen naturel, et d'un sain entendement. Que sera-ce à la fin ? L'un va en Orient, l'autre en Occident : ils perdent le principal, et l'écartent dans le flot des digressions. Au bout d'une heure de tempête, ils ne savent plus ce qu'ils cherchent : l'un est bas, l'autre haut, l'autre à côté ; qui s'attache à un mot et à une similitude ; qui ne sent plus ce qu'on lui oppose tant il est engagé dans sa course, et pense à se suivre, non pas à vous ; qui se trouvant faible des reins craint tout, refuse tout, mêle et embrouille le propos dès l'entrée, ou, sur le fort du débat, s'obstine à se taire tout plat, par une ignorance dépitée, affectant un orgueilleux mépris, ou une fuite sottement modeste de la confrontation. Celui-ci, pourvu qu'il frappe, il ne lui chaut de combien il se découvre ; un autre compte ses mots, et les pèse pour raisons. Celui-là n'y emploie que l'avantage de sa voix et de ses poumons. En voilà un qui conclut contre soi-même, et celui-ci qui vous assourdit de préambules et de digressions inutiles. Cet autre s'arme de pures injures et vous cherche une querelle d'Allemand pour se défaire de l'association et de la conférence avec un esprit qui presse le sien de trop près. Ce dernier ne voit rien qui soit de raison, mais il vous tient assiégé dans la clôture dialectique de ses phrases et les formules de son art. Or qui n'entre en défiance des sciences, et ne doute d'en pouvoir tirer quelque solide fruit pour le besoin de la vie, à considérer l'usage que nous faisons de cette littérature qui n'arrange rien *nihil sanantibus litteris* ? [1] Qui donc a gagné de l'intelligence à pratiquer la logique ? Où sont ses belles promesses ? Elle n'aide ni à mieux vivre, ni à mieux raisonner *nec ad melius uiuendum, nec ad commodius disserendum.* [2] Voit-on plus de barbouillage dans le caquet des harengères que dans les disputes publiques des hommes de cette profession ? J'aimerais mieux que mon fils apprît à parler dans les tavernes que dans leurs écoles de parlerie. Ayez un maître ès arts, conférez avec lui : que ne vous fait-il donc sentir cette excellence due à l'art, et que ne ravit-il les femmes, et les ignorants que nous sommes, en nous remplissant d'admiration pour la fermeté de ses raisons, pour la beauté de son plan ? Pourquoi ne nous domine-t-il pas, et que ne nous persuade-t-il donc comme il veut ? Un homme qui a tant d'avantages dans la connaissance de la matière comme dans l'art de conduire la discussion, pourquoi mêle-t-il à son escrime les injures, l'immodération, et la rage ? Qu'il ôte son chaperon, sa robe, et son latin, qu'il ne batte pas nos oreilles d'Aristote tout pur et tout cru, et vous le prendrez pour l'un d'entre nous, ou pire ! Il me semble de cette complexité et de ces entrelacs de langage dans lesquels ils nous pressent, qu'il en va comme des joueurs de passe-passe : leur souplesse combat et force nos sens, mais elle n'ébranle aucunement notre conviction ; hormis ces tours de bateleur, ils ne font rien qui ne soit commun et vil. Pour être plus savants, ils n'en sont pas moins incapables. J'aime et j'honore le savoir autant que ceux qui en ont, et, dans son vrai usage, c'est le plus noble et puissant acquis des hommes, mais chez ceux (et il en est un nombre infini de ce genre) qui fondent sur lui principalement leur talent et leur mérite, qui subordonnent leur entendement à leur mémoire, cachés à l'ombre d'autrui *sub aliena umbra latentes,* [3] et qui ne peuvent rien que par les livres, je le hais, si je l'ose dire, un peu plus que la bêtise. En mon pays, et de mon temps, la science arrange bien les bourses, nullement les âmes. Si

1. Sénèque, *Lettres à Lucilius*, LIX, 15.
2. Cicéron, *De finibus*, I, XIX, 63.
3. Sénèque, *Lettres à Lucilius*, XXXIII, 8.

elle les rencontre obtuses, elle les épaissit et suffoque : masse crue et indigeste ; si déliées, elle les purifie volontiers, clarifie et subtilise jusqu'à l'évanescence. C'est chose de qualité à peu près indifférente : très utile accessoire à une âme bien née, pernicieux à une autre, et dommageable. Ou plutôt : chose de très précieux usage, mais qui ne se laisse pas posséder à vil prix : en telle main c'est un sceptre, en telle autre, une marotte. Mais poursuivons.

Quelle plus grande victoire attendez-vous que d'apprendre à votre ennemi qu'il ne vous peut combattre ? Quand vous gagnez l'avantage de votre proposition, c'est la vérité qui gagne ; quand vous gagnez l'avantage de l'ordre et de la conduite, c'est vous qui gagnez. À mon avis, dans Platon et dans Xénophon, Socrate dispute plus en faveur des disputants qu'en faveur du sujet de la dispute, et afin d'instruire Euthydème et Protagoras de leur sottise plus que de la sottise de leur art ! Il empoigne la première matière venue comme celui qui a une fin plus utile que de l'éclaircir, à savoir éclaircir les esprits qu'il entreprend de manier et d'exercer. La course et la chasse sont proprement de notre gibier, nous ne sommes pas excusables de la conduire mal et sottement : de faillir à la prise, c'est autre chose. Car nous sommes nés pour quêter la vérité ; la posséder appartient à une plus grande puissance. Elle n'est pas, comme disait Démocrite, cachée dans le fond des abîmes, mais plutôt élevée à une hauteur infinie dans la connaissance divine. Le monde n'est qu'une école d'inquisition. Ce n'est pas à qui mettra dans le mille, mais à qui fera les plus belles courses. Autant peut faire le sot celui qui dit vrai que celui qui dit faux ; car nous sommes sur la manière, non sur la matière du dire. Mon humeur est de regarder autant à la forme qu'à la substance ; autant à l'avocat qu'à la cause, comme Alcibiade ordonnait qu'on fît. Et tous les jours je m'amuse à lire des auteurs sans me soucier de leur science, en y cherchant leur façon, non leur sujet, tout ainsi que je poursuis la communication avec quelque esprit fameux non afin qu'il m'enseigne, mais afin que je le connaisse, et que, le connaissant, s'il le vaut, je l'imite.

Tout homme peut dire la vérité, mais la dire avec ordre, sagesse, et talent, peu d'hommes le peuvent. Ainsi, la fausseté qui vient de l'ignorance ne me heurte point : c'est l'ineptie. J'ai rompu plusieurs marchés qui m'étaient profitables en raison de la sottise de la contestation de ceux avec qui je marchandais. Je ne m'émeus pas une fois l'an des fautes de ceux sur lesquels j'ai autorité : mais sur la bêtise et l'opiniâtreté de leurs allégations, sur leurs excuses et leurs défenses, ânières et bestiales, nous sommes tous les jours à nous en prendre à la gorge. Ils n'entendent ni ce qui se dit, ni pourquoi, et répondent de même : c'est à désespérer. Je ne sens heurter rudement ma tête que par une autre tête ! Et j'entre plutôt en composition avec le vice de mes gens qu'avec leur témérité, leur importunité ou leur sottise. Qu'ils fassent moins, pourvu qu'ils soient capables de faire. Vous vivez dans l'espérance d'échauffer leur bon vouloir : mais d'une souche, il n'y a ni à espérer ni à prendre qui vaille.

Eh quoi, si je prends les choses autrement qu'elles ne sont ? Cela peut être. Et pourtant j'accuse mon impatience. Et je tiens, premièrement, qu'elle est également vicieuse chez celui qui a raison comme chez celui qui a tort, car c'est toujours une aigreur tyrannique que de ne pouvoir souffrir une façon de voir qui diffère de la sienne. Et aussi parce qu'il n'est, en vérité, point de plus grande fadaise, ni de plus constante, que de s'émouvoir et de se piquer des fadaises du monde, ni chose plus incongrue. Car elle nous irrite principalement contre nous : et ce philosophe du temps passé n'eût jamais eu manqué d'occasions pour ses pleurs [1] aussi longtemps qu'il se fût considéré lui-même. Myson, l'un des sept sages, dont l'humeur était digne à la fois de Timon et de Démocrite [2], à qui l'on demandait pourquoi il riait seul répondit : « De ce que je ris seul ».

Combien de sottises dis-je et réponds-je tous les jours de mon propre chef ! Et combien sont-elles donc facilement plus nombreuses du chef d'autrui ! Si je m'en mords les lèvres, qu'en doivent faire les autres ? Somme toute, il faut vivre entre les vivants et laisser la rivière courir sous le pont sans nous en soucier, ou, à tout le moins, sans en être altérés. De vrai, pourquoi rencontrons-nous facilement sans nous émouvoir quelqu'un qui ait le corps tortu et mal bâti, alors que nous ne pouvons souffrir la rencontre d'un esprit mal rangé sans nous mettre en colère ? Cette vicieuse sévérité tient plus au juge qu'à la faute. Ayons toujours en bouche ce mot de Platon : « Ce que je trouve insensé, n'est-ce pas parce que je suis moi-même insensé ? Ne suis-je pas moi-même en coulpe ? Mon reproche ne se peut-il pas retourner contre moi ? » Sage et divin refrain, qui fouette la plus universelle et commune erreur des hommes : non seulement les reproches que nous nous faisons les uns aux autres, mais nos raisons aussi, et nos arguments dans les matières à controverse nous sont ordinairement rétorquables, et nous nous enferrons avec nos propres armes.

1. Héraclite, qui, dit-on, avait toujours le visage en larmes à cause de la grande pitié que lui inspirait la misère du genre humain.

2. Timon était misanthrope ; Démocrite, au contraire d'Héraclite, passait pour être toujours goguenard en raison de ce qu'il trouvait de constamment dérisoire dans la condition humaine.

C'est là chose dont l'antiquité m'a laissé assez d'exemples de poids. Ce fut ingénieusement dit, et bien à propos, par celui qui l'inventa :

> Chacun trouve bonne odeur à sa merde
> *stercus cuique suum bene olet.* [1]

Nos yeux ne voient rien par-derrière. Cent fois le jour, nous nous moquons de nous en nous moquant de notre voisin, et maudissons chez d'autres les défauts qui sont en nous plus clairement encore, et nous nous en étonnons avec une merveilleuse impudence et sans même nous aviser qu'ils sont en nous aussi. Hier encore, je fus à même de voir un homme d'entendement se moquant aussi plaisamment que justement de l'inepte façon d'un autre, qui rompt la tête à tout le monde avec le registre de ses généalogies et de ses alliances plus qu'à moitié fausses (ceux qui se jettent plus volontiers sur de tels sots propos sont ceux dont les qualités sont les plus douteuses et les moins sûres) et lui cependant, s'il fût revenu sur soi, se fût trouvé non guère moins intempérant et ennuyeux à semer et faire valoir la prérogative du lignage de sa femme. Ô l'importune présomption dont la femme se voit armée par les mains de son mari même ! S'il entendait le latin, il faudrait lui dire,

> Allez ! Si elle n'est assez folle de soi, pique-la donc au flanc !
> *Age ! Si hæc non insanit satis sua sponte, instiga.* [2]

Je ne dis pas que nul n'accuse s'il n'est pas lui-même net, car alors nul n'accuserait ; ni ne dis même net de la même sorte de tache. J'entends seulement que, lorsqu'il en blâme un autre dont il est alors question, notre jugement ne nous épargne pas un sévère examen intérieur. C'est un devoir de charité que celui qui ne peut ôter un vice qu'il porte en soi cherche néanmoins à l'ôter en autrui, où il peut avoir été semé de moins maligne et revêche semence. Il ne me semble pas non plus que ce soit une réponse à propos à celui qui m'avertit de ma faute que de dire qu'elle est aussi en lui. Alors quoi à la place ? Toujours le reproche est vrai et utile. Si nous avions bon nez, notre ordure nous devrait puer d'autant plus qu'elle est nôtre. Et Socrate est d'avis que qui se trouverait coupable en même temps que son fils et un étranger de quelque violence et injustice, devrait commencer par se présenter soi-même à la condamnation de la justice, et implorer, pour se purger, le secours de la main du bourreau, secondement pour son

1. Érasme, *Adages*, 2302.
2. Térence, *Andrienne*, IV, II, 692.

fils, et dernièrement pour l'étranger. Si ce précepte le prend d'un peu trop haut, au moins se doit-il présenter le premier à la punition de sa propre conscience.

Les sens sont nos propres et premiers juges, qui n'aperçoivent les choses que par les accidents extérieurs, et ce n'est merveille si, dans toutes les parties du service de notre société, il y a un si perpétuel et si universel mélange de cérémonies et d'apparences superficielles, au point que la meilleure et la plus efficace part de l'art de gouverner consiste en cela. C'est toujours à l'homme que nous avons affaire, duquel la condition est merveilleusement corporelle. Que ceux qui nous ont voulu bâtir, ces années passées, un exercice de religion si contemplatif et si immatériel [1] ne s'étonnent point s'il s'en trouve qui pensent qu'elle se serait échappée et aurait fondu entre leurs doigts si elle ne se maintenait parmi nous comme marque, titre, et instrument de division et de faction bien plus que par elle-même. Comme dans la conférence : la gravité, la robe, et la fortune de celui qui parle donnent souvent crédit à des propos vains et ineptes : on ne saurait présumer qu'un *Monsieur*, si suivi, si redouté, n'ait au dedans quelques talents autres que ceux du peuple, et qu'un homme à qui l'on donne tant de commissions et de charges, si dédaigneux et si plein de morgue, ne soit pas plus habile que cet autre qui le salue de si loin, et que personne n'emploie. Non seulement les mots, mais aussi les grimaces de ces gens-là, sont pris en considération et mis en compte, chacun s'appliquant à y donner quelque belle et solide interprétation. S'ils se rabaissent à la conférence commune, et qu'on leur présente autre chose qu'approbation et révérence, ils vous assomment de l'autorité de leur expérience : ils ont ouï, ils ont vu, ils ont fait, vous êtes accablé d'exemples. Je leur dirais volontiers que le fruit de l'expérience d'un chirurgien n'est pas l'histoire de ses pratiques, et de se souvenir qu'il a guéri quatre pestiférés et trois goutteux, s'il ne sait de cet usage tirer de quoi former son jugement, et ne nous sait faire sentir qu'il en soit devenu plus habile à user de son art. Comme en un concert d'instruments, on n'entend pas un luth, une épinette, et la flûte : on entend une harmonie globale : l'assemblage et le fruit de tout cet amas. Si les voyages et les charges les ont amendés, c'est aux produits de leur entendement de le faire paraître. Ce n'est pas assez de compter les expériences, il les faut peser et confronter, et il faut les avoir digérées et alambiquées, pour en tirer les raisons et les conclusions qu'elles comportent. Il n'y eut jamais autant d'historiens. Il est toujours bon et utile de les ouïr, car ils nous fournissent tout plein de belles instruc-

1. Le sarcasme vise les Calvinistes.

tions et louables du magasin de leur mémoire. Grande partie certes, au secours de la vie : mais nous ne cherchons pas cela pour cette heure, nous cherchons si ces réciteurs et faiseurs de recueils sont louables eux-mêmes.

Je hais toute sorte de tyrannie, et en paroles, et en actes. Je me bande volontiers contre ces vaines circonstances qui pipent notre jugement par les sens, et, me tenant au guet de ces grandeurs hors du commun, j'ai trouvé que ce sont, tout au plus, des hommes comme les autres, car :

Rare est le sens commun, oui, pour sûr, chez ces grands

Rarus enim ferme sensus communis in illa
Fortuna. [1]

Peut-être les estime-t-on et les voit-on moindres qu'ils ne sont du seul fait qu'ils entreprennent plus, et qu'ils se montrent plus : ils ne répondent point au faix qu'ils ont pris sur eux. Il faut qu'il y ait plus de vigueur et de puissance dans le porteur qu'en la charge. Celui qui n'a pas donné le plein de sa force, il vous laisse à deviner s'il a encore de la force au-delà et s'il a été essayé jusqu'à son dernier point ; celui qui succombe à sa charge, il découvre sa mesure et la faiblesse de ses épaules. C'est pourquoi on voit tant d'âmes ineptes parmi les savantes, et plus que parmi d'autres : on en eût fait de bons ménagers de leurs maisons, de bons marchands, de bons artisans : leur vigueur naturelle était taillée à cette proportion. C'est chose de grand poids que la science : ils fondent dessous ! Pour étaler et distribuer cette riche et puissante matière, pour l'employer et s'en aider, leur esprit n'a ni assez de vigueur ni assez d'habileté. Elle ne peut aller que chez une forte nature, or elles sont bien rares. Et les faibles, dit Socrate, corrompent la dignité de la philosophie en la maniant ; elle paraît et inutile et vicieuse quand elle est en mauvais étui. Voilà comment ils se gâtent et rendent fous.

Tel un singe, contrefaçon de l'humaine figure, Qu'un enfant a, par jeu, couvert de soyeuse vêture, Découvrant seulement les fesses et le dos, Pour que les conviés en puissent rire gros

Humani qualis simulator simius oris,
Quem puer arridens, pretioso stamine serum
Velauit, nudasque nates ac terga reliquit,
Ludibrium mensis. [2]

---

1. Juvénal, VIII, 73-74.
2. Claudien, *Contre Eutrope*, I, 303-306.

Pareillement, à ceux qui nous régissent et nous commandent, qui tiennent le monde dans leur main, ce n'est pas assez d'avoir un entendement commun, et de pouvoir ce que nous pouvons. Ils sont bien loin au-dessous de nous s'ils ne sont bien loin au-dessus. Comme ils promettent plus, ils doivent plus aussi, et pour cela le silence leur est non seulement une contenance de respect et de gravité, mais encore souvent de bon profit et d'utile ménage, car Mégabyse, étant allé voir Apelle en son atelier, fut longtemps sans mot dire, et puis il commença à discourir de ses ouvrages, dont il reçut cette rude réprimande : « Tant que tu as gardé silence, tu semblais quelque grande chose, à cause de tes chaînes et de ta pompe, mais maintenant qu'on t'a ouï parler, il n'est pas jusqu'aux garçons de ma boutique qui ne te méprisent. » Ces magnifiques atours, son haut état ne lui permettaient point d'être ignorant de l'ignorance commune, et de parler de la peinture sans pertinence : il devait maintenir, toujours muet, les qualités que son apparence présumait. À combien de sottes âmes de mon temps une mine froide et taciturne a servi de titre de sagesse et de capacité !

Les dignités, les charges, se donnent nécessairement plus en raison de la fortune que du mérite, et l'on a tort souvent de s'en prendre aux rois. Au rebours, c'est merveille qu'ils y rencontrent tant de bonheur quand ils n'y ont que si peu d'adresse :

> La première vertu d'un prince est de connaître les siens
> *Principis est uirtus maxima nosse suos.* [1]

Car la nature ne leur a pas donné une vue qui se puisse étendre à tant de peuple pour en discerner la précellence, et percer nos poitrines où loge la connaissance de notre volonté et de notre meilleure valeur. Il faut qu'ils nous trient par conjecture, et à tâtons, par le lignage, les richesses, la science, la voix du peuple : très faibles arguments. Qui pourrait trouver moyen qu'on en pût juger avec justice et choisir les hommes avec raison établirait par ce seul trait une forme parfaite de gouvernement.

« Oui mais, il a mené à point cette grande affaire ! » C'est là dire quelque chose, mais ce n'est pas assez dire. Car cette sentence est justement reçue qu'il ne faut pas juger les décisions par les résultats. Les Carthaginois punissaient les mauvais avis de leurs capitaines encore qu'ils fussent corrigés par une heureuse issue. Et le peuple romain a souvent refusé le triomphe à de grandes et très utiles victoires parce que la conduite du chef ne répondait point à son bonheur.

1. Martial, VIII, XV, 8.

On s'aperçoit ordinairement aux actions du monde que la fortune, pour nous apprendre combien elle peut en toutes choses, et qui prend plaisir à rabattre notre présomption, n'ayant pu faire les malhabiles sages, elles les fait heureux, à l'envi de la vertu. Et elle se mêle volontiers de favoriser les exécutions là où la trame est plus purement sienne. D'où il se voit tous les jours que les plus simples d'entre nous mènent à bonne fin de très grandes besognes et publiques et privées. Et comme le Persan Sirannès à ceux qui lui demandaient comment ses affaires pouvaient si mal réussir alors que ses propositions étaient si sages répondit « qu'il était seul maître de ses propos, mais que du succès de ses affaires, c'était la fortune », ceux-ci peuvent répondre de même. La plupart des choses du monde se font par elles-mêmes :

Le destin trouve toujours sa voie

Fata uiam inueniunt. [1]

L'issue légitime souvent une conduite très peu appropriée. Notre entremise n'est quasi qu'une routine, et communément une affaire d'usage et d'exemple plus que de raison. Étonné de la grandeur d'une affaire, j'ai autrefois su par ceux qui l'avaient menée à bonne fin leurs motifs et leur visée : je n'y ai trouvé que des avis vulgaires, et les plus vulgaires et usités sont aussi peut-être les plus sûrs et les plus commodes pour la pratique, sinon pour la montre : Eh quoi ! si les plus plates raisons sont les mieux assises, si les plus basses, les plus lâches, et les plus rebattues s'appliquent le mieux aux affaires ? Pour conserver toute son autorité au conseil des rois, il n'est pas besoin que les profanes y participent et y voient plus loin que la première barrière : il se doit révérer à crédit et en bloc si l'on en veut nourrir la réputation. Mes délibérations préalables ébauchent un peu la matière et la considèrent légèrement dans ses premiers visages : le fort et le principal de la besogne, j'ai pour coutume de le déléguer au ciel,

Laissons le reste aux dieux

Permitte diuis cætera. [2]

L'heur et le malheur sont à mon gré deux souveraines puissances. C'est imprudence que d'estimer que l'humaine prudence puisse remplir le rôle de la fortune. Et vaine est l'entreprise de celui qui présume d'embrasser et causes et conséquences, et de mener par la main tout le progrès de son action. Vaine surtout dans les délibérations guerrières. Il n'y eut jamais plus de circonspection et de prudence militaire qu'il

1. Virgile, *Énéide*, III, 395.
2. Horace, *Odes*, I, IX, 9.

s'en voit parfois parmi nous : serait-ce qu'on craint de se perdre en chemin, en se réservant pour le dénouement de ce jeu ?

Je dis plus, que notre sagesse même et nos délibérations suivent pour la plupart la conduite du hasard. Ma volonté et mon discours se meuvent tantôt d'un air, tantôt d'un autre, et il y a plusieurs de ces mouvements qui se gouvernent sans moi : ma raison a des impulsions et des agitations journalières, et au cas par cas :

L'aspect des âmes tourne.
Au gré du vent poussant la nue,
Là, telle émotion, là, telle autre au cœur est venue

Vertuntur species animorum, et pectora motus
Nunc alios, alios dum nubila uentus agebat,
Concipiunt. [1]

Qu'on regarde quels sont les plus puissants dans les villes, et quels font le mieux leurs besognes : on trouvera ordinairement que ce sont les moins habiles. Il est arrivé aux femmelettes, aux enfants, et aux insensés de commander de grands États, à l'égal des princes les plus capables, et les grossiers, dit Thucydide, y réussissent plus ordinairement que les subtils. Nous attribuons les effets de leur bonne fortune à leur prudence.

Selon ce que Fortune y fait, tel vient à s'élever, Et lors nous disons tous que c'est là se bien aviser

ut quisque Fortuna utitur,
Ita præcellet : atque exinde sapere illum omnes dicimus. [2]

Par quoi je dis bien, en toutes façons, que les événements sont de minces témoins de notre prix et de notre capacité.

Tout à l'heure, j'étais sur ce point qu'il suffit de voir un homme élevé en dignité : quand bien même nous l'aurions connu homme de peu trois jours auparavant, il coule insensiblement dans nos opinions une image de grandeur, de compétence, et nous nous persuadons que, croissant en train et en crédit, il a crû en mérite. Nous jugeons de lui non selon sa valeur, mais comme pour les jetons : selon ce que prévaut sa rangée. Que la chance tourne aussi, qu'il retombe et se mêle à la multitude : chacun s'enquiert avec étonnement de la cause qui l'avait guindé si haut : « Est-ce bien lui ? », fait-on ; n'en savait-il pas plus quand il y était ? Les princes se contentent-ils de si peu ? Nous étions vraiment en bonnes mains ! » C'est chose que j'ai vue souvent de mon temps. Et le masque même des grandeurs qu'on représente dans les

1. Virgile, *Géorgiques*, I, 420-422.
2. Plaute, *Pseudolus*, 679-680.

théâtres nous impressionne en quelque façon, et nous dupe. Ce que j'adore moi-même chez les rois, c'est la foule de leurs adorateurs ! Toute espèce de déférence et de soumission leur est due, sauf celle de l'entendement : ma raison n'est pas faite à se courber et fléchir, ce sont mes genoux. Mélanthius, interrogé sur ce qu'il lui semblait de la tragédie du tyran Denys : « Je ne l'ai, dit-il, point vue, tant elle est obscurcie sous son langage ». Aussi la plupart de ceux qui jugent les discours des grands devraient-ils dire : « Je n'ai point entendu son propos, tant il était obscurci sous la gravité, la grandeur, et la majesté ». Antisthène voulait un jour persuader les Athéniens de décréter que leurs ânes fussent aussi bien employés au labourage des terres, comme l'étaient les chevaux. Sur quoi il lui fut répondu que cet animal n'était pas né pour un tel service : « C'est tout un, répliquat-il ; il y suffit de votre décret, car les plus ignorants et les plus incapables des hommes que vous employez aux commandements de vos guerres ne laissent pas d'en devenir incontinent très dignes du seul fait que vous les y employez. »

À quoi touche l'usage de tant de peuples qui canonisent le roi qu'ils ont fait de l'un d'entre eux, et qui ne sont pas contents des honneurs qu'ils lui rendent s'ils ne l'adorent. Ceux de Mexico, dès que les cérémonies de son sacre sont parachevées, n'osent plus le regarder au visage : et lui, comme s'ils l'avaient déifié par sa royauté, parmi les serments qu'ils lui font jurer, de maintenir leur religion, leurs lois, leurs libertés, d'être vaillant, juste et débonnaire, il jure aussi de faire aller le soleil dans son éclat accoutumé, d'égoutter les nuées en temps opportun, de faire courir aux rivières leurs cours et porter à la terre toutes choses nécessaires à son peuple.

Je diverge de cette façon de voir commune, et je me défie plus de la compétence quand je la vois accompagnée de la grandeur de fortune et de l'estime populaire. Il nous faut prendre garde au prix que c'est de savoir parler à son heure, de choisir son moment, de rompre le propos ou de le changer avec une autorité magistrale, de se défendre des oppositions d'autrui par un mouvement de tête, un sourire, ou un silence devant une assistance qui tremble de révérence et de respect !

Un homme d'une fortune monstrueuse, venant mêler son avis à certain léger propos qui se menait très librement à sa table, commença précisément ainsi : « Ce ne peut être qu'un menteur ou un ignorant qui dira autrement que... », etc. Une philosophie aussi pointue, suivez-la un poignard à la main !

Voici un autre avertissement, dont je tire grand usage. C'est que, dans les disputes et les conférences, tous les mots qui nous semblent bons ne doivent pas incontinent être acceptés. La plupart des hommes sont riches d'une compétence étrangère. Il peut bien arriver à tel d'avoir une belle répartie, de servir une bonne réponse ou une belle maxime, et de la mettre en avant sans en connaître la force (le fait qu'on n'est pas maître de tout ce qu'on emprunte pourra d'aventure se vérifier par moi-même) : il n'y faut point toujours céder, quelque vérité ou beauté qu'elle ait. Ou bien il faut la combattre délibérément, ou bien se tirer arrière sous couleur de ne l'entendre pas, pour tâter de toutes parts comment elle est logée en son auteur. Il peut advenir que nous nous enferrions nous-mêmes, et que nous aidions au coup au-delà de sa portée. J'ai autrefois employé, dans la nécessité et la pression de la confrontation, des réparties qui ont fait brèche au-delà de mon dessein et de mon espérance : je ne les donnais qu'en nombre, on les recevait en poids. Tout ainsi que, lorsque je débats contre un esprit vigoureux, je me plais à anticiper ses conclusions, je lui ôte la peine de s'interpréter, j'essaie de prévenir son idée imparfaite encore et naissante : l'ordre et la pertinence de son entendement m'avertissent et me menacent de loin ; avec ces autres je fais tout le contraire : il ne faut rien entendre que par eux, ni rien présupposer. S'ils jugent en termes généraux : « ceci est bon, cela ne l'est pas », et qu'ils tombent juste, voyez si c'est la fortune qui ne tombe pas juste pour eux.

Qu'ils circonscrivent donc et restreignent un peu leurs jugements-sur pourquoi c'est, et comment c'est. Ces jugements généraux que je vois si ordinairement ne disent rien. Ce sont gens qui saluent tout un peuple, en foule et en troupe. Ceux qui en ont une vraie connaissance saluent les gens et les distinguent nommément et particulièrement. Mais c'est une hasardeuse entreprise. D'où j'ai vu arriver, plus souvent que tous les jours, que les esprits faiblement fondés, voulant se montrer ingénieux à remarquer dans la lecture de quelque ouvrage le fin point de la beauté, arrêtent leur admiration sur un si mauvais choix qu'au lieu de nous apprendre l'excellence de l'auteur, ils nous apprennent leur propre ignorance. Cette exclamation est fort sûre : « Voilà qui est beau ! », après avoir entendu une page entière de Virgile. Par là se sauvent les fins. Mais entreprendre de suivre un bon auteur pas à pas, et, avec un jugement précis et sélectif, vouloir remarquer, en pesant les mots, les tours, les inventions, et ses diverses vertus l'une après l'autre par où il se surpasse : ôtez-vous de là ! Il faut considérer non seulement les mots de chacun, mais aussi ce que chacun pense, et même pourquoi chacun pense ainsi *Videndum est non modo quid quisque loquatur, sed etiam quid quisque sentiat, atque etiam qua de causa quisque sentiat.* [1] J'entends journellement dire à des sots des mots qui ne le sont point.

1. Cicéron, *De officiis*, I, XLI, 147.

Ils disent une bonne chose : sachons jusqu'où ils l'entendent, voyons comment ils la saisissent. Nous les aidons à employer ce beau mot et ce beau raisonnement qu'ils ne possèdent pas : ils ne les ont qu'en garde ; ils les auront produits à l'aventure et à tâtons : nous leur donnons pour eux de la valeur et du prix.

Vous leur prêtez la main. Pour quoi faire ? Ils ne vous en savent nul gré, et n'en deviennent que plus sots ! Ne les secondez pas, laissez-les aller : ils manieront cette matière comme gens qui ont peur de s'échauder : ils n'osent ni la changer d'assiette ou d'éclairage, ni la toucher au fond ; remuez-la tant soit peu, elle leur échappe : ils vous la laissent dans les mains, toute forte et belle qu'elle est ! Ce sont là de belles armes, mais elles sont mal emmanchées. Combien de fois en ai-je vu l'expérience ? Or si vous venez à les éclaircir et confirmer, ils vous saisissent et dérobent incontinent cet avantage de votre interprétation : « C'était ce que je voulais dire ; voilà justement mon idée : si je ne l'ai ainsi exprimée, ce n'est que faute de langue. » Vains propos ! Il faut employer la malice même à corriger cette fière bêtise. Le dogme d'Hégésias, qu'il ne faut ni haïr ni accuser mais instruire, a de la raison ailleurs, mais ici, c'est injustice et inhumanité de secourir et redresser celui qui n'en a que faire, et qui en vaut moins. J'aime à les laisser s'embourber et s'empêtrer encore plus qu'ils ne sont, et si avant, s'il est possible, qu'à la fin ils se reconnaissent pour ce qu'ils sont.

La sottise et le dérèglement du sens ne sont pas choses guérissables par un trait d'avertissement. Et nous pouvons proprement dire de cette réparation ce que Cyrus répond à celui qui le presse d'exhorter son armée sur le point d'une bataille : « que les hommes ne sont pas sur-le-champ rendus courageux et belliqueux par une bonne harangue, non plus qu'on ne devient incontinent musicien pour ouïr une bonne chanson. » Ce sont apprentissages qui ont à être faits à l'avance, par une longue et constante éducation.

Nous devons ce soin aux nôtres, et cette assiduité de correction et d'instruction : mais d'aller prêcher le premier passant et régenter l'ignorance ou la sottise du premier rencontré, c'est un usage auquel je veux grand mal. Rarement le fais-je, même dans les propos qui se font avec moi, et je quitte tout plutôt que d'en venir à ces instructions données de loin et sur un ton magistral. Mon tempérament, non plus pour parler que pour écrire, ne convient pas aux débutants. Mais dans les choses qui se disent en société ou devant des tiers, pour fausses et absurdes que je les juge, je ne me jette jamais à la traverse, ni par parole ni par signe. Au demeurant rien ne m'irrite tant dans la sottise que le fait qu'elle se plaise à soi-même plus qu'aucune raison ne se peut raisonnablement plaire.

Il est malheureux que la prudence vous empêche d'être satisfaits de vous et de vous fier à vous-même, et qu'elle vous renvoie toujours mécontent et craintif, alors que l'opiniâtreté et la témérité remplissent leurs hôtes d'éjouissance et d'assurance. C'est aux plus malhabiles de regarder les autres par-dessus l'épaule rentrer toujours du combat pleins de gloire et d'allégresse. Et le plus souvent encore cette outrecuidance de langage et cette gaieté de visage leur donnent le gain aux yeux de l'assistance, qui est communément faible et incapable de bien juger et de discerner les vrais avantages. L'obstination et l'ardeur d'opinion sont la plus sûre preuve de bêtise. Est-il rien d'aussi déterminé, résolu, dédaigneux, contemplatif, sérieux, grave que l'âne ?

Pouvons-nous pas mêler au titre de la conférence et de la communication ces devis pointus et coupés que l'allégresse et la privauté introduisent entre les amis, gaussant et gaudissant plaisamment et vivement les uns les autres ? Exercice auquel ma gaieté naturelle me rend assez propre. Et s'il n'est aussi tendu et sérieux que cet autre exercice que je viens de dire, il n'est pas moins aigu et ingénieux, ni moins profitable, comme il semblait à Lycurgue. Pour ce qui me regarde, j'y apporte plus de liberté que d'esprit, et j'y ai plus de bonheur que d'invention : mais je suis parfait pour encaisser, car j'endure la réplique sans broncher, non seulement quand elle est âpre, mais même quand elle passe la mesure. Et si à la charge qu'on me fait je n'ai de quoi répartir brusquement sur-le-champ, je ne vais pas m'amusant à poursuivre cette pointe d'une contestation ennuyeuse et lâche, tirant à l'opiniâtreté : je la laisse passer, et baissant joyeusement les oreilles, je remets d'en avoir raison à quelque heure meilleure. Il n'est pas marchand qui toujours gagne. La plupart des hommes changent de visage et de voix quand la force leur fait défaut, et par une importune colère, au lieu de se venger, ils nous font découvrir leur faiblesse en même temps que leur impatience. Dans ce genre de gaillardises, nous pinçons parfois des cordes secrètes de nos imperfections, cordes que, lorsque nous sommes rassis, nous ne pouvons toucher sans offense, et nous nous entre-avertissons ainsi utilement de nos défauts.

Il y a d'autres jeux, qui sont jeux de main, sans retenue et âpres, à la française, et que je hais mortellement : j'ai la peau tendre et sensible. Par leur fait, j'ai vu de mon vivant enterrer deux princes de notre sang royal [1]. Il fait laid de se battre en s'ébattant.

---

1. Ces « jeux de mains » sont les tournois, les duels, ou encore la chasse à l'épieu, par exemple. Ces « deux princes de sang royal » pourraient être Henri II, mort dans un tournoi, et le comte d'Enghien, tué par accident au cours d'un jeu de boules de neige, ou le marquis de Beaupréau, mort à la chasse.

Au reste, quand je veux juger de quelqu'un, je lui demande combien il se contente de soi, jusqu'où son parler ou sa besogne lui plaisent. Je veux éviter ces belles excuses : « Je l'ai fait en me jouant »,

C'était encore à l'enclume qu'on me l'ôta des mains
Ablatum mediis opus est incudibus istud, [1]

ou : « je n'y fus pas une heure ; je ne l'ai revu depuis ». « Or, dis-je, laissons donc ces pièces-là, donnez-m'en une qui vous représente bien entier, par laquelle il vous plaise qu'on vous mesure. » Et puis : « Que trouvez-vous le plus beau dans votre ouvrage ? Est-ce ou cette partie, ou celle-ci ? La grâce ? Ou la matière, ou l'invention, ou le jugement, ou la science ? » Car ordinairement je m'aperçois qu'on défaille autant à juger de sa propre besogne que de celle d'autrui, non seulement pour l'affection qu'on y mêle, mais pour n'avoir pas la capacité de bien la reconnaître et distinguer. L'ouvrage, par sa propre force, et par sa fortune, peut seconder l'ouvrier et le devancer au-delà de son invention et de sa connaissance. Pour moi, il n'est point d'autre besogne dont je juge plus obscurément que de la mienne, et je loge les *Essais* tantôt bas, tantôt haut, de façon fort inconstante, et peu sûre. Il y a plusieurs livres, utiles à raison de leurs sujets, dont l'auteur ne tire aucune recommandation, et de bons livres, comme de bons ouvrages, qui font honte à l'ouvrier. Je pourrais décrire la façon de nos banquets et de nos vêtements, et je le ferais de mauvaise grâce : je pourrais publier les édits de mon temps et les lettres des Princes qui passent entre les mains du public ; je pourrais faire un abrégé sur un bon livre (et tout abrégé sur un bon livre est un sot abrégé), lequel livre viendrait à se perdre, et autres choses semblables : la postérité retirerait un profit singulier de telles compositions ; moi, quel honneur, si ce n'est celui de ma bonne fortune ? Une bonne part des livres fameux sont de cette condition. Quand je lus Philippes de Commynes, il y a plusieurs années, très bon auteur certes, j'y remarquai ce mot pour non vulgaire : « Qu'il se faut bien garder de faire tant de service à son maître qu'on l'empêche d'en trouver la juste récompense. » J'aurais dû louer l'idée, non pas lui. Je la rencontrai dans Tacite, il n'y a pas longtemps : Les bienfaits ne plaisent qu'autant qu'on pense pouvoir les rendre, mais s'ils sont très excessifs, ils ne reçoivent que haine en retour, au lieu de reconnaissance *Beneficia eo usque læta sunt dum uidentur exsolui posse ; ubi multum anteuenere, pro gratia odium redditur.* [2] Et Sénèque, vigoureusement : tel qui juge honteux de ne pas rendre, voudrait n'avoir personne à qui rendre *nam*

1. Ovide, *Les Tristes*, I, VII, 29.
2. Tacite, *Annales*, IV, XVIII, 5.

qui putat esse turpe non reddere, non uult esse cui reddat. [1] Quintus Cicéron, d'un biais plus lâche : Qui ne se croit quitte ne peut d'aucune façon être votre ami *Qui se non putat satisfacere, amicus esse nullo modo potest.* [2] Le sujet, selon ce qu'il est, peut faire trouver un homme savant et de grande mémoire : mais pour juger en lui les parties plus proprement siennes, et plus dignes, la force et la beauté de son âme, il faut savoir ce qui est sien et ce qui ne l'est point : et dans ce qui n'est pas sien, combien on lui doit en considération du choix, de la disposition, de l'ornement, et du langage qu'il a fourni. Quoi, s'il y a emprunté la matière et empiré la forme, comme il advient souvent ? Nous autres, qui avons peu de pratique avec les livres, nous sommes dans cette peine que, quand nous voyons quelque belle idée chez un poète nouveau, quelque fort argument chez un prédicateur, nous n'osons pourtant pas les en louer avant que nous n'ayons demandé à quelque savant si cette pièce leur est propre, ou si elle est étrangère. Jusque-là, je me tiens toujours sur mes gardes.

Je viens de parcourir d'un trait l'histoire de Tacite (ce qui ne m'arrive guère : il y a vingt ans que je n'ai pas passé sur un livre une heure de suite), et je l'ai fait à l'invitation d'un gentilhomme que la France estime beaucoup, tant pour sa valeur propre que pour une constante forme de compétence et de bonté qui se voit chez plusieurs frères qu'ils sont. Je ne sache point d'auteur qui mêle dans un registre public autant d'attention aux mœurs et aux inclinations privées. Et il m'en semble le contraire de ce qu'il lui en semble à lui : qu'ayant spécialement à suivre les vies des empereurs de son temps, si diverses et si extrêmes par toute sorte d'aspects et par tant de notables actions que ce qu'il faut bien nommer leur cruauté produisit parmi leurs sujets, il avait une matière plus forte et plus attirante à exposer et à narrer que s'il eût eu à parler des batailles et des agitations de l'univers. Si bien que souvent je le trouve stérile, courant par-dessus ces belles morts, comme s'il craignait de nous fâcher par leur multitude et leur longueur. Cette forme d'Histoire est de beaucoup la plus utile : les mouvements publics dépendent plus de la conduite de la fortune ; les privés, de la nôtre. C'est là plutôt un jugement qu'un récit de l'Histoire : il y a plus de préceptes que de contes ; ce n'est pas un livre à lire, c'est un livre à étudier et à apprendre ; il est si plein de maximes qu'il y en a à tort et à raison : c'est une pépinière de discours éthiques et politiques, pour la provision et l'ornement de ceux qui tiennent quelque rang dans le maniement du monde. Tacite plaide

1. Sénèque, *Lettres à Lucilius*, LXXXI, 32.
2. Quintus Cicéron, *La Demande du consulat*, IX, 35.

toujours par raisons solides et vigoureuses, d'une façon pointue, et subtile, selon le style affecté de son siècle : ils aimaient tant à se faire valoir que là où ils ne trouvaient de la pointe et de la subtilité dans les choses, ils l'empruntaient aux mots. Il ne tire pas mal vers le genre d'écrire de Sénèque. Il me semble plus charnu ; Sénèque, plus aigu. Son service est plus propre à un État trouble et malade comme est le nôtre présent : vous diriez souvent que c'est nous qu'il peint et qu'il pince. Ceux qui doutent de sa bonne foi s'accusent assez de lui vouloir du mal par ailleurs. Il a les opinions saines, et pend du bon parti dans les affaires romaines. Je me plains un peu toutefois de ce qu'il ait jugé de Pompée avec plus d'aigreur que n'en comporte l'avis des gens de bien qui ont vécu et traité avec lui, et de l'avoir estimé pareil en tout à Marius et à Sylla, sinon que Pompée était plus dissimulé. On n'a pas exempté d'ambition, ni de vengeance, l'implication qu'il eut dans le gouvernement des affaires, et ses amis ont même pu craindre que la victoire l'aurait emporté au-delà des bornes de la raison, mais non pas jusqu'à une mesure aussi effrénée que les deux autres : il n'y a rien dans sa vie qui nous ait menacés d'une cruauté et d'une tyrannie aussi déclarées. Encore ne faut-il pas donner au soupçon même poids qu'à l'évidence : ainsi je ne l'en crois pas. Que ses narrations soient sincères et droites, cela pourrait d'aventure se prouver par le fait même qu'elles ne s'appliquent pas toujours exactement aux conclusions de ses jugements, jugements qu'il poursuit selon la pente qu'il y a prise, souvent au-delà de la matière qu'il nous expose, et qu'il n'a pas trouvé digne de faire pencher d'un seul côté. Il n'a pas besoin d'excuse d'avoir approuvé la religion de son temps, selon les lois qui le lui commandaient, et ignoré la vraie. Cela, c'est son malheur, non pas son défaut.

J'ai principalement considéré son jugement, et je n'en suis pas bien éclairci partout. Comme ces mots de la lettre que Tibère, vieux et malade, envoyait au Sénat : « Que vous écrirai-je, Messieurs, ou comment vous écrirai-je, ou que ne vous écrirai-je point, en ce temps ? Que les dieux et les déesses me perdent d'une façon pire que celle dont je me sens tous les jours périr si je le sais ! ». Je n'aperçois pas pourquoi Tacite les applique si certainement à un poignant remords qui tourmente la conscience de Tibère : du moins, lorsque j'étais en pleine lecture, je ne le vis point. Ce qui m'a semblé aussi un peu lâche, c'est qu'ayant eu à dire qu'il avait exercé certaine honorable magistrature à Rome, il aille dire pour s'excuser que ce n'est point par ostentation qu'il l'a dit : ce trait me semble bas de poil pour une âme de sa sorte, car le fait de n'oser parler rondement de soi accuse quelque manque de cœur : un jugement roide et hautain, et qui juge sainement et sûrement, il use, à toutes mains, de ses propres exemples aussi bien que de chose étrangère, et il témoigne franchement de lui comme de chose tierce : il faut passer par-dessus ces règles populaires de la civilité en faveur de la vérité et de la liberté. J'ose non seulement parler de moi, mais parler seulement de moi. Je me fourvoie quand j'écris sur autre chose, et me dérobe à mon sujet. Je ne m'aime pas si immodérément, et je ne suis pas si attaché et mêlé à moi que je ne me puisse distinguer et considérer par quartier, comme je le ferais d'un voisin, ou d'un arbre. C'est pareillement faillir que de ne voir pas jusqu'où l'on vaut, ou d'en dire plus que l'on n'en voit. Nous devons plus d'amour à Dieu qu'à nous, et nous le connaissons moins, et pourtant nous en parlons tout notre saoul. Ainsi, les écrits de Tacite rapportent quelque chose de son caractère : c'était un grand personnage, plein de droiture, et courageux, non d'une vertu scrupuleuse, mais philosophique et bien née. On le pourra trouver hardi dans ses témoignages, comme où il soutient qu'un soldat portant un faix de bois, ses mains se roidirent de froid et se collèrent si bien à sa charge qu'elles y demeurèrent attachées et mortes, s'étant départies des bras. J'ai accoutumé en pareilles choses de plier sous l'autorité de si grands témoins. Ce qu'il dit aussi, que Vespasien par la faveur du dieu Sérapis guérit en Alexandrie une femme aveugle en lui oignant les yeux de sa salive et je ne sais quel autre miracle, il le fait à l'exemple et selon le devoir de tous les bons historiens. Ils tiennent registres des événements d'importance : parmi les accidents publics sont aussi les bruits et les opinions populaires. C'est leur rôle que de raconter les communes croyances, non pas de les régler. Cette part touche les théologiens, et les philosophes directeurs des consciences. Voilà pourquoi très sagement, ce sien compagnon et grand homme comme lui : Pour ce qui est de moi, j'en écris plus que je n'en crois, car je ne veux ni affirmer ce dont je doute, ni cacher ce que j'ai recueilli *Equidem plura transcribo quam credo : nam nec affirmare sustineo de quibus dubito, nec subducere quæ accepi* : [1] et l'autre : Cela ne vaut ni d'être affirmé ni d'être réfuté : tenons-nous en à la tradition *Hæc neque affirmare neque refellere operæ pretium est : famæ rerum standum est.* [2] Et, parce qu'il écrivait en un siècle où la croyance aux prodiges commençait à diminuer, Tite-Live dit ne vouloir pourtant laisser d'insérer une chose reçue par tant de gens de bien et avec un si grand respect du passé, et veut lui faire place dans ses annales. C'est très bien dit : que les historiens nous restituent donc l'histoire plus selon ce qu'ils recueillent que selon ce qu'ils pensent ! Moi, qui suis roi de la matière que je traite, et qui n'en dois compte à personne, je ne m'en crois

1. Quinte-Curce, IX, I, 34.
2. Tite-Live, Préface ; VII. VI, 6.

pourtant pas tout à fait : je hasarde souvent des boutades de mon esprit dont je me défie, et certaines finesses verbales dont je secoue les oreilles, mais je les laisse courir à l'aventure. Je vois qu'on s'honore de ce genre de choses : ce n'est pas à moi seul d'en juger. Je me présente debout, et couché ; le devant et le derrière ; à droite et à gauche ; et dans tous mes plis naturels. Les esprits, même pareils en force, ne sont pas toujours pareils en application et en goût. Voilà ce que la mémoire m'en présente en gros, et assez incertainement. Tous les jugements en gros sont lâches et imparfaits.

De la vanité

[Chapitre IX]

Il n'en est d'aventure aucune plus expresse que d'en écrire aussi vainement ! Ce que la divinité nous en a si divinement exprimé [1] devrait être soigneusement et continuellement médité par les gens d'entendement. Qui ne voit que j'ai pris une route par laquelle, sans cesse et sans travail, j'irai autant qu'il y aura d'encre et de papier au monde ? Je ne puis tenir registre de ma vie à partir de mes actions : Fortune les met trop bas ; je le tiens par mes fantaisies. Ainsi ai-je vu un gentilhomme qui ne communiquait sa vie que par les opérations de son ventre : vous voyiez chez lui, sur l'étal, une rangée de bassins de sept ou huit jours : c'était son étude, ses discours ; tout autre propos lui puait. Ce sont ici, un peu plus civilement, les excréments d'un vieil esprit, dur tantôt, tantôt lâche, et toujours indigeste. Et quand serai-je à bout de représenter cette agitation et cette mutation continuelle de mes pensées sur quelque matière qu'elles tombent, puisque Diomède a rempli six mille livres sur le seul sujet de la *grammaire* ! Que doit produire le babil, puisque le bégaiement et le simple dénouement de la langue [2] étouffèrent le monde sous une si horrible charge de volumes ? Tant de mots sur les mots seuls ! Ô Pythagore, que ne conjuras-tu cette tempête ! [3]

---

1. « Vanité des vanités, tout n'est que vanité » (L'Ecclésiaste, I, 2).
2. « Le bégaiement et le (premier) dénouement de la langue » : *i.e.* « la grammaire » (le métier du grammairien était d'abord d'enseigner aux enfants leur b, a ba).
3. Pythagore imposait plusieurs années de silence à ses disciples.

On accusait un certain Galba, empereur du temps passé, de ce qu'il vivait oisivement ; il répondit que chacun devait rendre raison de ses actions, non pas de son repos. Il se trompait ; car la justice connaît aussi de ceux qui chôment, et les corrige. Mais il devrait y avoir quelque coercition des lois contre les écrivains ineptes et inutiles, comme il y en a contre les vagabonds et les fainéants : on bannirait des mains de notre peuple et moi et cent autres. Ce n'est pas moquerie : l'écrivaillerie semble être quelque symptôme d'un siècle débordé : quand écrivîmes-nous autant que depuis que nous sommes en trouble ? Quand les Romains tant que lors de leur ruine ? Outre que, dans un État, l'affinement des esprits, ce n'en est pas l'assagissement : cet embesognement oisif naît de ce que chacun se prend mollement aux devoirs de sa charge et s'en débauche. La corruption du siècle se fait par la contribution particulière de chacun de nous : les uns y confèrent la trahison, les autres l'injustice, l'irréligion, la tyrannie, l'avarice, la cruauté, selon qu'ils sont plus puissants : les plus faibles y apportent la sottise, la vanité, l'oisiveté : desquels je suis. Il semble que la saison des choses vaines, ce soit quand les dommageables nous pressent. En un temps où le méchamment faire est si commun, ne faire qu'inutilement est presque louable. Je me console que je serai des derniers sur qui il faudra mettre la main : cependant qu'on pourvoira aux plus pressants, j'aurai loisir de m'amender ; car il me semble qu'il serait contre raison de poursuivre les menus inconvénients quand les grands nous infestent. Et le médecin Philotime, à quelqu'un qui lui présentait son doigt à panser, alors qu'il lui reconnaissait, au visage et à l'haleine, un ulcère aux poumons : « Mon ami, fit-il, ce n'est pas à cette heure le temps de t'amuser à tes ongles. » Je vis pourtant sur ce propos, il y a quelques années, qu'un personnage de qui j'ai la mémoire en singulière recommandation [1], au milieu de nos grands maux, alors qu'il n'y avait ni loi, ni justice, ni magistrat qui fît son office, non plus qu'à cette heure, alla publier je ne sais quelles chétives réformes sur les habillements, la cuisine, et la chicane. Ce sont là des amusoires dont on repaît un peuple malmené pour dire qu'on ne l'a pas tout à fait mis en oubli. Ces autres font de même, qui s'arrêtent à défendre très instamment des formes de parler, les danses, et les jeux à un peuple abandonné à toute sorte de vices exécrables. Il n'est pas temps de se laver et décrasser quand on est atteint d'une bonne fièvre. C'est à faire aux seuls Spartiates de se mettre à se peigner et coiffer quand ils sont sur le point de se précipiter dans quelque extrême hasard de leur vie.

1. Lagebaston, premier Président du Parlement de Bordeaux.

Quant à moi, j'ai cette autre pire coutume que si j'ai un escarpin de travers, je laisse encore de travers et ma chemise et ma cape. Je dédaigne de m'amender à demi : quand je suis en mauvais état, je m'acharne au mal, je m'abandonne par désespoir, je me laisse aller vers la chute, et je jette, comme l'on dit, le manche après la cognée. Je m'obstine à l'empirement, et ne m'estime plus digne de mes soins : ou tout bien, ou tout mal !

C'est une faveur pour moi que la désolation de notre État se rencontre avec la désolation de mon âge : je souffre plus volontiers que mes maux en soient aggravés que si mes bonnes années en eussent été troublées. Les paroles que j'exprime dans le malheur sont paroles de dépit. Mon cœur se hérisse au lieu de s'aplanir. Et, au rebours des autres, je me trouve plus dévot en la bonne qu'en la mauvaise fortune, suivant le précepte de Xénophon, sinon suivant sa raison. Et je fais plus volontiers les yeux doux au ciel pour le remercier que pour le requérir. Je me soucie plus d'augmenter ma santé quand elle me sourit que de la remettre quand je l'ai perdue. Les prospérités me servent de discipline et d'instruction, comme aux autres les adversités et les verges ! Comme si la bonne fortune était incompatible avec la bonne conscience, les hommes ne se font gens de bien qu'en la mauvaise. Le bonheur m'est un singulier aiguillon à la modération et à la mesure. La prière me gagne, la menace me rebute, la faveur me ploie, la crainte me roidit.

Parmi les conditions humaines, celle-ci est assez commune de nous plaire plus aux choses étrangères qu'aux nôtres, et d'aimer le remuement et le changement :

> Nous nous rafraîchissons à voir poindre le jour
> Car à chevaux rebroussés l'heure fait retour
>
> *Ipsa dies ideo nos grato perluit haustu,*
> *Quod permutatis hora recurrit equis.* [1]

J'en tiens ma part. Ceux qui suivent l'autre extrémité de s'agréer en eux-mêmes, d'estimer ce qu'ils tiennent au-dessus du reste, et de ne reconnaître aucune façon plus belle que celle qu'ils voient, s'ils ne sont plus avisés que nous, ils sont à la vérité plus heureux. Je n'envie point leur sagesse, mais bien leur bonne fortune. Cette humeur avide des choses nouvelles et inconnues aide bien à nourrir en moi le désir de voyager, mais assez d'autres circonstances y concourent. Je me détourne volontiers du gouvernement de ma maison. Il y a quelque avantage à commander, fût-ce dans une grange, et à être obéi des

1. Pétrone, *Fragments*, XLII, 5-6.

siens ; mais c'est un plaisir trop uniforme et languissant. Et puis il est par nécessité mêlé de mille pensers fâcheux : c'est tantôt l'indigence et le malheur de vos gens, tantôt la querelle avec vos voisins, tantôt l'usurpation qu'ils font sur vous qui vous afflige,

C'est vos vignes un jour
Que battent les grêlons,
Le champ qui vous déçoit,
l'arbre accusant tantôt la pluie,
Tantôt Ciel brûlant champs,
Tantôt l'hiver trop froid...

Aut uerberatæ grandine uineæ,
Fundusque mendax, arbore nunc aquas
Culpante, nunc torrentia agros
Sidera, nunc hyemes iniquas. [1]

Et qu'à grand-peine en six mois Dieu enverra une saison dont votre receveur se contente bien à plein, et pourvu encore que si elle sert aux vignes, elle ne nuise pas aux prés (ah ! ce fruit de nos labeurs :

consumé par les feux du ciel et leurs flammes ailées, Ou bien battu de pluie ou de rudes gelées, Et haché par les vents dans leurs turbulentes fureurs...

Aut nimiis torret feruoribus ætherius sol,
Aut subiti perimunt imbres, gelidæque pruinæ,
Flabraque uentorum uiolento turbine uexant... !), [2]

joint à cela le soulier neuf et bien formé de cet homme du temps passé qui vous blesse le pied [3], et l'étranger qui n'entend pas combien il vous en coûte et combien vous prenez sur vous à maintenir l'apparence de cet ordre qu'on voit dans votre famille, et que d'aventure vous l'achetez trop cher... Je me suis pris tard au ménage [4]. Ceux que nature avait fait naître avant moi m'en ont déchargé longtemps. J'avais déjà pris un autre pli, plus conforme à mon tempérament. Toutefois, de ce que j'en ai vu, c'est une occupation plus empêchante que difficile. Quiconque est capable d'autre chose le sera bien aisément de celle-là. Si je cherchais à m'enrichir, cette voie me semblerait trop longue : j'eusse servi les rois, commerce plus fertile que tout autre. Puisque je ne prétends acquérir que la réputation de n'avoir rien acquis non plus

---

1. Horace, *Odes*, III, I, 29-32.
2. Lucrèce, V, 215-217.
3. Allusion à une anecdote contée par Plutarque : un Romain à qui l'on reprochait d'avoir répudié sa femme, répondit : « Voyez ce soulier ; il est bien fait, mais je suis seul à savoir où il blesse ».
4. « Au ménage » : au *management* (de ma maison). 63 % des mots anglais sont empruntés au français.

que dissipé, conformément au reste de ma vie impropre à faire bien et à faire mal qui vaille, et que je ne cherche qu'à passer, je puis le faire, Dieu merci, sans me faire beaucoup remarquer. Au pis-aller, courez toujours devant la pauvreté par retranchement de dépense. C'est à quoi je m'applique, et à me réformer avant qu'elle ne m'y force. J'ai établi au demeurant en mon âme assez de degrés pour me satisfaire de moins que ce que j'ai. Je dis : passer avec contentement, C'est non point à son avis d'imposition, mais à sa table et à son train qu'on mesure la fortune d'un homme *non æstimatione census, uerum uictu atque cultu terminatur pecuniæ modus.* [1] Mon vrai besoin n'occupe pas si étroitement tout mon avoir que, sans en venir au vif, Fortune n'ait où mordre sur moi. Ma présence, tout ignorante et dédaigneuse qu'elle est, prête bien l'épaule à mes affaires domestiques : je m'y emploie, mais à contrecœur ; joint que j'ai cela chez moi que pour brûler à part la chandelle par mon bout, l'autre bout ne s'épargne en rien...

Les voyages ne me blessent que par la dépense, qui est grande et outre mes moyens : ayant accoutumé d'y être avec un équipage non seulement nécessaire, mais aussi honorable, il me faut les faire pour cela d'autant plus courts et moins fréquents, et je n'y emploie que l'écume et ma réserve, temporisant et différant selon qu'elle vient. Je ne veux pas que le plaisir de me promener corrompe le plaisir de me retirer. Au rebours, j'entends qu'ils se nourrissent et se favorisent l'un l'autre. La fortune m'a aidé en ceci que puisque ma principale profession en cette vie était de la vivre mollement, et plutôt nonchalamment qu'affaireusement, elle m'a ôté le besoin de multiplier mes richesses pour pourvoir à la multitude de mes héritiers. Pour un seul que j'ai, s'il n'a assez de ce dont j'ai eu si plantureusement assez, que ce soit tant pis pour lui ! Son imprudence ne méritera pas que j'en désire pour lui davantage. Et chacun, selon l'exemple de Phocion, pourvoit suffisamment ses enfants s'il ne les pourvoit que pour autant qu'ils ne lui soient pas dissemblables. Nullement je ne serai d'avis de faire comme Cratès ; il laissa son argent chez un banquier, avec cette condition : si ses enfants étaient des sots, qu'il le leur donnât ; s'ils étaient habiles, qu'il le distribuât aux plus sots du peuple. Comme si les sots, pour être moins capables de s'en passer, étaient plus capables d'user des richesses. Quoi qu'il en soit, le dommage qui vient de mon absence ne me semble point mériter, tant que j'aurai de quoi le supporter, que je refuse d'accepter les occasions qui se présentent de me distraire de cette résidence pénible. Il y a toujours quelque pièce

1. Cicéron, *Paradoxes*, VI, III, 50.

qui va de travers. Les négoces, tantôt d'une maison, tantôt d'une autre, vous tiraillent. Vous éclairez toutes choses de trop près : votre perspicacité vous nuit ici non moins qu'elle ne le fait souvent ailleurs. Je me dérobe aux occasions de me fâcher, et me détourne de la connaissance des choses qui vont mal. Et pourtant je ne puis tant faire qu'à toute heure je ne me heurte chez moi à quelque événement qui me déplaise, et les friponneries qu'on me cache le plus sont celles que je sais le mieux. Il en est que, pour qu'elles fassent moins mal, il faut aider soi-même à cacher. Vaines piqûres : vaines, parfois ; mais toujours piqûres ! Les plus menus et grêles empêchements sont les plus perçants. Et de même que les petites lettres lassent plus les yeux, les petites affaires aussi nous piquent plus : la tourbe des menus maux offense plus que la violence d'un seul, pour grand qu'il soit. À mesure que ces épines domestiques sont plus drues et fines, plus leurs morsures sont aiguës, et sans menace, car elles nous surprennent facilement à l'improviste. Je ne suis pas philosophe. Les maux me foulent selon ce qu'ils pèsent, et ils pèsent selon la forme autant que selon la matière, et souvent plus. J'y ai plus de perspicacité que le vulgaire, ainsi j'y ai plus de patience. Enfin s'ils ne me blessent point, ils me pèsent. C'est chose tendre que la vie, et aisée à troubler. Depuis que j'ai le visage tourné vers le chagrin, (nul ne résiste à soi quand on a cédé une fois *nemo enim resistit sibi cum ceperit impelli*) [1], pour sotte que soit la cause qui m'y ait porté, j'irrite l'humeur de ce côté-là, qui se nourrit après et s'exaspère de son propre branle, attirant et amoncelant une matière sur l'autre, de quoi se repaître.

Et la pluie, en tombant, goutte à goutte creuse le roc
Stilicidi casus lapidem cauat, [2]

ces gouttières ordinaires me mangent et m'ulcèrent. Les inconvénients ordinaires ne sont jamais légers. Ils sont continuels et irréparables quand ils naissent des membres du ménage, continuels et inséparables. Quand je considère mes affaires de loin et en gros, je trouve, peut-être pour n'en avoir la mémoire guère exacte, qu'elles sont allées jusqu'à cette heure en prospérant outre mes comptes et mes calculs. J'en retire, ce me semble, plus qu'il n'y en a : leur bonheur me fait illusion. Mais suis-je au plein de la besogne ? Vois-je marcher toutes ces parcelles ?

1. Sénèque, *Lettres à Lucilius*, XIII, 13.
2. Lucrèce, I, 313.

Alors entre tous ces soucis mon âme se déchire
Tum uero in curas animum diducimus omnes, [1]

mille choses m'y donnent à désirer et à craindre. De les abandonner tout à fait, ce m'est très facile ; de m'y prendre sans m'en peiner, très difficile. C'est pitié, d'être en un lieu où tout ce que vous voyez vous embesogne et vous concerne. Et il me semble que je jouis plus gaiement des plaisirs d'une maison étrangère, et que j'y apporte un goût plus libre et plus pur. Diogène répondit, conformément à mon sentiment, à celui qui lui demanda quelle sorte de vin il trouvait le meilleur : « L'étranger », fit-il.

Mon père aimait à bâtir Montaigne, où il était né, et dans tout ce gouvernement des affaires domestiques j'aime à me servir de son exemple et de ses règles, et j'y attacherai mes successeurs autant que je pourrai. Si je pouvais mieux pour lui, je le ferais. Je me glorifie que sa volonté s'exerce encore et agisse par moi. Dieu déjà ne permette que je laisse faillir entre mes mains aucune image de vie que je puisse rendre à un si bon père ! Si je me suis mêlé d'achever quelque vieux pan de mur, et d'arranger quelque pièce d'un bâtiment mal dégrossi, ça a été, certes, en regardant plus à son intention qu'à mon contentement. Et j'accuse ma fainéantise de ce que je ne suis pas allé plus loin que de parfaire les commencements qu'il a laissés dans sa maison, d'autant plus que je suis en grands termes d'en être le dernier possesseur de ma race, et d'y porter la dernière main. Car quant à mon application particulière, ni ce plaisir de bâtir qu'on dit être si attrayant, ni la chasse, ni les jardins, ni ces autres plaisirs de la vie retirée ne savent beaucoup m'amuser. C'est chose dont je me veux mal, comme de toutes ces autres miennes opinions qui me sont incommodes. Je ne me soucie pas tant de les avoir vigoureuses et doctes que je me soucie de les avoir aisées et commodes à la vie. Elles sont bien assez vraies et saines si elles sont utiles et agréables. Ceux qui m'oyant dire mon incompétence aux occupations du ménage me viennent souffler aux oreilles que c'est du dédain et que je me moque de savoir les instruments du labourage, ses saisons, son ordre, comment on fait mes vins, comme on ente, et de savoir le nom et la forme des herbes et des fruits, et l'apprêt des viandes [2] dont je vis, le nom et le prix des étoffes dont je m'habille, parce que j'ai à cœur quelque plus haute science, ils me font

1. Virgile, *Énéide*, V, 720.

2. Ces « vi-andes » (le mot est de deux syllabes), c'est, proprement, « ce dont on *vit* », les « vivres », les « aliments », donc, mais je le garde tel quel parce que *viandes* et *vis* consonent par leur première syllabe, et pour la belle couleur que ce mot garde de notre vieux parler.

mourir. Cela, c'est sottise, et plutôt bêtise que gloire : je m'aimerais mieux bon écuyer que bon logicien.

Que ne vaques-tu plutôt à chose qui fût utile,
À tresser les osiers ou bien le jonc ductile ?

Quin tu aliquid saltem potius quorum indiget usus,
Viminibus mollique paras detexere iunco ? [1]

Nous empêchons nos pensées avec les questions d'ordre général et les causes et les conduites de l'univers, qui se conduisent très bien sans nous, et nous laissons en arrière notre fait, et Michel, qui nous touche de plus près encore que l'Homme. Maintenant, j'arrête bien chez moi le plus ordinairement, mais je voudrais m'y plaire plus qu'ailleurs.

Qu'ici s'arrête mon vieil âge, Qu'ici finissent les labeurs des mers, et du voyage, Et des armes !

Sit meæ sedes utinam senectæ,
Sit modus lasso maris et uiarum,
Militiæque. [2]

Je ne sais si j'en viendrai à bout ! Je voudrais qu'au lieu de quelque autre pièce de sa succession, mon père m'eût légué cet amour passionné qu'en ses vieux ans il portait à son ménage. Il était bien heureux de pouvoir ramener ses désirs à sa fortune, et de savoir se plaire de ce qu'il avait. La philosophie politique aura beau accuser la bassesse et la stérilité de mon occupation si j'en puis une fois prendre le goût comme lui ! Je suis de cet avis que la plus honorable vacation [3] est de servir au public et d'être utile à beaucoup. Certes, on jouit d'autant mieux des fruits du talent, de la vertu, et de toute prééminence qu'on les partage avec ses proches *Fructus enim ingenii et uirtutis, omnisque præstantiæ tum maximus accipitur quum in proximum quemque confertur,* [4] mais, pour ce qui me regarde, je me départis des charges publiques, partie par conscience (car voyant le poids qui s'attache à de telles vacations, je vois aussi le peu de moyen que j'ai d'y fournir, et Platon, maître ouvrier en tout gouvernement politique, ne laissa pas de s'en abstenir), partie par poltronnerie. Je me contente de jouir du monde sans m'y empresser, de vivre une vie qui soit seulement excusable, et qui seulement ne pèse ni à moi ni à autrui.

1. Virgile, *Bucoliques*, II, 71-72.
2. Horace, *Odes*, II, VI, 6-8.
3. Nos « vacations », c'est ce à quoi nous « vaquons », nos « occupations », nos « professions ». Encore un mot fétiche du vocabulaire de Montaigne : « La plupart de nos vacations sont farcesques ».
4. Cicéron, *De amicitia*, XIX, 70.

Jamais homme ne se laissa aller de façon plus pleine et plus lâche au soin et au gouvernement d'un tiers que je le ferais si j'avais à qui. L'un de mes souhaits pour cette heure, ce serait de trouver un gendre qui sût donner commodément la becquée à mes vieux ans et les endormir, entre les mains de qui je déposasse en toute souveraineté la conduite et l'usage de mes biens, pour qu'il en fît ce que j'en fais, et gagnât sur ma terre ce que j'y gagne, pourvu qu'il y apportât un cœur vraiment reconnaissant et ami. Mais quoi ! Nous vivons dans un monde où la loyauté de nos propres enfants est inconnue.

Qui a la garde de ma bourse en voyage, il l'a pure et sans registre de contrôle : aussi bien me tromperait-il en comptant ! Et s'il n'est pas un diable, je l'oblige à bien faire par une confiance aussi abandonnée. Beaucoup ont enseigné à trahir en craignant d'être trahis, et ont par leurs soupçons donné aux autres droit de faillir *Multi fallere docuerunt, dum timent falli, et aliis ius peccandi suspicando fecerunt.* [1] La plus commune sûreté que je prends de mes gens, c'est la méconnaissance : je ne présume les vices qu'après que je les ai vus, et je m'en fie plus aux jeunes, que j'estime moins gâtés par le mauvais exemple. J'entends plus volontiers dire, au bout de deux mois, que j'ai dépensé quatre cents écus que d'avoir les oreilles battues tous les soirs de trois, cinq, ou sept. Ainsi ai-je été dérobé aussi peu qu'un autre par cette sorte de larcin. Il est vrai que je prête la main à l'ignorance : sciemment j'entretiens un peu trouble et incertaine la science que j'ai de mon argent : jusque dans une certaine mesure, je suis content d'en pouvoir douter. Il faut laisser un peu de place à la déloyauté ou à l'imprudence de votre valet. S'il nous en reste en gros de quoi faire notre effet, cet excès de la libéralité de la fortune, laissons-le courir un peu plus à sa guise : c'est la part du glaneur. Après tout, je ne prise pas autant la bonne foi de mes gens que je méprise leur injustice. Ô la vilaine et sotte étude que d'étudier son argent, et de se plaire à le manier et recompter ! C'est par là que l'avarice fait ses approches.

Depuis dix-huit ans que je gouverne des biens, je n'ai su gagner sur moi de voir ni titres ni mes principales affaires, qui ont nécessairement à passer par ma science et mon soin. Ce n'est pas un mépris philosophique des choses transitoires et mondaines : je n'ai pas le goût si épuré, et je les prise, pour le moins, ce qu'elles valent, mais certes c'est paresse et négligence inexcusable et puérile. Que ne ferai-je plutôt que de lire un contrat ! Et plutôt que d'aller secouer ces paperasses poudreuses, serf de mes propres affaires ! Ou pis encore, de celles d'autrui, comme le font tant de gens à prix d'argent. Rien ne me

1. Sénèque, *Lettres à Lucilius*, III, 3.

coûte plus que le souci et la peine, et je ne cherche qu'à m'anonchalir et avachir.

J'étais, je crois, plus propre à vivre de la fortune d'autrui, s'il se pouvait, sans obligation et sans servitude. Et pourtant je ne sais, à l'examiner de près, si, selon mon humeur et mon sort, ce que j'ai à souffrir des affaires, et des serviteurs, et des domestiques, n'a point plus d'abjection, d'importunité, et d'aigreur que n'en aurait eu d'être attaché à la suite d'un homme né plus grand que moi, et qui me guidât un peu à mon aise. La servitude est la sujétion d'un esprit brisé et avili, privé de son libre arbitre *seruitus oboedientia est fracti animi et abiecti, arbitrio carentis suo.* [1] Cratès fit pis, qui se jeta dans la liberté des pauvres pour se défaire des indignités et des soins de la maison. Cela, je ne le ferais pas : je hais la pauvreté à l'égal de la douleur, mais, oui, je changerais bien cette sorte de vie pour une autre moins élégante et moins affaireuse. Loin de chez moi, je me dépouille de toutes les pensées de ce genre, et je ressentirais alors moins l'écroulement d'une tour qu'à présent la chute d'une ardoise. Mon âme se démêle bien aisément quand je suis au loin, mais en présence, elle souffre autant que celle du vigneron. Une rêne de travers à mon cheval, un bout d'étrivière qui batte ma jambe me tiendront tout un jour en échec. J'élève assez mon courage à l'encontre des inconvénients, les yeux, je ne puis.

Les sens, ô dieux d'en haut, les sens !
Sensus, o superi, sensus !

Je réponds chez moi de tout ce qui va mal. Peu de maîtres, je parle de ceux de moyenne condition comme est la mienne (et s'il en est, ils sont les plus heureux), peuvent si bien se reposer sur un second qu'il ne leur reste une bonne part de la charge. Cela ôte volontiers quelque chose de ma façon de traiter mes hôtes, et j'en ai bien pu retenir d'aventure quelques-uns plus par ma cuisine que par ma grâce, comme font les fâcheux, et j'ôte beaucoup au plaisir que je devrais prendre chez moi aux visites et aux assemblées de mes amis. La plus sotte contenance d'un gentilhomme qui reçoit, c'est de le voir empêtré dans la conduite de sa maisonnée, parler à l'oreille d'un valet, en menacer un autre des yeux : elle doit couler insensiblement, et représenter un cours ordinaire. Et je trouve laid qu'on entretienne ses hôtes de la façon dont on les traite, autant pour l'excuser que la vanter. J'aime l'ordre et la netteté,

1. Cicéron, *Paradoxes*, V, I, 35.

un canthare, un plateau Me renvoient mon image
et cantharus et lanx, ostendunt mihi me, [1]

plutôt que l'abondance, et chez moi je regarde exactement au nécessaire, peu à la parade. Si un valet se bat chez autrui, si un plat se renverse, vous n'en faites que rire : vous dormez cependant que monsieur range ses affaires avec son maître d'hôtel, pour pouvoir vous traiter le lendemain. J'en parle selon moi, sans laisser en général d'estimer combien c'est un doux amusement pour certaines natures qu'un ménage paisible, prospère, conduit selon un ordre réglé, et sans vouloir entacher la chose des erreurs et désagréments qui me sont propres, ni contredire Platon, qui estime que la plus heureuse occupation pour chacun est de faire ses affaires personnelles sans injustice.

Quand je voyage, je n'ai à penser qu'à moi et à l'emploi de mon argent : cela se règle avec un seul précepte. Pour l'amasser, trop de qualités sont requises : je n'y entends rien ; à dépenser, et à mettre en jour ma dépense, je m'y entends un peu, ce qui est, de vrai, son principal usage. Mais je m'y applique trop ambitieusement, ce qui la rend inégale et difforme, et en outre immodérée en l'une et l'autre face : si elle paraît, si elle sert, je m'y laisse aller immodérément, et je me resserre tout aussi immodérément si elle ne luit et si elle ne me rit.

Quoi que ce soit art ou nature, ce qui nous imprime cette condition de vivre sous le regard d'autrui nous fait beaucoup plus de mal que de bien. Nous nous privons de ce qui nous serait utile à nous-mêmes pour conformer les apparences à l'opinion commune. Il ne nous importe pas tant ce qu'est notre être, en nous, et en effet, que ce qu'il est pour l'opinion publique. Les biens mêmes de l'esprit et de la sagesse nous semblent sans fruit si nous sommes seuls à en jouir, si elle ne se produit à la vue et à l'approbation des étrangers. Il y en a chez qui l'or coule à gros bouillons par des lieux souterrains, mais sans qu'on l'aperçoive ; d'autres l'étendent tout en lames et en feuilles, si bien que pour les uns les liards valent des écus, pour les autres le contraire, le monde estimant la dépense et le prix selon ce que l'on en montre. Tout soin trop attentif aux richesses sent l'avarice : leur dispensation même, et la libéralité trop ordonnée et artificielle : elles ne valent pas une attention et une sollicitude pénibles. Qui veut faire sa dépense juste la fait étroite et restreinte. La garde ou l'emploi sont de soi choses indifférentes, et ils ne prennent couleur de bien ou de mal que selon l'intention de notre volonté.

---

1. Horace, *Épîtres*, I, V, 23-24.

L'autre cause qui me convie à ses promenades, c'est que les mœurs présentes de notre État me disconviennent : je me consolerais aisément de cette corruption pour ce qui est de l'intérêt public :

(siècles pires que ceux de fer : pour leur crime nature même n'a trouvé mot, ni métal pour les nommer

peioraque sæcula ferri
Temporibus quorum sceleri non inuenit ipsa
Nomen et a nullo posuit natura metallo), [1]

mais pour ce qui est du mien, non. J'en suis personnellement trop accablé. Car dans mon voisinage, par la longue licence de ces guerres civiles, nous sommes maintenant envieillis dans une forme d'État si débordée,

Où le juste en l'injuste s'inverse

Quippe ubi fas uersum atque nefas, [2]

qu'à la vérité, c'est merveille qu'elle se puisse maintenir !

Ils vont en armes travailler leurs champs, Toujours heureux de rapporter quelques nouveaux butins, Et de vivre de leur rapine...

Armati terram exercent, semperque recentes
Conuectare iuuat prædas et uiuere rapto. [3]

Enfin je vois par notre exemple que la société des hommes se tient et se coud à quelque prix que ce soit : en quelque assiette qu'on les couche, ils s'empilent et se rangent, en se remuant et en s'entassant, comme des corps mal unis qu'on empoche sans ordre, ils trouvent d'eux-mêmes la façon de se joindre et de se mettre en place les uns parmi les autres, souvent mieux que l'art ne les eût su disposer. Le roi Philippe fit ramasser les hommes les plus méchants et les plus incorrigibles qu'il put trouver, et il les logea tous dans une ville qu'il leur fit bâtir, et qui portait leur nom. Je pense qu'ils établirent, à partir de leurs vices mêmes, une constitution politique entre eux, et une commode et juste société.

Je vois, non pas une action, ou trois, ou cent, mais des mœurs, d'usage commun et reçu, si farouches en inhumanité surtout et en déloyauté, pour moi la pire espèce des vices, que je n'ai point le cœur de les concevoir sans horreur ; et je m'en étonne quasi autant que je les déteste. L'exercice de ces méchancetés insignes porte la marque de

1. Juvénal, XIII, 28-30.
2. Virgile, *Géorgiques*, I, 505.
3. Virgile, *Énéide*, VII, 748-749.

la vigueur et de la force d'âme autant que de l'erreur et du dérèglement. La nécessité compose les hommes et les assemble. Cette couture fortuite se transforme après en lois. Car il y en a eu d'aussi sauvages qu'aucune opinion humaine puisse enfanter qui toutefois ont maintenu leurs corps avec autant de santé et de longueur de vie que celles de Platon et Aristote le sauraient faire.

Et certes toutes ces descriptions de gouvernement, imaginées par art, se trouvent ridicules et impropres à mettre en pratique. Ces grandes et longues disputes au sujet de la meilleure forme de société, et des règles les plus commodes pour nous lier ensemble, sont disputes propres seulement à l'exercice de notre esprit, tout comme il se trouve parmi les arts plusieurs sujets qui ont leur essence dans l'agitation et dans la dispute, et qui n'ont aucune vie hors de là. Telle peinture de gouvernement serait de mise dans un nouveau monde : mais nous prenons un monde déjà fait et formé à de certaines coutumes. Nous ne l'engendrons pas comme Pyrrha ou comme Cadmos [1]. Par quelque moyen que nous ayons loisir de le redresser et ranger de nouveau, nous ne pouvons guère le détordre de son pli accoutumé que nous ne rompions tout. On demandait à Solon s'il avait donné les meilleures lois qu'il avait pu aux Athéniens : « Oui bien, répondit-il, les meilleures de celles qu'ils auraient acceptées. » Varron s'excuse sur le même air : que s'il avait à écrire sur la religion dans sa toute nouveauté, il dirait ce qu'il en croit ; mais que, comme elle est déjà reçue, il en parlera selon l'usage plus que selon la nature.

Non par opinion, mais en vérité, l'excellente et meilleure constitution politique est, pour chacune nation, celle sous laquelle elle s'est maintenue. Sa forme et son utilité essentielles viennent de l'usage. Nous nous déplaisons volontiers de la condition présente : mais je tiens pourtant que d'aller désirant l'oligarchie dans un État populaire, ou dans la monarchie, une autre espèce de gouvernement, c'est vice et folie :

Ayme l'estat tel que tu le vois estre,
S'il est royal, ayme la royauté,
S'il est de peu, ou bien communauté,
Ayme l'aussi, car Dieu t'y a faict naistre.

Ainsi en parlait le bon Monsieur de Pibrac, que nous venons de perdre : un esprit si noble, des opinions si saines, des mœurs si

1. Dans la mythologie grecque, Pyrrha, après le déluge, repeupla la terre avec des pierres qu'elle jetait par-dessus son épaule ; Cadmos, à Thèbes, sema les dents du dragon qu'il avait tué, d'où naquirent les hommes.

douces ! Cette perte, et celle qu'en même temps nous avons faite de Monsieur de Foix, sont des pertes importantes pour notre couronne. Je ne sais s'il reste à la France de quoi substituer un autre couple pareil à ces deux Gascons en sincérité et en compétence pour le conseil de nos rois. C'étaient des âmes diversement belles, et certes, pour notre siècle, rares et belles, chacune en sa forme. Mais qui les avait logées en cet âge, ainsi disconvenantes et disproportionnées à notre corruption et à nos tempêtes ?

Rien ne presse tant un État que l'innovation : le changement, de lui seul, donne corps à l'injustice et à la tyrannie. Quand quelque pièce se démanche, on peut l'étayer. On peut s'opposer à ce que l'altération et la corruption, naturelles à toutes choses, ne nous éloignent trop de nos commencements et de nos principes. Mais d'entreprendre de refondre une si grande masse, et de changer les fondements d'un si grand bâtiment, c'est à faire à ceux qui effacent au lieu de décrasser, qui veulent amender les défauts particuliers par une confusion universelle, et guérir les maladies par la mort : avides non tant de changer que de renverser *non tam commutandarum quam euertendarum rerum cupidi.* [1] Le monde est inapte à se guérir : il est si impatient de ce qui l'oppresse qu'il ne vise qu'à s'en défaire, sans regarder à quel prix. Nous voyons par mille exemples qu'il se guérit ordinairement à ses dépens : la disparition du mal présent n'est pas guérison s'il n'y a point un amendement d'ensemble de la situation. La fin du chirurgien n'est pas de faire mourir la mauvaise chair : ce n'est là que l'acheminement de sa cure ; il regarde au-delà, visant à y faire renaître la naturelle et rendre le membre à son état naturel. Quiconque propose seulement d'emporter ce qui le meurtrit, il demeure court : car le bien ne succède pas nécessairement au mal ; un autre mal lui peut succéder, et pire. Comme il advint aux tueurs de César, qui jetèrent la chose publique en tel point qu'ils eurent à se repentir de s'en être mêlés. À plus d'un, depuis, jusqu'à nos siècles, il en est advenu de même. Les Français mes contemporains savent bien qu'en dire. Toutes les grandes mutations ébranlent l'État, et le désordonnent. Qui viserait droit à la guérison, et en consulterait avant toute œuvre, se refroidirait volontiers d'y mettre la main. Pacuvius Calavius corrigea le vice de ce procédé par un exemple insigne. Ses concitoyens s'étaient mutinés contre leurs magistrats : lui, un personnage de grande autorité dans la ville de Capoue, trouva un jour moyen d'enfermer le Sénat dans le Palais, et, convoquant le peuple en la place, il leur dit que le jour était venu où en pleine liberté ils pouvaient prendre vengeance des tyrans qui les

1. Cicéron, *De officiis*, II, I, 3.

avaient si longtemps oppressés, lesquels il tenait à sa merci, seuls et désarmés. Il fut d'avis qu'on les tirât au sort l'un après l'autre, et que de chacun l'on ordonnât particulièrement, en faisant exécuter sur-le-champ ce qui en aurait été décrété, pourvu aussi que tout d'un train ils avisassent d'établir quelque homme de bien dans la place du condamné, afin qu'elle ne demeurât vide d'officier. Ils n'eurent pas plutôt ouï le nom d'un sénateur qu'il s'éleva un cri de mécontentement universel à l'encontre de lui : « Je vois bien, dit Pacuvius, il faut démettre celui-ci : c'est un méchant ; ayons-en un bon en échange. » Ce fut un prompt silence : tout le monde se trouvant bien embarrassé de choisir. Au premier plus hardi qui proposa son candidat, voilà un concert de voix encore plus grand pour refuser celui-là : cent imperfections et cent justes raisons de le rebuter. Ces humeurs contradictoires s'étant échauffées, il advint encore pis du second sénateur, puis du troisième. Autant de discord pour les élire que d'accord pour les démettre. S'étant inutilement lassés à ce trouble, ils commencent, qui deçà, qui delà, à se dérober peu à peu de l'assemblée, chacun rapportant dans son âme cette conclusion que le mal le plus ancien et le mieux connu est toujours plus supportable que le mal récent et non expérimenté. Comme je nous vois bien pitoyablement agités [1] car que n'avons nous fait ?

Nos plaies, nos crimes, nos frères, las ! Sont nos infamies !
Que n'avons-nous pas fait, oui, nous, siècle barbare ?
Quel sacrilège donc n'avons-nous pas commis ?
D'où, par crainte des dieux, la jeunesse écarta la main ?
Quels autels a-t-elle épargnés ?

Eheu cicatricum et sceleris pudet,
Fratrumque : quid nos dura refugimus
Ætas ? quid intactum nefasti
Liquimus ? unde manus iuuentus
Metu deorum continuit ? quibus
Pepercit aris ? [2]

Je ne vais pas soudain conclure :

Le voulût-elle, Santé même
Ne pourrait sauver cette famille

ipsa si uelit Salus,
Seruare prorsus non potest hanc familiam ! [3]

1. « Nous », les Français ; « agités » : par nos guerres civiles (les guerres de religion).

2. Horace, *Odes*, I, XXXV, 33-38.

3. Térence, *Adelphes*, IV, VII, 761-761.

Nous n'en sommes pas pour cela peut-être à notre dernière période. La conservation des États est chose qui vraisemblablement surpasse notre intelligence. C'est, comme dit Platon, chose puissante et difficile à dissoudre qu'une constitution politique : elle dure souvent malgré des maladies mortelles et intestines, malgré l'injustice des lois injustes, malgré la tyrannie, malgré la forfaiture et l'ignorance des magistrats, malgré la licence et la sédition des peuples. Dans toutes nos fortunes, nous nous comparons à ce qui est au-dessus de nous et nous regardons vers ceux qui sont mieux : mesurons-nous à ce qui est au-dessous : il n'est personne de si misérable qui ne trouve mille exemples où se consoler. C'est notre défaut, que nous voyons moins volontiers ce qui est dessus nous que volontiers ce qui est dessous. Solon disait pourtant que si l'on dressait un tas de tous les maux ensemble, il n'y aurait personne qui ne choisît de remporter avec soi les maux qu'il a plutôt que de venir à division légitime de ce tas de maux avec tous les autres hommes, et d'en prendre sa quote-part. Notre État se porte mal. Il s'en est trouvé pourtant de plus malades, sans mourir. Les dieux s'ébattent de nous à la pelote, et nous agitent à toutes mains, car de nous les hommes, les dieux se servent comme de balles *enimuero dii nos homines quasi pilas habent.* [1]

Les astres ont fatalement destiné l'État romain à servir d'exemple de ce qu'ils peuvent en ce domaine : il comprend en lui toutes les formes et toutes les vicissitudes qui touchent à un État : tout ce que l'ordre y peut, et le trouble, et le bonheur, et le malheur. Qui doit désespérer de sa condition quand il voit les secousses et les mouvements dont celui-là fut agité, et qu'il supporta ? Si l'étendue de la domination est la santé d'un État, ce dont je ne suis nullement d'avis (et Isocrate me plaît, qui enseigne à Nicoclès d'envier non les princes qui ont de larges domaines mais ceux qui savent bien conserver ceux qui leur sont échus), celui-là ne fut jamais si sain que quand il fut le plus malade. La pire de ses formes fut pour lui la plus fortunée. À peine reconnaît-on l'image d'aucune constitution sous les premiers empereurs : c'est la plus horrible et la plus épaisse confusion qu'on puisse concevoir. Toutefois il la supporta, et il dura sous elle, en conservant non pas une monarchie resserrée dans ses limites, mais tant de nations, si diverses, si éloignées, si mal disposées, si désordonnément commandées, et si injustement conquises :

1. Plaute, *Les Captifs*, prologue.

Il n'est de nations à qui, Contre un peuple empereur de la terre et des ondes, Fortune prête sa jalousie

nec gentibus ullis
Commodat, in populum terræ pelagique potentem,
Inuidiam fortuna suam. [1]

Tout ce qui branle ne tombe pas. La contexture d'un si grand corps tient à plus d'un clou. Il tient même par son antiquité, comme ces vieux bâtiments auxquels l'âge a dérobé le pied, sans croûte et sans ciment, et

qui pourtant vivent et se soutiennent par leur propre poids

nec iam ualidis radicibus hærens,
Pondere tuta suo est. [2]

De plus, ce n'est pas bien procéder que de reconnaître seulement le flanc et le fossé : pour juger de la sûreté d'une place, il faut voir par où l'on y peut venir, en quel état est l'assaillant. Peu de vaisseaux coulent de leur propre poids et sans violence étrangère. Or tournons les yeux partout : tout croule autour de nous. Dans tous les grands États que nous connaissons, soit de la Chrétienté, soit d'ailleurs, regardez-y : vous y trouverez une évidente menace de changement et de ruine :

ils ont chacun sa brèche, et le même orage est sur tous

Et sua sunt illis incommoda, parque per omnes
Tempestas. [3]

Les astrologues ont beau jeu de nous avertir comme ils le font de grandes altérations et mutations prochaines : leurs divinations sont déjà présentes et palpables : il ne faut pas aller au ciel pour cela. Nous n'avons pas seulement à tirer consolation de cette universelle communauté de maux et de menaces, mais encore quelque espérance pour la durée de notre État, parce que, par nature, rien ne tombe là où tout tombe : la maladie universelle est la santé particulière ; la conformité est une qualité ennemie de la dissolution. Pour moi, je n'en désespère point, et il me semble y voir des routes propres à nous sauver :

À l'aventure, un dieu, d'un bienveillant retour, Sur pied nous remettra ce monde quelque jour

Deus hæc fortasse benigna
Reducet in sedem uice. [4]

---

1. Lucain, I, 82-84.
2. Lucain, I, 138-139.
3. Virgile, *Énéide*, XI, 422-423.
4. Horace, *Épodes*, XIII, 7-8.

Qui sait si Dieu voudra qu'il en advienne comme des corps qui se purgent et se remettent en meilleur état à la faveur de ces maladies longues et graves qui leur rendent une santé plus entière et plus nette que celle qu'elles leur avaient ôtée ? Ce qui me pèse le plus, c'est que, à compter les symptômes de notre mal, j'en vois autant de naturels, et de ceux que le ciel nous envoie, et proprement siens, que de ceux que notre dérèglement et l'imprudence humaine y confèrent. Il semble que les astres eux-mêmes ordonnent que nous avons assez duré, et au-delà des termes ordinaires. Et ceci aussi me pèse, que le mal le plus prochain qui nous menace, ce n'est pas une altération de la nation dans sa masse entière et solide, mais sa dissociation et sa dislocation : l'extrême de nos craintes.

Encore en ces rêvasseries ici crains-je la trahison de ma mémoire, que par inadvertance elle m'ait fait enregistrer même chose à deux fois. Je hais à me reconnaître, et je ne retâte jamais qu'à contrecœur ce qui m'est une fois échappé. Or je n'apporte ici nulle nouvelle leçon. Ce sont idées communes : les ayant conçues peut-être cent fois, j'ai peur de les avoir déjà couchées sur mon rôle. La redite est partout ennuyeuse, fût-ce dans Homère ; mais elle est ruineuse dans les choses qui ne se montrent qu'en surface et dans une apparition passagère. Je me déplais à l'inculcation, voire pour les choses utiles, comme dans Sénèque. Et l'usage de son école stoïcienne me déplaît, de redire sur chaque matière, en long et en large, les principes et les présuppositions qui servent en général, et de réalléguer toujours de nouveau des arguments et des raisons qui sont communs et généraux. Ma mémoire s'empire cruellement tous les jours :

Comme si d'un seul trait j'eusse, la gorge en feu, Vidé la coupe qui nous verse Le sommeil du Léthé

Pocula Lethæos ut si ducentia somnos,
Arente fauce traxerim. [1]

Il faudra dorénavant (car Dieu merci jusqu'à cette heure, il n'en est pas advenu de faute) qu'au lieu que les autres recherchent temps et occasion pour penser à ce qu'ils ont à dire, j'évite, moi, de me préparer, de peur de m'attacher à quelque obligation dont j'aie à dépendre. D'être tenu et obligé me fait me fourvoyer, et aussi le fait de dépendre d'un instrument aussi faible que l'est ma mémoire.

Je ne lis jamais cette histoire que je ne m'en offense, d'un ressentiment propre et naturel : Lyncestès, accusé de conjuration contre Alexandre, le jour qu'il fut mené en présence de l'armée, suivant la

1. Horace, *Épodes*, XIV, 3-4.

coutume, pour être ouï en ses défenses, avait dans sa tête une harangue étudiée, de laquelle, tout hésitant et bégayant, il prononça quelques paroles. Comme il se troublait de plus en plus, cependant qu'il lutte avec sa mémoire et qu'il la retâte, le voilà chargé et tué à coups de pique par les soldats qui étaient les plus proches de lui, et qui le tenaient pour convaincu. La stupeur et le silence de ce malheureux leur tinrent lieu d'aveux. Du fait qu'il avait eu en prison tant de loisir de se préparer, ce n'était, dirent-ils, plus que la mémoire lui manquât, c'était au contraire sa mauvaise conscience qui lui bridait la langue et lui ôtait toute force. Vraiment, voilà qui était bien parlé ! Le lieu, l'assistance, l'attente, paralysent lors même qu'il n'y va que de l'ambition de bien dire : que peut-on faire quand c'est une harangue qui emporte la vie pour conséquence ? Pour moi, le fait même que je sois lié à ce que j'ai à dire tend à me faire perdre mon sujet de vue. Quand je me suis commis et livré entièrement à ma mémoire, je suis si fortement pendu à elle que je l'accable : elle s'effraye de sa charge. Aussi longtemps que je m'en rapporte à elle, je me mets en dehors de moi, jusqu'à perdre ma contenance. Et je me suis vu un certain jour en peine de masquer la servitude dans laquelle j'étais entravé, là où mon dessein est de représenter en parlant une profonde nonchalance d'accent et de visage, et des mouvements fortuits et non prémédités, comme naissant des occasions présentes. J'aime autant ne rien dire qui vaille que de laisser voir que je suis venu préparé pour bien parler, chose mal séante, surtout aux gens qui sont de ma profession, et chose de trop grande obligation pour qui ne peut beaucoup tenir : l'apprêt donne plus à espérer qu'il n'apporte. On se met souvent sottement en pourpoint, pour ne sauter pas mieux qu'en sayon : rien n'est si ennemi de qui veut plaire que d'en laisser trop à attendre *nihil est his qui placere uolunt tam aduersarium quam expectatio.* [1] On a écrit de l'orateur Curion que, quand il proposait la distribution des parties de son oraison en trois ou en quatre, ou le nombre de ses arguments et de ses raisons, il lui advenait volontiers, ou d'en oublier quelqu'un, ou d'y en ajouter un ou deux de plus. J'ai toujours bien évité de tomber dans cet inconvénient, ayant en haine ces promesses et ces annonces, non seulement par défiance envers ma mémoire, mais aussi parce que cette façon de faire sent un peu trop son artiste : la plus grande simplicité sied aux soldats *simpliciora militares decent.* [2] C'est assez que je me sois aujourd'hui promis de ne prendre plus à charge de parler en public ! Car, quant à parler en lisant son écrit, outre que c'est très sot, c'est très dommageable à ceux

1. Cicéron, *Premiers Académiques*, II, IV, 10.
2. Quintilien, *Institution oratoire*, XI, I, 33.

qui par nature avaient quelque don pour l'action oratoire. Et de me jeter à la merci de mon invention du moment, encore moins : je l'ai lourde et trouble, et qui ne saurait fournir aux nécessités soudaines et importantes.

Laisse, Lecteur, courir encore ce coup d'essai et ce troisième allongeail [1] du reste des pièces de ma peinture. J'ajoute, mais je ne corrige pas.

Premièrement, parce que celui qui a au public hypothéqué son ouvrage, je trouve apparence qu'il n'y ait plus de droit : qu'il dise, s'il peut, mieux ailleurs, et ne corrompe pas la besogne qu'il a vendue. De pareilles gens, il ne faudrait rien acheter qu'après leur mort. Qu'ils y pensent bien avant que de se produire : qui les hâte ? Mon livre est toujours un, sauf qu'à mesure qu'on se met à le renouveler, afin que l'acheteur ne s'en aille les mains totalement vides, je me donne loi d'y attacher (comme ce n'est qu'une marqueterie mal jointe) quelque emblème supernuméraire. Ce ne sont que surpoids, qui ne condamnent point la première forme, mais donnent quelque prix particulier à chacune des suivantes, par une petite subtilité ambitieuse. De là toutefois il adviendra facilement qu'il s'y mêle quelque transposition de chronologie, mes contes prenant place selon leur opportunité, non toujours selon leur âge.

Secondement, à cause que, pour ce qui me regarde, je crains de perdre au change : mon entendement ne va pas toujours avant, il va à reculons aussi ; je ne me défie guère moins de mes idées quand elles sont secondes ou tierces que lorsqu'elles sont premières, ou présentes moins que passées : nous nous corrigeons aussi sottement souvent, comme nous corrigeons les autres ! Je suis envieilli de nombre d'ans depuis mes premières publications, qui furent l'an mille cinq cent quatre-vingt ; mais je doute que je sois assagi d'un pouce : moi à cette heure, et moi tantôt, sommes bien deux, quant à meilleur, je n'en puis rien dire. Il ferait beau d'être vieux si nous ne marchions que vers l'amendement ! Mais c'est un mouvement d'ivrogne, titubant, pris de vertige, informe : champs de joncs que le vent manie au hasard selon son gré.

Antiochos avait vigoureusement écrit en faveur de l'Académie ; il prit sur ses vieux ans un autre parti : lequel des deux que je suivisse, serait-ce pas là toujours suivre Antiochos ? Après avoir établi le doute des opinions humaines, vouloir établir leur certitude, était-ce pas établir le doute, non pas la certitude, et promettre, si on lui avait

1. « Ce troisième allongeail », ou troisième prolongement, est le IIIe livre des *Essais*.

donné encore un âge à vivre, qu'il était toujours à même d'avoir une nouvelle évolution, non pas tant meilleure qu'autre ?

La faveur publique m'a donné un peu plus de hardiesse que je n'espérais, mais ce que je crains le plus, c'est de saouler. J'aimerais mieux piquer que lasser, comme a fait un savant homme de mon temps. La louange est toujours plaisante, de qui et pour quelque raison qu'elle vienne : pourtant, pour y prendre un juste plaisir, il faut être informé de sa cause. Les imperfections mêmes ont leur moyen de se recommander. L'appréciation vulgaire et commune se voit peu heureuse en ses rencontres, et de mon temps, je suis bien trompé si les pires écrits ne sont pas ceux qui ont gagné le dessus du vent populaire [1]. Certes je rends grâces à des honnêtes hommes qui daignent prendre en bonne part mes faibles efforts. Il n'est lieu où les fautes de la forme paraissent autant qu'en une matière qui de soi n'a point de recommandation : ne t'en prends point à moi, lecteur, de celles qui se coulent ici par la fantaisie ou l'inadvertance d'autrui : chaque main, chaque ouvrier y apporte les siennes. Je ne me mêle ni d'orthographe (et ordonne seulement qu'ils suivent l'ancienne) ni de la ponctuation : je suis peu expert en l'une et l'autre. Là où ils rompent totalement le sens, je m'en donne peu de peine, car au moins ils me déchargent. Mais là où ils en substituent un faux, comme ils le font si souvent, et me détournent selon leur conception, ils me ruinent. Toutes les fois que la phrase n'est pas forte à ma mesure, un honnête homme la doit refuser pour mienne. Qui connaîtra combien je suis peu laborieux, combien je suis fait à ma mode, croira facilement que je redicterais plus volontiers encore autant d'*Essais* que de m'assujettir à revivre ceux-ci en vue de cette puérile correction.

Je disais donc tout à l'heure qu'étant planté au plus profond des mines de ce dernier métal sans nom [2], non seulement je suis privé de toute grande familiarité avec des gens d'autres mœurs que les miennes, et d'autres opinions, par lesquelles ils se tiennent ensemble par un

1. Dans un combat naval, celui des navires qui « prend le dessus du vent » est celui qui, remontant au plus près, peut soudain fondre sur l'adversaire en laissant porter en grand. À lui alors, dit-on, l'avantage du vent, comme pour les ouvrages que la faveur populaire propulse au plus loin.

2. Cela signifie : « étant planté au plus profond de cet âge de plomb des Guerres de Religion » : allusion au mythe des quatre âges de l'humanité dans Hésiode, les âges d'or, d'argent, de bronze et de fer : il faudrait un métal plus vil encore que le fer pour désigner le siècle présent, assombri par ces guerres civiles, qui justement font rage dans le Périgord, dans l'Entre-Dordogne, et toute la vallée de la Garonne dans le temps même que Montaigne écrit ces lignes.

nœud qui commande tout autre nœud [1], mais encore je ne suis pas sans être en danger parmi ces gens à qui tout est également loisible, et dont la plupart ne peut désormais empirer son cas au regard de notre justice, situation d'où naît toujours le dernier degré de la licence. Comptant toutes les circonstances particulières qui me regardent, je ne trouve pas homme des nôtres à qui la défense des lois, tant « par gain cessant », que par « dommage émergeant », comme disent les clercs, coûte plus qu'à moi. Et tels font bien les braves, vantant leur ardeur et leur âpreté, qui font beaucoup moins que moi, à justement peser les choses.

En tant que maison qui de tout temps fut libre, de grand abord, et serviable à chacun (car je ne me suis jamais laissé amener à en faire un outil de guerre, laquelle guerre je vais chercher plus volontiers là où elle est le plus éloignée de mon voisinage), ma maison a mérité assez d'affection populaire, et il serait bien malaisé de me gourmander sur mon fumier. Je tiens même pour un merveilleux chef-d'œuvre, et exemplaire, qu'elle soit encore vierge de sang et de sac sous un si long orage, et au milieu de tant de changements et d'agitations voisines. Car à dire vrai, il était possible à un homme de mon caractère d'échapper à un péril de forme constante et continue, quelle qu'elle fût, mais les invasions et les incursions de sens opposé, et les alternances et les vicissitudes de la fortune autour de moi ont jusqu'à cette heure plus exaspéré qu'amolli l'humeur du pays, et sans cesse elles me chargent à nouveau de dangers et de difficultés invincibles. J'en réchappe, mais il me déplaît que ce soit plus par fortune, voire même par ma sagesse, que par justice, et il me déplaît d'être hors la protection de nos lois et sous autre sauvegarde que la leur. Comme les choses sont, je vis plus qu'à demi de la faveur d'autrui, ce qui est une rude obligation. Je ne veux devoir ma sûreté ni à la bonté et bienveillance des grands, à qui plaisent mon respect des lois et ma liberté, ni à la facilité des mœurs de mes prédécesseurs, et des miennes, car quoi, si j'étais autre ? Si mes comportements et la franchise de ma conversation obligent mes voisins ou ma parenté, c'est cruauté qu'ils s'en puissent acquitter seulement en me laissant la vie sauve, et puissent dire : nous lui abandonnons la libre continuation du service

1. Les protestants du voisinage, fort nombreux en Guyenne. Ils restaient entre eux, liés par les « nœuds » de leur secte. Montaigne, fidèle catholique, regrette de ne pouvoir avoir commerce avec ces gens d'opinions différentes des siennes, d'autant qu'il se trouve en outre ainsi isolé sans défense au milieu d'ennemis aux abois et prêts à tout du fait même qu'ils se voient désormais proscrits et condamnés à mort par la justice.

divin dans la chapelle de sa maison, toutes les églises d'autour ayant été par nos soins rendues désertes, et nous lui abandonnons l'usage de ses biens, et sa vie, tout comme on lui préserve nos femmes et nos bœufs au besoin. De longue main chez moi, nous avons part à la louange de ce Lycurgue, orateur d'Athènes, qui était dépositaire et gardien général des bourses de ses concitoyens.

Or je tiens qu'il faut vivre par droit et par autorité, non par récompense ni par grâce. Combien d'hommes d'honneur ont mieux aimé perdre la vie que de la devoir ? Je fuis à me soumettre à toute sorte d'obligation, mais surtout à celle qui m'attache par devoir d'honneur. Je ne trouve rien si cher que ce qui m'est donné, et ce pour quoi ma volonté demeure hypothéquée tant que je n'ai pas rendu la pareille, et je reçois plus volontiers les services qui se vendent. Je crois bien : pour ceux-ci, je ne donne que de l'argent ; pour les autres, je me donne moi-même ! Le nœud qui me tient par la loi de l'honneur me semble bien plus pressant et plus pesant que ne l'est celui de la contrainte civile. On me garrotte plus doucement par un notaire que par moi. N'est-ce pas raison que ma conscience soit beaucoup plus engagée à ce sur quoi l'on s'est simplement fié à elle ? Ailleurs ma foi ne doit rien, car on ne lui a rien prêté. Qu'on s'aide donc de la confiance et de l'assurance qu'on a prise hors de moi. J'aimerais bien mieux rompre la prison d'une muraille et des lois que celle de ma parole. Je suis délicat à observer mes promesses, jusqu'à la superstition, et volontiers je les fais sur tous sujets incertaines et conditionnelles. À celles qui sont de nul poids, je donne le poids du soin jaloux que j'ai de ma règle : elle me géhenne et charge de son propre intérêt. Oui, dans les entreprises toutes miennes et libres, si j'en dis l'objet, il me semble que je me le prescris, et que le porter à la connaissance d'autrui, c'est se l'ordonner d'avance à soi-même. Il me semble que je le promets quand je le dis. Ainsi j'évente peu mes propositions.

La condamnation que je fais de moi est plus vive et roide que ne l'est celle des juges qui ne m'envisagent que sous l'aspect de l'obligation commune ; l'étreinte de ma conscience est plus serrée, et plus sévère. Je suis d'une façon lâche les devoirs auxquels on me traînerait si je n'y allais, une action conforme au droit n'est juste que si elle est volontaire- *hoc ipsum ita iustum est quod recte fit si est uoluntarium* [1] : si l'action n'a quelque splendeur de liberté, elle n'a point de grâce ni d'honneur.

> Ce que la loi m'impose, à peine l'obtiendrait-on de ma volonté
> *Quod me ius cogit uix uoluntate impetrent.* [2]

1. Cicéron, *De officiis*, I, IX, 28.
2. Térence, *Adelphes*, III, IV, 490.

Où la nécessité me tire, j'aime à lâcher la volonté, parce que de tout ce qui est imposé par l'autorité on sait plus de gré à celui qui l'exige qu'à celui qui obéit *quia quicquid imperio cogitur exigenti magis quam præstanti acceptum refertur.* [1] J'en sais qui suivent cet air-là jusqu'à l'injustice : ils donnent plutôt qu'ils ne rendent, prêtent plutôt qu'ils ne payent, ils font plus chichement bien à celui à qui ils en sont tenus. Je ne vais pas jusque-là, mais je touche contre !

J'aime tant à me décharger et à me désobliger que j'ai parfois compté à profit les ingratitudes, offenses, et indignités que j'avais reçues de ceux envers qui, ou par nature ou par accident, j'avais quelque devoir d'amitié, prenant cette occasion de leur faute pour autant d'acquittement et de décharge de ma dette. Encore que je continue à leurs rendre les devoirs extérieurs, d'ordre public, je trouve grande épargne pourtant à faire par justice ce que je faisais par affection, et à me soulager ainsi quelque peu au-dedans de l'attention et de la sollicitude de ma volonté (il est de la prudence, comme on le fait d'un char, de retenir nos élans de sympathie *est prudentis sustinere, ut currum, sic impetum beneuolentiæ*)[i], volonté que j'ai trop urgente et pressante quand je me donne, au moins pour un homme qui ne veut être jamais pressé d'obligations. Et ces ménagements me servent de quelque consolation aux imperfections de ceux qui me touchent. Je suis bien marri qu'ils en vaillent moins, mais toujours est-il que j'en épargne aussi quelque chose de mon application et de mon engagement envers eux. J'approuve celui qui aime moins son enfant parce qu'il est ou teigneux ou bossu, et non pas seulement quand il est malicieux, mais aussi quand il est malheureux et mal né (Dieu par cela en a lui-même rabattu de son prix et de sa valeur naturelle), pourvu qu'il se comporte dans ce refroidissement avec modération et une exacte justice. Chez moi, la proximité n'allège pas les défauts, elle les rend plutôt plus pesants.

Après tout, dans la mesure où je m'entends dans la science du bienfait et de la reconnaissance, qui est une subtile science, et de grand usage, je ne vois personne plus libre et moins endetté, que je suis jusqu'à cette heure. Ce que je dois, je le dois simplement aux obligations communes et naturelles. Il n'est personne qui soit plus nettement quitte d'ailleurs :

les présents des puissants me restent inconnus

nec sunt mihi nota potentum
Munera. [2]

---

1. Valère Maxime, II, II, 6.
2. Virgile, *Énéide*, XII, 519-520.

Les princes me donnent beaucoup s'ils ne m'ôtent rien ; ils me font assez de bien quand ils ne me font point de mal : c'est tout ce que j'en attends. Ô combien je suis tenu à Dieu de ce qu'il lui a plu que j'aie reçu sans intermédiaire de sa grâce tout ce que j'ai, et de ce qu'il a retenu particulièrement pour lui toute ma dette ! Combien je supplie instamment sa sainte miséricorde que jamais je ne doive un grand merci à personne sur rien qui soit essentiel ! Bienheureuse franchise qui m'a conduit si loin ! Qu'elle achève donc !

J'essaye de n'avoir expressément besoin de personne : en moi est toute mon espérance *in me omnis spes est mihi.* [1] C'est chose que chacun peut en soi, mais plus facilement ceux que Dieu a mis à l'abri des nécessités naturelles et urgentes. Il est bien pitoyable, et hasardeux, de dépendre d'un autre. Nous-mêmes, ce qui est la plus juste adresse, et la plus sûre, nous ne sommes pas assez assurés. Je n'ai rien mien que moi ; et pourtant la possession en est en partie manchote et empruntée. Je me cultive à la fois en courage, ce qui est le point le plus fort, et encore en fortune, pour y trouver de quoi me satisfaire quand ailleurs tout m'abandonnerait. Hippias d'Élis ne s'était pas seulement fourni de science pour pouvoir au besoin se réfugier joyeusement dans le giron des muses à l'écart de toute autre compagnie, ni seulement de la connaissance de la philosophie pour apprendre à son âme à se contenter d'elle-même et à se passer virilement des commodités qui lui viennent du dehors quand le sort l'ordonne : il fut aussi curieux d'apprendre encore à faire sa cuisine, et son poil, ses robes, ses souliers, ses culottes, pour se fonder sur lui-même autant qu'il le pourrait, et se soustraire au secours des autres. On jouit bien plus librement et plus gaiement des biens empruntés quand ce n'est pas une jouissance obligée et contrainte par le besoin, et qu'on a, et dans sa volonté, et dans sa fortune, la force et les moyens de s'en passer. Je me connais bien. Mais il m'est malaisé d'imaginer de la part de quiconque aucune libéralité si pure envers moi, aucune hospitalité si franche et gratuite qui ne me semblassent disgraciées, tyranniques, et teintes de reproche si la nécessité m'y avait enchevêtré. Comme le fait de donner à une qualité impérieuse, et qui donne prérogative, le fait d'accepter comporte aussi une qualité de soumission. Témoin le refus injurieux et querelleur que Bajazet fit des présents que Thémir lui envoyait. Et ceux qu'on offrit de la part de l'Empereur Soliman à l'empereur de Calicut le mirent en si grand dépit que non seulement il les refusa rudement, disant que ni lui ni ses prédécesseurs n'avaient accoutumé de prendre, et que c'était leur rôle de donner,

1. Térence, *Adelphes*, III, IV, 455.

mais qu'en outre il fit mettre en un cul de fosse les ambassadeurs envoyés à cet effet.

Quand Thétis, dit Aristote, flatte Jupiter, quand les Lacédémoniens flattent les Athéniens, ils ne vont pas leur rafraîchissant la mémoire du bien qu'ils leur ont fait, qui est toujours odieuse, mais la mémoire des bienfaits qu'ils ont reçus d'eux. Ceux que je vois si familièrement demander service à tout un chacun et s'engager en retour ne le feraient pas s'ils savouraient comme moi la douceur d'une pure liberté, et s'ils pesaient autant que doit peser à un homme sage l'engagement d'une obligation : elle se paye peut-être quelquefois, mais elle ne se dénoue jamais. Cruel garrottage à qui aime donner à sa liberté les coudées franches en tout sens ! Mes connaissances, et au-dessus et au-dessous de moi, savent s'ils ont jamais vu quelqu'un de moins sollicitant, requérant, suppliant, ni qui se veuille moins à charge d'autrui ; si je le suis au-delà de tout exemple moderne, ce n'est pas grande merveille, tant de pièces de mes mœurs y contribuant : un peu de fierté naturelle, l'impatience du refus, le resserrement de mes désirs et de mes desseins, mon inhabileté à toute sorte d'affaires, sans compter mes qualités favorites entre toutes, l'oisiveté, et la liberté. Pour tout cela, j'ai pris en haine mortelle d'être tenu ou à un autre ou par un autre que moi. J'emploie bien résolument tout ce que je peux à me passer d'autrui avant de recourir à la bienveillance d'un autre en quelque occasion ou besoin que ce soit, ou légers ou graves.

Mes amis m'importunent étrangement quand ils me requièrent de requérir un tiers. Et il ne me semble guère moins coûteux de désengager celui qui me doit en usant de lui que de m'engager envers celui qui ne me doit rien. Cette condition ôtée, et cette autre aussi qu'ils ne veuillent de moi chose complexe et soucieuse (car j'ai déclaré à tout souci la guerre à outrance), je suis commodément facile et prêt au besoin de chacun. Mais j'ai fui de recevoir plus encore que je n'ai cherché à donner, aussi bien est-ce plus aisé, selon Aristote. Ma fortune m'a peu permis de bien faire à autrui, et ce peu qu'elle m'en a permis, elle l'a assez maigrement logé. Si elle m'eût fait naître pour tenir quelque rang parmi les hommes, j'eusse eu l'ambition de me faire aimer, non de me faire craindre ou admirer. L'exprimerai-je plus insolemment ? J'eusse autant regardé à plaire qu'à profiter. Cyrus très sagement, et par la bouche d'un très bon capitaine, et meilleur philosophe encore, estime sa bonté et ses bienfaits loin au-delà de sa vaillance et de ses conquêtes guerrières. Le premier Scipion aussi, partout où il veut se faire valoir, pèse sa débonnaireté et son humanité au-dessus de sa hardiesse et de ses victoires, et il a toujours à la bouche ce mot fameux d'avoir laissé aux ennemis autant à l'aimer qu'aux amis.

Je veux donc dire que s'il faut ainsi devoir quelque chose, ce doit être à titre plus légitime que celui dont je parle, auquel m'engage la loi de cette misérable guerre, et non d'une aussi grosse dette que celle de ma totale conservation : elle m'accable. Je me suis couché mille fois chez moi en imaginant qu'on me trahirait et m'assommerait cette nuit-là, composant avec la fortune que ce fût sans effroi et sans langueur, et je me suis écrié après mon patenôtre :

Un soldat impie aura-t-il ces champs que j'ai tant cultivés ?
Impius hæc tam culta noualia miles habebit ? [1]

Quel remède ? C'est le lieu de ma naissance, et de la plupart de mes ancêtres ; ils y ont mis leur affection et leur nom. Nous nous endurcissons à tout ce à quoi nous nous accoutumons. Et pour des gens d'une condition aussi misérable que la nôtre, ça a été un très favorable présent de la nature que l'accoutumance, qui endort notre sensibilité à la souffrance de plusieurs maux. Les guerres civiles ont cela de pire que les autres guerres, qu'elles nous font monter à l'échauguette chacun dans sa propre maison :

Quel malheur de se protéger d'un mur et d'une porte,
Et d'être à peine sûr dedans sa maison forte !
Quam miserum, porta uitam muroque tueri,
Vixque suæ tutum uiribus esse domus ! [2]

C'est une grande extrémité d'être pressé jusque dans son ménage et dans son repos domestique. Le lieu où je me tiens est toujours le premier et le dernier à être battu par nos troubles, et la paix n'y a jamais son visage entier :

Ils tremblent, même en paix, d'un retour de la guerre :
dès que Fortune rompt la paix, la guerre passe ici ;
Fortune, mieux eusses-tu fait de me donner séjour
Dans les pays d'Aurore ou sous l'Ourse glacée,
et des demeures errantes !
Tum quoque cum pax est, trepidant formidine belli :
quoties pacem fortuna lacessit,
Hac iter est bellis ; melius, Fortuna, dedisses
Orbe sub Eoo sedem gelidaque sub Arcto,
Errantesque domos. [3]

---

1. Virgile, *Bucoliques*, I, 70.
2. Ovide, *Les Tristes*, IV, I, 69-70.
3. Lucain, I, 256-257, 251-253.

Je trouve parfois un moyen de m'affermir contre ces considérations dans ma nonchalance et ma mollesse : elles nous amènent aussi en quelque façon à nous montrer résolus. Il m'advient souvent d'imaginer avec quelque plaisir les dangers mortels et de les attendre. Comme saisi de stupeur, je me plonge, tête baissée, dans la mort, sans la considérer ni la reconnaître, comme dans une profondeur muette et obscure qui m'engloutit d'un saut et m'étouffe en un instant d'un puissant sommeil, sans sentiment ni douleur. Et dans ces morts courtes et violentes, la conséquence que j'en prévois m'apporte plus de consolation que la réalité ne me donne de crainte. De même que la vie n'est pas meilleure pour être longue, de même, disent-ils, la mort est meilleure pour n'être pas longue. Je ne m'éloigne pas tant de l'être mort que je ne me mets en familiarité avec l'agonie. Je m'enveloppe et me tapis dans cet orage qui me doit aveugler et ravir de furie en un assaut prompt et indolore. Encore s'il advenait (de même que certains jardiniers disent que roses et violettes naissent d'autant plus odorantes près des aulx et des oignons que ceux-ci sucent et tirent à eux ce qu'il y a de puanteur dans la terre), que ces natures dépravées humassent aussi tout le venin de mon air et du climat et m'en rendissent d'autant meilleur et pur par leur voisinage, au moins n'y perdrais-je pas tout ! Cela n'est pas : mais de ceci il en peut être quelque chose, que la vertu est plus belle et de plus d'attrait quand elle est rare, et que les contraires et les différences roidissent et resserrent en nous l'amour de bien faire, et l'enflamment par l'émulation et l'appétit de gloire qui naissent de l'opposition. Les voleurs, grâce leur en soit rendue, ne m'en veulent pas personnellement : n'en fais-je pas de même avec eux ? Il faudrait que j'en voulusse à trop de gens ! Sous diverses sortes de robes logent pareilles consciences. Pareille cruauté, déloyauté, volerie. Et d'autant pires qu'elles sont plus lâches, plus sûres, et plus obscures sous l'ombre des lois. Je hais moins l'injustice déclarée que traîtresse ; guerrière que pacifique et juridique. Notre fièvre est survenue dans un corps qu'elle n'a guère empiré : le feu y était, la flamme s'y est prise ; le bruit est plus grand : le mal l'est de peu.

Je réponds ordinairement à ceux qui me demandent raison de mes voyages « que je sais bien ce que je fuis, mais non pas ce que je cherche. » Si on me dit que parmi les étrangers il peut y avoir aussi peu de santé, et que leurs mœurs ne sont pas mieux nettes que les nôtres, je réponds, premièrement, que c'est malaisé,

Tant le crime revêt de visages

Tam multæ scelerum facies. [1]

Secondement, que c'est toujours un gain de changer un mauvais état pour un état incertain, et que les maux d'autrui ne nous doivent pas piquer autant que les nôtres.

Je ne veux pas oublier ceci : je ne me révolte jamais si fort contre la France que je ne regarde toujours Paris d'un bon œil : cette ville a mon cœur depuis ma jeunesse, et il en est advenu pour moi comme des choses excellentes : plus j'ai vu depuis d'autres belles villes, plus la beauté de celle-ci peut et gagne sur mon affection. Je l'aime par elle-même, et plus en son être seul que chargée d'une pompe étrangère. Je l'aime tendrement, jusqu'à ses verrues et ses taches. Je ne suis français que par cette grande cité, grande par ses peuples, grande par la félicité de sa situation, mais surtout grande et incomparable par la variété et la diversité de ses agréments : elle est la gloire de la France, et l'un des plus nobles ornements du monde. Dieu en chasse loin nos divisions : entière et unie, je la trouve protégée de toute autre violence. Je l'avise que, de tous les partis, le pire sera celui qui la mettra en discorde, et je ne crains pour elle qu'elle-même, et crains pour elle autant, certes, que pour toute autre pièce de cet État. Tant qu'elle durera, je n'aurai faute de retraite où rendre mes abois [2] : elle suffira à me faire perdre le regret de toute autre retraite.

Non parce que Socrate l'a dit, mais parce qu'en vérité c'est mon humeur, et peut-être non sans quelque excès, j'estime tous les hommes mes compatriotes, et j'embrasse un Polonais comme un Français, postposant ce lien national au lien universel et commun. Je ne suis guère féru de la douceur de l'air natal : les connaissances toutes neuves, et toutes miennes, me semblent bien valoir ces autres connaissances communes et fortuites du voisinage : les amitiés pures qui sont de notre seul acquêt l'emportent ordinairement sur celles par lesquelles nous joignent la communication du climat ou du sang. Nature nous a mis au monde libres et déliés, nous nous emprisonnons en certains détroits, comme les rois de Perse, qui s'obligeaient à ne boire jamais d'autre eau que celle de leur fleuve du Choaspe, renonçaient par sottise à leur droit d'usage sur toutes les autres eaux, et asséchaient, pour ce qui les regarde, tout le reste du monde.

Ce que Socrate fit sur sa fin, d'estimer qu'une sentence d'exil fût pire qu'une sentence de mort rendue contre lui, je ne serai, à mon avis,

1. Virgile, *Géorgiques*, I, 506.
2. « Où mourir » (comme le cerf rendu aux derniers abois).

jamais ni si cassé, ni si étroitement habitué à mon pays que je le fisse. Ces vies célestes ont assez d'images que j'embrasse par estime plus que par affection. Et elles en ont aussi de si élevées et extraordinaires que par l'estime même je ne les puis embrasser, parce que je ne les puis concevoir. Cette attitude fut bien faible de la part d'un homme qui jugeait que le monde fût sa cité. Il est vrai qu'il dédaignait les voyages et n'avait guère mis le pied hors du territoire de l'Attique. Que dire du fait qu'il regrettait l'argent de ses amis à désengager sa vie, et qu'il refusa de sortir de prison par l'entremise d'autrui pour ne désobéir aux lois en un temps où elles étaient d'ailleurs si fortement corrompues ? Ces exemples sont de la première espèce, pour moi. De la seconde en sont d'autres que je pourrais trouver chez ce même personnage. Plusieurs de ces rares exemples surpassent la force de mon action, mais d'aucuns surpassent encore la force de mon jugement.

Outre ces raisons, le voyager me semble un exercice profitable. L'âme y a une continuelle incitation à remarquer des choses inconnues et nouvelles. Et je ne sache point meilleure école, comme j'ai dit souvent, pour façonner la vie que de lui proposer sans cesse la diversité de tant d'autres vies, idées, et usages, et de lui faire goûter une si perpétuelle variété de formes de notre nature. Le corps n'y est ni oisif ni travaillé, et cette agitation modérée le met en haleine. Je me tiens à cheval sans démonter, tout coliqueux que je suis, et sans m'y ennuyer, huit et dix heures,

au-delà des forces et de la condition d'un vieillard
uires ultra sortemque senectæ. [1]

Nulle saison ne m'est ennemie, hormis la chaleur âpre d'un soleil poignant. Car les ombrelles dont l'Italie se sert depuis les anciens Romains chargent plus les bras qu'ils ne déchargent la tête. Je voudrais savoir ce qu'était chez les Perses, très anciennement et alors que naissait le luxe, cet art qu'ils avaient de se faire du vent frais et des ombrages à leur guise, comme le dit Xénophon. J'aime les pluies et les crottes comme les canes. Le changement d'air et de climat ne me touche point. Tout ciel m'est un. Je ne suis tourmenté que par les troubles internes que je produis en moi, et ceux-là m'arrivent moins quand je voyage. Je suis lent à m'ébranler, mais une fois mis en voie, je vais tant qu'on veut. Je renâcle autant aux petites entreprises qu'aux grandes, et à m'équiper pour faire une journée et visiter un voisin que pour un vrai voyage. J'ai appris à faire mes étapes à l'espagnole, d'une traite : de grandes et raisonnables journées, et dans les extrêmes

1. Virgile, *Énéide*, VI, 114.

chaleurs, je les fais de nuit, du soleil couchant jusqu'au levant. L'autre façon, qui est de faire un repas en chemin, en désordre et en hâte, pour le déjeuner, surtout pendant les jours courts, est incommode. Mes chevaux en valent mieux : jamais cheval ne m'a failli, qui a su faire avec moi la première journée. Je les abreuve partout, et regarde seulement qu'ils aient assez de chemin de reste pour digérer leur eau. La paresse à me lever donne loisir à ceux qui me suivent de déjeuner à leur aise avant de partir. Pour moi, je ne mange jamais trop tard : l'appétit me vient en mangeant, et point autrement ; je n'ai point de faim qu'à table.

D'aucuns trouvent à redire au fait que je me sois plu à continuer à voyager, une fois marié et plus âgé. Ils ont tort. Il est mieux temps d'abandonner sa maison quand on l'a mise en train de continuer sans nous, quand on y a laissé de l'ordre qui ne démente point sa forme passée. C'est bien plus d'imprudence de s'éloigner en laissant dans sa maison une garde moins fidèle, et qui ait moins de soin de pourvoir à votre besoin.

La science et l'occupation la plus utile et la plus honorable pour une mère de famille, c'est la science de bien gouverner sa maison. J'en vois quelqu'une d'avare ; de ménagères, fort peu. C'est sa qualité maîtresse, et qu'on doit rechercher avant toute autre comme le seul douaire qui soit propre à ruiner ou sauver nos maisons. Qu'on ne m'en parle pas ; selon ce que l'expérience m'en a appris, je requiers d'une femme mariée, au-dessus de toute autre vertu, la vertu économique. Je lui en donne l'occasion en lui laissant par mon absence tout le gouvernement en main. Dans plusieurs ménages, je vois avec dépit monsieur revenir maussade et tout malheureux du tracas des affaires, environ midi, alors que madame est encore à se coiffer et attiffer dans son cabinet. C'est à faire aux reines, encore ne sais-je ! Il est ridicule et injuste que l'oisiveté de nos femmes soit entretenue par notre sueur et notre travail. Il n'arrivera à personne, autant que je le puisse, d'avoir l'usage de ses biens plus souple que moi, plus quiet et plus quitte. Si le mari pourvoit à la matière, nature même veut qu'elles pourvoient à la forme.

Quant aux devoirs de l'amitié conjugale, qu'on pense être mis en péril par cette absence, je ne le crois pas. Au contraire, c'est une relation qui se refroidit volontiers par une trop continuelle assistance, et que l'assiduité blesse. Toute femme qui n'est pas la nôtre nous semble honnête femme, et chacun sent par expérience que le fait de se voir continuellement ne peut reproduire le plaisir que l'on sent à se déprendre et reprendre par à-coups. Ces interruptions me remplissent d'un amour nouveau pour les miens, et me rendent le séjour de ma maison plus doux : l'alternance échauffe mon appétit vers l'un puis vers l'autre parti. Je sais que l'amitié a les bras assez longs pour se tenir et se joindre d'un bout du monde à l'autre, et spécialement celle-ci, où il y a une continuelle communauté de devoirs qui en réveillent l'obligation et le souvenir. Les Stoïciens disent fort bien qu'il y a une connexion et une relation si grandes entre les sages que celui qui dîne en France repaît son compagnon en Égypte, et si l'on tend seulement son doigt, où que ce soit, tous les sages qui sont sur la terre habitable en ressentent l'aide. La jouissance, et la possession appartiennent principalement à l'imagination. Elle embrasse plus chaudement et plus continuellement ce qu'elle va quérir que ce que nous touchons. Prenez en compte vos occupations quotidiennes : vous trouverez que vous êtes plus absent de votre ami quand il vous est présent. Sa présence relâche votre attention et donne liberté à votre pensée de s'absenter à toute heure, pour toute occasion.

Depuis Rome, quoiqu'étant hors, je tiens et régente ma maison et les biens que j'y ai laissés : je vois croître et décroître mes murailles, mes arbres, et mes rentes à deux doigts près, comme quand j'y suis :

> devant mes yeux passe ma maison, passe l'aspect de ces lieux
> *Ante oculos errat domus, errat forma locorum.* [1]

Si nous ne jouissons que de ce que nous touchons, adieu nos écus quand ils sont dans nos coffres, et nos enfants s'ils sont à la chasse ! Nous les voulons plus près : au jardin, est-ce loin ? Et à une demi-journée ? Quoi, à dix lieues, est-ce loin ou près ? Si c'est près, quoi dire de onze, douze, treize ? Et ainsi de pas en pas. Vraiment, celle qui saura indiquer à son mari au quantième pas finit le « près », et au quantième commence le « loin », je suis d'avis qu'elle l'arrête entre deux.

> Qu'un terme ferme donc les contestations ! J'use de la « concession », et comme arrachant brin à brin ses poils à la queue du cheval, j'ôte un, j'ôte un encore, jusqu'à ce que l'adversaire succombe, ébloui par l'argument du « tas décroissant », [2]

---

1. Ovide, *Les Tristes*, III, IV, 57.
2. Montaigne imite et cite Horace (*Épîtres*, II, I, 38, puis 45-47). Plaisantant sur l'insoluble question de savoir à partir de quel âge un auteur peut être reconnu comme « ancien » (donc « bon »), le poète fait mine de recourir au raisonnement par exhaustion appelé « sorite » (du grec *sorôs*, « tas ») : si à un monceau de blé on ôte un grain après l'autre, jusqu'au quantième grain pourra-t-on encore parler d'un « tas » ?

Excludat iurgia finis :
Utor permisso, caudæque pilos ut equinæ
Paulatim uello, et demo unum, demo etiam unum
Dum cadat elusus ratione ruentis acerui.

Et qu'elles appellent hardiment la philosophie à leur secours ! À qui quelqu'un pourrait reprocher – puisqu'elle ne voit ni l'un ni l'autre bout de la jointure entre le trop et le peu, le long et le court, le léger et le pesant, le près et le loin, puisqu'elle n'en reconnaît le commencement ni la fin – qu'elle juge du milieu de façon bien incertaine ? La nature ne nous a donné nulle notion des limites des choses *rerum natura nullam nobis dedit cognitionem finium.* [1] Sont-elles pas encore femmes et amies des trépassés, qui ne sont pourtant pas au bout de celui-ci, mais en l'autre monde ? Nous embrassons et ceux qui ont été et ceux qui ne sont point encore non moins que les absents. Nous n'avons pas fait marché, en nous mariant, de nous tenir continuellement attachés l'un à l'autre, comme je ne sais quels petits animaux que nous voyons, ou comme les ensorcelés de Karenty, à la façon des chiens. Et une femme ne doit avoir les yeux si gourmandement fichés sur le devant de son mari qu'elle n'en puisse voir le derrière, quand besoin est ! Mais le mot de ce peintre si excellent de leurs humeurs serait-il point de mise en ce lieu pour représenter la cause de leurs plaintes :

Si tu tardes, ta femme pense que tu fais la cour, ou qu'on te la fait, ou que tu bois, ou que tu t'amuses, et que toi seul as du bon temps, tandis qu'elle se morfond ?

Uxor, si cesses, aut te amare cogitat,
Aut tete amari, aut potare, aut animo obsequi,
Et tibi bene esse soli, cum sibi sit male ? [2]

Ou bien serait-ce pas que, de soi, l'opposition et la contradiction les entretiennent et nourrissent, et qu'elles s'accommodent toujours assez pourvu qu'elles vous incommodent ?

En la vraie amitié, de laquelle je suis expert, je me donne à mon ami plus que je ne le tire à moi. Je n'aime pas seulement mieux lui faire du bien que s'il m'en faisait, mais encore qu'il s'en fasse à lui-même mieux qu'à moi : il m'en fait lors le plus quand il s'en fait. Et si l'absence lui est ou plaisante ou utile, elle m'est bien plus douce que sa présence, et ce n'est pas proprement absence, quand il y a moyen de s'entr'avertir. J'ai tiré autrefois usage et commodité de notre éloignement. Nous remplissions mieux, et étendions, la possession de la vie

1. Cicéron, *Seconds Académiques*, II, XXIX, 92.
2. Térence, *Adelphes*, I, I, 32-34.

en nous séparant : il vivait, il jouissait, il voyait pour moi, et moi pour lui, aussi pleinement que s'il y eût été là : l'une des deux parties demeurait oisive quand nous étions ensemble : nous nous confondions. La séparation du lieu rendait la conjonction de nos volontés plus riche. Cette faim insatiable de la présence corporelle accuse un peu de faiblesse dans la jouissance des âmes.

Quant à la vieillesse qu'on m'allègue : au rebours, c'est à la jeunesse à s'asservir aux opinions communes, et à se contraindre pour autrui. Elle peut fournir à tous les deux, au peuple et à soi : nous, nous n'avons que trop à faire pour nous seuls. À mesure que les commodités naturelles nous font défaut, nous nous soutenons par les artificielles. Il est injuste d'excuser la jeunesse de suivre ses plaisirs, et de défendre à la vieillesse d'en rechercher. Jeune, je couvrais mes passions enjouées sous la prudence : vieux, je dénoue les tristes par le vagabondage de mon esprit. Ainsi les lois de Platon interdisent-elles de partir à l'étranger avant quarante ou cinquante ans pour rendre le voyage plus utile et instructif. Je consentirais plus volontiers à cet autre second article des mêmes lois qui l'interdit après soixante.

– Mais, à votre âge, vous ne reviendrez jamais d'un si long chemin ! Que m'en chaut-il ? Je ne l'entreprends ni pour en revenir ni pour l'achever. J'entreprends seulement de me donner du branle pendant que le branle me plaît, et je me pourmène pour me pourmener. Ceux qui courent un bénéfice ou un lièvre ne courent pas : ceux-là courent, qui courent aux barres, et pour s'exercer à la course.

Mon dessein est partout divisible ; il n'est pas fondé sur de grandes espérances : chaque journée en fait le bout. Et le voyage de ma vie se conduit de même. J'ai vu pourtant assez de lieux éloignés où j'eusse désiré qu'on m'eût permis de séjourner. Pourquoi non, si Chrysippe, Cléanthe, Diogène, Zénon, Antipater, tant d'hommes sages de la secte la plus renfrognée, abandonnèrent bien leur pays sans aucune occasion de s'en plaindre, et seulement pour jouir d'un autre air ? Assurément, le plus grand déplaisir de mes voyages, c'est que je n'y puisse apporter cette résolution d'établir ma demeure où je me plairais, et qu'il faille toujours que je pose comme principe de revenir pour m'accommoder aux façons communes.

Si je craignais de mourir en un autre lieu que celui de ma naissance, si je pensais mourir moins à mon aise éloigné des miens, à peine sortirais-je hors de France ; je ne sortirais pas même sans effroi hors de ma paroisse. Je sens la mort qui me pince continuellement la gorge ou les reins. Mais je suis autrement fait : elle m'est une partout. Si toutefois j'avais à choisir, ce serait, je crois, plutôt à cheval que dans un lit, hors de ma maison, et loin des miens. Il y a plus de crève-cœur que de consolation à prendre congé de ses amis. J'oublie volontiers ce devoir de notre politesse car, des devoirs de l'amitié, celui-là est le seul déplaisant ; et j'oublierais ainsi volontiers de dire ce grand et éternel adieu. S'il se tire quelque commodité de cette assistance, il s'en tire cent incommodités. J'en ai vu plusieurs mourir bien pitoyablement, assiégés par tout ce train : cette foule les étouffe. C'est contre le devoir, et c'est un témoignage de peu d'affection et de peu de soin que de vous laisser mourir en repos : l'un tourmente vos yeux, l'autre vos oreilles, l'autre la bouche ; il n'y a sens, ni membre, qu'on ne vous fracasse. Le cœur vous serre de pitié d'ouïr les plaintes des amis, et peut-être du dépit d'ouïr d'autres plaintes, feintes et masquées. Qui a toujours eu le goût délicat, quand il est affaibli, il l'a plus encore. Il lui faut, en une aussi grande nécessité, une main douce, et accommodée à son sentiment, pour le gratter précisément là où il lui en cuit. Ou qu'on ne le gratte point du tout. Si nous avons besoin d'une sage-femme pour nous mettre au monde, nous avons bien besoin d'un homme encore plus sage pour nous en sortir. Un tel homme, et qui nous soit ami, il le faudrait acheter bien cher pour servir en pareille occasion.

Je n'en suis point arrivé à cette vigueur dédaigneuse qui se fortifie en soi-même, que rien n'aide ni ne trouble ; je suis un point plus bas. Je cherche à fuir comme un lapin [1], et à me dérober de ce passage : non toutefois par crainte, mais par art. Ce n'est pas mon avis de faire en cette action preuve ou montre de ma constance. Pour quoi faire ? Lors cesseront tout le droit et l'intérêt que j'ai à la réputation. Je me contente d'une mort recueillie sur soi, quiète, et solitaire, toute mienne, convenable à ma vie retirée et privée. Au rebours de la superstition romaine, où l'on estimait malheureux celui qui mourait sans parler et qui n'avait ses plus proches pour lui clore les yeux, j'ai assez à faire à me consoler sans avoir à consoler autrui ; assez de pensées dans la tête sans que les circonstances m'en apportent de nouvelles, et assez de matière dont m'entretenir sans devoir l'emprunter. Cette partie n'est pas du rôle de la société : c'est l'acte d'un seul personnage. Vivons et rions parmi les nôtres, allons mourir et rechigner parmi les inconnus. On trouve en payant quelqu'un qui vous tourne la tête, et qui vous frotte les pieds, qui ne vous presse qu'autant que vous voulez, vous présentant un visage indifférent, vous laissant vous gouverner et vous plaindre à votre mode.

---

1. « Je cherche à *coniller* », dit Montaigne : je cherche à faire comme le lapin (*conil,* du lat. *cuniculus*), animal peureux par excellence, autrement dit : à me cacher, à me terrer.

Je me défais tous les jours par la raison de cette humeur puérile et inhumaine qui fait que nous désirons émouvoir par nos maux la compassion et le deuil chez nos amis. Nous faisons valoir nos malheurs outre leur mesure, pour attirer leurs larmes, et cette fermeté que nous louons en chacun à soutenir sa mauvaise fortune, nous l'accusons et la reprochons à nos proches quand c'est en la nôtre. Nous ne nous contentons pas qu'ils se ressentent de nos maux, si encore ils ne s'en affligent. Il faut étendre la joie, mais retrancher autant qu'on peut la tristesse. Qui se fait plaindre sans raison est homme à n'être pas plaint quand une raison sera là. C'est bon à n'être jamais plaint que de se plaindre toujours, en faisant si souvent le pitoyable qu'on n'apitoie personne. Qui, vivant, se veut mort est sujet à être tenu pour vif mourant ! J'en ai vu s'irriter de ce qu'on leur trouvait le visage frais et le pouls posé, contraindre leur rire parce qu'il trahissait leur guérison, et haïr la santé pour ce qu'elle n'était pas digne de pitié. Qui bien plus est, ce n'étaient pas des femmes.

Je représente mes maladies, tout au plus, telles qu'elles sont, et j'évite les propos de mauvais pronostic et les exclamations composées. C'est, sinon l'allégresse, du moins la contenance calme des assistants, qui convient auprès d'un sage malade. Pour se voir dans un état opposé, il n'entre point en querelle avec la santé. Il lui plaît de la contempler en autrui, forte et entière, et d'en jouir au moins par compagnie. Pour se sentir décliner, il ne rejette pas totalement les pensées de la vie, ni ne fuit les entretiens communs. Je veux étudier la maladie quand je suis sain : quand elle est là, elle fait son impression assez réelle sans que mon imagination l'aide. Nous nous préparons avant la main aux voyages que nous entreprenons, et y sommes-nous résolus : l'heure où il nous faut monter à cheval, nous l'accordons à l'assistance, et pour lui plaire, nous la prolongeons.

Je sens ce profit inespéré de la publication de mes mœurs qu'elle me sert en quelque façon de règle : il me vient parfois quelque considération de ne trahir point l'histoire de ma vie ; cette déclaration publique m'oblige à me tenir sur ma route et à ne point démentir l'image des traits de mon caractère, moins défigurés et faussés que ne le font communément la malignité et la maladie des jugements d'aujourd'hui. L'uniformité et la simplicité de mes mœurs produisent bien un visage d'interprétation aisée, mais, parce que la façon en est un peu nouvelle, et qu'elle n'est point dans l'usage, elle donne trop beau jeu à la médisance. Aussi est-il vrai qu'à qui me veut injurier à la loyale, il me semble que je lui fournis bien assez où mordre en mes imperfections avouées et connues, et de quoi s'y saouler sans s'escarmoucher contre le vent. Si, du fait que j'en devance moi-même la dénonciation et la mise au jour, il lui semble que je lui édente sa morsure, c'est raison qu'il use de son droit à l'amplification et à l'extension (l'offense a ses droits, qui passent outre la justice), et que les vices dont je lui montre des racines chez moi, il les grossisse en arbres. Qu'il y emploie donc non seulement ceux qui me possèdent, mais ceux aussi qui ne font que me menacer, vices compromettants, et en qualité, et en nombre : qu'il m'abatte par là ! J'embrasserais volontiers l'exemple du philosophe Dion. Le roi Antigone voulait le piquer sur le sujet de ses origines ; il lui coupa l'herbe sous le pied : « Je suis, dit-il, fils d'un serf, boucher, marqué au fer, et d'une putain que mon père épousa du fait de la bassesse de sa fortune. Tous deux furent punis pour quelque méfait. Un orateur m'acheta tout enfant, me trouvant beau et avenant, et m'a laissé tous ses biens en mourant ; lesquels ayant transporté en cette ville d'Athènes, je me suis adonné à la philosophie. Que les historiens ne s'embarrassent pas pour chercher nouvelles de moi : je leur en dirai ce qui en est. » La confession généreuse et libre ôte tout nerf au reproche et désarme l'injure.

Quoi qu'il en soit, tout bien compté, il me semble qu'on me loue outre raison aussi souvent qu'on me déprécie, comme il me semble aussi que dès mon enfance, en rang et degré d'honneur, on m'a placé plutôt au-dessus qu'au-dessous de ce qui m'appartient. Je me trouverais mieux dans un pays où ces rangs fussent ou réglés ou méprisés. Entre les mâles, dès que la discussion de prérogative pour marcher ou s'asseoir dépasse trois répliques, elle est incivile. Je ne crains point de céder ou précéder contre mon droit, pour fuir une contestation aussi importune, et jamais homme n'a eu envie de ma préséance à qui je ne l'aie laissée.

Outre ce profit que je tire d'écrire de moi, j'en ai espéré cet autre, que s'il advenait que mes humeurs plussent, et qu'elles s'accordassent à quelque honnête homme avant mon trépas, il chercherait à nous joindre. Je lui ai donné beaucoup de pays gagné d'avance, car tout ce qu'une longue connaissance et familiarité lui pourraient avoir acquis en plusieurs années, il l'a vu en trois jours dans ce registre, et de façon à la fois plus sûre et plus exacte. Plaisante fantaisie : plusieurs choses que je ne voudrais dire à un particulier, je les dis au public. Et sur mes plus secrètes connaissances ou pensées, je renvoie à une boutique de libraire, mes amis plus féaux :

Nous livrons le fond de notre cœur à l'examen
Excutienda damus præcordia. [1]

1. Perse, V, 22.

Si, avec d'aussi bonnes preuves, j'eusse eu vent de quelqu'un qui m'eût été semblable, certes je l'eusse été trouver bien loin. Car la douceur d'une compagnie agréable et assortie ne se peut acheter assez cher à mon gré. Ô un ami ! Combien est vraie cette antique maxime que l'usage en est plus nécessaire et plus doux que celle des éléments de l'eau et du feu !

Pour revenir à mon compte, il n'y a donc pas beaucoup de mal à mourir loin, et isolé. Ainsi nous faisons-nous bien un devoir de nous retirer pour des actions naturelles moins disgraciées que celle-ci, et moins hideuses. Mais de plus ceux qui en viennent à ce point de traîner languissants un long espace de vie devraient peut-être souhaiter de n'embarrasser pas de leur misère une famille entière. Pour cette raison, les Indiens en une certaine province estimaient juste de tuer celui qui serait tombé dans une telle nécessité. En une autre de leurs provinces, ils l'abandonnaient seul à se sauver comme il pourrait. À qui les décrépits ne se rendent-ils à la fin ennuyeux et insupportables ? Les devoirs ordinaires ne vont point jusque-là. Vous apprenez par force la cruauté à vos meilleurs amis, en durcissant femme et enfants, à force d'habitude, à ne sentir et ne plaindre plus vos maux. Les soupirs de ma colique néphrétique n'apportent plus d'émoi à personne. Et quand bien même nous tirerions quelque plaisir de leur conversation (ce qui n'advient pas toujours, en raison de la disparité des conditions, qui produit aisément mépris ou envie envers qui que ce soit), n'est-ce pas trop d'en abuser tout un âge ? Plus je verrais les miens se contraindre de bon cœur pour moi, plus je plaindrais leur peine. Nous avons pour loi de nous appuyer, non pas de nous coucher si lourdement sur les autres et de nous étayer sur leur ruine. Comme celui qui faisait égorger des petits enfants pour se servir de leur sang à guérir une sienne maladie, ou cet autre à qui l'on fournissait des jeunes tendrons pour couver la nuit ses vieux membres et mêler la douceur de leur haleine à la sienne, aigre et lourde. La décrépitude est un état solitaire. Je suis sociable jusqu'à l'excès. Pourtant me semble-t-il raisonnable que je soustraie désormais mon importunité à la vue du monde, et que je la couve moi seul ; que je me replie et me recueille en ma coque, comme les tortues ; que j'apprenne à voir les hommes sans m'y tenir. Je leur ferais outrage en un passage aussi escarpé. Il est temps de tourner le dos à la compagnie.

– Mais dans ces voyages vous serez arrêté misérablement dans un recoin où tout vous manquera ? La plupart des choses nécessaires, je les emporte avec moi, et puis, nous ne saurions éviter la fortune si elle entreprend de nous courir sus. Il ne me faut rien d'extraordinaire quand je suis malade : ce que nature ne peut en moi, je ne veux pas qu'une pilule le fasse ! Tout au commencement de mes fièvres et des maladies qui me terrassent, entier encore, et proche de la santé, je me réconcilie à Dieu par les derniers offices chrétiens. Et je m'en trouve plus libre, et déchargé, car il me semble en avoir d'autant meilleure raison de la maladie. De notaire et de conseil, il m'en faut moins que de médecins. Ce qu'en pleine santé je n'aurai pas établi concernant mes affaires, qu'on ne s'attende point que je le fasse une fois malade : ce que je veux faire pour le service de la mort est toujours fait. Je n'oserais le différer d'un seul jour. Et s'il n'y a rien de fait, cela revient à dire ou que le doute m'en aura retardé le choix car parfois c'est bien choisir de ne choisir pas, ou que, résolument, je n'aurai rien voulu faire.

J'écris mon livre à peu d'hommes, et à peu d'années. Si c'eût été une matière promise à durer, il l'eût fallu confier à un langage plus solidement établie [1] : au regard de la variation continuelle qui a accompagné le nôtre jusqu'à cette heure, qui peut espérer que sa forme présente soit encore en usage d'ici à cinquante ans ? Il coule tous les jours de nos mains, et depuis que je vis, il s'est altéré de moitié ! Nous disons qu'il est à cette heure parfait : autant en dit du sien chaque siècle ! Je n'ai garde de le tenir pour tel tant qu'il fuira et s'en ira déformant comme il le fait. C'est aux bons et utiles écrits de le clouer à eux, et son crédit ira selon la fortune de notre État.

Pour cela je ne crains point d'y insérer plusieurs articles d'ordre privé dont l'utilité se limite aux hommes qui vivent aujourd'hui, et qui touchent en particulier la connaissance de certains qui sauront y voir plus loin que par la commune intelligence. Je ne veux pas, après tout, comme je vois souvent agiter la mémoire des trépassés, qu'on aille débattant : « il jugeait, il vivait ainsi » ; « il voulait ceci » ; « s'il eût parlé sur sa fin il eût dit, il eût donné » ; « je le connaissais mieux que tout autre. » Or, autant que la bienséance me le permet, je fais ici sentir mes inclinations et affections, mais je le fais plus librement de la bouche, et plus volontiers, à quiconque désire en être informé. Toujours est-il qu'en ces mémoires, si on y regarde bien, on trouvera que j'ai tout dit, ou du moins tout suggéré : ce que je ne puis exprimer, je le montre au doigt :

Mais pour découvrir seuls la suite, les esprits sagaces,
Tel le tien justement, n'ont besoin que de quelques traces

Verum animo satis hæc uestigia parua sagaci,
Sunt, per quæ possis cognoscere cætera tute. [2]

1. Le latin, dont la grammaire était fixée depuis mille cinq cents ans.
2. Lucrèce, I, 402-403.

Je ne laisse rien à désirer et deviner de moi. Si on doit s'en entretenir, je veux que ce soit véritablement et justement. Je reviendrais volontiers de l'autre monde pour démentir celui qui me ferait autre que je n'étais, fût-ce pour m'honorer. Des vivants mêmes, je sens qu'on parle toujours autrement qu'ils ne sont. Et si à toute force je n'eusse soutenu un ami que j'ai perdu [1], on me l'eût déchiré en mille visages contraires.

Pour achever de dire mes faibles humeurs, j'avoue qu'en voyageant je n'arrive guère en logis où il ne me passe par la fantaisie de savoir si j'y pourrais être, et malade, et mourant à mon aise. Je veux être logé en lieu qui me soit bien particulier, sans bruit, non maussade, ou fumeux, ou étouffé. Je cherche à flatter la mort par ces frivoles circonstances. Ou, pour mieux dire, à me décharger de tout autre empêchement, afin que je n'aie qu'à m'attendre à elle, qui me pèsera probablement assez sans autre surcharge. Je veux qu'elle ait sa part à l'aisance et commodité de ma vie : c'en est un grand lopin, et d'importance, et j'espère désormais qu'il ne démentira pas le passé. La mort a des formes plus aisées les unes que les autres, et prend divers caractères selon l'imagination de chacun. Parmi les morts naturelles, celle qui vient d'un affaiblissement et d'un appesantissement me semble molle et douce. Parmi les violentes, j'imagine plus malaisément un précipice qu'un écroulement qui m'ensevelit, ou le coup tranchant d'une épée plus qu'une arquebusade, et j'eusse bu le breuvage de Socrate plutôt que de me frapper comme Caton. Et, quoique ce soit tout un, pourtant je sens mon imagination différente, autant que de la mort à la vie, à me jeter dans une fournaise ardente ou dans le canal d'une rivière en plaine, tant sottement notre crainte regarde plus au moyen qu'à l'effet. Ce n'est qu'un instant ; mais il est d'un tel poids que je donnerais volontiers plusieurs jours de ma vie pour le passer à ma mode. Puisque la fantaisie d'un chacun trouve du plus et du moins dans son aigreur, puisque chacun a quelque préférence entre les façons de mourir, essayons un peu plus avant d'en trouver quelqu'une qui serait déchargée de tout déplaisir. Pourrait-on pas la rendre même voluptueuse, comme les *commourants* d'Antoine et Cléopâtre [2] ? Je laisse à part les efforts que la philosophie, et la

1. La Boétie, dont les Protestants s'étaient accaparé le traité *Contre Un,* ou *De la Servitude volontaire.* Montaigne avait combattu cette usurpation.

2. Les « commourants » sont gens qui décident de « mourir ensemble ». Vaincus par Octave à la bataille d'Actium, Antoine et Cléopâtre se suicidèrent en buvant le poison à la même coupe, et leurs partisans se préparèrent à en faire autant au cours de banquets organisés à cette fin.

religion produisent, âpres et exemplaires. Mais entre les hommes de peu, il s'en est trouvé, comme un Petronius et un Tigellinus à Rome, qui, contraints de se donner la mort, l'ont comme endormie par la douceur de leurs apprêts. Ils l'ont fait couler et glisser parmi la mollesse de leurs passe-temps accoutumés, entre des filles et de bons compagnons : nul propos de consolation, nulle mention de testament, nulle affectation ambitieuse de constance, nul discours sur leur condition future, mais parmi les jeux, les festins, les facéties, les entretiens communs et populaires, et la musique, et des vers amoureux. Ne saurions-nous imiter ce parti sous une forme plus honorable ? Puisqu'il y a des morts qui sont bonnes aux yeux des fous, et d'autres bonnes aux yeux des sages, trouvons-en qui soient bonnes à ceux de l'entre-deux. Mon imagination m'en présente quelque visage facile, et, puisqu'il faut mourir, désirable. Les tyrans à Rome pensaient donner la vie au criminel à qui ils donnaient le choix de sa mort. Mais Théophraste, philosophe si délicat, si modeste, si sage, n'a-t-il pas été forcé par la raison d'oser dire ce vers latinisé par Cicéron :

> c'est la fortune, non la sagesse qui mène le monde
>
> *Vitam regit fortuna, non sapientia.* [1]

Combien la fortune aide-t-elle à la facilité du marché de ma vie en me l'ayant logée en tel point qu'elle ne fait aux miens désormais ni besoin ni obstacle ! C'est une condition que j'eusse acceptée en toutes les saisons de mon âge, mais en cette occasion de trousser mon baluchon [2] et de plier bagage, je prends plus particulièrement plaisir à ne leur apporter ni plaisir ni déplaisir en mourant. Elle a, par une habile compensation, fait que ceux qui peuvent prétendre à quelque fruit matériel de ma mort, en reçoivent par ailleurs, conjointement, une matérielle perte. La mort nous pèse souvent par le fait même qu'elle pèse aux autres, et elle nous intéresse à leur intérêt quasi autant qu'au nôtre, voire plus, et même uniquement parfois.

En cette commodité de logis que je cherche, je n'y mêle pas la pompe et l'ampleur (je la hais plutôt), mais une certaine propreté simple, qui se rencontre plus souvent dans les lieux où il y a moins d'art et que la nature honore de quelque grâce toute sienne : une table

---

1. Cicéron, *Tusculanes*, IX, 25.
2. Montaigne dit « en cette occasion de trousser mes bribes », c'est-à-dire « de replier mes petites affaires ».

non plantureuse mais propre. Plus de saveur que de faste *Non ampliter sed munditer conuiuium. Plus salis quam sumptus.* [1]

Et puis, c'est à faire à ceux que les affaires entraînent en plein hiver par les Grisons d'être surpris en chemin en cette extrémité ! Moi qui le plus souvent voyage pour mon plaisir, je ne me guide pas aussi mal. S'il fait laid à droite, je prends à gauche ; si je me trouve mal propre à monter à cheval, je m'arrête. Et, faisant ainsi, je ne vois rien, à la vérité, qui ne soit aussi plaisant et commode que ma maison... Il est vrai que je trouve la superfluité toujours superflue, et que je trouve de l'incommodité dans la délicatesse même et dans l'abondance. Ai-je laissé quelque chose à voir derrière moi ? J'y retourne : c'est toujours mon chemin. Je ne trace aucune ligne certaine, ni droite ni courbe. Ne trouvé-je point où je vais ce qu'on m'avait dit ? Comme il advient souvent que les jugements d'autrui ne s'accordent pas aux miens et que je les ai trouvés le plus souvent faux, je ne regrette pas ma peine : j'ai appris que ce qu'on disait n'y est point.

J'ai la complexion du corps libre, et le goût commun, autant qu'homme au monde : la diversité des façons d'une nation à une autre ne me touche que par le plaisir de la variété. Chaque usage a sa raison. Que ce soient assiettes d'étain, de bois, de terre, bouilli ou rôti, beurre ou huile, de noix ou d'olive, chaud ou froid, tout m'est un. Et tellement un qu'en vieillissant je me reproche cette généreuse faculté et que j'aurais besoin que la délicatesse et le choix arrêtassent l'immodération de mon appétit, et parfois soulageassent mon estomac. Quand j'ai été ailleurs qu'en France, et que, pour me faire courtoisie, on m'a demandé si je voulais être servi à la française, je m'en suis moqué, et je me suis toujours jeté aux tables les plus épaisses d'étrangers.

J'ai honte de voir nos compatriotes enivrés de cette sotte humeur de s'effaroucher des formes contraires aux leurs. Il leur semble être hors de leur élément dès qu'ils sont hors de leur village. Où qu'ils aillent, ils s'en tiennent à leurs façons, et abominent les étrangères. Retrouvent-ils un compatriote en Hongrie, ils festoient cette aventure : les voilà à se rallier et à se recoudre ensemble, à condamner tant de mœurs barbares qu'ils voient : eh ! Pourquoi non barbares, puisqu'elles ne sont françaises ? Encore sont-ce les plus avisés qui les ont reconnues pour en médire. La plupart ne prennent l'aller que pour le venir. Ils voyagent couverts et renfermés, avec une prudence taciturne et incommunicable, se défendant de la contagion d'un air inconnu.

---

1. Fragment de Pomponius, puis extrait de Cornélius Népos, *Vie des grands capitaines,* XIII, 2.

Ce que je dis de ceux-là, me rappelle, dans un registre semblable, ce que j'ai parfois aperçu chez certains de nos jeunes courtisans. Ils ne tiennent qu'aux hommes de leur sorte, nous regardent comme gens de l'autre monde, avec dédain, ou pitié. Ôtez-leur les entretiens des mystères de la cour, ils sont hors de leur gibier. Aussi neufs pour nous et malhabiles que nous le sommes à leurs yeux. On dit bien vrai qu'un honnête homme, c'est un homme mêlé.

Au rebours, je voyage complétement lassé de nos façons, non pour chercher des Gascons en Sicile (j'en ai assez laissé au logis) : je cherche des Grecs plutôt, et des Persans ; j'aborde ceux-là, je les observe : c'est là où je me prête, et où je m'emploie. Et qui plus est, il me semble, que je n'ai rencontré guère de manières qui ne vaillent les nôtres. Je m'avance peu, car à peine ai-je perdu mes girouettes de vue !

Au demeurant, la plupart des compagnies fortuites que vous rencontrez en chemin offrent plus d'incommodité que de plaisir : je ne m'y attache point, et moins encore à cette heure que la vieillesse me met à part et me séquestre un peu des façons communes. Vous souffrez pour autrui, ou autrui pour vous. L'un et l'autre inconvénient est pesant, mais le dernier me semble encore plus rude. C'est une rare fortune, mais d'un réconfort inestimable, que d'avoir un honnête homme, d'entendement ferme, et de mœurs conformes aux vôtres, qui aime à vous suivre. Cela m'a fait défaut au plus haut point dans tous mes voyages. Mais une telle compagnie, il faut l'avoir choisie et acquise dès le logis. Nul plaisir n'a de saveur pour moi sans partage. Il ne me vient pas seulement une gaillarde pensée en l'âme, qu'il ne me fâche de l'avoir produite seul et sans avoir à qui l'offrir : Si l'on me donnait la sagesse à cette réserve près de la garder sous le boisseau sans la communiquer, je n'en voudrais pas *Si cum hac exceptione detur sapientia ut illam inclusam teneam nec enuntiem, reiiciam.* [1] L'autre l'avait monté d'un ton au-dessus : Si un sage avait une vie telle qu'il pût, au milieu d'une abondance générale, considérer et contempler à loisir tout ce qui mérite d'être connu, et que sa solitude pourtant fût telle qu'il n'eût homme au monde à voir, il quitterait la vie *Si contigerit ea uita sapienti ut, omnium rerum affluentibus copiis, quamuis omnia quæ cognitione digna sunt summo otio secum ipse consideret et contempletur, tamen si solitudo tanta sit ut hominem uidere non possit, excedat e uita.* [2] L'opinion d'Archytas m'agrée, qu'il serait déplaisant, même au ciel, de se promener parmi ces grands et divins corps célestes sans l'assistance d'un compagnon ! Mais il vaut mieux encore être seul qu'en ennuyeuse et sotte compagnie. Aristippe se plaisait à vivre en étranger partout.

1. Sénèque, *Lettres à Lucilius*, VI, 4.
2. Cicéron, *De officiis*, I, XLIII, 153.

Ah si les destins me laissaient mener ma vie selon mes guises
Me si fata meis paterentur ducere uitam,
Auspiciis, [1]

je choisirais de la passer le cul sur la selle,

Impatient de voir le pays des feux en furie,
Le pays des nuées et des perles de pluie
uisere gestiens
Qua parte debacchentur ignes,
Qua nebulæ pluuiique rores ! [2]

– Avez-vous pas des passe-temps plus aisés ? De quoi manquez-vous ? Votre maison n'est-elle pas en air bel et sain, suffisamment fournie, et d'une capacité plus que suffisante ? La majesté royale y a pu loger plus d'une fois avec sa suite ! Votre famille ne laisse-t-elle pas plus d'hommes à régler au-dessous d'elle qu'elle n'en a au-dessus en éminence ? Y a-t-il quelque pensée attachée à l'endroit qui vous ulcère, extraordinaire, indigestible,

qui, fichée dans votre cœur, vous cuise et vous tourmente
Quæ te nunc coquat et uexet sub pectore fixa ? [3]

Où croyez-vous donc pouvoir être sans empêchement et sans trouble ? Jamais Fortune ne sourit sans détours *nunquam simpliciter fortuna indulget* ! [4] Voyez donc bien qu'il n'y a que vous qui vous empêchez : vous vous suivrez partout, et vous plaindrez partout. Car il n'y a de satisfaction ici-bas que pour les âmes ou bestiales ou divines. Qui n'a de contentement en si bonne occasion, où pense-il en trouver ? Combien de milliers d'hommes fixent une condition telle que la vôtre comme le but de leurs souhaits ? Réformez-vous seulement, car en cela vous pouvez tout, alors que vous n'avez qu'un droit de patience à l'égard de la fortune : Il n'est de vrai repos qu'aménagé par la raison *Nulla placida quies est, nisi quam ratio composuit* ! [5] Je vois la raison de cet avertissement de Sénèque, et je la vois même très bien. Mais il aurait eu plus tôt fait, et plus pertinemment, s'il m'eût dit d'un mot : « Soyez sage » ! Cette fermeté-là outrepasse la simple sagesse : c'est son ouvrage et sa production à lui ! Ainsi fait le médecin qui va criaillant après un pauvre malade languissant qu'il lui faut se réjouir : le conseil serait un

1. Virgile, *Énéide*, IV, 340-341.
2. Horace, *Odes*, III, III, 54-56.
3. Ennius, *Annales*, X, 335.
4. Quinte-Curce, IV, XIV, 19.
5. Sénèque, *Lettres à Lucilius*, LVI, 6.

peu moins sot s'il l'on me disait : « Soyez sain » ! Pour moi, qui ne suis qu'homme de la commune sorte, j'ai un précepte salutaire, certain, et d'intelligence aisée : « Contentez-vous du vôtre », c'est-à-dire de la raison. L'exécution pourtant n'en appartient pas plus aux plus sages qu'à moi. C'est un dicton populaire, mais il est d'une terrible étendue : que ne comprend-il pas ? Toutes choses sont sujettes à distinguo et à modulation.

Je sais bien que, à le prendre à la lettre, ce plaisir de voyager témoigne de l'inquiétude et de l'irrésolution. Aussi sont-ce nos qualités maîtresses et prédominantes. Oui, je le confesse : je ne vois rien, fût-ce en songe et par souhait, où je me puisse tenir : la seule variété me paye, et la possession de la diversité, du moins si quelque chose me paye. Dans le voyage, cela même me nourrit, que je puis m'arrêter sans souci, et que j'ai où me détourner commodément des désagréments. J'aime la vie privée parce que c'est par mon choix que je l'aime, non par manque de dispositions pour la vie publique, qui convient peut-être autant à ma nature. J'en sers plus gaiement mon prince parce que c'est par libre élection de mon jugement et de ma raison, sans obligation particulière. Et que je n'y suis pas rejeté ni contraint parce que je serais irrecevable à tout autre parti et mal voulu. Ainsi du reste. Je hais les morceaux que la nécessité me taille : toute commodité me tiendrait à la gorge si je devais dépendre d'elle seule : Qu'une rame me batte l'onde, et l'autre le gravier *Alter remus aquas, alter mihi radat arenas.* [1] Une seule corde ne m'arrête jamais assez ! Il y a de la vanité, dites-vous, dans cet amusement ? Mais où non ? Et ces beaux préceptes aussi sont vanité, et vanité toute la sagesse. Le Seigneur sait combien sont vaines les pensées des sages *Dominus nouit cogitationes sapientium quoniam uanæ sunt* [2] : ces subtilités choisies ne sont bonnes que pour le prêche ! Ce sont là des discours qui veulent nous envoyer tout bâtés en l'autre monde. La vie est un mouvement matériel et corporel : action imparfaite en vertu de sa propre essence, et déréglée ; je m'emploie à la servir selon elle.

À chacun de nous son enfer

Quisque suos patimur manes. [3]

On doit agir sans rien entreprendre de contraire aux lois universelles de la nature, mais, celle-ci une fois sauve, nous ne devons suivre que la nôtre propre *sic est faciendum ut contra naturam uniuersam nihil contendamus : ea tamen conseruata,*

1. Properce, III, III, 23.
2. Psaumes, XCIV, 11.
3. Virgile, *Énéide*, VI, 743.

propriam sequamur. [1] À quoi bon ces pointes élevées de la philosophie sur lesquelles aucun être humain ne se peut rasseoir, et ces règles qui excèdent notre usage et notre force ? Je vois souvent qu'on nous propose des modèles de vie que ni le proposant ni les auditeurs n'ont aucune espérance de suivre, ni, qui plus est, aucune envie. De ce même papier où il vient d'écrire l'arrêt de condamnation contre un adultère, le juge en dérobe un lopin pour en faire un billet doux à la femme de son collègue. Celle à qui vous viendrez de vous frotter illicitement criera tout à l'heure, en votre présence même, à l'encontre d'une pareille faute de sa compagne plus âprement que ne ferait Porcie [2]. Et tel condamne les hommes à mourir pour des crimes qu'il n'estime point être des fautes. J'ai vu dans ma jeunesse un galant homme [3] présenter d'une main au peuple des vers excellents tant en beauté qu'en libertinage, et de l'autre main dans le même instant la plus querelleuse réforme théologique dont le monde se soit repu depuis longtemps.

Les hommes vont ainsi. On laisse les lois et les préceptes suivre leur voie, nous en tenons une autre. Non par dérèglement de mœurs seulement, mais souvent par opinion et par jugement contraires. Écoutez lire un discours de philosophie. L'invention, l'éloquence, la pertinence frappent sur-le-champ votre esprit, et vous émeuvent ; il n'y a là rien qui chatouille ou époigne votre conscience : ce n'est pas à elle qu'on parle. Est-il pas vrai ? C'est pourquoi Ariston disait que ni une étuve ni une leçon ne sont d'aucun fruit si elles ne nettoient et ne décrassent. On peut s'arrêter à l'écorce : mais c'est après qu'on en a retiré la moelle, tout comme c'est après avoir avalé le bon vin d'une belle coupe que nous en considérons les gravures et l'ouvrage.

Dans toutes les chambrées de la philosophie ancienne ceci se trouvera, qu'un même ouvrier y publie des règles de tempérance, et publie en même temps des écrits d'amour et de débauche. Xénophon même, sur le giron de Clinias, écrivit contre la vertu que prêchait Aristippe. Ce n'est pas qu'il y ait une conversion miraculeuse qui les agite par vagues. Mais c'est que Solon se présente tantôt soi-même, tantôt sous l'aspect du législateur : tantôt il parle pour la foule, tantôt pour soi. Et il prend pour soi les règles libres et naturelles, s'assurant d'une santé ferme et entière :

1. Cicéron, *De officiis*, I, XXXI, 110.

2. Fille de Caton d'Utique, et femme de Brutus, elle se tua en apprenant la mort de son mari. Porcie est le symbole de la fidélité conjugale.

3. Théodore de Bèze, célèbre jurisconsulte, qui avait publié des poèmes légers avant de devenir l'un des plus sévères disciples de Calvin.

Que les cas difficiles soient soignés par les plus grands médecins
Curentur dubii medicis maioribus ægri. [1]

Antisthène permet au sage d'aimer, et de faire à sa mode ce qu'il juge opportun, sans prêter attention aux lois, parce qu'il a meilleur avis qu'elles, et plus de connaissance de la vertu. Son disciple Diogène disait opposer aux troubles de l'âme la raison ; à la fortune, la confiance ; aux lois, la nature. Pour les estomacs tendres, il faut des ordonnances contraintes et artificielles. Les bons estomacs se servent simplement des prescriptions de leur naturel appétit. Ainsi font nos médecins, qui mangent le melon et boivent le vin frais, cependant qu'ils tiennent leur patient obligé au sirop et à la panade. « Je ne sais quels livres, disait la courtisane Laïs, quelle sapience, quelle philosophie ils ont, mais ces gens-là frappent à ma porte aussi souvent que n'importe quels autres. » Parce que notre licence nous porte toujours au-delà de ce qui nous est loisible et permis, on a souvent rétréci au-delà de la raison commune les préceptes et les lois de notre vie :

Nul n'est sûr de ne fauter qu'autant qu'il est permis
Nemo satis credit tantum delinquere quantum
Permittas. [2]

Il serait à désirer qu'il y eût plus de proportion du commandement à l'obéissance, et la visée semble injuste si l'on n'y peut atteindre. Il n'est homme de bien, le fût-il jusqu'à soumettre toutes ses actions et pensées à l'examen des lois, qui ne soit pendable dix fois dans sa vie, voire qui ne soit tel qu'il serait très grand dommage et très injuste de le punir et d'en causer la perte :

Que t'importe, cher Ollus, Ce qu'il ou elle peut bien faire de sa peau ?
Olle, quid ad te,
De cute quid faciat ille uel illa sua ? [3]

Et tel pourrait aussi bien n'offenser point les lois, qui n'en mériterait point d'être réputé homme de vertu, et que la philosophie ferait très justement fouetter, tant cette relation de commandement est confuse et inégale. Nous n'avons garde d'être gens de bien selon Dieu : nous ne le saurions être déjà selon nous ! L'humaine sagesse n'arriva jamais aux devoirs qu'elle s'était elle-même prescrits, et si elle y était arrivée elle s'en prescrirait d'autres au-delà, auxquels elle pût

1. Juvénal, XIII, 124.
2. Juvénal, XIV, 233-234.
3. Martial, VII, X, 1-2.

toujours aspirer et prétendre. Notre état est tellement ennemi de la consistance que l'homme s'ordonne à lui-même d'être inévitablement en faute. Il n'est guère fin de tailler son obligation à la mesure d'une autre nature que la sienne. À qui prescrit-il ce qu'il s'attend que personne ne fasse ? Lui est-il injuste de ne faire point ce qu'il lui est impossible de faire ? Les lois qui nous condamnent à ne pouvoir pas nous condamnent de ce que nous ne pouvons pas.

Au pis-aller, que cette difforme liberté de se présenter sous deux faces (et les actions d'une façon, les discours de l'autre) soit loisible à ceux qui disent les choses, mais elle ne peut l'être à ceux qui se disent eux-mêmes comme je fais : il faut que j'aille de la plume comme des pieds ! La vie publique doit rester comparable aux autres vies. La vertu de Caton était vigoureuse, au-delà de la mesure de son siècle, et pour un homme qui se mêlait de gouverner les autres, qui était destiné au service commun, on pourrait dire que c'était une justice, sinon injuste, du moins vaine et hors de saison. Mes mœurs mêmes, qui ne diffèrent de celles qui courent à peine de la largeur d'un pouce, me rendent pourtant un peu farouche à mon âge, et insociable. Je ne sais pas si je me trouve dégoûté sans raison du monde que je hante, mais je sais bien que ce serait sans raison si je me plaignais qu'il fût dégoûté de moi du seul fait que je le suis de lui. La vertu assignée aux affaires du monde est une vertu à plusieurs plis, encoignures, et coudes, pour s'appliquer et joindre à l'humaine faiblesse : vertu mêlée et artificielle, non pas droite, nette, et constante, ni purement innocente. Les annales reprochent jusqu'à cette heure à quelqu'un de nos rois de s'être trop simplement laissé aller aux persuasions de conscience de son confesseur. Les affaires d'État ont des préceptes plus hardis :

> Qu'il quitte la cour, celui qui veut être pieux
> *exeat aula,*
> *Qui uult esse pius.* [1]

J'ai autrefois essayé d'employer au service des affaires publiques les opinions et les règles de vivre, brutes, neuves, non policées, non souillées, comme je les ai en moi ou innées ou reçues de mon éducation, et dont je me sers, sinon très commodément, du moins sûrement dans mon particulier : une vertu scolaire et novice. Je les y ai trouvées inapplicables et dangereuses. Celui qui va dans la multitude, il faut qu'il prenne du gauche, qu'il serre ses coudes, qu'il recule ou qu'il avance, voire qu'il quitte le droit chemin, selon ce qu'il rencontre ; il

1. Lucain, VIII, 493-494.

faut qu'il vive non tant selon soi que selon autrui, non selon ce qu'il se propose, mais selon ce qu'on lui propose, selon le temps, selon les hommes, selon les affaires. Platon dit que qui réchappe, en restant propre, du maniement du monde, c'est par miracle, qu'il en réchappe. Et il dit aussi que quand il établit son Philosophe à la tête d'un État, il n'entend pas le dire d'un État corrompu, comme celui d'Athènes, et encore bien moins comme le nôtre, envers lesquels la sagesse même perdrait son latin. Et une bonne herbe que l'on transplante dans un sol contraire à sa nature se conforme bien plutôt à celui-ci qu'elle ne le réforme pour se l'adapter.

Je sens que si j'avais à me dresser tout à fait à de telles occupations il m'y faudrait beaucoup de changement et de rhabillage. Quand bien même je pourrais cela sur moi (et pourquoi ne le pourrais-je avec le temps et le soin ?), je ne le voudrais pas. De ce peu que je me suis essayé à cette activité, je m'en suis d'autant dégoûté. Je me sens fumer en l'âme parfois certaines tentations vers l'ambition : mais je me bande et m'obstine au contraire :

> Mais toi, Catulle, obstine-toi, tiens bon
> *At tu Catulled obstinatus obdura.* [1]

On ne m'y appelle guère, et je m'y convie aussi peu. La liberté et l'oisiveté, qui sont mes maîtresses qualités, sont qualités diamétralement contraires à ce métier-là.

Nous ne savons pas distinguer les facultés des hommes. Elles ont des divisions et des bornes malaisées à choisir et délicates. Conclure de l'habileté d'une vie particulière à quelque habilité à l'usage public, c'est mal conclu : tel se conduit bien, qui ne conduit pas bien les autres. Et tel fait des *essais*, qui ne saurait faire des effets ! Tel dresse bien un siège, qui dresserait mal une bataille. Tel autre discourt bien en privé, qui haranguerait mal un peuple ou un prince. Et même, à l'aventure, cela témoigne-t-il que celui qui peut l'un ne peut point l'autre, plutôt que l'inverse. Je trouve que les esprits hauts ne sont guère moins aptes aux choses basses que les bas esprits aux hautes. Était-il à croire que Socrate eût prêté aux Athéniens matière à rire à ses dépens pour n'avoir jamais su compter les suffrages de sa tribu, et en faire le rapport au conseil ? Assurément, la vénération que j'ai pour les perfections de ce personnage mérite que sa fortune fournisse un si magnifique exemple à l'excuse de mes principales imperfections.

Nos talents se détaillent en menues pièces. Les miens n'ont point d'étendue, et encore sont-ils maigres en nombre. Saturninus, à ceux

1. Catulle, VIII, 19.

qui lui avaient déféré le haut commandement : « Compagnons, fit-il, vous avez perdu un bon capitaine pour en faire un mauvais général d'armée. » Qui se vante, en un temps malade comme celui-ci, d'employer au service du monde une vertu « naturelle et sincère », ou bien il ne la connaît pas, les opinions se corrompant avec les mœurs (et, de vrai, oyez la leur peindre ! Oyez la plupart se glorifier de leurs comportements et donner leurs règles : au lieu de peindre la vertu, ils peignent l'injustice toute pure et le vice, et la présentent ainsi fausse à l'institution des princes), ou bien, s'il la connaît, il se vante à tort, et, quoi qu'il dise, fait mille choses dont sa conscience l'accuse. Je croirais volontiers Sénèque sur l'expérience qu'il fit à ce sujet en pareille occasion, pourvu qu'il m'en voulût parler à cœur ouvert. La plus honorable marque d'une âme bien trempée, dans une situation aussi difficile, c'est de reconnaître franchement sa faute et celle d'autrui, de résister de tout son poids au déclin vers le mal et de le retarder, de suivre cette pente en se réfrénant, d'espérer et de désirer mieux.

Dans ces démembrements de la France, et dans ces divisions où nous sommes tombés, je vois chacun se travailler à défendre sa cause, mais, jusqu'aux meilleurs, avec déguisement et mensonge. Qui en écrirait franchement, en écrirait à la légère et de façon viciée. Le plus juste parti, c'est pourtant encore le membre d'un corps vermoulu et véreux. Mais d'un tel corps, on déclare sain le membre le moins malade, et à bon droit, parce que nos qualités n'ont de titre que par comparaison. L'innocence civile se mesure selon les lieux et saisons. J'aimerais bien à voir dans Xénophon une louange d'Agésilas comme celle-ci : « étant prié par un prince voisin, avec lequel il avait autrefois été en guerre, de le laisser passer sur ses terres, il l'octroya, lui donnant passage à travers le Péloponnèse, et non seulement il ne l'emprisonna ni ne l'empoisonna, alors qu'il le tenait à sa merci, mais il l'accueillit courtoisement, comme l'y engageait sa promesse, sans lui faire offense. » Pour des gens de cette trempe-là, cela allait sans dire : ailleurs et en autre temps, la franchise et la magnanimité d'une telle action seraient passées en légende. Les babouins à capuchon de nos collèges, eux, s'en fussent moqués, tant l'innocence spartiate ressemble peu à la française.

Nous ne laissons pas d'avoir des hommes vertueux, mais c'est à notre mode. Qui a ses mœurs établies en règlement au-dessus de son siècle, il faut ou qu'il torde et émousse ses règles, ou (ce que je lui conseille plutôt) qu'il se retire en son quartier et ne se mêle point de nous. Qu'y gagnerait-il ?

Si j'aperçois un homme éminent et intègre, Ce prodige est pour moi comme enfants siamois, Comme poissons sous la charrue, ou comme mule mettant bas

Egregium sanctumque uirum si cerno, bimembri
Hoc monstrum puero, et miranti iam sub aratro
Piscibus inuentis et fœtæ comparo mulæ. [1]

On peut regretter les temps meilleurs, mais non pas fuir les présents. On peut désirer d'autres magistrats, mais il faut nonobstant obéir à ceux d'ici. Et peut-être est-il plus recommandé d'obéir aux mauvais qu'aux bons. Aussi longtemps que l'image des lois reçues et anciennes de cette monarchie reluira en quelque coin, m'y voilà planté. Si elles viennent, par malheur, à se contredire, et à s'empêcher entre elles, et à produire deux partis de choix douteux et difficile, mon élection sera volontiers de m'échapper et me dérober à cette tempête. Nature m'y pourra prêter cependant la main, ou les hasards de la guerre. Entre César et Pompée, je me fusse franchement déclaré. Mais entre ces trois voleurs [2] qui vinrent après, il eût fallu ou se cacher, ou suivre le vent : ce que j'estime permis quand la raison ne guide plus.

Où vas-tu t'égarer ?

Quo diuersus abis ? [3]

Cette farcissure est un peu hors de mon thème. Je m'égare, mais plutôt par licence que par mégarde : mes fantaisies se suivent, mais parfois c'est de loin ; et elles se regardent, mais d'une vue oblique. J'ai passé les yeux sur tel dialogue de Platon mi-parti d'une fantastique bigarrure : le devant à l'amour, tout le bas à la rhétorique. Les Anciens ne craignent point de muer de la sorte, et ont une merveilleuse grâce à se laisser ainsi rouler au vent, ou à le sembler. Les noms de mes chapitres n'en embrassent pas toujours la matière ; souvent ils la dénotent seulement par quelque marque, comme ces autres : l'*Andrienne*, l'*Eunuque*, ou ceux-ci : *Sylla*, *Cicero*, *Torquatus* [4].

---

1. Juvénal, XIII, 64-66.

2. L'affrontement entre César et Pompée mit fin à la République. À César succéda le triumvirat d'Octave, Antoine, et Lépide : « les trois voleurs ».

3. Virgile, *Énéide*, V, 166.

4. *L'Andrienne*, *L'Eunuque* : deux pièces de Térence, dont les titres viennent de personnages épisodiques ; pour les trois célèbres personnalités romaines qui suivent, le fameux général Lucius Cornelius Sylla, l'immense orateur Marcus Tullius Cicero, et le héros de la première guerre contre les Gaulois, Titus Manlius Torquatus, leurs « *cognomina* », ou « surnoms », qui sont aussi, si l'on veut, leurs « titres », dérivaient de trois particularités anecdotiques, respectivement : « le rougeaud » (*sileacus*), « le pois chiche » (*cicer*), « et l'homme au collier » (*torquatus*).

J'aime l'allure poétique, à sauts et à gambades. C'est un art, comme dit Platon, léger, volage, tout d'inspiration [1]. Il est des ouvrages en Plutarque où il oublie son thème, où le propos de son argument ne se trouve que par incident, tout étouffé de matière étrangère. Voyez ses allures dans le *Démon de Socrate*. Ô Dieu, que ces gaillardes escapades, que cette variation a de beauté ! Et plus encore lorsque plus elles vont vers le nonchalant et le fortuit ! C'est l'indiligent lecteur qui perd mon sujet, non pas moi. Il s'en trouvera toujours dans un coin quelque mot qui ne laisse pas d'y suffire, quoiqu'il soit resserré. Je cours au change sans mesure et de façon tumultueuse : mon style et mon esprit vont vagabondant de même. Il doit avoir un peu de folie, si l'on ne veut avoir plus de sottise, comme disent et les préceptes de nos maîtres et plus encore leurs exemples. Mille poètes traînent et languissent à la prosaïque, mais la meilleure prose ancienne (et je la sème céans comme des vers indifféremment) reluit partout de la vigueur et de la hardiesse poétique, et présente quelque air de sa fureur : il faut assurément lui laisser la maîtrise et la prééminence en l'art de parlerie. Le poète, dit Platon, assis sur le trépied des Muses, verse sous l'empire de la furie tout ce qui lui vient à la bouche, comme la gargouille d'une fontaine, sans le ruminer ni peser, et il lui échappe des choses de diverse couleur, de contraire substance, et d'un cours rompu. Et la vieille théologie est toute poésie, disent les savants, et de même pour la première philosophie. C'est la langue originelle des dieux.

J'entends que la matière se ponctue d'elle-même. Elle montre assez où elle se change, où elle conclut, où elle commence, où elle se reprend, sans que je l'entrelace de paroles de liaison et de couture, introduites pour le seul service des oreilles faibles ou nonchalantes, et sans que je me glose moi-même. Qui est celui qui n'aime mieux n'être pas lu que de l'être en dormant ou en fuyant ? Il n'est principe si puissant qui fasse effet en passant *nihil est tam utile quod in transitu prosit !* [2] Si prendre des livres était les apprendre, et si les voir était les regarder, et les parcourir les saisir, j'aurais tort de me faire si parfaitement ignorant que je le dis. Puisque je ne puis arrêter l'attention du lecteur par le poids, *manco male* [3] s'il advient que je l'arrête par mon embrouillure. Voire, mais il se repentira par après de s'y être amusé ? C'est sûr ! Mais il s'y sera toujours amusé ! Et puis il est des humeurs comme

1. Montaigne dit « *démoniacle* », c'est-à-dire « inspiré par la divinité », par le « *démon* », ou encore le « génie ». Notre « démoniaque » fait faux sens. Que choisir alors ? « Divin » ? « Enthousiaste » ? « Inspiré » ? « Vaticinant » ?

2. Sénèque, *Lettres à Lucilius*, II, 3.

3. « Ce n'est pas mal ».

cela, chez qui comprendre porte au dédain, qui m'en estimeront mieux de ce qu'ils ne sauront ce que je dis : ils concluront à la profondeur de mon sens d'après mon obscurité. Laquelle, à parler franc, je hais bien fort, et je l'éviterais, si je savais m'éviter : Aristote se vante en quelque lieu de l'affecter. Maligne affectation ! Parce que la coupure si fréquente des chapitres dont j'usais au commencement m'a semblé rompre l'attention et la dissoudre avant qu'elle soit née du fait qu'on dédaignait de s'y étendre pour si peu et de se recueillir, je me suis mis à les faire plus longs, de façon qu'ils requièrent de la volonté et du loisir assigné. Dans ce genre d'occupation, à qui ne veut donner une seule heure, on ne veut rien donner. Et l'on ne fait rien pour celui aux yeux de qui l'on ne peut faire une chose qu'en en faisant une autre. Joint qu'à l'aventure j'ai quelque obligation particulière à ne dire qu'à demi, à dire confusément, à dire discordamment... J'en veux donc à cette raison trouble-fête ! Et ces projets extravagants qui travaillent la vie, et ces opinions si fines, si elles ont de la vérité, je la trouve trop chère et trop incommode. Au rebours, je m'emploie à faire valoir la vanité même, et l'ânerie, si elle m'apporte du plaisir, et me laisse aller à mes inclinations naturelles sans les contrôler de si près.

Dans bien d'autres endroits j'ai vu des maisons en ruine, et des statues, et du ciel, et de la terre : ce sont toujours des hommes. Tout cela est vrai, et pourtant je ne saurais revoir si souvent le tombeau de Rome, cette ville si grande et si puissante, que je ne l'admire et révère. Le soin des morts nous est en recommandation. Or j'ai été nourri dès mon enfance avec les Romains. J'ai eu connaissance des affaires de Rome longtemps avant que je l'aie eue de celles de ma maison. Je savais le Capitole et son implantation avant que je susse le Louvre, et le Tibre avant la Seine. J'ai eu en tête les mœurs et les destinées de Lucullus, de Metellus, et de Scipion plus que je ne l'ai de qui que ce soit des nôtres.

– Ils sont trépassés !

Mon père l'est bien, et aussi entièrement qu'eux : il s'est éloigné de moi et de la vie autant en dix-huit ans que ceux-là l'ont fait en seize cents ! Pourtant je ne laisse pas d'embrasser et de pratiquer sa mémoire, son amour, et sa société dans une union parfaite et très vive. De plus, de moi-même, je me rends plus serviable envers les trépassés. Ils ne s'aident plus ; ils en requièrent donc, ce me semble, d'autant plus mon aide : la gratitude est là justement dans tout son lustre. Un bienfait est moins richement constitué quand il y a retour et réciprocité. Arcésilas visitant Ctésibius malade, et le trouvant dans la pauvreté, lui fourra tout doucement de l'argent sous son chevet, qu'il lui donnait. Et, tout en le lui celant, il le dispensait de lui en savoir gré.

Ceux qui de ma part ont mérité de l'amitié et de la reconnaissance ne l'ont jamais perdue pour n'être plus là : je les ai mieux payés, et plus soigneusement, absents et ignorants. Je parle plus affectueusement de mes amis quand il n'y a plus de moyen qu'ils le sachent. Maintenant, j'ai attaqué cent querelles pour la défense de Pompée et pour la cause de Brutus. Cette accointance dure encore entre nous. Les choses présentes mêmes, nous ne les tenons que par l'imagination. Me trouvant inutile à ce siècle, je me rejette vers cet autre. Et j'en suis si entiché, que l'état de cette antique Rome, libre, juste, et florissante (car je n'en aime ni la naissance ni la vieillesse) m'intéresse et me passionne. Aussi ne saurais-je revoir si souvent la disposition de leurs rues et de leurs maisons, et ces ruines profondes jusqu'aux antipodes, que je ne m'y amuse. Est-ce par nature ou par égarement de l'imagination que la vue des lieux, que nous savons avoir été hantés et habités par des personnes dont la mémoire est en honneur, nous émeut sensiblement plus qu'ouïr le récit de leurs hauts faits ou lire leurs écrits ? Tant est grand le pouvoir d'évocation des lieux ! Et il est dans notre ville infini : où que nous posions le pied, nous marchons sur l'histoire *Tanta uis admonitionis inest in locis ! Et id quidem in hac urbe infinitum : quacumque enim ingredimur, in aliquam historiam uestigium ponimus.* [1] Il me plaît de considérer leur visage, leur port, et leurs vêtements : je remâche ces grands noms entre les dents, et les fais retentir à mes oreilles : Moi, je vénère ces grands hommes, et je me lève toujours quand j'entends d'aussi grands noms *Ego illos ueneror, Et tantis nominibus semper assurgo.* [2] Des choses qui sont en quelque partie grandes et admirables, j'en admire même les parties communes. Je les verrais avec plaisir deviser, se promener, et souper. Il serait ingrat de mépriser les reliques et les images de tant d'honnêtes hommes, et si valeureux, que j'ai vus vivre et mourir, et qui nous donnent tant de bonnes instructions par leur exemple, si nous les savions suivre.

Et puis cette même Rome que nous voyons mérite qu'on l'aime, confédérée depuis si longtemps et par tant de titres à notre couronne, seule ville commune à tous les peuples et à l'univers. Le magistrat souverain qui y commande est pareillement reconnu ailleurs : elle est la ville métropolitaine de toutes les nations chrétiennes. L'Espagnol et le Français, chacun y est chez soi. Pour être des princes de cet État, il ne faut qu'être de chrétienté, où qu'elle soit. Il n'est lieu ici-bas que le ciel ait embrassé avec un tel souffle de faveur, et une telle constance : sa ruine même est glorieuse et immense,

1. Cicéron, *De finibus*, V, II, 5.
2. Sénèque, *Lettres à Lucilius,* LXIV, 9.

Laudandis pretiosior ruinis [1] ses ruines qui forcent l'admiration en augmentent le prix.

Encore retient-elle au tombeau des marques et une image de l'empire, au point qu'en ce lieu unique on voit que nature œuvra dans la joie *ut palam sit uno in loco gaudentis opus esse naturæ.* [2] Comment pourrait-on se blâmer et se mutiner en soi-même de se sentir chatouillé par un si vain plaisir ? Nos humeurs ne sont pas trop vaines si elles sont plaisantes. Quelles qu'elles soient, si elles contentent de façon constante un homme capable de sens commun, je ne saurais avoir le cœur de le plaindre.

Je dois beaucoup à la fortune de ce que jusqu'à cette heure elle n'a rien fait contre moi d'outrageux au-delà de ma portée. Serait-ce pas sa façon de laisser en paix ceux de qui elle n'est point importunée ?

Plus on se sera privé, plus on recevra des dieux, Nu, je gagne le camp de ceux qui ne désirent rien ; À qui beaucoup demande, il manque aussi beaucoup

Quanto quisque sibi plura negauerit,
A diis plura feret. Nil cupientium
Nudus castra peto. Multa petentibus,
Desunt multa. [3]

Si elle continue, elle me renverra très content et satisfait,

Je ne demande plus rien des dieux

nihil supra
Deos lacesso. [4]

Mais gare au heurt ; il en est mille qui rompent au port. Je me console aisément de ce qu'il adviendra ici quand je n'y serai plus. Les choses présentes m'embesognent assez, et *fortunæ cætera mando* [5] je confie le reste à la fortune. Aussi n'ai-je point cette forte liaison qu'on dit attacher les hommes à l'avenir par les enfants qui portent leur nom et leur honneur. Et je dois peut-être en désirer d'autant moins, s'ils sont si désirables. Je ne tiens que trop au monde et à cette vie par moi-même. Je me contente de donner prise à la fortune par les circonstances proprement nécessaires à mon être, sans lui élargir par ailleurs sa juridiction sur moi, et je n'ai jamais estimé qu'être sans enfants fût un défaut qui dût rendre la vie moins complète et moins contente. La condition stérile a bien aussi ses avantages. Les enfants sont du nombre des choses qui n'ont pas fort de quoi être désirées, notam-

1. Sidoine Apollinaire, *Poèmes*, XXIII, 62.
2. Pline l'Ancien, III, V, 40.
3. Horace, *Odes*, III, XVI, 21-23, 42-43.
4. Horace, *Odes*, II, XVIII, 11-12.
5. Ovide, *Métamorphoses*, II, 140.

ment à cette heure où il serait si difficile de les rendre bons. Et rien de bon désormais ne peut naître, tant la semence est corrompue *bona iam nec nasci licet, ita corrupta sunt semina.* [1] Et pourtant ces choses ont de quoi être à juste titre regrettées par qui les perd après les avoir acquises.

Celui qui me laissa ma maison en charge pronostiquait que je dusse la ruiner, eu égard à mon humeur si peu casanière. Il se trompa ; me voici comme j'y entrai, sinon un peu mieux. Sans office pourtant et sans bénéfice.

Au demeurant, si la fortune ne m'a fait aucune offense violente et extraordinaire, elle ne m'a pas fait non plus de faveur. Tout ce qu'il y a de ses dons chez nous s'y trouvait avant moi, et depuis plus de cent ans. Je n'ai en particulier aucun bien essentiel et solide que je doive à sa libéralité. Elle m'a fait quelques faveurs venteuses, faites d'honneurs et de titres, sans substance. Elle me les a aussi, à la vérité, non pas accordées, mais offertes, à moi qui, Dieu sait, suis tout matériel, qui ne me paye que de la réalité, et bien massive encore, et qui, si je l'osais confesser, ne trouverais l'avarice guère moins excusable que l'ambition, ni la douleur moins évitable que la honte, ni la santé moins désirable que la science, ou la richesse que la noblesse. Parmi ses faveurs vaines, je n'en ai point qui plaise tant à cette naïve humeur qui s'en nourrit chez moi, qu'une bulle authentique de bourgeoisie romaine, qui me fut octroyée dernièrement que j'étais là-bas, pompeuse en sceaux et lettres dorées, et octroyée avec une libéralité toute gracieuse. Et, parce que ces lettres se donnent en divers styles, plus ou moins favorables, et qu'avant que j'en eusse vu, j'eusse été bien aise qu'on m'en eût montré un formulaire, je veux, pour satisfaire à quelqu'un, s'il s'en trouve, malade d'une curiosité pareille à la mienne, la transcrire ici en sa forme :

> *Quod Horatius Maximus, Martius Cecius, Alexander Mutus, almæ urbis conseruatores, de Illustrissimo uiro Michaële Montano equite sancti Michaëlis, et à Cubiculo Regis Christianissimi, Romana Ciuitate donando, ad Senatum retulerunt, S. P. Q. R. de ea re ita fieri censuit.*
>
> *Cum ueteri more et instituto cupide illi semper studioseque suscepti sint, qui uirtute ac nobilitate præstantes, magno Reip. nostræ usui atque ornamento fuissent, uel esse aliquando possent : Nos, maiorum nostrorum exemplo atque auctoritate permoti, præclaram hanc Consuetudinem nobis imitandam ac seruandam fore censemus. Quamobrem, cum Illustrissimus Michaël Montanus Eques sancti Michaëlis, et a Cubiculo Regis Christianissimi Romani nominis studiosissimus, et familiæ laude atque splendore et propriis uirtutum meritis dignissimus sit qui summo Senatus Populique Romani iudicio ac studio in Romanam Ciuitatem adsciscatur ; placere Senatui P. Q. R. Illustrissimum*

1. Tertullien, *De la pudeur*, I, II.

Michaëlem Montanum, rebus omnibus ornatissimum, atque huic inclito populo charissimum, ipsum posterosque in Romanam Ciuitatem adscribi, ornarique omnibus et praemiis et honoribus, quibus illi fruuntur qui Ciues Patritiique Romani nati aut iure optimo facti sunt. In quo censere Senatum P. Q. R. se non tam illi Jus Ciuitatis largiri quam debitum tribuere, neque magis beneficium dare quam ab ipso accipere, qui, hoc Ciuitatis munere accipiendo, singulari Ciuitatem ipsam ornamento atque honore affecerit. Quam quidem S. C. auctoritatem iidem Conseruatores per Senatus P. Q. R. scribas in acta referri atque in Capitolii curia seruari, priuilegiumque huiusmodi fieri, solitoque urbis sigillo communiri curarunt.

Anno ab urbe condita CXCCCCXXXI. post Christum natum M. D. LXXXI. III. Idus Martii.

Horatius Fuscus sacri S. P. Q. R. scriba.

Vincent. Martholus sacri S. P. Q. R. scriba. [j]

N'étant bourgeois d'aucune ville, je suis bien aise de l'être de la plus noble qui fut et qui sera jamais ! Si les autres se regardaient attentivement comme je fais, ils se trouveraient, comme je fais, pleins d'inanité et de fadaise. De m'en défaire, je ne le puis sans me défaire moi-même. Nous en sommes tous imprégnés, tant les uns que les autres, mais ceux qui le sentent en ont un peu meilleur compte, encore ne sais-je ! Cette opinion et cet usage communs de regarder ailleurs qu'en nous-mêmes a bien pourvu à notre affaire. Nous sommes pour nous un objet plein de mécontentement : nous n'y voyons que misère et vanité. Pour ne pas nous faire perdre courage, Nature a projeté bien à propos l'action de notre vue au dehors : nous allons en avant à vau-l'eau, mais de rebrousser vers nous notre course, c'est un mouvement pénible : la mer se brouille et se heurte ainsi quand elle est repoussée vers soi. Regardez, dit chacun, les branles du ciel, regardez le public, la querelle de celui-là, le pouls d'un tel, le testament de cet autre : en somme, regardez toujours haut ou bas, ou à côté, ou devant, ou derrière vous. C'était un commandement paradoxal que nous faisait anciennement ce dieu à Delphes : « Regardez en vous, reconnaissez-vous, tenez-vous à vous : votre esprit et votre volonté, qui se consument ailleurs, ramenez-les en eux-mêmes. Vous vous écoulez, vous vous répandez : resserrez-vous, arrêtez-vous ! On vous trahit, on vous dissipe, on vous dérobe à vous ! Vois-tu pas que ce monde tient toutes ses vues concentrées vers le dedans, et ses yeux ouverts à se contempler soi-même ? C'est toujours vanité pour toi, dedans comme dehors : mais elle est moins vanité quand elle est moins étendue. Sauf toi, ô homme, disait ce dieu, chaque chose s'étudie la première, et a selon son besoin des limites à ses travaux et à ses désirs. Il n'en est pas une seule qui soit aussi vide et nécessiteuse que toi qui embrasses l'univers : tu es le divinateur sans connaissance, le magistrat sans juridiction, et après tout le badin de la farce. »

De ménager sa volonté [1]

[Chapitre X]

Au prix du commun des hommes, peu de choses me touchent, ou pour mieux dire me *tiennent*, car c'est raison que les choses nous touchent, pourvu qu'elles ne nous possèdent pas. J'ai grand soin d'augmenter par étude et raison ce privilège d'insensibilité qui est naturellement bien avancé chez moi. J'épouse, et par conséquent prends à passion peu de choses. J'ai la vue claire, mais je l'attache à peu d'objets, le sens délicat et fin, mais l'appréhension et l'application, je les ai dures et sourdes : je m'engage difficilement. Autant que je puis je m'emploie tout à moi. Et sur ce sujet même je briderais pourtant et retiendrais volontiers mon affection, pour qu'elle ne s'y plonge trop entière, puisque c'est un sujet que je possède par la grâce d'autrui et sur lequel la fortune a plus de droit que je n'ai. De manière que, jusqu'à la santé que j'estime tant, il me serait besoin de ne pas la désirer ni de m'y adonner si furieusement que j'en trouve les maladies insupportables... On doit se modérer entre la haine de la douleur et l'amour de la volupté, et Platon ordonne une moyenne route de vie entre les deux. Mais aux affections qui me distraient de moi et m'attachent ailleurs, à celles-là certes m'opposé-je de toute ma force. Mon opinion est qu'il se faut prêter à autrui et ne se donner qu'à soi-même. Si ma volonté se trouvait aisée à s'hypothéquer et à s'appliquer, je n'y durerais pas : je suis trop tendre, et par nature et par usage :

fuyant les embarras, et né pour vivre en paix à l'ombre
fugax rerum, securaque in otia natus. [2]

Les débats contestés et opiniâtres qui donneraient à la fin l'avantage à mon adversaire, l'issue qui rendrait honteuse ma chaude poursuite, me rongeraient d'aventure bien cruellement si je m'y engageais complètement, comme font les autres : mon âme n'aurait jamais la force de supporter les alarmes et les émotions qui suivent ceux qui

1. Du bon « emploi », ou du bon « *management* » de sa volonté.
2. Ovide, *Les Tristes*, III, II, 9.

embrassent tant ; elle serait incontinent disloquée par cette agitation intestine. Si quelquefois on m'a poussé au maniement d'affaires étrangères, j'ai promis de les prendre en *main*, non pas au poumon et au foie ; de m'en charger, non de les incorporer ; de m'en occuper, oui, de m'en passionner, nullement : j'y regarde, mais je ne les couve point. J'ai assez à faire à disposer et ranger la presse des préoccupations domestiques que j'ai dans mes entrailles et dans mes veines sans y loger et me fouler d'une presse étrangère. Et je suis assez intéressé à mes affaires essentielles, propres et naturelles, sans en convier d'autres extérieures. Ceux qui savent combien ils se doivent et de combien de devoirs ils sont obligés envers eux-mêmes trouvent que nature leur a donné cette charge bien assez pleine et nullement oisive : « tu as bien largement à faire chez toi, ne t'éloigne pas. »

Les hommes se donnent à louage. Leurs facultés ne sont pas pour eux, elles sont pour ceux à qui ils s'asservissent ; leurs locataires sont chez eux, ce ne sont pas eux. Cette humeur commune ne me plaît pas. Il faut ménager la liberté de notre âme, et ne l'hypothéquer qu'aux occasions justes. Lesquelles sont en bien petit nombre, si nous jugeons sainement. Voyez les gens appris à se laisser emporter et saisir : ils le font partout, aux petites choses comme aux grandes, à ce qui ne les touche point comme à ce qui les touche. Ils s'ingèrent indifféremment où il y a de la besogne, et sont sans vie quand ils sont sans agitation tumultueuse : *in negotiis sunt, negotii causa* [1] ils ne cherchent la besogne que pour l'embesognement. Ce n'est pas tant qu'ils veuillent aller que parce qu'ils ne peuvent se retenir, ni plus ni moins qu'une pierre ébranlée qui ne s'arrête dans sa chute jusqu'à tant qu'elle se couche. L'occupation est pour une certaine sorte de gens marque de talent et de dignité. Leur esprit cherche son repos dans le branle comme les enfants au berceau. Ils peuvent se dire aussi serviables à leurs amis qu'importuns à eux-mêmes. Personne ne distribue son argent aux autres ; chacun leur distribue son temps et sa vie. Il n'est rien dont nous soyons si prodigues que de ces choses-là, qui sont les seules dont l'avarice nous serait utile et louable.

J'ai une complexion toute divergente. Je me concentre sur moi, et le plus souvent je désire mollement ce que je désire, et je désire peu : je m'occupe et m'embesogne de même, rarement et tranquillement. Tout ce qu'ils veulent et conduisent, ils le font de toute leur volonté et de toute leur véhémence. Il y a tant de mauvais pas que pour le plus sûr il faut un peu légèrement et superficiellement se couler dans ce monde,

1. Sénèque, *Lettres à Lucilius*, XXII, 8.

et y glisser, non pas s'y enfoncer. La volupté même est douloureuse en sa profondeur :

tu marches sur des tisons couverts de cendres trompeuses
incedis per ignes,
Subpositos cineri doloso. [1]

Messieurs de Bordeaux [2] m'élurent maire de leur ville, alors que j'étais éloigné de France, et encore plus éloigné d'une telle pensée. Je m'excusai là-dessus. Mais on m'apprit que j'avais tort, le commandement du roi s'y interposant aussi. C'est une charge qui doit sembler d'autant plus belle qu'elle n'a ni loyer ni gain autre que l'honneur de son exécution. Elle dure deux ans ; mais elle peut être continuée par seconde élection. Ce qui advient très rarement. Elle le fut pour moi, et ne l'avait été que deux fois auparavant : il y avait quelques années, pour Monsieur de Lansac, et dernièrement pour Monsieur de Biron, maréchal de France, à la place duquel je succédai, tandis que je devais laisser la mienne à Monsieur de Matignon, lui aussi maréchal de France, fier d'aussi noble compagnie, l'un et l'autre étant aussi bons chefs en paix qu'en guerre :

uterque bonus pacis bellique minister. [3]

Par cette circonstance particulière qu'elle prit sur elle d'y rajouter, la fortune voulut avoir part à ma promotion, vaine non pas tout à fait, car Alexandre dédaigna les ambassadeurs corinthiens qui lui offraient la bourgeoisie de leur ville, mais quand ils vinrent à lui produire que Bacchus et Hercule étaient aussi dans ce registre, il les en remercia de bonne grâce.

À mon arrivée, je me décrivis fidèlement et consciencieusement, tel exactement que je me sens être : sans mémoire, sans vigilance, sans expérience, et sans vigueur, sans haine aussi, sans ambition, sans avarice, et sans violence, afin qu'ils fussent informés et instruits de ce qu'ils avaient à attendre de mon service. Et parce que la connaissance de feu mon père les avait seule incités à cela, et l'honneur de sa mémoire, je leur ajoutai bien clairement que je serais très marri que quoi que ce fût fît sur ma volonté autant d'impression que leurs affaires et leur ville en avaient fait autrefois sur la sienne pendant qu'il l'avait en gouvernement, en ce lieu même auquel ils m'avaient appelé. Il me souvenait de l'avoir vu vieux dans ma jeunesse, l'âme cruellement agitée de cette tracasserie publique, oubliant le doux air de sa

1. Horace, *Odes*, II, I, 7-8.
2. Les jurats.
3. Virgile, *Énéide*, XI, 658.

maison, où la faiblesse des ans l'avait attaché longtemps avant, et son ménage, et sa santé, au mépris assurément de sa vie, qu'il y crut perdre, s'étant engagé pour eux à de longs et pénibles voyages. Il était tel, et il tenait cette humeur d'une grande bonté naturelle : il ne fut jamais âme plus charitable et proche du peuple. Ce train, que je loue en autrui, je n'aime point à le suivre. Et je ne suis pas sans excuse. Il avait ouï dire qu'il fallait s'oublier pour le prochain, que le particulier n'était d'aucune considération au prix du général. La plupart des règles et des préceptes du monde prennent ce train de nous pousser hors de nous, et de nous chasser sur la place pour que nous servions la société publique. Ils ont pensé faire un bel effet en nous détournant et distrayant de nous, présupposant que nous n'y tinssions que trop, et d'une attache trop naturelle, et ils n'ont rien épargné de dire à cette fin. Car il n'est pas nouveau de la part des sages de prêcher les choses comme elles servent, non comme elles sont. La vérité a ses empêchements, ses incommodités et ses incompatibilités avec nous. Il faut souvent nous tromper afin que nous ne nous trompions pas, et ciller notre vue, alourdir notre entendement pour les redresser et les amender : ce sont ignorants qui jugent, et qu'il faut souvent tromper afin de leur éviter l'erreur *imperiti enim iudicant, et qui frequenter in hoc ipsum fallendi sunt ne errent.* [1] Quand ils nous ordonnent d'aimer avant nous trois, quatre, et cinquante degrés de choses, ils imitent l'art des archers, qui pour arriver au point vont prenant leur visée très au-dessus du but. Pour dresser un bois courbe, on le recourbe au rebours.

J'estime qu'au temple de Pallas, comme nous le voyons dans toutes les autres religions, il y avait des mystères apparents, pour être montrés au peuple, et d'autres mystères plus secrets et plus profonds, pour être montrés seulement à ceux qui y étaient initiés. Il est vraisemblable qu'en ceux-ci se trouve le vrai point de l'amitié que chacun se doit : non une amitié fausse, qui nous fait embrasser la gloire, la science, la richesse, et pareilles choses, d'une affection souveraine et immodérée, comme des membres de notre être, ni une amitié molle et sans discernement, dans laquelle il advient ce qui se voit pour le lierre, à savoir qu'il corrompt et ruine la paroi qu'il accole, mais bien une amitié salutaire et réglée également utile et plaisante. Qui en sait les devoirs et les exerce, celui-là est vraiment du cabinet des muses ; il a atteint le sommet de la sagesse humaine et de notre bonheur. Celui-ci, sachant exactement ce qu'il se doit, trouve dans son rôle qu'il doit s'appliquer à lui-même l'usage des autres hommes et du monde, et, pour ce faire, remplir envers la société publique les devoirs et les charges qui le

1. Quintilien, *Institution oratoire*, II, XVII, 27.

regardent. Qui ne vit un peu pour autrui ne vit guère à soi : qui est ami de soi, sache-le, est ami de tous *qui sibi amicus est, scito hunc amicum omnibus esse.* [1] La principale charge que nous ayons, c'est à chacun sa conduite. Et c'est ce pourquoi nous sommes ici. De même que qui oublierait de bien et saintement vivre et penserait être quitte de son devoir en y acheminant et dressant les autres, ce serait un sot, tout de même, qui abandonne pour sa propre part le sainement et gaiement vivre pour l'assurer à autrui prend à mon gré un parti malsain et contre-nature.

Je ne veux pas qu'on refuse aux charges qu'on prend l'attention, les pas, les paroles, et la sueur, et le sang au besoin :

Ne craignant de périr pour mes amis ou ma patrie
non ipse pro charis amicis
Aut patria timidus perire. [2]

Mais c'est par emprunt et accidentellement, l'esprit se tenant toujours en repos et en santé, non pas sans action, mais sans tourment, sans passion. L'agir simplement lui coûte si peu qu'en dormant même il agit. Mais il faut lui donner le branle avec discernement, car le corps reçoit les charges qu'on lui met sus justement selon qu'elles sont : l'esprit les étend et les appesantit souvent à ses dépens, leur donnant la mesure que bon lui semble. On fait pareilles choses avec divers efforts et différente tension de la volonté. La passion va bien sans l'action. Car combien de gens se hasardent tous les jours à des guerres dont peu leur chaut, et se pressent aux dangers de batailles dont la perte ne troublera pas leur prochain sommeil ? Tel en sa maison, hors de ce danger qu'il n'oserait avoir regardé en face, est plus passionné par l'issue de cette guerre et en a l'âme plus travaillée que n'a le soldat qui y emploie son sang et sa vie ! J'ai pu me mêler des charges publiques sans me départir de moi de la largeur d'un ongle, et me donner à autrui sans m'ôter à moi. Cette âpreté et cette violence de désirs empêchent plus qu'elles ne servent la conduite de ce qu'on entreprend. Elles nous remplissent d'impatience envers les événements ou contraires ou tardifs, et d'aigreur et de soupçon envers ceux avec qui nous traitons. Nous ne conduisons jamais bien la chose par laquelle nous sommes possédés et conduits :

La passion nous fait faire mal toutes choses
male cuncta ministrat
Impetus. [3]

---

1. Sénèque, *Lettres à Lucilius*, VI, 7.
2. Horace, *Odes*, IV, IX, 51-52.
3. Stace, *Thébaïde*, X, 704-705.

Celui qui n'y emploie que son jugement et son adresse, il y procède plus gaiement : il feint, il ploie, il diffère tout à son aise selon le besoin des occasions ; il manque son but sans tourment et sans affliction, prêt et entier pour une nouvelle entreprise ; il marche toujours la bride à la main. Chez celui qui est enivré de cette intention violente et tyrannique, on voit par nécessité beaucoup d'imprudence et d'injustice. L'impétuosité de son désir l'emporte. Ce sont des mouvements téméraires, et, si fortune n'y prête beaucoup, de peu de fruit. La philosophie veut que du châtiment des offenses reçues nous distrayions la colère, non pas afin que la vengeance en soit moindre, mais au rebours afin qu'elle en soit d'autant mieux assenée et de plus de poids, ce à quoi il lui semble que cette impétuosité porte empêchement. Non seulement la colère trouble, mais, de soi, elle lasse aussi les bras de ceux qui châtient. Ce feu étourdit et consume leur force, tout comme fait la précipitation : la hâte nous retarde *festinatio tarda est*, [1] s'entrave et s'arrête : d'elle-même la célérité se croche la jambe *ipsa se uelocitas implicat*. [2] Par exemple, selon ce que j'en vois par l'usage ordinaire, la cupidité n'a point de plus grand bourbier qu'elle-même. Plus elle est tendue et vigoureuse, moins elle en est fertile. Communément, elle attrape plus promptement les richesses sous le masque d'une image de libéralité.

Un gentilhomme, très homme de bien, et mon ami, crut brouiller la santé de sa tête par une attention et une affection trop passionnées pour les affaires d'un prince, son maître. Lequel maître [3] s'est ainsi peint lui-même à moi : qu'il voit le poids des accidents comme un autre, mais qu'à ceux qui n'ont point de remède, il se résout sur-le-champ à les souffrir ; aux autres, après y avoir ordonné les précautions nécessaires – ce qu'il peut faire promptement par la vivacité de son esprit –, il attend en repos ce qui peut s'ensuivre. De vrai, je l'ai vu à l'œuvre, conservant une grande nonchalance et une grande liberté d'action et de visage au travers de bien grandes affaires et bien épineuses. Je le trouve plus grand et plus capable dans une mauvaise que dans une bonne fortune. Ses pertes lui sont plus glorieuses que ses victoires, et son deuil que son triomphe.

Considérez qu'aux actions mêmes qui sont vaines et frivoles, au jeu des échecs, à la paume, et autres semblables, cet engagement âpre et ardent d'un désir impétueux jette incontinent l'esprit et les membres dans le manque de discernement et le désordre. On s'éblouit, on s'embarrasse soi-même. Celui qui se comporte plus modérément

1. Quinte-Curce, IX, IX, 12.
2. Sénèque, *Lettres à Lucilius*, XLIV, 7.
3. Ce prince est probablement Henri de Navarre, le futur Henri IV.

envers le gain et la perte, il est toujours chez soi ! Moins il se pique et se passionne au jeu, plus il le conduit d'autant avantageusement et sûrement. Nous empêchons au demeurant la prise et la serre de l'âme à lui donner tant de choses à saisir. Les unes, il les lui faut seulement présenter, les autres attacher, les autres incorporer. Elle peut voir et sentir toutes choses, mais elle ne doit se paître que de soi, et elle doit être instruite de ce qui la touche proprement et qui proprement est de son avoir et de sa substance. Les lois de nature nous apprennent ce que précisément il nous faut. Après que les sages nous ont dit que selon la nature personne n'est indigent et que chacun l'est selon l'opinion, ils distinguent ainsi subtilement les désirs qui viennent d'elle de ceux qui viennent du dérèglement de notre imagination. Ceux dont on voit le bout sont siens, ceux qui fuient devant nous et dont nous ne pouvons joindre la fin sont nôtres. La pauvreté de biens est aisée à guérir ; la pauvreté de l'âme, impossible, car

Si l'on se contentait de ce qui nous suffit, J'eusse assez, mais dès lors qu'il n'en va point ainsi, Comment croire qu'un bien jamais me puisse combler l'âme ?

Nam si quod satis est homini id satis esse potesset,
Hoc sat erat : nunc, quum hoc non est, qui credimus porro
Diuitias ullas animum mi explere potesse ? [1]

Socrate voyant porter en pompe par sa ville une grande quantité de richesses, joyaux et meubles de prix : « Combien de choses, dit-il, je ne désire point ! » Métrodore vivait avec douze onces par jour, Épicure avec moins. Métroclès dormait en hiver avec les moutons, en été dans les cloîtres des églises [2] : la nature suffit à tous ses besoins *sufficit ad id natura quod poscit*. [3] Cléanthes vivait de ses mains et se vantait que Cléanthe, s'il voulait, nourrirait encore un autre Cléanthe.

Si ce que nature, exactement et originellement, nous demande pour la conservation de notre être est trop *peu* – et comme, de vrai, combien c'est peu et combien à bon compte notre vie peut se maintenir ne peut s'exprimer mieux que par cette considération que c'est si peu que cela échappe à la prise et aux chocs de la fortune par sa petitesse –, accordons-nous par dispense quelque chose de plus : appelons encore « nature » l'habitude et la condition de chacun de nous ; rangeons-nous, traitons-nous à cette mesure ; étendons jusque-là le compte de ce qui nous appartient. Car jusque-là il me semble bien que nous avons quelque excuse. L'accoutumance est une

1. Lucilius, *Satires*, V, 203-205.
2. C'est-à-dire « sous les portiques des temples », bien sûr.
3. Sénèque, *Lettres à Lucilius*, XC, 18.

seconde nature, et non moins puissante. Ce qui manque à ma coutume, je soutiens que cela me manque, et j'aimerais presque également qu'on m'ôtât la vie que si on me l'écimait et me la raccourcissait bien au-dessous de l'état dans lequel je l'ai si longtemps vécue.

Je ne suis plus à même de vivre de grands changements, ni de me jeter dans un train nouveau et inusité, fût-ce pour m'accroître : il n'est plus temps de devenir autre. Et combien je regretterais, si jamais quelque grande aventure me tombait à cette heure entre les mains, qu'elle ne fût survenue à temps pour que j'en pusse jouir :

la fortune, à quoi bon, si je n'en puis user
Quo mihi fortuna, si non conceditur uti ? [1]

Je me plaindrais de même de quelque acquêt moral. Il vaut quasi mieux ne jamais devenir honnête homme que si tard, et homme sachant vivre lorsqu'on n'a plus de vie. Moi qui m'en vais, je ferais facilement donation à quelqu'un qui vînt de ce que j'apprends en matière de prudence pour le commerce du monde. Moutarde après dîner ! Je n'ai que faire du bien dont je ne puis rien faire. À quoi bon la science pour qui n'a plus de tête ? C'est injure et défaveur de fortune de nous offrir des présents qui nous remplissent d'un juste dépit pour nous avoir fait défaut en leur saison. Ne me guidez plus : je ne puis plus aller. De tant de parties que comporte la sagesse, la sagesse nous suffit. Donnez la voix d'un excellent ténor au chantre qui a les poumons pourris ! Et l'éloquence à l'ermite reclus dans les déserts d'Arabie ! Il ne faut point d'art pour la chute. La fin se trouve de soi au bout de chaque besogne. Mon monde est failli, ma forme expirée. Je suis tout entier du passé, et je suis tenu de l'admettre et d'y conformer mon issue.

Je veux dire ceci par manière d'exemple, que les dix jours nouvellement éclipsés du calendrier par le pape [2] m'ont surpris alors que j'étais déjà si bas que je ne puis tout bonnement pas m'en accommoder. Je suis de ces années durant lesquelles nous comptions autrement. Un si ancien et long usage me revendique et me rappelle à lui. Je suis contraint d'être un peu hérétique par là, incapable de nouvelleté, même corrective. Mon imagination en dépit de mes dents se jette toujours dix jours plus avant ou plus arrière, et grommelle à mes oreilles : « Cette règle concerne ceux qui ont un avenir. » Si la santé même, si sucrée, vient à me retrouver par à-coups, c'est pour me

1. Horace, *Épîtres*, I, V, 12.
2. Allusion à la toute récente réforme du calendrier, promulguée par Grégoire XIII.

donner regret plutôt que possession de soi : je n'ai plus où la recevoir. Le temps me laisse. Sans lui rien ne se possède. Ô que je ferais peu d'état de ces grandes dignités électives que je vois dans le monde, qui ne se donnent qu'aux hommes prêts à partir, et pour lesquelles on ne regarde pas tant combien dûment on les exercera que combien peu longuement on les exercera : dès l'entrée on vise l'issue ! En somme, me voici en train d'achever cet homme, et non d'en refaire un autre. À force de longueur d'usage, cette forme est devenue ma substance, et mon sort ma nature.

Je dis donc que chacun d'entre nous, faibles hommes, est excusable d'estimer sien ce qui est compris dans cette mesure, mais aussi qu'au-delà de ces limites, ce n'est plus que confusion : c'est là la plus large étendue que nous puissions octroyer à nos droits. Plus nous amplifions notre besoin et notre possession, plus nous nous exposons aux coups de la fortune et aux adversités. La carrière de nos désirs doit être circonscrite et restreinte à la courte limite des commodités les plus proches et contiguës. Et leur course doit en outre se conduire non en ligne droite, qui aurait son bout ailleurs, mais en rond, dont les deux pointes se logent et se terminent en nous, après un bref contour. Les actions qui se conduisent sans ce retour à soi, retour tout proche, je veux dire, et bien réel, comme sont celles des avares, des ambitieux, et tant d'autres qui courent en pointe [1], et dont la course les emporte toujours plus loin devant eux, ce sont actions erronées et maladives.

La plupart de nos vacations [2] sont farcesques : le monde entier joue la comédie *mundus uniuersus exercet histrioniam.* [3] Il faut jouer dûment notre rôle, mais comme le rôle d'un personnage emprunté. Du masque et de l'apparence, il n'en faut pas faire notre être réel, ni de l'étranger le propre. Nous ne savons pas distinguer la peau et la chemise. C'est assez de s'enfariner le visage sans s'enfariner la poitrine ! J'en vois qui se transforment et se transsubstantient en autant de nouvelles figures et autant de nouveaux êtres qu'ils entreprennent de charges, qui se font prélats jusqu'au foie et aux intestins, et traînent leur office jusque sur leurs latrines ! Je ne puis leur apprendre à distinguer les coups de bonnet qui les regardent de ceux qui regardent leur charge, ou leur suite, ou leur mule. Ils s'abandonnent tellement à leur haute fortune qu'ils en désapprennent jusqu'à leur nature *tantum se fortunæ permittunt etiam ut naturam*

1. Comme les chevaux de pointe d'un attelage à quatre.
2. « Occupations » : on ne saurait changer un mot dans une phrase devenue quasi proverbiale.
3. Juste-Lipse, *De constantia*, I, VIII.

dediscant. [1] Ils enflent et grossissent leur âme et leur discours naturel selon la hauteur de leur siège magistral. Le maire et Montaigne ont toujours été deux, d'une séparation bien claire. Pour être avocat ou financier, il n'en faut pas méconnaître la fourbe qu'il y a en de telles occupations. Un honnête homme n'est pas comptable du vice ou de la sottise de son métier, et ne doit point pour autant en refuser l'exercice. C'est l'usage de son pays, et il en tire profit : il faut vivre du monde, et s'en prévaloir tel qu'on le trouve. Mais le jugement d'un empereur doit être au-dessus de son empire : il doit le voir et le considérer comme un accident étranger. Il doit savoir jouir de soi indépendamment, et se présenter comme Jacques ou Pierre, au moins à lui-même.

Je ne sais pas m'engager si profondément et si entier. Quand ma volonté me donne à un parti, ce n'est pas d'une si violente obligation que mon entendement s'en infecte. Aux présents embrouillements de notre État, mon intérêt ne m'a fait méconnaître ni les qualités louables chez nos adversaires, ni celles qui sont reprochables chez ceux que j'ai suivis. Ils adorent tout ce qui est de leur côté : moi, je n'excuse seulement pas la plupart des choses qui sont du mien. Un bon ouvrage ne perd pas ses beautés pour plaider contre moi. Hors le nœud du débat, je me suis maintenu en équanimité et dans une pure indifférence, non, hors les nécessités de la guerre, je ne nourris aucune haine mortelle *neque extra necessitates belli, præcipuum odium gero.* [2] De quoi je me gratifie d'autant que je vois communément faillir en sens contraire. Ceux qui allongent leur colère et leur haine au-delà des affaires, comme le fait la plupart, montrent qu'elle leur vient d'ailleurs, et d'une cause particulière, tout comme celui à qui la fièvre demeure encore après qu'il est guéri de son ulcère montre qu'elle avait un autre principe plus caché. C'est qu'ils n'en ont point, en commun, après la cause et en tant qu'elle blesse à la fois l'intérêt de tous et celui de l'État, mais qu'ils lui en veulent seulement de ce qu'elle les mâche dans leurs intérêts privés. Voilà pourquoi ils s'en piquent d'une passion personnelle, et au-delà de la justice et de la raison publique : ils s'en prenaient non tant tous en commun à toutes les choses que chacun séparément à ce qui le concernait *non tam omnia uniuersi quam ea quæ ad quemque pertinent singuli carpebant.* [3]

Je veux que l'avantage soit pour nous, mais je n'enrage point s'il ne l'est. Je me prends fermement au plus sain des partis. Mais je n'affecte pas qu'on me remarque spécialement ennemi des autres, et au-delà de

1. Quinte-Curce, III, II, 18.
2. Tite-Live, XXVIII, XXII, 2.
3. Tite-Live, XXXIV, XXXVI, 5.

la raison générale. Je blâme singulièrement cette détestable façon de juger : « Il est de la Ligue, car il admire la grâce de Monsieur de Guise ! », « L'action du roi de Navarre l'émerveille : il est Huguenot ! » ; « Il trouve ceci à dire aux mœurs du roi: il est séditieux en son cœur ! » Et je n'ai pas concédé au souverain magistrat lui-même qu'il eût raison de condamner un livre pour avoir placé un hérétique au nombre des meilleurs poètes de ce siècle [1]. N'oserions-nous dire d'un voleur qu'il a un beau trait de jambe ? Faut-il, si elle est putain, qu'elle sente aussi la punaise ? Aux siècles plus sages, révoqua-t-on le superbe titre de *Capitolinus* qu'on avait auparavant donné à Marcus Manlius en tant que sauveur de la religion et de la liberté publiques ? Étouffa-t-on la mémoire de son amour de la liberté, de ses faits d'armes, et des récompenses militaires octroyées à son courage parce qu'il aspira par la suite à la royauté au mépris des lois de son pays ? S'ils ont pris en haine un avocat, le lendemain il juge qu'il est sans éloquence ! J'ai parlé ailleurs du zèle religieux qui poussa des gens de bien à de semblables fautes. Pour moi, je sais bien dire : « il fait méchamment cela, et vertueusement ceci. »

De même, dans les pronostics ou quand les événements tournent mal dans les affaires, ils veulent que chacun soit aveugle ou hébété au sein de son parti, que notre persuasion et notre jugement servent non à la vérité, mais aux visées de notre désir. Je faillirais plutôt vers l'autre extrémité tant je crains que mon désir me séduise ! Joint que je me défie assez chatouilleusement des choses que je souhaite. J'ai vu de mon temps des choses incroyables dans la facilité prodigieuse et sans discernement qu'ont les peuples à laisser mener et manier leur créance et leur espérance vers où il a plu et servi à leurs chefs, par-dessus cent mécomptes les uns sur les autres, par-dessus les fantômes et les songes ! Je ne m'étonne plus de ceux que les singeries d'Apollonios de Tyane et de Mahomet enfumèrent. Leur bon sens et leur entendement sont entièrement étouffés par leur passion. Leur discernement n'a plus d'autre choix que ce qui leur rit et qui conforte leur cause. J'avais souverainement remarqué cela avec le premier de nos partis fiévreux [2]. Cet autre, qui est né depuis, en l'imitant, le surpasse. Par où je m'avise que c'est une qualité inséparable des erreurs populaires. Après la première qui part, les opinions s'entre-poussent, suivant le vent

1. Lors du séjour de Montaigne à Rome, la Curie avait condamné, entre autres passages, le chapitre douzième du deuxième livre des *Essais* au prétexte que Montaigne y avait compté Théodore de Bèze, le coadjuteur de Calvin, au nombre des meilleurs poètes de son temps.

2. Le parti huguenot ; quant à « cet autre » parti, c'est celui de la Ligue.

comme les flots. On n'est pas du corps si on s'en peut dédire, et si l'on ne divague pas selon la dérive commune. Mais assurément on fait tort aux partis justes quand on les veut secourir par des fourberies. J'y ai toujours contredit. Ce moyen ne porte qu'envers les têtes malades. Envers les saines, il y a des voies plus sûres, et pas seulement plus honnêtes, pour soutenir les courages et excuser les accidents contraires.

Le ciel n'a point vu d'aussi pesant désaccord que celui de César et de Pompée, ni n'en verra dans l'avenir. Toutefois il me semble reconnaître dans ces belles âmes une grande modération de l'un envers l'autre. C'était une jalousie d'honneur et de commandement, qui ne les emporta pas à une haine furieuse et sans discernement, sans malignité et sans dénigrement. Dans leurs plus violents exploits, je découvre quelque demeurant de respect et de bienveillance, et juge ainsi que s'il leur eût été possible, chacun d'eux eût désiré de faire son affaire sans la ruine de son compagnon plutôt qu'avec sa ruine. Combien autrement il en va de Marius et de Sylla : prenez-y garde.

Il ne faut pas nous précipiter si éperdument sur la pente de nos passions et de nos intérêts. De même que, étant jeune, je m'opposais au progrès de l'amour que je sentais trop gagner sur moi, et m'efforçais qu'il ne me fût si agréable qu'il en vînt à me forcer à la fin et à me tenir tout à fait à sa merci, de même en fais-je dans toutes les autres occasions où ma volonté se prend avec trop d'appétit : je me penche à l'opposé de son inclination lorsque je la vois se plonger et s'enivrer de son vin ; je fuis à nourrir son plaisir si avant que je ne puisse plus la ravoir de là sans perte sanglante ! Les âmes si engourdies qu'elles ne voient les choses qu'à demi jouissent de ce bonheur que les nuisibles les atteignent moins. C'est une gale de l'esprit qui a quelque air de santé, et d'une santé que la philosophie ne méprise pas du tout. Mais pour autant ce n'est pas raison de la nommer sagesse, ce que nous faisons souvent. Voici comment quelqu'un, dans l'antiquité, se moqua ouvertement de Diogène qui allait embrassant tout nu en plein hiver une statue de neige pour éprouver son endurance. Celui-là le rencontrant dans cette posture : « As-tu grand froid à cette heure ? lui dit-il. – Point du tout, répond Diogène. – Dans ce cas, poursuivit l'autre, que penses-tu donc faire de difficile et d'exemplaire à te tenir ainsi ? » Pour mesurer la constance, il faut nécessairement connaître la souffrance. Mais les âmes qui auront à voir les événements contraires et les injures de la fortune dans leur profondeur et leur âpreté, qui auront à les peser et goûter selon leur aigreur naturelle et leur charge, qu'elles emploient leur art à se garder d'entrer dans la file de leurs causes, et se détournent des chemins qui y mènent. Que fit le roi

Cotys ? Il paya libéralement la belle et riche vaisselle qu'on lui avait présentée, mais parce qu'elle était singulièrement fragile, il la cassa lui-même sur-le-champ pour s'ôter de bonne heure une si facile matière de courroux contre ses serviteurs. Pareillement, j'ai délibérément évité d'embrouiller mes affaires avec celles d'autrui, et je n'ai pas cherché que mes propriétés fussent contiguës à mes proches et à ceux à qui j'ai à me joindre d'une étroite amitié, situation d'où naissent ordinairement des motifs d'inimitié et de dissension. J'aimais autrefois les jeux de hasard, les cartes et les dés. Je m'en suis défait voici longtemps, pour cela seulement que, quelque bonne mine que je fisse quand je perdais, je ne laissais pas d'en ressentir au-dedans la piqûre. Un homme d'honneur, qui doit ressentir un démenti et une offense jusqu'au cœur, qui n'est point homme à prendre une mauvaise excuse en paiement et réparation, qu'il évite donc de laisser les conflits litigieux aller leur cours ! Je fuis les natures sombres et les hommes hargneux comme des pestiférés. Et des sujets que je ne puis traiter sans passion et sans émotion, je ne m'en mêle point si le devoir ne m'y force : Il est plus facile de ne pas commencer que de s'arrêter *melius non incipient quam desinent*. [1] La plus sûre façon est donc de se préparer avant les occasions. Je sais bien que certains sages ont pris une autre voie et n'ont pas craint de se harponner et de s'engager jusqu'au vif à plusieurs objets. Ces gens-là s'assurent sur leur force, sous laquelle ils se mettent à couvert en toute sorte d'événements ennemis, faisant combattre les maux par la vigueur de leur patience :

comme au large un rocher, Face aux fureurs des vents, et battu par les flots, Du ciel et des eaux soutient les défis et les assauts Sans que rien ne l'ébranle

uelut rupes uastum quæ prodit in æquor,
Obuia uentorum furiis, expostâque ponto,
Vim cunctam atque minas perfert cœlique marisque,
Ipsa immota manens. [2]

N'attaquons pas ces exemples : nous n'y arriverions point ! Ils s'obstinent à voir résolument et sans se troubler la ruine de leur pays, qui possédait et commandait toute leur volonté. Pour nos âmes communes, il y a trop d'effort et trop de rudesse à cela. Caton en abandonna la plus noble vie qui fut jamais. À nous autres petits, il faut fuir l'orage de plus loin : il faut voir à ne point ressentir, et non pas à résister, et échapper aux coups que nous ne saurions parer. Zénon voyant approcher Chrémonidès, un jeune homme qu'il aimait, pour

1. Sénèque, *Lettres à Lucilius*, LXXII, 11.
2. Virgile, *Énéide*, X, 693-696.

s'asseoir auprès de lui, se leva soudain. Et Cléanthes lui en demandant la raison : « J'entends dire, dit-il, que les médecins ordonnent principalement le repos et défendent l'émotion dans tous les cas de tumeurs. » Socrate ne dit point : « Ne vous rendez pas aux attraits de la beauté ; soutenez-la, efforcez-vous contre elle » ; « Fuyez-la », fait-il, « courez hors de sa vue et de sa rencontre, comme d'un poison puissant qui s'élance et frappe de loin. » Et son bon disciple [1] imaginant ou relatant (mais, à mon avis, relatant plutôt qu'imaginant) les rares perfections de ce grand Cyrus, le montre qui se défie de ses forces face aux attraits de la divine beauté de l'illustre Panthée, sa captive, et qui en confie la visite et la garde à un autre qui eût moins de liberté que lui. Et le Saint-Esprit de même : ne nous soumets pas à la tentation *ne nos inducas in tentationem* ! [2] Nous ne prions pas que notre raison ne soit combattue et vaincue par la concupiscence, mais qu'elle n'en soit pas seulement essayée, et que nous ne soyons pas amenés à un état où nous ayons à souffrir ne fût-ce que les approches, les sollicitations et les tentations du péché ; et nous supplions Notre Seigneur de maintenir notre conscience tranquille, pleinement et parfaitement délivrée du commerce du mal. Ceux qui disent avoir raison de leur passion vindicative ou de quelque autre espèce de passion pénible disent souvent vrai eu égard à ce que sont les choses, mais non pas à ce qu'elles furent. Quand ils nous parlent, les causes de leur erreur sont abondées et avancées par eux-mêmes. Mais reculez plus arrière, rappelez ces causes à leur origine : là, vous les surprendrez sans leur rameau vert ! [3] Prétendent-ils que leur faute soit moindre pour être plus ancienne, et que d'un injuste commencement la suite soit juste ?

Qui désirera du bien à son pays comme moi, sans s'en ulcérer ou maigrir, il sera chagrin, mais non pas anéanti, de le voir menacer de ruine ou de se survivre de façon non moins ruineuse : oui, pauvre vaisseau, que « les flots, les vents, et le pilote, tiraillent entre de si contraires desseins » :

in tam diuersa, magister,
Ventus et unda trahunt ! [4]

---

1. Xénophon.
2. Pater noster (Matthieu, VI, 13 et Luc, XI, 4).
3. Montaigne dit « vous les prendrez au vert » : le 1er mai, la coutume faisait un devoir à chacun de se couvrir d'un rameau vert ; « prendre quelqu'un au vert », c'était ainsi le surprendre sans ce rameau vert, c'est-à-dire à découvert.
4. Buchanan, *Franciscanus*, vers 13-14.

Qui ne bée point après la faveur des princes comme après chose dont il ne saurait se passer ne se pique pas beaucoup de la froideur de leur accueil et de leur visage, ni de l'inconstance de leur volonté. Qui ne couve point ses enfants ou ses honneurs d'une propension esclave ne laisse pas de vivre commodément après leur perte. Qui fait bien d'abord pour sa propre satisfaction ne s'altère guère à voir les hommes juger de ses actions contre son mérite. Un quart d'once de patience pourvoit à pareils inconvénients. Je me trouve bien de cette recette de me racheter des commencements au meilleur compte que je puis, et je sens que j'ai évité par ce moyen beaucoup de peine et de difficultés. Avec bien peu d'effort, j'arrête ce premier branle de mes émotions, et j'abandonne le sujet qui commence à me peser avant qu'il ne m'emporte. Qui n'arrête le partir n'a garde d'arrêter la course. Qui ne sait leur fermer la porte ne les chassera pas une fois entrées. Qui ne peut venir à bout du commencement ne viendra pas à bout de la fin. Ni n'en soutiendra la chute, qui n'en a pu soutenir l'ébranlement, car les passions se poussent d'elles-mêmes en avant dès que l'on s'est écarté de la raison ; la faiblesse se complaît en elle-même et sans y prendre gare on est entraîné en pleine mer sans plus avoir où reprendre pied *etenim ipsæ se impellunt ubi semel a ratione discessum est ; ipsaque sibi imbecillitas indulget, in altumque prouehitur imprudens nec reperit locum consistendi.* [1] Je sens à temps les petits vents qui me viennent tâter et bruire au dedans, avant-coureurs de la tempête,

Comme lorsqu'au fond des bois frémissent les premiers souffles Et qu'on entend rouler d'invisibles murmures Prévenant les marins de la venue des vents

ceu flamina prima
Cum deprensa fremunt siluis, et cæca uolutant
Murmura, uenturos nautis prodentia uentos. [2]

Combien de fois me suis-je fait une bien évidente injustice pour fuir le hasard de me la voir assener pire encore par des juges, après un siècle d'ennuis, et de sales et viles procédures, plus ennemies de mon naturel que ne sont la géhenne et le feu ? Il faut fuir les procès autant que possible, voire un peu plus que possible. Non seulement il est généreux de céder parfois un peu sur ses droits, mais cela peut même s'avérer fructueux à l'occasion *Conuenit a litibus quantum licet, et nescio an paulo plus etiam quam licet, abhorrentem esse. Est enim non modo liberale paululum nonnunquam de suo iure decedere, sed interdum etiam fructuosum.* [3] Si nous étions bien sages, nous nous devrions réjouir et vanter de nos pertes, ainsi que j'entendis un jour un enfant de grande maison faire fête bien naïvement à chacun du fait sa mère

1. Cicéron, *Tusculanes*, IV, XVIII, 42.
2. Virgile, *Énéide*, X, 97-99.
3. Cicéron, *De officiis*, II, XVIII, 64.

venait de perdre son procès, comme s'il se fût agi de sa toux, de sa fièvre, ou de toute autre chose importune à garder. Les faveurs mêmes que la fortune pouvait m'avoir données, parentés et relations avec ceux qui ont souveraine autorité en ces matières-là, j'ai beaucoup fait selon ma conscience pour éviter instamment de les employer au préjudice des autres et de faire passer mes droits par-dessus leur juste valeur. Enfin j'ai tant fait de mes jours – puissé-je le dire sans me porter malheur ! – que me voici encore vierge de procès, qui n'ont pourtant pas laissé de s'inviter plusieurs fois à mon service à bien juste titre s'il m'eût plu d'y prêter l'oreille, et vierge de querelles : j'ai sans avoir subi ou infligé un poids à quiconque, écoulé bientôt une longue vie, et sans avoir entendu pis que mon nom [1] : rare grâce du ciel !

Nos plus grandes agitations ont des ressorts et des causes ridicules. Combien encourut de ruine notre dernier duc de Bourgogne pour la querelle d'une charretée de peaux de mouton ! [2] Et la gravure d'une chevalière, ne fut-ce pas la première et maîtresse cause du plus horrible bouleversement que notre machine ronde ait jamais souffert [3] ? Car Pompée et César, ce ne sont que les rejetons et la suite des deux autres. Et j'ai vu de mon temps les plus sages têtes de ce royaume assemblées avec force cérémonie et dépense publique pour des traités et des accords dans lesquels la vraie décision dépendait cependant en toute souveraineté des propos échangés dans le cabinet des dames et des préférences de quelque petite femme. Les poètes ont bien entendu cela, qui ont mis, pour une pomme, la Grèce et l'Asie à feu et à sang ! Regardez pourquoi celui-là court exposer son honneur et sa vie au bout de son épée et de son poignard ; qu'il vous dise d'où vient la source de ce débat : il ne le peut faire sans rougir, tant l'occasion en est vaine, et frivole.

À la mise au four, il n'y va que d'un peu de prudence, mais une fois que vous êtes embarqué, toutes les cordes tirent. Il y fait besoin de fortes munitions, bien plus difficiles et importantes. De combien est-il plus aisé de n'y entrer pas que d'en sortir ! Or il faut procéder au rebours du roseau, qui produit une tige longue et droite lors de sa première pousse, mais après, comme s'il s'était alangui et mis hors d'haleine, il vient à faire des nœuds fréquents et épais, comme des

1. Sans ne m'être jamais entendu traiter de pire façon que par mon nom.

2. Le prétexte de la guerre qui opposa Charles le Téméraire aux Suisses fut un chariot de peaux de moutons volé à un Suisse.

3. Sylla avait fait graver sur un anneau une scène figurant la reddition de Jugurtha, alors que Marius revendiquait la capture de ce roi numide : ce fut le prétexte à la première des guerres civiles, et le point de départ des conflits internes qui s'ensuivirent en série.

pauses, qui montrent qu'il n'a plus sa vigueur et sa consistance premières. Il faut plutôt commencer lentement et froidement, et garder son haleine et ses vigoureux élans pour le fort de la besogne et son achèvement. Nous guidons les affaires dans leurs commencements, et nous les tenons alors à notre merci ; mais par après, une fois qu'elles sont mises en branle, ce sont elles qui nous guident et emportent, et nous n'avons qu'à les suivre.

Pourtant ce n'est pas à dire que ce conseil m'ait déchargé de toute difficulté, et que je n'aie eu souvent fort à faire à gourmer et brider mes passions. Elles ne se gouvernent pas toujours selon la mesure des occasions, et ont leurs débuts mêmes souvent âpres et violents. Toujours est-il qu'il se tirent de ce principe une belle épargne et du fruit. Sauf pour ceux qui, quand ils font bien, ne se contentent d'aucun fruit si la renommée n'y est jointe. Car à la vérité, un tel effet ne compte que pour chacun pour soi. Vous en êtes plus content, mais non plus estimé, puisque vous vous êtes réformé avant que d'être dans la danse et que la matière fût en vue. Toutefois aussi, non en cela seulement, mais dans tous les autres devoirs de la vie, la route de ceux qui visent à l'honneur diverge beaucoup de celle que tiennent ceux qui se proposent l'ordre et la raison.

J'en trouve qui entrent en lice inconsidérément et avec fureur, et qui se ralentissent pendant la course. De même que Plutarque dit que ceux qui, par le vice de la mauvaise honte, sont souples et prompts à accorder quoi qu'on leur demande, sont aussi prompts après à manquer de parole et à se dédire, de même, qui entre légèrement en querelle est sujet à en sortir aussi légèrement. Cette même difficulté, qui me garde d'entamer querelle, m'inciterait à m'y tenir ferme une fois que je serais ébranlé et échauffé. C'est une mauvaise façon. Dès lors qu'on y est, il faut aller ou crever. Entreprenez froidement, disait Bias, mais poursuivez ardemment. D'un défaut de prudence, on tombe dans un défaut de courage, ce qui est encore moins supportable.

La plupart des accords qui scellent nos querelles d'aujourd'hui sont honteux et menteurs : nous ne cherchons qu'à sauver les apparences, cependant que nous trahissons et désavouons nos vraies intentions. Nous plâtrons le fait. Nous savons comment nous l'avons dit, et en quel sens, et les assistants le savent, et nos amis à qui nous avons voulu faire sentir notre avantage. C'est aux dépens de notre franchise, et de l'honneur de notre courage, que nous désavouons notre pensée et courons comme lapins nous réfugier dans le mensonge pour nous réconcilier. Nous nous démentons nous-mêmes pour sauver un démenti que nous avons infligé à un autre. Il ne faut pas regarder si votre action ou votre parole peut avoir quelque autre interprétation, c'est votre vraie et sincère interprétation qu'il faut désormais maintenir, quoi qu'il vous en coûte. On parle à votre vertu et à votre conscience : ce ne sont point là des parties à mettre sous le masque. Laissons ces vils moyens et ces expédients à la chicane du palais ! Les excuses et les réparations que je vois faire tous les jours pour purger une arrogance me semblent plus laides que l'arrogance même. Il vaudrait mieux offenser son adversaire encore un coup que de s'offenser soi-même en lui faisant pareille amende. Vous l'avez bravé étant ému de colère, et vous allez le radoucir et le flatter alors que vous êtes de sang-froid et dans votre meilleur sens : ainsi vous vous soumettez plus que vous ne vous étiez avancé. Je ne trouve aucun dire si vicieux pour un gentilhomme que le dédire me semble lui être honteux quand c'est un dédire qu'on lui arrache par autorité, d'autant que l'opiniâtreté lui est plus excusable que la pusillanimité.

Les passions me sont autant aisées à éviter qu'elles me sont difficiles à modérer : *abscinduntur facilius animo quam temperantur*. [1] Qui ne peut atteindre à cette noble impassibilité des Stoïques, qu'il se sauve au giron de ce mien flegme populaire. Ce que ceux-là faisaient par vertu, je m'apprends à le faire par disposition. La moyenne région loge les tempêtes ; les deux extrêmes – les philosophes et les hommes des champs – se rencontrent pour ce qui est de la tranquillité et du bonheur :

Heureux qui a pu découvrir le principe des choses, Piétiné toutes les peurs, l'inexorable destin, Et tout le bruit qu'on fait de l'avide Achéron ; Fortuné qui connaît aussi les dieux des champs, Pan, et le vieux Sylvain, et puis les Nymphes sœurs

Felix qui potuit rerum cognoscere causas,
Atque metus omnes et inexorabile fatum
Subiecit pedibus strepitumque Acherontis auari ;
Fortunatus et ille deos qui nouit agrestes,
Panaque, Syluanumque senem, Nymphasque sorores. [2]

De toutes choses les naissances sont faibles et tendres. Aussi il faut avoir les yeux ouverts lors des commencements, car comme lors de sa petitesse on n'en découvre pas le danger, quand il est accru on n'en découvre plus le remède. En suivant le cours de l'ambition, j'eusse rencontré un million de traverses tous les jours plus malaisées à digérer qu'il ne m'a été malaisé d'arrêter l'inclination naturelle qui m'y portait :

c'est bien à raison que j'ai fui De relever la tête et l'offrir de loin aux regards

iure perhorrui,
Late conspicuum tollere uerticem ! [3]

---

1. Sénèque, *Lettres à Lucilius*, CVIII, 16.
2. Virgile, *Géorgiques*, II, 490-494.
3. Horace, *Odes*, III, XVI, 18-19.

Toutes les actions publiques sont sujettes à incertaines et diverses interprétations, car trop de têtes en jugent. D'aucuns disent de cette mienne occupation de ville (et je suis content d'en dire un mot, non qu'elle le vaille, mais pour servir d'exemple de mes mœurs en pareilles choses) que je m'y suis comporté en homme qui s'émeut trop mollement, et avec un zèle languissant, et ils ne sont pas du tout loin de la vraisemblance. J'essaye de tenir mon âme et mes pensées en repos, paisible par nature, et plus encore à présent du fait de l'âge *cum semper natura, tum etiam ætate iam quietus.* [1] Et si elles se débauchent parfois sous l'effet de quelque impression rude et pénétrante, c'est à la vérité sans mon conseil. De cette langueur naturelle, on ne doit pour autant tirer aucune preuve d'impuissance (car faute de soin, et faute de sens, ce sont deux choses), et moins encore de méconnaissance et d'ingratitude envers ce peuple qui employa tous les plus extrêmes moyens qu'il eût en ses mains à me gratifier, tant avant de m'avoir connu qu'après, et qui fit bien plus pour moi en me redonnant ma charge qu'en me la donnant pour la première fois. Je lui veux tout le bien qui se peut. Et certes si l'occasion y eût été, il n'est rien que j'eusse épargné pour son service. Je me suis ébranlé pour lui comme je le fais pour moi. C'est un bon peuple, guerrier et généreux, capable pourtant d'obéissance et de discipline, et de servir à quelque bon usage s'il y est bien guidé. Ils disent aussi que cette mienne vacation s'est passée sans marque et sans trace. Voilà qui est bien bon ! On me reproche mon inaction en un temps où quasi tout le monde était accusé de trop faire !

J'ai un agir trépignant quand la volonté me porte. Mais cette pointe est ennemie de persévérance. Qui se voudra servir de moi selon moi, qu'il me donne des affaires où il fasse besoin de vigueur et de liberté, qui aient une conduite droite et courte, ou même hasardeuse : j'y pourrais quelque chose. S'il la faut longue, subtile, laborieuse, artificielle, et tortueuse, il fera mieux de s'adresser à quelque autre.

Toutes les charges importantes ne sont pas difficiles. J'étais préparé à m'embesogner un peu plus rudement s'il en eût été grand besoin. Car il est en mon pouvoir de faire quelque chose plus que je ne le fais et plus que je n'aime à le faire. Je n'ai négligé, que je sache, aucune action que le devoir eût requise de moi à bon escient : j'ai facilement laissé de côté celles que l'ambition mêle au devoir et couvre de son titre : ce sont celles qui le plus souvent remplissent les yeux et les oreilles, et qui contentent les hommes. Non pas la chose, mais l'apparence les paye. S'ils n'oient du bruit, il leur semble qu'on dorme. Mes humeurs sont contraires aux humeurs bruyantes. J'arrêterais bien un

1. Quintus Cicéron, *La Demande du consulat*, II, 9.

trouble sans me troubler, et châtierais un désordre sans m'émouvoir. Ai-je besoin de colère et de flamme ? Je l'emprunte, et m'en masque : mes mœurs sont peu tranchantes, plutôt fades que mordantes. Je n'accuse pas un magistrat de dormir, pourvu que ceux qui sont sous sa main dorment avec lui. Les lois dorment de même. Pour moi, je loue une vie glissante, obscure et sans bruit, ni soumise, ni basse, ni arrogante *neque submissam et abiectam, neque se efferentem* [1] : ma fortune le veut ainsi. Je suis né d'une famille qui a coulé sans éclat et sans tumulte, et qui de longue mémoire s'est particulièrement éprise de prud'homie.

Nos hommes sont si formés à l'agitation et à l'ostentation que la bonté, la modération, l'équanimité, la constance, et autres pareilles qualités quiètes et obscures ne sont plus senties. Les corps raboteux se sentent ; les polis se manient imperceptiblement. La maladie se sent, la santé, peu ou point, non plus que les choses qui nous oignent au prix de celles qui nous poignent. C'est agir pour sa réputation et son profit particulier, non pour le bien, que de remettre à faire à l'audience ce qu'on peut faire en la chambre du conseil ; et en plein midi, ce qu'on eût pu faire la nuit précédente ; et d'être jaloux de faire soi-même ce que son compagnon fait aussi bien. Ainsi certains chirurgiens de Grèce procédaient-ils aux opérations de leur art sur des estrades à la vue des passants, pour en acquérir plus de pratique et de chalandise. On juge que les bons règlements ne peuvent être entendus qu'au son de la trompette !

L'ambition n'est pas un travers de petits compagnons, et ne relève pas d'efforts tels que les nôtres. On disait à Alexandre : « Votre père vous laissera un vaste empire, aisé, et pacifique » : ce garçon était envieux des victoires de son père et de la justice de son gouvernement ; il n'eût pas voulu jouir de l'empire du monde de façon calme et paisible ! Alcibiade, dans Platon, aime mieux mourir, jeune, beau, riche, noble, savant, et tout cela éminemment, que de rester en l'état dans sa condition du moment. Cette maladie est d'aventure excusable dans une âme si forte et si pleine. Quand ces âmelettes naines et chétives vont s'embabouinant et pensent épandre leur nom pour avoir jugé adroitement d'une affaire, ou continué les tours de garde d'une porte de ville, ils en montrent d'autant plus le cul qu'ils espèrent en hausser la tête. Ce menu bien faire n'a ni corps ni vie. Il va s'évanouissant dès la première bouche, et ne se promène que d'un carrefour de rue à l'autre. Entretenez-en hardiment votre fils et votre valet, comme cet ancien, qui, n'ayant d'autre auditeur de ses louanges, et persuadé

1. Cicéron, *De officiis*, I, XXXIV, 124.

de sa valeur, faisait le brave devant sa chambrière en s'écriant : « Ô Perrette, le galant et habile homme de maître que tu as ! » Entretenez-vous, au pis-aller, avec vous-même, comme un conseiller de ma connaissance qui, après avoir dégorgé une palanquée de paragraphes, très laborieux et pareillement ineptes, et s'étant retiré de la chambre du conseil au pissoir du palais, fut ouï marmottant entre les dents bien consciencieusement : Rends gloire, Seigneur, non pas à moi, non pas à moi, mais bien à ton nom *Non nobis, Domine, non nobis, sed nomini tuo da gloriam* ! [1] Qui ne le peut d'ailleurs, qu'il se paye de sa bourse ! La renommée ne se prostitue pas à si vil compte. Les actions rares et exemplaires auxquelles elle est due ne souffriraient pas la compagnie de cette foule innombrable de petites actions journalières. Le marbre élèvera vos titres tant qu'il vous plaira pour avoir fait rapetasser un pan de mur ou décrotter un ruisseau public, mais non pas les hommes qui ont du sens. Le bruit ne suit pas toute bonté si le difficile et le peu commun n'y sont joints. Voire ni la simple estime n'est due à toute action qui n'ait de la vertu, selon les Stoïciens, et ils ne veulent pas qu'on sache seulement gré à celui qui par tempérance s'abstient de toucher à une vieille chassieuse. Ceux qui ont connu les admirables qualités de Scipion l'Africain refusent la gloire que Panætius lui attribue d'avoir refusé les dons, au motif que pareille gloire était non tant sienne que de son siècle.

Nous avons des voluptés assorties à notre fortune : n'usurpons pas celles de la grandeur ! Les nôtres sont plus naturelles. Et d'autant plus solides et sûres qu'elles sont plus basses. Puisque ce n'est par conscience, au moins par ambition refusons l'ambition ; dédaignons cette faim de renommée et d'honneur, basse et mendiante, qui nous les fait quémander auprès de toutes sortes de gens : *Quæ est ista laus quæ possit e macello peti*, [2] quelle est donc cette gloire qu'on peut trouver au marché par des moyens abjects, et à quelque vil prix que ce soit ? C'est déshonneur que d'être ainsi honoré. Apprenons à n'être pas plus avides de gloire que nous n'en pouvons acquérir. De s'enfler de toute action utile et innocente, c'est à faire à des gens à qui la gloire est extraordinaire et rare. Ils en veulent faire parade pour le prix qu'elle leur coûte. Plus un bon acte est éclatant, plus je rabats de sa bonté le soupçon dans lequel j'entre qu'il soit produit pour être éclatant plus que pour être bon. Mis sur l'étal, il est à demi vendu ! Ces actions-là ont bien plus de grâce, qui échappent de la main de l'ouvrier nonchalamment et sans bruit, et que quelque honnête homme choisit après et relève de

1. Psaumes, CXV, I.
2. Cicéron, *De finibus,* II, XV, 50.

l'ombre pour les mettre en lumière à cause d'elles-mêmes : Je trouve plus louable ce qui se fait sans étalage et sans que le peuple en soit témoin *mihi quidem laudabiliora uidentur omnia quæ sine uendicatione et sine populo teste fiunt*, [1] dit l'homme du monde le plus vaniteux.

Je n'avais qu'à conserver et maintenir, qui sont des actions sourdes et insensibles. L'innovation est d'un grand lustre. Mais elle est interdite en ce temps où nous sommes accablés et n'avons à nous défendre que des nouvelletés. L'abstinence de faire est souvent aussi généreuse que le faire, mais elle est moins en jour. Et le peu que je vaux est quasi tout de cette espèce. En somme les occasions en cette charge ont suivi ma nature, ce dont je leur sais très bon gré. Est-il quelqu'un qui désire être malade pour voir son médecin en besogne ? Et faudrait-il pas fouetter le médecin qui nous désirerait la peste pour mettre son art en pratique ? Je n'ai point eu cette humeur inique et assez commune de désirer que le trouble et la maladie des affaires de cette cité rehaussassent et honorassent mon gouvernement : j'ai prêté de bon cœur l'épaule à leur aisance et facilité. Qui ne me voudra savoir gré de l'ordre, de la douce et muette tranquillité qui a accompagné ma conduite, au moins ne peut-il pas me priver de la part qui m'en revient au titre de ma bonne fortune. Et je suis ainsi fait que j'aime autant être heureux que sage, et devoir mes succès purement à la grâce de Dieu qu'à l'entremise de mon action. J'avais assez disertement publié au monde mon insuffisance pour de tels maniements publics ; j'ai encore pis que l'insuffisance : c'est qu'elle ne me déplaît guère, et que je ne cherche guère à la guérir, vu le train de vie que je m'étais assigné. Je ne me suis, dans cette entremise, pas plus satisfait à moi-même. Mais, à peu près, j'en suis arrivé à ce que je m'en étais promis, et j'ai pourtant de beaucoup dépassé ce que j'en avais promis à ceux à qui j'avais affaire, car je promets volontiers un peu moins que ce que je puis et que ce que j'espère tenir. Je suis sûr de n'y avoir laissé ni offense ni haine. D'y laisser regret et désir de moi, je sais bien cela au moins que je ne l'ai pas fort recherché :

me fier à ce monstre ? Oublier le masque trompeur de la mer apaisée Et les flots au repos ?

mene huic confidere monstro,
Mene salis placidi uultum, fluctusque quietos
Ignorare ? [2]

1. Cicéron, *Tusculanes*, II, XXVI, 64.
2. Virgile, *Énéide*, V, 849, 848-849.

Des boiteux

[Chapitre XI]

Il y a deux ou trois ans, qu'on raccourcit l'an de dix jours en France [1]. Combien de changements devaient suivre cette réformation ! Ce fut proprement remuer le ciel et la terre à la fois. Ce néanmoins, il n'est rien qui bouge de sa place : mes voisins trouvent l'heure de leurs semences, de leur récolte, l'opportunité de leurs négoces, les jours nuisibles et propices, au même point justement où ils les avaient assignés de tout temps. Ni l'erreur ne se sentait en notre usage, ni l'amendement ne s'y sent. Tant il y a d'incertitude partout, tant notre perception est grossière, obscure et obtuse. On dit que ce règlement se pouvait conduire d'une façon moins incommode, soustrayant à l'exemple d'Auguste, pour quelques années, le jour de l'année bissextile, qui de toute manière est un jour de gêne et de trouble, jusqu'à ce qu'on fût arrivé à compenser exactement ce décalage. Ce que même on n'a pas fait par cette correction, et nous demeurons encore redevables de quelques jours. Et pourtant par même moyen, on aurait pu régir le calendrier pour toujours, ordonnant qu'après la révolution de tel ou tel nombre d'années, ce jour extraordinaire serait toujours éclipsé, si bien que notre erreur de calcul ne pourrait dorénavant excéder vingt et quatre heures. Nous n'avons autre compte du temps que les ans. Il y a tant de siècles que le monde s'en sert, et pourtant c'est une mesure que nous n'avons encore achevé d'arrêter, et elle est telle que nous doutons tous les jours quelle forme les autres nations lui ont diversement donnée, et quel en était l'usage. Que penser de ce que disent certains, que les cieux se compriment vers nous en vieillissant, et nous jettent en incertitude des heures même et des jours ? Et des mois, ce que dit Plutarque, qu'encore de son temps l'astrologie n'avait su borner le mouvement de la lune ? Nous voilà bien accommodés, pour tenir registre des choses passées.

Je rêvassais présentement, comme je fais souvent, à propos de combien l'humaine raison est un instrument libre et vague. Je vois

1. Référence à la réforme du calendrier établie par le pape Grégoire XIII en 1582 pour rattraper la dérive séculaire du précédent : le calendrier grégorien supplante désormais le calendrier julien.

ordinairement que les hommes, aux faits qu'on leur propose, s'amusent plus volontiers à en chercher la raison, qu'à en chercher la vérité. Ils passent par-dessus les présuppositions, mais ils examinent avec soin les conséquences. Ils laissent les choses, et courent aux causes. Plaisants causeurs. La connaissance des causes touche seulement celui qui a la conduite des choses, non à nous qui n'avons qu'à les subir. Et qui en avons l'usage parfaitement plein et accompli, selon notre besoin, sans en pénétrer l'origine et l'essence. Ni le vin n'en est plus plaisant à celui qui en sait les facultés premières. Au contraire, et le corps, et l'âme interrompent et altèrent le droit qu'ils ont de l'usage du monde, et de soi-même, y mêlant l'opinion de science. Les effets nous touchent, mais les moyens, nullement. Le fait de déterminer et de distribuer appartient à la maîtrise et à la régence, comme à la sujétion et à l'apprentissage, celui d'accepter. Reprenons notre coutume. Ils commencent ordinairement ainsi : « Comment est-ce que cela se fait ? ». « Mais, se fait-il ? », faudrait-il dire. Notre discours est capable d'étoffer cent autres mondes, et d'en trouver les principes et la contexture. Il ne lui faut ni matière, ni base. Laissez-le courir : il bâtit aussi bien sur le vide que sur le plein, et de l'inanité que de matière,

capable de donner du poids à la fumée,
dare pondus idonea fumo. [1]

Je trouve quasi partout qu'il faudrait dire : « il n'en est rien ». Et j'emploierais souvent cette réponse, mais je n'ose, car ils crient que c'est une défaite produite de faiblesse d'esprit et d'ignorance. Et il me faut ordinairement jouer la comédie en société à traiter des sujets, et contes frivoles, que je mécrois entièrement. Joint qu'à la vérité, il est un peu rude et querelleux de nier tout sec une proposition de fait. Et peu de gens, notamment aux choses malaisées à persuader, manquent d'affirmer qu'ils l'ont vu, ou d'alléguer des témoins desquels l'autorité arrête notre contradiction. Suivant cet usage, nous savons les fondements et les moyens de mille choses qui ne furent jamais. Et s'escarmouche le monde en mille questions, desquelles, et le pour et le contre, est faux. Le faux est si voisin du vrai que le sage ne doit point s'aventurer en un lieu si escarpé *Ita finitima sunt falsa ueris, ut in praecipitem locum non debeat se sapiens committere.* [2] La vérité et le mensonge ont leurs visages conformes, le port, le goût, et les allures pareilles : nous les regardons de même œil. Je trouve que nous ne sommes pas seulement lâches à nous défendre de la tromperie, mais que nous cherchons et incitons

1. Perse, V, 20.
2. Cicéron, *Premiers Académiques*, II, XXI, 68.

à nous y enferrer. Nous aimons à nous embrouiller en la vanité, comme étant conforme à notre être.

J'ai vu la naissance de plusieurs miracles de mon temps. Encore qu'ils s'étouffent en naissant, nous ne laissons pas de prévoir le train qu'ils eussent pris, s'ils eussent vécu leur âge. Car il n'est que de trouver le bout du fil, on en dévide tant qu'on veut : et il y a plus loin, de rien, à la plus petite chose du monde, qu'il n'y a de celle-là, jusqu'à la plus grande. Or les premiers sont abreuvés de ce commencement d'étrangeté, venant à semer leurs histoires, sentant par les oppositions qu'on leur fait, où loge la difficulté de leur persuasion, et vont calfeutrant cet endroit de quelque pièce fausse. Outre ce que, par le goût naturel des hommes à alimenter délibérément les rumeurs *insita hominibus libidine alendi de industria rumores,* [1] nous faisons naturellement conscience de rendre ce qu'on nous a prêté, sans quelque intérêt et accroissement de notre cru. L'erreur particulière fait premièrement l'erreur publique, et à son tour après, l'erreur publique fait l'erreur particulière. Ainsi va tout ce bâtiment, s'étoffant et se formant, de main en main, de manière que le plus éloigné témoin en est mieux instruit que le plus voisin, et le dernier informé, mieux persuadé que le premier. C'est un processus naturel. Car quiconque croit quelque chose estime que c'est ouvrage de charité de le persuader à un autre. Et pour ce faire, il ne craint point d'ajouter de son invention, autant qu'il voit être nécessaire en son conte, pour suppléer à la résistance et au défaut qu'il pense être en la conception d'autrui. Moi-même, qui me fais singulière conscience de mentir et qui ne me soucie guère de donner créance et autorité à ce que je dis, je m'aperçois toutefois, aux propos que j'ai en main, qu'étant échauffé, ou par la résistance d'un autre, ou par la propre chaleur de ma narration, je grossis et enfle mon sujet par voix, mouvements, vigueur et force de paroles, et encore par extension et amplification, non sans dommage pour la vérité pure. Mais je le fais en condition pourtant qu'au premier qui me ramène, et qui me demande la vérité nue et crue, je quitte soudain mon effort, et la lui donne, sans exagération, sans emphase et remplissage. La parole vive et bruyante, comme est la mienne ordinaire, s'emporte volontiers à l'hyperbole.

Il n'est rien à quoi communément les hommes soient plus tendus qu'à donner voie à leurs opinions. Où le moyen ordinaire nous fait défaut, nous y ajoutons le commandement, la force, le fer et le feu. Il y a du malheur d'en être là, que la meilleure pierre de touche de la vérité ce soit la multitude des croyants, en une foule où les fous surpassent de tant les sages en nombre. Comme s'il n'y avait assurément rien de si

1. Tite-Live, XXVIII, XXIV, 1.

commun que le manque de jugement. Le garant du bon sens, c'est une foule d'insensés ! *Quasi uero quidquam sit tam ualde, quam nil sapere uulgare. Sanitas patrocinium est, insanientium turba.* [1] C'est chose difficile d'arrêter son jugement contre les opinions communes. La première persuasion prise du sujet même saisit les simples : de là elle s'épand aux habiles, sous l'autorité du nombre et l'ancienneté des témoignages. Pour moi, de ce que je n'en croirais pas un, je n'en croirais pas cent un non plus. Et je ne juge pas les opinions par les ans.

Il y a peu de temps que l'un de nos princes, en qui la goutte avait perdu un beau naturel et une allègre composition, se laissa si fort persuader, au rapport qu'on faisait des merveilleuses opérations d'un prêtre qui par la voie des paroles et des gestes guérissait toutes maladies, qu'il fit un long voyage pour l'aller trouver ; et par la force de son imagination, persuada, et endormit ses jambes pour quelques heures, si bien qu'il en tira du service, qu'elles avaient pourtant désappris lui faire il y a longtemps. Si la fortune eût laissé s'amonceler cinq ou six telles aventures, elles étaient capables de donner corps à ce miracle. On trouva depuis tant de simplesse et si peu d'art en l'architecte de tels ouvrages, qu'on le jugea indigne d'aucun châtiment ; comme aussi ferait-on de la plupart de telles choses si on les reconnaissait en leur gîte. Nous admirons ce qui par la distance nous trompe *Miramur ex interuallo fallentia.* [2] Notre vue représente ainsi souvent de loin des images étranges qui s'évanouissent en s'approchant. Jamais la rumeur n'est menée à la vérité limpide *Nunquam ad liquidum fama perducitur.* [3] C'est merveille, de combien vains commencements, et frivoles causes, naissent ordinairement si fameuses opinions. Cela même en empêche la recherche, car pendant qu'on cherche des causes, et des fins fortes et pesantes et dignes d'un si grand nom, on perd les vraies. Elles échappent de notre venue par leur petitesse. Et à la vérité, il est requis un bien prudent, attentif, et subtil inquisiteur, en telles recherches : indifférent et sans idée préconçue. Jusqu'à cette heure, tous ces miracles et événements étranges se cachent devant moi : je n'ai vu monstre et miracle au monde plus exprès que moi-même. On s'apprivoise à toute étrangeté par l'usage et le temps, mais plus je me hante et me connais, plus ma difformité m'étonne, moins je m'entends en moi. Le principal droit d'avancer et produire de tels accidents est réservé à la fortune.

Passant avant-hier dans un village, à deux lieues de ma maison, je trouvai la place encore toute chaude d'un miracle qui venait d'y

1. Saint Augustin, *La Cité de Dieu*, VI, X.
2. Sénèque, *Lettres à Lucilius*, CXVIII, 7.
3. Quinte-Curce, IX, II, 14.

échouer, par lequel le voisinage avait été occupé plusieurs mois, et les provinces voisines commençaient de s'en émouvoir et d'y accourir à grosses troupes de toutes qualités. Un jeune homme du lieu s'était joué à contrefaire, une nuit en sa maison, la voix d'un esprit, sans penser à d'autre finesse qu'à jouir d'un badinage présent. Cela lui ayant un peu mieux réussi qu'il n'espérait, pour étendre sa farce à plus de ressorts, il y associa une fille de village, complètement stupide et niaise ; et furent trois enfin, de même âge et de pareille capacité, et de prêches domestiques en firent des prêches publics, se cachant sous l'autel de l'Église, ne parlant que de nuit, et défendant d'y apporter aucune lumière. De paroles, qui tendaient à la conversion du monde, et menace du jour du jugement (car ce sont sujets sous l'autorité et révérence desquels l'imposture se tapit plus aisément), ils vinrent à quelques visions et mouvements, si niais et si ridicules, qu'à peine y a-t-il rien de si grossier au jeu des petits enfants. Si toutefois la fortune y eût voulu prêter un peu de faveur, qui sait, jusqu'où se fût accru ce batelage ? Ces pauvres diables sont à cette heure en prison, et porteront peut-être la peine de leur sottise commune ; et ne sais si quelque juge se vengera sur eux de la sienne.

On voit clair en celle-ci qui est découverte, mais en plusieurs choses de pareille qualité, surpassant notre connaissance, je suis d'avis que nous suspendions notre jugement, aussi bien à rejeter, qu'à recevoir. Il s'engendre beaucoup d'abus au monde, ou pour dire plus hardiment, tous les abus du monde s'engendrent de ce qu'on nous apprend à craindre de faire profession de notre ignorance ; et nous sommes tenus d'accepter tout ce que nous ne pouvons réfuter. Nous parlons de toutes choses par précepte et résolution. Le style à Rome portait que cela même qu'un témoin déposait, pour l'avoir vu de ses yeux, et ce qu'un juge ordonnait de sa plus certaine science, étaient conçus en cette forme de parler, me semble-t-il. On me fait haïr les choses vraisemblables quand on me les plante pour infaillibles. J'aime ces mots qui amollissent et modèrent la témérité de nos propositions : « à l'aventure, aucunement, quelque, on dit, je pense » et semblables. Et si j'eusse eu à dresser des enfants, je leur eusse tant mis en la bouche, cette façon de répondre enquêtante, non résolutive : « qu'est-ce à dire ? Je ne l'entends pas » ; « il pourrait être : est-il vrai ? » Qu'ils eussent plutôt gardé la forme d'apprentis à soixante ans que de représenter les docteurs à dix ans, comme ils font. Si l'on veut guérir de l'ignorance, il faut la confesser. Iris est fille de Thaumantis [1].

1. Iris, représentante de la « vérité », est la fille de Thaumas, dont l'étymologie grecque désigne le fait de « s'étonner ».

L'admiration est fondement de toute philosophie : l'enquête, le progrès ; l'ignorance, le bout. Mais en vérité, il y a quelque ignorance forte et généreuse, qui ne doit rien en honneur et en courage à la science : ignorance pour laquelle dans « concevoir », il n'y a pas moins de science qu'à concevoir la science.

Je vis en mon enfance un procès que Coras, conseiller de Toulouse, fit imprimer d'un événement de deux hommes qui se présentaient l'un pour l'autre [1]. Il me souvient (et ne me souvient aussi d'autre chose) qu'il me sembla avoir rendu l'imposture de celui qu'il jugea coupable si merveilleuse et excédant de si loin notre connaissance, et la sienne, qui était juge, que je trouvai beaucoup de hardiesse en l'arrêt qui l'avait condamné à être pendu. Recevons quelque forme d'arrêt qui dise : « la Cour n'y entend rien ». Plus librement et ingénument que ne firent les Aréopagites, lesquels se trouvant pressés d'une cause qu'ils ne pouvaient expliquer, ordonnèrent que les parties en seraient ajournées à cent ans.

Les sorcières de mon voisinage courent hasard de leur vie, sur l'avis de chaque nouvel auteur qui vient donner corps à leurs songes. Pour accommoder les exemples que la divine parole nous offre de telles choses – très certains et irréfragables exemples – et les attacher à nos événements modernes, puisque nous n'en voyons ni les causes, ni les moyens, il y faut autre talent que le nôtre. Il appartient à l'aventure à ce seul très puissant témoignage de nous dire : « celui-ci en est, et celle-là, et non cet autre. » Dieu en doit être cru : c'est vraiment bien raison. Mais non pourtant un d'entre nous, qui s'étonne de sa propre narration (et nécessairement il s'en étonne, s'il n'est hors du sens), soit qu'il l'emploie à propos d'autrui, soit qu'il l'emploie contre soi-même. Je suis lourd, et me tiens un peu au massif, et au vraisemblable, évitant les reproches anciens. Les hommes ajoutent davantage de foi à ce qu'ils ne comprennent pas. L'inclination de l'esprit humain implique de croire plus volontiers les choses obscures. *Maiorem fidem homines adhibent iis quae non intelligunt. Cupidine humani ingenii libentius obscura creduntur*. [2] Je vois bien qu'on se courrouce, et me défend-on d'en douter, sur peine d'injures exécrables. Nouvelle façon de persuader. Pour Dieu merci ! Ma créance ne se manie pas à coups de poing. Qu'ils gourmandent ceux qui accusent de fausseté leur opinion : je ne l'accuse que de difficulté et de hardiesse. Et je condamne l'affirmation opposite, également avec eux, sinon si

1. Référence à la célèbre affaire Martin Guerre : Arnaud du Tilh, accusé d'avoir usurpé l'identité de Martin Guerre pendant trois ans – trompant jusqu'à la famille de ce dernier ! – est condamné à mort en 1560.

2. Tacite, *Histoires*, I, XXII, 4.

impérieusement. Qui établit son discours par arrogance et par commandement montre que la raison y est faible. Pour une altercation verbale et scolastique, qu'ils aient autant d'apparence de raison que leurs contradicteurs. D'accord pour s'en tenir à l'apparence, mais alors sans rien affirmer *Videantur sane, ne affirmentur modo.* [1] Mais en la conséquence effective qu'ils en tirent, les juges ont bien de l'avantage. À tuer les gens, il faut une clarté lumineuse et nette. Et notre vie est trop réelle et essentielle, pour garantir ces accidents surnaturels et fantastiques.

Quant aux drogues et poisons, je les mets hors de mon conte : ce sont homicides, et de la pire espèce. Toutefois en cela même, on dit qu'il ne faut pas toujours s'arrêter à la propre confession de ces sorciers, car on leur a vu parfois s'accuser d'avoir tué des personnes qu'on trouvait saines et vivantes. En ces autres accusations extravagantes, je dirais volontiers que c'est bien assez qu'un homme, quelque recommandation qu'il ait, soit cru de ce qui est humain : de ce qui est hors de sa conception, et d'un effet surnaturel, il en doit être cru lors seulement qu'une approbation surnaturelle l'a autorisé. Ce privilège qu'il a plu à Dieu de donner à certains de nos témoignages ne doit pas être avili ni communiqué légèrement.

J'ai les oreilles battues de mille contes tels. Trois le virent un tel jour, en levant, trois le virent le lendemain, en Occident, à telle heure, en tel lieu, ainsi vêtu : certes je ne m'en croirais pas moi-même. Combien trouvé-je plus naturel et plus vraisemblable que deux hommes mentent, que je ne fais qu'un homme en douze heures passe aussi vite que les vents, d'Orient en Occident ? Combien plus naturel que notre entendement soit emporté de sa place, par l'instabilité de notre esprit détraqué, que cela qu'un de nous soit envolé sur un balai, au long du tuyau de sa cheminée, en chair et en os, par un esprit étranger ? Ne cherchons pas des illusions du dehors, et inconnues, nous qui sommes perpétuellement agités d'illusions domestiques et nôtres. Il me semble qu'on est pardonnable de mécroire une merveille, autant au moins qu'on peut, par voie non merveilleuse, en éviter et en élider l'explication surnaturelle. Et je suis de l'avis de Saint Augustin qu'il vaut mieux pencher vers le doute, que vers l'assurance, dans les choses de difficile preuve et de dangereuse créance.

Il y a quelques années que je passai par les terres d'un prince souverain, lequel, en ma faveur, et pour rabattre mon incrédulité, me fit cette grâce de me faire voir en sa présence, en lieu particulier, dix ou douze prisonniers de ce genre, et d'une vieille entre autres, vraiment bien sorcière en laideur et difformité, très fameuse de longue main en

1. Cicéron, *Premiers Académiques*, II, XXVII, 87.

cette profession. Je vis et preuves, et libres confessions, et je ne sais quelle marque insensible sur cette misérable vieille ; et m'enquis et parlai tout mon saoul, y apportant la plus saine attention que je pusse : et ne suis pas homme qui me laisse guère garrotter le jugement par idée préconçue. Enfin et en conscience, je leur eusse plutôt ordonné de l'ellébore que de la ciguë [1]. Le cas sembla plutôt relever de la folie que du crime *Captisque res magis mentibus, quam consceleratis similis uisa.* [2] La justice a ses propres corrections pour telles maladies. Quant aux oppositions et arguments, que des honnêtes hommes m'ont faits, et là, et souvent ailleurs, je n'en ai point entendu qui m'attachent, et qui ne souffrent solution toujours plus vraisemblable que leurs conclusions. Bien est vrai que les preuves et raisons qui se fondent sur l'expérience et sur le fait, celles-là, je ne les dénoue point ; aussi n'ont-elles point de bout : je les tranche souvent, comme Alexandre son nœud [3]. Après tout, c'est mettre ses conjectures à bien haut prix que d'en faire cuire un homme tout vif.

On récite par divers exemples (et Prestantius de son père) qu'assoupi et endormi bien plus lourdement que d'un parfait sommeil, il rêva qu'il était une bête de somme et qu'il servait de sommier à des soldats : et ce qu'il rêvait être, il l'était réellement. Si les sorciers songent ainsi matériellement, si les songes parfois se peuvent ainsi s'incorporer physiquement, encore ne crois-je pas que notre volonté en fût tenue à la justice.

Ce que je dis comme celui qui n'est ni juge ni conseiller des rois, ni s'en estime de bien loin digne, mais bien homme du commun, né et voué à l'obéissance de la raison publique, et en ses faits et en ses dits. Qui mettrait mes rêveries en conte, au préjudice de la plus chétive loi de son village, ou opinion, ou coutume, il se ferait grand tort, et encore autant à moi. Car en ce que je dis, je ne garantis d'autre certitude, sinon que c'est ce que lors j'avais en la pensée. Pensée tumultueuse et vacillante. C'est par manière de devis que je parle de tout, et de rien par manière d'avis. Et je n'ai pas de honte, comme ces gens-là, à avouer ignorer ce que j'ignore *Nec me pudet, ut istos, fateri nescire, quod nesciam.* [4] Je ne serais pas si hardi à parler, s'il m'appartenait d'en être cru ; et voilà ce que je répondis à un grand qui se plaignait de l'âpreté

1. L'Antiquité préconisait l'ellébore pour soigner la folie, alors que la cigüe, rendue fameuse par la mort de Socrate, est une plante caractérisée par une très forte toxicité.

2. Tite-Live, VIII, XVIII, 11.

3. Référence au « nœud gordien », tranché par Alexandre le Grand qui ne parvenait pas à le démêler.

4. Cicéron, *Tusculanes*, I, XXV, 60.

et contention de mes exhortations : « Vous sentant bandé et préparé d'une part, je vous propose l'autre, de tout le soin que je puis : et ce, pour éclaircir votre jugement, non pour le lier. Dieu tient vos cœurs, et vous fournira de choisir ». Je ne suis pas si présomptueux de désirer seulement que mes opinions donnassent pente à chose de telle importance. Ma fortune ne les a pas dressées à si puissantes et si élevées conclusions. Certes, j'ai non seulement des traits de tempérament en grand nombre, mais aussi des opinions assez, desquelles je dégoûterais volontiers mon fils, si j'en avais. Quoi ? Ainsi les opinions plus vraies ne sont pas toujours les plus commodes à l'homme, tant il est de sauvage composition. À propos, ou hors de propos, il n'importe.

On dit en Italie en commun proverbe que celui-là ne connaît pas Vénus en sa parfaite douceur, qui n'a couché avec la boiteuse. La fortune, ou quelque accident particulier, ont mis il y a longtemps ce mot en la bouche du peuple, et cela se dit des mâles comme des femelles : car la reine des Amazones répondit au Scythe qui la conviait à l'amour, *αριστα χωλος οιφεĩ*, « le boiteux le fait le mieux ». En cette république féminine, pour fuir la domination des mâles, elles les estropiaient dès l'enfance, bras, jambes, et autres membres qui leur donnaient avantage sur elles, et se servaient d'eux à cela seulement à quoi nous nous servons d'elles dans nos régions. J'eusse dit que le mouvement détraqué de la boiteuse apportât quelque nouveau plaisir à la besogne, et quelque pointe de douceur à ceux qui l'essayent. Mais je viens d'apprendre que même la philosophie ancienne en a décidé : elle dit que les jambes et cuisses des boiteuses, ne recevant à cause de leur imperfection l'aliment qui leur est dû, il en advient que les parties génitales, qui sont au-dessus, sont plus pleines, plus nourries, et vigoureuses. Ou bien que ce défaut empêchant l'exercice, ceux qui sont entachés dissipent moins leurs forces, et en viennent plus entiers aux jeux de Vénus. C'est aussi la raison pour laquelle les Grecs décriaient les tisserandes d'être plus chaudes que les autres femmes : à cause du métier sédentaire qu'elles font, sans grand exercice du corps. De quoi ne pouvons-nous raisonner à ce prix-là ? De celles ici, je pourrais aussi dire que ce trémoussement que leur ouvrage leur donne, ainsi assises, les éveille et les sollicite : comme fait aux dames, le mouvement et tremblement de leurs coches.

Ces exemples, servent-ils pas à ce que je disais au commencement [1] ? À savoir que nos raisons anticipent souvent la réalisation et ont l'étendue de leur juridiction si infinie, qu'elles jugent et s'exercent en l'inanité même, et au non-être. Outre la flexibilité de notre inven-

1. Au début du chapitre, à propos de la réforme du calendrier.

tion à forger des raisons à toutes sortes de songes, notre imagination se trouve pareillement facile à recevoir des impressions de la fausseté, par de bien frivoles apparences. Car par la seule autorité de l'usage ancien et public de ce mot, je me suis autrefois fait accroire que j'avais reçu plus de plaisir d'une femme, en raison du fait qu'elle n'était pas droite, et j'ai mis cela au compte de ses grâces.

Torquato Tasso, en la comparaison qu'il fait de la France à l'Italie dit avoir remarqué cela, que nous avons les jambes plus grêles que les gentilshommes italiens. Et il en attribue la cause à ce que nous sommes continuellement à cheval. Qui est celle-là même de laquelle Suétone tire une toute contraire conclusion : car il dit, au rebours, que Germanicus avait grossi les siennes par continuation de ce même exercice. Il n'est rien de si souple et erratique que notre entendement. C'est le soulier de Théramène, bon à tous pieds [1]. Et il est double et divers, et les matières doubles et diverses.

– « Donne-moi une drachme d'argent », disait un philosophe cynique à Antigonus.

– « Ce n'est pas présent de roi », répondit-il.

– « Donne-moi donc un talent ».

– « Ce n'est pas présent pour un cynique » :

Soit que la chaleur ouvre plus d'endroits dans la terre et de pores imperceptibles, par où la sève arrive dans les plantes nouvelles ; soit qu'elle durcisse plus le sol, et en resserre les nervures ouvertes pour retenir les pluies fines, et pour empêcher l'ardeur trop puissante du soleil dévorant, ou pour empêcher le froid pénétrant de brûler la terre.

Seu plures calor ille uias, et caeca relaxat
Spiramenta, nouas ueniat qua succus in herbas :
Seu durat magis, et uenas astringit hiantes,
Ne tenues pluuiae, rapidiue potentia solis
Acrior, aut Boreae penetrabile frigus adurat. [2]

Toute médaille a son revers

Ogni medaglia ha il suo riuerso.

Voilà pourquoi Clitomachus disait anciennement que Carneades avait surmonté les labeurs d'Hercule, pour avoir arraché des hommes le consentement, c'est-à-dire l'opinion et la témérité de juger. Cette fantaisie de Carneades, si vigoureuse, naquit à mon avis anciennement de l'impuissance de ceux qui font profession de savoir, et de leur

1. Le rhéteur Théramène avait la réputation de changer continuellement de position politique, ce qui lui valu le surnom de « cothurne », soulier qui sied autant au pied gauche qu'au pied droit.

2. Virgile, *Géorgiques*, I, 89-93.

outrecuidance démesurée. On mit Ésope en vente, avec deux autres esclaves : comme l'acheteur s'enquit du premier sur ce qu'il savait faire, celui-là, pour se faire valoir, répondit monts et merveilles, qu'il savait et ceci et cela ; le deuxième en répondit de soi autant ou plus ; quand ce fut à Ésope, et qu'on lui eut aussi demandé ce qu'il savait faire : « Rien, dit-il, car ceux-ci ont tout pris d'avance ; ils savent tout. » Ainsi en est-il advenu en l'école de la philosophie. La fierté de ceux qui attribuent à l'esprit humain la capacité de toutes choses causa, en d'autres, par dépit et par émulation, cette opinion qu'il n'est capable d'aucune chose. Les uns tiennent en l'ignorance cette même extrémité que les autres tiennent en la science. Afin qu'on ne puisse nier que l'homme ne soit immodéré partout, et qu'il n'a point d'arrêt sinon celui de la nécessité et de l'impuissance d'aller outre.

De la Physionomie[k]

[Chapitre XII]

Quasi toutes les opinions que nous avons sont prises par autorité et à crédit. Il n'y a point de mal : nous ne saurions pirement choisir que par nous, en un siècle aussi faible. Cette image des discours de Socrate que ses amis nous ont laissée, nous ne l'approuvons que par respect envers l'approbation publique. Ce n'est pas par notre connaissance : ils ne sont pas selon notre usage. S'il naissait à cette heure quelque chose de pareil, il est peu d'hommes qui le prisassent. Nous n'apercevons les grâces que pointues, bouffies, et enflées d'artifice : celles qui coulent sous la naïveté et la simplicité échappent aisément à une vue grossière comme est la nôtre. Elles ont une beauté délicate et cachée : il faut la vue nette et bien purgée pour découvrir cette secrète lumière. La « naïveté » n'est-elle pas, selon nous, sœur de la sottise, et susceptible de reproche ? Socrate fait mouvoir son âme d'un mouvement naturel et commun : ainsi parle un paysan, ainsi parle une femme : il n'a jamais à la bouche que cochers, menuisiers, savetiers et maçons ! Ce sont des inductions et des similitudes tirées des actions des hommes les plus familières et les plus connues : chacun l'entend. Sous une si vile forme, nous n'eussions jamais distingué la noblesse et la splendeur de ses conceptions admirables, nous qui estimons plates et basses toutes celles que le savoir ne relève, et qui n'apercevons la richesse que sur l'étal et en pompe. Notre monde n'est formé qu'à l'ostentation. Les hommes ne s'enflent que de vent, et se manient par bonds, comme les ballons. Celui-ci ne se propose point de vaines fantaisies. Sa fin fut de nous fournir de choses et de préceptes qui réellement et le plus étroitement servent à la vie :

garder la mesure, les bornes respecter,
Et suivre la nature

seruare modum, finemque tenere,
Naturamque sequi. [1]

Il fut aussi toujours un et pareil. Et il se monta, non par brusques assauts, mais par tempérament, au dernier point de la vigueur. Ou pour mieux dire : il ne monta rien, mais il ravala plutôt et ramena la vigueur, les âpretés et les difficultés de la vie au niveau originel et naturel qui était le sien et il les y soumit. Car chez Caton, on voit bien clairement que c'est une allure tendue bien loin au-dessus des communes : aux braves exploits de sa vie, et dans sa mort, on le sent toujours monté sur ses grands chevaux. Socrate remarche sur terre, et d'un pas calme et ordinaire traite les plus utiles sujets, et, tant devant la mort que dans les plus épineuses traverses qui se puissent présenter, il se conduit selon le train ordinaire de la vie humaine. Il est heureusement advenu que le plus digne homme d'être connu et présenté au monde pour exemple, ce soit celui duquel nous ayons la connaissance la mieux assurée. Il a été mis en lumière par les plus clairvoyants hommes qui furent onques : les témoins [2] que nous avons de lui sont admirables par leur fidélité et leur talent.

C'est grand cas d'avoir pu donner un tel ordre aux idées pures d'un jeune homme que, sans les altérer ou étirer, il en ait produit les plus beaux effets de notre âme. Il ne la représente ni élevée ni riche ; il ne la représente que saine, mais assurément d'une bien allègre et nette santé. Par ces ressorts familiers et naturels, par ces idées ordinaires et communes, sans s'émouvoir et sans s'emballer, il établit les convictions, les conduites et les mœurs non seulement les plus réglées, mais les plus hautes et les plus vigoureuses qui furent onques. C'est lui qui ramena du ciel, où elle perdait son temps, la sagesse humaine pour la rendre à l'homme, où est sa plus juste et plus laborieuse besogne. Voyez-le plaider devant ses juges ! Voyez par quelles raisons il éveille son courage aux hasards de la guerre, quels arguments fortifient sa patience contre la calomnie, la tyrannie, la mort, et contre la mauvaise

1. Lucain, II, 381-382.
2. Platon et Xénophon.

tête que lui faisait sa femme : il n'y a là rien d'emprunté à l'art et aux sciences. Les hommes plus simples y reconnaissent leurs moyens et leur force : il n'est pas possible d'aller plus arrière et plus bas. Il a fait grande faveur à l'humaine nature de montrer combien elle peut par elle-même. Nous sommes tous plus riches que nous ne pensons, mais on nous dresse à l'emprunt et à la quête, on nous apprend à nous servir plus du bien d'autrui que du nôtre. En aucune chose l'homme ne sait s'arrêter au point de son besoin. De volupté, de richesse, de puissance, il en embrasse plus qu'il n'en peut étreindre. Son avidité est incapable de modération. Je trouve que pour sa curiosité à savoir, il en est de même : il se taille de la besogne bien plus qu'il n'en peut faire, et bien plus qu'il n'en a affaire, étendant l'utilité de la science aussi loin que s'en peut étendre la matière : *ut omnium rerum, sic litterarum quoque intemperantia laboramus* [1] comme en tout, en matière de culture aussi l'intempérance nous travaille. Et Tacite a raison de louer la mère d'Agricola d'avoir bridé chez son fils un appétit de science trop bouillant. C'est un bien, à le regarder les yeux fermes, qui a, comme les autres biens des hommes, beaucoup de vanité et de faiblesse propre et naturelle, et d'un coût fort cher. L'acquisition en est bien plus hasardeuse que de tout autre aliment ou boisson. Car ailleurs, ce que nous avons acheté, nous l'emportons au logis dans quelque vaisselle, et là, nous avons loisir d'en examiner la valeur, combien, et à quelle heure, nous en prendrons. Mais les sciences, d'entrée nous ne les pouvons mettre dans aucun autre vaisseau que notre âme : nous les avalons en les achetant, et sortons du marché ou infectés déjà ou amendés. Il y en a qui ne font que nous embarrasser et nous alourdir au lieu de nous nourrir, et telles autres encore qui, sous couleur de nous guérir, nous empoisonnent. J'ai pris plaisir de voir, en certain lieu [2], des hommes faire par dévotion vœu d'ignorance, comme ils le faisaient de chasteté, de pauvreté, ou de pénitence. C'est aussi châtrer nos appétits désordonnés que d'émousser cette cupidité qui nous aiguillonne à l'étude des livres et que de priver l'âme de cette complaisance voluptueuse qui nous chatouille par la prétention à la science. Et c'est richement accomplir le vœu de pauvreté que d'y joindre encore la pauvreté de l'esprit : il ne nous faut guère de doctrine pour vivre à notre aise, et Socrate nous apprend qu'elle est en nous, et la manière de l'y trouver et de s'en aider. Toute cette industrie que nous avons et qui est au-delà de l'habileté naturelle est à peu près vaine et superflue. C'est beaucoup si elle ne nous charge et ne nous trouble plus qu'elle ne nous sert :

---

1. Sénèque, *Lettres à Lucilius*, CVI, 12.
2. Au couvent des Feuillants à Bordeaux.

Paucis opus est litteris ad mentem bonam [1] il ne faut guère de littérature pour faire un esprit sain.

Ce sont là des excès fiévreux de notre esprit, instrument brouillon et inquiet. Recueillez-vous : vous trouverez en vous les vrais arguments de la nature contre la mort et les plus propres à vous servir au besoin : ce sont ceux qui font mourir un paysan, et des peuples entiers, avec autant de constance qu'un philosophe. Fussé-je mort moins allègrement avant que d'avoir vu les *Tusculanes* ? [2] J'estime que non. Et quand je me trouve à l'agonie, je sens que ma langue s'est enrichie, mon cœur peu. Il est comme nature me le forgea, et il ne se fait fort pour la lutte que d'une démarche naturelle et commune. Les livres m'ont servi non tant d'instruction que d'exercice. Eh quoi ! Si la science, en essayant de nous armer de nouvelles défenses contre les inconvénients naturels, nous a imprimé dans l'imagination leur grandeur et leur poids plus que ses raisons et ses subtilités pour nous en couvrir ? Ce sont vraiment des subtilités, par où elle nous éveille souvent bien vainement. Même les auteurs les plus denses et les plus sages, voyez autour d'un bon argument combien ils en sèment d'autres légers, et même, pour qui y regarde de près, inconsistants ! Ce ne sont qu'arguties verbales, qui nous trompent ; mais, parce que ce peut être utilement, je ne les veux pas autrement éplucher : il y en a dans mes *Essais* assez de cette sorte en divers lieux, ou par emprunt, ou par imitation ! Ainsi se faut-il bien garder de n'appeler pas *force* ce qui n'est que grâce délicate, et ce qui n'est que *fin*, solide, ou *bon*, ce qui n'est que beau, qui sont choses plus agréables à goûter qu'à boire *quæ magis gustata quam potata delectant.* [3] Tout ce qui plaît ne paît pas là où il s'agit non de l'esprit mais de l'âme *ubi non ingenii sed animi negotium agitur.* [4]

À voir la peine que Sénèque se donne pour se préparer contre la mort, à le voir suer d'ahan pour se roidir et pour s'assurer, et se débattre si longtemps ainsi perché, j'eusse ébranlé sa réputation s'il ne l'eût, par sa mort, très vaillamment soutenue. Son agitation si ardente, si fréquente, montre qu'il était chaud et impétueux lui-même : une grande âme s'exprime avec plus de calme et d'assurance : elle n'a point une couleur pour l'intelligence, une autre pour l'âme *magnus animus remissius loquitur, et securius* : *non est alius ingenio, alius animo color.* [5] Nous devons le convaincre à ses dépens. Et en quelque façon il montre qu'il était pressé par son adversaire. La façon de Plutarque, parce qu'elle est plus distante et

1. Sénèque, *Lettres à Lucilius*, CVI, 12.
2. Œuvre philosophique de Cicéron, présentée sous la forme de conférences.
3. Cicéron, *Tusculanes*, V, V, 13.
4. Sénèque, *Lettres à Lucilius*, LXXV, 5.
5. Sénèque, *Lettres à Lucilius*, CXV, 2, CIX, 3.

plus détendue, elle est selon moi d'autant plus virile et plus persuasive : je croirais aisément que son âme avait des mouvements plus assurés et plus réglés. L'un, plus fin, nous pique et nous élance en sursaut, il touche plus l'esprit ; l'autre, plus solide, nous instruit, nous établit et conforte constamment : il touche plus l'entendement. Celui-là ravit [1] notre jugement, celui-ci le gagne. J'ai vu pareillement d'autres écrits, encore plus révérés, qui, dans la peinture du combat qu'ils soutiennent contre les aiguillons de la chair, les représentent si cuisants, si puissants et si invincibles que nous-mêmes, qui sommes du caniveau du peuple, nous avons à admirer l'étrangeté et la vigueur inouïe de leur tentation autant sinon plus que leur résistance.

Pourquoi donc nous allons-nous gendarmant avec ces efforts de la science ? Regardons à terre, les pauvres gens que nous y voyons épandus, la tête penchant après leur besogne, qui ne savent ni Aristote ni Caton, ni exemple ni précepte. De ceux-là, nature tire tous les jours des effets de constance et de patience plus purs et plus roides que ne sont ceux que nous étudions si soigneusement dans l'école. Combien en vois-je ordinairement qui méconnaissent la pauvreté, combien qui désirent la mort, ou qui la passent sans alarme et sans affliction ? Celui-là qui fouit mon jardin, il a ce matin enterré son père ou son fils. Les noms mêmes dont ils appellent les maladies en adoucissent et émoussent l'âpreté : la phtisie, c'est la *toux* pour eux, la dysenterie, un *dévoiement d'estomac*, une pleurésie, c'est un *morfondement* [2], et selon qu'ils les nomment doucement, ils les supportent aussi. Elles sont bien graves quand elles interrompent leur travail ordinaire : ils ne s'alitent que pour mourir : c'est cette vertu simple et accessible que nous changeons en une science obscure et subtile *simplex illa et aperta uirtus in obscuram et solertem scientiam uersa est.* [3]

J'écrivais ceci environ le temps qu'une forte charge de nos troubles s'abattit plusieurs mois [4], de tout son poids, droit sur moi. J'avais d'une part les ennemis à ma porte, d'autre part les pilleurs, ennemis pires : ils rivalisent non d'armes mais de turpitudes *non armis sed uitiis, certatur.* [5] Et je subissais toute sorte de dommages militaires à la fois :

1. Emporte, entraîne d'un mouvement violent, comme le ferait un ravisseur.

2. Un refroidissement (se morfondre, c'est s'enrhumer). Mot devenu rarissime, mais toujours en usage en Périgord.

3. Sénèque, *Lettres à Lucilius*, XCV, 13.

4. Ce fut du printemps 1585 à l'été 1586 (siège de Castillon) que les Guerres de Religion se déchaînèrent en Périgord.

5. Tite-Live, XXIX, VIII, 7.

La guerre est là, de droite et de gauche effarante,
Sur chaque flanc m'effraie une atteinte imminente

Hostis adest dextra læuaque a parte timendus,
Vicinóque malo terret utrumque latus. [1]

Monstrueuse guerre ! Les autres agissent au dehors, celle-ci agit encore contre soi : elle se ronge et se défait par son propre venin. Elle est de nature si maligne et ruineuse qu'elle se ruine avec le reste, et se déchire et dépèce de rage. Nous la voyons plus souvent se dissoudre par elle-même que par disette d'aucune chose nécessaire, ou par la force ennemie. Toute discipline la fuit. Elle vient guérir la sédition, et elle en est pleine. Elle veut châtier la désobéissance, et elle en montre l'exemple, et, employée à la défense des lois, elle a sa part de rébellion à l'encontre des siennes propres. Où en sommes-nous ? Notre médecine porte l'infection :

« Nostre mal s'empoisonne
Du secours qu'on luy donne »
Exuperat magis ægrescitque medendo. [2]

Les crimes et les vertus, que brouille un mal furieux,
Ont détourné de nous les justes vœux des dieux

Omnia fanda nefanda malo permista furore,
Iustificam nobis mentem auertere deorum. [3]

Dans ces maladies populaires, on peut, sur le commencement, distinguer les sains des malades, mais, quand elles viennent à durer comme la nôtre, tout le corps s'en ressent, et la tête et les talons : aucune partie n'est exempte de corruption. Car il n'est air qui se hume si goulûment, qui s'épande et pénètre comme le fait la licence. Nos armées ne se lient et ne se tiennent plus que par un ciment étranger : des Français l'on ne sait plus faire un corps d'armée constant et réglé. Quelle honte ! Il n'y a pas plus de discipline que ce qu'on en voit chez des mercenaires ! Quant à nous, nous nous conduisons non pas à la discrétion du chef mais chacun selon sa guise : chacun a plus affaire au dedans qu'au dehors ! C'est au commandement de suivre, de courtiser, et de plier, c'est à lui seul d'obéir : tout le reste est libre et dissolu ! Il me plaît de voir combien il y a de lâcheté et de pusillanimité dans l'ambition, par combien d'abjection et de servitude il lui faut arriver à son but. Mais ceci me déplaît de voir des natures débonnaires et capables de justice se corrompre tous les jours dans le

1. Ovide, *Pontiques*, I, III, 57-58.
2. Virgile, *Énéide*, XII, 46. Vers traduit dans l'adaptation qui précède.
3. Catulle, LXIV, 405-406.

maniement et le commandement de cette confusion. Une longue tolérance engendre la coutume ; la coutume, le consentement et l'imitation. Nous avions assez d'âmes mal nées sans gâter les bonnes et généreuses. Tant et si bien que, si nous continuons, il restera malaisément à qui confier la santé de notre État, au cas où fortune nous la rendrait.

N'empêchez pas du moins cet enfant [1] de sauver
Son siècle retourné

Hunc saltem euerso iuuenem succurrere saeclo,
Ne prohibete ! [2]

Qu'est devenu cet ancien précepte que les soldats doivent craindre leur chef plus que l'ennemi ? Et ce merveilleux exemple, qu'un pommier s'étant trouvé enfermé dans l'enceinte du camp de l'armée romaine, on la vit en déloger le lendemain en laissant à son propriétaire le compte entier de ses pommes, mûres et délicieuses ? J'aimerais bien que notre jeunesse, au lieu du temps qu'elle emploie à des voyages moins utiles et à des apprentissages moins honorables, le mît moitié à voir la guerre sur mer sous quelque bon capitaine commandeur de Rhodes, moitié à étudier la discipline des armées turques. Car elle a beaucoup de différences et d'avantages sur la nôtre, dont ce point, que nos soldats au cours des expéditions deviennent plus licencieux ; là-bas, plus retenus et craintifs. Car les offenses ou larcins sur le menu peuple, qui se punissent de bastonnades en temps de paix, deviennent chez eux passibles de la peine capitale en temps de guerre. Pour un œuf pris sans payer, ce sont, d'après un compte préfix, cinquante coups de bâton ; pour toute autre chose, si légère soit-elle, non nécessaire à la nourriture, on les empale ou décapite sans délai. Je me suis étonné, dans l'histoire de Selim [3], le plus cruel conquérant qui fut onques, de voir que lorsqu'il subjugua l'Égypte, les beaux jardins aux alentours de la ville de Damas, tout ouverts, alors qu'on se trouvait en terre conquise, et que son armée campait sur le lieu même, furent laissés vierges des mains des soldats parce qu'ils n'avaient pas eu le signal de piller.

1. Dans ce vers de Virgile (*Géorgiques*, I, 500), le « jeune homme » en question était Octave, le futur Auguste. Dans la pensée de Montaigne, ce « *iuuenis* » virgilien ne saurait désigner que le protestant Henri de Navarre, devenu l'héritier présomptif du trône depuis 1584, le futur Henri IV.

2. Virgile, *Géorgiques*, I, 500-501.

3. Sélim Ier, dit « le Terrible », neuvième sultan ottoman, le premier à porter le titre de « calife », fils de Bajazet et père de Soliman le Magnifique. Il ne se fut pas plus tôt hissé sur le trône, par un coup de force des Janissaires, en 1522, qu'il fit assassiner tous ceux de ses parents qui pouvaient lui faire de l'ombre.

Mais est-il quelque mal dans un État qui vaille d'être combattu par une drogue aussi mortelle que la guerre civile ? Non pas même, disait Favonius, l'usurpation de la possession d'une république par un tyran. Platon de même ne consent pas qu'on fasse violence au repos de son pays pour le guérir, et n'accepte pas l'amendement qui trouble et hasarde tout, et qui coûte le sang et la perte des citoyens, établissant que le devoir d'un homme de bien en ce cas est de laisser tout là, et de prier Dieu seulement qu'il y porte sa main extraordinaire. Et il semble savoir mauvais gré à Dion, son grand ami, d'y avoir un peu autrement procédé. J'étais platonicien de ce côté-là avant que je ne susse qu'il y eut de Platon au monde. Et si ce personnage doit être purement refusé de notre société – lui qui, par la sincérité de sa conscience, mérita pourtant de la faveur divine de pénétrer si avant dans la lumière chrétienne au travers des ténèbres publiques du monde de son temps [1] –, je ne pense pas qu'il nous siée bien de nous laisser enseigner par un païen combien il y a d'impiété à n'attendre de Dieu aucun secours qui soit simplement sien et sans notre coopération. Je doute souvent si, entre tant de gens qui se mêlent de pareille besogne, nul ne s'est rencontré d'entendement si faible qu'on lui ait vraiment persuadé qu'il allait vers la réformation par la dernière des difformations, qu'il marchait vers son salut par les plus expresses causes que nous ayons d'une damnation très certaine, que renversant la cité, le magistrat, et les lois sous la tutelle desquelles Dieu l'a placé, remplissant de haines parricides les cœurs fraternels, appelant à son aide les diables et les furies, il puisse apporter quelque secours à la douceur et à la justice sacro-saintes de la loi divine ! L'ambition, l'avarice, la cruauté, la vengeance n'ont point assez d'impétuosité propre et naturelle : amorçons-les donc et attisons-les sous le titre glorieux de la justice et de la dévotion ! Il ne se peut imaginer un pire état des choses que lorsque la méchanceté vient à être légitime, et à se couvrir avec la permission du magistrat du manteau de la vertu : Rien plus trompeur d'apparence qu'une religion dévoyée où l'on prétend couvrir ses crimes de la volonté des dieux *Nihil in speciem fallacius quam praua religio, ubi deorum numen prætenditur sceleribus !* [2] L'extrême espèce d'injustice, selon Platon, c'est que ce qui est injuste soit tenu pour juste. Le peuple en mon pays souffrit alors bien largement, et pas seulement les dommages présents,

---

1. Dès que l'on eut redécouvert l'œuvre de Platon, on avança que si cet auteur croyait en l'immortalité de l'âme et dans la souveraine lumière du bien, c'était qu'il aurait été touché, avant la venue du Christ, par la grâce du Dieu des chrétiens. On faisait aussi de Virgile une semblable lecture.

2. Tite-Live, XXXIX, XVI, 6-7.

Tant, de partout, Les champs se voient livrés aux troubles
undique totis,
Usque adeo turbatur agris, [1]

mais aussi les futurs. Les vivants y eurent à pâtir ; ceux qui n'étaient encore nés tout autant. On pilla ce peuple, et moi par conséquent, en lui prenant jusqu'à l'espérance, en lui ravissant tout ce qu'il avait pour subvenir à sa vie pour de longues années :

Tout ce qu'on n'en peut ou porter ou traîner est détruit,
Et le coupable essaim brûle des maisons innocentes
Quæ nequeunt secum ferre aut abducere, perdunt,
Et cremat insontes turba scelesta casas, [2]

Nulle foi dans les murs ; dévastés, les champs vont en friche
Muris nulla fides, squallent populatibus agri ! [3]

Outre cette secousse, j'en souffris d'autres. J'encourus les inconvénients que la modération apporte en de telles maladies. Je fus pelé à toutes mains : au Gibelin j'étais Guelphe, au Guelphe Gibelin [4] (quelqu'un de mes poètes dit fort bien cela, mais je ne sais où c'est). La situation de ma maison et mes accointances avec ceux de mon voisinage [5] me présentaient sous un visage, ma vie et mes actions sous un autre. Il ne s'en faisait point des accusations formelles, car il n'y avait où mordre : je ne m'écarte jamais des lois, et qui eût cherché à ouvrir contre moi une information judiciaire, m'eût de beaucoup surpassé en illégalité ! C'étaient des suspicions muettes qui couraient sous main, lesquelles ne manquent jamais d'apparence dans une mêlée aussi confuse, non plus que d'esprits ou envieux ou sots. J'aide ordinairement aux présomptions injurieuses que la fortune sème contre moi par une façon que j'ai depuis toujours d'éviter de me justifier, excuser et interpréter, estimant que c'est compromettre ma conscience que de plaider pour elle, car argumenter enlève à l'évidence

1. Virgile, *Géorgiques*, I, 11-12.
2. Ovide, *Les Tristes*, III, X, 65-66.
3. Claudien, *Contre Eutrope*, I, 244.
4. Factions italiennes rivales entre le XIIe siècle et le XIVe siècle, les Guelfes étaient partisans du pouvoir du pape en Italie, les Gibelins soutenaient les Hohenstaufen et l'empire romain-germanique.
5. Bien des pays des moyennes vallées de la Garonne et de la Dordogne (Castillon, Sainte-Foy, Coutras, Bergerac, Le Fleix, Vergt) étaient gagnés aux Huguenots. Montaigne, tout voisin, était regardé comme étant du parti de Navarre, et donc soupçonné de sympathie envers l'hérésie, bien qu'il se fût maintes fois déclaré en faveur du trône et de la religion catholique établie.

perspicuitas enim argumentatione eleuatur. [1] Et, comme si chacun voyait en moi aussi clair que je fais, au lieu de me tirer arrière de l'accusation, je m'y avance, et la renchérit plutôt par une confession ironique et moqueuse, si même je ne m'en tais pas tout à plat, comme d'une chose indigne de réponse. Mais ceux qui le prennent pour une trop hautaine confiance ne m'en veulent guère moins de mal que ceux qui le prennent pour la faiblesse d'une cause indéfendable. En particulier les grands, envers lesquels faute de soumission est l'extrême faute, rudes qu'ils sont envers toute droiture qui se connaît, qui se sent, et ne montre point soumise, humble et suppliante. J'ai souvent heurté à ce pilier. Toujours est-il que de ce qui m'advint lors, un ambitieux s'en fût pendu, et de même eût fait un avaricieux. Je ne me soucie nullement d'acquérir :

> Puissé-je conserver ce que j'ai maintenant, ou moins,
> Pourvu que je vive pour moi le reste de mon âge,
> Si les dieux m'en veulent laisser encore quelques brins
> *Sit mihi quod nunc est etiam minus, ut mihi uiuam*
> *Quod superest œui, si quid superesse uolent dii.* [2]

Mais les pertes qui me viennent par l'injustice d'autrui, soit larcin, soit violence, me pincent à peu près comme un homme malade et torturé par l'avarice. L'atteinte alors a, sans mesure, bien plus d'aigreur que n'en a la perte.

Mille diverses sortes de maux accoururent sur moi en file. Je les eusse plus gaillardement soufferts en foule ! Je pensais déjà à qui, parmi mes amis, je pourrais confier une vieillesse nécessiteuse et disgraciée : après avoir rodé les yeux par tout, je me retrouvai en chemise. Pour se laisser tomber à plomb et de si haut, il faut que ce soit entre les bras d'une affection solide, vigoureuse et fortunée ! Elles sont rares, s'il y en a. Enfin je connus que le plus sûr était de me fier à moi-même pour ce qui était de moi et de ma misère, et, s'il m'advenait d'être en froid avec les bonnes grâces de la fortune, que je me recommandasse plus fortement à la mienne, que je m'attachasse, et regardasse de plus près à moi. En toutes choses, les hommes se jettent vers les appuis étrangers pour épargner les leurs propres, les seuls certains pourtant, et les seuls puissants à qui sait s'en armer. Chacun court ailleurs, et à l'avenir, parce que nul n'est arrivé à soi. Et je me résolus à dire que c'étaient d'utiles inconvénients. Par cela, premièrement, qu'il faut avertir à coups de fouet les mauvais disciples quand la raison n'y

1. Cicéron, *De natura deorum*, II, IV, 9.
2. Horace, *Épîtres*, I, XVIII, 107-108.

peut assez, tout comme par le feu et la force des coins nous ramenons un bois tortu à sa droiture. Je me prêche depuis bien longtemps de me tenir à moi, et de me séparer des choses étrangères ; toutefois, je tourne encore toujours les yeux à côté : l'inclination, un mot favorable d'un grand, un bon visage, me tentent. Dieu sait s'il est cherté de tels signes en ce temps, et quel sens ils ont ! J'entends encore sans rider le front les flatteries qu'on me fait pour m'attirer en plein marché, et je m'en défends si mollement qu'il semble que je souffrisse plus volontiers d'être vaincu par ces manœuvres. Or, à un esprit si indocile, il faut des bastonnades, et il faut rebattre et resserrer, à bons coups de maillet, ce vaisseau qui se déprend, qui se découd, qui s'échappe et se dérobe de soi. Secondement, que cet accident me servait d'exercice pour me préparer à pis, pour le cas où moi qui, et par la grâce de la fortune et par la condition de mes mœurs, espérais être des derniers, je venais à être, des premiers, attrapé par cette tempête, puisqu'il m'instruisait de bonne heure à contraindre ma vie et la ranger pour un nouvel état. La vraie liberté, c'est de pouvoir toute chose sur soi *potentissimus est qui se habet in potestate.* [1] En un temps ordinaire et tranquille, on se prépare à des accidents modérés et communs, mais dans cette confusion où nous sommes depuis trente ans, tout homme de France, soit en particulier, soit en général, se voit à chaque heure sur le point de l'entier renversement de sa fortune. Aussi faut-il tenir son cœur fourni de réserves plus fortes et plus vigoureuses. Sachons gré au sort de nous avoir fait vivre en un siècle qui n'est ni amolli, ni languissant, ni oisif : tel qui ne l'eût été par un autre moyen, se rendra fameux par son malheur. Comme je ne lis guère dans l'histoire ces confusions des autres États sans regret de ne les avoir pu mieux considérer étant moi-même présent, ainsi fait ma curiosité que je m'agrée en quelque façon de voir de mes yeux ce notable spectacle de notre mort publique [2], ses symptômes et sa forme. Et puisque je ne la saurais retarder, je me contente d'être destiné à y assister, et à m'en instruire. Ainsi cherchons-nous avidement à reconnaître, en ombre même, et dans la fable des théâtres, le spectacle des jeux tragiques de l'humaine fortune.

Ce n'est pas que nous n'ayons de compassion pour ce que nous entendons, mais nous nous plaisons à éveiller notre déplaisir par la rareté de ces pitoyables événements. Rien ne chatouille qui ne pince. Et les bons historiens fuient comme eau dormante et mer morte les narrations calmes, pour retrouver les séditions et les guerres où ils savent que nous les appelons. Je doute si je puis bien honnêtement

1. Sénèque, *Lettres à Lucilius*, XC, 34.
2. Le massacre de la Saint-Barthélémy.

avouer combien j'ai peu cher payé en repos et tranquillité d'avoir plus qu'à moitié passé ma vie au milieu de la ruine de mon pays. Je fais assez peu de cas des accidents qui ne me saisissent pas en propre, et, pour me plaindre à moi, je regarde non tant ce qu'on m'ôte que ce qu'il me reste de sauf, tant dedans que dehors. Il y a de la consolation à esquiver tantôt l'un tantôt l'autre des maux qui nous guignent d'affilée et frappent ailleurs autour de nous. Aussi, en matière d'intérêts publics, à mesure que ma sympathie est plus universellement épandue, elle en est plus faible. Joint qu'il est à demi vrai que : nous ne ressentons les malheurs publics que pour autant qu'ils touchent nos intérêts *tantum ex publicis malis sentimus quantum ad priuatas res pertinet,* [1] et que la santé d'où nous partîmes était telle qu'elle atténue elle-même le regret que nous en devrions avoir. C'était santé, mais seulement en comparaison de la maladie qui l'a suivie ! Nous ne sommes chus de guère haut ! La corruption et le brigandage qui sont en honneur et tenus pour des devoirs me semblent les moins supportables. On nous vole moins injustement dans un bois qu'en un lieu de sûreté. C'était un assemblage général de membres séparément gâtés à l'envi les uns des autres, et, la plupart du temps, d'ulcères envieillis, qui ne recevaient plus ni ne demandaient guérison.

Cet écroulement donc m'anima assurément plus qu'il ne m'atterra, avec l'aide de ma conscience qui se portait non paisiblement seulement, mais fièrement, et je ne trouvais en quoi me plaindre de moi. Aussi, comme Dieu n'envoie jamais tout purs aux hommes non plus les maux que les biens, ma santé tint bon tout ce temps-là, mieux qu'à son ordinaire : ainsi que sans elle je ne puis rien, il est peu de choses que je ne puisse avec elle. Elle me donna moyen de mobiliser toutes mes réserves et de porter la main au-devant de la plaie, qui eût volontiers passé plus outre ; et je me prouvai par ma patience que j'avais quelque tenue contre la fortune, et que pour me faire perdre mes arçons, il fallait un grand heurt. Je ne dis pas cela pour l'irriter à me livrer une charge plus vigoureuse ! Je suis son serviteur : je lui tends les mains. Pour Dieu, qu'elle se contente ! Si je sens ses assauts ? Bien sûr que si ! De même que ceux que la tristesse accable et possède se laissent pourtant par intervalles tâtonner à quelque plaisir et qu'il leur échappe un sourire, de même je puis assez sur moi pour rendre mon état ordinaire paisible et déchargé d'ennuyeuse imagination, mais je me laisse pourtant par à-coups surprendre aux morsures de ces malplaisantes pensées qui me battent pendant que je m'arme pour les chasser ou les combattre.

---

1. Tite-Live, XXXM XLIV, 9.

Voici un autre empirement de mal qui m'arriva à la suite du reste. Et dehors et dedans ma maison, je fus accueilli d'une peste violente plus que toute autre [1]. Car comme les corps sains sont sujets à de plus graves maladies parce qu'ils ne peuvent être forcés que par celles-là, de même mon air très salubre, où d'aucune mémoire, la contagion, même voisine, n'avait su prendre pied, vint à s'empoisonner, produisant des effets étranges :

Pêle-mêle, les corps des jeunes et des vieux s'entassent,
Nulle tête n'échappe à la cruelle Proserpine

Mista senum et iuuenum densantur funera, nullum
Sæua caput Proserpina fugit ! [2]

J'eus à souffrir cette plaisante condition que la vue de ma maison m'était effroyable. Tout ce qui y était y restait sans garde et à l'abandon de qui en avait envie. Moi qui suis si hospitalier, je dus très péniblement me mettre en quête d'une retraite pour ma famille. Une famille égarée [3], qui faisait peur à ses amis comme à soi-même et horreur où qu'elle cherchât à se placer, ayant à changer de demeure aussitôt qu'un de la troupe commençait à se douloir [4] du bout du doigt. Toutes les maladies sont alors prises pour la peste : on ne se donne pas le loisir de les reconnaître. Et le meilleur, c'est que selon les règles de l'art, à tout danger qu'on approche, il faut passer quarante jours dans les transes de ce mal, l'imagination vous travaillant cependant à sa mode et enfiévrant votre sante même ! Tout cela m'eût beaucoup moins touché si je n'eusse eu à me ressentir de la peine d'autrui, et à servir six mois misérablement de guide à cette caravane. Car je porte en moi mes moyens de préservation, qui sont la résolution et la patience. L'appréhension ne m'oppresse guère, chose que l'on craint particulièrement en ce mal. Et si, étant seul, j'eusse voulu m'en laisser prendre, c'eût été une fuite bien plus gaillarde et plus lointaine ! C'est une mort qui ne me semble pas être des pires : elle est communément courte, d'étourdissement, sans douleur, consolée par la condition publique, sans cérémonie, sans deuil, sans presse. Mais quant au monde des environs, la centième partie des âmes ne se put sauver :

---

1. La peste se déclara à Bordeaux à la Pentecôte 1585. Elle sévit dans le pays jusqu'à Noël.

2. Horace, *Odes*, I, XXVIII, 19-20.

3. « Famille », au sens romain : la maisonnée, les maîtres et leurs gens.

4. Avoir mal, se plaindre (cf. *douleur, doléance, deuil*). Du latin *dolere*, « souffrir ». Se conjugue comme *vouloir* : *je me deulx, il se deult, nous nous doulons , ils se deulent*. Vaugelas déjà regrettait que ce mot ne fût plus guère en usage.

Voir s'étendre déserts les royaumes des pâtres,
Et nos vastes guérets devenus solitudes

uideas desertaque regna
Pastorum, et longe saltus lateque uacantes : [1]

En ce lieu, mon meilleur revenu provient du métier manuel : la terre que cent hommes travaillaient pour moi chôma pour longtemps.

Or quel exemple de résolution ne vîmes-nous pas alors dans la simplicité de tout ce peuple ? Généralement, chacun renonçait au soin de la vie. Les raisins demeurèrent suspendus aux vignes, le bien principal du pays, tous se préparant et attendant la mort avec indifférence pour ce soir, ou pour demain, avec un visage et une voix si peu effrayés qu'il semblait qu'ils se fussent résignés à cette nécessité et que ce fût une condamnation universelle et inévitable. La peste est toujours telle. Mais à combien peu tient notre résolution face au mourir ! La distance et la différence de quelques heures, la seule considération de la compagnie, nous en rendent l'appréhension diverse. Voyez ceux-ci : parce qu'ils meurent le même mois, enfants, jeunes, vieillards, ils ne s'étonnent plus, ils ne se pleurent plus. J'en vis qui craignaient de demeurer derrière, comme en une horrible solitude, et je n'y connus en général d'autre soin que celui des sépultures : il leur faisait deuil de voir les corps épars au milieu des champs, à la merci des bêtes, qui y pullulèrent aussitôt. Comme les idées des hommes sont diverses ! Les Néorites, nation qu'Alexandre subjugua, jettent les corps des morts au plus profond de leurs bois, pour qu'ils y soient mangés, seule sépulture estimée heureuse parmi eux ! Tel encore sain faisait déjà sa fosse, d'autres s'y couchaient encore vivants. Et un manœuvre des miens, avec ses mains et ses pieds, attira sur soi la terre en mourant. Était-ce pas s'abriter pour s'endormir plus à son aise ? N'était-ce pas une action en hauteur quelque peu pareille à celle des soldats Romains qu'on trouva après la bataille de Cannes, la tête plongée dans des trous qu'ils avaient faits et comblés de leurs mains, en s'y suffoquant ? En somme, toute une nation fut sur-le-champ par l'usage placée sur une marche qui ne le cède en raideur à aucune résolution étudiée et débattue.

La plupart des enseignements que nous donne la science pour nous encourager ont plus d'apparence que de force, et plus d'ornement que de fruit. Nous avons abandonné Nature, et lui voulons apprendre sa leçon, elle, qui nous menait si heureusement et si sûrement ! Et cependant les traces de son instruction, et ce peu de son image qui, par le bénéfice de l'ignorance, reste empreint dans la vie de cette tourbe

1. Virgile, *Géorgiques*, III, 476-477.

rustique d'hommes non policés, la science est contrainte de l'aller tous les jours emprunter pour en faire à ses disciples un patron de constance, d'innocence, et de tranquillité ! Il fait beau voir que ceux-ci, pleins de tant de belle connaissance, aient à imiter cette sotte simplicité, et à l'imiter dans les principales actions de la vertu. Et que notre sapience apprenne des bêtes mêmes les enseignements les plus utiles aux parties de notre vie les plus grandes et les plus nécessaires : comment il nous faut vivre et mourir, ménager nos biens, aimer et élever nos enfants, maintenir la justice. Singulier témoignage de l'humaine maladie, et du fait que cette raison qui se manie à notre guise, trouvant toujours quelque diversité et nouvelleté, ne laisse chez nous aucune trace apparente de Nature. Et les hommes en ont fait comme les parfumeurs de l'huile : ils l'ont sophistiquée par tant d'argumentations et de discours appelés du dehors qu'elle en est devenue variable et particulière à chacun, et qu'elle en a perdu son propre visage, constant et universel. Et il nous faut en chercher un témoignage qui ne soit pas sujet à la faveur, à la corruption, ni à la diversité des opinions chez les bêtes. Car il est bien vrai qu'elles-mêmes ne vont pas toujours exactement dans la route de nature, mais ce qu'elles en dévoient, c'est si peu que vous en apercevez toujours l'ornière. Tout ainsi que les chevaux qu'on mène à la main font bien des bonds et des escapades, mais c'est à la longueur de leurs longes, et ils suivent néanmoins toujours les pas de celui qui les guide, et comme l'autour prend son vol, mais bridé par sa cordelette. Exils, tortures, guerres, maladies, naufrages : médite-les, pour n'être novice en aucun tourment *exilia, tormenta, bella, morbos, naufragia meditare, ut nullo sis malo tyro* [1] : à quoi nous sert cette curiosité de prévoir tous les inconvénients de l'humaine nature, et de nous préparer avec tant de peine à l'encontre des maux mêmes qui n'ont peut-être point à nous toucher (À ceux qui ont souffert, pouvoir souffrir autant fait mal *parem passis tristitiam facit pati posse* [2] : non seulement le coup, mais le vent et le bruit nous frappent !), ou, comme les plus fiévreux, car certes c'est une fièvre, d'aller dès à présent vous faire donner le fouet parce qu'il peut advenir que fortune vous le fera souffrir un jour, et de prendre votre robe fourrée dès la Saint-Jean pour ce que vous en aurez besoin à Noël ? Jetez-vous dans l'expérience de tous les maux qui vous peuvent arriver, nommément des plus extrêmes, éprouvez-vous là, disent-ils, assurez-vous là. Au rebours, le plus facile et le plus naturel serait d'en décharger même sa pensée. Ces maux ne viendront pas assez tôt, leur existence véritable

---

1. Sénèque, *Lettres à Lucilius*, CVII, 4.
2. Sénèque, *Lettres à Lucilius*, LXXIV, 4.

ne nous dure pas assez, il faut que notre esprit les étende et les allonge, et qu'avant la main il les incorpore en soi et s'en entretienne, comme s'ils ne pesaient pas raisonnablement à nos sens. « Ils pèseront assez quand ils seront là », dit un des maîtres, non de quelque tendre secte, mais de la plus dure [1], « cependant favorise-toi, crois ce que tu aimes le mieux : que te sert-il d'aller accueillant et prévenant ta mauvaise fortune, et de perdre le présent par crainte du futur, et d'être dès cette heure misérable parce que tu dois l'être avec le temps ? » Ce sont ses mots. La science nous rend probablement un bon service de nous instruire bien exactement de la dimension des maux, elle qui :

Des mortels affûte les cœurs à la pierre à soucis

Curis acuens mortalia corda : [2]

ce serait grand dommage en effet si une partie de leur grandeur échappait à notre sentiment et à notre connaissance ! Il est certain qu'à la plupart la préparation à la mort a donné plus de tourment que n'a fait la souffrance. Non sans vérité, il fut dit autrefois, et par un auteur fort judicieux : l'épreuve affecte moins nos sens que l'appréhension *minus afficit sensus fatigatio quam cogitatio.* [3] Le sentiment de la mort présente nous anime parfois lui-même d'une prompte résolution de ne plus éviter ce qui est totalement inévitable. Plusieurs gladiateurs se sont vus au temps passé, après avoir couardement combattu, avaler courageusement la mort, offrant leur gosier au fer de l'ennemi, et le conviant. La vue éloignée de la mort à venir a besoin d'une fermeté lente, et par conséquent difficile à fournir. Si vous ne savez pas mourir, ne vous en souciez pas, nature vous en informera sur-le-champ, pleinement et suffisamment ; elle fera exactement cette besogne pour vous, n'en embarrassez pas votre soin :

Bien en vain guignez-vous, ô mortels, L'heure incertaine du trépas, Et la route par où la mort arrivera

Incertam frustra, mortales, funeris horam
Quæritis, et qua sit mors aditura uia, [4]

Subir soudain ruine sûre est moins pénalisant,
Qu'appréhender longtemps un malheur plus pesant

Poena minor certam subito perferre ruinam,
Quod timeas grauius sustinuisse diu. [5]

---

1. La secte des Stoïciens ; le « maître », c'est ici Sénèque.
2. Virgile, *Géorgiques*, I, 123.
3. Quintilien, *Institution oratoire*, I, XII, 11.
4. Properce, II, XXVII, 1-2.
5. Maximianus, I, 277-278.

Nous troublons la vie par le soin de la mort, et la mort par le soin de la vie. L'une nous ennuie, l'autre nous effraie. Ce n'est pas contre la mort que nous nous préparons, c'est chose trop momentanée : un quart d'heure de souffrance sans conséquence, sans nuisance, ne mérite pas des préceptes particuliers. À dire vrai, nous nous préparons contre les préparations à la mort. La philosophie nous ordonne d'avoir la mort toujours devant les yeux, de la prévoir et considérer avant le temps, et elle nous donne après les règles et les précautions pour pourvoir à ce que cette prévoyance et cette pensée ne nous blesse. Ainsi font les médecins qui nous jettent aux maladies afin qu'ils aient où employer leurs drogues et leur art. Si nous n'avons su vivre, il est injuste de nous apprendre à mourir et de vouloir donner à la fin une forme qui diffère de son tout. Si nous avons su vivre constamment et tranquillement, nous saurons mourir de même. Ils s'en vanteront tant qu'il leur plaira : La vie tout entière des philosophes est une méditation de la mort *Tota philosophorum uita commentatio mortis est...* [1] Mais il m'est avis que c'est bien le bout, non pourtant le but de la vie. C'est sa fin, son extrémité, non pourtant son objet. Elle doit être elle-même à soi-même sa propre visée, son dessein. Sa droite étude est se régler, de se conduire, de se souffrir. Au nombre de plusieurs autres devoirs que comprend le chapitre général et premier du savoir vivre, figure cet article du savoir mourir, qui serait des plus légers si notre crainte ne lui donnait poids.

À les juger par l'utilité et par la vérité naïve, les leçons de la simplicité ne le cèdent guère à celles que la doctrine nous prêche en sens inverse. Les hommes sont divers en sentiment et en force : c'est selon eux, et par routes diverses, qu'il les faut mener à leur bien. Où que m'emporte l'instant, je m'y laisse aller en hôte *Quo me cumque rapit tempestas, deferor hospes.* [2] Je ne vis jamais paysan de mes voisins entrer en cogitation de quelle contenance et assurance il passerait cette heure dernière : Nature lui apprend à ne songer à la mort que quand il se meurt. Et lors il a bien meilleure grâce qu'Aristote, que la mort presse doublement, et par elle, et par une si longue préméditation ! C'est pourquoi ce fut l'opinion de César que la mort la moins préméditée était la plus heureuse et la plus légère : Il souffre plus qu'il ne faut, qui souffre avant qu'il ne le faille *Plus dolet quam necesse est, qui ante dolet quam necesse est !* [3] L'aigreur de cette imagination naît de notre curiosité. Nous nous entravons toujours ainsi : en voulant devancer et régenter les prescriptions naturelles. Ce n'est qu'aux docteurs d'en dîner plus

1. Cicéron, *Tusculanes*, I, XXX, 74.
2. Horace, *Épîtres*, I, I, 15.
3. Sénèque, *Lettres à Lucilius*, XCVIII, 8.

mal tout bien portants et de se renfrogner à l'image de la mort. Le commun n'a besoin ni de remède ni de consolation, sinon au heurt et au coup, et il n'en considère qu'exactement autant qu'il en souffre. Est-ce pas ce que nous disons, que la stupidité et le défaut d'appréhension du vulgaire lui donnent cette patience face aux maux présents, et cette profonde nonchalance envers les sinistres accidents futurs ? Que leur âme pour être plus crasse [1] et plus obtuse est moins pénétrable et moins agitable ? Pour Dieu, s'il est ainsi, tenons dorénavant école de bêtise ! C'est là l'extrême fruit que les sciences nous promettent, et celle-ci y conduit si doucement ses disciples !

Nous n'aurons pas faute de bons régents interprètes de la simplicité naturelle. Socrate en sera l'un. Car, de ce qu'il m'en souvient, il parle environ dans le sens que voici aux juges qui délibèrent de sa vie : « J'ai peur, Messieurs, si je vous prie de ne me faire pas mourir, que je m'enferre dans la délation de mes accusateurs, qui est que je fais plus l'entendu que les autres, comme si j'avais quelque connaissance plus secrète des choses qui sont au-dessus et au-dessous de nous. Je sais que pour m'en instruire je n'ai ni fréquenté ni connu la mort, ni n'ai vu personne qui ait essayé ses propriétés. Ceux qui la craignent présupposent la connaître ; quant à moi, je ne sais ni quelle elle est, ni quel temps il fait en l'autre monde. Peut-être la mort est-elle chose indifférente, peut-être désirable. Il est à croire pourtant, si c'est une transmigration d'une place en une autre, qu'il y a du mieux d'aller vivre avec tant de grands personnages trépassés, et d'être exempt d'avoir plus longtemps affaire à des juges iniques et corrompus ; si c'est un anéantissement de notre être, c'est un mieux encore que d'entrer dans une longue et paisible nuit : nous ne ressentons rien de plus doux dans la vie qu'un sommeil reposant, tranquille et profond, sans songes. Les choses que je sais être mauvaises, comme d'offenser son prochain, et de désobéir à ses supérieurs, soit Dieu, soit homme, je les évite soigneusement ; celles dont je ne sais si elles sont bonnes ou mauvaises, je ne les saurais craindre. Ainsi je m'en vais mourir, et je vous laisse en vie : les dieux seuls voient à qui, de vous ou de moi, il en ira le mieux. Par quoi, à mon égard, vous en ordonnerez comme il vous plaira. Mais selon ma façon de conseiller les choses justes et utiles, je dis bien que pour votre conscience vous ferez mieux de me libérer si vous ne voyez pas plus avant que moi dans ma cause. Et, jugeant selon mes actions passées publiques et privées, selon mes intentions, et selon le profit que tirent tous les jours de ma conversation tant de nos concitoyens, jeunes et vieux, et le fruit que je vous

1. Épaisse (cf. « une ignorance *crasse* »).

apporte à tous, vous ne pouvez dûment vous acquitter envers mon mérite qu'en ordonnant que je sois nourri, attendu ma pauvreté, au Prytanée [1], aux dépens du trésor public, ce que souvent je vous ai vu à moindre raison octroyer à d'autres. Ne prenez pas pour de l'obstination ou du dédain si, suivant la coutume, je ne cherche pas à vous supplier et à vous émouvoir de commisération. J'ai des amis et des parents (n'étant pas plus que les autres engendré, comme dit Homère, ni de bois ni de pierre), qui sont capables de se présenter avec des larmes et dans l'appareil du deuil, et j'ai trois enfants éplorés qui peuvent vous attraire à la pitié. Mais je ferais honte à notre ville, à l'âge où je suis, et en telle réputation de sagesse que m'en voici prévenu [2], si j'allais me commettre à de si lâches attitudes. Que dirait-on des autres Athéniens ? J'ai toujours admonesté ceux qui m'ont entendu parler de ne racheter pas leur vie par une action déshonnête, et, dans les guerres de mon pays, à Amphipolis, à Potidée, à Délion [3], et ailleurs, où je me suis trouvé, j'ai montré par mes actes combien j'étais loin de garantir ma sûreté par ma honte ; j'inquiéterais davantage votre devoir, et je vous convierais à des choses laides, car ce n'est pas à mes prières de vous persuader, c'est aux raisons pures et solides de la justice. Vous avez juré aux dieux d'ainsi vous maintenir : il semblerait que je voulusse vous soupçonner et vous accuser de ne croire pas qu'il y en ait, et moi-même je témoignerais contre moi de ne point croire en eux comme je le dois, si je me défiais de leur direction et ne remettais pas complètement mon affaire entre leurs mains. Je leur fais une entière confiance, et je tiens pour certain qu'ils feront en ceci selon ce qui sera le plus convenable pour vous et pour moi. Les gens de bien, ni vivants ni morts, n'ont aucunement à craindre des dieux. »

Voilà-t-il pas un plaidoyer d'enfant d'une hauteur inimaginable ? Et employé en quelle nécessité ! Vraiment ce fut raison qu'il le préférât à celui que Lysias, ce grand orateur, avait mis par écrit pour lui, excel-

1. À Athènes, depuis la constitution de Clisthène, les *Prytanes*, magistrats publics, prenaient ensemble leurs repas aux frais de l'État dans un édifice nommé le « *Prytanée* », en compagnie d'hôtes de marque conviés par la cité. Les prytanes devaient pouvoir entrer en séance de jour comme de nuit. C'est pour cela qu'ils devaient être logés et nourris aux frais de l'État, et que le Prytanée jouxtait le bâtiment du Conseil des Cinq-Cents.

2. Quand Socrate comparut il était prévenu de corrompre la jeunesse par son enseignement, de mépriser les dieux d'Athènes et d'en honorer d'autres. Il fut condamné à boire la ciguë.

3. Amphipolis, Potidée, Délion : deux batailles et un long siège au cours de la « guerre du Péloponnèse », qui opposa Athènes à Sparte.

lemment tourné selon le style judiciaire, mais indigne d'un si noble criminel. Eût-on ouï de la bouche de Socrate une voix suppliante ? Cette superbe vertu eût-elle calé au plus fort de son allure ? Et sa riche et puissante nature eût-elle remis à l'art sa défense, et en son plus haut essai renoncé à la vérité et à la naïveté, ornements de son parler, pour se parer du fard, des figures, et des feintes d'une oraison apprise ? Il fit très sagement, et selon lui, de ne corrompre point une teneur de vie incorruptible et une si sainte image de l'humaine forme, pour allonger d'un an sa décrépitude et trahir l'immortelle mémoire de cette fin glorieuse. Il devait sa vie non pas à soi, mais à l'exemple du monde. Serait-ce pas un dommage public qu'il l'eût achevée d'une oisive et obscure façon ? Assurément une aussi nonchalante et calme considération de sa mort méritait que la postérité la considérât d'autant plus pour lui, ce qu'elle fit. Et il n'y a rien en la justice d'aussi juste que ce que la fortune ordonna pour sa recommandation. Car les Athéniens eurent en telle abomination ceux qui en avaient été la cause qu'on les fuyait comme des excommuniés : on tenait pour pollué tout ce à quoi ils avaient touché, personne à l'étuve ne se lavait avec eux, personne ne les saluait ni ne les abordait, si bien qu'à la fin, ne pouvant plus porter cette haine publique, ils se pendirent eux-mêmes.

Si quelqu'un estime que parmi tant d'autres exemples que j'avais à choisir pour le service de mon propos parmi les dits de Socrate, j'aie mal trié celui-ci, et qu'il juge que ce discours est trop élevé au-dessus des opinions communes, je l'ai fait sciemment, car j'en juge tout autrement et tiens que c'est un discours, en rang comme en naïveté, bien plus arrière et plus bas que les opinions communes. Il représente avec une hardiesse inartificielle et une sécurité tout enfantine la pure et première impression et l'ignorance naturelles. Car il est croyable que nous avons naturellement crainte de la douleur ; mais non de la mort en elle-même. C'est une partie de notre être non moins essentielle que le vivre. Pour quoi donc Nature nous en aurait inculqué la haine et l'horreur, vu que la mort lui sert d'excellent outil pour nourrir la succession et la vicissitude de ses ouvrages ? Et qu'en cette république de l'univers elle sert plus à la naissance et à l'augmentation qu'à la perte ou à la ruine :

et la Somme ainsi se renouvelle
sic rerum summa nouatur ; [1]
La défaillance d'une vie est le passage à mille autres vies :
Mille animas una necata dedit. [2]

---

1. Lucrèce, II, 74.
2. Ovide, *Fastes*, I, 380.

Nature a imprimé chez les bêtes le soin d'elles-mêmes et de leur conservation. Elles vont jusque-là de craindre leur empirement, de se heurter et blesser, que nous ne les enchevêtrions et battions, accidents accessibles à leur sens et à leur expérience ; mais que nous les tuions, elles ne le peuvent craindre, ni n'ont la faculté de l'imaginer et de conclure à la mort. Ainsi dit-on encore qu'on les voit non seulement la souffrir gaiement (la plupart des chevaux hennissent en mourant, les cygnes la chantent), mais de plus la rechercher au besoin, comme en témoignent plusieurs exemples chez les éléphants. Outre cela, la façon d'argumenter dont se sert ici Socrate, est-elle pas admirable également par sa simplicité et sa véhémence ? Vraiment il est bien plus aisé de parler comme Aristote et vivre comme César qu'il n'est aisé de parler et vivre comme Socrate ! Là, loge l'extrême degré de perfection et de difficulté : l'art n'y peut atteindre. Or nos facultés ne sont pas ainsi dressées. Nous ne les essayons, ni ne les connaissons : nous nous revêtons de celles d'autrui, et laissons chômer les nôtres.

Ainsi quelqu'un pourrait dire de moi que j'ai seulement fait ici un ramas de fleurs étrangères, n'y ayant fourni du mien que le fil pour les lier. Certes j'ai concédé à la faveur publique que ces parements empruntés m'accompagnent, mais je n'entends pas qu'ils me couvrent et me cachent : c'est le rebours de mon dessein, moi qui ne veux faire montre que du mien et de ce qui est mien par nature. Et si je m'en fusse cru, à tout hasard, j'eusse parlé tout fin seul. Je me charge davantage tous les jours de ces emprunts, au-delà mon intention et de ma forme première, selon la mode du siècle, et par oisiveté. S'il me messied à moi, comme je le crois, n'importe : ce peut être utile à quelque autre. Tel allègue Platon et Homère qui ne les lut onques, et moi aussi, j'ai pris bien des citations ailleurs qu'en leur source. Sans peine et sans habileté, ayant mille volumes de livres autour de moi en ce lieu où j'écris, j'emprunterai présentement, s'il me plaît, à une douzaine de semblables ravaudeurs, gens que je ne feuillette guère, de quoi émailler mon traité de la physionomie. Il ne faut que l'épître liminaire d'un Allemand pour me farcir de citations, et nous allons quêter par là une friande gloire à piper le sot monde. Ces *pastissages* [1] de lieux communs, dont tant de gens ménagent leur étude, ne servent guère qu'aux sujets communs, et ils servent à nous montrer, non pas à nous conduire : ridicule fruit de la science, dont Socrate houspille si plaisamment Euthydème ! J'ai vu faire des livres sur des choses jamais

1. « Méli-mélo », « salmigondis », « pâté », « pâte mêlée » : on connaît encore aujourd'hui le « *pastis* » landais, qui est un gâteau à pâte riche et lourde, et son homonyme provençal, qui désigne une boisson alcoolique à la composition mêlée.

étudiées ni entendues, l'auteur confiant à divers de ses amis savants la recherche de telle et de telle autre matière pour le bâtir, et se contentant pour sa part d'en avoir projeté le dessein, et lié par son industrie ce fagot de provisions inconnues : au moins est sien l'encre, et le papier. Cela, c'est acheter ou emprunter un livre, non pas le faire. C'est apprendre aux hommes non qu'on sait faire un livre, mais, chose dont ils pouvaient être en doute, qu'on ne le sait pas faire. Le Président d'une chambre où j'étais se vantait d'avoir amoncelé deux cents lieux étrangers en un sien arrêt présidentiel : en le prêchant, il effaçait la gloire qu'on lui en donnait. Pusillanime et absurde vantardise à mon gré, pour un tel sujet et une telle personne. Je fais le contraire, et parmi tant d'emprunts, je suis bien aise d'en pouvoir dérober quelqu'un, en le déguisant et déformant pour un nouveau service. Au risque de laisser dire que c'est par faute d'avoir entendu son naturel usage, je lui donne quelque particulière adresse de ma main, afin qu'il en soit d'autant moins purement étranger. Ceux-ci mettent leurs larcins en parade et en compte. Aussi ont-ils plus de crédit auprès des gens de loi que moi. Nous autres *naturalistes*, nous estimons que l'honneur de l'invention est hautement et incomparablement supérieur à l'honneur de la citation.

Si j'eusse voulu parler en savant, j'eusse parlé plus tôt. J'eusse écrit du temps le plus voisin de mes études, que j'avais plus d'esprit et de mémoire. Et je me fusse plus fié à la vigueur de cet âge-là qu'à celui-ci si j'eusse voulu faire métier d'écrire. Eh quoi ! Si cette faveur gracieuse que la fortune m'a voici peu offerte par l'entremise de cet ouvrage m'eût pu rencontrer en une pareille saison, au lieu de celle-ci où elle est également désirable à posséder et prête à perdre ? Deux de mes connaissances, grands hommes en cette faculté, ont perdu par moitié, à mon avis, d'avoir refusé de se publier à quarante ans pour attendre les soixante. La maturité a ses défauts, comme la verdeur, et pires. Et la vieillesse est aussi mal propre à cette sorte de besogne qu'à toute autre. Quiconque met sa décrépitude sous presse fait folie s'il espère en épreindre des humeurs qui ne sentent pas le disgracié, le rêvasseur et l'assoupi. Notre esprit se constipe et s'épaissit en vieillissant. Je dis pompeusement et opulemment l'ignorance, et je dis la science maigrement et piteusement. Accessoirement celle-ci et accidentellement ; celle-là expressément et principalement. Et je ne traite à point nommé de rien que du rien, ni d'aucune science que de celle de l'inscience. J'ai choisi le temps où ma vie, que j'ai à peindre, je l'ai toute devant moi : ce qu'il en reste tient plus de la mort. Et de ma mort même, si je la rencontrais babillarde, comme font d'autres, j'en donnerais encore probablement avis au peuple tout en partant.

Socrate a été un exemple parfait en toutes grandes qualités : j'ai dépit qu'il ait rencontré un corps si disgracié, comme ils disent, et si disconvenant à la beauté de son âme, lui si amoureux et si affolé de la beauté. Nature lui fit injustice. Il n'est rien de plus vraisemblable que la conformité et le rapport du corps à l'esprit. Les âmes mêmes, il importe au plus haut point de voir en quel corps elles se logent : on trouve en effet maints corps qui aiguisent l'esprit, maints qui l'émoussent *Ipsi animi, magni refert quali in corpore locati sint : multa enim e corpore existunt quæ acuant mentem, multa quæ obtundant.* [1] Cet auteur parle d'une laideur dénaturée, et d'une difformité des membres, mais nous appelons laideur aussi une mésavenance au premier regard, qui loge principalement au visage, et nous dégoûte par le teint, une tache, une expression rude, par quelque cause souvent inexplicable, alors que les membres sont pourtant bien ordonnés et entiers. La laideur qui revêtait une âme très belle chez La Boétie était de cette sorte. Cette laideur superficielle, qui est toutefois la plus impérieuse, est moins préjudiciable à l'état de l'esprit, et elle a peu d'effet certain dans l'opinion des hommes. L'autre, qui d'un plus propre nom s'appelle difformité, est plus substantielle, et son coup porte plus probablement jusqu'au dedans. Non point tout soulier de cuir bien lissé, mais tout soulier bien formé montre la forme intérieure du pied. De même Socrate disait de sa laideur qu'elle aurait marqué justement autant son âme s'il n'eût corrigé celle-ci en l'éduquant. Mais en le disant, je tiens qu'il se moquait, suivant son usage, et jamais âme si excellente ne se fit elle-même. Je ne puis dire assez souvent combien j'estime la beauté, qualité puissante et avantageuse. Socrate l'appelait une courte tyrannie, et Platon, le privilège de nature. Nous n'avons point de qualité qui la surpasse en crédit. Elle tient le premier rang dans le commerce des hommes. Elle se présente au devant, séduit et prévient notre jugement avec grande autorité et merveilleuse impression. Phryné aurait perdu sa cause, même entre les mains d'un excellent avocat, si, ouvrant sa robe, elle n'eût corrompu ses juges par l'éclat de sa beauté. Et je trouve que Cyrus, Alexandre, César, ces trois maîtres du monde, ne l'ont pas oubliée tandis qu'ils étaient à leurs grandes affaires. Non plus que ne l'a fait le premier Scipion. Un même mot embrasse en grec le bel et le bon. Et le Saint-Esprit appelle souvent *bons*, ceux qu'il veut dire *beaux*. Je maintiendrais volontiers le rang des biens, tel que le donnait la chanson que Platon dit avoir été très répandue, prise chez quelque ancien poète : « La santé, la beauté, la richesse. » Aristote dit que le droit de commander appartient aux beaux, et, quand il s'en trouve dont la

1. Cicéron, *Tusculanes*, I, XXXIII, 80.

beauté approche celle des images des dieux, que la vénération leur est pareillement due. À qui lui demandait pourquoi on fréquentait les belles gens plus longtemps et plus souvent : « Cette question, fit-il, ne peut venir que d'un aveugle. » La plupart et les plus grands philosophes payèrent leur écolage et acquirent la sapience par l'entremise et la faveur de leur beauté. Non seulement chez les hommes qui me servent, mais chez les bêtes aussi, je considère qu'elle est à deux doigts près de la bonté. Pour autant il me semble que ce trait et cette tournure de visage, et ces linéaments dont on déduit certaines dispositions intérieures et nos fortunes à venir, sont choses qui ne logent pas bien directement et simplement sous le chapitre de la beauté et de la laideur, non plus que toute bonne odeur et sérénité de l'air n'en promet pas la santé, ni toute épaisseur et puanteur, l'infection en temps de peste. Ceux qui accusent les dames de contredire leur beauté par leurs mœurs n'ont pas toujours juste. Car en une face qui ne sera pas trop bien composée, il peut loger quelque air de probité et de confiance, comme au rebours j'ai lu parfois entre deux beaux yeux des menaces d'une nature maligne et dangereuse. Il y a des physionomies favorables, et dans une foule d'ennemis victorieux vous choisirez aussitôt parmi des hommes inconnus l'un plutôt que l'autre pour vous rendre à lui et lui confier votre vie, sans proprement considérer la beauté.

C'est une faible garantie que la mine, toutefois elle mérite quelque considération. Et si j'avais à fouetter les méchants, je le ferais plus rudement sur ceux d'entre eux qui démentent et trahissent les promesses que nature leur avait plantées au front ; je punirais plus aigrement la malice sous une apparence débonnaire. Il semble qu'il y ait certains visages heureux, d'autres malencontreux, et je crois qu'il y a quelque art à distinguer les visages débonnaires des niais, les sévères des rudes, les malicieux des chagrins, les dédaigneux des mélancoliques, et telles autres qualités voisines. Il y a des beautés, non fières seulement, mais aigres ; il y en a d'autres douces, et, encore au-delà, fades. D'en pronostiquer les aventures futures, ce sont matières que je laisse indécises.

En ce qui me concerne, j'ai fait mien, comme je l'ai dit ailleurs bien simplement et crûment, ce précepte ancien, que nous ne saurions faillir à suivre nature, que le souverain précepte, c'est de se conformer à elle. Je n'ai pas comme Socrate, corrigé par la force de la raison mes dispositions naturelles, et je n'ai en rien troublé mon inclination par artifice. Je me laisse aller comme je suis venu. Je ne combats rien. Mes deux maîtresses pièces vivent de leur grâce en paix et bon accord, mais le lait de ma nourrice a été, Dieu merci, convenablement sain et tempéré.

Dirai-je ceci en passant, que je vois tenir à plus de prix qu'elle ne vaut, alors qu'elle est pourtant quasi seule en usage parmi nous, une certaine image de prud'homie toute scolastique, esclave des préceptes, contrainte sous l'espérance et la crainte ? J'aime une vertu que les lois et la religion ne tâcheraient point à faire, mais seulement à parfaire et à autoriser, et qui se sente capable se soutenir sans aide, une vertu née en nous de ses propres racines, par la semence de la raison universelle, empreinte en tout homme non dénaturé. Cette raison, qui redresse Socrate de son pli vicieux, le rend obéissant aux hommes et aux dieux qui commandent en sa ville : courageux dans la mort, non parce que son âme est immortelle, mais parce qu'il est mortel. Ruineuse instruction en tout État, et bien plus dommageable qu'ingénieuse et subtile, que celle qui persuade aux peuples que la croyance religieuse puisse suffire seule, et sans les mœurs, à contenter la justice divine ! L'usage nous fait voir une distinction énorme entre la dévotion et la conscience.

J'ai une apparence favorable, tant par tournure que par l'opinion qu'elle donne de moi :

Qu'ai-je donc dit « j'ai » ? C'est plutôt « j'ai eu », Chrémès !
Quid dixi habere *me ? Imo* habui, *Chreme* [1]

Tu ne vois plus, hélas, que les os d'un corps ruineux
Heu ! tantum attriti corporis ossa uides ! [2]

Apparence qui est tout le contraire de celle de Socrate. Il m'est souvent advenu que, sur le simple crédit de ma présence et de mon air, des personnes qui n'avaient aucune connaissance de moi s'y sont grandement fiées, soit pour leurs propres affaires, soit pour les miennes. Et en pays étranger j'en ai tiré des faveurs singulières et rares. Mais voici deux expériences en particulier qui valent peut-être que je les raconte.

Un quidam délibéra de surprendre et ma maison et moi. Son habileté fut d'arriver seul à ma porte, et d'en presser un peu instamment l'entrée. Je le connaissais de nom, et j'avais matière à me fier à lui, comme étant mon voisin et un peu mon parent par alliance. Je lui fis ouvrir comme je le fais pour chacun. Le voici tout effrayé, son cheval hors d'haleine, fort harassé. Il m'entretint de cette fable : qu'il venait d'être rencontré à une demie lieue de là par un sien ennemi, lequel je connaissais aussi, et j'avais ouï parler de leur querelle ; que cet ennemi l'avait merveilleusement collé aux éperons, et qu'ayant été

1. Térence, *Heautontimoroumenos*, 94.
2. Maximianus, I, 238.

surpris en désarroi et plus faible en nombre, il s'était jeté à ma porte pour se mettre en sûreté ; qu'il était en grand peine de ses gens, lesquels il disait tenir pour morts ou prisonniers. J'essayai tout naïvement de le conforter, de le rassurer, et de le rafraîchir. Tantôt après, voilà quatre ou cinq de ses soldats qui se présentent avec la même mine et le même effroi pour entrer, et puis d'autres, et d'autres encore après, bien équipés, et bien armés, jusqu'à vingt-cinq ou trente, feignant d'avoir leur ennemi sur les talons. Ce mystère commençait à tâter mon soupçon. Je n'ignorais pas en quel siècle je vivais, combien ma maison pouvait être enviée, et j'avais plusieurs exemples d'autres de ma connaissance à qui pareille mésaventure était advenue. Toujours est-il que, trouvant qu'il n'y avait point de bénéfice d'avoir commencé à faire plaisir si je n'achevais, et ne pouvant me défaire sans tout rompre, je me laissai aller au parti le plus naturel et le plus simple, comme je le fais toujours, et je donnai l'ordre qu'ils entrassent. Aussi, à la vérité, je suis peu défiant et peu soupçonneux de nature. Je penche volontiers vers l'excuse et vers l'interprétation la plus clémente. Je prends les hommes comme on le fait communément, et je ne crois pas ces inclinations perverses et dénaturées si je n'y suis forcé par quelque forte preuve, non plus que je ne crois aux monstres et aux miracles. Et je suis homme en outre qui me confie volontiers à la fortune et me laisse aller à corps perdu entre ses bras (ce dont jusqu'à cette heure j'ai eu plus d'occasion de me louer que de me plaindre), et je l'ai trouvée à la fois plus avisée et plus amie de mes affaires que je ne le suis. Il y a quelques actions dans ma vie dont on peut justement dire que la conduite fut difficile, ou, si l'on veut, prudente. De celles-là mêmes, posez qu'un tiers soit du mien : assurément les deux tiers sont largement à elle ! Nous faillons, ce me semble, en ce que nous ne nous fions pas assez au ciel sur ce qui nous regarde, et que nous prétendons devoir plus à notre propre conduite qu'il ne nous en revient. C'est pourquoi nos desseins fourvoient si souvent : le ciel est envieux de l'étendue que nous attribuons aux droits de l'humaine prudence au préjudice des siens ! Et il nous les raccourcit d'autant plus que nous les amplifions. Ceux-ci se tinrent à cheval dans ma cour, le chef avec moi dans ma salle, qui n'avait pas voulu qu'on mît son cheval à l'étable, disant avoir à se retirer aussitôt qu'il aurait eu nouvelles de ses hommes. Il se vit maître de son entreprise, et il ne manquait plus, en cet instant, que l'exécution. Souvent depuis il a dit (car il ne craignait pas de faire ce conte) que mon visage et ma franchise lui avaient arraché la trahison des poings. Il remonte à cheval, ses gens ayant continuellement les yeux sur lui pour voir quel signe il leur donnerait, bien étonnés de le voir sortir et abandonner son avantage.

Une autrefois, me fiant à je ne sais quelle trêve qui venait d'être publiée dans nos armées, je me mis en chemin pour un voyage au travers d'un pays étrangement chatouilleux. Je ne fus pas si tôt repéré que voilà trois ou quatre cavalcades qui déboulent de divers lieux pour m'attraper. L'une me joignit à la troisième journée, où je fus chargé par quinze ou vingt gentilshommes masqués, suivis d'une ondée d'argoulets. Me voilà pris et rendu, retiré dans l'épais d'une forêt voisine, démonté, dévalisé, mes coffres fouillés, ma boîte prise, chevaux et équipage dispersés à de nouveaux maîtres. Nous fûmes longtemps à contester dans ce hallier sur le montant de ma rançon, qu'ils me taillaient si haute qu'il paraissait bien que je ne leur étais guère connu. Ils entrèrent en grande discussion au sujet de ma vie. De vrai, il y avait plusieurs circonstances qui me menaçaient du danger où j'étais :

Il te fallut alors du cœur, Énée, Alors, une âme ferme
Tunc animis opus, 'nea, tunc pectore firmo ! [1]

Je m'en tins toujours, au titre de ma trêve, à leur abandonner seulement le gain qu'ils avaient fait de ma dépouille, qui n'était pas à mépriser, sans promettre d'autre rançon. Après deux ou trois heures que nous eûmes été là, qu'ils m'eurent fait monter sur un cheval qui n'avait garde de leur échapper, confié ma conduite particulière à quinze ou vingt arquebusiers, et dispersé mes gens à d'autres, après avoir ordonné qu'on nous menât prisonniers par diverses routes, et alors que je me trouvais déjà acheminé à deux ou trois arquebusades de là,

Ayant prié déjà et Castor et Pollux
Jam prece Pollucis iam Castoris implorata, [2]

voici qu'un changement les prit, soudain et très inopiné. Je vis le chef revenir à moi avec des paroles plus douces, se mettant en peine de rechercher parmi la troupe mes hardes dispersées, et me les faisant rendre, selon qu'il s'en pouvait recouvrer, et jusqu'à ma boîte. Le meilleur présent qu'ils me firent, ce fut enfin ma liberté : le reste ne me touchait guère en ce temps-là. La vraie cause d'un changement si nouveau, et de ce ravisement, sans aucune impulsion apparente, et d'un repentir si miraculeux, en un tel temps, en une entreprise pourpensée et délibérée, et devenue juste en vertu de l'usage (car d'emblée je leur confessai ouvertement le parti dont j'étais, et le chemin que je

1. Virgile, *Énéide*, VI, 261.
2. Catulle, LXVIII, 65.

tenais), assurément je ne sais pas bien encore quelle elle est ! Celui de ces gentilshommes qui était le plus en vue, qui se démasqua et me fit connaître son nom, me redit alors plusieurs fois que je devais cette délivrance à mon visage, à la liberté et à la fermeté de mes paroles, qui montraient que je ne méritais pas une telle mésaventure, et il me demanda l'assurance de la pareille. Il est possible que la bonté divine se voulut servir de ce vain instrument pour ma conservation. Elle me défendit encore le lendemain d'autres pires embûches, dont ceux-ci mêmes m'avaient averti. Le dernier est encore sur pieds, pour en faire le conte ; le premier fut tué il n'y a pas longtemps.

Si mon visage ne répondait pas pour moi, si l'on ne lisait pas la simplicité [1] de mon intention dans mes yeux et dans ma voix, je n'eusse pas duré sans querelle et sans offense aussi longtemps, avec mon indiscrète liberté de dire à tort et à raison ce qui me vient à l'esprit, et de juger témérairement des choses. Cette façon peut avec raison paraître incivile et mal accordée à nos usages, mais outrageuse et malicieuse, je n'ai vu personne qui l'ait ainsi jugée, ni qui se soit piqué de ma liberté, s'il l'a reçue droit de ma bouche, car les paroles répétées, de même qu'autre son, prennent aussi autre sens. Aussi ne hais-je personne. Et je suis si peu enclin à offenser que pour le service de la raison même je ne le puis faire. Et lorsque l'occasion m'a convié à des condamnations criminelles, j'ai plutôt manqué à la justice, aussi ne voudrais-je pas qu'il y eût plus de péchés commis que je n'ai de cœur à punir les pécheurs *Ut magis peccari nolim quam satis animi ad uindicanda peccata habeam.* [2] On reprochait, dit-on, à Aristote d'avoir été trop miséricordieux envers un méchant homme : « J'ai été de vrai, dit-il, miséricordieux envers l'homme, non pas envers la méchanceté. » Les jugements ordinaires s'exaspèrent à la punition par l'horreur du méfait. Cela même refroidit le mien : l'horreur du premier meurtre m'en fait craindre un second, et la laideur de la première cruauté m'en fait abhorrer toute imitation. À moi, qui ne suis qu'écuyer de trèfle [3], peut s'appliquer ce qu'on disait du roi de Sparte Charillos : « Il ne saurait être bon, puisqu'il n'est pas mauvais envers les méchants ». Ou bien ainsi, car Plutarque le présente sous ces deux façons, diversement et contrairement, comme mille autres choses : « Il faut bien qu'il soit bon, puisqu'il l'est envers les méchants mêmes ». De même que je suis fâché d'exercer des recours légitimes quand c'est à l'encontre de gens qui résistent, de même, à dire la vérité, pour les actes illégitimes, je ne

1. La *simplicité* d'une intention est le contraire de ce que serait sa *duplicité*.
2. Tite-Live, XXIX, XXI, 11.
3. De peu de valeur (au jeu des cartes, comme pour notre « valet de trèfle », par exemple).

me fais pas assez de scrupule d'y recourir quand c'est à l'encontre de gens qui se montrent consentants.

De l'expérience[1]

[Chapitre XIII]

Il n'est désir plus naturel que le désir de connaissance. Nous essayons tous les moyens qui nous y peuvent mener. Quand la raison nous y fait défaut, nous y employons l'expérience :

Par essais divers l'expérience a produit l'art,
L'exemple ouvrant la voie
Per uarios usus artem experientia fecit :
Exemplo monstrante uiam, [1]

Ce qui est un moyen de beaucoup plus faible et plus vil. Mais la vérité est chose si grande que nous ne devons dédaigner aucune entremise qui nous y puisse conduire. La raison a tant de formes que nous ne savons à laquelle nous prendre : l'expérience n'en a pas moins. La conséquence que nous voulons tirer de la comparaison des événements est d'autant moins sûre qu'ils sont toujours dissemblables. Il n'est aucune autre qualité aussi universelle, dans ce tableau des choses, que la diversité et la variété. Les Grecs, les Latins, et nous, pour l'exemple le plus exprès de la similitude, nous prenons celui des œufs. Toutefois il s'est trouvé des hommes, et notamment un à Delphes, qui reconnaissait des marques de différence entre les œufs, si bien qu'il n'en prenait jamais l'un pour l'autre. Et, où il y avait plusieurs poules, il savait juger de laquelle était l'œuf. La dissimilitude s'ingère d'elle-même dans nos ouvrages, nul art ne peut arriver à la similitude. Ni Perroset [2] ni aucun autre ne peuvent si soigneusement polir et blanchir l'envers de ses cartes que certains joueurs ne les distinguent à les voir seulement couler entre les mains d'un autre. La ressemblance ne rend pas autant un que la différence ne fait autre. Nature s'est obligée à ne rien faire autre qui ne fût en même temps dissemblable.

1. Manilius, I, 61-62.
2. Célèbre dynastie avignonnaise puis lyonnaise d'imprimeurs d'estampes et de cartes à jouer. Le dos des cartes était alors tout blanc.

C'est la raison pourquoi l'opinion de celui-là [1] ne me plaît guère, qui pensait par la multitude des lois brider l'autorité des juges en leur taillant leurs morceaux. Il ne sentait point qu'il y a autant de liberté et de latitude à interpréter les lois qu'à les faire. Et ceux-là se moquent, qui pensent apetisser nos débats et les arrêter en nous ramenant à la seule parole expresse de la Bible [2]. D'autant que notre esprit ne trouve pas le champ moins spacieux à contrôler le sens d'autrui qu'à représenter le sien, et comme s'il y avait moins d'animosité et d'âpreté à gloser qu'à inventer ! Nous voyons combien il se trompait. Car nous avons en France plus de lois que tout le reste du monde ensemble, et plus qu'il n'en faudrait pour régler tous les mondes d'Épicure : comme jadis nous l'étions par les crimes, nous sommes aujourd'hui accablés par les lois *ut olim flagitiis, sic nunc legibus laboramus,* [3] et pourtant nous avons tant laissé à opiner et décider à nos juges qu'il n'y eut jamais liberté si puissante et si licencieuse. Qu'ont gagné nos législateurs à choisir cent mille espèces et cas particuliers et à y attacher cent mille lois ? Ce nombre n'a aucune proportion avec l'infinie diversité des actions humaines. La multiplication de nos inventions n'arrivera pas à égaler la variation des exemples. Ajoutez-en cent fois autant : pour autant il n'arrivera jamais qu'entre les événements à venir on en trouve un seul qui, dans tout ce grand nombre de milliers d'événements choisis et enregistrés, réponde à un autre auquel il puisse se joindre et s'apparier si exactement qu'il n'y reste encore quelque circonstance et quelque diversité qui requière une diverse considération de jugement. Il y a peu de relation entre nos actions, qui sont en perpétuelle mutation, et les lois, fixes et immobiles. Les plus désirables, ce sont les plus rares, les plus simples, et les plus générales. Et encore je crois qu'il vaudrait mieux n'en avoir point du tout que de les avoir en aussi grand nombre que nous les avons.

Nature les donne toujours plus heureuses que ne sont celles que nous nous donnons. Témoin la peinture de l'âge d'or des poètes, et l'état dans lequel nous voyons vivre les nations qui n'en ont point

---

1. Peut-être Charles VII : Jean Bodin, que Montaigne suit ici, le rendait responsable d'une malsaine prolifération des lois en son temps ; ou peut-être l'empereur Justinien, qui, après Théodose II et Valentinien III, fit procéder, avec ses *Institutes*, à l'une des plus durables entreprises de codification systématique du droit romain et de la jurisprudence ancienne.

2. Les adeptes de la religion réformée, et notamment les calvinistes pour qui « l'Écriture seule » contient la divine vérité que la conscience personnelle de chaque lecteur suffit à interpréter, sans qu'il soit besoin ni des Pères, ni du dogme.

3. Tacite, *Annales*, III, XXV, 1.

d'autres. En voilà qui pour tous juges emploient en leurs causes le premier passant qui voyage le long de leurs montagnes. Et ces autres élisent le jour du marché quelqu'un d'entre eux qui sur-le-champ décide tous leurs procès. Quel danger y aurait-il que les plus sages vidassent ainsi les nôtres, selon les occurrences, et à vue de pays, sans s'obliger par les *précédents*, ou par la peur d'en créer ? À chaque pied son soulier ! Le roi Ferdinand [1], envoyant des colonies aux Indes, prévit sagement qu'on n'y menât aucuns écoliers en jurisprudence, de crainte que les procès ne vinssent à pulluler dans ce nouveau monde, pensant que c'était une science par nature génératrice de contentieux et de division ; et jugeant avec Platon que c'est mal pourvoir un pays que de le fournir de jurisconsultes et de médecins.

Pourquoi est-ce que notre langage commun, si aisé pour tout autre usage, devient obscur et inintelligible dans un contrat et dans un testament ? Et que celui qui s'exprime si clairement, quoi qu'il dise ou écrive, ne trouve pour cela aucune façon de tourner sa pensée qui ne soit sujette au doute et à la contradiction ? Si ce n'est que les princes en cet art s'appliquant d'une particulière attention à trier des mots solennels, et à formuler artistement leurs clauses, ont tant pesé chaque syllabe, épluché si précisément chaque espèce de couture [2], que les voilà emberlificotés et embrouillés dans l'infinité des figures, et dans de si menues divisions qu'elles ne peuvent plus tomber sous aucune règle ou prescription, ni être aucunement entendues avec certitude : tout ce que l'on réduit à poudre devient indistinct *confusum est quidquid usque in puluerem sectum est.* [3] Qui a vu des enfants essayer de diviser selon un nombre donné une masse de vif-argent ? Plus ils le pressent et pétrissent et s'emploient à le contraindre à leur loi, plus ils irritent la liberté de ce généreux métal : il échappe à leur art, et se va menuisant et éparpillant au-delà de tout compte. Il en va de même ici, car en subdivisant ces subtilités on apprend aux hommes à accroître les doutes : on nous met en mesure d'étendre et de diversifier les difficultés, on les allonge, on les disperse. En semant les questions et en les retaillant, on fait fructifier et foisonner le monde en incertitude et en querelle, tout comme la terre se rend fertile plus elle est émiée et profondément remuée : c'est la science qui crée le problème *difficultatem facit*

1. Ferdinand V le Catholique, mort en 1516, *alias* Ferdinand II d'Aragon, époux d'Isabelle la Catholique. Il nomma C. Colomb « vice-roi des Indes » en 1493. Surnommé aussi « le Rusé », il fut, dit-on, l'un des inspirateurs du *Prince* de Machiavel.

2. Formules de liaison codifiées propres au jargon juridique.

3. Sénèque, *Lettres à Lucilius*, LXXXIX, 3.

doctrina.[1] Nous doutions avec Ulpien, et nous redoublons encore nos doutes après Bartolus et Baldus[2]. Il fallait effacer la trace de cette innombrable diversité d'opinions, au lieu de s'en parer et d'en entêter la postérité. Je ne sais qu'en dire, mais il se sent par expérience que tant d'interprétations dissipent la vérité et la rompent. Aristote a écrit pour être entendu ; s'il ne l'a pu, moins le fera un moins habile, et moins un tiers que celui qui traite ce qu'il a lui-même conçu. Nous ouvrons la matière, et nous l'épandons en la détrempant. D'un sujet nous en faisons mille : et nous retombons, en multipliant et subdivisant, à l'infinité des atomes d'Épicure. Jamais deux hommes ne jugèrent pareillement de même chose. Et il est impossible de voir deux opinions exactement semblables : non seulement en divers hommes, mais en un même homme à diverses heures. Ordinairement je trouve à douter dans ce que le commentaire n'a pas daigné toucher. Je bronche plus volontiers en pays plat, comme certains chevaux que je connais, qui achoppent plus souvent en chemin uni. Qui ne dirait que les gloses augmentent les doutes et l'ignorance, puisqu'il ne se voit aucun livre sur lequel le monde s'embesogne, soit humain, soit divin, dont l'interprétation tarisse la difficulté ? Le centième commentaire le renvoie à son suivant plus épineux et plus scabreux que le premier ne l'avait trouvé. Quand a-t-il jamais été convenu entre nous que tel livre avait assez reçu de gloses, et qu'il n'y avait désormais plus qu'en dire ? Ceci se voit mieux dans la chicane. On donne autorité de loi à un nombre infini de docteurs, à une infinité d'arrêts, et à autant d'interprétations. Trouvons-nous pour autant quelque terme au besoin d'interpréter ? S'y voit-il quelque progrès et quelque avancement vers la tranquillité ? Nous faut-il moins d'avocats et de juges que lorsque cette masse de droit était encore en sa première enfance ? Au contraire, nous obscurcissons et ensevelissons l'intelligence. Nous ne la découvrons plus qu'à la merci de tant de clôtures et de barrières. Les hommes méconnaissent la maladie naturelle de leur esprit : il ne fait que fureter et quêter, il va sans cesse, tournoyant, bâtissant, et s'empêtrant dans sa besogne comme nos vers à soie, et il s'y étouffe : c'est *mus in pice* la souris dans la poix ! Il pense remarquer de loin je ne sais quelle apparence de clarté et de vérité imaginaire, mais pendant qu'il y court, tant de difficultés lui traversent la voie, et tant d'empêchements et de nouvelles quêtes, qu'elles l'égarent et l'enivrent. Non guère autrement qu'il advint aux

---

1. Quintilien, *Institution oratoire*, X, III, 16.

2. Ulpianus (début IIIe siècle ap. J.-C.), célèbre jurisconsulte romain, auteur de plus de deux cents livres de droit. Bartolus (Bartolo da Sosseferato) et Baldus (Pietro Baldo), jurisconsultes et glossateurs italiens du XIVe siècle.

chiens d'Ésope, qui découvrant quelque apparence de corps mort qui flottait en mer, et ne le pouvant approcher, entreprirent de boire cette eau, d'assécher le passage, et s'y étouffèrent. À quoi se rencontre ce qu'un certain Cratès disait des écrits d'Héraclite, qu'ils avaient besoin d'un lecteur bon nageur afin que la profondeur et le poids de sa doctrine ne l'engloutissent et ne le suffoquassent point [1]. C'est seulement une faiblesse particulière qui nous fait nous contenter de ce que d'autres, ou nous-mêmes avons trouvé dans cette chasse à la connaissance : un plus habile ne s'en contentera pas. Il y a toujours place pour un suivant, comme pour nous-mêmes, et route par ailleurs ! Il n'y a point de fin à nos inquisitions. Notre fin est en l'autre monde. C'est signe de raccourcissement d'esprit quand il se contente, ou signe de lassitude. Nul esprit généreux ne s'arrête chez lui. Il prétend toujours plus loin, et va outre ses forces. Il a des élans au-delà de ce qu'il saisit. S'il ne s'avance, et ne se presse, et ne s'accule, et ne se choque et tournevire, il n'est vif qu'à demi. Ses poursuites sont sans terme, et sans forme. Son aliment, c'est l'étonnement ; sa chasse, l'ambiguïté, ce que manifestait assez Apollon en nous tenant toujours un discours double, obscur et oblique, en ne nous repaissant pas, mais en nous amusant et embesognant. C'est un mouvement irrégulier, perpétuel, sans patron et sans but. Ses inventions s'échauffent, se suivent, et s'entre-produisent l'une l'autre.

Ainsi voit-on en un ruisseau coulant,
Sans fin l'une eau apres l'autre roulant,
Et tout de rang, d'un eternel conduict ;
L'une suit l'autre, et l'une l'autre fuit.
Par cette-cy celle-là est poussée,
Et cette-cy par l'autre est devancée :
Tousjours l'eau va dans l'eau, et tousjours est-ce
Mesme ruisseau, et tousjours eau diverse.

Il y a plus à faire à interpréter les interprétations qu'à interpréter les choses, et plus de livres sur les livres que sur tout autre sujet : nous ne faisons que nous entre-gloser. Tout fourmille de commentaires : d'auteurs, il en est grande cherté ! Le principal et plus fameux savoir de nos siècles, n'est-ce pas de savoir entendre les savants ? N'est-ce pas la fin commune et dernière de toutes nos études ? Nos opinions se greffent les unes sur les autres. La première sert de tige à la seconde : la seconde à la tierce. Nous échelons ainsi de degré en degré. Et il advient de là que le plus haut monté a souvent plus d'honneur que de mérite, car il n'est monté que d'un grain sur les épaules du pénultième.

---

1. Héraclite était surnommé « l'Obscur ».

Combien souvent, et sottement peut-être, ai-je étendu mon livre jusqu'à le faire parler de lui ? Sottement, quand ce ne serait que pour cette raison que j'aurais dû me souvenir de ce que je dis des autres qui en font de même, que ces œillades si fréquentes à leurs ouvrages témoignent que le cœur leur frissonne de son amour ; et les rudoiements mêmes, dédaigneux, dont ils le battent, que ce ne sont que les mignardises et les afféteries d'une faveur maternelle, selon Aristote, pour qui et se priser et se mépriser naissent souvent d'un pareil air d'arrogance. Car mon excuse, que je dois avoir en cela plus de liberté que les autres du fait justement que j'écris sur moi et donc sur mon écrire comme sur mes autres actions, parce que mon thème se réfléchit sur lui-même, je ne sais si chacun l'acceptera.

J'ai vu en Allemagne que Luther a laissé autant de divisions et de contentieux sur les incertitudes de ses opinions, et plus même qu'il n'en souleva sur les écritures saintes. Notre contestation est verbale. Je demande ce que c'est que *nature*, *volupté*, *cercle*, ou *substitution*. La question est faite de mots, et se paie de même : une « pierre », c'est un *corps* ; mais qui presserait : « Et un « corps », qu'est-ce ? – Une *substance* ! – Et une « substance », quoi donc ? », et ainsi de suite, acculerait à la fin le répondant au bout de son Calepin [1]. On échange un mot pour un autre mot, et souvent plus inconnu. Je sais mieux ce que c'est qu'*homme* que je ne sais ce que c'est qu'*animal*, ou *mortel*, ou *raisonnable*. Pour satisfaire à un doute, ils m'en donnent trois : c'est la tête de l'Hydre ! Socrate demandait à Memnon ce que c'était que *vertu* : « – Il y a, dit Memnon, vertu d'homme et de femme, de magistrat et d'homme privé, d'enfant et de vieillard. – Voici qui va bien, s'écria Socrate, nous étions en recherche d'une vertu, tu nous en apportes un essaim ! » Nous communiquons une question, on nous en rend une ruchée. Comme nul événement ou nulle formulation ne ressemble en tout point à une autre, l'une aussi ne diffère point de l'autre en tout point. Ingénieux mélange que nous fit Nature : si nos faces n'étaient semblables, on ne saurait discerner l'homme de la bête ; si elles n'étaient dissemblables, on ne saurait discerner l'homme de l'homme. Toutes choses se tiennent par quelque similitude ; tout exemple cloche, et la relation qui se tire de l'expérience est toujours défaillante et imparfaite. On joint toutefois les comparaisons par quelque bout. Ainsi servent les lois, et elles s'assortissent ainsi à chacune de nos affaires par quelque interprétation détournée, contrainte, et biaise.

1. Calepin est l'auteur d'un dictionnaire si fameux que son patronyme est passé en nom commun. On disait « mon Calepin », comme nous disons « mon Larousse », « mon Littré », ou autre.

Puisque les lois éthiques, qui regardent le devoir particulier de chacun pour ce qui le concerne, sont si difficiles à établir vu ce que nous voyons qu'elles sont, ce n'est pas merveille si celles qui gouvernent tant de particuliers le sont davantage ! Considérez la forme de cette justice qui nous régit : c'est un vrai témoignage de l'humaine infirmité, tant il y a de contradiction et d'erreur. Ce que nous trouvons de faveur et de rigueur dans la justice, et nous y en trouvons tant que je ne sais si l'entre-deux s'y trouve bien souvent, ce sont seulement des parties maladives et des membres injustes détachés du corps même de la justice et de sa substance. Des paysans viennent de m'avertir en hâte qu'ils ont laissé présentement dans une forêt qui est à moi un homme meurtri de cent coups, qui respire encore, et qui leur a demandé de l'eau par pitié, et du secours pour le relever. Ils me disent qu'ils n'ont osé l'approcher et qu'ils s'en sont enfuis, de peur que les gens de justice ne les y attrapassent, et, comme il se fait de ceux qu'on rencontre près d'un homme tué, qu'ils n'eussent à rendre compte de cet accident, à leur totale ruine, puisqu'ils n'avaient ni talent ni argent pour défendre leur innocence : que leur eussé-je dit ? Il est certain que ce devoir d'humanité les eût mis en peine.

Combien avons-nous découvert d'innocents qui ont été punis, et sans faute de la part des juges ? Et combien y en a-t-il eu que nous n'avons pas découvert ? Voilà une chose qui est advenue de mon temps. Certains sont condamnés à mort pour un homicide ; l'arrêt sinon prononcé, du moins conclu et arrêté, à cet instant, les juges sont avertis par les officiers d'une cour subalterne voisine qu'ils détiennent quelques prisonniers qui avouent explicitement cet homicide et apportent à tout ce fait une lumière indubitable. On délibère si pourtant on doit interrompre et différer l'exécution de l'arrêt rendu contre les premiers. On considère la nouveauté du cas, et sa conséquence sur la suspension des jugements : que la condamnation est juridiquement passée en autorité de la chose jugée, et que les juges n'ont donc plus aucun moyen de se rétracter. En somme, ces pauvres diables sont immolés aux formes de la justice ! Philippe [1], ou quelque autre, pourvut à un pareil inconvénient de la manière qu'on va voir. Il avait condamné à de grosses amendes un homme envers un autre, par un jugement d'ores et déjà prononcé. La vérité se découvrant quelque temps après, il se trouva qu'il avait iniquement jugé : d'un côté était la raison de la cause, de l'autre côté la raison des formes judiciaires. Il satisfit en quelque façon à toutes les deux, en laissant en état la sentence, mais en indemnisant de sa bourse le préjudice fait au

1. Philippe : roi de Macédoine et père d'Alexandre le Grand.

condamné. Mais il avait affaire à un accident réparable ; les miens furent pendus irréparablement. Combien ai-je vu de condamnations plus criminelles que le crime ?

Tout cela me fait souvenir de ces opinions de l'antiquité : qu'il est « forcé de faire tort en détail, qui veut faire droit en gros » ; et « injustice dans les petites choses, qui veut venir à bout de faire justice dans les grandes » ; que l'humaine justice est formée sur le modèle de « la médecine selon laquelle tout ce qui est utile est aussi juste et honnête » ; et cela me rappelle aussi ce que soutiennent les Stoïciens, que Nature même procède contre la justice en la plupart de ses ouvrages ; et ce que soutiennent les Cyrénaïques [1], qu'il n'y a rien de juste en soi, et que ce sont les coutumes et les lois qui forment la justice, ou les Théodoriens, qui trouvent que pour un sage le larcin, le sacrilège, et toute sorte de paillardise sont justes s'il voit que cela lui soit profitable. Il n'y a point de remède : j'en suis là, comme Alcibiade, que je ne me présenterai jamais, autant que je le puisse, à homme qui ait le pouvoir de décider de ma tête, et devant lequel mon honneur et ma vie dépendent de l'industrie et du soin de mon avoué plus que de mon innocence. Je me hasarderais à comparaître devant une justice qui me reconnût du bien fait comme du mal fait, et dont j'eusse autant à espérer qu'à craindre. L'indemnité n'est pas la monnaie suffisante pour un homme qui fait mieux que de ne faillir point. Notre justice ne nous présente que l'une de ses mains, et encore la gauche : qui que l'on soit, on en sort avec perte. En Chine, royaume dont la constitution politique et les arts, sans échanger avec les nôtres et sans les connaître, surpassent nos exemples sur plusieurs points d'excellence, et dont l'histoire m'apprend combien le monde est plus vaste et plus divers que ni les anciens ni nous ne le concevons, les officiers députés par le prince pour visiter l'état de ses provinces, tout de même qu'ils punissent ceux qui malversent dans leur charge, rémunèrent aussi par pure libéralité ceux qui s'y sont bien comportés au-delà de la façon ordinaire, et outre les obligations de leur devoir : on se présente devant eux non pour se garantir seulement, mais pour y acquérir, ni simplement pour être payé, mais pour y recevoir ses étrennes.

Nul juge ne m'a encore, Dieu merci, parlé en qualité de juge, pour quelque cause que ce soit, ou mienne ou tierce, ou pénale ou civile.

---

1. Les « Cyrénaïques » sont une école de la philosophie grecque, fondée par Aristippe de Cyrène, disciple de Socrate. Aristippe prêcha l'hédonisme : le plaisir est le souverain bien pour lui comme pour ses disciples. L'un d'eux fut Théodore de Cyrène, qui fit lui-même école, ainsi les « Théodoriens » enseignèrent-ils à leur tour cette même doctrine du souverain plaisir.

Nulle prison ne m'a reçu, non pas même pour m'y promener. L'imagination m'en rend la vue, même du dehors, déplaisante. J'ai un si grand faible pour la liberté que si l'on me défendait l'accès de quelque coin des Indes, j'en vivrais quelque peu plus mal à mon aise. Et tant que je trouverai terre ou air ouverts ailleurs, je ne croupirai pas en un lieu où il me faille me cacher. Mon Dieu, que je pourrais mal souffrir la condition que je vois faite à tant de gens qui sont cloués à un quartier de ce royaume, privés de l'entrée des villes principales et des cours et de l'usage des chemins publics pour s'être mis en querelle avec nos lois ! Si celles que je sers me menaçaient seulement le bout du doigt, je m'en irais aussitôt en trouver d'autres, où que ce fût. Toute ma petite prudence, dans ces guerres civiles où nous sommes, s'emploie à ce qu'elles n'interrompent pas ma liberté d'aller et venir.

Maintenant, les lois se maintiennent en crédit non parce qu'elles sont justes, mais parce qu'elles sont lois. Tel est le fondement mystique de leur autorité : elles n'en ont point d'autre. Ce qui leur sert bien : elles sont souvent faites par des sots, plus souvent par des gens qui par haine de l'égalité ont faute d'équité, mais toujours par des hommes : auteurs vains et irrésolus !

Il n'est rien si lourdement et si largement fautif que les lois, ni si ordinairement. Quiconque leur obéit parce qu'elles sont justes ne leur obéit pas justement par où il doit. Les nôtres françaises prêtent un peu la main, par leur irrégularité et leur malformation, au désordre et à la corruption dans leur dispensation et leur exécution. Leurs injonctions sont si confuses et inconstantes qu'elles excusent en quelque façon aussi bien la désobéissance que les vices que l'on relève dans leur interprétation, leur administration et leur observance. Quel que soit donc le fruit que nous pouvons recevoir de l'expérience, celle que nous retirons des exemples étrangers aura beaucoup de peine à pouvoir nous instruire, si déjà nous faisons si mal notre profit de celle que nous avons de nous-mêmes, qui nous est plus familière, et certes suffisante pour nous instruire de ce qu'il nous faut.

Je m'étudie plus qu'aucun autre sujet. C'est ma métaphysique, c'est ma physique :

Par quel art conduit Dieu notre maison du monde ?
D'où vient que la lune se lève, et se couche, et, croissants
Rassemblés, chaque mois revienne toute ronde ?
D'où que le vent vainc les flots ? Qu'Eurus va-t-il ravissant
Dans son souffle ? Pourquoi l'eau sans cesse retourne aux nues ?
Les enceintes du monde un jour seront-elles abattues ?

Qua Deus hanc mundi temperet arte domum,
Qua uenit exoriens, qua deficit, unde coactis

Cornibus in plenum menstrua luna redit :
Unde salo superant uenti, quid flamine captet
Eurus, et in nubes unde perennis aqua.
Sit uentura dies mundi quæ subruat arces... [1]
Cherchez donc, vous les anxieux du labeur de ce monde
Quærite quos agitat mundi labor ! [2]

Dans cette universalité, je me laisse dans l'ignorance et négligemment mener par la loi générale du monde. Je la saurai bien assez quand je la sentirai. Ma science ne lui peut faire changer de route. Elle ne se diversifiera pas pour moi : c'est folie de l'espérer. Et plus grande folie de s'en mettre en peine, puisqu'elle est nécessairement semblable, publique, et commune. La bonté et la capacité du gouverneur nous doivent purement et pleinement décharger du soin de gouverner.

Les inquisitions et les contemplations philosophiques ne servent que d'aliment à notre curiosité. Les philosophes, avec grande raison, nous renvoient aux règles de Nature, mais elles n'ont que faire d'une si sublime connaissance. Ils les falsifient, et ils nous présentent son visage peint trop haut en couleur, et trop sophistiqué, d'où naissent tant de divers portraits d'un sujet si uniforme. Comme elle nous a fourni de pieds pour marcher, aussi l'a-t-elle fait de prudence pour nous guider dans la vie. Prudence non tant ingénieuse, robuste et pompeuse, comme est celle de leur invention, mais avenante, facile, quiète et salutaire, et qui fait très bien ce que l'autre [3] dit chez celui qui a le bonheur de savoir l'employer naïvement et ordonnément, c'est-à-dire naturellement. Se confier à Nature le plus simplement, c'est s'y confier le plus sagement. Oh ! Que c'est un doux et mol oreiller, et sain, que l'ignorance et l'incuriosité, pour reposer une tête bien faite !

J'aimerais mieux m'entendre bien en moi qu'en Cicéron. Dans l'expérience que j'ai de moi, je trouve assez de quoi me faire sage, si j'étais bon écolier. Qui se remet en mémoire l'excès de sa colère passée, et jusqu'où cette fièvre l'emporta, voit la laideur de cette passion mieux que dans Aristote, et il en conçoit une haine plus juste. Qui se souvient des maux qu'il a courus, de ceux qui l'ont menacé, de la légèreté des causes qui l'ont fait passer d'un état à un autre, se prépare par là aux mutations futures et à la reconnaissance de sa condition. La vie de César n'est pas plus exemplaire que la nôtre pour nous, et, vie impériale ou vie populaire, c'est toujours une vie, que tous les accidents humains regardent. Écoutons seulement : nous nous disons

1. Properce. III, 26-31.
2. Lucain, I, 417.
3. « l'autre » : l'autre prudence, l'autre sagesse, celle des philosophes.

tout ce dont nous avons principalement besoin. Qui se souvient d'avoir eu tant et tant de fois mécompte de son propre jugement, n'est-il pas un sot de n'en entrer jamais en défiance ? Quand par la raison d'autrui je me trouve convaincu d'une opinion fausse, je n'apprends pas tant ce qu'il m'a dit de nouveau et ce point particulier que j'ignorais (ce serait peu d'acquêt) que, d'une façon plus générale, j'apprends ma faiblesse et la trahison de mon entendement, d'où je tire la réforme de toute la masse. En toutes mes autres erreurs, je fais de même, et je sens que cette règle a une grande utilité pour la vie. Je ne regarde pas l'espèce et l'individu, comme telle pierre où j'aurais bronché : j'apprends à craindre mon allure partout, et je m'emploie à la régler. D'apprendre qu'on a dit ou fait une sottise, ce n'est rien que cela. Il faut apprendre qu'on n'est qu'un sot. Instruction bien plus ample et importante. Les faux pas que ma mémoire m'a causés si souvent, lors même qu'elle s'assure le plus de soi, ne se sont pas inutilement perdus : elle a beau me jurer à cette heure et m'assurer, je secoue les oreilles : la première objection qu'on fait à son témoignage me met en suspens, et je n'oserais me fier à elle sur une chose de poids, ni la garantir sur le fait d'autrui. Et n'était que ce que je fais par faute de mémoire, les autres le font encore plus souvent par faute de foi, je prendrais toujours pour chose de fait la vérité sortie de la bouche d'un autre plutôt que de la mienne. Si chacun épiait de près les effets et les circonstances des passions qui le régentent, comme j'ai fait de celle à qui j'étais tombé en partage, il les verrait venir, et ralentirait un peu leur impétuosité et leur course : elles ne nous sautent pas toujours au collet de primesaut : il y a de la menace, et des degrés :

De même au premier vent les flots commencent de blanchir,
Peu à peu la mer lève, et veut plus haut ses eaux grandir,
Pour les dresser enfin du fond du gouffre jusqu'aux cieux

Fluctus uti primo coepit cum albescere ponto,
Paulatim sese tollit mare, et altius undas
Erigit, inde imo consurgit ad æthera fundo... [1]

Le jugement se tient chez moi sur un siège magistral, au moins il s'y efforce soigneusement : il laisse mes appétits aller leur train, la haine comme l'amitié, voire celle que je me porte à moi-même, sans s'en laisser altérer ni corrompre. S'il ne peut réformer à sa guise les autres secteurs, au moins ne se laisse-t-il pas déformer par eux : il fait son jeu à part.

L'avertissement fait à chacun de se connaître soi-même doit être d'un effet important, puisque ce dieu de la science et de la lumière le

1. Virgile, *Énéide*, VII, 528-530.

fit planter au fronton de son temple comme comprenant tout ce qu'il avait à nous conseiller [1]. Platon dit aussi que la sagesse n'est autre chose que l'exécution de ce précepte, et Socrate le vérifie par le menu chez Xénophon. Les difficultés et l'obscurité ne s'aperçoivent en chaque science que par ceux qui y ont leur entrée. Car encore faut-il quelque degré d'intelligence pour pouvoir remarquer qu'on ignore, et il faut pousser à une porte pour savoir qu'elle nous est close. D'où naît cette platonique subtilité que ni ceux qui savent n'ont à s'enquérir, parce qu'ils savent, ni ceux qui ne savent, parce que pour s'enquérir, il faut savoir de quoi l'on s'enquiert ! Ainsi, dans cette maxime d'avoir à se connaître soi-même, le fait que chacun se voit si résolu et satisfait, le fait que chacun pense y être suffisamment entendu, signifie que chacun n'y entend rien du tout, comme Socrate l'apprend à Euthydème. Moi, qui ne professe rien d'autre, j'y trouve une profondeur et une variété si infinie que mon apprentissage n'a autre fruit que de me faire sentir combien il me reste à apprendre. À ma faiblesse, que j'ai si souvent reconnue, je dois l'inclination que j'ai à la modestie, à l'obéissance aux croyances qui me sont prescrites, à une constante froideur et modération d'opinions, ainsi que ma haine pour cette arrogance importune et querelleuse qui, ne croyant qu'elle et se fiant toute à soi, est une ennemie capitale de la discipline et de la vérité. Oyez-les régenter ! Les premières sottises qu'ils mettent en avant, c'est dans le style dont on établit les dogmes et les lois. Rien n'est plus honteux que de faire marcher l'arrêt et la décision avant la reconnaissance et l'examen des faits *nihil est turpius quam cognitioni et perceptioni, assertionem approbationemque præcurrere !* [2] Aristarque disait qu'anciennement à peine se trouva-t-il sept sages au monde, et que de son temps à peine se trouvait-il sept ignorants : N'aurions-nous pas plus de raison que lui de le dire en notre temps ? L'affirmation et l'opiniâtreté sont des signes manifestes de bêtise. Celui-ci aura donné du nez à terre cent fois en un jour : le voilà derechef dressé sur ses ergots, aussi résolu et entier qu'auparavant ! Vous diriez qu'on lui a infus depuis quelque nouvelle âme et nouvelle vigueur d'entendement, et qu'il lui advient ce qu'il était advenu à cet ancien fils de la Terre [3] qui reprenait une fermeté nouvelle et se renforçait par sa chute, lui :

1. Apollon, dieu des arts et du savoir, conducteur du chœur des Muses, et dieu du soleil. Au fronton de son temple, à Delphes, était gravée l'inscription « Connais-toi toi-même ».

2. Cicéron, *Seconds Académiques*, I, XII,45.

3. Antée, géant fils de la Terre, qui, dans le fameux combat de la « Gigantomachie », reprenait force et vigueur à chaque fois qu'il était mis à terre, parce qu'il renaissait au simple contact du sein de sa mère.

dont les membres défaits à peine touchaient-ils la Terre, Qu'il reprenait vigueur et des forces nouvelles

cui cum tetigere parentem,
Jam defecta uigent renouato robore membra. [1]

Ce têtu indocile, ne pense-il pas reprendre un nouvel esprit, parce qu'il reprend une nouvelle dispute ? C'est par mon expérience que j'accuse l'humaine ignorance, ce qui est, à mon avis, le plus sûr parti dans l'école du monde. Ceux qui ne veulent pas conclure à l'ignorance en eux d'après un si vain exemple que le mien ou que le leur, qu'ils la reconnaissent donc par Socrate, le maître des maîtres. Car le philosophe Antisthène disait à ses disciples : « Allons, vous et moi ouïr Socrate. Là, je serai disciple avec vous. » Et quand il soutenait ce dogme de sa secte stoïque, que la vertu suffisait à rendre une vie pleinement heureuse, et sans besoin d'aucun autre secours : « Sauf de la force de Socrate ! », ajoutait-il.

Cette longue attention que j'emploie à me considérer me dresse à juger passablement des autres aussi, et il est peu de choses dont je parle de façon moins malheureuse et moins inacceptable. Il m'arrive souvent de voir et de distinguer les façons d'être de mes amis plus exactement qu'ils ne le font eux-mêmes. J'ai parfois surpris tel d'entre eux par la pertinence de ma description, et je l'ai averti sur lui-même. Pour m'être dès mon enfance dressé à mirer ma vie dans celle d'autrui, j'ai acquis une tournure d'esprit propre à cette étude. Et quand j'y pense, je laisse échapper autour de moi peu de choses qui m'y puissent servir : contenances, humeurs, propos, j'étudie tout : ce qu'il me faut fuir, ce qu'il me faut suivre. De la sorte, chez mes amis je découvre leurs inclinations intérieures par ce qu'ils laissent paraître au dehors, mais ce n'est point pour ranger cette infinie variété d'actions si diverses et si découpées sous des genres et des chapitres déterminés, et distribuer distinctement mes partages et mes divisions entre des classes et des sections connues :

mais combien sont leurs espèces ? Et quels leurs noms ?
Impossible d'en faire la recension

Sed neque quam multæ species, et nomina quæ sint,
Est numerus. [2]

Les savants départissent et dénomment davantage leurs idées selon les traits d'espèce, et par le menu : moi, qui n'y vois qu'autant que l'usage m'en informe, sans règle, je présente les miennes dans les

1. Lucain, IV, 599-600.
2. Virgile, *Géorgiques*, II, 103-104.

grandes lignes et à tâtons, comme en ceci j'énonce ma pensée par articles décousus : c'est chose qui ne se peut dire en une seule fois et en bloc. La relation, la conformité ne se trouvent point chez des âmes telles que les nôtres, basses et communes. La sagesse est un bâtiment solide et entier, dont chaque pièce tient son rang et porte sa marque. : La sagesse seule est tout entière tournée vers soi *sola sapientia in se tota conuersa est.* [1] Je laisse aux artistes, – et je ne sais s'ils en viennent à bout en chose si mêlée, si menue et fortuite –, le soin de ranger par troupes cette infinie diversité de visages, et d'arrêter notre inconstance, et de la mettre par ordre. Non seulement je trouve malaisé d'attacher nos actions les unes aux autres, mais, chacune à part soi, je trouve malaisé de la désigner proprement par quelque qualité principale, tant elles sont doubles et bigarrées de reflets divers.

Ce qu'on remarque pour rare chez Persée, le roi de Macédoine, à savoir que – son esprit ne s'attachant à aucune condition précise – il allait errant par tout genre de vie et présentait des mœurs d'un si libre essor et si vagabondes que ni lui ni autre ne pouvait savoir quel homme il était, ce me semble à peu près convenir à tout le monde. Et par-dessus tout, j'en ai vu un certain autre de sa taille à qui cette conclusion s'appliquerait plus proprement encore, ce crois-je : nul comportement moyen, s'emportant toujours de l'un à l'autre extrême, par des causes indevinables, nulle espèce de train sans traverse et contre-pied étonnants, nulle faculté simple, si bien que ce qu'on en pourra le plus vraisemblablement imaginer un jour, ce sera qu'il s'appliquait et s'étudiait à se rendre connu pour être méconnaissable [2].

Il fait besoin d'oreilles bien fortes pour s'ouïr juger franchement, et parce qu'il en est peu qui le puissent souffrir sans morsure, ceux qui se hasardent à l'entreprendre devant nous nous montrent un singulier geste d'amitié. Car c'est aimer sainement que d'entreprendre de blesser et d'offenser pour rendre service. Je trouve rude de juger celui chez qui les mauvaises qualités surpassent les bonnes. Platon prescrit trois qualités à qui veut examiner l'âme d'un autre : science, bienveillance, hardiesse.

On me demandait un jour à quoi j'eusse pensé être bon, si jamais quelqu'un se fût avisé de vouloir se servir de moi pendant que j'en avais l'âge,

1. Cicéron, *De finibus*, III, VII, 24.

2. Tout ce portrait d'un personnage de rang royal, aux mœurs de si libre « essor » et si imprévisibles, pourrait parfaitement convenir à Henri III, roi à la personnalité contrastée, changeante, et surprenante !

Tandis qu'un sang plus vif m'en apportait la force,
Et que l'âge ennemi ne semait pas encore
Sa blancheur à mes tempes

Dum melior uires sanguis dabat, æmula necdum
Temporibus geminis canebat sparsa senectus, [1]

– « À rien ! », fis-je. Et je m'excuse volontiers de ne savoir faire chose qui me rendît esclave d'autrui. Mais j'eusse dit ses vérités à mon maître et j'eusse contrôlé ses mœurs s'il l'eût voulu, non en gros, par ces leçons scolaires que je ne sais point et dont je ne vois naître aucune vraie réformation chez ceux qui les savent, mais en l'observant pas à pas en toute occasion, et en en jugeant à vue, pièce à pièce, simplement et naturellement, lui faisant voir quel il est dans l'opinion commune, m'opposant à ses flatteurs. Il n'y a nul de nous qui ne valût moins que les rois s'il était ainsi continuellement corrompu comme ils le sont par cette canaille de gens. Comment donc, si Alexandre, ce grand et roi et philosophe, ne s'en put défendre ? J'eusse eu assez de fidélité, de jugement, et de liberté, pour cela. Ce serait une charge sans nom ; autrement elle perdrait son effet et sa grâce. Et c'est un rôle qui ne peut indifféremment appartenir à tous. Car la vérité même n'a pas ce privilège d'être employée à toute heure, et en toute sorte : son usage, tout noble qu'il est, a ses circonscriptions, et ses limites. Il advient souvent, de la façon dont est le monde, qu'on la lâche à l'oreille du prince non seulement sans fruit, mais dommageablement, et de plus injustement. Et l'on ne me fera pas accroire qu'une sainte remontrance ne puisse être appliquée vicieusement, et que l'intérêt de la substance ne doive pas souvent céder à l'intérêt de la forme. Je voudrais pour ce métier un homme content de sa fortune,

Qui veuille être ce qu'il est et ne veuille rien de plus

Quod sit esse uelit, nihilque malit, [2]

et né de moyenne naissance, parce que, d'une part, il ne craindrait point de toucher vivement et profondément le cœur du maître par peur de perdre par là le cours de son avancement, et parce que, d'autre part, pour être d'une condition moyenne, il aurait une communication plus aisée avec toute sorte de gens. Je voudrais qu'on confiât cette charge à un seul, car répandre le privilège de cette liberté et de cette privauté entre plusieurs engendrerait une nuisible irrévérence. Oui, et de celui-là, je requerrais surtout la fidélité du silence.

1. Virgile, *Énéide*, V, 415-416.
2. Martial, X, XLVII, 12.

Un roi n'est pas à croire quand il se vante de sa constance à attendre la rencontre avec l'ennemi pour sa gloire, si pour son profit et pour son amendement il ne peut souffrir la liberté des paroles d'un ami qui n'ont d'autre désagrément que de lui pincer l'ouïe, le reste de leur effet étant en sa main. Or il n'est aucune condition d'hommes qui ait si grand besoin que ceux-là de vrais et libres avertissements. Ils soutiennent une vie publique, et ils ont à agréer à l'opinion de tant de spectateurs que, comme on a accoutumé de leur taire tout ce qui les divertit de leur route, ils se trouvent sans le sentir engagés dans la haine et la détestation de leurs peuples, souvent pour des raisons qu'ils eussent pu éviter, sans aucun préjudice pour leurs plaisirs mêmes, si on les en eût avisés et redressés à temps. Communément leurs favoris regardent à eux-mêmes plus qu'au maître, et bien leur en prend, parce que, en vérité, la plupart des offices de la vraie amitié sont face au souverain soumis à rude et périlleux essai, de manière qu'il y fait besoin non seulement de beaucoup d'affection et de franchise, mais encore de courage.

Enfin, toute cette fricassée que je barbouille ici n'est qu'un registre des essais de ma vie, qui pour la santé de l'âme est assez exemplaire pour peu qu'on en prenne l'instruction à contre-poil, mais quant à la santé du corps, personne n'en peut fournir d'expérience plus utile que moi, qui la présente pure, nullement corrompue et altérée par art et par l'intervention du jugement. L'expérience est proprement sur son fumier avec la médecine, où la raison lui quitte toute la place. Tibère disait que quiconque avait vécu vingt ans devait répondre des choses qui lui étaient nuisibles ou salutaires, et savoir se conduire sans la médecine. Et il le pouvait avoir appris de Socrate, qui, conseillant soigneusement à ses disciples l'étude de leur santé comme tout à fait primordiale, ajoutait qu'il était malaisé qu'un homme d'entendement, prenant garde à ses exercices, à son boire et à son manger, ne discernât pas mieux que tout médecin ce qui lui était bon ou mauvais. De même, la médecine fait profession d'avoir toujours l'expérience pour pierre de touche de son intervention. Ainsi Platon avait raison de dire que pour être vrai médecin, il serait nécessaire que celui qui l'entreprendrait eût passé par toutes les maladies qu'il veut guérir, et par tous les accidents et toutes les circonstances dont il doit juger. C'est raison qu'ils prennent la vérole s'ils veulent savoir la panser ! Vraiment, sur ce point, je me fierais à ce médecin-là. Car les autres nous guident à la façon de celui qui peint les mers, les écueils et les ports en étant assis à sa table et en y faisant promener le modèle d'un navire en toute sûreté : jetez-le dans la pratique, il ne sait par où s'y prendre. Ils font de nos maux la description que fait un trompette de ville qui crie un cheval ou un chien perdu : tel poil, telle hauteur, telle oreille ; mais présentez-le-lui, il ne le reconnaît pas pour autant ! Par Dieu, que la médecine m'apporte un jour quelque bon et perceptible secours, comme je crierai de bonne foi :

Enfin je mets la main sur un art efficace
Tandem efficaci do manus scientiæ ! [1]

Les arts qui promettent de nous tenir le corps en santé, et l'âme en santé, nous promettent beaucoup : mais aussi n'en est-il point qui tiennent moins ce qu'elles promettent. Et en notre temps, ceux qui font profession de ces arts parmi nous, en montrent moins les effets que tous les autres hommes. On peut dire d'eux, tout au plus, qu'ils vendent des drogues médicinales, mais qu'ils soient médecins, c'est ce qu'on ne peut dire.

J'ai assez vécu pour mettre en compte le régime qui m'a conduit si loin. Pour qui en voudra goûter, j'en ai fait l'essai, comme son échanson [2]. En voici quelques articles, comme mes souvenirs me les fourniront. Je n'ai point de façon qui n'ait varié selon les accidents, mais j'enregistre celles que j'ai le plus souvent vues en train, qui ont eu le plus de possession chez moi jusqu'à cette heure. Mon régime de vie est pareil dans la maladie comme dans la santé : même lit, mêmes heures, mêmes viandes me servent, et même breuvage. Je n'y ajoute rien du tout, sinon la modération du plus et du moins, selon ma force et mon appétit. Ma santé, c'est de maintenir sans trouble mon état habituel. Je vois que la maladie m'en déloge d'un côté : si j'en crois les médecins, ils m'en détourneront de l'autre, et par fortune et par art me voilà hors de ma route ! Je ne crois rien plus certainement que ceci : que je ne saurais être incommodé par l'usage des choses que j'ai si longtemps accoutumées.

C'est à la coutume de donner forme à notre vie telle qu'il lui plaît, elle peut tout en cela. C'est le breuvage de Circé [3], qui diversifie notre nature, comme bon lui semble. Combien de nations, et à trois pas de nous, estiment ridicule la crainte du serein [4], qui nous affecte si apparemment : et nos bateliers et nos paysans s'en moquent. Vous

1. Horace, *Épodes*, XVII, 1.

2. L'échanson servait le vin, mais avant tout le goûtait, le 'tâtait' : il en faisait 'l'*essai*', ou 'l'*expérience*', afin de montrer s'il ne contenait pas de poison.

3. Circé : cette magicienne, dans l'*Odyssée*, tâche de retenir Ulysse à l'aide d'un philtre enchanté, qui transforma ses compagnons en pourceaux.

4. Le *serein* est cette brume légère qui condense à la tombée de la nuit. Il était réputé donner des rhumes et des « morfondements », ou refroidissements.

faites malade un Allemand de le coucher sur un matelas, comme un Italien sur la plume, et un Français sans rideau et sans feu. L'estomac d'un Espagnol ne dure pas à notre forme de manger, ni le nôtre à boire à la suisse. Un Allemand me fit plaisir, à Auguste [1], de combattre l'incommodité de nos foyers par ce même argument dont nous nous servons, nous, ordinairement pour condamner leurs poêles. Car à la vérité, cette chaleur croupie, et puis la senteur de cette matière réchauffée dont ils sont composés, entêtent la plupart de ceux qui n'en ont pas l'expérience : moi, non. Mais au demeurant, cette chaleur étant égale, constante et universelle, sans lueur, sans fumée, sans le vent que l'ouverture de nos cheminées nous apporte, elle a bien par ailleurs de quoi se comparer à la nôtre. Que n'imitons-nous l'architecture romaine ? Car on dit que, dans l'antiquité, le feu ne se faisait en leurs maisons que par le dehors, et à leur pied, d'où la chaleur était insufflée à tout le logis par des tuyaux pratiqués dans l'épais du mur, lesquels allaient parcourant tous les lieux qui devaient en être chauffés. Ce que j'ai vu clairement exprimé, je ne sais où, dans Sénèque. Cet Allemand, m'oyant louer les commodités et les beautés de sa ville, qui assurément le mérite, commença à me plaindre de ce que j'avais à m'en éloigner. Et parmi les premiers inconvénients qu'il m'allégua, ce fut la pesanteur de tête qu'ailleurs m'apporteraient les cheminées ! Il avait ouï faire cette plainte à quelqu'un, et il nous l'attribuait, puisque l'expérience le privait de l'apercevoir chez lui. Toute chaleur qui vient du feu m'affaiblit et m'appesantit. Pourtant Evenus disait que le meilleur soutien de la vie était le feu. Je prends plutôt toute autre façon d'échapper au froid. Nous craignons les vins au bas de la barrique : au Portugal, ce fumet est tenu pour délices, et il est le breuvage des princes. En somme, chaque nation a plusieurs coutumes et usages qui chez quelque autre nation sont non seulement inconnus, mais tenus pour barbares et incroyables.

Que ferons-nous avec ce peuple qui ne fait recette que de témoignages imprimés, qui ne croit pas les hommes s'ils ne sont en livre, ni la vérité si elle n'est d'âge compétent [2] ? Nous mettons en dignité nos sottises quand nous les mettons en presse. Il est pour ce peuple d'un bien autre poids de dire : « je l'ai lu » que si vous dites : « je l'ai ouï dire ». Mais moi, qui ne mécrois pas plus la bouche que la main des

1. C'est la moderne « *Augsbourg* », jadis *Augusta Vindelicorum*, « Auguste-en-Vindélicie », à l'origine, une colonie fondée par les Romains.

2. « Si elle n'est pas d'une époque *compétente* » : pour les humanistes, le Moyen Âge était un âge d'incompétence et de ténèbres, l'antiquité étant seule réputée « compétente » dans tous les domaines du savoir.

hommes, et qui sais qu'on écrit avec aussi peu de discernement qu'on ne parle, et qui estime ce siècle autant qu'un autre du passé, j'allègue aussi volontiers un mien ami qu'Aulu-Gelle ou Macrobe, et ce que j'ai vu que ce qu'ils ont écrit. Et de même qu'ils tiennent de la vertu qu'elle n'est pas plus grande pour être plus longue, j'estime de même de la vérité que pour être plus vieille elle n'est pas plus sage ! Je dis souvent que c'est pure sottise qui nous fait courir après les exemples étrangers et scolaires : leur fertilité est pareille à cette heure à celle du temps d'Homère et de Platon. Mais ne serait-ce pas que nous cherchons plus l'honneur de la citation que la vérité du propos ? Comme si c'était plus d'emprunter nos preuves de la boutique de Vascosan ou de Plantin [1] que de ce qui se voit dans notre village. Ou bien certes que nous n'avons pas l'esprit d'éplucher et de faire valoir ce qui se passe devant nous et de le juger assez vivement pour le tirer en exemple, car si nous disons que l'autorité nous manque pour donner foi à notre témoignage, nous le disons hors de propos. D'autant qu'à mon avis, à partir des choses les plus ordinaires, les plus communes et les plus connues, si nous savions les prendre sous leur vrai jour, se peuvent former les plus grands miracles de la nature, et les plus merveilleux exemples, notamment sur le sujet des actions humaines.

À présent, sur mon sujet, laissant les exemples que je connais par les livres, et ce que dit Aristote d'Andron, un homme d'Argos, qu'il traversait sans boire les sablons arides de la Lybie. Un gentilhomme, qui s'est dignement acquitté de plusieurs charges, disait en ma présence qu'il était allé de Madrid à Lisbonne, en plein été, sans boire [2]. Il se porte vigoureusement pour son âge, et n'a rien d'extraordinaire dans sa façon de vivre, sinon ceci d'être deux ou trois mois, voire un an, m'a-t-il dit, sans boire. Il se sent altéré, mais il laisse passer sa soif, et tient que c'est un appétit qui s'affaiblit aisément de lui-même, et il boit plus par caprice que par besoin ou par plaisir. En voici d'un autre. Il n'y a pas longtemps que je rencontrai l'un des plus savants hommes de France, entre ceux de non médiocre fortune, en train d'étudier au coin d'une salle qu'on lui avait rembourré de tapisserie, avec autour de lui un chahut de ses valets, plein de licence. Il me dit, et Sénèque en dit quasi autant de lui-même, qu'il faisait son profit de ce tintamarre, comme si, battu de ce bruit, il se ramenait et se resserrait plus en soi pour méditer, et que cette tempête de voix répercutât ses

1. Vascosan, imprimeur parisien des *Vies parallèles* de Plutarque traduites par Amyot ; Plantin, imprimeur d'Anvers.

2. Nous savons par une note de Florimond de Raemond qu'il s'agit de Pierre de Vivone, ambassadeur en Espagne de 1572 à 1583.

pensées au dedans. Étant écolier à Padoue [1], il eut son étude si longtemps logée au milieu du vacarme des coches et du tumulte de la place qu'il se forma non seulement au mépris, mais à l'utilisation du bruit pour le service de son étude. Socrate répondit à Alcibiade qui lui demandait avec étonnement comment il pouvait supporter le continuel tintamarre que lui valait la mauvaise tête de sa femme : « Comme ceux qui sont accoutumés au bruit ordinaire des roues à puiser l'eau ». Je suis tout le contraire : j'ai l'esprit tendre et facile à prendre essor : quand il est concentré à part soi, le moindre bourdonnement de mouche l'assassine. Sénèque en sa jeunesse, ayant mordu chaudement à l'exemple de Sextius de ne rien manger que l'on eût tué, s'en passa pendant un an avec plaisir, comme il le dit. Il y renonça seulement pour n'être pas soupçonné d'emprunter cette règle à certaines religions nouvelles qui la semaient. Il prit en même temps parmi les préceptes d'Attale [2] de ne se coucher plus sur des doudounes qui s'effondrent, et employa jusqu'à sa vieillesse celles qui ne cèdent point sous le corps. Ce que l'usage de son temps lui fait compter à rudesse, le nôtre nous le fait tenir à mollesse. Regardez la différence entre la vie de mes valets à bras et la mienne : les Scythes et les Indes n'ont rien qui soit plus éloigné que ceux-là de mes moyens et de ma manière de vivre ! Je sais avoir retiré de l'aumône des enfants pour m'en servir qui bientôt après m'ont laissé là et ma cuisine et leur livrée, seulement pour revenir à leur première vie. Et j'en trouvai un qui ramassait depuis des escargots au milieu du chemin pour son dîner, que ni par prière ni par menace je ne sus distraire de la saveur et de la douceur qu'il trouvait à l'indigence. Les gueux ont leurs magnificences et leurs voluptés comme les riches, et, dit-on, leurs dignités et leurs ordres politiques. Ce sont effets de l'accoutumance : elle nous peut amener, non seulement à telle forme de vie qui lui plaît (aussi, disent les sages, nous faut-il planter incontinent à la meilleure, qu'elle nous facilitera) mais aussi au changement et à la variation, ce qui est le plus noble et le plus utile de ses apprentissages. La meilleure de mes dispositions corporelles, c'est d'être malléable et peu opiniâtre. J'ai des goûts qui me sont plus personnels, plus habituels, et plus agréables que d'autres, mais je m'en détourne avec bien peu d'effort, et je me

1. Bien des jeunes français allèrent alors étudier à Padoue, de Michel de l'Hospital à Jean de Coras. Parmi eux, Arnaud du Ferrier pourrait être celui à qui songe Montaigne ici.

2. Sénèque suivit un temps les préceptes pythagoriciens de Quintus Sextius dit Le Père, qui refusait toute nourriture animale, et par ailleurs il eut pour maître Attale, philosophe stoïcien, sévère contempteur du luxe, qui enseignait à Rome sous Tibère.

coule aisément à la façon contraire. Un jeune homme doit troubler ses règles pour éveiller sa vigueur, la garder de moisir et de s'apoltronir, et il n'est train de vie si sot et si faible que celui qui se conduit selon des consignes réglées et une discipline apprise :

Veut-il qu'on le transporte à la prochaine borne ?
De l'heure en son bouquin aussitôt il s'informe ;
Le coin de l'œil le gratte-t-il après qu'il l'a frotté ?
Nul collyre qu'il n'ait son horoscope consulté

Ad primum lapidem uectari cum placet, hora
Sumitur ex libro, si prurit frictus ocelli
Angulus, inspecta genesi collyria quærit ! [1]

Il se rejettera souvent jusque dans les excès, s'il m'en croit : autrement, la moindre débauche le met par terre ; il se rend incommode et désagréable dans le commerce des autres. La plus contraire qualité à un honnête homme, c'est d'être délicat et de vouloir s'en tenir toujours à une certaine façon particulière, et elle est particulière si elle n'est ployable et souple. Il y a de la honte de laisser à faire par impuissance, ou de n'oser ce qu'on voit faire à ses compagnons. Que de telles gens restent dans leur cuisine ! Partout ailleurs, se conduire ainsi est malséant, mais pour un homme de guerre, c'est vicieux et insupportable, lequel, comme disait Philopoemen, se doit accoutumer à toute diversité et inégalité de vie. Quoique j'aie été dressé autant qu'on a pu à la liberté et à n'être pas regardant, il est pourtant vrai que par nonchalance, m'étant en vieillissant plus arrêté à certaines façons (mon âge est hors de pouvoir apprendre, et n'a désormais matière à regarder ailleurs que pour se maintenir), la coutume a déjà sans que j'y pense si bien imprimé en moi son caractère, pour certaines choses, que j'appelle excès le simple fait de m'en départir. Et sans me faire violence, je ne puis ni dormir le jour, ni faire collation entre les repas, ni déjeuner, ni m'aller coucher sans un grand intervalle, comme de trois heures, après le souper, ni faire des enfants qu'avant le sommeil, ni les faire debout, ni supporter ma sueur, ni m'abreuver d'eau pure ou de vin pur, ni me tenir nu tête longtemps, ni me faire tondre après dîner. Et je me passerais aussi malaisément de mes gants que de ma chemise, et de me laver à l'issue de table, et à mon lever, et de ciel et de rideaux à mon lit, comme de choses qui me sont très nécessaires. Je dînerais sans nappe volontiers, mais à l'allemande, sans serviette blanche, très incommodément. Je les souille plus qu'eux et les Italiens ne le font, et je m'aide peu de cuiller et de

1. Juvénal, VI, 577-579.

fourchette. Je regrette qu'on n'ait pas poursuivi un train que j'ai vu commencer à l'exemple des rois : qu'on nous changeât de serviette, selon les services, comme d'assiette. Nous tenons de ce rude soldat Marius que, vieillissant, il devint délicat pour son boire, et ne le prenait qu'en une sienne coupe particulière. Moi, je me laisse aller de même à certaine forme de verres, et je ne bois pas volontiers dans un verre commun, non plus que servi par une main commune : tout métal m'y déplaît au prix d'une matière claire et transparente : que mes yeux y tâtent donc aussi selon leur capacité ! Je dois plusieurs semblables mollesses à l'habitude. Nature m'a aussi d'autre part apporté les siennes : comme de ne supporter plus deux repas complets par jour sans surcharger mon estomac, ni l'abstinence pure et simple de l'un des repas sans me remplir de vents, m'assécher la bouche, et détraquer mon appétit, ou de m'exposer longtemps au serein. Car depuis quelques années, dans les corvées de la guerre, quand toute la nuit y passe, comme il advient communément, au bout de cinq ou six heures mon estomac commence à se troubler, avec un violent mal de tête, et je n'arrive point au jour sans vomir. Comme les autres s'en vont déjeuner, je m'en vais dormir, et au partir de là, aussi gaillard qu'auparavant ! J'avais toujours appris que le serein ne s'épandait qu'à la naissance de la nuit, mais, comme toutes ces années passées j'ai fréquenté familièrement, et longtemps, un seigneur imbu de cette croyance que le serein est plus mordant et dangereux au déclin du soleil, une heure ou deux avant son coucher – lequel il évite soigneusement alors qu'il méprise celui de la nuit –, il a failli m'imprimer, non tant son opinion, que sa sensation ! Eh quoi ! Que le doute même, et l'interrogation, frappent notre imagination, et nous changent ? Ceux qui cèdent tout à coup à ces pentes attirent l'entière ruine sur eux, et je plains plusieurs gentilshommes qui, par la sottise de leurs médecins, se sont reclus tout jeunes et en pleine santé. Encore vaudrait-il mieux souffrir un rhume que de perdre pour jamais, par désaccoutumance, le commerce de la vie commune dans une action aussi usuelle : fâcheuse science, qui nous décrie les plus douces heures du jour ! Étendons notre possession jusqu'aux derniers moyens. Le plus souvent on s'y endurcit en s'opiniâtrant, et l'on corrige ses dispositions naturelles, comme fit César du haut mal, à force de le mépriser et réduire à rien. On doit s'adonner aux meilleures règles, mais non pas s'y asservir, si ce n'est à celles, s'il y en a quelqu'une, auxquelles l'obligation et la servitude soient utiles.

Et les rois et les philosophes fientent, et les dames aussi : les vies publiques se doivent à la cérémonie ; la mienne, obscure et privée, jouit de tout ce que dispense Nature. « Soldat » et « Gascon » sont des qualités aussi un peu sujettes à l'indiscrétion. En vertu de quoi, je dirai ceci de cette action qu'il est besoin de la renvoyer à certaines heures, prescrites et nocturnes, et de s'y forcer par coutume et assujettir, comme j'ai fait, mais non de s'assujettir, comme je l'ai fait en vieillissant, au soin d'une commodité particulière de lieu et de siège pour ce service, et de le rendre gênant par longueur et mollesse. Toutefois aux plus sales offices, n'est-il pas quelque peu excusable de requérir plus de soin et de netteté ? L'homme est par nature un animal propre et élégant *natura homo mundum et elegans animal est* ! [1] De toutes les actions naturelles, c'est celle que je souffre le plus mal volontiers de voir interrompue. J'ai vu beaucoup de gens de guerre incommodés du dérèglement de leur ventre, tandis que le mien et moi, nous ne nous manquions jamais au point de notre rendez-vous, qui est au saut du lit, si quelque violente occupation ou maladie ne nous trouble. Je ne vois donc point, comme je disais, où les malades se puissent mettre mieux en sûreté qu'en se tenant cois dans le train de vie où ils se sont élevés et nourris. Le changement, quel qu'il soit, détraque et blesse. Allez croire que les châtaignes nuisent à un Périgourdin, ou à un Lucquois, et le lait et le fromage aux gens de la montagne ! On se mêle de leur ordonner non seulement un nouveau régime de vie, mais un qui leur est contraire, mutation qu'un bien portant ne pourrait souffrir : ordonnez de l'eau à un Breton de soixante-dix ans, enfermez dans une étuve un homme de marine, défendez de se promener à un laquais basque ! Ils les privent de mouvement, et à la fin d'air et de lumière :

Vivre vaut-il si cher

an uiuere tanti est ? [2]

On nous force à garder l'âme hors des usuels sillons,
Et à ne vivre plus pour que nous vivions !
Croira-t-on donc vivants ceux à qui l'on rend odieux
Et l'air qu'on respire, et le jour qui nous guide radieux ?

Cogimur a suetis animum suspendere rebus,
Atque ut uiuamus, uiuere desinimus !
Hos superesse rear quibus et spirabilis aer
Et lux qua regimur redditur ipsa grauis ? [3]

S'ils ne font d'autre bien, ils font au moins ceci, qu'ils préparent de bonne heure les patients à la mort, en leur sapant et en leur retranchant peu à peu l'usage de la vie. Autant bien portant que malade, je

1. Sénèque, *Lettres à Lucilius*, XCII, 12.
2. La Boétie, *Œuvres complètes*, p. 320.
3. Maximianus, I, 155-156, 247-248.

me suis volontiers laissé aller aux appétits qui me pressaient. Je donne grande autorité à mes désirs et à mes propensions. Je n'aime point à guérir le mal par le mal. Je hais les remèdes qui importunent plus que la maladie. D'être sujet à la colique [1], et sujet à m'abstenir du plaisir de manger des huîtres, ce sont deux maux pour un. Le mal nous pince d'un côté, la règle de l'autre. Puisqu'on est au hasard de connaître un mécompte, hasardons-nous plutôt à la suite du plaisir. Le monde fait au rebours, et il ne pense rien utile qui ne soit pénible : la facilité lui est suspecte. Mon appétit en plusieurs choses s'est assez heureusement accommodé par lui-même, et rangé à la santé de mon estomac. L'acidité et la pointe des sauces m'agréèrent étant jeune : mon estomac s'en ennuyant depuis, le goût l'a aussitôt suivi. Le vin nuit aux malades : c'est la première chose dont ma bouche se dégoûte, et d'un dégoût invincible. Quoi que je reçoive désagréablement, cela me nuit ; et rien ne me nuit que je fasse avec faim et allégresse : je n'ai jamais reçu nuisance d'action qui m'eût été bien plaisante, et j'ai pour cela fait céder à mon plaisir, bien largement, toute conclusion médicale. Et je me suis, jeune,

> tandis que souvent çà et là courant à mes entours,
> Amour étincelait, splendide en ses jaunes atours
>
> *Quem circumcursans huc atque huc sæpe Cupido*
> *Fulgebat crocina splendidus in tunica,* [2]

prêté aussi licencieusement et inconsidérément qu'un autre au désir qui me tenait saisi :

> et j'ai servi non sans gloire
>
> *Et militaui non sine gloria,* [3]

plus toutefois en continuation et en durée qu'en saillie :

> À peine me souviens-je être allé jusqu'à six
>
> *Sex me uix memini sustinuisse uices...* [4]

Il y a du malheur certes, et du miracle, à confesser en quelle faiblesse d'ans je me rencontrai en sujétion de l'amour pour la pre-

---

1. Montaigne, comme on le sait, souffrait de coliques *néphrétiques*. Pour désigner ces cailloux ou calculs qu'il expulse dans ses urines et qui le torturent par intermittences, il parle de sa « pierre », de sa « grave », de son « sable », ou encore de sa « gravelle ».
2. Catulle, LXVIII, 133-134.
3. Horace, *Odes*, III, XXVI, 2.
4. Ovide, *Les Amours*, III, VII, 26.

mière fois. Ce fut bien en effet par hasard, car ce fut longtemps avant l'âge de choix et de connaissance à ce sujet. Il ne me souvient point de moi de si loin. Et l'on peut marier ma fortune à celle de Quartilla, qui n'avait point mémoire d'avoir été pucelle :

d'où mes aisselles de bouc, mes poils précoces, et cette barbe qui surprit ma mère

Inde tragus celeresque pili, mirandaque matri
Barba meæ. [1]

Les médecins ploient ordinairement avec utilité leurs règles à la violence des envies âpres qui surviennent aux malades. Ce grand désir ne peut s'imaginer si étrange et si vicieux que nature ne s'en mêle, et puis, combien n'est-il pas important de contenter l'imagination ? À mon opinion cette pièce-là importe beaucoup, au moins au-delà de toute autre. Les maux les plus graves sont ceux le plus ordinairement que l'imaginaire nous impose. Ce mot espagnol me plaît sous plusieurs visages : *Defienda me Dios de my* [2] Dieu, garde-moi de moi ! Je regrette, quand je suis malade, de n'avoir quelque désir qui me donne ce contentement de l'assouvir : la médecine m'en détournerait à grand-peine. Autant en fais-je bien portant. Je ne vois guère plus à espérer et vouloir. C'est pitié d'être alangui et affaibli jusqu'en son pouvoir de souhaiter.

L'art de la médecine n'est pas si résolu que nous soyons sans autorité, quoi que nous fassions. Il change selon les climats et selon les lunes, selon Fernel et selon l'Escale. Si votre médecin ne trouve bon que vous dormiez, que vous usiez de vin, ou de telle viande, ne vous en souciez pas : je vous en trouverai un autre qui ne sera pas de son avis. La diversité des arguments et des opinions médicales embrasse toute sorte de formes. Je vis un misérable malade crever et se pâmer de soif pour se guérir, et qui fut moqué ensuite par un autre médecin qui condamnait ce conseil comme nuisible. N'avait-il pas bien employé sa peine ? Un homme de ce métier est mort récemment de la pierre, qui avait eu recours à une abstinence extrême pour combattre son mal : ses compagnons disent qu'au rebours ce jeûne l'avait asséché et lui avait cuit le sable dans les rognons.

Je me suis aperçu, lors de blessures et de maladies, que le parler m'ébranle et me nuit, autant que n'importe quel désordre que je puisse faire. La voix me coûte et me lasse, car je l'ai haute et forte, si bien que, quand je suis venu à entretenir l'oreille des grands d'affaires de poids, je les ai souvent mis en souci d'avoir à modérer ma voix. Le

1. Martial, XI, XXII, 7-8.
2. Antonio Guevara, *Lettres*, II, 12.

conte qui suit vaut bien un détour. Quelqu'un, en une certaine école grecque, parlait haut comme moi : le maître des cérémonies lui fit dire de parler plus bas : « Qu'il m'envoie, fit-il, le ton sur lequel il veut que je parle ! » L'autre lui répliqua qu'il ajustât son ton aux oreilles de celui à qui il parlait. C'était bien dit, à condition de l'entendre ainsi : « Parlez selon ce dont vous entretenez votre auditeur. » Car si c'est pour dire : « contentez-vous qu'il vous entende », ou « réglez-vous sur lui », je ne trouve pas que ce soit raison. Le ton et le mouvement de la voix ont quelque expression et participent à ce que j'entends signifier : c'est à moi à le conduire afin de me faire comprendre. Il y a un ton pour instruire, un ton pour flatter, ou pour tancer. Je veux que ma voix non seulement arrive à lui, mais d'aventure qu'elle le frappe et qu'elle le perce. Quand je gourmande mon laquais d'un ton aigre et dur, il serait bon qu'il vînt à me dire : « Mon maître, parlez plus doux, je vous ois bien » ! Il y a un certain ton qui convient à l'oreille, non par sa force, mais par son appropriation *Est quædam uox ad auditum accommodata, non magnitudine, sed proprietate.* [1] La parole est moitié à celui qui parle, moitié à celui qui l'écoute. Celui-ci doit se préparer à la recevoir selon le mouvement qu'elle prend. Comme entre ceux qui jouent à la paume, celui qui reçoit se recule et s'apprête selon qu'il voit remuer celui qui lui adresse la balle, et selon la forme du coup.

L'expérience m'a encore appris ceci, que nous nous perdons par impatience. Les maux ont leur vie, et leurs bornes, leurs maladies et leur santé : la constitution des maladies est formée sur le patron de la constitution des animaux. Elles ont leur fortune limitée dès leur naissance, et leurs jours comptés. Qui essaye de les abréger impérieusement, de force, au milieu de leur course, il les allonge et les démultiplie : il les harcèle au lieu de les apaiser. Je suis de l'avis de Crantor, qu'il ne faut ni obstinément s'opposer aux maux, et à l'étourdie, ni leur succomber par mollesse, mais qu'il leur faut céder naturellement, selon leur condition et la nôtre. On doit donner passage aux maladies : et je trouve qu'elles séjournent moins chez moi, qui les laisse faire. Et certaines m'ont quitté, de celles qu'on estime les plus opiniâtres et les plus tenaces, de leur propre déclin, sans aide et sans l'art, et même contre ses règles. Laissons faire un peu Nature : elle entend mieux ses affaires que nous. « – Mais un tel en mourut ! – Ainsi ferez-vous, sinon de ce mal-là, d'un autre ! » Et combien n'ont pas laissé d'en mourir, qui avaient trois médecins à leur cul ? L'exemple est un miroir vague, où tout reflète, et qui mire en tous sens. Si c'est une médecine voluptueuse, acceptez-la : c'est toujours autant de bien présent ! Je ne

1. Quintilien, *Institution oratoire*, XI, III, 40.

m'arrêterai ni au nom ni à la couleur si elle est délicieuse et appétissante : le plaisir appartient aux principales espèces du profit. J'ai laissé envieillir et mourir en moi de mort naturelle des rhumes, des crises de goutte, des relâchements de ventre, des palpitations de cœur, des migraines, et autres accidents, qui m'ont lâché quand je m'étais à demi formé à les nourrir. On les conjure mieux par courtoisie que par bravade. Il faut souffrir doucement les lois de notre condition : nous sommes pour vieillir, pour nous affaiblir, pour être malades, en dépit de toute médecine. C'est la première leçon que les Mexicains font à leurs enfants quand, au partir du ventre des mères, ils les vont saluant ainsi : « Enfant, tu es venu au monde pour endurer : endure, souffre, et tais-toi. »

Il est injuste de se lamenter qu'il soit advenu à quelqu'un ce qui peut advenir à chacun : Plains-toi, si l'on est injuste envers toi seul *Indignare si quid in te inique proprie constitutum est.* [1] Voyez un vieillard qui demande à Dieu qu'il lui maintienne sa santé entière et vigoureuse, c'est-à-dire qu'il le rende à la jeunesse :

Sot, à quoi bon ces vains souhaits et ces vœux puérils
Stulte, quid hæc frustra uotis puerilibus optas ? [2]

N'est-ce pas folie ? Sa condition ne le comporte pas. La goutte, la gravelle, l'indigestion, sont les symptômes des longues années, comme le sont des longs voyages la chaleur, les pluies et les vents. Platon ne croit pas qu'Esculape se mît en peine de pourvoir par des régimes à faire durer la vie dans un corps gâté et affaibli, inutile à son pays, inutile à sa profession, et incapable à produire des enfants sains et robustes, et il ne trouve pas ce soin convenable à la justice et à la prudence divine, qui doit conduire toutes choses à l'utilité. « Mon bonhomme, c'en est fait : on ne vous saurait redresser ; on vous plâtrera tout au plus, et on vous étançonnera un peu, et ainsi allongera-t-on d'une heure votre misère :

Comme qui veut soutenir une ruine imminente, Prévient l'effondrement à force d'étançons, Jusqu'au jour où, tout le bâti lâchant, On voit les étais crouler avec tout le bâtiment

Non secus instantem cupiens fulcire ruinam,
Diuersis contrà nititur obicibus,
Donec certa dies omni compage soluta,
Ipsum cum rebus subruat auxilium. » [3]

1. Sénèque, *Lettres à Lucilius*, XLI, 15.
2. Ovide, *Les Tristes*, III, VIII, 11.
3. Maximianus, I, 171-174.

Il faut apprendre à souffrir ce qu'on ne peut éviter. Notre vie est composée de choses contraires, comme l'harmonie du monde l'est aussi de divers tons, doux et âpres, aigus et plats, légers et graves : le musicien qui n'en aimerait que les uns, que pourrait-il dire ? Il faut qu'il sache les utiliser tous ensemble et les mêler. Et nous de même pour les biens et les maux, qui sont consubstantiels à notre vie. Nous ne pouvons être sans ce mélange, et l'une des deux troupes y est non moins nécessaire que l'autre. Essayer de regimber contre la nécessité naturelle, c'est imiter la folie de Ctésiphon qui voulait y faire à coups de pied avec sa mule [1] !

Je consulte peu les médecins sur les altérations que je ressens, car ces gens-ci sont à leur avantage quand ils vous tiennent à leur merci. Ils vous gourmandent les oreilles de leurs pronostics, et, me surprenant autrefois affaibli par le mal, ils m'ont maltraité avec leurs dogmes et leur trogne magistrale ! Ils me menaçaient tantôt de grandes douleurs, tantôt de mort prochaine : je n'en étais pas abattu, ni délogé de ma place, mais j'en étais heurté et bousculé. Si mon jugement n'en est ni changé ni troublé, au moins en était-il alors embarrassé : c'est toujours agitation et combat. À présent, je traite mon imagination le plus doucement que je puis, et je la déchargerais si je pouvais de toute peine et contestation. Il faut la secourir, et la flatter, et la duper si l'on peut.

Mon esprit est propre à cet office : les raisons spécieuses ne lui font jamais défaut ! S'il persuadait aussi bien qu'il prêche, il me secourrait avec bonheur. Vous en plaît-il un exemple ? Il dit que c'est pour mon mieux que j'ai la gravelle ; que les bâtiments de mon âge ont naturellement à souffrir quelque gouttière ; que le temps est venu qu'ils commencent à se lâcher et se détériorer ; c'est une commune nécessité : allait-on faire pour moi un nouveau miracle ? Que je paie par là le loyer dû à la vieillesse, et ne saurais en avoir meilleur compte. Que la compagnie doit me consoler, puisque me voici tombé dans l'accident le plus ordinaire des hommes de mon âge : j'en vois partout qui sont affligés d'un mal de même nature, et la société m'en est honorable parce qu'il se prend plus volontiers aux grands, que son essence a donc de la noblesse et de la dignité... Que parmi les hommes qui en sont frappés, il en est peu qui soient quittes à meilleur compte, et qu'il leur en coûte ainsi la peine d'un régime fâcheux et la prise ennuyeuse et quotidienne des drogues médicinales, là où je dois mon état purement à ma bonne fortune, car quelques bouillons communs

1. Ctésiphon, orateur d'Athènes que défendit Démosthène, pratiquait le pugilat, nous dit Plutarque.

d'éringium et d'herbe du Turc [1], que deux ou trois fois j'ai avalés pour complaire aux dames qui, plus gracieusement que mon mal n'est aigre, m'en offraient la moitié du leur, m'ont semblé tout aussi faciles à prendre qu'inutiles d'effet ; qu'ils ont, ceux-là, à payer mille vœux à Esculape et autant d'écus à leur médecin pour cette expulsion de sable aisée et abondante que je reçois souvent par le seul bienfait de Nature : la décence même de ma contenance en compagnie n'en est pas troublée, et je porte mon eau dix heures, et aussi longtemps qu'un bien portant ! « La crainte de ce mal, me dit mon esprit, t'effrayait autrefois, quand il t'était inconnu : les cris et le désespoir de ceux qui l'aigrissent par leur impatience t'en engendraient l'horreur. C'est de plus un mal qui te bat les membres par lesquels tu as le plus failli : tu es donc homme de conscience :

Un châtiment indu nous blesse durement
Quæ uenit indigne pœna, dolenda uenit ! [2]

Regarde donc ce châtiment : il est bien doux au prix d'autres, et d'une faveur toute paternelle ! Regarde sa tardiveté : il n'incommode et n'occupe que la saison de ta vie qui de toute façon est désormais perdue et stérile, puisqu'il a bien voulu donner place à la licence et aux plaisirs de ta jeunesse comme par aimable accommodement. La crainte et la pitié que ce mal inspire au peuple servent de matière à ta gloire, qualité dont si tu as su purger ton jugement et guérir ton discours, mais tes amis reconnaissent pourtant encore quelque teinture dans ton caractère... Il y a plaisir à ouïr dire de soi : « Voilà bien de la force ! Voilà bien de la patience ! » On te voit suer d'ahan, pâlir, rougir, trembler, vomir jusqu'au sang, souffrir des contractions et des convulsions étranges, pleurer parfois de grosses larmes des yeux, rendre des urines épaisses, noires, et effroyables, ou bien les avoir arrêtées par quelque pierre épineuse et hérissée qui te point et t'écorche cruellement le col de la verge, tandis que tu entretiens les assistants en gardant une contenance commune, bouffonnant de temps en temps avec tes gens, tenant ton rôle dans un discours tendu, excusant ta douleur en parole, et rabattant de ta souffrance. Te souvient-il de ces gens du temps passé qui recherchaient les maux avec si grande faim pour tenir leur vertu en haleine et en exercice ? Eh bien ! Imagine-toi que Nature te porte et te pousse à cette glorieuse école en laquelle tu ne fusses jamais entré de ton gré ! Tu me dis que

1. L'éringium, ou panicaut, et l'herbe de Turc, ou herniaire, sont deux plantes diurétiques.
2. Ovide, *Héroïdes*, V, 8.

c'est un mal dangereux et mortel ? Quels autres ne le sont ? Car c'est une duperie de médecins que d'en excepter certains, qu'ils disent n'aller point de droit fil à la mort. Qu'importe s'ils y vont par accident, et s'ils glissent et gauchissent aisément vers la voie qui nous y mène ! Mais tu ne meurs pas de ce que tu es malade : tu meurs de ce que tu es vivant. La mort te tue bien sans le secours de la maladie. Et de certains les maladies ont éloigné la mort, qui ont vécu plus longtemps par le fait même qu'il leur semblait s'en aller mourant. Ajoute qu'il existe aussi, comme pour les plaies, des maladies médicinales et salutaires. La colique est souvent non moins vivace que vous. Il se voit des hommes chez qui elle a persisté depuis leur enfance jusqu'à leur extrême vieillesse, et s'ils ne lui eussent faussé compagnie, elle était bonne pour les assister plus outre : vous la tuez plus souvent qu'elle ne vous tue ! Et quand même elle te présenterait l'image de la mort voisine, serait-ce pas un bon office, pour un homme de ton âge, que de le ramener à la méditation de sa fin ? Et qui pis est, tu n'as plus de raisons de vouloir guérir : de toute façon au premier jour la commune nécessité t'appelle. Considère avec combien d'art et de douceur elle te dégoûte de la vie et te déprend du monde : non pas en te forçant d'une sujétion tyrannique, comme tant d'autres maux que tu vois chez les vieillards et qui les tiennent continuellement entravés sans relâche de leurs faiblesses et de leurs douleurs, mais par des avertissements et des conseils repris à intervalles, entremêlant de longues pauses de repos, comme pour te donner moyen de méditer et de répéter sa leçon à ton aise. Pour te donner moyen de juger sainement et prendre parti en homme de cœur, elle te présente l'état de ta condition entière, et en bien et en mal ; et sous le même jour, une vie très allègre tantôt, tantôt insupportable. Si tu n'accoles la mort, au moins tu lui touches la paume une fois le mois. Par où tu as de plus à espérer qu'elle t'attrapera un jour sans t'inquiéter. Et que pour avoir été si souvent conduit jusqu'au port, confiant d'en être encore aux termes accoutumés, on t'aura toi et ta confiance fait passer l'eau un beau matin, inopinément. On n'a point à se plaindre des maladies qui partagent loyalement le temps avec la santé. »

Je suis obligé à la fortune qu'elle m'assaille si souvent avec la même sorte d'armes : elle m'y façonne et m'y dresse par l'usage, m'y endurcit et habitue : je sais à peu près désormais à quel prix j'en dois être quitte : faute de mémoire naturelle, j'en forge de papier, et quand quelque nouveau symptôme survient à mon mal, je l'écris. D'où il advient qu'à cette heure, étant quasi passé par toute sorte d'exemples, si quelque accès soudain me menace, en feuilletant ces petits brevets décousus comme des feuilles sibyllines [1], je ne manque plus de trouver où me consoler dans mon expérience passée par quelque pronostic favorable. L'accoutumance me sert aussi à mieux espérer pour l'avenir. Car, la façon de conduire cette vidange ayant continué si longtemps, il est à croire que Nature ne changera point ce train et qu'il n'en adviendra d'autre accès pire que celui que je ressens. En outre, la condition de cette maladie n'est point mal avenante à mon tempérament prompt et soudain. Quand elle m'assaille mollement, elle me fait peur, car c'est pour longtemps ; mais, par nature, elle a des excès vigoureux et gaillards : elle me secoue à outrance un jour ou deux. Mes reins ont duré tout une génération sans altération ; il y en a bientôt une autre qu'ils ont changé d'état : les maux ont leur période comme les biens ; d'aventure, cet accident de santé touche à sa fin. L'âge affaiblit la chaleur de mon estomac : sa digestion s'en trouvant moins parfaite, il renvoie cette matière crue à mes reins : pourquoi ne se pourrait-il que la chaleur de mes reins, en vertu d'un cycle défini, se voie pareillement affaiblie, au point qu'ils ne puissent plus pétrifier mon flegme, et que Nature alors s'achemine à prendre quelque autre voie de purge ? Les ans m'ont à l'évidence permis de tarir certains rhumes : pourquoi non ces excréments qui fournissent sa matière à la grave ?

Mais est-il rien de doux au prix de cette soudaine mutation qui se fait quand dans une douleur extrême je viens, par la vidange de ma pierre, à recouvrer comme en un éclair la belle lumière de la santé, si libre et si pleine, comme il advient lors de nos soudaines et plus âpres coliques ? Y a-t-il rien en cette douleur soufferte qu'on puisse mettre en balance avec le plaisir d'un si prompt amendement ? De combien la santé me semble plus belle après la maladie, si voisine et si contiguë que je les puis reconnaître l'une en présence de l'autre en leur plus bel appareil, où elles se mettent à l'envi comme pour se faire tête et contrecarre ! Tout ainsi que les stoïciens disent que les vices sont utilement introduits pour donner prix et prêter épaule à la vertu, nous pouvons dire, avec meilleure raison, et par une conjecture moins hardie, que Nature nous a prêté la douleur pour l'honneur et le service de la volupté et de l'absence de douleur. Lorsque Socrate, après qu'on l'eut déchargé de ses fers, sentit la friandise de cette démangeaison que leur pesanteur avait causée dans ses jambes, il se réjouit à considérer l'étroite alliance de la douleur à la volupté, et comme elles sont associées d'une liaison nécessaire, si bien que tour à tour elles se

1. La Sybille de Cumes rédigeait ses divinations sur des feuilles d'arbre (cf. Virgile, *Énéide*, III, 443).

suivent et s'entre-génèrent, et de s'écrier à l'adresse du bon Ésope qu'il aurait dû avoir puisé dans cette considération la matière propre à faire une belle fable !

Le pis que je vois aux autres maladies, c'est qu'elles ne sont pas si graves dans leur effet qu'elles ne le sont dans leurs suites. On est un an à se ravoir, toujours plein de faiblesse et de crainte. Il y a tant de hasard, et tant de degrés, à se reconduire à sauveté que ce n'est jamais fait. Avant qu'on vous ait défublé d'un couvre-chef, et puis d'une calotte, avant qu'on vous ait rendu l'usage de l'air, et du vin, et de votre femme, et des melons, c'est grand cas si vous n'êtes rechu en quelque nouvelle misère. Celle-ci a ce privilège qu'elle s'arrête tout net, là où les autres laissent toujours quelque empreinte et quelque altération qui rend le corps susceptible de nouveaux maux, et qui se prêtent la main les uns aux autres. Ceux-là sont excusables qui se contentent de leur possession sur nous, sans l'étendre, et sans introduire leur séquelle. Mais courtois et gracieux sont ceux dont le passage nous apporte quelque utile conséquence. Depuis ma colique, je me trouve déchargé d'autres accidents, plus, ce me semble, que je ne l'étais auparavant, et je n'ai point eu de fièvre depuis. J'argumente que les vomissements extrêmes et fréquents que j'éprouve me purgent : et, d'un autre côté, mes dégoûts et les jeûnes peu communs par lesquels je passe, digèrent mes humeurs peccantes et Nature vide dans ces pierres ce qu'elle a de superflu et nuisible. Qu'on ne me dise point que c'est un remède trop cher vendu ! Car que dire de tant de puants breuvages, cautères, incisions, suées, drains, diètes, et tant d'autres façons de guérir qui nous apportent souvent la mort faute que nous puissions soutenir leur violence et leur importunité ? Ainsi, quand je suis atteint, je le prends pour médecine ; quand je suis exempt, je le prends pour durable et entière délivrance.

Voici encore une faveur que je dois à mon mal, particulière. C'est qu'à peu près il fait son jeu à part, et me laisse faire le mien, ou bien s'il ne me tient ce n'est que par faute de courage de ma part ; en son plus fort accès, je l'ai soutenu dix heures à cheval ; souffrez seulement, vous n'avez que faire d'autre régime : jouez, dînez, courez, faites ceci, et faites encore cela, si vous pouvez ; votre plaisir y servira plus qu'il n'y nuira. Allez donc en dire autant à un vérolé, à un goutteux, à un hernieux : les autres maladies ont des contraintes bien plus générales, elles géhennent bien autrement nos actions, elles troublent tout notre ordre, et obligent à leur considération tout l'état de la vie. Celle-ci ne fait que pincer la peau ; elle vous laisse l'entendement et la volonté à votre disposition, et la langue, et les pieds, et les mains. Elle vous éveille plutôt qu'elle ne vous assoupit. L'âme est frappée par l'ardeur d'une fièvre, atterrée par une épilepsie, disloquée par une âpre migraine, et à la fin foudroyée par toutes les maladies qui blessent la masse et les plus nobles parties : ici, on ne l'attaque point ! S'il lui va mal, c'est par sa faute : elle se trahit elle-même, s'abandonne, et se démonte. Il n'y a que les fous qui se laissent persuader que ce corps dur et massif, qui se cuit dans nos rognons, se puisse dissoudre par des breuvages ! Aussi, dès qu'il est ébranlé, il n'est que de lui donner un passage, et aussi bien le prendra-t-il ! Je remarque encore cette particulière commodité, que c'est un mal à propos duquel nous avons peu à deviner. Nous sommes dispensés de ce trouble dans lequel les autres maux nous jettent du fait de l'incertitude où nous sommes sur leurs causes, leurs circonstances, et leurs progrès. Trouble infiniment pénible. Ici, nous n'avons que faire de consultations et d'interprétations doctorales : les sens nous montrent ce que c'est, et où c'est. Par tels arguments, et forts et faibles, comme Cicéron pour le mal de sa vieillesse, j'essaye d'endormir et d'amuser mon imagination, et de graisser ses plaies. Si elles s'empirent demain, demain nous y pourvoirons par d'autres échappatoires.

Qu'il soit vrai, voici qui est nouveau depuis : les plus légers mouvements expulsent du sang pur de mes reins. Que faire à cela ? Je ne laisse de me mouvoir comme avant, et de piquer après mes chiens avec une ardeur juvénile, et insolente. Et je trouve que j'ai grande raison d'un accident si important qui ne me coûte qu'une pesanteur et une altération sourdes en cette partie du corps. C'est quelque grosse pierre qui foule et consume la substance de mes rognons, et c'est ma vie que je vide peu à peu, non sans quelque naturelle douceur, comme un excrément désormais superflu et empêchant. Maintenant, sens-je quelque chose qui croule ? Ne vous attendez pas que j'aille m'amuser à consulter mon pouls et mes urines pour en tirer quelque prévision ennuyeuse. Je serai assez à temps de sentir le mal, sans l'allonger par le mal de la peur ! Qui craint de souffrir, il souffre déjà de ce qu'il craint. Ajoutez que les doutes et l'ignorance de ceux qui se mêlent d'expliquer les ressorts de la nature et ses progrès intestins, et tant de faux pronostics que nous devons à leur art, doivent nous faire savoir qu'elle a ses moyens infiniment inconnus. Il y a grande incertitude, variété et obscurité sur ce qu'elle nous promet ou ce dont elle nous menace. Sauf la vieillesse, qui est un signe indubitable de l'approche de la mort, entre tous les autres accidents de la vie, je vois peu de signes de l'avenir sur quoi nous ayons à fonder notre divination.

Je ne me juge que par vérité des sensations, et non par discours : à quoi bon, puisque je n'y veux apporter que de l'attente et de la patience ? Voulez-vous savoir combien je gagne à cela ? Regardez ceux qui font autrement et qui dépendent de tant de persuasions et de conseils divers : combien souvent l'imagination les presse sans que leur corps n'y ait part ! J'ai maintes fois pris plaisir, une fois en sûreté et délivré de ces accidents dangereux, à les présenter aux médecins comme naissant alors en moi : je souffrais l'arrêt de leurs horribles conclusions bien à mon aise, et j'en demeurais d'autant plus obligé à Dieu de sa grâce, et mieux instruit de la vanité de cet art !

Il n'est rien qu'on doive tant recommander à la jeunesse que l'activité et la vigilance. Notre vie n'est que mouvement. Je m'ébranle difficilement, et suis tardif en tout : à me lever, à me coucher, et pour mes repas. C'est grand matin pour moi que sept heures. Et, quand je gouverne, je ne dîne ni avant onze, ni ne soupe qu'après six heures. J'ai autrefois attribué la cause des fièvres et des maladies dans lesquelles je suis tombé à la pesanteur et à l'assoupissement qu'un long sommeil m'avait apporté. Et je me suis toujours repenti de me rendormir le matin. Platon blâme l'excès du dormir plus que celui du boire. J'aime à coucher dur, et seul, voire sans femme, à la royale, assez peu couvert. On ne bassine jamais mon lit, mais depuis la vieillesse, on me donne quand j'en ai besoin des draps pour me réchauffer les pieds et l'estomac. On trouvait à redire au grand Scipion d'être *dormard*, non à mon avis pour une autre raison sinon que les gens se piquaient de ce que chez lui seul il n'y eut rien d'autre à redire. Si j'ai quelque soin particulier dans la façon dont je me traite, c'est plutôt au coucher qu'à autre chose ; mais je cède et m'accommode en général, autant que tout autre, à la nécessité. Le dormir a occupé une grande partie de ma vie : et je le continue encore à mon âge huit ou neuf heures, d'une haleine. Je me dispense si besoin de cette propension paresseuse, et je n'en vaux que mieux, à l'évidence. Je sens un peu le contrecoup du changement, mais c'est l'affaire de trois jours. Et je n'en vois guère qui vivent à moins quand il est besoin, et qui s'exercent plus constamment, ni à qui les corvées pèsent moins. Mon corps est capable d'une agitation ferme, mais non pas véhémente et soudaine. Je fuis désormais les exercices violents et qui me mènent à la sueur : mes membres se lassent avant qu'ils ne s'échauffent. Je me tiens debout tout le long d'un jour, et je ne m'ennuie point à me promener : mais sur le pavé, depuis mon premier âge, je n'ai aimé d'aller qu'à cheval. À pied, je me crotte jusqu'aux fesses, et les personnes de petite taille sont sujettes, par nos rues, à être choquées et coudoyées par défaut de prestance. Et j'ai aimé à me reposer, soit couché, soit assis, les jambes autant ou plus hautes que le siège.

Il n'est occupation aussi plaisante que la militaire : occupation noble en exécution (car la plus forte, généreuse, et superbe de toutes les vertus est la vaillance), et noble en sa cause. Il n'est point d'utilité ni plus juste ni plus générale que la protection du repos et de la grandeur de son pays. La compagnie de tant d'hommes vous plaît, nobles, jeunes, actifs, et puis aussi la vue ordinaire de tant de spectacles tragiques, la liberté de cette conversation sans art, une façon de vivre mâle et sans cérémonie, la variété de mille actions diverses, cette courageuse harmonie de la musique guerrière qui vous entretient et vous échauffe les oreilles et l'âme, l'honneur de cet exercice, son âpreté même et sa difficulté, même si Platon l'estime si peu qu'en sa république il en fait part aux femmes et aux enfants ! Vous vous conviez aux rôles et aux hasards particuliers selon que vous jugez de leur éclat et de leur importance, en soldat volontaire, et vous voyez quand la vie même y est excusablement employée,

L'idée vous cueille qu'il est beau de mourir sous les armes
pulchrumque mori succurrit in armis. [1]

Craindre les hasards communs qui regardent une si grande multitude, n'oser point ce que tant de sortes d'âmes osent, et tout un peuple, c'est affaire à un cœur faible et bas outre mesure. La compagnie rassure jusqu'aux enfants. Si d'autres vous surpassent en science, en grâce, en force, en fortune, vous avez des causes tierces à qui vous en prendre, mais pour ce qui est de le leur céder en fermeté d'âme, vous n'avez à vous en prendre qu'à vous. La mort est plus abjecte, plus languissante et plus pénible dans un lit qu'en un combat ; les fièvres et les catarrhes, aussi douloureux et mortels qu'une arquebusade. Qui serait fait à porter valeureusement les accidents de la vie commune n'aurait point à grossir son courage pour se faire soldat : vivre, mon Lucilius, c'est servir en soldat *uiuere, mi Lucilli, militare est.* [2]

Il ne me souvient point de m'être jamais vu galeux : la gratterie est pourtant au nombre des gratifications par nature les plus douces, et tout à fait à portée de main. Mais elle a la pénitence trop importunément comme voisine. Je l'exerce plus dans mes oreilles, que j'ai au-dedans prurigineuses par moments.

Je suis né avec tous les sens entiers quasi à la perfection. Mon estomac est commodément bon, comme l'est ma tête, et le plus souvent ils se maintiennent ainsi au travers de mes fièvres. Il en va de même de mon souffle de vie. J'ai outrepassé l'âge auquel certaines nations, non sans raison, avaient prescrit une si fin si précise à la vie qu'elles ne permettaient point qu'on l'excédât. J'ai pourtant encore

1. Virgile, *Énéide*, II, 317.
2. Sénèque, *Lettres à Lucilius*, XCVI, 5.

des rémissions, quoiqu'inconstantes et courtes, qui sont si nettes qu'il y a peu à regretter de la santé et de l'absence de douleur de ma jeunesse. Je ne parle pas de la vigueur et de l'allégresse : ce n'est pas raison qu'elles me suivent hors leurs limites :

Non, mon corps ne supporte plus d'attendre ni la porte
Ni les ondées du ciel

Non hæc amplius est liminis aut aquæ
Cælestis patiens latus. [1]

Mon visage et mes yeux me trahissent sur-le-champ. Tous mes changements commencent par là, et un peu plus mordants qu'ils ne sont en effet. Je fais souvent pitié à mes amis avant que je n'en sente la cause. Mon miroir ne m'étonne pas, car dans ma jeunesse même, il m'est advenu plus d'une fois de chausser ainsi un teint et un port troubles, et de mauvais pronostic, sans grand accident, de sorte que les médecins, qui ne trouvaient au-dedans cause qui répondît à cette altération extérieure, l'attribuaient à l'esprit, et à quelque passion secrète, qui m'eût rongé au-dedans. Ils se trompaient. Si mon corps se gouvernait autant selon moi que le fait mon âme, nous marcherions un peu plus à notre aise. Je l'avais alors non seulement exempte de trouble, mais encore pleine de satisfaction et de fête, comme elle l'est le plus ordinairement : moitié par nature, moitié par dessein :

Non, la contagion de mon esprit malade
Ne gagne point mes membres

Nec uitiant artus ægræ contagia mentis ! [2]

Je tiens que ce sien tempérament a relevé maintes fois mon corps de ses chutes : il est souvent abattu. Que si elle n'est enjouée, elle est au moins dans un état tranquille et reposé. J'eus la fièvre quarte, quatre ou cinq mois, qui m'avait tout dévisagé : l'esprit alla toujours non paisiblement, mais plaisamment. Si la douleur est hors de moi, l'affaiblissement et la langueur ne m'attristent guère. Je vois plusieurs défaillances corporelles qui font horreur seulement à nommer que je craindrais moins que mille passions et agitations d'esprit que je vois en usage. Je prends parti de ne plus courir, c'est assez que je me traîne ; ni ne me plains de la décadence naturelle qui me tient

(Qui s'étonne qu'un goitre enfle dans les montagnes
Quis tumidum guttur miratur in Alpibus ?), [3]

1. Horace, *Odes*, III, X, 19-20.
2. Ovide, *Les Tristes,* III, VIII, 25.
3. Juvénal, XIII, 162.

non plus que je ne regrette que ma durée ne soit aussi longue et entière que celle d'un chêne.

Je n'ai point à me plaindre de mon imagination : j'ai eu peu de pensées dans ma vie qui m'aient seulement interrompu le cours de mon sommeil, sauf à être venues du désir, ce qui pouvait m'éveiller sans m'affliger. Je songe peu souvent ; et c'est alors des choses fantasmées et des chimères, faites communément de pensées plaisantes, plutôt risibles que tristes. Et je tiens qu'il est vrai que les songes sont de loyaux interprètes de nos inclinations ; mais il y a de l'art à les assortir et entendre. Ce qui dans la vie occupe les gens, ce qu'éveillés ils pensent, règlent, voient, font, débattent, leur advient en songe à l'identique : rien d'étonnant *Res quæ in uita usurpant homines, cogitant, curant, uident, quæque agunt uigilantes agitantque, ea sicut in somno accidunt : minus mirandum est.* [1] Platon dit en outre que c'est l'office de la sagesse d'en tirer des instructions divinatrices pour l'avenir. Je ne vois rien à dire à cela, sinon les expériences miraculeuses que Socrate, Xénophon, et Aristote en racontent, personnages d'une autorité irréprochable. Les historiens disent que les Atlantes ne songent jamais ; qu'ils ne mangent non plus rien qui ait reçu la mort. J'ajoute, parce que c'en est d'aventure la cause, que c'est la raison pour laquelle ils ne songent point, car Pythagore ordonnait certaine préparation de nourriture pour faire les songes à propos. Les miens sont doux, et ne m'apportent aucune agitation de corps, ni aucune émission de voix. J'en ai vu plusieurs de mon temps en être merveilleusement agités. Théon le philosophe se promenait tandis qu'il rêvait, et le valet de Périclès le faisait sur les tuiles mêmes et le faîte de la maison.

Je ne choisis guère à table, et je me prends à la première chose et la plus voisine, et je me remue mal volontiers d'un goût à un autre. La surabondance des plats et des services me déplaît autant que toute autre surabondance. Je me contente aisément de peu de mets, et je hais l'opinion de Favorinus, qu'en un festin il faut qu'on vous dérobe la viande où vous prenez appétit, et qu'on vous en substitue toujours une nouvelle, et que c'est un misérable souper si l'on n'a saoulé les assistants de croupions de divers oiseaux, et que le seul bequefigue [2] mérite qu'on le mange entier. J'use familièrement de mets salés ; j'aime pourtant mieux le pain sans sel. Et mon boulanger chez moi n'en sert pas d'autre pour ma table, contre l'usage du pays. On a eu dans mon enfance principalement à corriger le refus que je faisais des choses que communément on aime le mieux à cet âge : sucres,

1. Cicéron, *De divinatione*, I, XXII, 45.
2. Nom de l'ortolan dans les parlers d'oc.

confitures, pièces au four. Mon gouverneur combattit ce dégoût pour les mets délicats comme une espèce de délicatesse. Aussi n'est-elle autre chose qu'une difficulté du goût, où qu'il s'applique. Qui ôte à un enfant certaine affection particulière et obstinée au pain bis, et au lard, ou à l'ail, il lui ôte la gourmandise. Il en est qui font les difficiles et les souffreteux à regretter le bœuf et le jambon devant des perdrix. Ils ont bon temps : c'est la délicatesse des délicats ; c'est le goût d'une vie de mollesse, qui s'affadit aux choses ordinaires et accoutumées grâce auxquelles le luxe déjoue l'ennui né des richesses *per quæ luxuria diuitiarum tædio ludit.* [1] Renoncer à faire bonne chère de ce dont un autre la fait, avoir un soin recherché de son régime, c'est l'essence de ce travers :

quand tu crains de dîner de chou sur une humble écuelle
Si modica cœnare times olus omne patella. [2]

Certes il y a bien vraiment cette différence qu'il vaut mieux assujettir son désir aux choses les plus aisées à obtenir, mais c'est toujours un travers que de s'assujettir : autrefois, j'appelais délicat un mien parent qui avait désappris sur nos galères à se servir de nos lits et à se dévêtir pour se coucher !

Si j'avais des enfants mâles, je leur souhaiterais volontiers le sort qui fut le mien. Le bon père que Dieu me donna (qui n'a de moi que la reconnaissance de sa bonté, mais certes bien gaillarde) m'envoya nourrir dès le berceau dans un pauvre village des siens, et m'y tint aussi longtemps que je fus en nourrisse, et encore au-delà, me dressant à la plus basse et commune façon de vivre : ventre bien réglé, c'est le plus gros de notre liberté *magna pars libertatis est bene moratus uenter.* [3] Ne prenez jamais, et donnez moins encore à vos femmes, la charge d'éduquer vos garçons : laissez à la fortune le soin de les former sous des lois populaires et naturelles ; laissez à la coutume de les dresser à la frugalité et à l'austérité ; qu'ils aient plutôt à descendre de l'âpreté qu'à monter vers elle. Son humeur visait encore à une autre fin. C'était de me rallier avec le peuple, et avec cette condition d'hommes qui a besoin de notre aide, et il estimait que je fusse tenu de regarder plutôt vers celui qui me tend les bras que vers celui qui me tourne le dos. Et ce fut aussi la raison pour laquelle il me fit tenir sur les fonts baptismaux par des personnes de la plus basse fortune, pour m'y obliger et m'y attacher. Son dessein n'a pas du tout mal succédé : je me consacre volontiers aux petits, soit pour ce qu'il y a plus de gloire,

1. Sénèque, *Lettres à Lucilius*, XVIII, 7.
2. Horace, *Épîtres*, I, V, 2.
3. Sénèque, *Lettres à Lucilius*, CXXIII, 3.

soit par naturelle compassion, sentiment qui peut infiniment sur moi. Le parti que je condamnerai dans nos guerres, je le condamnerai plus âprement florissant et prospère ; il sera pour me concilier un peu à soi quand je le verrai misérable et accablé. Combien volontiers je considère la belle humeur de Chélonis, fille et femme de rois de Sparte ! Dans le temps que Cléombrotos, son mari, lors des désordres de sa ville, eut l'avantage sur Léonidas son père, elle fit la bonne fille : elle se rallie à son père, dans son exil, dans sa misère, s'opposant au vainqueur. La chance vint-elle à tourner ? La voilà changée de volonté avec la fortune, se rangeant courageusement à son mari, qu'elle suivit partout où sa ruine le porta, n'ayant ce me semble d'autre choix que de se jeter au parti où elle faisait le plus besoin et où elle pouvait montrer le plus de compassion. Je me laisse aller après l'exemple de Flaminius, qui se prêtait à ceux qui avaient besoin de lui plus qu'à ceux qui lui pouvaient bien faire, plus naturellement que je ne le fais à celui de Pyrrhus, propre à s'abaisser sous les grands, et à s'enorgueillir sur les petits.

Les longues tables m'ennuient et me nuisent, car, peut-être pour m'y être accoutumé enfant, à défaut de meilleure contenance, je mange aussi longtemps que j'y suis. Pourtant chez moi, quoique les tables soient des plus courtes, je m'y mets volontiers un peu après les autres ; à la façon d'Auguste : mais je ne l'imite pas en sortant comme lui avant les autres. Au rebours, j'aime à me reposer à table longtemps après, et à en entendre conter, pourvu que je ne m'y mêle point, car je me lasse et me fais du mal à parler l'estomac plein autant que je trouve très salubre et plaisant l'exercice de crier et de discuter avant le repas. Les anciens Grecs et Romains en usaient plus raisonnablement que nous : si quelque autre occupation extraordinaire ne les en divertissait, ils assignaient plusieurs heures à la nourriture, qui est une action principale de la vie, ainsi que la meilleure partie de la nuit ; ainsi mangeaient-ils et buvaient-ils moins hâtivement que nous, qui passons en poste toutes nos actions, et ils étendaient ce plaisir naturel à plus de loisir et d'usage, y entre-semant divers devoirs de conversation, utiles et agréables.

Ceux qui doivent avoir soin de moi pourraient à bon marché me dérober ce qu'ils pensent m'être nuisible, car en ce genre de choses, je ne désire jamais ni ne trouve à dire ce que je ne vois pas ; mais de celles qui se présentent, ils perdent aussi bien leur temps à m'en prêcher l'abstinence ! Si bien que quand je veux jeûner, il faut me mettre à part des soupeurs, et qu'on me présente exactement ce dont il est besoin pour une collation mesurée, car si je me mets à table, j'oublie ma résolution.

Quand j'ordonne qu'on change d'apprêt à quelque viande, mes gens savent que cela veut dire que mon appétit est alangui, et que je n'y toucherai point. Pour toutes celles qui le peuvent souffrir, je les aime peu cuites. Et je les aime fort faisandées, et ce, jusqu'à l'altération de la senteur en plusieurs. Il n'y a que la dureté qui généralement me déplaise (de toute autre qualité, je suis aussi insoucieux et tolérant qu'homme que j'aie connu), si bien que, contre l'humeur commune, parmi les poissons mêmes, il m'advient d'en trouver de trop frais et de trop fermes. Ce n'est pas la faute de mes dents, que j'ai eues toujours bonnes jusqu'à l'excellence, et que l'âge ne commence de menacer qu'à cette heure. J'ai appris dès l'enfance à les frotter de ma serviette, et le matin, et à l'entrée et au sortir de la table.

Dieu fait grâce à ceux à qui il soustrait la vie par le menu. C'est le seul bénéfice de la vieillesse. La dernière mort en sera d'autant moins pleine et nuisible : elle ne tuera plus qu'un demi ou un quart d'homme. Voilà une dent qui me vient de choir, sans douleur, sans effort : c'était le terme naturel de sa durée. Et cette partie de mon être, et plusieurs autres, sont déjà mortes, d'autres demi-mortes, des plus actives, et qui tenaient le premier rang pendant la vigueur de mon âge. C'est ainsi que je fonds et m'échappe à moi-même. Quelle bêtise serait-ce pour mon entendement que de sentir le saut de cette chute déjà si avancée comme si elle était entière ! Je ne l'espère pas.

À la vérité, parmi les pensées qui me viennent quand je songe à ma mort, je reçois une principale consolation de celle-là, qu'elle soit de celles qui sont justes et naturelles, et que désormais je ne puisse plus en cela requérir ni espérer de la destinée d'autre faveur qu'illégitime. Les hommes se font accroire qu'ils ont eu autrefois, comme la stature, une vie de même plus grande. Mais ils se trompent, et Solon, qui est de ces vieux temps-là, en taille pourtant l'extrême durée à soixante et dix ans. Moi qui ai tant adoré, et si universellement, cet ἄριστον μέτρον [1] du temps passé, et qui ai tant pris pour la plus parfaite la moyenne mesure, prétendrais-je à une vieillesse prodigieuse et démesurée ? Tout ce qui vient à l'encontre du cours de Nature peut être fâcheux, mais ce qui vient selon elle doit être toujours plaisant : Tout ce qui advient selon Nature doit se compter au nombre des biens *omnia, quæ secundum naturam fiunt, sunt habenda in bonis.* [2] « Ainsi, dit Platon, que la mort qu'apportent les plaies ou les maladies soit violente, je le veux bien, mais celle qui nous surprend tandis que la vieillesse nous y conduit est

1. « *Ariston métron* » : « le mieux, c'est la mesure », formule attribuée à Cléobule, l'un des « sept sages de la Grèce ».

2. Cicéron, *De senectute*, XIX, 71.

de toutes la plus légère, et d'une certaine façon elle est délicieuse » : La vie tombe chez les jeunes de vive force, chez les vieux à force de maturité *uitam adolescentibus uis aufert, senibus maturitas*. [1]

La mort se mêle et confond partout à notre vie : le déclin anticipe son heure et s'ingère dans le cours de notre avancement même. J'ai des portraits de ce que j'étais à vingt et cinq, et à trente-cinq ans : je les compare avec celui d'à présent : combien de fois ce n'est plus moi, combien est mon image présente plus éloignée de celles-là que de celle de mon trépas ! C'est trop abuser de la nature de la tracasser si longtemps qu'elle soit contrainte de nous laisser et de nous abandonner, nous, notre conduite, nos yeux, nos dents, nos jambes, et le reste, à la merci d'un secours étranger et mendié, et que, lasse de nous suivre, elle doive nous remettre entre les mains de l'art !

Je ne suis pas excessivement désireux ni de salades ni de fruits, sauf les melons. Mon père haïssait toute sorte de sauces, je les aime toutes. Le trop manger m'empêche, mais par nature, je n'ai encore connaissance bien certaine qu'aucune viande me nuise, comme aussi je ne me soucie guère de distinguer ni lune pleine ni basse, ni l'automne du printemps. Il y a des mouvements en nous, inconstants et inconnus. Car pour les raiforts, par exemple, je les ai trouvés d'abord digestes, puis fâcheux, à présent derechef digestes. En plusieurs choses, je sens mon estomac et mon appétit aller ainsi en se diversifiant : j'ai rechangé du blanc au claret [2], et puis du claret au blanc. Je suis friand de poisson, et je fais mes jours gras des maigres, et mes fêtes des jours de jeûne. Je crois ce que d'aucuns disent, qu'il est de plus aisée digestion que la chair. Comme je fais conscience de manger de la viande le jour du poisson, aussi le fait mon goût de mêler le poisson à la chair : cette diversité me semble trop éloignée.

Dès ma jeunesse, je sautais parfois quelque repas, ou bien afin d'aiguiser mon appétit pour le lendemain (car si Épicure jeûnait et faisait des repas maigres pour accoutumer sa volupté à se passer de l'abondance, moi, au rebours, je le fais pour dresser ma volupté à faire mieux son profit, et à jouir plus allègrement de l'abondance), ou bien je jeûnais pour conserver ma vigueur au service de quelque action du corps ou de l'esprit, car et l'un et l'autre s'emparessent cruellement chez moi par la réplétion (et, par-dessus tout, je hais ce sot accouplage

1. Cicéron, *De senectute*, XIX, 71.

2. Vin rouge léger propre à la région de Montaigne, de Bergerac, de Castillon, de Saint-Émilion, et des Graves de Bordeaux, exporté depuis le Moyen-Âge vers l'Angleterre, et ainsi dénommé en raison de sa robe plus claire que celle des vins noirs. Depuis le XVIIe siècle, le « *French claret* » est devenu notre bordeaux.

d'une déesse si saine et si gaillarde avec ce petit dieu gastritique et roteur, tout bouffi de la fumée de sa liqueur [1] !), ou bien encore pour guérir mon estomac malade, ou pour m'être trouvé sans la compagnie qu'il y faut, car je dis comme ce même Épicure qu'il ne faut pas tant regarder ce qu'on mange qu'avec qui l'on mange, et je loue Chilon de n'avoir pas voulu promettre de se trouver au festin de Périandre [2] avant que de savoir quels étaient les autres conviés. Il n'est point de si doux apprêt pour moi, ni de sauce si appétissante que ceux qui se tirent de la société.

Je crois qu'il est plus sain de manger plus calmement et moins, et de manger plus souvent ; mais je veux faire valoir l'appétit et la faim : je n'aurais nul plaisir à traîner à la médicinale trois ou quatre chétifs repas par jour ainsi restreints. Qui m'assurerait que le goût ouvert que j'ai ce matin, je le retrouverais encore à souper ? Prenons, surtout nous, les vieillards, prenons le premier temps opportun qui nous vient. Laissons aux faiseurs d'almanachs les espérances et les pronostics. L'extrême fruit de ma santé, c'est la volupté : tenons-nous à la première présente et connue. J'évite la constance en ces règles de jeûne. Qui veut qu'une façon lui serve, qu'il fuie à la continuer ; nous nous y endurcissons, nos forces s'y endorment : six mois après, vous y aurez si bien acoquiné votre estomac que votre profit ne sera que d'avoir perdu la liberté d'en user autrement sans dommage.

Je ne porte les jambes et les cuisses non plus couvertes en hiver qu'en été, un bas de soie tout simple. Je me suis laissé aller, pour le soin de mes rhumes, à tenir ma tête plus chaude, et mon ventre, pour ma colique : mes maux s'y habituèrent en peu de jours, et dédaignèrent mes ordinaires précautions. J'étais monté d'une coiffe jusqu'à un couvre-chef, puis d'un bonnet à un chapeau double. Les rembourrures de mon pourpoint ne me servent plus que de galbe ; ce n'est rien si je n'y rajoute une peau de lièvre ou de vautour, et une calotte sur la tête. Suivez donc pareille gradation, vous irez beau train ! Je n'en ferais rien et je me dédirais volontiers du commencement que j'y ai donné, si j'osais. Tombez-vous dans quelque inconvénient nouveau ? cette réforme ne vous sert plus : vous y êtes accoutumé, cherchez-en une autre ! Ainsi se ruinent ceux qui se laissent empêtrer dans des régimes contraints, et qui s'y astreignent superstitieusement : il leur en faut encore, et encore après, d'autres au-delà : ce n'est jamais fait.

---

1. Bacchus : il ne fait guère bon d'aller lutiner Vénus quand on est fin saoul et qu'on rote son vin !
2. Chilon, Périandre : deux autres des « sept sages de la Grèce ».

Pour nos occupations, et pour le plaisir, il est beaucoup plus commode, comme faisaient les anciens, de perdre le dîner, et de remettre à faire bonne chère à l'heure de la retraite et du repos, sans rompre le jour : ainsi le faisais-je autrefois. Pour la santé, je trouve depuis par expérience, qu'au contraire il vaut mieux dîner, et que la digestion se fait mieux pendant la veille.

Je ne suis guère sujet à être altéré, ni sain ni malade : j'ai bien souvent alors la bouche sèche, mais sans soif. Et, communément, je ne bois que quand le désir m'en vient en mangeant, lorsque le cours du repas est bien avancé. Je bois assez bien, pour un homme de commune façon : en été, et dans un repas appétissant, je n'outrepasse point seulement les limites d'Auguste, qui ne buvait que trois fois précisément, mais pour n'offenser la règle de Démocrite, qui défendait de s'arrêter à quatre, comme à un nombre mal fortuné, je coule au besoin jusqu'à cinq : trois demi-setiers environ. Car les petits verres sont mes favoris, et il me plaît de les vider, ce que d'autres évitent comme chose mal séante. Je trempe mon vin plus souvent à moitié, parfois au tiers d'eau. Et quand je suis dans ma maison, suivant un ancien usage que son médecin ordonnait à mon père, et à lui-même, on mêle celui qu'il me faut, dès la sommellerie, deux ou trois heures avant qu'on serve. Ils disent, que Cranaos, roi des Athéniens, fut l'inventeur de cet usage de tremper le vin : utilement ou non, j'en ai vu débattre. J'estime plus décent et plus sain que les enfants n'en usent qu'après seize ou dix-huit ans. La forme de vivre la plus usitée et la plus commune est la plus belle : toute particularité m'y semble à éviter, et je haïrais autant un Allemand qui mît de l'eau dans son vin qu'un Français qui le boirait pur. L'usage public donne loi à de telles choses.

Je crains un air confiné, et fuis mortellement la fumée : la première réparation où je courus chez moi, ce fut aux cheminées et aux lieux d'aisance, vice commun des vieux bâtiments, et insupportable. Et au nombre des épreuves de la guerre, je compte ces épaisses poussières dans lesquelles on nous tient enterrés au chaud tout le long d'une journée. J'ai la respiration libre et aisée, et mes rhumes se passent le plus souvent sans atteinte au poumon et sans toux.

L'âpreté de l'été m'est plus ennemie que celle de l'hiver, car, outre l'incommodité de la chaleur, moins remédiable que celle du froid, et outre le coup que les rayons du soleil donnent à la tête, mes yeux s'offensent de toute lueur éclatante : je ne saurais à l'heure qu'il est dîner assis vis-à-vis d'un feu ardent et lumineux. Pour amortir la blancheur du papier, au temps que j'avais plus accoutumé de lire, je couchais sur mon livre une pièce de verre, et m'en trouvais fort soulagé. J'ignore jusqu'à présent l'usage des lunettes, et je vois aussi loin que je le fis onques, et que tout autre. Il est vrai que, sur le déclin du jour, je commence à sentir du trouble et de la faiblesse à lire, exercice qui a toujours travaillé mes yeux, mais surtout la nuit. Voilà un pas en arrière, à peine sensible. Je reculerai d'un autre, du second au tiers, du tiers au quart, si tranquillement qu'il me faudra être aveugle achevé avant que je sente le déclin et vieillesse de ma vue, tant les Parques détordent avec art le fil de notre vie. Aussi suis-je en doute que mon ouïe soit sur le point de s'épaissir, et vous verrez que je l'aurai à demi perdue que je m'en prendrai encore à la voix de ceux qui me parlent ! Il faut bien bander l'âme, pour lui faire sentir comme elle s'écoule.

Mon marcher est prompt et ferme, et je ne sais lequel des deux, ou l'esprit ou le corps, je fais rester plus malaisément en un même point. Il faut que le prêcheur soit bien de mes amis pour obliger mon attention durant tout un sermon ! Dans les lieux de cérémonie, où chacun est si bandé dans sa contenance, où j'ai vu les dames tenir leurs yeux mêmes si assurés, je ne suis jamais venu à bout que quelque partie de moi n'extravague toujours : encore que j'y sois assis, j'y suis peu rassis. De même que la chambrière du philosophe Chrysippe disait de son maître qu'il n'était ivre que par les jambes (car il avait cette coutume de les remuer en quelque assiette qu'il fût, et, même lorsque le vin émouvait ses compagnons, elle disait que lui n'en ressentait aucune altération), on a pu dire aussi dès mon enfance que j'avais de la folie dans les pieds, ou du vif-argent, tant j'y ai de remuement et d'inconstance naturelle, en quelque lieu que je les place.

C'est indécent, outre que cela nuit à la santé, voire aussi au plaisir, de manger goulûment comme je le fais : je mords souvent ma langue, parfois mes doigts, par excès de hâte. Diogène, rencontrant un enfant qui mangeait ainsi en donna un soufflet à son précepteur. Il y avait des hommes à Rome qui enseignaient à mâcher, comme à marcher, avec bonne grâce. J'en perds jusqu'au loisir de parler, qui est pourtant un si doux assaisonnement des tables, dès lors que les propos sont de même, plaisants et courts.

Il y a de la jalousie et de l'envie entre nos plaisirs : ils se choquent et s'empêchent l'un l'autre. Alcibiade, homme bien entendu à faire bonne chère, chassait la musique même des tables, pour qu'elle ne troublât point la douceur de deviser, pour cette raison que Platon lui prête, que c'est un usage bon aux gens du peuple que d'appeler des joueurs d'instruments et des chantres aux festins, à faute de ces bons discours et de ces agréables entretiens dont les gens d'entendement savent s'entre-festoyer.

Varron demande ceci pour un banquet : la réunion de personnes belles de prestance, et agréables de conversation, qui ne soient ni muettes ni bavardes, netteté et choix soigneux des mets et du lieu, et temps serein. Ce n'est pas une fête qui requière peu d'art et donne peu de volupté que de bien traiter à sa table. Ni les grands chefs de guerre ni les grands philosophes n'en ont dédaigné l'usage et la science. Mon souvenir a laissé trois de ces festins en garde à ma mémoire, que la fortune me rendit d'une souveraine douceur, en divers temps de mon âge plus florissant. Mon état présent m'en forclôt, car chacun pour soi y fournit de grâce principale et de saveur selon la bonne trempe de corps et d'âme dans laquelle il se trouve alors.

Moi qui ne tâte que terre à terre, je hais cette inhumaine sapience qui veut nous rendre dédaigneux et ennemis de la culture du corps. J'estime tout aussi injuste de prendre à contrecœur les voluptés naturelles que de les prendre trop à cœur : Xerxès était un insensé entouré de toutes les voluptés humaines, qui allait proposer un prix à qui lui en trouverait d'autres ; mais non guère moins insensé est celui qui retranche celles que Nature lui a trouvées. Il ne les faut ni suivre ni fuir : il les faut recevoir. Je les reçois un peu plus grassement et gracieusement, et je me laisse plus volontiers aller vers la pente naturelle. Nous n'avons que faire d'exagérer leur inanité : elle se fait assez sentir et se fait assez voir. Merci à notre esprit maladif, rabat-joie, qui nous dégoûte d'elles comme de lui-même. Il traite et soi, et tout ce qu'il reçoit, tantôt avant, tantôt arrière, selon son être insatiable, vagabond et versatile :

Si le vase n'est pur, quoi que l'on y verse s'aigrit
Sincerum est nisi uas, quodcunque infundis acescit ! [1]

Moi qui me vante d'embrasser avec tant de soin les commodités de la vie, et si particulièrement, je n'y trouve, quand j'y regarde ainsi finement, à peu près que du vent. Mais quoi ? Nous sommes partout de vent. Et encore le vent, plus sagement que nous, s'aime à bruire, à s'agiter, et se contente de ce qu'il sait faire, sans désirer la stabilité, la solidité, qualités qui ne sont siennes.

Les plaisirs purs de l'imagination, ainsi que les déplaisirs, disent d'aucuns, sont les plus grands, comme l'exprimait la balance de Critolaos [2]. Ce n'est pas merveille. Elle les compose à sa guise, et se les

1. Horace, *Épîtres*, I, II, 54.

2. Critolaos était un philosophe grec, mort en 111 avant J.-C., qui vint à Rome. Il donnait à imaginer une balance dont un plateau fût chargé des biens matériels,

taille en plein drap ! J'en vois tous les jours des exemples insignes, et d'aventure désirables. Mais moi, qui suis d'une condition mêlée, grossier, je ne puis mordre si entièrement et si simplement à ce seul objet que je ne me laisse tout lourdement aller aux plaisirs présents relevant de la loi humaine et générale : intellectuellement sensibles, sensiblement intellectuels. Les philosophes cyrénaïques veulent que, comme les douleurs, aussi les plaisirs corporels soient plus puissants, et comme doubles, et comme plus justes. Il en est, comme dit Aristote, qui par une sauvage stupidité, en font les dégoûtés. J'en connais d'autres qui le font par orgueil : que ne renoncent-ils encore à respirer ? Que ne vivent-ils du leur, et ne refusent-ils la lumière parce qu'elle est gratuite, elle qui ne leur coûte ni invention ni vigueur ? Que Mars, ou Pallas, ou Mercure, les sustentent donc pour voir, au lieu de Vénus, de Cérès, et de Bacchus [1] ! Chercheront-ils pas la quadrature du cercle juchés sur leurs femmes ? Je hais qu'on nous ordonne d'avoir l'esprit aux nues pendant que nous avons le corps à table. Je ne veux pas que l'esprit s'y cloue, ni qu'il s'y vautre, mais je veux qu'il s'y applique ; qu'il s'y assoie, non qu'il s'y couche. Aristippe ne défendait que le corps, comme si nous n'avions pas d'âme ; Zénon n'embrassait que l'âme, comme si nous n'avions pas de corps. Tous deux, vicieusement. « Pythagore, disent-ils, a suivi une philosophie toute en contemplation, Socrate, toute en mœurs et en action : de là, Platon a su trouver le bon dosage entre les deux. » Mais ils le disent pour nous en conter. Et le vrai dosage se trouve chez Socrate ; et Platon est plus socratique, que pythagorique : et cela lui sied mieux.

Quand je danse, je danse ; quand je dors, je dors. Voire, et quand je me promène solitairement en un beau verger, si mes pensées se sont entretenues d'occurrences étrangères durant quelque partie du temps, durant quelque autre partie, je les ramène à la promenade, au verger, à la douceur de cette solitude, et à moi. Nature a maternellement observé cela, que les actions qu'elle nous a enjointes pour notre besoin nous fussent en outre voluptueuses. Et elle nous y convie non seulement par la raison, mais aussi par l'appétit : c'est injustice de corrompre ses règles.

---

l'autre de ceux de l'esprit, et disait que quand même on ajouterait au premier et les terres et les mers, la balance ne serait pas rétablie.

1. Montaigne oppose trois divinités nourricières, qui dispensent des dons substantiels et palpables (Vénus, ou la chair ; Cérès, ou le blé ; Bacchus, ou le vin) à trois divinités qui procurent aux hommes des biens sans consistance pour les sens (Mars, la gloire des armes, Pallas, la philosophie et l'inanité des prétentions de la raison, Mercure, le « divertissement » du voyage, et l'argent que l'on dissipe sans fin, vaine richesse, qui ne tient pas à nous).

Quand je vois, et César, et Alexandre, au plus épais de leur grande besogne, jouir si pleinement des plaisirs humains et corporels, je ne dis pas que ce soit relâcher son âme, je dis que c'est la roidir, en soumettant par vigueur de courage à l'usage de la vie ordinaire ces occupations violentes et ces pénibles pensées. Sages, s'ils eussent cru que c'était là leur ordinaire vocation, celle-ci, l'extraordinaire ! Nous sommes de grands fous : « Il a passé sa vie dans l'oisiveté », disons-nous ; « je n'ai rien fait d'aujourd'hui. » – Quoi ? N'avez-vous pas vécu ? C'est non seulement la fondamentale, mais la plus illustre de vos occupations. « Si l'on m'eût mis à même de traiter des grandes affaires, j'eusse montré ce que je savais faire. » – Avez-vous su méditer et manier votre vie ? Vous avez fait la plus grande besogne de toutes.

Pour se montrer et exploiter, Nature n'a que faire de Fortune. Elle se montre également à tous nos étages, et derrière comme sans rideau. Avez-vous su composer vos mœurs ? Vous avez bien plus fait que celui qui a composé des livres. Avez-vous su prendre du repos ? Vous avez plus fait que celui qui a pris des empires et des villes. Le glorieux chef-d'œuvre de l'homme, c'est de vivre à propos. Toutes les autres choses : régner, thésauriser, bâtir, n'en sont qu'appendicules et adminicules, tout au plus. Je prends plaisir à voir un général d'armée, au pied d'une brèche qu'il veut tantôt attaquer, se prêter, tout entier, et parfaitement libre, à deviser parmi ses amis au cours de son dîner, et Brutus, alors qu'il a le ciel et la terre conspirés à l'encontre de lui et de la liberté romaine, dérober à ses rondes quelque heure de nuit pour lire et annoter Polybe en toute sérénité ! C'est aux petites âmes ensevelies sous le poids des affaires de ne savoir s'en démêler simplement, de ne savoir et les laisser et les reprendre :

Ô vous, hommes de cœur,
Qui souvent à mon bord avez souffert le pire,
Pour l'heure noyez donc vos soucis dans le vin :
Demain, nous ferons cap sur la plaine sans fin

o fortes peioraque passi,
Mecum sæpe uiri, nunc uino pellite curas,
Cras ingens iterabimus æquor. [1]

Que ce soit par gausserie, ou que, pour de bon, le « *vin théologal et sorbonique* » soit passé en proverbe ainsi que les festins en Sorbonne, je trouve que c'est raison qu'ils en dînent d'autant plus commodément et plaisamment qu'ils ont utilement et sérieusement employé la matinée à l'exercice de leur école. La conscience d'avoir bien utilisé les

1. Horace, *Odes*, I, VII, 30-32.

autres heures est un juste et savoureux condiment des tables. Ainsi ont vécu les sages. Et cette inimitable contention à la vertu, qui nous étonne chez l'un et l'autre Caton [1], cette humeur sévère jusqu'à l'importunité s'est ainsi mollement soumise et plu aux lois de l'humaine condition, et de Vénus et de Bacchus, suivant les préceptes de leur secte [2], qui demandent que le sage parfait soit aussi expert et entendu à l'usage des voluptés qu'en tout autre devoir de la vie : à cœur vaillant, vaillant palais *cui cor sapiat, ei et sapiat palatus.* [3]

Le relâchement et l'affabilité honorent, semble-t-il, à merveille et siéent mieux à une âme forte et généreuse. Épaminondas n'estimait pas que de se mêler à la danse des garçons de sa ville, de chanter, sonner le cor, et s'y embesogner avec attention, fût chose qui dérogeât à l'honneur de ses glorieuses victoires, et à la parfaite retenue de mœurs qu'il y avait chez lui. Et parmi tant d'admirables actions de Scipion l'Ancien, personnage digne qu'on le croie né d'une géniture céleste, il n'est rien qui lui donne plus de grâce que de le voir avec nonchalance et comme un enfant baguenaudant à ramasser et choisir des coquilles, et à jouer à cornichon-va-devant [4] le long de la mer avec Lélius, et s'il faisait mauvais temps, s'amusant et se chatouillant à représenter par écrit dans des comédies les actions les plus familières et les plus basses des hommes ; et la tête pleine de cette merveilleuse entreprise contre Hannibal et l'Afrique, il était en train de visiter les écoles en Sicile, et d'assister aux leçons des philosophes jusqu'à en avoir armé les dents de l'aveugle envie de ses ennemis à Rome. Ni chose qui soit plus remarquable chez Socrate que le fait que, tout vieux qu'il soit, il trouve encore le temps de se faire instruire à danser et jouer des instruments, et le tient pour bien employé.

Celui-ci s'est vu en extase debout un jour entier et une nuit, en présence de toute l'armée grecque, surpris et ravi par quelque profonde pensée. On l'a vu, le premier parmi tant de vaillants hommes de l'armée, courir au secours d'Alcibiade accablé par ses ennemis, le

---

1. Caton l'Ancien (234-249 av. J.-C.) fut célèbre pour son goût de la vie simple et rustique. Caton d'Utique (95-46 av. J.-C.), son descendant, était un stoïcien : l'expression « suivant les préceptes de leur secte » vise, bien sûr, d'abord ce dernier, mais, par extension, aussi bien le premier, qui est resté dans l'histoire comme le type même du « vieux Romain », couturé de plaies et dur à cuire.

2. La secte des Stoïciens.

3. Cicéron, *De finibus,* II, VIII, 24.

4. Si j'en crois le lexicographe anglais du XVIe siècle Randle Cotgrave, auteur d'un dictionnaire franco-anglais, il s'agirait d'un jeu de ricochets, ou de palets, le « cornichon » étant comme le « cochonnet » lancé devant, et qu'il s'agit ensuite de rattraper ou de dépasser, c'est selon.

couvrir de son corps, et le décharger de la multitude à vive force d'armes ; à la bataille de Délos, relever et sauver Xénophon renversé de son cheval ; et au milieu de tout le peuple d'Athènes, outré comme lui d'un si indigne spectacle, se présenter le premier pour secourir Théramène que les trente tyrans faisaient mener à la mort par leurs satellites, et il ne renonça à cette entreprise hardie que sur la remontrance de Théramène lui-même, quoiqu'il ne fût suivi que de deux hommes en tout. On l'a vu, alors qu'il était recherché par une beauté dont il était épris, maintenir au besoin une sévère abstinence. On l'a vu marcher continuellement à la guerre et fouler la glace pieds nus ; porter la même robe en hiver et en été ; surpasser tous ses compagnons en patience à la peine, ne manger point autrement dans un festin qu'à son ordinaire. On l'a vu pendant vingt et sept ans, avec le même visage, supporter la faim, la pauvreté, l'indocilité de ses enfants, les griffes de sa femme, et à la fin la calomnie, la tyrannie, la prison, les fers, et le poison. Mais conviait-on cet homme-là à boire cul sec par devoir de civilité, c'était aussi celui de l'armée à qui restait l'avantage. Et il ne se refusait ni à jouer aux noisettes avec les enfants, ni à courir avec eux sur un cheval de bois, et il y avait bonne grâce, car toutes actions, dit la philosophie, siéent également bien à l'homme sage et l'honorent également. On a matière, et jamais l'on ne doit s'en lasser, à présenter l'image de ce personnage pour tous patrons et toutes formes de perfection. Il est fort peu d'exemples de vie qui soient pleins et purs. Et l'on fait tort à notre instruction en nous en proposant tous les jours de faibles et défectueux, à peine bons à donner un seul pli, qui nous tirent arrière plutôt, et corrupteurs plus que correcteurs.

Le peuple se trompe : on va bien plus facilement par les bouts, là où l'extrémité sert de borne, d'arrêt et de guide, que par la voie du milieu, large et ouverte ; et selon l'art mieux que selon la nature, mais bien moins noblement aussi, et de façon moins estimable. La grandeur de l'âme n'est pas tant de tirer amont et de tirer avant, que de savoir se placer à son rang et s'y circonscrire. Elle tient pour grand tout ce qui est assez, et montre sa hauteur à aimer mieux les choses moyennes que les éminentes. Il n'est rien si beau et si légitime que de faire bien l'homme et dûment ; ni science si ardue que de bien savoir vivre cette vie. Et de toutes nos maladies, la plus sauvage, c'est de mépriser notre être. Qui veut écarter son âme [1], qu'il le fasse hardiment, s'il peut, lorsque le corps se portera mal, pour la décharger de cette contagion : ailleurs au contraire qu'elle assiste ce corps et le favorise, et ne refuse point de participer à ses plaisirs naturels, et de s'y

1. Se suicider.

complaire conjugalement, en y apportant, si elle est la plus sage, de la modération, de peur que, faute de discernement, ces plaisirs ne se confondent avec le déplaisir. L'intempérance est la peste de la volupté, et la tempérance n'est pas son fléau : c'est son assaisonnement. Eudoxe, qui fondait le souverain bien sur la volupté, et ses compagnons, qui la montèrent à si haut prix, la savourèrent dans sa plus gracieuse douceur par le moyen de la tempérance, qui fut en eux singulière et exemplaire. J'ordonne à mon âme de regarder et la douleur et la volupté d'une vue pareillement réglée : l'effusion de l'âme dans la joie n'étant pas moins un défaut que son retrait dans la douleur *eodem enim uitio est effusio animi in lætitia quo in dolore contractio*, [1] et pareillement ferme : mais gaiement l'une, l'autre sévèrement, et, selon ce qu'elle y peut apporter, autant soigneuse d'éteindre l'une, que d'étendre l'autre. Voir sainement les biens entraîne après soi voir sainement les maux. Et la douleur a quelque chose de non évitable, en son tendre commencement, la volupté quelque chose d'évitable en sa fin excessive. Platon les accouple, et veut que ce soit pareillement l'office du courage de combattre et à l'encontre de la douleur, et à l'encontre des blandices immodérées et charmeresses de la volupté. Ce sont deux fontaines auxquelles quiconque y puise, quand et combien il faut, soit cité, soit homme, soit bête, est bienheureux. La première, il la faut prendre par médecine et par nécessité, plus parcimonieusement, l'autre par soif, mais non jusqu'à l'ivresse. La douleur, la volupté, l'amour, la haine, sont les premières choses que ressent un enfant : si, la raison survenant, elles s'appliquent à elle, cela c'est la vertu.

J'ai un dictionnaire tout à part moi : je *passe* le temps quand il est mauvais et incommode ; quand il est bon, je ne le veux pas *passer*, je le *retâte*, je *m'y tiens*. Il faut courir le mauvais, et se rasseoir au bon. Cette expression ordinaire de *passe-temps*, et de *passer le temps* représente l'usage de ces prudentes gens qui ne pensent point avoir meilleur compte de leur vie que de la couler et échapper, de la *passer*, gauchir, et, autant qu'il est en eux, de l'ignorer et de la fuir comme chose de qualité ennuyeuse et dédaignable. Mais je la connais autre, et je la trouve et prisable et commode, même en la dernière partie de son cours, où je suis désormais. Et Nature nous l'a mise en main garnie de telles circonstances, et si favorables, que nous n'avons à nous plaindre qu'à nous, si elle nous presse, et si elle nous échappe inutilement : la vie des sots est sans joie, agitée, tout entière tournée vers l'avenir *stulti uita ingrata est, trepida est, tota in futurum fertur*. [2] Je me compose pourtant à la perdre sans

1. Cicéron, *Tusculanes*, IV, XXXI, 66.
2. Sénèque, *Lettres à Lucilius*, XV, 10.

regret, mais comme perdable en vertu de sa condition, non comme pénible et importune. Aussi sied-il proprement bien de ne se déplaire point à mourir seulement à ceux qui se plaisent à vivre. C'est tout un *ménagement* que d'en jouir : j'en jouis au double des autres, car la mesure de la jouissance dépend du plus ou moins d'application que nous y prêtons. Principalement à cette heure que j'aperçois la mienne si brève en temps, je la veux étendre en poids : je veux arrêter la promptitude de sa fuite par la promptitude de ma saisie, et, par la vigueur de l'usage, compenser la rapidité de son écoulement. À mesure que la possession du vivre est plus courte, il me la faut rendre plus profonde, et plus pleine.

Les autres sentent la douceur d'un contentement, et de la prospérité : je la sens ainsi qu'eux, mais ce n'est pas en *passant* et glissant. Il la faut étudier, savourer, et ruminer, pour en rendre des grâces dignes de celui qui nous l'octroie. Ils jouissent des autres plaisirs comme ils font de celui du sommeil, sans les connaître. À cette fin que le dormir même ne m'échappât ainsi stupidement, j'ai autrefois trouvé bon qu'on me le troublât, afin que je l'entrevisse. Je consulte d'un contentement avec moi ; je ne *l'écume* pas, je le *sonde*, et plie ma raison à le recueillir, quoiqu'elle soit devenue chagrine et dégoûtée. Me trouvé-je en quelque assiette tranquille, y a-t-il quelque volupté qui me chatouille, je ne me la laisse pas friponner par les sens : j'y associe mon âme. Non pas pour s'y *engager*, mais pour s'y *agréer* ; non pas pour *s'y perdre*, mais pour *s'y trouver*. Et je l'emploie pour sa part à se mirer dans cet état prospère, à en peser et estimer le bonheur, et à l'amplifier. Elle mesure combien elle doit à Dieu d'être en repos de sa conscience et d'autres passions intestines ; d'avoir le corps dans sa disposition naturelle, jouissant avec ordre et convenablement des fonctions douces et flatteuses par lesquelles il lui plaît de compenser de sa grâce les douleurs dont sa justice nous bat à son tour. Combien lui vaut d'être logée en tel point que, où qu'elle jette sa vue, le ciel est calme autour d'elle : nul désir, nulle crainte ou doute qui lui trouble l'air, aucune de ces difficultés passées, présentes, ou futures par-dessus lesquelles son imagination ne passe point sans atteinte. Cette considération tire un grand éclat de la comparaison des conditions différentes : ainsi, je me propose sous mille visages ceux que la fortune ou que leur propre erreur emporte et secoue à tempête. Et encore ceux-ci, plus près de moi, qui reçoivent si lâchement et avec autant d'indifférence leur bonne fortune. Ce sont gens qui vraiment *passent leur temps* ; ils *outrepassent* le présent, et ce qu'ils possèdent, pour être serfs de l'espérance, et pour des images vaines et ombreuses, que le fantasme leur met au-devant,

Tels ces fantômes qui, dit-on, volent après mourir,
Ou tels ces songes qui se jouent de nos sens assoupis
Morte obita quales fama est uolitare figuras,
Aut quæ sopitos deludunt somnia sensus ; [1]

Lesquelles images hâtent et allongent leur fuite à mesure qu'on les suit. Le fruit et but de leur poursuite, c'est de poursuivre, comme Alexandre disait que la fin de ses travaux, c'était de travailler,

croyant n'avoir rien fait si chose lui restait à faire
Nil actum credens cum quid superesset agendum. [2]

Pour moi donc, j'aime la vie, et je la cultive telle qu'il a plu à Dieu de nous l'octroyer : je ne vais pas désirant qu'elle ne connût point la nécessité de boire et de manger. Et il me semblerait faillir de façon non moins excusable si je désirais qu'elle eût doubles ces besoins, le philosophe étant avide à tous crins des richesses de la nature *sapiens diuitiarum naturalium quæsitor acerrimus,* [3] ni que nous nous sustentassions au contraire en nous mettant seulement dans la bouche un peu de cette drogue par laquelle Épiménide [4] se privait d'appétit et se maintenait ; ni qu'on produisît stupidement des enfants par les doigts ou par les talons, mais pour le dire avec révérence, que plutôt encore on les produisît *voluptueusement* par les doigts et par les talons ; ni que le corps fût sans désir et sans chatouillement. Ce sont là des plaintes ingrates et iniques. J'accepte de bon cœur et avec reconnaissance, ce que nature a fait pour moi, et m'en agrée et m'en loue. On fait tort à ce grand et tout puissant donneur de refuser son don, de l'annuler et défigurer : tout bon, il a fait *tout bon !* Tout ce qui est selon Nature mérite notre estime *omnia quæ secundum naturam sunt æstimatione digna sunt.* [5] Des opinions de la philosophie, j'embrasse plus volontiers celles qui sont les plus solides, c'est-à-dire les plus humaines et nôtres : mes discours sont, conformément à mes mœurs, bas et humbles. Elle fait bien l'enfant à mon gré quand elle se met sur ses ergots pour nous prêcher que c'est une farouche alliance de marier le divin avec le terrestre, le raisonnable avec le déraisonnable, le sévère à l'indulgent, l'honnête au déshonnête ; que la volupté est une qualité bestiale, indigne que le sage la goûte ; que le seul plaisir qu'il tire de la jouissance d'une belle

1. Virgile, *Énéide*, X, 641-642.
2. Lucain, II, 657.
3. Sénèque, *Lettres à Lucilius*, CXIX, 5.
4. Épiménide était un Crétois de la fin du VIe siècle av. J.-C., moitié sage, moitié chaman. Il serait venu à Athènes à l'invitation de Solon. Il est question de ce gourou mystique dans Plutarque (*Moralia*, 157 d) et dans Diogène Laërce (I, 114).
5. Cicéron, *De finibus*, III, VI, 20.

et jeune épouse, c'est le plaisir d'avoir conscience de faire une action selon l'ordre des choses, comme de chausser ses bottes pour une utile chevauchée. Puissent ses sectateurs n'avoir pas plus de « droit », de « nerf », et de « suc » [1], au dépucelage de leurs femmes que n'en a sa leçon ! Ce n'est pas ce que dit Socrate, son précepteur et le nôtre. Il prise comme il doit la volupté corporelle, mais il préfère celle de l'esprit, comme ayant plus de force, de constance, de facilité, de variété, de dignité. Celle-ci ne va nullement seule, selon lui – il n'est pas si fantasque ! – Mais seulement, elle est la première. Pour lui, la tempérance est modératrice, non pas adversaire des voluptés.

Nature est un doux guide, mais non pas plus doux que prudent et juste : il faut pénétrer dans la nature des choses, et observer bien à fond ce qu'elle requiert *intrandum est in rerum naturam, et penitus quid ea postulet peruidendum.* [2] Je quête partout sa piste : nous l'avons brouillée de traces artificielles. Et ce souverain bien de l'Académie et du Lycée, qui est de vivre selon elle, devient pour cette raison difficile à borner et à expliquer. Et celui des Stoïciens, voisin à celui-là, qui est de consentir à Nature, est-ce pas une erreur que d'estimer certaines actions moins dignes parce qu'elles sont nécessaires ? Aussi ne m'ôteront-ils pas de la tête que ce ne soit un très convenable mariage que celui du plaisir avec la nécessité, avec laquelle, dit un ancien, les dieux complotent toujours. Pourquoi donc démembrons-nous par un divorce un bâtiment dont les pièces tissues ensemble et se correspondent d'une façon si fraternelle et si bien ajustée ? Au rebours, renouons-le par de mutuels offices : que l'esprit éveille et vivifie la pesanteur du corps, que le corps arrête la légèreté de l'esprit, et la fixe : Qui loue la nature de l'âme comme le bien, et condamne la chair comme le mal, assurément il chérit l'âme charnellement et c'est charnellement qu'il fuit la chair, car pareil sentiment procède de la vanité humaine, non point de la divine vérité *Qui uelut summum bonum laudat animæ naturam, et tanquam malum naturam carnis accusat, profecto et animam carnaliter appetit, et carnem carnaliter fugit, quoniam id uanitate sentit humana, non ueritate diuina !* [3] Il n'y a point de pièce qui soit indigne de notre soin dans ce présent que Dieu nous a fait : nous en devons compte au poil près. Et ce n'est pas pour l'homme une mission de pure forme que de conduire l'homme selon sa nature : elle est expresse, innée et tout à fait primordiale, et le Créateur nous l'a donnée sérieusement et sévèrement. L'autorité a seule pouvoir le sur les entendements communs, et elle pèse plus quand elle s'exprime en langue étrangère. Livrons donc une nouvelle

---

1. Qu'on y plante « son *droit* », ou son « *nerf* » (*i.e.* son 'muscle'), ou qu'on y répande son « *suc* », c'est toujours faire l'amour.

2. Cicéron, *De finibus*, V, XVI, 44.

3. Saint Augustin, *La Cité de Dieu*, XIV, V.

charge en ce lieu : qui n'avouerait que c'est bien le propre de la bêtise que de faire avec mollesse et en maugréant ce qui doit être fait, de pousser le corps d'un côté, l'esprit de l'autre, et de se laisser tirailler entre des mouvements si contraires *stultitiæ proprium quis non dixerit ignaue et contumaciter facere quæ facienda sunt : et alio corpus impellere, alio animum, distrahique inter diuersissimos motus ?* [1]

Or sus, pour voir, faites-vous dire un jour les amusements et les idées que ce genre de docteur-là met dans sa tête, et pour lesquelles il détourne sa pensée d'un bon repas et plaint l'heure qu'il emploie à se nourrir : vous trouverez qu'il n'y a rien d'aussi fade, parmi tous les mets de votre table, que ce bel entretien de son âme (le plus souvent il nous vaudrait mieux dormir tout à fait que de veiller à ce à quoi nous veillons !), et vous trouverez que son discours et ses aspirations ne valent pas votre capirotade [2]. Quand ce seraient les ravissements d'Archimède même, que serait-ce ? Je ne touche pas ici – et je ne les mêle point à cette marmaille d'hommes que nous sommes et à cette vanité de désirs et de cogitations qui nous dévoient – à ces âmes vénérables, à ces âmes élevées par l'ardeur de leur dévotion et de leur religion à une constante et consciencieuse méditation des choses divines, lesquelles âmes, dis-je, – goûtant par avance, par l'effort d'une espérance vive et véhémente l'usage de la nourriture éternelle, but final et dernier arrêt des chrétiens désirs, seul plaisir constant, incorruptible –, dédaignent de s'appliquer à nos nécessiteuses commodités, fluides et ambiguës, et abandonnent facilement au corps le soin et l'usage de la pâture sensuelle et temporelle : c'est là une ascèse privilégiée. Entre nous, ce sont choses que j'ai toujours vues singulièrement en accord : les opinions supracélestes, et les mœurs souterraines.

Ésope, ce grand homme, vit son maître qui pissait en se promenant : « Quoi donc, fit-il, nous faudra-il chier en courant ? » Ménageons le temps, encore nous en reste-t-il beaucoup d'oisif, et de mal employé. Notre esprit n'a probablement pas assez d'autres heures pour faire ses besognes sans se désassocier du corps en ce peu d'espace qu'il lui faut pour sa nécessité. Ils veulent se mettre hors d'eux-mêmes, et échapper à l'homme. C'est folie : au lieu de se

1. Sénèque, *Lettres à Lucilius*, LXXIV, 32.

2. *Capirotade* : *i.e.* « capilotade », sorte de salmis, ou d'épais ragoût fait d'un fin hachis de diverses viandes cuites dans une sauce au vin (une « espagnole ») ; la forme employée par Montaigne est un gasconisme, mâtiné justement d'hispanisme : de l'esp. « *capirot* », « petit bout de 'capuchon' », qui désignait une sorte de bout d'omelette mêlée, ou de « tortilla » épaisse et garnie, déposée en « tapon » ou « tampon » pour couvrir un autre mets. Qui s'y laisserait aller, il trouverait dix curiosités verbales de cette sorte à chaque page, ou presque, dans les *Essais.* Baste, passe pour une fois : dans ce chapitre, tout est chair !

transformer en Anges, ils se transforment en bêtes ; au lieu de se hausser, ils s'abattent. Ces humeurs transcendantes m'effrayent, comme les lieux hautains et inaccessibles. Et rien ne m'est fâcheux à digérer dans la vie de Socrate que ses extases et ses « démoneries » ; rien si humain dans Platon que ce pour quoi ils disent qu'on l'appelle « divin ». Et de nos sciences, celles-là me semblent les plus terrestres et les plus basses qui sont les plus haut montées. Et je ne trouve rien si humble et si mortel dans la vie d'Alexandre que ses fantaisies autour de son immortalisation. Philotas le mordit plaisamment par sa réponse. Il s'était avec lui réjoui par lettre de l'oracle de Jupiter Ammon, qui l'avait logé parmi les dieux : « En ce qui te concerne, j'en suis bien aise, mais il y a de quoi plaindre les hommes qui auront à vivre avec un homme, et à lui obéir, lequel outrepasse la mesure d'un homme, et ne s'en contente point ». C'est en te soumettant aux dieux que tu règnes *Diis te minorem quod geris, imperas.* [1] La gentille inscription, par laquelle les Athéniens honorèrent la venue de Pompée dans leur ville, se conforme à mon sens :

D'autant es-tu Dieu, comme
Tu te recognois homme.

C'est une absolue perfection, et comme divine, de savoir jouir loyalement de son être : nous cherchons d'autres conditions, faute d'entendre l'usage des nôtres, et nous sortons hors de nous, faute de savoir quel temps il fait. Nous avons beau de monter ainsi sur des échasses : encore faut-il marcher avec nos jambes. Et sur le plus élevé trône du monde, encore ne sommes-nous assis que sur notre cul.

Les plus belles vies sont à mon gré celles qui se rangent au modèle commun et humain avec ordre, mais sans miracle, sans extravagance. Maintenant, la vieillesse a un peu besoin d'être traitée plus tendrement. Recommandons-la à ce dieu protecteur de la santé et de la sagesse [2], mais une sagesse gaie, et sociable :

Frui paratis et ualido mihi,
Latoe, dones, et, precor, integra
Cum mente, nec turpem senectam
Degere, nec cythara carentem. [3]

De jouir de mes biens, tant que mon corps fleuronne,
Daigne me l'accorder, ô toi, fils de Latone,
Et de ne point traîner ni vieillesse honnie,
L'esprit encore sain, ni sans ma lyre, ô je t'en prie !

---

1. Horace, *Odes*, III, VI, 5.
2. Apollon.
3. Horace, *Odes*, I, XXXI, 17-20.

NOTES DES LIVRES I, II, III

NOTES DU LIVRE I

a. Page 5 – *Par divers moyens on arrive à pareille fin.* Bien qu'il n'ait probablement pas été écrit le premier, ce chapitre est caractéristique de la première manière de Montaigne : diverses anecdotes, puisées à des sources diverses, proposent, autour d'un même thème qui les unit des exemples moraux et historiques tantôt semblables, tantôt contradictoires, que l'auteur se contente de juxtaposer et de commenter très brièvement, parfois pas du tout. Cette manière ne fait que reprendre un exercice scolaire habituel dans l'antiquité, qui est celui de la *chrie* : les rhéteurs demandaient à leurs élèves de développer et d'amplifier une maxime ou une sentence à l'aide d'exemples, de citations ou de lieux communs. Les humanistes ont fréquemment pratiqué la *chrie*, sous le titre générique de *« Diverses leçons de... »*. Montaigne puise tour à tour dans Jean Bodin, chez l'historien italien Paulo Giovio, dans Sénèque, Plutarque, Quinte-Curce ou Diodore de Sicle. Ici, dès l'ouverture, l'un des thèmes centraux de l'œuvre est d'emblée présent : « l'homme », en tant que « sujet merveilleusement vain, ondoyant et divers ». Misère de l'homme, aux humeurs irrationnelles, contradictoires, et changeantes. Vanité, vacuité et néant d'un être inconsistant et inconstant. Le « moi » de Montaigne n'entrera en jeu que progressivement, et sensiblement plus tard. La pensée est encore dans l'œuf.

b. Page 8 – *De la tristesse*. Le premier et le dernier paragraphe de ce chapitre sont des additions propres à l'édition posthume de 1595. On voit de toute évidence que ces ajouts ne sauraient être partis d'une autre main que de celle de l'auteur. On voit aussi que l'une de ses préoccupations dernières était de rapprocher un peu ses premiers *essais* de sa dernière manière, plus personnelle et plus autobiographique. On mesure à cela l'évolution du dessein de Montaigne, et le sens de certaines des corrections qu'il apporta *in fine* à son œuvre, afin de lui donner plus d'unité, et surtout pour la recentrer sur l'analyse de soi.

c. Page 12 – *Nos affections nous emportent au-delà de nous* : Montaigne dans cet essai, qui a connu de nombreux rajouts successifs, s'interroge sur le fait curieux que souvent nous étendions nos volontés *« au-delà de nous »,* c'est-à-dire outre notre mort. Cette prétention obstinée à croire que notre dépouille ait encore quelque importance pour les vivants ou puisse produire quelque effet parmi eux n'est que « fausse imagination », « persévérante vanité » ou « importune superstition ». Pourtant, Montaigne, se relisant, semble hésiter et s'interroge, pour finir, sur les relations occultes qui semblent s'établir parfois entre les domaines pourtant séparés (« une fois hors de l'être, nous n'avons aucune communication avec ce qui est ») de la vie et de la mort : les changements du vin, par exemple, suivent ceux de « sa vigne ». Conflit à l'issue incertaine entre les croyances chrétiennes en la résurrection de la chair ou dans l'efficace des reliques des saints (dont Montaigne ne souffle mot ici) et la certitude épicurienne du néant éternel auquel nous retournons après la mort : il penche probablement du côté de Lucrèce, mais suspend son jugement : « que sais-je ? »

d. Page 27 – Exceptionnellement, je m'attarderai un peu ici à gloser. Il n'est pas toujours aisé de s'apercevoir que Montaigne conceptualise en conversant. Je voudrais, au seuil de cette édition, mettre le lecteur en garde contre une lecture non réflexive de Montaigne. La plupart des critiques ne se sont intéressés qu'à la fin de ce bref chapitre, considérant la première partie de l'analogie comme une sorte de préambule rhétorique. Bien à tort.

Quelques observations donc sur cet essai apparemment sans mystère :

1°) Sur les mots d'abord : « l'esprit » (*i.e.* l'imaginaire, qui produit sans cesse des « *fantasies* », toujours inventif, mais foncièrement *sans règles* ni lois), est à distinguer de « l'âme » (siège du sentiment et de la volonté, principe moteur de nos actes), comme de la « raison » discursive, déductive, et *réglée*, ou de « l'entendement » (l'intelligence conceptuelle, la faculté de comprendre, de donner du sens et d'interpréter).

2°) Montaigne dit : « assujettir... à de *certaines* semences » ; mais cet adjectif est à prendre au sens du latin *certus*, « déterminé », tout comme un peu plus loin « à *certain* sujet » signifie « à quelque sujet bien déterminé ». (Dans le français d'aujourd'hui, une fois postposé, l'adjectif cesse de se confondre avec l'indéfini et redevient qualificatif, comme dans l'expression « un dessin tracé à contours certains ».) Or tout l'objet du propos revient ici à opposer l'indétermination nocive d'une fertilité débridée de l'esprit à sa *détermination réglée*, seule féconde et constructive, dès que l'esprit s'applique à un « sujet » précis. Dans le même ordre d'idées : les amas de chair que produisent parfois les femmes « toutes seules » sont « *informes* » : cet adjectif signifie « sans forme précise », mais aussi « sans *cause formelle* », au sens d'Aristote : les terres en friche, les femmes non fécondées produisent, car elles sont « cause substantielle », mais ce qu'elles enfantent ne sont que des productions « incertaines », « indéterminées » quant à leurs qualités, car il y manque l'opération de la « cause formelle », qui seule fait passer la substance « informe » à l'être « informé » par le moule ou le « type » d'une essence. La « forme » ici provient de la « semence » : on passe alors de la fertilité désordonnée des terres en friches à la fécondité utile parce que déterminée et « informée » : de même, une imagination fertile est autre chose qu'un esprit fécond.

3°) Certains philosophes, comme Bernard Sève (*op. cit.*, p. 31, N. 1), se plaignent que la citation de Virgile (*Énéide*, VIII, 22-25), rajoutée, rompe l'unité de la construction. Ce point de vue me semble discutable, à certains égards. On peut voir d'abord que, comme presque toujours, la citation latine s'intègre à la syntaxe même de la phrase française et la poursuit, tout en lui apportant un lustre poétique que l'auteur *s'approprie* (pas de guillemets, pas d'indication de la source, intégration grammaticale) : Montaigne soigne, après coup, ce qui, à la relecture (après 1588) lui apparaît comme pouvant servir de « préface philosophique » aux *Essais*. Qui parle alors ici ? Comme dans tous les « emprunts » de Montaigne (« emprunt » est l'unique mot qu'il emploie pour désigner ce que nous appelons ses « citations »), on ne saurait le dire : c'est à la fois non la voix de tel ou tel poète mais celles-là mêmes des Muses latines et de l'essayiste qui se mêlent et se confondent dans son gosier ému. Or, pour ce qui est du contenu énoncé, tout ce bref chapitre semble n'être que le développement réglé d'une série de rapports proportionnels : ce que les terres oisives sont aux terres ensemencées, tout comme ce que les femmes « toutes seules » sont aux femmes fécondées, l'esprit oisif l'est aussi à l'esprit « assujetti » à un objet « certain ». À cet égard, et quelle que soit leur splendeur, les vers de Virgile ici cités semblent bien interrompre la série proportionnelle en cela qu'il y manque le deuxième comparant attendu : le poète ne met rien en rapport avec l'eau libre qui frémit aux brises dans l'urne de bronze. En revanche, une fois intégré à la série de rapports que Montaigne a ordonnée, le terme manquant devient assez imaginable. L'eau reçoit ici le rôle de l'élément matriciel ailleurs dévolu à la terre ou aux femmes ; la lumière émise, celui de la « semence ». En effet, l'eau de la vasque de bronze, « oisive » puisqu'elle frissonne à l'air libre, est à l'eau qu'un astronome « embesogne » en son parfait miroir ce que les friches sont aux terres ensemencées et les femmes non fécondées aux femmes qui ont reçu le sperme : l'eau libre en effet ne peut que diffracter des scintillements frémissants et *informes* qui se perdent « dans les airs », tandis que le miroir d'eau, parfaitement immobile, « embesogné », et directement *assujetti* par un observateur méthodique aux rayons du soleil ou de la lune, produit aux yeux une image aux contours *certains* et déterminés. Il est des reflets réglés comme il en est d'incertains ; les uns sont fertiles en éclats épars, les autres féconds en images claires, distinctes et utiles. On ne manquera pas d'objecter que ce « miroir d'eau immobile » que je suggère est absent des vers de Virgile. Observons tout d'abord que c'est ici Montaigne et non plus Virgile qui parle et que ce miroir d'eau, « *splendor aquai* », est notoirement présent dans le poème de Lucrèce (cf. IV, 211-213, mais aussi IV, 98-109 et 150-156, par exemple). Certes, Montaigne n'évoque pas ici le *De rerum natura*, mais il en est tout imprégné au moment où il rajoute cet « emprunt ». Qu'il ait ou non songé à cela importe assez peu cependant, car c'est à dessein que Montaigne laisse ici une « case vide » : observons en effet, du côté des comparés cette fois, que l'essayiste, absence plus remarquable encore, ne nomme pas davantage ce que produit l'esprit assujetti à quelque objet déterminé : tous les termes des rapports de l'homothétie ici développée ne sont pas explicités, si importants soient-ils pour la symétrie des rapports et la pleine assertion de la pensée. Ainsi l'énoncé ne va-t-il pas sans paradoxe.

Car enfin qu'enfante l'esprit « assujetti » ? Des pensées réglées et certaines, comme on pourrait s'y attendre ? Non point : même « embesogné », ce « cheval échappé » se borne à « mettre en rôle », à enregistrer, « sans ordre, et sans propos », les pensées qui lui viennent, l'auteur se contentant d'espérer que leur enregistrement permettra de « lui en faire honte à lui-même ». Aux « herbes folles » des « terres oisives » répondent les moissons fécondes des terres ensemencées ; aux avortons des femmes « toutes seules », les « générations bonnes et naturelles ». Mais aucun terme explicite ne correspond ni aux scintillements incertains et informes de l'eau oisive du bassin de bronze, ni aux pensées que pourrait enfanter l'esprit « assujetti ». Ici manque un comparant, là un comparé, l'un et l'autre pourtant cruciaux. Faut-il s'étonner que l'analogie soit ainsi sciemment biaisée ? Montaigne fuit toujours tout ce qui est systématique, et c'est à dessein qu'il laisse de l'asymétrie dans la symétrie ; on sait de plus que son style cultive l'ellipse autant qu'il le peut, d'où ces « cases vides », et il serait au reste aisé de montrer qu'il a bien par ailleurs tâché d'alléger de diverses façons le tour de cette comparaison à l'appareil quelque peu « pédantesque ». Mais l'essentiel est ailleurs. D'abord, vu la place qui leur est donnée dans le système du discours citant, et qui est celle d'un troisième *couple* de comparants, ces vers devenus anonymes ne laissent pas de refléter implicitement la construction proportionnelle qui ordonne le passage, mais *avec perte*, comme dans une mise en abyme : ils sont ici comme le reflet d'un reflet. Grâce à cette « perte en ligne » délibérée, l'analogie supplémentaire « dérobée » à l'*Énéide*, outre le gain poétique qu'elle procure au discours, permet déjà à l'auteur d'accuser l'aspect le plus inquiétant de la similitude ici développée : le jeu sans fin des réverbérations incertaines du soleil sur l'eau « oisive » ressemble à ces éclairs dispersés de l'esprit (« embesogné » aussi bien qu'« oisif » !) : ses (folles) *fantasies* se propagent, infécondes, comme une onde qui s'élargit sans borne ; et dans les deux cas, on retrouve l'idée d'une déperdition à l'infini. Les illuminations originelles de la lumière ou de l'esprit se dissipent en se réverbérant dans l'*indéterminé*, dont Montaigne s'effraie, comme Pascal le fera du « silence des espaces infinis ». Mais surtout ce qui semble décisif, c'est que le comparé manquant (que produit l'esprit « embesogné » ?) répond très exactement au comparant absent de la citation poétique (que réfléchirait une eau « assujettie » et parfaitement immobile ?) : la vérité est que les *Essais* eux-mêmes ne sont pas autre chose que l'eau oisive du bassin de bronze qui frémit à toutes les brises. Sans avoir reçu nulle « autre semence », le livre-miroir reflète « sans ordre et sans propos » les libres miroitements qui se font jour dans l'esprit essentiellement *mobile* de l'auteur. Où l'on voit que Montaigne ici ruse et se joue de « l'indiligent lecteur » : il n'a bâti tout l'appareil de cette ample analogie que mieux la biaiser et gauchir : le dérèglement persiste à travers l'apparent règlement de l'analogie proportionnelle. L'écriture ne sert nullement à l'auteur à régler son esprit ; son livre reste une terre oisive, fertile, mais non travaillée et libre de cette semence *autre* que sont les opinions d'autrui et des « auteurs ». Dans son *otium*, Montaigne revendique donc en fait que les *Essais* ne soient qu'herbes folles et foisonnantes, et il fait ici l'éloge déguisé d'une production philosophique « informe », sans doute, et « inutile », mais au moins parfaitement *naturelle*. Délibérément *oisif*, l'esprit du penseur gentilhomme ne se laisse ni « embesogner » ni « assujettir » : dans cette première confession à propos de son livre, Montaigne revendique en fait d'être qui il est : un philosophe de « plein vent ». Or la marque textuelle qui ouvre la voie à cette interprétation n'est rien d'autre que la double absence symétrique d'une part d'un comparant opposable à l'eau oisive du bassin de bronze, d'autre part de toute désignation de ce que peut enfanter un esprit assujetti à un objet précis. Rien ne permet donc de dire que cet emprunt à la poésie latine n'aurait que peu de rapport avec l'idée qui sous-tend cette analogie complexe, et retorse, du seul fait de l'absence purement formelle du deuxième comparant attendu. La boiterie voulue de cette proportion si étudiée conduit à l'essentiel : dépassant la mélancolie que pouvait lui inspirer le dérèglement sans fin de l'esprit, Montaigne, toute honte bue, prend le généreux parti d'un naturel pleinement assumé et d'une liberté de penser sans entraves. Et c'est précisément par cette liberté d'allure qu'il va conquérir la noblesse française aux prestiges d'un humanisme décrassé de toute autorité pédante.

4°) À la fin de sa comparaison, Montaigne parle des « monstres *fantasques* » que produit son esprit quand il n'est pas « assujetti » à quelque objet précis. Le sens de cet adjectif est en fait bien plus proche de ce que nous appellerions aujourd'hui *fantasmatique* que de « fantasque » au sens moderne, qui veut dire « inégal », « imprévisible », « étrange » : ce qui émerge ici en effet, ce n'est rien moins que les débordements de l'inconscient, avec leurs « monstres » et leurs « chimères » surgis des songes ou de la conscience semi-vigile. L'esprit oisif (et mélancolique), qui n'enfante qu'herbes folles, côtoie la folie. Montaigne réfléchit (*a posteriori*) sur son entrée en écriture, et sa sonde plonge à l'abîme : revenant sur ces pages écrites à ses débuts et dans ce moment dépressif qui suivit immédiatement sa retraite, il mesure que sa pensée a mûri et s'est enrichie de toute l'épaisseur des trois livres des *Essais*.
Bien plus que de simples « apostilles », les « emprunts » aux poètes latins, même rajoutés après coup, sont donc partie intégrante du discours de l'auteur. Mais surtout, que ce soit en raison du vieillissement de la langue, de la singularité du style, ou d'une intention de la pensée, souvent chez Montaigne la finesse est moins dans ce que le texte dit que dans ce qu'il ne dit pas, c'est-à-dire dans ce qu'il présuppose, implicite, implique ou sous-entend. On le voit, c'est à raison que Pascal pourra dire : « Ce que Montaigne a de bon ne peut être acquis que difficilement » (*Pensées*, Lafuma, 649).

e. Page 37 – Saluces est une petite ville du Piémont. Le marquisat de Saluces resta français de 1529 à 1601, date à laquelle Henri IV l'échangea à la maison de Savoie contre la Bresse, le Bugey, le pays de Gex et le Valromey. Les Lur-Saluces sont l'une des plus anciennes familles de la noblesse de Guyenne depuis la fin de la guerre de Cent Ans. À la mort de Léonor, fille de Montaigne, la branche des Lur qui était nantie du marquisat de Saluces entrera par le jeu des alliances dans la succession de l'auteur des *Essais*. Jusqu'en 2004, le célèbre cru de Château Yquem était encore aux Lur-Saluces.

f. Page 55 – De la sentence de Cicéron Montaigne a fait la matière de cet essai, qui est l'un des plus connus. Le paraître et le mentir étant la loi du monde, la première tâche de la pensée semble être « d'ôter le masque aussi bien des choses que des personnes », et d'éliminer tout ce que le moi peut avoir d'emprunté afin d'en retrouver l'originelle nudité. Se peut-il que la mort soit ce moment du cœur mis à nu ? Le moment où la pensée pourra découvrir la vérité de l'être et la valeur d'une vie ? Occuper d'avance ce moment, s'installer dès aujourd'hui dans l'unique idée de la mort permettra peut-être de découvrir dans le jour décisif de la dernière heure qui je suis et quelle est cette possible « forme mienne ». Mais Montaigne, qui avait commencé sa méditation en butinant dans les *Odes* d'Horace et les *Tusculanes* de Cicéron, dépasse soudain tout cela. Dans le dernier moment de l'essai, il dérobe à Lucrèce sa fameuse prosopopée de la nature et découvre que la mort est présente en nous dès que nous naissons : « Tous les jours vont à la mort ; le dernier y arrive », lui souffle Nature. La mort se trouve ainsi dissoute dans la suite ordinaire des jours. N'étant dès lors plus rien pour nous, elle ne saurait être ce miroir qui me découvrirait la vérité de ma « forme maîtresse » et la valeur de mon être. Qui pis est, la mort ne nous concerne même pas : « vif, parce que vous êtes ; mort, parce que vous n'êtes plus », poursuit notre mère Nature. Devenue radicalement étrangère à la vie, la mort n'est certes plus à craindre, et c'est déjà ça, mais à quoi servirait-il dès lors de se placer d'avance sous son regard pour se connaître et juger de sa vie ? Ainsi le masque est-il ôté à la mort même. L'essai dépasse d'un seul coup d'aile le stoïcisme dans lequel la critique a longtemps cru devoir l'enfermer, mais il s'achève en laissant une question en suspens : s'il faut renoncer à juger de soi à l'aune de la mort, comment ressaisir alors cet être qui est moi et me fuit ? Il faudra presque vingt ans pour que Montaigne parvienne à sa solution : pour approcher de la vérité du moi, il peindra « non l'être, mais le passage ». Le chemin des « essais de soi » passera d'abord par celui des essais du style. Montaigne devra assouplir une écriture tout à part lui, trouver un *rythme* qui soit propre à sa pensée. Car pour penser la vie comme flux dans son ondoyante diversité, la conscience doit s'essayer à danser au fil des mots pour éprouver l'élasticité de la durée et la plasticité du moi. Aucune pensée philosophique, si elle pense vraiment, ne va sans un génie stylistique qui lui soit propre. Rapproché des ultimes chapitres du livre III, le présent essai permettra au « diligent lecteur » de mesurer l'ampleur du chemin que Montaigne aura parcouru à travers l'écriture, et ce que c'est qu'une pensée en travail.

g. Page 170 – Comme il le dit dans le chapitre précédent (I, 27), Montaigne, après avoir eu l'intention de publier dans le cadre des *Essais* le discours de La Boétie sur *La Servitude volontaire*, avait dû y renoncer pour éviter une éventuelle censure. Il avait alors proposé, en remplacement, d'insérer ici une suite de vingt-neuf sonnets de son ami que l'on venait de retrouver. Sur l'Exemplaire de Bordeaux, chaque sonnet a été biffé d'un trait de plume par

Montaigne, avec cette mention laconique, et dépitée, « ces sonnets se voient ailleurs ». Dans l'édition posthume, Marie de Gournay a explicité la mention par la phrase qu'on lit en italique au bas de cette page. Il semble en effet qu'il ait dû y avoir une édition des œuvres de La Boétie, dont il ne reste cependant aucune trace. Dans les *Essais*, cette dédicace subsiste seule. La dédicataire, Diane d'Andoins (1554-1621), vicomtesse de Louvigni, fut mariée à Philibert, comte de Grammont et de Guiche (ici Guissen). Elle était alors la maîtresse de Henri de Navarre. Les Grammont, comme les Foix-Candale, étaient l'une des toutes premières familles de la noblesse de Gascogne.

h. Page 176 – Les Cannibales : c'est ainsi que l'on nommait les Indiens de la côte du Brésil. Montaigne s'appuie sur la triste expédition de la « France antarctique » qu'avait conduite le vice-amiral de Villegaignon en 1557, et dont l'histoire venait d'être publiée en 1579. Ce chapitre, avec celui de l'institution des enfants, est l'un des plus fameux du livre I. Montaigne, avec insistance, prend ses distances avec les témoignages des récits de voyage arrangés par l'art à dessein d'allécher les lecteurs et de les horrifier en les confortant dans leurs préjugés ethnocentriques. Comme si souvent, il déclare vouloir s'en remettre à l'expérience directe : il a vu, de ses yeux vus, des Indiens sur le port de Rouen ; il les a interrogés ; il a longuement écouté un voyageur simple et fruste – et donc peu suspect de fictions – qui avait passé « dix ou douze ans dans cet autre monde » ; il possède chez lui des objets de l'art indien. Loin de forger je ne sais quel « mythe du bon sauvage », comme nos manuels le répètent si sottement et à satiété, Montaigne dresse à travers ses Indiens le tableau d'une Grèce idéale et rêvée. À cette fin, il commence par insister fortement sur les traits les plus choquants des mœurs de ses Indiens : ils sont cruels, sanguinaires, anthropophages et polygames. Voilà bien de quoi heurter ses compatriotes. Mais ce n'est qu'afin de mieux nous persuader de la réalité des aspects idylliques qu'il prête à plaisir à ses Cannibales : véritable synthèse de Sparte et d'Athènes, les Cannibales de Montaigne unissent dans leurs mœurs la ferme prudence de Lycurgue et l'intelligence mobile et inspirée de Platon ; ils ont la vaillance et l'abnégation des soldats de Léonidas, jointe à la feinte naïveté et au bon sens ironique de Socrate. La leçon qui se dégage de l'ensemble est d'abord une leçon de relativisme : « chacun appelle barbarie ce qui n'est pas de son usage » ; c'est en second lieu une critique impitoyable des méfaits de la civilisation et un plaidoyer vibrant en faveur de la supériorité de l'état de nature sur les artifices et l'arbitraire de la culture européenne, qui, si vainement, se croit maîtresse du monde, alors même qu'on n'est pas certain encore que la totalité des terres émergées de notre machine ronde aient été découvertes par les voyageurs. Leçon de doute. Critique de la présomption, de l'outrecuidance et du préjugé. Hymne à la confiance que nous devrions garder en notre mère Nature.

i. Page 189 – Ce chapitre fut écrit peu après la victoire de Lépante remportée sur les Turcs par la Ligue chrétienne que conduisait Dom Juan d'Autriche. Montaigne y prépare les avenues qui ouvriront sur l'*Apologie de Raimond de*

Sebonde. Comme le champ des possibles de la nature, l'immensité des desseins de Dieu est insondable pour notre humain entendement. Au-delà des bornes de la simple raison, nous ne devons rien croire en dehors de ce que nous révèle la sainte parole : il y a le pré carré de la raison, le champ de la foi auquel nous ne pouvons que nous soumettre en aveugles, et puis tout le reste qui n'est que le fatras des impostures de la vaticination, de la chiromancie, de l'astrologie, et aussi bien, quoiqu'on les tînt alors pour des sciences, de l'astronomie, de l'alchimie et de la médecine. Distinguant foi et crédulité, le scepticisme et le fidéisme se donnent ici la main.

j. Page 191 – Ce bref essai est emblématique de la première manière et du premier dessein de Montaigne : recueillir des exemples frappants sur des sujets moraux divers. Montaigne relate, mais ne dit mot : son anecdote reste sans commentaire. En fait il médite déjà secrètement sur le désir de se dissoudre dans la mort sur lequel il reviendra longuement plus tard (II, 3 ; II, 12). Déjà, sans mot dire, on sent poindre le trouble et le vertige, et que philosopher, c'est apprendre à mourir.

k. Page 193 – Le sort fait souvent bien les choses : cela ne pouvait que frapper le lecteur de Lucrèce, puisque ce dernier conçoit que la seule combinaison aveugle du hasard et la nécessité est cause de la création du monde et d'autres encore, en nombre infini. Appliquée aux destinées humaines, cette même combinaison doit inciter l'homme d'action, non moins que celui qui, comme Montaigne, cherche à connaître l'homme, non pas au fatalisme mahométan, mais à une prudence accrue, et à plus d'humilité : nous ne sommes jamais les seuls maîtres de nos entreprises. Il est bien clair que cette « fortune artiste », qui n'est autre que l'ironie de l'histoire, est une force purement aveugle qui n'a de ce fait rien à voir avec la divine providence. La Curie romaine ne s'y était pas trompée, qui censura dans les *Essais* saisis à Rome l'emploi récurrent de cette notion de fortune. Montaigne n'a pourtant jamais cessé de l'employer *larga manu* : on est donc bien ici au cœur de sa pensée, si bref soit ce chapitre ancien : une suite d'exemples sur le même thème, empruntés tantôt à l'antiquité, tantôt aux guerres d'Italie, et fort peu de commentaire de la part de l'auteur, qui se contente de laisser parler les faits qu'il rapporte. Le dessein et la pensée de Montaigne ne font alors que s'ébaucher.

l. Page 193 – Les éditions de 1580 et 1582 (Simon Millanges, Bordeaux) donnent toutes deux, mais seules, le quatrième vers de cette citation de Catulle. Jean Balsamo observe très justement que « sa suppression dans l'édition de 1588 semble purement accidentelle, provenant d'un saut de page entre les feuillets 93 et 93 v°. » Pour ma part je rétablis ce quatrième vers, car le fait que l'édition L'Angelier de 1595 ne rétablisse pas le vers manquant me paraît relever d'un sur-accident : la citation remplit mieux le sens dans la phrase de Montaigne quand elle ne reste pas amputée, et surtout rien ne dit que Montaigne ait eu réellement l'intention de maintenir cette suppression d'abord accidentelle : même s'il a revu avec beaucoup de soin l'édition de 1588 sur des exemplaires en blanc, dont celui de Bordeaux, du simple fait que cette première édition L'Angelier eût accidentellement déjà omis ce vers, il est très probable qu'il ne se soit pas souvenu lui-même qu'il avait d'abord cité un vers de plus. Je le rétablis donc, conformément à la première intention de l'auteur, la seule dont nous puissions ici nous assurer.

m. Page 196 – Une fois de plus Montaigne rend hommage à Pierre Eyquem, « le si bon père que j'eus », figure centrale et véritablement tutélaire des *Essais*. Des exemples historiques il en vient aux exemples domestiques et privés. Peu à peu l'auteur en sera à scruter les divers accidents de sa propre vie, puis à s'interroger sur lui-même écrivant.

n. Page 197 – Ce court chapitre donne un parfait exemple de la première manière des *Essais* : enregistrer des exemples curieux et contradictoires afin de mettre en évidence la diversité des usages humains. Deux idées se profilent en arrière-plan : parce qu'elles divergent et se contredisent, les coutumes dénoncent ce qu'elles ont d'arbitraire, et donc de relatif. Si la pensée parvenait à reconstituer l'état de nature, cela aiderait à mieux juger de nos comportements et de nos jugements. Le penseur est en train de poindre, mais il se prépare encore.

o. Page 200 – Ce bref essai doit retenir l'attention à plus d'un titre. D'abord, Montaigne commence à parler de lui. Il nous dit son refus personnel de juger de tout d'après soi, et sa certitude qu'il s'est jadis rencontré des âmes sublimes et héroïques que la bassesse du siècle où nous sommes ne doit pas nous masquer. En second lieu, il nous confie son admiration sans borne pour le sublime, tant celui de la mort héroïque d'un Caton d'Utique, figure emblématique des premiers *Essais* et du stoïcisme qui fait ici sa première apparition, que celui la poésie de grand style. Et c'est ainsi qu'enfin le chapitre se termine par un singulier essai de poétique appliquée, où Montaigne tâche à nous faire faire l'essai du sublime en nous le faisant toucher du doigt sur cinq traits poétiques particulièrement vigoureux, tous relatifs à la grandeur de Caton : Martial, Manilius, Lucain, Horace, et Virgile, « le maître du chœur » enfin. Quand la vaillance est dans l'âme, elle se propage aux écrits, et gagne les auditeurs invinciblement. Ce que les *Essais* vont entreprendre de faire à leur façon : le dessein prend forme.

p. Page 201 – La règle des Feuillants, religieux cisterciens jusqu'en 1588, était particulièrement sévère. Montaigne sera enterré dans leur humble couvent de Bordeaux. Le catafalque que fit sculpter sa femme pour la sépulture de son défunt époux aux Feuillants est aujourd'hui conservé au Musée d'Aquitaine, qui occupe les locaux de l'ancienne Faculté des Lettres, où il avait été transporté.

q. Page 204 – Étape importante que ce modeste chapitre : Montaigne y montre que qui veut penser l'homme doit intégrer la contradiction au cœur de la représentation qu'il s'en fait, car nous ne sommes jamais qu'en devenir et changement perpétuel. Or pour penser ce qui n'a pas d'essence à proprement parler, il n'est que de faire l'essai des phénomènes, à commencer sur soi-même. La philosophie morale ne saurait qu'être expérimentale, empirique, et autobiographique.

r. Page 208 – Dans cet important chapitre, Montaigne neutralise plusieurs oppositions devenues traditionnelles en philosophie. À commencer par celle du *negotium* et de l'*otium*. L'*otium*, retrait des charges publiques et renoncement à la gloire, ne doit pas être oisiveté pure et simple, mais solitude bien entendue. Cette solitude à son tour ne saurait être un renoncement total au monde et aux plaisirs corporels, sauf dans le cas de l'oblation dévote qui abîme la chair dans l'espérance d'une félicité éternelle. La solitude que demande Montaigne doit être au contraire à la fois active, sociable, et en retrait de l'action : c'est là qu'intervient la médiation qu'offre la notion « d'arrière-boutique », car point d'arrière-boutique sans boutique : le sage, dans sa retraite, saura conserver aussi bien des activités et des plaisirs du corps que se prêter au service d'autrui, mais c'est à condition qu'en son « arrière-boutique » rien ne pénétrera des influences et des soucis aliénants du dehors : ainsi seulement sauvera-t-il, au for le plus intime, sa liberté intérieure et l'autonomie de son jugement, seul point qui importe en fin de compte en ce débat. Constamment Montaigne démarque ici Sénèque : on est au sommet du moment stoïcien de sa méditation, qui n'en fut, comme on sait, qu'une première étape qui devait par la suite être abandonnée.

s. Page 219 – Voilà une profession de foi décisive, insolente et violente. Tout le siècle avait été traversé par la querelle du « cicéronianisme ». Si d'aucuns, tel Érasme, avaient raillé les pâles imitateurs de Cicéron, nul encore n'avait frontalement déclaré la guerre au grand patron de l'éloquence latine et de toutes « bonnes lettres ». Rompant en visière avec le fard de la rhétorique et le parler de cérémonie, Montaigne revendique ici ouvertement la liberté du style, condition nécessaire pour parler de soi de façon authentique et sincère. La manière de dire engage la manière de penser, et la sienne veut être tout à lui. Le dessein des *Essais* commence de s'affirmer avec cette pétition de principe décisive.

t. Page 224 – Ce chapitre constitue une exception absolument unique dans la tradition du texte des *Essais* : il est le seul que la seule édition de 1595 ait déplacé, et ce, de la quatorzième place, qui fut la sienne dans les éditions de 1580, 1582 et 1588, jusqu'à la quarantième. Aussi longtemps qu'on a cru que l'Exemplaire de Bordeaux constituait le dernier état authentique du texte de Montaigne, on a pensé que ce déportement n'était pas le fait de l'auteur, et l'on a donc maintenu l'ordre des premières éditions. Dès lors que, sortant de la seule critique interne, on a mieux étudié les variantes textuelles, on a compris que seule au contraire l'édition posthume reposait sur le dernier état authentique du texte que l'auteur eût avoué et corrigé de sa main (voir notre avertissement au début de ce volume). Dans ces conditions, le déplacement de cet essai de la quatorzième à la quarantième place ne peut être imputé qu'à Montaigne, et à lui seul. Les raisons pour ce faire ne lui manquaient pas. Cet essai d'abord était beaucoup plus long et plus philosophique que les petits dossiers militaires ou diplomatiques parmi lesquels il figurait depuis l'édition *princeps*. Il était beaucoup plus personnel aussi, et différait du tout au tout de la première manière de l'auteur, très impersonnelle. Il était tout stoïcien enfin, comme ceux parmi lesquels il se trouve ainsi relogé. Ces pages juraient donc à plus d'un titre avec leur premier entourage éditorial, et Montaigne, à moment donné, aura voulu reloger ce long essai parmi ses pairs. De plus, ce chapitre a été composé bien plus tard que ceux entre lesquels il figurait dans les premières impressions. Et jusqu'en 1592 Montaigne n'a cessé de le rallonger et d'en retoucher l'expression avec le plus grand soin. Ses corrections soigneuses procèdent du souci qui l'anime à partir de 1588 de corriger ou d'estomper les contradictions qui apparaissaient entre le stoïcisme roide des premiers *Essais*, et le scepticisme, puis l'optimisme confiant dans ce « doux guide » qu'est Nature qu'adoptera Montaigne par la suite. À mon sens, ce n'est pas avant la préparation de la première édition, parue chez Millanges à Bordeaux, que Montaigne a placé ce chapitre plus tardif parmi ses premiers *essais* bien plus succincts et bien plus tôt composés : son intention devait être alors d'avertir assez vite son lecteur que son livre n'était pas fait seulement de petites notules d'ordre militaire, mais qu'il offrait aussi des morceaux d'une bien plus haute volée. Il aura laissé subsister cette forme jusqu'à ce qu'enfin, à la faveur des ultimes mises au point qu'il apportait à la dernière minute de son texte, rendant cet essai à sa vraie place pour le rendre aussi à sa vraie date de composition et à son sénéquisme originel, il se sera décidé à le replacer parmi ses pairs, conformément à l'ordre primitif de composition, et conformément aussi au désir qui l'animait alors de peaufiner la forme de son livre et d'en estomper les hétérogénéités tant sur le plan de la pensée que sur celui de l'expression. Il est évident que Marie Le Jars, avec la piété fervente qu'elle vouait au texte de son père d'alliance, et sa raide honnêteté, elle qui n'a corrigé quasi que des fautes de ponctuation, de graphie, ou de désinences, ne saurait être tenue pour responsable de ce geste majeur et unique : c'est là le fait de l'auteur, et de lui seul. Aussi les nouvelles éditions des *Essais* doivent-elles désormais revenir à l'état du texte qui établit la fortune littéraire des *Essais* durant deux siècles, et laisser définitivement ce qui était devenu leur texte vulgaire depuis l'édition fameuse qu'avait si bien soignée l'admirable Pierre Villey, mais qui se mécompta en se basant sur l'Exemplaire de Bordeaux dont il avait fait son fétiche.

u. Page 244 – Ce chapitre pourrait bien être l'un des premiers que Montaigne ait écrits. Bien que la « gloire » et sa vanité soit un thème à la fois très stoïcien et très cher à Montaigne, le chapitre reste une brève suite d'exemples historiques qui se succèdent de façon très impersonnelle et à peu près sans commentaire : Montaigne a commencé par vouloir laisser parler les faits et l'expérience. Phase d'observation des mœurs des hommes : Montaigne collationne les singularités de leurs manières qui lui semblent les plus étranges ou les plus curieuses.

v. Page 269 – Successivement : 1°) à Montcontcourt, au sud de Loudun, bataille que nous avons déjà rencontrée, les catholiques, conduits par le duc d'Anjou défirent les protestants que commandaient Coligny en octobre 1569. Au lieu de poursuivre les vaincus, les vainqueurs allèrent mettre le siège sous Niort. 2°) En août 1557, le duc de Savoie qui commandait l'armée de Philippe II d'Espagne avait défait les troupes françaises qui venaient débloquer Calais. Au lieu de les poursuivre et de fondre sur Paris, il conseilla à son roi de terminer d'abord le siège, et Calais fut prise et brûlée. 3°) La « guerre sociale », ou « guerre des alliés » (*socii* en latin) est la guerre que Rome dut, au début du Ier siècle av. J.-C., livrer contre les peuples d'Italie, ses alliés, qui s'étaient révoltés. Marius, et surtout Sylla s'y illustrèrent. La rivalité des deux généraux devait conduire à la première guerre civile. 4°) Gaston de Foix avait battu l'armée de la Sainte-Ligue à Ravenne en avril 1512. Il fut tué en poursuivant les troupes espagnoles. Il n'avait que vingt-trois ans. 5°) À Cérisoles, François de Bourbon, comte d'Enghien, défit le marquis de Vasto qui gouvernait le Milanais pour le compte de Charles Quint. 6°) Clodomir, deuxième fils de Clovis, eut en partage l'Aquitaine orientale, d'Orléans à Bordeaux. Il défit Sigismond, roi des Burgondes en 523, mais fut battu l'année suivante par Gondemar, frère de Sigismond. 7°) Sertorius qui avait pris le parti de Marius se trouva l'ennemi de Sylla et de Rome en Espagne. Il fut assassiné par ses officiers, en 73 av. J.-C. 8°) Vitellius battit Othon à Bédriac en 69 av. J.-C., et dut lui céder temporairement l'empire. 9°) Lucullus (109-57), après avoir vaincu Mithridate, fut rappelé à Rome, où il n'eut d'autre plaisir que de régaler tout Rome à sa table, devenue légendaire. 10°) Lors de l'invasion de la Provence par Charles Quint en 1536 les troupes impériales furent décimées par la famine. 11°) L'expédition de Sicile, sous la conduite de Nicias, en 415 av. J.-C. se solda par un désastre où Athènes perdit toute sa flotte. Nicias fut mis à mort. 12°) Agathoclès, devenu tyran de Syracuse, fut assiégé par les Carthaginois : il passa en Afrique pour les prendre à revers, et remporta plusieurs succès.

w. Page 275 – Encore un petit « dossier militaire ». Dans cet aimable fourre-tout, on voit clairement trois choses : que Montaigne se plaisait à poser au gentilhomme d'épée ; que les *Essais* de la première manière ne sont souvent rien de plus que des recueils provisoires d'exemples et de citations sur quelque sujet ou très singulier, ou bien auquel Montaigne accordait un intérêt particulier. Ces « dossiers » restaient en attente d'un remaniement et de compléments ultérieurs éventuels, qui parfois ne sont jamais venus ; combien Montaigne enfin, grand chevaucheur devant l'Éternel, était passionné de chevaux ; il a régulièrement augmenté son pot-pourri, sans jamais trouver toutefois l'occasion d'en tirer plus.

x. Page 283 – Voilà de nouveau un chapitre en forme de pot-pourri d'exemples divers laissés pêle-mêle. Il n'a guère retenu l'attention des commentateurs. À tort, je crois. Quel thème, avec ceux de la nature et de la fortune, pouvait être plus cher au cœur de Montaigne que celui de la « coutume » ? L'esprit est si

« volubile », si « fantasque » et si « déréglé », la nature des âmes les mieux nées a tellement dégénéré depuis les siècles antiques, qu'il faut bien à l'homme des règles qui suppléent à ses faiblesses. Les coutumes en font partie. Si arbitraires, si futiles que soient ces coutumes, comme celles qui sont ici « entassées » à plaisir, elles sont indispensables au règlement de nos vies. Certaines varient d'un mois l'autre. D'autres traversent les âges. Or la seule autorité dont les coutumes se puissent prévaloir, vu ce qu'elles ont de variable et de gratuit, ne peut résider que dans leur ancienneté. Tous ces thèmes sont le cœur même de la pensée de Montaigne, mais ils n'apparaissent ici qu'en filigrane, sur le mode de l'implicite. D'où ce qu'il peut y avoir d'émouvant à sentir dans cet essai comme une esquisse que la fortune de l'auteur ne lui aura pas donné le loisir de développer. Une pierre d'attente. Où l'on voit pourtant, comme en creux, se former la pensée : il y eut un en deçà de Montaigne avant qu'il ne fût arrivé à lui-même. Et l'on sent, dans cet inachevé, qu'il avait résolu d'écrire « tant qu'il y aurait d'encre et de papier au monde », et tant que Dieu lui prêterait vie : il y reviendrait peut-être quelque jour... Les *Essais* nous offrent le spectacle toujours changeant d'une pensée en perpétuelle naissance. Ici une surprise à l'état d'amorce ou d'embryon.

y. Page 291 – La distorsion entre les mots et les choses, entre l'être et le paraître, qui s'insinue dans les moindres domaines de la vie sociale, est un des motifs majeurs et récurrents des *Essais*.

z. Page 294 – C'est là le plus court chapitre des *Essais*. On y voit le prototype ou l'embryon d'une pensée morale : la lésine engage toute une austérité de vie bien propre à faire honte au luxe des modernes. La leçon prévue n'aura jamais été développée. Le germe en subsiste, montrant que Montaigne comptait toujours pouvoir revenir sur ce qu'il avait une fois semé. Ce que nous voyons dans les *Essais*, ce n'est non pas une pensée faite, mais une pensée qui se fait.

aa. Page 296 – Partant d'un jeu de société où il s'agit de trouver le plus d'exemples possibles de choses où se rejoignent les extrêmes, Montaigne en arrive à réfléchir philosophiquement le procédé de tripartition des êtres et des qualités qui sous-tend ce jeu de « vaines subtilités ». En maints domaines, on retrouve un en deçà de l'esprit et de la science, qui est en somme l'état de nature ; puis un au-delà de la science, auquel n'accèdent que les âmes généreuses et bien nées qui savent spontanément régler et contenir les errements de l'esprit, toujours « volubile » et « fantasque » ; enfin, en position médiane, un « entre-deux » perverti, où la science et la culture ont déjà anéanti les régulations primitives grâce auxquelles les lois de la simple nature réglaient l'esprit dans ses embardées, sans pour autant atteindre encore à cette autre forme de vertu autorégulée qui est le propre des grandes âmes et des esprits les plus élevés. Ainsi, la poésie primitive des villanelles de Gascogne ou des Indiens d'Amérique est-elle aussi parfaite que la poésie la plus accomplie selon les règles de l'art que composent les poètes de génie, tandis que la poésie entre deux, qui est savante, mais sans génie, reste sans valeur. De même, les gens simples font de bons chrétiens, non moins que les esprits supérieurs qui à force de science sont parvenus au doute et à la grâce, alors que les demi-habiles, les « métis », de l'entre-deux en savent trop pour s'abandonner encore à la foi naïve, et pas assez pour atteindre, sauf exception, aux secrètes lumières de l'Écriture. Or ce schéma tripartite est caractéristique d'une dialectique propre à Montaigne, dont on retrouve l'emploi à maintes occasions tout au long des *Essais* (par exemple, en I, 37 ; II, 17 ; II, 32, etc.). Jean Starobinski (*Montaigne en mouvement*), et Bernard Sève (*Montaigne. Des règles pour l'esprit*) l'ont parfaitement montré. Ainsi ce chapitre amusant met-il à nu l'un des processus les plus constants de la pensée chez Montaigne. D'où son prix.

ab. Page 299 – C'est ici l'un des fragments de l'autoportrait éclaté que les *Essais* nous livrent de leur auteur, brin à brin. Ce chapitre, initialement des plus brefs, n'a été personnalisé qu'au fil de retouches successives, très postérieures à sa rédaction primitive, qui était une *chrie* des plus simples. Dans la philosophie de Montaigne, l'*esprit* (l'imaginaire) et l'*âme* (la volonté, les désirs) sont intimement liés au corps, dont ils sont les produits et les ressorts. La pensée ne pense qu'avec et par le corps. Tout comme le corps sent et pense et sait. Le « *sens* », unit chez lui, consubstantiellement, à la fois la sensibilité sensorielle et le jugement : les sens font sens. Et l'on sait que, pour Montaigne, qui prétend s'abstraire de l'incarnation, qui veut faire l'ange, fait la bête. Tout ce qui dans les *Essais* s'attache au « bas corporel » révèle la modernité de ce premier des anti-modernes, et comme une affinité entre le roman, épopée « comique » et basse (*i. e.* « réaliste »), mais qui *pense*, et ce genre nouveau de l'*essai*, qu'on voit ici naissant, avec tout son « réalisme » : tout l'art des lettres ne vise à rien d'autre qu'à offrir aux lecteurs un foyer optique où se concentre l'image du réel, figuré, et, partant, réfléchi et pensé. Mais les contemporains de Montaigne, loin d'y lire une pensée, trouvèrent ce chapitre impudique et gênant.

ac. Page 302 – On ne saurait substituer quelque autre terme que ce soit à ce mot si propre au vocabulaire philosophique de Montaigne : les *fantasies* de l'esprit sont à la fois « fantasmes », « fantasmagories », « fantômes », « fantaisies », « idées fantasques », ou « fantastiques ». Toutes ces représentations procèdent de la libre invention de notre esprit (nous dirions de notre imaginaire), et peuvent être aussi bien de géniales hypothèses mathématiques que des poèmes sublimes ou des fables saugrenues : l'esprit est « déréglé » ; il fait « le cheval échappé » ; et dans sa « volubilité » polymorphe et fluide, il est « fantastique ». On ne peut sortir de cette famille de mots, mais le lecteur y peut puiser à son gré ce qui convient le mieux au contexte, entre « imaginations » et « idées » (terme le plus plat, et le moins apte).

NOTES DU LIVRE II

a. Page 330 – Montaigne, avec toute la tradition, croit encore à cette fable forgée de toutes pièces par la pieuse malignité de saint Jérôme, qui ne voulait que discréditer en Lucrèce le type même du sage athée et matérialiste : une âme aussi scandaleuse n'avait pu que périr de façon scandaleuse !

b. Page 333 – « Céos de Nègrepont », aujourd'hui « Zéa », est une île de la mer Égée, proche de l'Eubée, dite « Nègrepont » au temps de Montaigne. Il ne sera question de cette île que dans les toutes dernières lignes de l'essai, et encore s'agira-t-il alors non d'une « coutume » mais d'une anecdote particulière.

c. Page 337 – Les *choses* : au sens de *res* chez Lucrèce : les créatures. Sous la forme d'un catalogue d'allégations diverses répertoriant les usages divers observés dans les mœurs des hommes, comme on en trouve dans l'ensemble des *Essais*, Montaigne s'adonne ici à la compilation érudite et fait un centon de citations, conformément à sa première manière, sur la question du suicide. Il continuait d'enrichir ces listes au fur et à mesure des éditions successives. Il ne manqua pas de le faire pour le présent essai, preuve qu'il n'avait pas renoncé à sa première façon de faire. Il renvoie dos à dos les partisans et les adversaires du suicide : courage ou lâcheté face à la mort sont deux postures qui se rejoignent et qui l'une et l'autre dénoncent la faiblesse de l'homme, jouet de la fortune. La mort volontaire n'est qu'une équivoque.

d. Page 352 – Ce chapitre, écrit pour partie avant 1572, traite d'une question centrale à l'échelle de l'ensemble des *Essais*. Montaigne avait d'abord cherché si un exercice particulier pouvait permettre au sage non pas de faire l'*essai* de la mort même, mais au moins d'en découvrir les avenues et les approches, de façon à éteindre en lui la peur de sa propre fin. L'*essai sur soi* fut fait à l'occasion d'un évanouissement qu'eut Montaigne lors d'un accident de cheval. Les références antiques font défaut sur ce sujet, aussi Montaigne a-t-il dû prendre sa propre expérience comme argument. Il s'en justifiera un peu plus tard dans un long ajout : à la description détaillée des états de conscience du blessé revenant progressivement à lui, est venue s'ajouter ultérieurement toute une apologie de l'écriture autobiographique : écrire de soi, c'est faire l'essai de son être, et non pas se vanter.

e. Page 362 – Ces réflexions ont été suggérées à Montaigne par les cérémonies faites pour l'institution du nouvel ordre du Saint-Esprit (31 décembre 1578-2 janvier 1579). Lui qui avait été si flatté de se voir reçu dans l'ordre de

Saint-Michel, jadis si rare et si estimé, ne pouvait qu'être marri de voir que les dernières promotions, sous Charles IX, en le vulgarisant l'avaient déconsidéré au point qu'il ait semblé bon au roi de créer un nouvel ordre pour distinguer les meilleurs parmi la noblesse de France.

f. Page 365 – La majeure partie de cet essai a été écrite après 1578. L'argument développe une question de morale domestique qui procède d'un ouvrage de Plutarque (*De l'amour des pères envers leurs enfants*) et puise un certain nombre d'exemples dans une recension faite par Valère-Maxime (*De patrum amore et indulgentia in liberos*). C'est là ce côté des *Essais* qui en fait un peu l'« almanach Vermot » des gens de bonne maison, en traitant de toutes les questions pratiques qui se posent dans la vie familiale : éducation des enfants, mariage des filles, établissement des garçons, service du prince, observance de la religion, respect des lois, bon règlement des mœurs privées, ou, comme ici, bonne organisation de sa succession... Aspect qui n'a pas peu contribué à la fortune du livre auprès des premières générations de lecteurs. Chemin faisant, il s'y greffe une réflexion sur cette autre paternité qui est celle de l'auteur envers son œuvre, et en particulier de Montaigne lui-même envers son livre. Dès le début du chapitre, Montaigne affirme clairement qu'il a désormais pris pour dessein de se peindre, et qu'il mesure l'originalité de ce projet. C'est l'occasion pour Montaigne de revenir sur un certain nombre de questions épineuses qui avaient pu survenir dans l'administration de sa maisonnée, comme la difficile succession de Pierre Eyquem, son père, et de se défendre, tout en satirisant les abus qu'il voyait dans les usages de son temps. « Madame d'Estissac », la dédicataire de ce chapitre, n'est pas, comme on l'a longtemps cru « la belle Rouet », dame de parage de Catherine de Médicis, mais une autre Louise de la Béraudière, qui, pour sa part, épousa vers 1560 un certain Louis de Madaillan, seigneur d'Estissac, veuf et déjà père de deux filles. À sa mort, en 1565, ce Monsieur d'Estissac avait laissé un testament très favorable à sa jeune épouse, qui suscita un long procès de la part des deux filles nées du premier lit. Montaigne, alors conseiller du roi en sa cour de parlement de Bordeaux, conseilla Madame d'Estissac, qui gagna son procès grâce lui. Cela lui valut l'inimitié durable de Brantôme, apparenté aux deux premières filles d'Estissac. Dans un ajout postérieur à 1588, Montaigne, tout en brocardant les caprices des testataires, revenait sur les multiples changements que l'oncle de sa femme, née Françoise de La Chassaigne, n'avait cessé de faire dans son testament, pour finir par désavantager ceux de ses proches qui lui avaient témoigné le plus d'affection, à commencer par Françoise elle-même. Leçon de mœurs et règlement de comptes, cet essai est aussi l'un des premiers où s'affirme clairement la nouvelle manière de Montaigne, désormais beaucoup plus personnelle.

g. Page 383 – Ce bref chapitre est caractéristique de la première manière et du premier dessein de l'auteur : comme bien plus tard le fera de Gaulle, il essayait de se faire valoir auprès des princes et du roi par sa connaissance de la chose militaire. Cet essai faisait partie des papiers qui lui furent dérobés par un secrétaire qu'il avait. Il a été réécrit brièvement. À travers une batterie d'exemples, Montaigne souligne la faiblesse des armées d'alors, trop lourdement cuirassées et peu mobiles pour l'offensive. Ce qui est encore une façon de parler de lui, et de sa façon de juger des choses très librement.

h. Page 416 – Adrien « Tournebœuf » (1512-1565) signait *Turnebus* en latin, nom refrancisé en « Turnèbe », et sous lequel il est le plus connu. Célèbre philologue humaniste, savant d'une érudition considérable, éditeur et commentateur de plusieurs auteurs anciens, et notamment de plusieurs œuvres de Cicéron et de Plutarque, Turnèbe avait enseigné les humanités à la faculté des arts de Toulouse avant d'être choisi pour le Collège des Lecteurs royaux, à Paris. Il fut le maître de nombreux humanistes, dont Henri Estienne. Toute son œuvre est, bien sûr, rédigée en latin selon l'usage du temps. Emporté jeune encore par la maladie, il aurait, dit-on, embrassé le calvinisme sur son lit de mort.

i. Page 420 – Montaigne lisait Lucrèce (ici, III, 613 sqq.) dans l'édition qu'avait soignée Denis Lambin. Le texte cité est erroné. Dans cette citation, le troisième vers n'est un bouche-trou apocryphe forgé par un humaniste italien, repris par Lambin, et longtemps resté dans la vulgate. Tout en semblant adoucir et normaliser la syntaxe, cet ajout ne laisse pas de corrompre le texte et d'en gauchir le sens.

j. Page 554 – Montaigne allègue Lucrèce pour discréditer Copernic. En quoi il se méprend sur l'un comme sur l'autre. Notre homme avait lu Lucrèce ; il l'avait épluché jusqu'au vif ; il l'admirait plus qu'aucun autre ancien, mais comme poète et comme moraliste seulement. Car pour ce qui est de la physique atomistique, il n'y a strictement rien entendu : plus haut, nous l'avons vu mettre sur le même plan les « Idées de Platon », les « Nombres de Pythagore » et les « Atomes d'Épicure ». Il ne voit dans ces « principes » de la nature que des *postulats*, également commodes et également improbables. Et nous retrouvons ici cette même incapacité chez lui à comprendre la portée proprement scientifique de la révolution copernicienne, même si, à n'en pas douter, le plaideur n'est pas ici sans quelque mauvaise foi. On ne saurait toutefois s'en étonner : Copernic n'est que le tout premier degré d'un progrès qui ne fait que sortir à peine des limbes, et il faudra un peu de temps avant que les esprits ne s'avisent que ce progrès dans les sciences n'est pas toujours cyclique mais aussi parfois cumulatif, et que la raison a donc bien parfois quelque pouvoir, et il faudra beaucoup plus d'un siècle encore avant que la pensée ne quitte la scolastique pour faire enfin retour sur les choses, à l'âge des Lumières. De plus, la formation qu'avait reçue Montaigne, qui s'en tenait aux humanités faites au collège de Guyenne à Bordeaux, et au droit qu'il avait appris à Toulouse, ne lui permettait absolument pas de comprendre la moindre démonstration mathématique, pas plus qu'il n'avait la plus petite idée de ce que pût être une véritable démarche expérimentale, lui qui si bien dissertera de l'expérience. C'est ainsi. Deux générations plus tard, lisant Montaigne, Pascal aura des lumières que sa culture mathématique lui permettra et dont l'auteur des *Essais* a eu défaut. Le doute, décidément, est un mol oreiller pour la paresse de l'esprit. On ne peut que regretter qu'un homme aussi éminent n'ait pas eu la vue plus aiguë en ce domaine et qu'il se soit complu à cette accumulation rhétorique de doctrines aheurtées sans pitié l'une à l'autre. Mais il porte là la marque de son temps : aurore de notre modernité, l'automne de la Renaissance n'est pas encore l'aube de la science moderne. Et les atrocités de la conquête du Nouveau Monde, non moins que celles des Guerres de Religion, ne portaient guère à se fier à la raison des hommes.

k. Page 652 – La liberté de conscience fait son apparition dans l'histoire avec les diverses tentatives que les rois firent en France pour apaiser les guerres de religion par ce moyen. La Boétie s'en était fait le défenseur. Elle était la réponse humaniste au fanatisme religieux. Cette question, qui se pose à l'aurore de notre modernité politique, était alors un sujet brûlant pour les fanatiques des deux partis qui déchiraient la France. Les historiens, et ceux de la littérature en particulier, se sont acharnés à disséquer cet essai, soupçonnant que quelque pensée de derrière pût se cacher sous cette apologie de Julien l'Apostat, apparemment paradoxale sous la plume d'un homme qui s'est toujours montré d'une indéfectible loyauté à l'égard du parti catholique. Toutefois Montaigne ne faisait que prendre le contre-pied des théoriciens du protestantisme qui, comme Théodore de Bèze, voyaient en Julien l'Apostat l'archétype même du tyran anti-chrétien. En fait, cet essai s'attira les foudres des deux partis : le Saint-Siège lui reprocha d'avoir « excusé Julien », et les Genevois supprimèrent ces pages de leur édition contrefaite de 1588. Montaigne pourtant se garde bien de prendre parti en faveur de la liberté de conscience : il s'interroge seulement sur son efficacité politique, et sur sa vraie nature. C'est à poser seulement cette interrogation que lui sert l'exemple paradoxal de Julien l'Apostat, empereur païen et philosophe, qui usa de la liberté de conscience non pour apaiser les dissensions civiles, comme l'ont essayé les rois de France, mais au rebours pour les attiser afin de renforcer son pouvoir. L'intérêt de ces pages est donc de nous montrer l'humanisme hésiter, à l'automne de la Renaissance, sur cette question qui, deux siècles plus tard, allait décider des fondements lointains de notre démocratie. Pour notre homme, il est encore douteux si la liberté de conscience favorise la tyrannie ou si elle sert la liberté. C'est l'éternelle balance de Montaigne, et sa devise « Que sais-je ? », emblème des *Essais*, et du genre même de l'essai. Et c'est encore, bien sûr, pour l'auteur une façon de se chercher lui-même en s'essayant sur cette pierre de touche de la liberté de conscience à l'aide d'un beau paradoxe historique. Julien était le neveu de l'empereur Constantin qui avait fait du christianisme la religion officielle de l'empire. Abjurant sa foi, Julien s'était tourné vers la philosophie néo-platonicienne et versé dans le mysticisme oriental. Il manifesta durement son hostilité au christianisme, sans aller toutefois jusqu'au sang.

l. Page 760 – Marguerite d'Aure de Grammont (1549-1586), épouse de Jean de Durfort, vicomte de Duras. Elle était la fille d'Antoine d'Aure de Grammont, seigneur souverain de Bidache, gouverneur de Navarre (mort en 1576) et d'Hélène de Clermont de Traves, la « belle Traves » de la cour de François Ier. Elle était aussi la sœur de Philibert de Grammont, comte de Guiche, dont Montaigne escorta le corps après qu'il eut été mortellement blessé au siège de Fère, comme Montaigne le rappelle (III, 4). Durfort abjura le protestantisme après la Saint-Barthélemy. À l'époque où Montaigne rajouta cette lettre à son essai (printemps 1580), Madame de Duras, sa veuve, était dame de compagnie de la reine de Navarre. La lettre précise le positionnement de Montaigne dans le champ politique de l'époque, comme client et protégé des plus grandes familles de la noblesse de Guyenne (les Foix-Candale, les Grammont, les Duras), et comme loyal soutien du parti catholique, ayant toutefois son entregent dans les plus hautes sphères de la cour d'Henri de Navarre, chef du parti protestant.

NOTES DU LIVRE III

a. Page 814 – Une allusion à l'âge de sa fille, Léonor, née en 1571 et la référence à l'*Histoire des rois et prince de Pologne* de Herburt de Fulstin, que Montaigne a lu en 1586 permettent de dater l'essai de cette même année. Le dessein initial était de comparer deux tableaux érotiques de Virgile et de Lucrèce, qui, quoique séparées par plusieurs pages, demeurent les deux piliers de ce chapitre. Les remaniements et les rajouts successifs transforment ce travail pénétrant en un entrelacs de propos finement réticulés qui portent sur l'amour, et tout ce qui touche à cette forme éminente de la relation à autrui ou l'affecte : la vieillesse, le mariage, la jalousie, l'éducation des filles, la pudeur, ou la sincérité des *Essais*, la façon même de les écrire, et l'art poétique, seul capable de suggérer à l'imaginaire les ardeurs de la volupté amoureuse. Montaigne sent s'éteindre en lui les ardeurs de la jeunesse et les feux de l'amour ne sont plus que souvenirs ; c'est donc sous le regard de la mort qu'il parle ici de l'amour, ce qui permet à son propos une liberté inégalée, très caractéristique de la dernière manière de l'auteur. Dans ce chapitre, très « féministe », Montaigne dénonce avec humour et non sans verdeur l'hypocrisie avec laquelle la société, la religion chrétienne, et la philosophie affectent de censurer l'amour et les voluptés du corps, et surtout chez les femmes, assujetties à la loi des hommes. En émule discret de Lucrèce, il défend les droits de Nature et s'indigne que ce cruel refoulement des désirs soit plus particulièrement exigé des femmes dont pourtant le tempérament peut le moins le supporter. Selon ce mot de Nietzsche, Montaigne, quoiqu'il soit sans complaisance envers les faiblesses du sexe, nous fait ici « sentir jusqu'au tréfonds de l'être *à quel point* la femme est un bienfait. »

b. Page 816 – Jouer aux noix symbolisait à Rome l'insouciance juvénile. Lors des mariages, l'époux jetait des noix derrière lui pour dire qu'il renonçait aux frasques de sa jeunesse. Avec la citation, Montaigne, qui regrette de n'avoir gardé cette naïve insouciance, s'applique à lui-même l'éloge qu'Ennius destinait à Fabius Cunctator. Ailleurs (III, 13), il dit admirer Scipion qui avait su garder l'esprit joueur jusque dans l'âge mûr, signe à ses yeux de vigueur et de santé morales chez un sage.

c. Page 822 – Les deux premiers vers français (vers d'*Euripide*, retraduits à partir de *Plutarque*, et ainsi rimés par Amyot) permettent à Montaigne d'introduire le nom de « *Vénus* », à laquelle il peut ainsi feindre d'adresser aussitôt les vers suivants, qu'il emprunte à Lucrèce, mais en les modifiant afin de les plier à sa phrase : il remplace en effet le « *Te quoniam...* » (« Toi, puisque tu... ») de l'original latin par son « *Tu, Dea, tu* » (« Toi, Dive, toi »). C'est donc bien toute la Muse latine que l'auteur *s'approprie* pour donner du lustre à son propre dire. Bel exemple d'énonciation polyphonique, où les grandes voix de « l'école ancienne » se coulent et se confondent presque à l'unisson dans le gosier de l'auteur en vue de célébrer Amour et Nature d'une seule voix, qu'on pourrait croire préchrétienne. Épris de tranquillité au milieu des guerres de religion qu'il hait, le gentilhomme d'épée défend – et comment ! – la religion « de sa nourrice et de son roi », mais c'est en épicurien que le philosophe pense le vivant, et plus précisément en émule de Lucrèce. Tout cet essai sur l'amour est traversé de réminiscences du *De rerum natura*, et plus particulièrement du chant IV.

d. Page 849 – C'est de la façon la plus naturelle que dans ce lieu tout entier consacré à Vénus se présentent ensemble à l'esprit du latiniste d'une part le couple de Mars et Vénus enlacés que sculpte Lucrèce à l'ouverture de son épopée de la nature, et de l'autre le marbre de Vénus et Vulcain que Virgile, à l'imitation de Lucrèce, a ciselé dans son *Énéide*. Ces deux groupes marmoréens, qui se répondent spontanément dans la mémoire lettrée, sont les deux piliers « vénusiens » sur lesquels repose tout le poétique vagabondage de cet essai dédié aux visages divers de l'amour.

e. Page 868 – Pour montrer qu'il s'est définitivement détaché de « Pyrrha », son amante volage, Horace, qui file en son poème une allégorie marine, s'identifie au naufragé survivant qui, « tout ruisselant encore » rend grâce au dieu de la mer de l'avoir sauvé des orages de la passion ; M. reprend à son compte cette métaphore en l'étendant à l'amour en général, dont, l'âge venant, il a cessé de connaître les tumultes, d'où ma traduction, ici, de *maris* par « tempêtes », et ma glose « pour apaiser le dieu » du datif du bénéficiaire. Valéry Larbaud disait que les notes sont les repentirs du traducteur : la mienne indique au contraire que je n'ai là aucun remords, et qu'on pouvait donc se passer d'elle... Le texte originel est ici si subtilement détourné qu'il était difficile de récupérer le double sens qu'ont ces vers chez Horace et chez Montaigne. Bel exemple « d'appropriation » d'un « emprunt » : c'est ici Montaigne qui parle à travers les mots d'Horace. On mesure à cela le degré de connivence culturelle qu'il faut présupposer entre l'auteur de ce livre quasi bilingue et les lecteurs qu'il visait.

f. Page 875 – M. détourne la forme habituelle de ce dicton, qui est « le fourgon se moque de la *pelle* ». « *Paele* », qui est le mot du texte, vient du latin *patella*, en langue d'oc « *padella* » ; quant au mot « pelle », il est attesté dès le XIe siècle sous la forme « *pele* » : aucune confusion n'est possible. Le fourgon – mot est toujours en usage – est une grosse tige de fer servant à tisonner. À force d'aller ensemble au feu, le bout du « fourgon » et le cul de la « poêle » sont aussi noirs l'un que l'autre... Ainsi modifié, le proverbe se charge de connotations sexuelles qui ne manquent ni de sel ni de vigueur au terme de cet essai sur l'amour que le sentiment de la mort rend si franc de propos.

g. Page 876 – Ce chapitre des *Essais* est un des plus connus, surtout, semble-t-il, pour sa dénonciation du colonialisme. Il est aussi l'un de ceux dont l'unité se laisse le moins aisément percevoir à travers la liaison sinueuse et continue du mouvement. La « composition » procède par glissements successifs qui vont de thème en propos. Non moins que l'allure digressive et ludique de cet essai, son titre même a défrayé la critique : les « coches », sont-ce les coches terrestres, ou les coches d'eau, ou bien encore les pourceaux femelles, les « coches », ou truies, voire des « truies de siège » ? Du fait de la primauté du mouvement sur la composition, nous avons cru devoir renoncer à aider le lecteur par des alinéas arbitraires comme nous le faisons ailleurs. Le texte se suit donc ici, comme dans l'édition posthume, à l'exception d'un court passage central, dont la vocation est manifestement transitionnelle. L'auteur raboute librement trois méditations, que lui ont successivement inspirées trois sources différentes : la première, tirée du *De Disciplina* de Crinitus, évoque entre autres la somptuosité de certains chars impériaux à Rome, la deuxième, puisée dans le *De Amphitheatro* de Juste Lipse, rappelle l'étonnant apparat des jeux du cirque, la troisième, inspirée par *L'Histoire générale des Indes* de Lopez de Gomara, célèbre la splendeur « épouvantable » des villes de Cusco et Mexico. Comme sans y songer, Montaigne tisse un propos complexe : nos techniques resteront toujours loin de la fécondité d'invention dont témoigne l'inépuisable nature ; notre science n'en comprendra jamais la totalité des causes et des ressorts : sait-on pourquoi nous bénissons qui éternue ? L'Antiquité, tout comme le Nouveau Monde, quand nous les comparons à notre temps, nous le prouve assez. Les Anciens, non plus que les Indiens, ne nous cèdent en rien en magnificence ni en ingéniosité, leur libéralité et leur munificence fussent-elles critiquables par leurs excès et leur superfluité, car, si la nature ne cesse de fournir, l'orgueil, le génie, et l'avidité des hommes s'avèrent sans limites ; aussi les Anciens, non moins que les Indiens, tous deux plus proches que nous de l'état de nature, nous surpassent-ils cent fois en vertu, témoin les cruautés sans nom de la conquête espagnole. Ainsi va ce monde, qui « coule » et se renouvelle et ne cesse d'aller comme coches au fil de l'eau. Il nous faut cependant, sans crainte du mal de mer affronter avec calme et mesure ce branle perpétuel qui est celui-là même de la nature et de la vie, aujourd'hui non moins qu'hier, et dans notre vieux monde de deçà comme dans le nouveau de delà.

h. Page 898 – Comme le veut l'étymologie latine, « *conférer* », c'est certes « converser », mais c'est d'abord, et proprement, se *comparer*, se confronter, se mesurer aux autres. Entrer en « *conférence* », c'est donc se jeter dans une joute verbale où chacun devra faire assaut d'esprit, rivaliser à l'envi de bons mots, d'à-propos et de sens de la répartie, afin de se juger tout en jaugeant les autres. Ces idées de comparaison de soi aux autres, et d'émulation dans l'échange, disparaîtront dans les termes de « converser » et de « conversation » dont le siècle suivant fixera les règles et la bienséance. À travers les méandres de cet essai, il n'est question que de la façon dont nous devons juger des hommes, et les peser, d'après leurs propos ou leurs livres, de façon, s'il se peut, à amender notre conduite. Aussi avons-nous résolu de conserver pieusement ce mot fétiche du vocabulaire de Montaigne. À son époque, tant dans la République des Lettres que dans les cours, la « conférence », ou conversation brillante entre beaux esprits, devient l'exercice le plus caractéristique des mœurs de la Renaissance. De surcroît, il arrive plus d'une fois à notre auteur de jouer sur les sonorités mêmes de ce mot-clé (cf. ci-dessous : « Nous fuyons la correction : il s'y faudrait présenter et offrir notamment quand elle nous vient sous forme de conférence, non de régence. »).

i. Page 943 – Cette citation est tirée du *De Amicitia* de Cicéron (XII, 63). Les manuscrits qui nous ont transmis cette œuvre de l'orateur romain portent presque tous la leçon *currum* (« char »), mais Montaigne a peut-être lu une édition qui donnait *cursum*, leçon attestée par huit de nos témoins, dont le plus ancien (P = *Parisinus Didotianus*, *postea Berolinensis,* IX-Xe siècle). L'édition posthume des *Essais*, en revanche, donne *cursum* (« le cours » : « il est de la prudence de soutenir aussi bien le cours que les assauts de la sympathie »), qui peut faire sens. Il est difficile de dire s'il y a là une erreur parallèle commise dans la tradition du texte des *Essais* (qu'elle l'ait été par les copistes, le typographe, l'éditrice, M. de Gournay, ou par Montaigne lui-même) : « *currum* » convient incontestablement mieux au contexte chez Cicéron, et donne probablement aussi le meilleur sens, et probablement le texte, que Montaigne avait réellement lu. Je rétablis donc, et traduis, le texte avoué par la totalité des éditeurs modernes du *De Amicitia*.

j. Page 976 – *Sur le rapport fait au sénat par Orazio Massimi, Marzio Ceccio, et Alessandro Mutti, Conservateurs de la ville de Rome touchant le droit de cité romaine à accorder au Très-Illustre Michel de Montaigne, chevalier de Saint-Michel et Gentilhomme de la chambre du Roi Très-Chrétien, le Sénat et le Peuple Romain ont décrété :*

attendu que, par une coutume antique et en vertu de la tradition, ont toujours été reçus parmi nous avec empressement et amitié ceux qui, supérieurs en vertu ou en noblesse, avaient servi notre Cité ou pouvaient le faire un jour, Nous, incités par l'exemple et l'autorité de nos ancêtres, pensons qu'il faut imiter et conserver cette louable coutume. Michel et Gentilhomme de la chambre du Roi Très-Chrétien est très attaché au nom Romain et tout à fait digne, vu la réputation et la gloire de sa famille, ainsi que les mérites de ses vertus personnelles, de recevoir, par le jugement souverain du Sénat et du Peuple Romain, la citoyenneté romaine : il a plu au Sénat et au Peuple Romain que le Très-Illustre Michel de Montaigne, orné de tous les mérites personnels et très cher à notre peuple renommé, fût lui-même, avec ses descendants, inscrit dans la Cité romaine et doté de tous les avantages et honneurs dont bénéficient ceux qui, citoyens et patriciens, sont nés romains ou le sont devenus par droit souverain. En quoi le Sénat et le Peuple Romain ont considéré non tant offrir le droit de Cité que payer une dette, non tant accorder un bienfait qu'en recevoir un d'un homme qui, en acceptant ce droit de cité, apporte à la Cité elle-même un ornement et un honneur singuliers. Les mêmes Sénateurs ont fait dresser l'original de ce sénatus-consulte par les secrétaires du Sénat pour le conserver dans les archives du Capitole, et ont fait apposer sur ledit privilège le sceau ordinaire de la ville l'an 2331 de la fondation de Rome et le 12 mars 1581 de l'ère chrétienne.

Orazio Fosco, secrétaire du sacré Sénat et du Peuple Romain,

Vicenzo Marroli secrétaire du sacré Sénat et du Peuple Romain.

Les *Essais*, s'ils eussent été écrits vingt ans plus tôt, l'eussent probablement été en latin, langue « plus fermement établie » que la langue vernaculaire. Chacun sent à les lire combien leur langue doit au latin. Et les citations latines s'inscrivent plus d'une fois dans le cours même de la phrase. On peut donc dire que ce livre est quasiment « bilingue ». Montaigne a tenu, pour clore en beauté son chapitre sur la vanité, à donner telle quelle, un peu comme un fac-similé typographique, sa « bulle de bourgeoisie romaine ». Pour toutes ces raisons, le texte latin de ladite bulle figure seul dans notre texte, et, pour cette fois, la traduction se trouve, comme on le voit, renvoyée aux notes de fin.

k. Page 1009 – Cet essai roule tout entier sur les relations problématiques qu'il y a de l'apparence à l'être. La plupart des lieux où nous pouvons faire paraître ou farder ce que nous prisons, ce que nous croyons valoir, ce que nous pensons comme ce que nous déguisons : nos paroles, nos mœurs, nos gestes, nos actes, notre *physionomie*, nos écrits, mais aussi l'habit, la morgue, l'ostentation, la culture ou la philosophie qu'on étale à l'envi dans ses discours ou ses livres, sous forme de citations, seront successivement convoqués ici. L'emblème du chapitre est la figure de Socrate, avec sa si « vile forme » à l'extérieur, et cette si belle âme à l'intérieur, mais non moins emblématiques ici sont les paysans penchés à terre après leur besogne qui savent mourir si simplement, eux que la philosophie n'a pourtant jamais préparés à ce moment, ou même encore la bonne mine de l'auteur qui lui valut la vie sauve en deux occasions où il s'est trouvé la cible de ruses au milieu des troubles des guerres de religion. Monstrueuses guerres civiles, où l'injuste apparaît comme le juste, où les valeurs sont renversées, car alors les apparences ne peuvent plus que tromper universellement. Ainsi donc il apparaît qu'aucun des artifices dont nous nous prévalons ne saurait nous guider aussi sûrement que nature. C'est ici un peu comme le testament philosophique de Montaigne.

l. Page 1037 – Notre vie est toute corporelle, c'est une affaire entendue, mais notre corps est moins un corps solide qu'une perpétuelle muance, une continuelle mutation. Vivre est un écoulement, un flux. En chaque être vivant, il est pourtant certain principe d'invariance, qui l'assure de la permanence de son identité à travers ses variations incessantes : c'est ce que Montaigne appelle la « *forme* », la « *complexion* », ou encore la « *condition* », qui « se maintient » à travers nos vicissitudes. Ces trois mots visent un mixte, un « dosage », autrement dit un « *tempérament* » humoral, un composé de nature et de coutume, laquelle est une seconde nature. Le vivre, comme toute chose, court à son déclin selon sa ligne de plus grande pente. Rien ne sert de vouloir en diriger, rompre, ou retenir le cours à force de raisons, de dogmes ou de maximes. Vaines digues, vains efforts de la raison ! Rien ne peut s'opposer à notre décours, qui est notre déclin : c'est en vain que les « trognes magistrales » nous prêchent l'idéal ou la raison. Mais, une fois que l'on a bien observé, et surtout bien *expérimenté* chacun nos façons d'aller selon les circonstances, au gré des joies et des peines, selon les heurs et malheurs qui nous surviennent, il n'est que de diriger la bille ou le palet qui glisse sur sa pente du bout du doigt ou du bâton, comme lorsque Scipion sur la plage joue avec Lélius à « cornichon-va-devant ». Un homme doit s'observer, et faire l'*essai* de lui-même, pour savoir se conduire après avoir observé son pas naturel, comme on le fait d'un cheval qu'on dresse à la monte et dont il faut régler les allures : un trotteur ne sera jamais cheval de trait ni cheval de chasse. De là l'impuissance de la raison dogmatique à expliquer par des causes ce que c'est que de vivre, et son incapacité plus grande encore à régenter par des préceptes. L'homme n'est ni *animal* ni *raisonnable*. Foin d'Aristote ! Ce n'est pas la *raison* qui caractérise notre commune humanité, mais la *conscience*. Peut-on pour autant « se connaître soi-même » ? La conscience peut-elle se voir ? On ne peut qu'en douter quand on s'aperçoit qu'aussitôt qu'elle se prend elle-même pour son objet, elle se scinde en conscience réfléchissante et conscience réfléchie : le miroir ne peut se refléter lui-même. C'est une régression à l'infini, comme il s'en trouve aussi dans les mots : « je sais mieux que c'est qu'*homme* que je ne sais que c'est qu'*animal* ou *mortel* ou *raisonnable* : pour satisfaire à un doute, ils m'en donnent trois » ; ou bien encore : « Je demande ce que c'est que *nature*, *volupté*, *cercle*, ou *substitution*. La question est faite de mots, et elle se paie de même : une « pierre », c'est un *corps* ; mais qui presserait : et un « corps », qu'est-ce ? – Une *substance* ! – Et une « substance », quoi donc ? » et ainsi de suite, acculerait à la fin le répondant au bout de son Calepin. On dirait de ce vif-argent, « libre et généreux métal », qui se divise à l'infini sous les doigts des enfants qui le veulent rassembler. Alors comment sortir du piège de cette régression à l'infini, pour qui veut se connaître soi-même ? De l'unité consubstantielle de l'âme et du corps, et de l'identité de soi à soi à travers le temps, une chose pourtant peut toujours témoigner expérimentalement, qui est notre *voix*, quand nous nous la prêtons de l'un à l'autre : « la parole est moitié à celui qui parle, moitié à celui qui l'écoute ». Car la voix résonne depuis le plus intime du creux du corps, et partant elle en révèle la profondeur : elle est l'*expérience*, l'*épreuve expérimentale*, l'*essai*, de ce que chacun est au plus profond de soi. Il s'agit donc d'écrire d'une voix aussi *individualisée* que possible, et de la prêter au lecteur à la faveur de l'écriture, pour qu'autrui puisse, à la lecture, venir à son tour occuper dans la parole la posture que l'auteur d'abord y adopta, et d'en reprendre et rejouer le rôle, ce qui, proprement, est le « contre-rôler ». Quand il aura sur lui-même, et dans sa propre voix, fait l'*essai* de cette voix d'un autre, et qu'il l'aura faite proprement sienne, alors, s'il est « de bonne foi », il aura du même coup fait l'essai de lui-même à travers la voix de l'autre, et de l'autre à travers son corps propre à lui. Non, nous « entregloser » ne mène nulle part. C'est à l'échange des postures énonciatives de prouver, par le style, qui est celui qui parle et qui celui qui l'écoute. Par le style, et par la *justesse* éprouvée, quand le lecteur s'essayant retrouve enfin la bonne posture langagière, le ton approprié pour reprendre tout ce flux parolier, et le réassumer en le réinstanciant *avec bonheur*. Il s'agit pour lui « au bout de *conte* » de faire l'*essai* de cette liqueur, comme le fait « l'échanson », en nous mettant en bouche cette liquide parole pour prouver par l'*expérience* qu'elle ne contient point de poison. C'est ce partage de la voix qui fait des *Essais* l'expérience énonciative de ce que c'est que « faire bien l'homme, et dûment ». Quel abîme de réflexion se découvre sous cette invite ultime au partage de la voix que constitue *De l'Expérience* ! Ce chapitre, le dernier des *Essais*, est en somme *l'essai* des *Essais*, leur *expérience*, leur *épreuve* ultime, à travers la singularisation poussée au plus haut degré de l'écriture elle-même. En ayant l'air de faire rien d'autre que d'énumérer par le menu la liste de ses humeurs et de ses maux, travaillant *corps à corps* le « bas corporel », Montaigne fait du *corpus*, du corps même de son livre, la pierre de touche expérimentale, le *tekmérion* de sa démarche, et ce faisant il nous livre un discours qui se réfléchit lui-même en abîme, et sans fin renaît de lui-même, à la manière d'un graphe « fractal » : « Écoutons seulement : nous nous disons tout ce dont nous avons principalement besoin. » L'auteur, ou plutôt « *je* », a bien en effet « un dictionnaire tout à part soi ». C'est qu'il s'agit ici non pas de nous laisser prendre comme des mouches aux *dits* que nous conte si curieusement l'auteur amusé et ironique, mais bien plutôt de nous fier à son *dire*, si particulier, à la fois tellement *autre* et tellement *moi* dans sa singularité énonciative même. Il ne faut se donner qu'à soi, mais ici nous sommes invités à nous prêter à l'autre. Et de quelle façon ! Le treizième et dernier chapitre par lequel se clôt « l'allongeail » n'est ni le sommet ni le sommaire des *Essais* : l'écriture de Montaigne toujours « procède », et n'arrête en nul lieu. C'est seulement la pierre de touche sur laquelle nous sommes invités à essayer les *Essais* et à y éprouver notre jugement et notre âme. Des pages comme celles-ci ont fondé la grande prose française. Tous en seront marqués, de Pascal à Malebranche, de Francis Bacon à Voltaire, et bien au-delà.

TABLE DES MATIÈRES

Livre II

Livre III

NOTES

Composition et mise en page :
F. Paillart à Abbeville

L'Éditeur de cet ouvrage s'engage
pour la préservation de l'environnement
et utilise du papier issu de forêts gérées de manière responsable.

Cet ouvrage a été achevé d'imprimer en janvier 2021
dans les ateliers de Normandie Roto Impression s.a.s.
61250 Lonrai (Orne)
N° d'impression : 2100308

Imprimé en France